DIE DEUTSCHE LITERATUR
VIERTER BAND
ERSTER TEILBAND

DIE DEUTSCHE LITERATUR

TEXTE UND ZEUGNISSE

IM VEREIN MIT

HELMUT DE BOOR †, HEDWIG HEGER,

ALBRECHT SCHÖNE, HANS-EGON HASS †, BENNO VON WIESE

HERAUSGEGEBEN VON WALTHER KILLY

C. H. BECK'SCHE VERLAGSBUCHHANDLUNG

MÜNCHEN 1983

18. JAHRHUNDERT

TEXTE UND ZEUGNISSE

IN VERBINDUNG MIT
CHRISTOPH PERELS
HERAUSGEGEBEN VON
WALTHER KILLY

ERSTER
TEILBAND

C. H. BECK'SCHE VERLAGSBUCHHANDLUNG
MÜNCHEN 1983

CIP-Kurztitelaufnahme der Deutschen Bibliothek

Die deutsche Literatur: Texte u. Zeugnisse / im Verein
mit Helmut de Boor . . . hrsg. von Walther Killy. –
München: Beck
NE: Killy, Walther [Hrsg.]
Bd. 4. 18. Jahrhundert: Texte u. Zeugnisse / in Verbindung
mit Christoph Perels hrsg. von Walther Killy.
Teilbd. 1 (1983).
ISBN 3 406 01952 8

ISBN 3 406 01952 8

Umschlagentwurf von Christl Kreutner, Landshut
nach dem Titelblatt der ersten Ausgabe von Geßners Idyllen (1756)
© C. H. Beck'sche Verlagsbuchhandlung (Oscar Beck), München 1983
Satz und Druck der C. H. Beck'schen Buchdruckerei, Nördlingen
Printed in Germany

VORBEMERKUNG DES HERAUSGEBERS

Im September 1784, am Ende der Epoche, die hier in Texten und Zeugnissen sich darstellt, schrieb Kant zu Königsberg in Preußen die berühmt gewordene *Beantwortung der Frage: Was ist Aufklärung?* Sie lief auf einen Schluß heraus, in dem es hieß: *So zeigt sich hier ein befremdlicher, nicht erwarteter Gang menschlicher Dinge; so wie auch sonst, wenn man ihn im Großen betrachtet, darin fast alles paradox ist.* (S. 8)* Man hat die Paradoxien des Zeitalters, das mit dem Namen „Jahrhundert der Aufklärung" allzu einfarbig klassifiziert wurde, vor allem in der Literaturwissenschaft lange übersehen. Widersprüchlich, wenn nicht staunenswert war schon sein Verlauf. An seinem Anfang waren in vielen Landschaften Deutschlands die Wunden des Dreißigjährigen Krieges noch nicht vernarbt und die Schrecken unvergessen. Noch schrieb man ein barockes Deutsch und hing poetischen Lehren an, welche seit Opitz und seiner Nachfolger Zeiten in Geltung waren; noch konnte die Bildung der Deutschen sich so wenig wie ihre Poesie mit derjenigen der Engländer, Franzosen und Italiener messen. Am Ende des Saeculum gab es eine deutsche Literatur von unvergleichlichem Rang, in einer Sprache vorgetragen, die in wenigen Jahrzehnten ein nie gekanntes Maß an Genauigkeit, Vielfalt und Kunstsinn erlangt hatte. Im Verlauf von zwei oder drei Generationen war in einem agrarischen Land eine vor allem bürgerliche Gesellschaft entstanden, deren innere Freiheit nur übertroffen wurde von ihren sittlichen Grundsätzen und dem Ernst, mit dem sie sich der Geistestätigkeit hingab.

Vermutlich waren es gerade die Widersprüche des Zeitalters, die solche erstaunliche Entwicklung beförderten. Das 18. Jahrhundert in Deutschland ist nie ein Jahrhundert gewesen, das der Aufklärung allein gehörte. So früh sie sich anzeige – das 1. Kapitel macht dies deutlich – so früh zeigte sich auch, daß sie mit Gegenkräften und widerstreitenden Bedürfnissen zu rechnen habe. Früh schon schlug Christian Thomasius den kritischen Grundton an: *Miste für allen Dingen deinen Verstand aus / das ist / lege die Verhinderungen weg und bestreite die praejudicia ... fange an und Zweiffele.* (S. 9) Aber zu gleicher Zeit hören wir das seitdem nicht mehr verstummende Argument gegen jegliche kritische Haltung, daß nämlich *nichts darinnen gebauet / sondern nur umbgerissen wird.* (S. 12) Und es war nicht nur eine Überzeugung der Orthodoxie, daß die Religion (die in den Gegensatz zur Vernunft treten sollte) *ohne wahre Geheimnisse, welche in diesem Leben nicht zu ergründen sind, nicht bestehen könne.* (S. 20) Der frühe Satz Löschers findet sein viel

---

* Dies Zitat, wie sämtliche in der Einleitung folgenden, ist dem vorliegenden Band entnommen.

späteres Echo in dem Schreiben Lavaters an den Hofmedicus Marcard, *daß es Fakta giebt, vor denen die Weltweisheit den Finger auf den Mund legen muß.* (S. 141)

Es gehört zu den elementaren Paradoxien des Jahrhunderts, daß Vernunft und Gefühl es gleichermaßen bestimmten, ja in einer bis dahin unerhörten Weise einander zu bedingen begannen. Das Zeitalter Wolffs, Kants und Lessings war auch das Zeitalter Tersteegens, Zinzendorfs und Klopstocks, und auch Bahrdt und Mesmer waren Zeitgenossen. Und wenn jener Dr. Marcard an Lavater zurückschrieb *Eine unbändige Leichtgläubigkeit gehört zu den ärgsten und schädlichsten Frivolitäten unsrer Zeit* (S. 144), so hatte er gewiß nicht unrecht – es war auch die Zeit Svedenborgs, Cagliostros und Casanovas. Der Kampf der „Aufklärer" gegen den Aberglauben war nicht nur die pädagogische Form einer neuen, kritisch-wissenschaftlichen Gesinnung; es war die Begegnung zweier Denkungsweisen, der einen, welche meinte, sich ihres *Verstandes ohne Leitung eines anderen zu bedienen* (S. 3) und einer anderen, der nicht nur Überlieferung, sondern auch Ahnung und Gefühl wichtig blieben.

Die Geschichte des Jahrhunderts als des Jahrhunderts, in welchem der Mensch den *Ausgang ... aus seiner selbst verschuldeten Unmündigkeit* suchte, ist oft genug geschrieben worden. Die Geschichte, wie er bei solcher Suche sich selbst fand als Individuum, und zwar ein vor allem anderen fühlendes, bleibt noch zu schreiben. Sie ist auf zwei Feldern am ehesten zu begreifen, auf dem der Religion und dem der Poesie, und jedesmal ist es eine folgenreiche Geschichte. Die Festigkeit kirchlicher Ordnungen, die Regelmäßigkeit des Kirchenjahres und seiner Riten, die Wachsamkeit der Orthodoxie, wenn es um die Reinerhaltung der Lehre ging, sind heute kaum mehr vorstellbar, so wenig, wie man sich erinnert, wieviel der Lutherische Gottesdienst noch enthielt an katholisch-mittelalterlichem Herkommen. Und ebensowenig weiß man von den Zwängen – nicht nur gesellschaftlichen –, die von diesen kirchlichen Ordnungen in den kleinen, übersehbaren Kommunitäten ausgeübt wurden. Noch zu Bachs Zeiten blieben in Leipzig während des Gottesdienstes – er dauerte drei bis vier Stunden – die Stadttore geschlossen und der Verkehr ruhte. Mancherorts war das Fernbleiben vom Gottesdienst unter Strafe gestellt. Da nimmt es nachträglich nicht wunder, daß ein niemals ganz versiegendes Bedürfnis nach religiöser Erfahrung sich manifestierte in kleinen und privaten Zirkeln, losgelöst von allem Schulwesen, in Erfahrungsgruppen gleichsam, wo fühlbar werden sollte, was in den Lehrgebäuden der Amtskirche vermauert worden war: *Wolan! nehmet an das so selige Heute. Verachtet den Rath der Zeugen, so die Liebe aussendet, nicht ... So wird das verdriesliche Richten, Urtheilen, Verwerfen der Gnaden=Gaben GOttes ferne weg müssen und aufhören, und die Kluge werden sprechen: Es ist hier kein Aufhaltens mehr.* (S. 592) Das so selige Heute, so sehr es dem Heiland zugedacht sein mochte, richtete notwendig die Aufmerksamkeit auf denjenigen, der es

empfinden und erfahren sollte: *Die Göttliche Rührung des Hertzens*
(Francke) wollte bestätigt sein. *Eine Historie der eigenen Erfarung und Erbauung wurde die Regel für andere* ... *Ueber den Seelenzustand fürten manche Prediger ein grosses Stadtregister.* (S. 647)

Aber es waren nicht nur Prediger und Konventikler, welche ein solches
Register anstrebten, auch die Poeten taten es, und als Poet fühlten sich viele.
So wie die Pietisten mit ihren Seelenverwandten sich aus den Fesseln einer
festgeschriebenen Gesetzlichkeit loszulösen trachteten, so suchten die Dichter überlieferten Regeln und Redeweisen zu entkommen. Wenn man den
Band aufschlägt, der dem vorliegenden in der Reihe der „Texte und Zeugnisse" voraufgeht, so wird man einen wohlgeordneten Barockgarten zumeist
dichterischer Äußerung finden, unterschieden und unterscheidbar nach Gattung und Form, erkennbar in ihren Anlässen und Absichten, vom Gelegen-
heitsgedicht bis zum Trauerspiel. Die Reflexion spielte eine vergleichsweise
geringe Rolle und blieb Sache der Fachleute oder Gelehrten, die Fragen des
Lebens aber wurden vom Prediger auf der Kanzel abgehandelt. Dichtung war
keine Hauptsache, ein Dichter, so schrieb noch Haller zur Einleitung der
Poesien seines Freundes Dr. med. Werlhof, sei für *seine eigene Zeiten, und
für seine Mitbürger* ... *ein entbehrliches und unwirksames Mitglied der Gesellschaft.* (S. 906) Er lobt ihn, weil er nur *dichtet* ... *in den kleinen Zwischenräumen, in welchen der Arzt nicht wirken kann.* (S. 906) Das sollte sich
ändern, bis zu dem Punkt, da man scherzhaft den *Vorschlag zur Errichtung
eines Hospitals für nothleidende Scribenten* (S. 930) für angezeigt hielt. Diese
Änderung, welche aus der Schriftstellerei in „Nebenstunden" wenn nicht
einen Beruf, so doch eine Tätigkeit von Gewicht und bedeutendem Rang
machte, ging in der Mitte des Jahrhunderts vor sich und hatte vielfältige
Ursachen. Will man sie beschreiben, so hat man sich vor dem perspektivi-
schen Irrtum zu hüten, welcher geschichtliche Vorgänge in der Folge eines
zeitlichen Nacheinanders denkt, während in Wahrheit die Ausdrucksweisen
und Formen von gestern noch kräftig fortbestehen, indem das Neue sich oft
unvermerkt, aber energisch entfaltet. Der junge Goethe konnte noch 1763 im
Kreise leichtsinniger Jugendfreunde das Geld für lustige Abende aufbringen,
indem er Gelegenheitsgedichte auf Bestellung und gegen Honorar anfertigte,
wie das seit weit mehr als hundert Jahren üblich war. Sie verfuhren, so dürfen
wir sicher sein, bei traditionellen Anlässen nach tratitionellen Mustern.
Aber der gleiche Knabe Goethe hatte seinen Vater während der morgendli-
chen Rasur längst durch die volltönenden Verse aus Klopstocks *Messias* er-
schreckt, deren theoretische Grundlegung schon zu Papier gebracht war: *Ist
es das Herz, so der Poet angreift, wie schnell entflammt uns dieß! Die ganze
Seele wird weiter, alle Bilder der Einbildungskraft erwachen, alle Gedanken
denken größer* ... *so feuert uns doch überhaupt das bewegte Herz an, schnell,
groß und wahr zu denken. Welche neue Harmonie der Seele entdecken wir
dann in uns!* (S. 336) „Welche neue Harmonie der Seele entdecken wir dann

in uns" – mit einem solchen Satz war eine neue Epoche eingeleitet, die vielleicht bis heute nicht ganz beendet ist. Nicht die *Göttliche Rührung des Hertzens* (S. 571), welche der Pietist, sich selbst beobachtend, zu wecken und wahrzunehmen trachtete, war hier der Zweck der Betrachtung und des poetischen Aufschwungs. Vielmehr wollte eine ungeahnte Erregbarkeit des Gefühls sich selbst, den fühlenden, *entdecken* und bediente sich dazu zweier Medien, die Klopstock in der gleichen berühmten Vorrede *Von der heiligen Poesie* deutlich bezeichnete: *Der Verfasser des heiligen Gedichts ahmt der Religion nach; wie er, in einem nicht viel verschiedenen Verstande, der Natur nachahmen soll.* (S. 336) Das war eine in vielem Betracht folgenreiche Gleichsetzung von merkwürdiger Dialektik – die Imitatio des religiösen Gefühls hat nicht dieses, sondern ein gesteigertes Selbstgefühl zur Folge; die Imitatio der Natur schien diese immer differenzierter begreifen zu wollen. Allein sie sollte in ihr nicht, wie es die ursprüngliche Absicht war, die Manifestation oder gar Offenbarung göttlicher Weisheit finden, sondern in immer steigendem Maße in der Beobachtung des Gegenstandes die Empfindung beobachten, zu deren Anlaß er wurde.

Zwischen der *Fertigkeit zu lesen in dem Buche der Natur* (S. 372), die Brockes sein Leben lang geübt hat, und den Zeugnissen des Naturgefühls (welch deutsches Wort!), die in diesem Bande das „Natur" überschriebene Kapitel beschließen, besteht ein geschichtlicher Zusammenhang. Das immer genauere Hinsehen trachtete in zunächst ungelenker „Nachahmung" das immer feiner geschaute Detail wahrzunehmen:

> Je öffter man sich übt, die Creatur zu sehn,
> Je fertiger wird man im lesen,
> Je deutlicher wird man der Gottheit Wesen,
>   des Welt=Buchs Inhalt, Kern und Zweck verstehen. (S. 372)

Ohne diese Übung wären die Fähigkeiten der Wahrnehmung und deren sprachliche Realisation nicht gewonnen worden, die am Ende des Jahrhunderts die außerordentliche Höhe erreichten, für welche die unterschiedlichen Beschreibungen des Rheinfalls zu Schaffhausen als Beispiel dienen können. Zwar erregt das erhabene Naturschauspiel auch beim Grafen Stolberg religiöse Empfindungen, die man sich nicht allzu ferne von der theoretischen Diskussion des „Erhabenen" denken sollte. Aber nicht minder bemerkenswert ist Heinses Andacht angesichts dieser Massen, die *das Gefühl statt des Auges ergreifen, und die Bewegung so trümmernd heftig, daß dieser Sinn ihr nicht nach kann, und die Empfindung immer neu bleibt, und ewig schauervoll und entzückend.* (S. 427) Erst Goethe sollte die Natur sich selbst zurückgeben und von der Rolle befreien, als Anlaß von Gefühl und Empfindung zu dienen; man bemerkt das, wenn man seine Beschreibung des gleichen Phänomens mit Aufmerksamkeit liest. Wie auch immer man diese Vorgänge bewerten mag – sie sind höchst bedeutender Art; die Erweiterung des Horizonts von Gefühl und Realität gehört zu den fortwirkenden Leistungen des Jahrhunderts.

Man muß nämlich daran erinnern, daß die Bestrebung, die genau betrachtete Natur im Zusammenhang ihrer Einzelheiten zum Gegenstand der Darstellung zu machen, zwar in der Malerei eine stattliche Geschichte hatte, in der Dichtkunst aber ganz neu war. Die Poesie früherer Zeiten hatte nicht das Bedürfnis, sich der Schöpfung en detail zu versichern, so wenig sie ein Interesse hatte, individuelle Gemütslagen zu Wort kommen zu lassen. Man verständigte sich mit topisch gewonnenen Bildkürzeln, wie etwa dem in hundert Seminaren abgegriffenen und doch unverstandenen locus amoenus; die Imagination mochte kräftig genug sein, bei der bloßen Nennung von Dingen der Welt lebhafte Vorstellungen zu gewinnen, wie es uns noch heute geht, wenn wir Paul Gerhardts *Geh aus mein Herz und suche Freud* hören. Der allegorische Sinn freilich, den die Erscheinungen vordem hatten, ist verloren gegangen, und daran hat nicht zuletzt mitgewirkt, daß sie im Laufe des 18. Jahrhunderts zu Zeichen wurden nicht mehr einer zusammenhängenden Schöpfung, sondern des menschlichen Gemütes, und zwar eines sich vorschreitend individuell begreifenden.

Vergegenwärtigt man sich diese Wandlungen, so nimmt es nicht wunder, daß das Problem der Nachahmung, genauer gesagt, der *Nachahmung der Natur* (S. 387) in der theoretischen Erörterung einen so zentralen Platz einnahm, noch lange, nachdem Lessing grundsätzliche Klarheit geschaffen hatte. Zweifellos stand die Erörterung, ob, wie weit und auf welche Weise die Natur nachzuahmen und abzubilden sei, auch mit dem Interesse in Zusammenhang, welches die emporblühenden exakten Wissenschaften erregten. Es unterwarf die Wahrnehmungen ebenso der Kritik, wie es die Literaten mit deren poetischer Wiedergabe taten. Bedürfte es dazu eines Exempels, so wird es schicklich von Hallers *Alpen* gewährt, jenes zu seiner Zeit vielgepriesenen und viel besprochenen Gedichts aus der Feder eines homo religiosus, der zugleich Begründer der Physiologie war. Man darf bei der berühmten Schilderung der blühenden Bergwiesen die Anmerkungen nicht überlesen, in denen der Autor nicht nur die lateinischen Namen seines botanischen Systems anführt, sondern die ungewöhnlichen poetischen Details (Vers 388) mit den sachlichen Beobachtungen des Naturkundigen begründet. Die Entdeckerfreude – der Ausdruck mag erlaubt sein – gab sich zuweilen der Hoffnung hin, die genau genommene Einzelheit könnte mit der Wirklichkeit wetteifern, so wie E. von Kleist eine gemalte Winterlandschaft mit den Worten lobte

Die Winterlandschaft, die Dein Pinsel hier gebiert,
Ist furchtbar wie der Winter selbst; ich seh' sie an, – mich friert.

(S. 401)

Die frühe Realismus-Diskussion, die hier geführt wurde, hat Lessing souverän zu einem vorläufigen Abschluß gebracht, indem er im *Laokoon* die Grenzen von Malerei und Dichtung kritisch bestimmte.

Alle diese Diskussionen wurden immer lebhafter, breiter und in jedem Sinn erschöpfend geführt. Es war, je mehr es voranschritt um so mehr, ein schreibseliges, lesewütiges, mitteilungsfreudiges Jahrhundert, das Kontroversen nicht scheute, sondern liebte. Schon in den fünfziger Jahren konstatierte man: *Seit 25 und mehr Jahren, ist eine große Anzahl von moralischen Wochenblättern in Deutschland ans Licht getreten. Es ist fast keine ansehnliche Residenz, Universität oder Handelsstadt zurück geblieben, die nicht die ihrigen geliefert hätte … Es wäre daher allerdings ein schöner Theil der gelehrten Geschichte; wenn ein geschickter Mann uns eine Historie der sittlichen Wochenschriften zusammentragen wollte.* (S. 956) Es wäre, so dürfen wir heute sagen, nicht nur ein Teil der ,,gelehrten" Geschichte, so wenig diese Periodica, oft kurzlebig, aber immer bemüht, sich nur der *sittlichen* Bildung widmeten. Sie schufen, dem englischen Vorbild folgend, allererst ein Publikum und ein Bewußtsein davon, was Publizität vermag. Indem es pädagogisch wirksam werden wollte, bewirkte ein solches Blatt mehr, weil *es verschiedene Anmerckungen über den Zustand und die Lebens=Art unserer Einwohner enthielt.* (S. 165) Das Augenmerk richtete sich auf menschliche Verhältnisse und Verhaltensweisen; nicht nur die Realität der Natur und die Gefühlswelt des Einzelnen war Gegenstand der Betrachtung geworden, auch die soziale Wirklichkeit wurde zu einem des Interesses würdigen Gegenstand.

Die Lust an diesen intellektuellen Welteroberungen muß außerordentlich gewesen sein. Es war – im Bereich des Bürgertums und mancher Adelskreise – eine demokratische Entwicklung avant la lettre. In der zweiten Hälfte des Jahrhunderts, als die Wochenschriften zurückgingen, zählen wir etwa 4000 Zeitschriften deutscher Sprache, von Kopenhagen bis Hermannstadt, von St. Petersburg bis Paris. Viele von ihnen waren Eintagsfliegen, von beflissenen Hofmeistern, Literaten und Landgeistlichen mit Hilfe eines kleinen Buchdruckers ohne Mittel und Geschäftskenntnis auf die Bahn gebracht. Andere, wie der *Teutsche Merkur,* die *Allgemeine deutsche Bibliothek* brachten es zu einem langen Leben und zu Macht und Einfluß. Aber nie waren diese unbeschränkt, denn die Lust am Meinungsstreit, man kann aber auch sagen, die Lust am Auffinden der wahren Meinung von einer Sache, war weit verbreitet. Wenn Haller von der gelehrten Kritik nicht ohne Pomp im Tone Bayles sagte: *Wir kennen keine andere Feinde als die Feinde der Wahrheit, und diese verdienen alsdenn nichts desto mehr eine Schonung, wann sie sich neben der Wahrheit auch an uns vergriffen haben* (S. 954), so ist eine Tendenz bezeichnet, die nicht nur für die *Göttingischen Gelehrten Anzeigen,* sondern weithin gelten sollte. Mit der Einschränkung freilich, daß der großmütige Verzicht auf persönliche Angriffe keineswegs überall geübt wurde. Das klassische Beispiel der rücksichtslosen Kontroverse bleibt der Streit Lessings mit

Goeze. Es war die *edle Bemühung* solcher Publizistik, nach dem Wort Abbts über Tissot, *die grimmige Vorurtheile zu bestreiten, die dem Staate so viele tausend Bürger entreißen, noch mehrere unbrauchbar machen, und die Würgengel unter einem Volke gleichsam naturalisieren.* (S. 893) Das waren aufgeklärte Gedanken im besten Sinne, und vielen der besten Köpfe waren sie angelegen.

Freilich wäre es falsch anzunehmen, daß das Niveau, welches durch so gewichtige Namen bezeichnet wird, durchgängig geherrscht haben könnte. Das 19. und auch noch unser Jahrhundert haben die seichte „Tändelei", das gefühlvolle oder literarische Gerede mißachtet, das *Die Primaner von der Weichsel bis an Rhein ... mit wonnetrunknem Auge anschmachten.* (Lichtenberg, S. 646) Aber das war nicht gerecht und nicht geschichtlich gedacht, denn allein diese noch nie erhörte Popularisierung eines säkularen geistigen Lebens hat die öffentliche Meinung über alle Schlagbäume hinweg begründet und in der neuen „Mittelschicht" einen nationalen Zusammenhang hergestellt, der die fehlende politische Einheit auf eine würdige Weise mehr denn wettmachte, ohne doch, wie der Leser finden wird, unpolitisch zu sein. Nie wieder hat man in Deutschland mit der gleichen Intensität schreibend und lesend kommuniziert, zur Kenntnis genommen, was es an ernsthaften oder auch modischen Meinungen gab, und das übrigens niemals ohne die *Bekanntschaft mit der Litteratur der geistreichsten Nationen.* (S. 868)

Um dieses Sachverhalts willen habe ich in dieser kurzen Vorrede, die den Leser auf den Gehalt dieses Buches aufmerksam machen möchte, dem „literarischen Leben" und seinen Lebensweisen eine unverhältnismäßige Aufmerksamkeit zugewandt. Sie manifestierten sich nicht nur in allgemeinen oder kritischen Periodica und den Erzeugnissen des Buchhandels, sie schufen sich auch gesellige Formen, vorzüglich in den Lesegesellschaften. Diese allerorts emporschießenden Zusammenschlüsse mögen sich alle nicht sehr von der Gründung in Lüneburg, einer Stadt mit wenigen tausend Einwohnern, unterschieden haben: *Die Gesellschaft besteht gemeiniglich aus 90 bis 100 Personen. Jährlich rechnen wir etwa 3 bis 400 neu angeschaffte Bücher. Man wählt nicht bloß solche, die man für gut hält, sondern auch schlechte, wenn sie nur von einer gewissen Seite merkwürdig sind.* (S. 962) Natürlich ging es in einer großen Reichs- und Messestadt wie Frankfurt am Main nobler zu, wo in einem anspruchsvollen Ambiente am *Communicationspunkt der Stadt* alles Erdenkliche auslag: *politische und Handlungs=Zeitungen, auch Journale ... gelehrte Zeitungen; gelehrte Monats= oder Quartalschriften; die übrigen Deutschen Zeitschriften, nebst Englischen, Französischen und Italiänischen Zeitungen und Journalen,* neunzig an der Zahl. Man traf auf *besondern Tischen die interessantesten neuen Bücher geheftet an.* (S. 964) In Frankfurt hatte ein tüchtiger Buchhändler sein kommerzielles Interesse dem öffentlichen Bedürfnis dienstbar gemacht. Gewiß war sein Publikum weltläufiger als das in der Kleinstadt. Aber in dieser konnte man, den immer verbreiteteren volkspädagogischen Absichten folgend, nicht ohne Stolz feststellen: *Manche Handwerksfrau spricht jetzt mit so einer Bekanntschaft von Bürger und Jacobi, als vormahls ihre Mutter vom Schmolken und Spangenberg.* (S. 962)

Es wäre allerdings ein Irrtum, wollte man aus den populären Tendenzen dieser Einrichtungen auf soziale Verhältnisse schließen, die mit denen des gegenwärtigen oder auch des vergangenen Jahrhunderts vergleichbar wären. Auch darüber, wie es damals wirklich gewesen ist, vermag uns ein Studium der Literatur zu unterrichten. Dabei ist es ratsam, den Literaturbegriff so weit zu fassen wie es das Zeitalter selbst tat und wie ihn der vorliegende Band repräsentieren möchte; wenn irgendwo, so ist es im Verlauf des 18. Jahrhunderts, das schreibend sich der Welt bemächtigte und schreibend die Grundlagen der modernen Welt legte, angezeigt, den ganzen Horizont seiner literarischen Äußerungen zu überblicken. Es wird sich zeigen, wie sehr er auch den unseren vorherbestimmt hat, und sei es nur mit den Worten, die es uns geschenkt hat, die es vordem nicht gab und die wir bis zum Überdruß und kritiklos wiederholen, Worte wie *Kritik, Aufklärung, Fortschritt, Gesellschaft, Revolution,* Worte, welche die Welt verändert haben und noch verändern sollen. Allerdings gilt es auch derjenigen Worte zu gedenken, die wichtig waren und die wir nur zögernd, geniert oder gar nicht mehr gebrauchen, *Glaube* zum Beispiel, *Tugend, Sittlichkeit, Schönheit, Geschmack, Genie.* Sie alle waren literarisch begründet und wirksam und man verfehlte nicht, sie in einen Zusammenhang zu bringen mit den Erscheinungen und Abläufen des täglichen, des Menschenlebens. Nicht nur die Philosophen beschäftigten sich mit jenen Worten, und Philosoph zu sein war ein Ehrenname. Auch in den Romanen finden wir sie wieder, einer Gattung, welche tiefgreifende Wandlungen und ebenfalls eine immer populärere Verbreitung erfuhr, bis hin zu den elenden Leihbibliotheken der Jahrhundertwende, in welche müßige Frauenzimmer und die Handlungsdiener ihre Groschen trugen. Anfangs herrscht noch die überkommene Auffassung vom Roman als einer *geschichte, die mit mancherley unvermutheten zufällen erfüllet, und durch allerhand liebes=händel und ritterlichen thaten untermischt, endlich einen frölichen ausschlag gewinnet.* (S. 149) Freilich kündigte sich die neue Zeit auch in dieser Definition von Jablonsky an, indem solche Geschichte als eine zwar *ertichtete,* aber doch *wahrscheinliche* bezeichnet wurde und damit eine Forderung erhoben war, welche derjenigen nach Nachahmung der Natur durchaus entsprach. Prägnant hat das Baumgarten formuliert, wenn er die Erfindungen der Erzählkunst unterschied in solche, die *in mundo existente possibilia vel impossibilia* seien. *Has Figmenta, illas liceat dicere Figmenta Vera.* (S. 149) Man findet diesen Satz dem Kapitel „Menschenleben" vorangestellt, weil darin die wahren Erfindungen, welche mit der wirklichen Welt übereinstimmen, als Zeugnisse vergangenen Lebens genutzt werden. Oder, wie es Wezel später ausdrückte, nachdem die Erzählung eine immer deutlichere Hinwendung zur Realität genommen: *Die bürgerliche Epopoee nimmt durchaus in ihrem erzählenden Theile die Mine der Geschichte an, beginnt in dem bescheidenen Tone des Geschichtschreibers.* (S. 153) Sie nimmt ihre Materialien aus dem *gewöhnlichen Menschenleben* und dabei muß alles *in der Stimmung des wirklichen Lebens seyn.* (S. 153)

Es fällt den Nachgeborenen nicht immer leicht, sich in diese Stimmung zu versetzen, von der wir durch zweihundert Jahre geschieden sind. Auch wäre es irreführend, sie mit der Auffassung von „Realismus" gleichzusetzen, die uns die Erzählkunst des 19. Jahrhunderts gelehrt hat. Wichtig ist, daß die Tendenz zum Wirklichen ging, und dazu steht die ganze verspielte Rokoko-Welt der Schäfer und Schäferinnen, wie wir bald sehen werden, im Widerspruch, aber in einem auflösbaren; des Romans hat sie sich am wenigsten bemächtigt. Sein Interesse galt etwa den Schicksalen der alleinstehenden Frau, die sich das im Lebensalltag erhalten und ihre Tugend bewahren will. Man stoße sich nicht an diesem altmodisch gewordenen Wort: auch die Gedanken, welche eine Zeit beherrschen, gehören zu ihrer Wirklichkeit; wie sehr, das wird der Leser bemerken, der die erotischen Verhältnisse zur Kenntnis nimmt, die hier geschildert wurden. Es war ein langer Weg von der unproblematischen Libertinage der Schnabelschen *Cavaliersgeschichten* bis zu Wezels Darstellung des Verlusts einer Jungfernschaft, geschweige denn den Leiden einer unehelichen Mutter, wie sie nicht nur Salzmann geschildert hat. Ganz neue Erwägungen traten hier ein, indem die Erzählkunst nicht nur Vorgänge und Geschehnisse schilderte, sondern die Frage aufwarf, wie es zu ihnen kommen konnte oder mußte. Da wird denn – allen Gewissensbissen zum Trotz – die Ulrike, welche der Macht der Natur erliegt, oder die am Pranger stehende Kindsmutter zum *unschuldigen Mädchen.* (S. 257) Anders gesagt – der Mensch stellt sich dar als ein bedingtes Wesen, dessen Geschick abhängt von Umständen und Obrigkeiten. Ein psychologisches Interesse entwickelt sich im gleichen Maße, wie das Interesse am Individuum zunimmt, welches als die zugleich gewisseste wie ungesichertste Größe unter den Erscheinungen sich darstellt. Niemand hat das mit der gleichen Subtilität vermocht wie K. Ph. Moritz, dessen scharfsinnige und im Wortsinn pathologische Analysen der Wechselwirkung zwischen Person und Umwelt eine neue Bewußtseinslage bezeugen. Hier tritt die Psychologie auf den Plan, freilich mit dem schöneren Namen der *Erfahrungsseelenkunde.* Indem sie aber nach der Seele fragte, mußte sie den Erfahrungen, von denen diese bestimmt war, einen höchst realen Wert beimessen, kurz gesagt, sie mußten Gegenstand der Schilderung werden.

Natürlich hat eine solche Schilderung in der Erzählung, welche die *Combination von Bewegungsgründen und Leidenschaften* (S. 154) vorstellen will, eine andere Qualität als das dem Alltag entnommene Dokument, dessen dem Moment verhaftetes Zeugnis nicht dem Ganzen einer abgeschlossenen Handlung angehört. Dennoch sagen die hier versammelten Texte, seien sie Briefe oder Notizen in der Familienbibel, journalistische Mitteilungen oder Erfahrungssätze, viel über die Lebenswirklichkeit von einst. Auch sie war anders als die unsere. Die Lebenserwartung war halb so groß wie heute, und das Sterbenmüssen war im Bewußtsein, selbst wenn es mit Empfindsamkeit besungen wurde. Man wurde nicht hinter sterilen Kliniktüren geboren, so wenig wie man hinter ihnen aus der Welt schied. Bis zur Mitte des Jahrhunderts blieb die Angst vor Seuchen und Hunger ein unabweislicher Weggenosse. Das Gebetbuch suchte ihr zu begegnen, so wie es auch sonst ein treuer Spiegel der Zufälle des Lebens war, tröstlich vielleicht für die große Zahl der Gläubigen, aber kaum mehr hilfreich für die wachsende Anzahl derer, die sich von den kirchlichen Lehren entfernten. Bis heute gibt es keine ergreifender geschilderten Begegnungen mit dem Tod, als die in den hier mitgeteilten Briefen Lessings und Lichtenbergs.

Es mag nicht überraschen, daß die Entwicklung, welche das Theater nahm, derjenigen der Erzählkunst in vieler Hinsicht entsprach. Freilich stand die Muse Thalia unter anderen Vorbedingungen als ihre übrigen Schwestern, weil der illusorische Charakter des Schauspiels im wörtlichen Sinne nicht übersehen werden konnte und ihm überdies, insofern es vor einem Publikum agiert wurde, von Natur ein hoher Grad von Öffentlichkeit eigen war. Das hatte der Bühne ein besonderes Interesse der Behörden und einer zur sittlichen Aufsicht verpflichteten Geistlichkeit von jeher gesichert; kam hinzu, daß die populären Formen, die Jahrmarktspossen und Hanswurstiaden, zu keineswegs zarten Scherzen geneigt waren, von denen die wunderschönen Unanständigkeiten des *Hanswurst von Salzburg mit dem hölzernen Gat* (S. 821) noch eine späte Vorstellung (auch dies Wort in jedem Sinne verstanden) geben mochten. Auch schien es für die Sittlichkeit gefährdender, daß eine moralisch fragwürdige Handlung von lebendigen Personen in Fleisch und Blut vorgespielt werden mußte. Erst im Laufe des Jahrhunderts konnte sich der Stand des Schauspielers von der Mißachtung befreien, die ihm angesichts seiner Nähe zu Gauklern und fahrendem Volk anhaftete. So war Gottsched, was immer die nächste Generation von ihm sagte, durchaus auf der Bahn des Fortschritts, wenn er es unternahm, *eins und das andere zur Vertheidigung öffentlicher Schauspiele vorzutragen.* (S. 711) Freilich war das Theater, das er verteidigte und zu dem er beitrug, nicht vom neuesten, wenn er das Trauerspiel definierte als *ein lehrreiches moralisches Gedicht, darinn eine wichtige Handlung vornehmer Personen, auf der Schaubühne nachgeahmet und vorgestellet wird. Es ist eine allegorische Fabel, die eine Hauptlehre zur Absicht hat.* (S. 712) Noch sollten, wie auf der fürstlichen Bühne des Barock, die *Unglücksfälle, die den Großen dieser Welt begegnen* (S. 712) dem Publikum als *eine Schule der Geduld und Weisheit* (S. 712) vorgeführt werden. Das vertrug sich allerdings schlecht mit der aktuellen Forderung nach Wahrscheinlichkeit und Nachahmung der Natur, die er mit seinen Zürcher Kritikern gemeinsam aufstellte. *Der Poet,* so schrieb Bodmer über das Trauerspiel, *thut nichts anders, als daß er nachahmet, und sein vollkommenstes Werck muß seinen Grund und Urbild in der Natur haben.* (S. 688) Diese Maxime, aus den Verhandlungen über die übrigen Dichtungsgattungen wohlbekannt, war nicht leicht in Einklang zu bringen mit dem antiken und Staatskostüm, überdies noch erschwert durch die strengen Regeln, welche, von den Franzosen beachtet, sich vorgeblich auf die Poetik des Aristoteles gründeten. Zwischen Theorie und barocken Staatsaktionen war nicht viel Platz für Wirklichkeit.

Sie setzte sich durch, wie auch sonst. Auch vom bürgerlichen Trauerspiel gilt, was schon im Zusammenhang des Romans bemerkt wurde, daß man nämlich den Begriff von „Realismus", den wir vom 19. Jahrhundert gelernt haben, nicht vom 18. Jahrhundert erwarten dürfe. Was da aus England wie so vieles andere herübergelangte, kam den sozialen Interessen durchaus entgegen und suchte ernst zu machen mit der Forderung, *man nehme die Wahrscheinlichkeit zur Führerinn.* (S. 769) Heute mögen die moralischen Lehren, die mit den Handlungen verbunden wurden, welche den *Verlust des Lebens, der Ehre, des Glücks* (S. 770) zeigen, allzu penetrant anmuten. Damals waren die Stücke von gefährdeten Mädchen, ungerechten Beamten und unehrlichen Dienern ein Teil der Selbstbegründung des Bürgertums, von der wir schon als einer „Demokratisierung avant la lettre" gesprochen haben.

Der Wandel des Theaters war nicht zuletzt mit zwei großen Namen verbunden, dem Shakespeares und dem des Zeitgenossen Lessing. Es ist nicht so, daß Shakespeare in Deutschland ganz unbekannt gewesen wäre; es gab, wie J. E. Schlegel zeigt, immer Leute, *die alte Poeten lieben, wo mehr ein selbstwachsender Geist als Regeln herschen, und die sich nicht abschrecken lassen, etwas rauhes zu lesen.* (S. 695) Aber die Befreiung der deutschen Bühne, nicht von den Franzosen und den drei Einheiten, sondern zu sich selbst, hat Lessing geleistet, gerade mit Hilfe seiner Kenntnis der Alten und Shakespeares. Die Besprechung von Weißes *Richard der Dritte, ein Trauerspiel* (S. 738) im 73. bis 76. Stück der *Hamburgischen Dramaturgie* war mehr als ein Meisterstück der Kritik, nicht nur der Theaterkritik. Besser konnte man ihre und ihres Autors Leistung nicht kennzeichnen, als es der unbekannte Rezensent getan hat, der das Aufhören der Dramaturgie beklagte. Er sagte, sie sei *kein System einer Theaterphilosophie, aber schätzbare Fragmente davon, oft mühsame Determinationen von Kleinigkeiten, oft grübelnde Zweifel, aber meistens abstracte Betrachtungen über das Wesen des Trauerspiel, voll von durchdringendem Scharfsinn ... Die Dramaturgie ist halb Aesthetik, und halb Kommentar über den Aristoteles, halb Gesetzgebung, und halb Gelehrsamkeit.* (S. 756)

Aber sie war auch Begründung einer triumphierenden Praxis, welche der älteren Generation anstößig war. Den Wandel der Zeit begreift man, wenn man Hallers Urteil über die *Minna von Barnhelm* liest: *Man darf nicht fragen,* so schrieb der Berner, *ob Witz in dieser Schrift herrsche.* (S. 800); und wenn Sonnenfels sich über das deutsche Lustspiel ausließ, so fiel der Name

Lessings nicht. Die Jüngeren dachten anders, und wenn Lessings gelehrter, für die Verbreitung der englischen Poesie in Deutschland so bedeutsamer Freund Eschenburg an der „Minna" die *so innige Herzenskunde* (S. 796) pries, so wies auch dies Lob daraufhin, daß wie in der Erzählkunst im Drama die Erfahrungsseelenkunde bedeutsam geworden war.

Neben diesem immer mehr entfalteten Sinn für das Wirkliche und den Alltag aber gab es auch noch im dritten Viertel des Jahrhunderts einen anderen, paradoxen, welcher der realen Welt eine Welt des spielerischen Scheins entgegensetzte. Sie ist von der tiefsinnigen deutschen Nachwelt oft als „erlogene anakreontische Heiterkeit" disqualifiziert, als „geckenhaftes Schönthun mit anakreontischen Empfindungen" (Hettner) abgeurteilt worden. Nichts konnte irriger sein, als die Wahrheitsfrage an die zierlichen Gebilde zu richten, die Schäfer und Schäferinnen, Wasserfälle und badende Mädchen, Rosen, Weinlauben und maßvoll begeisterte Trinker zu immer wechselnden und immer gleichen geschmackvoll gefärbten Arrangements zusammenreimten – oder häufig genug eben nicht reimten. Einer ihrer ersten Kritiker, der scharfsinnige Kästner, wußte durchaus, wie diese leicht klingenden und weit verbreiteten Poesien zu betrachten seien: *als ein laquirtes Körbchen, das mit ausgeschnittenen Figuren geziert ist: man sieht ihm die Mühe nicht an, die es gekostet hat, und es ist doch endlich ein bloßes Spielwerk.* (S. 547) Nicht umsonst trugen die leichten Gedichtbändchen gern den Namen *Tändeleyen* und konnten so nicht deutlicher kundtun, daß sie nicht ernst gemeint seien; ... *wenn Ihnen,* so schrieb Kästner an der gleichen Stelle an eine Freundin, *wenn Ihnen jemand eine Liebeserklärung in einer anakreontischen Ode brächte: Sie können sich darauf verlassen, daß es alsdann nicht sein Ernst sei.* (S. 546) Dabei waren von vornherein die Voraussetzungen dieser Produktionen deutlich, deren Autoren Kanonikus oder Hofkammerrat, Kandidat oder Premierlieutenant sein mochten, sämtlich Schäferdichter, aber gewiß niemals Schäfer. *Das Schäfergedicht ist seinem Wesen nach keine Poesie der Malerey* (S. 530), das heißt, es zielt keineswegs auf die Abbildung von Wirklichkeit, vielmehr auf die Utopie *eines glückseligen Lebens ... derjenigen Glückseligkeit, die mit Unschuld verbunden ist, und aus ihr entsprungen ist.* (S. 531) Es ging also um die spielerische Herstellung eines unchristlichen Paradieses, ausgenommen von den Sündenfällen der sozialen Realität, angesiedelt in einer immer besonnten bukolischen Landschaft, wo alle Leidenschaften *ausgeschlossen sind.* Nur sanfte Empfindungen waren zugelassen, man

> Vertreibt sich Gram und Sorgen,
> Verschmäht den reichen Pöbel,
> Verwirft das Lob der Helden,
> Und singt von Wein und Liebe. (S. 537)

Ernste Bürger trugen bukolische Masken, und der alte Gleim klagte, daß man den Menschen nicht von den Fiktionen des Schriftstellers trennen wollte, indem man ihm die sinnenfrohe Glückseligkeit mißbilligend zutraute, während in der Wirklichkeit alles sehr bürgerlich zuging. Die Maske hatte große Vorteile; sie ermöglichte, in einem heiteren Niemandsland der Poesie, Wünsche auszumalen, deren Aussprechen der Alltag versagte, und anmutige Reize durch Schleier ahnen zu lassen, welche vor allem sehr jungen Leuten und gesetzten älteren Herren reizvoll erscheinen mußten. Sie verloren erst spät an Reiz, als das Spiel gar zu oft gespielt und überdies mit allzuviel individueller Empfindung befrachtet worden war, welche demaskierte.

Aber die gesamte Hirten- und Idyllendichtung war nicht nur ein schönes Spiel gewesen, sie hielt auch dafür, daß sie in der Nachfolge der Alten stehe. Wenn noch Wieland schrieb: *So entstanden die Sänger und Dichter in diesem einfältigen* (nämlich dem goldenen) *Zeitalter* (S. 462), so gab er die seit der Renaissance gültige Meinung vom Ursprung der Poesie wieder. Allerdings war zu Anfang unseres Zeitraums die außerordentliche Leistung der Humanisten weithin verschüttet, welche mit nie wieder erreichtem Fleiß und Spürsinn die Überlieferung der griechischen und römischen Literatur freigelegt hatten. Das Griechische spielte auf Schulen und Akademien keine nennenswerte Rolle, an die Stelle der glanzvollen Latinität eines Erasmus oder Balde war eine weit weniger elegante Gelehrtensprache getreten. Nicht geschwunden war ein Bewußtsein von der Vorbildlichkeit der Alten, die ihr Dasein fristete in der vermeintlichen Imitation des Anakreon und des Theokrit, des Horaz und des Vergil. Allein wie der Zeitgeist sich der Naturbetrachtung mit kritischem Sinne zugewandt, so unterzog er auch die antiquarische Überlieferung einer Prüfung, und nicht nur diese. Das emanzipierte poetische Gefühl bedurfte der Vorbilder. Noch ehe die großen Erneuerer des Altertums auf den Plan getreten waren, wandte sich das Interesse dem Pindar und dem Pseudolonginus zu, in denen man Nahrung fand für ein poetisch-religiöses Gefühl und für den enthusiastischen Schwung, mit welchem die Lyrik sich in der Ode ein Instrument oft überschwenglichen Ausdrucks geschaffen hatte. Es ging um höchste Gegenstände, um Erhabenes, um begeisterte Erfahrung: *Genau gezeichnete Empfindungen, die ihren nächsten Grund in der aufwallenden Einbildungskraft haben, machen den Enthusiasmus der Ode aus.* (S. 341)

Es ist hier weder der Ort, das produktive Mißverständnis Pindars zu beschreiben, das bis zu Hölderlin fortgewirkt hat, noch auch beabsichtigt, einen literarhistorischen Grundriß zu zeichnen. Vielmehr soll diese Vorrede Hinweise geben, was man finden kann, wenn man in diesem Buche liest. Da sind in unserem Zusammenhang drei Namen zu nennen, deren Wirksamkeit nicht allein das Bild der Antike, sondern die deutsche Bildung folgenreich bestimmt haben: Winckelmann, Heyne und Voß. Sie sind insofern Zeugen einer merkwürdigen Spontaneität geistiger Neigungen, als sie, sämtlich aus ärmlichsten Verhältnissen stammend, nur ein Ziel unter Opfern, ja hungernd im Sinn hatten – mehr von den Alten in Erfahrung zu bringen. Jeder von ihnen hat –

hier mag betonende Vereinfachung erlaubt sein – eine bleibende Gabe hinterlassen: Winckelmann wird verdankt, was er selbst Raffael zubilligte: *Eine so
schöne Seele, wie die seinige war ... wurde erfordert, den wahren Character
der Alten in neueren Zeiten zuerst zu empfinden und zu entdecken, und was
sein größtes Glück war, schon in einem Alter, in welchem gemeine und halbgeformte Seelen über die wahre Grösse ohne Empfindung bleiben.* (S. 484)
Der erwachende historische Sinn fand eine erste, imponierende Aufgabe,
indem er die Kunst des Altertums geschichtlich begriff. Mit der allzu oft
zitierten Wendung, die den griechischen Meisterstücken *edle Einfalt, und
eine stille Grösse* zumaß sowie der Überzeugung, die *Weisheit reichte der
Kunst die Hand, und bließ den Figuren derselben mehr als gemeine Seelen ein*
(S. 483), ward er zum Neubegründer einer Ästhetik, die im Schönen das
Wahre fand. Heyne hingegen ward zum Begründer der Philologie in
Deutschland, zu deren Pflanzschule er das junge Göttingen machte; hier
wurde ein kritisches Instrumentarium bereitgestellt, um den reinen Wortlaut
der überlieferten Texte herzustellen. Merkwürdig zu sehen im Vorwort seiner berühmten Vergil-Ausgabe, wie dieser gelehrte Kopf und große Biblio-
thekar auch dem Zeitgeschmack verhaftet war, wenn er vorgeblich seinen
Autor am liebsten unter Bäumen im Grase, unter dem Plätschern eines Flüß-
chens – der Leine womöglich – bei einer munteren Herde in Muße las.
(S. 504 f.) Seine grundgelehrten Annotationen zeigen von dieser Gemütsstim-
mung nichts.

Voß schließlich muß hier erwähnt werden, obgleich das Zentrum seiner
Wirksamkeit im Bereich des nachfolgenden Bandes liegt. Allein dieser Sohn
eines Leibeigenen und Schüler Heynes brachte eine Bewegung zum imponie-
renden Abschluß, die in der ersten Jahrhunderthälfte begonnen hatte: die der
Aneignung der antiken Autoren durch Übersetzung. Es war dies eine Kunst,
in der niemand die Deutschen übertreffen sollte, und sie hatte eine zwiefache
Wirkung. Sie nötigte zu immer feiner differenziertem und begründetem Verstehen, nicht nur des Gehalts, sondern – man prüfe die hier gedruckten
wechselnden Wiedergaben der gleichen Horaz-Ode – auch des Kunstcharak-
ters des Originals. Das kam der deutschen Sprache in außerordentlichem
Maße zugute, und der deutschen Verskunst überdies. Nirgendwo sind antike
Metren so heimisch geworden wie bei uns, mag dabei auch manches nützliche
Mißverständnis gewaltet haben. Was Klopstock vom griechischen ,,Sylben-
maß" sagte, mochte später für Gedichte Hölderlins und Mörikes gelten: ...
*so sind wieder andre Strophen ... von einer Rūnde, und von so zierlichen
Feinheiten des Wohlklangs, daß man von der lyrischen Dichtkunst überhaupt
sagen kann, daß sie am nächsten an die Musik gränze.* (S. 459)

Man weiß, was dies alles für die sogenannte deutsche Klassik und für die
Begründung der historisch-kritischen Wissenschaften bedeutet hat, in denen
Deutschland einmal führend gewesen ist. Auch für das Bildungssystem wur-
de die Aufnahme solcher Studien bedeutsam, und dies um so mehr, als es kein

Zeitalter gegeben hat, das mehr an die Bildsamkeit und Erziehbarkeit des Menschen geglaubt hätte. Allein es wäre falsch, die Verhältnisse zu glorifizieren und die vom abgedankten Unteroffizier betriebene Dorfschule oder die ehrwürdigen, der Reformationszeit verdankten Gymnasien im hellen Licht der Aufklärung gedeihend zu denken. Noch war die Zahl der Analphabeten groß und wie es etwa am Johanneum zu Hamburg zuging, einer berühmten Anstalt, oder an Universitäten wie Jena oder Gießen, das mag man hier selber nachlesen. Zwar nicht im modischen Leipzig, wohl aber sonst spielte *Der Renommist* eine Hauptrolle, rohe Sitten, Händel und Gewalttätigkeit waren gewöhnlich, und es galten *viel zu läppische Begriffe von akademischer Freyheit* (S. 999), als daß eine gedeihliche Arbeit überall möglich gewesen wäre. Ein kindischer Ehrbegriff und die Lust zu schlagen, die auch einer späteren deutschen Universität noch zu schaffen machen sollten, waren nicht ungewöhnlich. Den Vorlesungsstreik hatte man schon erfunden, so wie man *der akademischen Freiheit* gern ein lärmendes *Vivat und den Unterdrückern derselben ein helles Pereat* (S. 999) ausbrachte; ja die Studenten wußten ein heute nicht mehr praktikables Mittel der Mißbilligung gegen akademische Behörden und die Philister der Stadt zu gebrauchen, das den Vorlesungsstreik noch übertraf; sie wanderten einfach aus auf die Dörfer, so zuletzt noch bezeugt in Göttingen im Jahre 1818.

Aber es gab noch andere Beeinträchtigungen einer ursprünglichen akademischen Arbeit. Im Jahre 1694 war die Universität Halle gegründet worden, als eine Neugründung, in der das mittelalterliche, noch weithin geübte Unterrichtswesen neue Formen finden sollte. Ein Licht dieser Hochschule war nach Chr. Thomasius der Philosoph Christian Wolff, den noch Hegel den Lehrer der Deutschen nannte, ehe Kant in unvergleichlich höherem Maße diesen Namen verdiente. Wolff, der in der Folge Bayles die Erscheinungen dieser Welt und die Gegenstände der Philosophie mit *Vernünfftigen Gedanken*, heute würde man sagen: ,,rationalistisch" bedachte, war den in Franckes Halle lehrenden Theologen anstößig; sie erlangten eine königliche Order, die den verehrten Mann als einen Feind der natürlichen und geoffenbarten Religion bei Strafe des Strangs seinen Lehrstuhl zu verlassen zwang. *Woraus man abnehmen kan, daß die Herren Theologi Hallenses sich berechtiget gehalten, den Hrn. R. R. Wolffen auf Ehre, Gut und Blut zu verfolgen.* (S. 1029f.) Gerechterweise ist zu vermelden, daß der so Vertriebene später auf die ehrenvollste Weise zurückgeholt wurde; aber das ändert nichts an der Macht einer Zensur, welche der Lehrfreiheit wirksame Grenzen setzen konnte. Nur eine eben erst gegründete Hochschule gab es, wo das nicht galt. Der Freiherr von Münchhausen, neben Humboldt die größte Gestalt der deutschen Universitätsgeschichte, nahm die nach Göttingen zu berufenden Professoren ausdrücklich von jeder Zensur aus. *Denk- Red- und Preßfreyheit*, so schrieb dieser königlich Großbritannische Geheime Rat *nährt und erhebt die Seele; der kriechende, despotisch behandelte Gelehrte wird in Ewigkeit nichts Gro-*

ßes liefern. (S. 1035) In Göttingen verlor die Theologie den Vortritt unter den Fakultäten, *grobe Zänkereyen leide ich nicht* und die Absicht war durchaus, *daß eine hinlängliche Landesjugend zu tüchtigen Staatsbürgern zu ziehen ist.* (S. 1036) Der Erfolg dieser mit einer Tendenz des Zeitalters einstimmenden Hochschule war glanzvoll. Staatswissenschaften, Kameralistik, Medizin und Philologie wirkten weit über Deutschlands Grenzen hinaus. Noch im Jahre 1815 kam eine Delegation des genau hundert Jahre älteren Havard an die Georgia Augusta, um Anregungen für die eigene Reform zu gewinnen. Arbeitsam und praktisch war der Geist dieser Universität, an der Heyne die Unterrichtsform des Seminars ins Leben rief. Die Göttingische Sozietät der Wissenschaften aber, die Akademie, schloß aus ihren Verhandlungen aus *1. Alles bereits im Cathedervortrage Begriffene. 2. Alles bloß Speculative und auf metaphysische Begriffe sich Gründende; ... dadurch war gleich die wahre Richtung der Beschäftigungen der Societät gefunden: das Anwendbare, wirklich für das Leben Nützliche, durch angestellte Versuche, Erfahrung, Prüfung Erprobte ... Und hierdurch bekam die Societät ... eine Tendenz zum Wahren, Gründlichen, Ersprießlichen, das seit der Zeit Göttingen bewahrt hat.* (S. 1043 f.) Umso bemerkenswerter ist, daß dieser vernünftige Ort auch ein Musensitz wurde, und zwar einer, an dem die Entgegensetzung von Vernunft und Gefühlswesen in aller Deutlichkeit hervortrat. Von Göttingen aus schrieb der Hainbund im März 1774 an Klopstock: *Da die Eichen rauschten, die Herzen zitterten, der Mond uns stralender ward, und Bund für Gott, Freyheit und Vaterland in unserm Kuß und Handschlag glühte; schon damals ahndet' es uns, und wir sagtens einander, Gott habe uns gesegnet.* (S. 645) Aber es war auch in dem Göttingen von einst, dem so viel Raum gegeben zu haben man dem Herausgeber nachsehen möge, daß Lichtenberg als ein weiser Mann sagte, er werde *endlich müde immer eine Windblase von einem Ausdruck statt einer Sache zu finden.* (S. 646) Es ist zwar müßig, aber doch reizvoll zu denken, welche Folgen es gehabt hätte, wenn Goethes strenger Vater den Sohn nicht nach Leipzig gesandt, sondern dessen Wunsch willfahrt hätte, nach Göttingen zu Heyne und Michaelis zu gehen.

Die ganze Unvergleichbarkeit des Bildungswesens wird deutlich, wenn man sich von den Göttinger (oder den nicht minder erleuchteten Braunschweiger) Verhältnissen denjenigen zuwendet, die in anderen Teilen Deutschlands und auf dem platten Lande herrschten. Die Erinnerungen des späteren Begründers der preußischen Gewerbeschule, Karl Friedrich Klöden, an den Volksschulunterricht in einer ostpreußischen Kleinstadt sind ebenso instruktiv wie die Bemühungen des Landedelmannes F. E. von Rochow, der mit seinen moralischen Lesebüchern der Dorfschule aus dem mechanischen Lernen des ABC, der Rechenarten und des Katechismus hinaushelfen wollte, zu schweigen vom menschenfreundlichen Pathos eines Pestalozzi, der die sozialen Bedingungen pädagogischer Wirksamkeit mitbedachte. *Es war sehr schwer,* wußte er aus leidvoller Erfahrung, *des Bettels und Müssiggangs ge-*

wohnte Kinder an eine anhaltende Arbeit zu gewöhnen. (S. 1072) Man muß sich verdeutlichen, daß alle Äußerungen zu solchen Problemen (sieht man von aktenmäßigen Zeugnissen ab) literarische Mittel nutzten, so wie nicht nur Rochows lehrhafte Geschichtlein, Campes ebenso lehrhafte Bearbeitung des unverwüstlichen Robinson, Basedows auf Anschauung drängendes Elementarwerk vom Versuch zeugen, die Kinder auf kindliche Weise zur denkenden Teilnahme zu bewegen. Das ist auch der Grund, weshalb die lehrhafteste aller Gattungen, die Fabel, sich ihren Platz im Unterricht eroberte. Kein geringerer als Lessing handelte *Von einem besondern Nutzen der Fabeln in den Schulen* und stellte seine Erwägungen in den Zusammenhang der großen, jedem Bildungswesen bis heute aufgegebenen Frage: *Warum fehlt es in allen Wissenschaften und Künsten so sehr an Erfindern und selbstdenkenden Köpfen? Diese Frage wird am besten durch eine andre Frage beantwortet: Warum werden wir nicht besser erzogen?* (S. 1050)

Zu der Frage, warum wir nicht besser erzogen werden, gehörte eine andere, zuweilen verdeckt, zuweilen leidenschaftlich ausgesprochen – warum werden wir nicht besser regiert? Auch in den öffentlichen Dingen, denen, die das gesamte Gemeinwesen betreffen, zeigte das Jahrhundert eine oft paradoxe Vielfalt. Paradox war schon der Zustand des deutschen Reiches, dessen Vergangenheit groß und dessen Tage gezählt waren. *Ist nicht,* so fragte schon Leibniz, *die menge der fürstlichen höfe ein herrliches Mittel, dadurch sich so viel leute hervorthun können, so sonst im staube liegen müsten?* (S. 1084) Bis heute ist die Antwort offen, ob nicht gerade die vielberufene „Kleinstaaterei" den zur Kultivation geeigneten Boden gewährt habe. Am Anfang des Jahrhunderts war die barocke Pracht, die sich selbst beschränkende Macht der absoluten Fürsten eine gewöhnliche Staatsform; beide bestanden lange. Am Ende blickte man mit Begeisterung auf die neubegründeten Vereinigten Staaten, wo das Volk zum Souverän erklärt ward. Das Interesse an diesem Vorgang war so groß, daß es Zeitschriften gab, die sich nur der amerikanischen Unabhängigkeit widmeten. Aber das Interesse war nicht geringer, wenn der Kaiser zu Frankfurt im Jahre 1763 gekrönt wurde nach uraltem Herkommen, wie man es in *Dichtung und Wahrheit* beschrieben finden kann. Und wenn früher der Kurfürst von Sachsen und König in Polen eines seiner Feste feierte, von märchenhafter Pracht und mit allegorischer Bedeutung angereichert, so kamen die Menschen von weither, Quartier war ausverkauft, *viele mieteten die Plätze in denen Kutschen / um darinn die Nacht über zu herbergen; die meisten aber übernachteten in Zelten und Hütten ... viele schlieffen auch unter denen Bäumen und Gebüschen / und sahen sich davon einige den andern Tag / nicht ohne Kurtzweil / ihrer Schuhe / Perrucken und Degen beraubet.* (S. 1093)

Es war nicht nur bloße Schaulust, welche die Menge anzog, sondern auch ein Gefühl, daß der Fürst in seinem Glanze das Ganze des Staats und seiner Untertanen repräsentierte.

Der HERR ist fromm und recht,
Von ihm stammt Herr und Knecht,
Und Unterthanen her,
Der will, daß die, so das Gerichte führen,
Auch so, wie er,
Gerecht und fromm regieren.

Solchen Text dichtete Bachs Textdichter Henrici *Zur Kirchen=Music bey
einer Huldigung.* (S. 1089)

Aber wenn im Jahre 1788 der Kurfürst von der Pfalz ein ähnlich aufwendi-
ges Fest veranstaltete (wiewohl die Pracht des Dresdner Hofs in Deutschland
unerreicht blieb und der Geschmack sich überdies gewandelt hatte), so versäumte der Berichterstatter nicht, nach einer sachlichen Schilderung kritisch
eine Privatnachricht von ziemlich sicherer Hand hinzuzufügen, *nach welcher
der Aufwand auf die Feyerlichkeiten dieses einzigen festlichen Tages ... an
dreysig tausend rheinl. Gulden und nach einem andern Briefe noch etliche
tausend Gulden drüber betragen hat.* (S. 1099) Das war ein anderer Ton, und
er war nicht zuletzt möglich geworden, weil neben die fürstliche Macht eine
andere getreten war, die der Publizität. Sie verschaffte nicht nur den vielfältigen Erwägungen, wie ein guter Fürst und eine gute Regierung beschaffen sein
müßten, auf welches Verhältnis überhaupt die menschliche Gesellschaft sich
gründe, einen breiten Raum; sie ermöglichte auch eine öffentliche Kritik,
maskiert zuweilen wie in den Fabeln oder der grotesken Erzählung von
Wieland's *Schach Lolo,* oft bedrängt von der Zensur oder gar bedroht von
Haft und Kerker. *Alle schwache Regierungen,* notierte Lichtenberg, *gründen
sich darauf, daß sie dem klügeren Teil der Nation ein Schloß oder Klebpflaster
auf den Mund werfen.* (S. 1196) Das war einleuchtender gesprochen als in
Eulogius Schneiders *Hymnus auf die Publizität,* der mit dem Verse begann
Erstgeborne des Lichts! Göttinn! Erlöserinn! (S. 1197)

Immerhin zeigen diese hohen Worte den Wert an, den man der öffentlichen
Erörterung und nicht zuletzt der *Preßfreyheit* zumaß. Es ist hier nicht der
Ort zu untersuchen, wie sie genutzt oder unterdrückt wurde, aber ihre The-
men, insofern sie literarisch wurden, verdienen Aufmerksamkeit. Im Grunde
sind sie zusammengefaßt in der Überschrift, die Giseke einer weltlichen, die
Republik Hamburg preisenden Kantate gegeben hatte: *Das Glück des Friedens und der Freyheit* (S. 1123), ein Glück, das heute so ersehnt bleibt wie
damals. Mit Krieg, dem Spanischen Erbfolgekrieg, hatte das Jahrhundert
begonnen, mit Krieg gegen die Heere der Französischen Revolution endete
es. Dazwischen lagen die Kriege Friedrichs, und selbst der ferne Unabhängig-
keitskrieg der Amerikaner brachte Wehklagen ins Land durch den Verkauf
der hessischen Landeskinder über das Wasser hin. Es ist leicht erklärbar,
warum dem heutigen Leser, der zweihundert weitere Jahre blutiger Erfahrung überblickt, das *Kriegslied* (S. 1122), das Claudius absichtsvoll so nannte,
menschlicher ins Ohr klingt als Gleims

> Was helfen Waffen und Geschütz
> Im ungerechten Krieg?
> Gott donnerte bey Lowositz,
> Und unser war der Sieg. (S. 1105)

Gleim war nicht dabei, aber Ulrich Bräker, der arme Mann im Tockenburg, als ein gepreßter Soldat: *Preußen und Panduren lagen überall durcheinander; und wo sich einer von diesen letztern noch regte, wurde er mit der Kolbe vor den Kopf geschlagen, oder ihm ein Bajonett durch den Leib gestoßen ...* (S. 1108) Im Bericht Bräkers, in den Erinnerungen Laukhards, im *Gespräch zweier Eheleute* (S. 1113) oder in der *Militärischen Anekdote* (S. 1117) – die Verfasser der beiden publizistischen Stücke kennen wir nicht – war mehr enthalten von der Realität des Krieges und den Gefühlen des gemeinen Mannes, als in allen preisenden Oden weit vom Schuß.

Es mag einer Erwägung wert sein, warum Kriegslob und Fürstenpreis nur in einem „hohen Ton" stattfanden, dessen Künstlichkeit gewollt und sogleich erkennbar ist. Wie anders, wieviel wahrhaftiger klingt

> Es heißt, dir winken Ehr' und Pflicht,
> Wohin dein Fürst dich schickt:
> O schnöde Ehre, wärst du nicht,
> Wie lebten wir beglückt! – (S. 1177)

wie anders klingt das als

> Ich bin ein deutsches Mädchen!
> Mein gutes, edles, stolzes Herz
> Schlägt laut empor
> Beym süßen Namen: Vaterland! (S. 1178)

Wohlgemerkt – es ist hier nicht die Rede von ideologischen, sondern von Stilfragen, die beide schließlich konvergieren mögen. Die deutsche Literatur seit Klopstock hat zuweilen eine Neigung zu hochtönendem und emotionalem Enthusiasmus entwickelt, dessen Unglaubhaftigkeit von seiner zeitweiligen Wirksamkeit übertroffen wurde. *Es gibt heuer eine gewisse Art Leute,* notierte Lichtenberg, *meistens junge Dichter die das Wort Deutsch fast immer mit offnen Naslöchern aussprechen. Ein sicheres Zeichen daß der Patriotismus bei diesen Leuten sogar auch Nachahmung ist.* (S. 1179) Allein diese Nachahmung war ansteckend und sollte im folgenden Jahrhundert eine Virulenz entfalten, die wohl auch die Göttinger Barden verabscheut hätten. Die Geschichte des Nationalbewußtseins ist eine schwierige Sache, und die Grenze, die zwischen Unschuld und Unheil unsichtbar gezogen ist, bleibt dem rückblickenden Auge schwer erkennbar. Allein kein Deutscher (das Wort ist bewußt gewählt) sollte ohne Unbehagen die Strophe des „Deutschen Jünglings" lesen, der sein deutsches Mädchen besingt:

> Wer nicht stammt vom Thuiskon,
> Der blicke nach dem Mädchen nicht!
> Er blicke nicht,
> Wenn er nicht vom Thuiskon stammt. (S. 1179)

Aber der gleiche Ton wurde auch gebraucht, wenn es um den Kampf gegen die Tyrannen, für die Unterdrückten ging. Das Wort Tyrann wurde ein vielgebrauchtes Wort, jeglichen Machtmißbrauch bezeichnend. Es galt dem geringen Beamten, der seine Macht gegen noch Geringere gebrauchte, ebenso wie dem großen oder auch kleinen Potentaten. *Deine Wege waren mit dem Schweisse deiner Untertanen benetzt, und du soffest ihr Blut* (S. 1165) – solchen Satz schrieb nicht etwa der junge Schiller in der Karlsschule gegen einen Fürsten, sondern Lavater gegen einen schweizerischen Landvogt. Er findet seine Parallele in der Vision des Gerichts über den ungerechten Fürsten, das in Schubart's *Fürstengruft* vorausgesehen, in der großen Revolution Wirklichkeit werden sollte –

> Wo Todesengel nach Tirannen greifen,
> Wenn sie im Grimm der Richter weckt,
> Und ihre Greu'l zu einem Berge häufen,
> Der flammend sie bedeckt. (S. 1200)

Aber verbreiteter als diese Haßgesänge waren die Lobschriften auf erleuchtete Souveräne, welche die Schriften des Montesquieu und Rousseau gelesen hatten und ihre Macht einsichtsvoll beschränkten. Das große Muster war Joseph II., den der so aufgeklärte wie literarische Jesuit Michael Denis im obligaten hohen Ton besang:

> Ihr seht sein menschenfreundliches Angesicht,
> Sein Aug voll Herz auf Grüßende zugewandt.
> Ihr hört ihn Weisheit, Güte sprechen,
> Staunet, und liebet. – Und Er ist unser!
>
> Ihr seht ihn, Völker! wenn er dem Ewigen
> In seinen Hallen gläubige Kniee beugt.
> Ihr seht, und wünschet allen Erden
> Herrscher, wie Joseph. – Und Er ist unser! (S. 1155)

Das geläufige Bild für solche „menschenfreundlich" begrenzte Übung der Macht, die keine *Freiheit ohne Gesetze* kennt (S. 1158), war das des väterlichen Fürsten. Vielleicht war das Bild zu einer Zeit, da der Regierende sein Territorium und seine Untertanen noch zu übersehen vermochte und diese seine Handlungen, nicht ganz so metaphorisch, wie es heute scheinen mag. Wenn der Markgraf zu Baden, Carl Friedrich, seinerseits für die Danksagungen dankte, die ihm *nach Aufhebung der Leibeigenschaft und einiger Abgaben* (S. 1158) zukamen, so faßte er die Gesinnung einer erleuchteten

Regierung in Sätzen wie diesen zusammen: *Hier ist also nur Eine große Familie, deren Glieder zu einem gemeinen Endzweck verbunden sind ... Jeder Stand, jedes Amt, jeder Bürger, sind also in genauer Verbindung ... alle Interessen vereiniget in Einem; vom LandesFürsten bis zum Hirten.* (S. 1158f.) Zur Begründung aber solcher aufgeklärt-patriarchalischen Staatsauffassung zog er *eine Lere des ersten, größten SittenLerers, der jemals gewesen ist und seyn wird* heran: *Alles was ihr wollt, daß euch die Leute tun sollen, das tut ihr ihnen; denn das ist das Gesetz und die Propheten.* Es handelte sich nicht um eine Variation des kategorischen Imperativs, sondern um das Herrenwort Matthäi 7 im 12. Vers.

Ein solcher Fürst mochte von Gesinnungen geleitet sein, wie sie paradoxerweise in den literarischen Utopien am konkretesten formuliert waren. Ein mehr zum Konservativen neigendes Beispiel war Hallers *Usong;* ein feuriges, der Sprache der Propheten und der Apokalypse nachgeahmtes das große Kapitel von der kommenden Goldenen Zeit in Salzmanns *Carl von Carlsberg.* (S. 1167ff.) In jenem Schreiben eines Markgrafen an seine Landeskinder und in diesen Gesichten eines sozial engagierten Autors wird nochmals die ganze Spannweite der Epoche deutlich, welche dieses Buch beschreiben will. Viel näher als man gemeinhin denkt, liegen aufklärende Vernunft und säkulare, gefühlserregte Prophetie, und beide Zeugnisse sind ein einläßliches Studium wert. Aber beider Hoffnung hat die Geschichte nicht verwirklicht, weder die auf Ökonomie und rationales Christentum gegründete des Markgrafen: *Möchte Tugend, Religion, und Ehre, uns zu einem freien, opulenten, gesitteten, christlichen Volk, noch immer heranwachsen machen! Das ist Mein Verlangen: dies sind Meine Wünsche!* (S. 1161) – noch auch der Traum des Dichters und Schilderers menschlichen Elends: *Aber alle Wüsteneyen wurden Lustgärten, und alle Sandberge Wälder und Weinberge. Und es ward da nicht mehr funden ein Bettler, sondern jeder hatte Ueberfluß, jeder saß unter seinen Kindern und verzehrte ein Wildpret, oder ein gemästet Kalb, und trank seinen Becher Wein, und ließ sein Herz guter Dinge seyn.* (S. 1174) Vielleicht ist Lessings *Erziehung des Menschengeschlechts* (S. 79ff.) das vornehmste, die Widersprüche des Zeitalters zwischen Vernunft und Gefühl, zwischen Hoffnung und Wirklichkeit, zwischen Gläubigkeit und Aufklärung versöhnende Zeugnis – freilich ein kaum auszulotendes: *Der Schwärmer thut oft sehr richtige Blicke in die Zukunft: aber er kann diese Zukunft nur nicht erwarten. Er wünscht diese Zukunft beschleuniget; und wünscht, daß sie durch ihn beschleuniget werde. Wozu sich die Natur Jahrtausende Zeit nimmt, soll in dem Augenblicke seines Daseyns reifen. Denn was hat er davon, wenn das, was er für das Bessere erkennt, nicht noch bey seinen Lebzeiten das Bessere wird? Kömmt er wieder? Glaubt er wieder zu kommen?* (S. 94)

* *
*

Bis zur Veröffentlichung des hiermit vorliegenden, die Reihe „Texte und Zeugnisse" abschließenden Bandes ist eine lange, für die Subskribenten des Gesamtwerks allzu lange Zeit verstrichen. Er war zunächst Richard Alewyn anvertraut, dessen Andenken er gewidmet ist und der ihn noch vor seinem Tode dem Herausgeber freundschaftlich-einvernehmlich übertrug. Alewyn sind der weitgefaßte Literaturbegriff und die den Leser zum ergänzenden Mitdenken anleitende offene Form des Ganzen nicht zuletzt zu verdanken. Er hat etwa ein Fünftel der hier zusammengefaßten Stücke beigetragen. Es waren nicht nur die Schwierigkeiten, welche stets beim Übergang eines begonnenen Werks von einer Hand in die andere entstehen, die den Abschluß verzögerten. Ortswechsel und die zeitweilige, gern erinnerte Zugehörigkeit des Herausgebers zu einer Universität, welche keine für das 18. Jahrhundert ergiebige Bibliothek besitzt, haben ihn weiter verzögert. Erst der Wechsel nach Wolfenbüttel hat ihn in die Lage versetzt, dessen und vor allem die unerschöpflichen Göttinger Bestände zu nutzen. Beiden ehrwürdigen Bibliotheken, ihrer Leitung und ihrem Personal gebührt Dank für unermüdbare Hilfe, ohne die so manches seltene Zeugnis nicht ans Licht gekommen wäre. Nicht weniger Dank gebührt dem Verlag, der Geduld von Herrn Wolfgang Beck und der Sachkunde von Dr. E.-P. Wieckenberg, nicht minder dem unvergessenen Dr. K. Zeller und seinem Nachfolger Dr. Zimmer. Am meisten aber wurde die Arbeit gefördert durch den Hinzutritt meines Schülers und Freundes Christoph Perels; die Gespräche mit ihm über den Grundriß des Ganzen, über Aufnahme oder Verwerfung der einzelnen Stücke – die aufgenommenen sind ein Bruchteil der gesichteten – gehören zu den erfreulichsten Erinnerungen eines langen akademischen Daseins. Chr. Perels hat die Hauptlast der Einrichtungsarbeiten getragen.

Für die Darbietung galten die Regeln des Gesamtwerks. Allerdings hat der technische Fortschritt, der Dialektik der Aufklärung folgend, einige Schwierigkeiten geschaffen, von denen man bei Begründung des Unternehmens noch nichts ahnte. Die neuen Druckverfahren machen die typographische Abbildung der Vorlage, die noch den Barockband auszeichnet, so aufwendig, daß auf sie verzichtet wurde. Der Verzicht fiel nicht allzu schwer, zumal er die Zuverlässigkeit der Wiedergabe der Texte nicht beeinträchtigt, es sei denn, man sei so puristisch, daß man auf dem alten Umlautzeichen (å, o etc.) bestehe. Schwer mag der aufgenötigte Verzicht auf Hervorhebung durch halbfetten Druck fallen, oder die nicht mehr mögliche Unterscheidung, die einst in einem Fraktursatz die in Antiqua gesetzten lateinischen Zitate herausspringen ließ. Wir haben es bei einer Art von Hervorhebung von rhetorisch-emphatischen Textteilen bewenden lassen müssen, dem Wechsel in die Kursive. Sonst ist nach Kräften die größte Genauigkeit verbürgt, um auch dem Leser den Zuwachs an Erkenntnis zu erleichtern, den der Herausgeber im Verlauf der Arbeit dankbar erfahren durfte. Er ist am besten bezeichnet durch ein Wort aus Rankes eigener Lebensbeschreibung: *Ein unendlich leich-*

ter Übergang führt von den philologischen und allgemein-wissenschaftlichen Studien, welche die historischen schon in sich begreifen, zu den eigentlich historischen. Aber der Leser sei, ehe er in diesem Buche zusammenhängend zu lesen sich anschickt, nochmals mit schuldigem Respekt daran erinnert, daß diese Einleitung keine knappe geschichtliche Gesamtdarstellung sei. Sie will vielmehr die Erwägungen spiegeln, die, von der Arbeit an diesem Buche hervorgerufen, schließlich dessen Gestalt haben entstehen lassen.

Wolfenbüttel, 28. August 1982   W. K.

INHALTSVERZEICHNIS

DES VIERTEN BANDES

Erster Teilband

I. ZEITALTER

II. MENSCHENLEBEN

III. KUNSTTHEORETISCHE GRUNDBEGRIFFE

IV. NATUR

V. ANTIKE

VI. SPIEL UND MASKE

Zweiter Teilband

VII. SPRACHE DES GEFÜHLS

VIII. THALIA

IX. SPRACHE UND LITERARISCHES LEBEN

X. BILDUNGSWESEN

XI. ÖFFENTLICHES LEBEN

I. ZEITALTER

Immanuel Kant

Beantwortung der Frage: Was ist Aufklärung?

Aufklärung ist der Ausgang des Menschen aus seiner selbst verschuldeten Unmündigkeit. Unmündigkeit ist das Unvermögen, sich seines Verstandes ohne Leitung eines anderen zu bedienen. *Selbstverschuldet* ist diese Unmündigkeit, wenn die Ursache derselben nicht am Mangel des Verstandes, sondern der Entschließung und des Muthes liegt, sich seiner ohne Leitung eines andern zu bedienen. Sapere aude! Habe Muth dich deines *eigenen* Verstandes zu bedienen! ist also der Wahlspruch der Aufklärung.

Faulheit und Feigheit sind die Ursachen, warum ein so großer Theil der Menschen, nachdem sie die Natur längst von fremder Leitung frei gesprochen (naturaliter majorennes), dennoch gerne Zeitlebens unmündig bleiben; und warum es Anderen so leicht wird, sich zu deren Vormündern aufzuwerfen. Es ist so bequem, unmündig zu sein. Habe ich ein Buch, das für mich Verstand hat, einen Seelsorger, der für mich Gewissen hat, einen Arzt der für mich die Diät beurtheilt, u. s. w. so brauche ich mich ja nicht selbst zu bemühen. Ich habe nicht nöthig zu denken, wenn ich nur bezahlen kann; andere werden das verdrießliche Geschäft schon für mich übernehmen. Daß der bei weitem größte Theil der Menschen (darunter das ganze schöne Geschlecht) den Schritt zur Mündigkeit, außer dem daß er beschwerlich ist, auch für sehr gefährlich halte: dafür sorgen schon jene Vormünder, die die Oberaufsicht über sie gütigst auf sich genommen haben. Nachdem sie ihr Hausvieh zuerst dumm gemacht haben, und sorgfältig verhüteten, daß diese ruhigen Geschöpfe ja keinen Schritt außer dem Gängelwagen, darin sie sie einsperreten, wagen durften; so zeigen sie ihnen nachher die Gefahr, die ihnen drohet, wenn sie es versuchen allein zu gehen. Nun ist diese Gefahr zwar eben so groß nicht, denn sie würden durch einigemahl Fallen wohl endlich gehen lernen; allein ein Beispiel von der Art macht doch schüchtern, und schrekt gemeiniglich von allen ferneren Versuchen ab.

Es ist also für jeden einzelnen Menschen schwer, sich aus der ihm beinahe zur Natur gewordenen Unmündigkeit herauszuarbeiten. Er hat sie sogar lieb gewonnen, und ist vor der Hand wirklich unfähig, sich seines eigenen Verstandes zu bedienen, weil man ihn niemals den Versuch davon machen ließ. Satzungen und Formeln, diese mechanischen Werkzeuge eines vernünftigen Gebrauchs oder vielmehr Mißbrauchs seiner Naturgaben, sind die Fußschellen einer immerwährenden Unmündigkeit. Wer sie auch abwürfe, würde dennoch auch über den schmalesten Graben einen nur unsicheren Sprung thun, weil er zu dergleichen freier Bewegung nicht gewöhnt ist. Daher giebt es nur Wenige, denen es gelungen ist, durch eigene Bearbeitung ihres Geistes sich aus der Unmündigkeit heraus zu wikkeln, und dennoch einen sicheren Gang zu thun.

Daß aber ein Publikum sich selbst aufkläre, ist eher möglich; ja es ist, wenn man ihm nur Freiheit läßt, beinahe unausbleiblich. Denn da werden sich immer einige Selbstdenkende, sogar unter den eingesetzten Vormündern des großen Haufens, finden, welche, nachdem sie das Joch der Unmündigkeit selbst abgeworfen haben, den Geist einer vernünftigen Schätzung des eigenen Werths und des Berufs jedes Menschen selbst zu denken um sich verbreiten werden. Besonders ist hiebei: daß das Publikum, welches zuvor von ihnen unter dieses Joch gebracht worden, sie hernach selbst zwingt darunter zu bleiben, wenn es von einigen seiner Vormünder, die selbst aller Aufklärung unfähig sind, dazu aufgewiegelt worden; so schädlich ist es Vorurtheile zu pflanzen, weil sie sich zuletzt an denen selbst rächen, die, oder deren Vorgänger, ihre Urheber gewesen sind. Daher kann ein Publikum nur langsam zur Aufklärung gelangen. Durch eine Revolution wird vielleicht wohl ein Abfall von persönlichem Despotism und gewinnsüchtiger oder herrschsüchtiger Bedrükkung, aber niemals wahre Reform der Denkungsart zu Stande kommen; sondern neue Vorurtheile werden, eben sowohl als die alten, zum Leitbande des gedankenlosen großen Haufens dienen.

Zu dieser Aufklärung aber wird nichts erfordert als *Freiheit;* und zwar die unschädlichste unter allem, was nur Freiheit heißen mag, nämlich die: von seiner Vernunft in allen Stükken *öffentlichen Gebrauch* zu machen. Nun höre ich aber von allen Seiten rufen: *räsonnirt nicht!* Der Offizier sagt: räsonnirt nicht, sondern exercirt! Der Finanzrath: räsonnirt nicht, sondern bezahlt! Der Geistliche: räsonnirt nicht, sondern glaubt! (Nur ein einziger Herr in der Welt sagt: *räsonnirt, so viel ihr wollt, und worüber ihr wollt; aber gehorcht!*) Hier ist überall Einschränkung der Freiheit. Welche Einschränkung aber ist der Aufklärung hinderlich? welche nicht, sondern ihr wohl gar beförderlich? – Ich antworte: der *öffentliche* Gebrauch seiner Vernunft muß jederzeit frei sein, und der allein kann Aufklärung unter Menschen zu Stande bringen; der *Privatgebrauch* derselben aber darf öfters sehr enge eingeschränkt sein, ohne doch darum den Fortschritt der Aufklärung sonderlich zu hindern. Ich verstehe aber unter dem öffentlichen Gebrauche seiner eigenen Vernunft denjenigen, den jemand *als Gelehrter* von ihr vor dem ganzen Publikum der *Leserwelt* macht. Den Privatgebrauch nenne ich denjenigen, den er in einem gewissen ihm anvertrauten *bürgerlichen* Posten, oder Amte, von seiner Vernunft machen darf. Nun ist zu manchen Geschäften, die in das Interesse des gemeinen Wesens laufen, ein gewisser Mechanism nothwendig, vermittelst dessen einige Glieder des gemeinen Wesens sich bloß passiv verhalten müssen, um durch eine künstliche Einhelligkeit von der Regierung zu öffentlichen Zwekken gerichtet, oder wenigstens von der Zerstörung dieser Zwekke abgehalten zu werden. Hier ist es nun freilich nicht erlaubt, zu räsonniren; sondern man muß gehorchen. So fern sich aber dieser Theil der Maschine zugleich als Glied eines ganzen gemeinen Wesens, ja sogar der Weltbürgergesellschaft ansieht, mithin in der Qualität eines Gelehrten, der sich an ein Publikum im eigentlichen Verstande durch Schriften wendet; kann er allerdings räsonniren, ohne daß dadurch die Geschäfte leiden, zu denen er zum Theile als passives Glied angesetzt ist. So würde es sehr verderblich sein, wenn ein Offizier, dem von seinen Oberen etwas anbefohlen wird, im Dienste über die Zwekmäßigkeit oder Nützlichkeit dieses Befehls laut vernünfteln wollte; er muß gehorchen. Es kann ihm aber billigermaßen nicht verwehrt werden, als Gelehrter, über die Fehler im Kriegesdienste Anmerkungen zu machen, und diese seinem Publikum zur Beurtheilung vorzulegen. Der Bürger kann sich nicht weigern, die ihm auferlegten Abgaben zu leisten; sogar kann ein vorwitziger Tadel solcher Auflagen, wenn sie von ihm geleistet werden sollen, als ein Skandal (das allgemeine Widersetzlichkeiten veranlassen könnte) bestraft werden. Eben derselbe handelt demohngeachtet der Pflicht eines Bürgers nicht entgegen, wenn er, als Gelehrter, wider die Unschiklichkeit oder auch Ungerechtigkeit solcher Ausschreibungen öffentlich seine Gedanken äußert. Eben so ist ein Geistlicher verbunden, seinen Katechismusschülern und seiner Gemeine nach dem Symbol der Kirche, der er dient, seinen Vortrag zu thun; denn er ist auf diese Bedingung angenommen worden. Aber als Gelehrter hat er volle Freiheit, ja sogar den Beruf dazu, alle seine sorgfältig geprüften und wohlmeinenden Gedanken über das Fehlerhafte in jenem Symbol, und Vorschläge wegen besserer Einrichtung des Religions- und Kirchenwesens, dem Publikum mitzutheilen. Es ist hiebei auch nichts, was dem Gewissen zur Last gelegt werden könnte. Denn, was er zu Folge seines Amts, als Geschäftträger der Kirche, lehrt, das stellt er als etwas vor, in Ansehung dessen er nicht freie Gewalt hat nach eigenem Gutdünken zu lehren, sondern das er nach Vorschrift und im Namen eines andern vorzutragen angestellt ist. Er wird sagen: unsere Kirche lehrt dieses oder jenes; das sind die Beweisgründe, deren sie sich bedient. Er zieht alsdann allen praktischen Nutzen für seine Gemeine aus Satzungen, die er selbst nicht mit voller Überzeugung unterschreiben würde, zu deren Vortrag er sich gleichwohl anheischig machen kann, weil es doch nicht ganz unmöglich ist, daß darin Wahrheit verborgen läge, auf alle Fälle aber wenigstens doch nichts der innern Religion widersprechendes darin angetroffen wird. Denn glaubte er das letztere darin zu finden, so würde er sein Amt mit Gewissen nicht verwalten können; er müßte es niederlegen. Der Gebrauch also, den ein angestellter Lehrer von seiner Vernunft vor seiner Gemeine macht, ist bloß ein *Privatgebrauch;* weil diese immer nur eine häusliche, obzwar noch so große, Versammlung ist; und in Ansehung dessen ist er, als Priester, nicht frei, und darf es auch nicht sein, weil er einen fremden Auftrag ausrichtet. Dagegen als Gelehrter, der durch Schriften zum eigentlichen Publikum, nämlich der Welt, spricht, mithin der Geistliche im *öffentlichen Gebrauche* seiner Vernunft, genießt einer uneingeschränkten Freiheit, sich seiner eigenen Vernunft zu bedienen und in seiner eigenen Person zu sprechen. Denn daß die Vormünder des Volks (in geistlichen Dingen) selbst wieder unmündig sein sollen, ist eine Ungereimtheit, die auf Verewigung der Ungereimtheiten hinausläuft.

Aber sollte nicht eine Gesellschaft von Geistlichen, etwa eine Kirchenversammlung, oder eine ehrwürdige Klassis (wie sie sich unter den Holländern selbst nennt) berechtigt sein, sich eidlich unter einander auf ein gewisses unveränderliches Symbol zu verpflichten, um so eine unaufhörliche Obervormundschaft über jedes ihrer Glieder und vermittelst ihrer über das Volk zu führen, und diese so gar zu verewigen? Ich sage: das ist ganz unmöglich. Ein solcher Kontrakt, der auf immer alle weitere Aufklärung vom Menschengeschlechte abzuhalten geschlossen würde, ist schlechterdings null und nichtig; und sollte er auch durch die oberste Gewalt, durch Reichstäge und die feierlichsten Friedensschlüsse bestätigt sein. Ein Zeitalter kann sich nicht verbünden und darauf verschwören, das folgende in einen Zustand zu setzen, darin es ihm unmöglich werden muß, seine (vornehmlich so sehr angelegentliche) Erkenntnisse zu erweitern, von Irrthümern zu reinigen, und überhaupt in der Aufklärung weiter zu schreiten. Das wäre ein Verbrechen wider die menschliche Natur, deren ursprüngliche Bestimmung gerade in diesem Fortschreiten besteht; und die Nachkommen sind also vollkommen dazu berechtigt, jene Beschlüsse, als unbefugter und frevelhafter Weise genommen, zu verwerfen. Der Probierstein alles dessen, was über ein Volk als Gesetz beschlossen werden kann, liegt in der Frage: ob ein Volk sich selbst wohl ein solches Gesetz auferlegen könnte? Nun wäre dieses wohl, gleichsam in der Erwartung eines bessern, auf eine bestimmte kurze Zeit möglich, um eine gewisse Ordnung einzuführen; indem man es zugleich jedem der Bürger, vornehmlich dem Geistlichen, frei ließe, in der Qualität eines Gelehrten öffentlich, d. i. durch Schriften, über das Fehlerhafte der dermaligen Einrichtung seine Anmerkungen zu machen, indessen die eingeführte Ordnung noch immer fortdauerte, bis die Einsicht in die Beschaffenheit dieser Sachen öffentlich so weit gekommen und bewähret worden, daß sie durch Vereinigung ihrer Stimmen (wenn gleich nicht aller) einen Vorschlag vor den Thron bringen könnte, um diejenigen Gemeinden in Schutz zu nehmen, die sich etwa nach ihren Begriffen der besseren Einsicht zu einer veränderten Religionseinrichtung geeinigt hätten, ohne doch diejenigen zu hindern, die es beim Alten wollten bewenden lassen. Aber auf eine beharrliche, von Niemanden öffentlich zu bezweifelnde Religionsverfassung, auch nur binnen der Lebensdauer eines Menschen, sich zu einigen, und dadurch einen Zeitraum in dem Fortgange der Menschheit zur Verbesserung gleichsam zu vernichten, und fruchtlos, dadurch aber wohl gar der Nachkommenschaft nachtheilig, zu machen, ist schlechterdings unerlaubt. Ein Mensch kann zwar für seine Person, und auch alsdann nur auf einige Zeit, in dem was ihm zu wissen obliegt die Aufklärung aufschieben; aber auf sie Verzicht zu thun, es sei für seine Person, mehr aber noch für die Nachkommenschaft, heißt die heiligen Rechte der Menschheit verletzen und mit Füßen treten. Was aber nicht einmal ein Volk über sich selbst beschließen darf, das darf noch weniger ein Monarch über das Volk beschließen; denn sein gesetzgebendes Ansehen beruht eben darauf, daß er den gesammten Volkswillen in dem seinigen vereinigt. Wenn er nur darauf sieht, daß alle wahre oder vermeinte Verbesserung mit der bürgerlichen Ordnung zusammen bestehe; so kann er seine Unterthanen übrigens nur selbst machen lassen, was sie um ihres Seelenheils willen zu thun nöthig finden; das geht ihn nichts an, wohl aber zu verhüten, daß nicht einer den andern gewaltthätig hindere, an der Bestimmung und Beförderung desselben nach allem seinen Vermögen zu arbeiten. Es thut selbst seiner Majestät Abbruch, wenn er sich hierin mischt, indem er die Schriften, wodurch seine Unterthanen ihre Einsichten ins Reine zu bringen suchen, seiner Regierungsaufsicht würdigt, sowohl wenn er dieses aus eigener höchsten Einsicht thut, wo er sich dem Vorwurfe aussetzt: Caesar non est supra Grammaticos, als auch und noch weit mehr, wenn er seine oberste Gewalt so weit erniedrigt, den geistlichen Despotism einiger Tyrannen in seinem Staate gegen seine übrigen Unterthanen zu unterstützen.

Wenn denn nun gefragt wird: Leben wir jetzt in einem *aufgeklärten* Zeitalter? so ist die Antwort: Nein, aber wohl in einem Zeitalter der *Aufklärung*. Daß die Menschen, wie die Sachen jetzt stehen, im Ganzen genommen, schon im Stande wären, oder darin auch nur gesetzt werden könnten, in Religionsdingen sich ihres eigenen Verstandes ohne Leitung eines Andern sicher und gut zu bedienen, daran fehlt noch sehr viel. Allein, daß jetzt ihnen doch das Feld geöffnet wird, sich dahin frei zu bearbeiten, und die Hindernisse der allgemeinen Aufklärung, oder des Ausganges aus ihrer selbst verschuldeten Unmündigkeit, allmälig weniger werden, davon haben wir doch deutliche Anzeigen. In diesem Betracht ist dieses Zeitalter das Zeitalter der Aufklärung, oder das Jahrhundert *Friederichs*.

Ein Fürst, der es seiner nicht unwürdig findet, zu sagen: daß er es für *Pflicht* halte, in Religionsdingen den Menschen nichts vorzuschreiben, sondern ihnen darin volle Freiheit zu lassen, der also selbst den hochmüthigen Namen der *Toleranz* von sich ablehnt: ist selbst aufgeklärt, und verdient von der dankbaren Welt und Nachwelt als derjenige gepriesen zu werden, der zuerst das menschliche Geschlecht der Unmündigkeit, wenigstens von Seiten der Regierung, entschlug, und Jedem frei ließ, sich in allem, was Gewissensangelegenheit ist, seiner eigenen Vernunft zu bedienen. Unter ihm dürfen verehrungswürdige Geistliche, unbeschadet ihrer Amtspflicht, ihre vom angenommenen Symbol hier oder da abweichenden Urtheile und Einsichten, in der Qualität der Gelehrten, frei und öffentlich der Welt zur Prüfung darlegen; noch mehr aber jeder andere, der durch keine Amtspflicht eingeschränkt ist. Dieser Geist der Freiheit breitet sich auch außerhalb aus, selbst da, wo er mit äußeren Hindernissen einer sich selbst mißverstehenden Regierung zu ringen hat. Denn es leuchtet dieser doch ein Beispiel vor, daß bei Freiheit, für die öffentliche Ruhe und Einigkeit des gemeinen Wesens nicht das Mindeste zu besorgen sei. Die Menschen arbeiten sich von selbst nach und nach aus der Rohigkeit heraus, wenn man nur nicht absichtlich künstelt, um sie darin zu erhalten.

Ich habe den Hauptpunkt der Aufklärung, die des Ausganges der Menschen aus ihrer selbst verschuldeten Unmündigkeit, vorzüglich in *Religionssachen* gesetzt: weil in Ansehung der Künste und Wissenschaften unsere Beherrscher kein Interesse haben, den Vormund über ihre Unterthanen zu spielen; überdem auch jene Unmündigkeit, so wie die schädlichste, also auch die entehrendste unter allen ist. Aber die Denkungsart eines Staatsoberhaupts, der die erstere begünstigt, geht noch weiter, und sieht ein: daß selbst in Ansehung seiner *Gesetzgebung* es ohne Gefahr sei, seinen Unterthanen zu erlauben, von ihrer eigenen Vernunft *öffentlichen* Gebrauch zu machen, und ihre Gedanken über eine bessere Abfassung derselben, sogar mit einer freimüthigen Kritik der schon gegebenen, der Welt öffentlich vorzulegen; davon wir ein glänzendes Beispiel haben, wodurch noch kein Monarch demjenigen vorging, welchen wir verehren.

Aber auch nur derjenige, der, selbst aufgeklärt, sich nicht vor Schatten fürchtet, zugleich aber ein wohldisciplinirtes zahlreiches Heer zum Bürgen der öffentlichen Ruhe zur Hand hat, – kann das sagen, was ein Freistaat nicht wagen darf: *räsonnirt so viel ihr wollt, und worüber ihr wollt; nur gehorcht!* So zeigt sich hier ein befremdlicher nicht erwarteter Gang menschlicher Dinge; so wie auch sonst, wenn man ihn im Großen betrachtet, darin fast alles paradox ist. Ein größerer Grad bürgerlicher Freiheit scheint der Freiheit des *Geistes* des Volks vortheilhaft, und setzt ihr doch unübersteigliche Schranken; ein Grad weniger von jener verschafft hingegen diesem Raum, sich nach allem seinen Vermögen auszubreiten. Wenn denn die Natur unter dieser harten Hülle den Keim, für den sie am zärtlichsten sorgt, nämlich den Hang und Beruf zum freien *Denken*, ausgewickelt hat; so wirkt dieser allmählig zurük auf die Sinnesart des Volks (wodurch dieses der *Freiheit zu handeln* nach und nach fähiger wird), und endlich auch sogar auf die Grundsätze der *Regierung*, die es ihr selbst zuträglich findet, den Menschen, der nun *mehr als Maschine* ist, seiner Würde gemäß zu behandeln.

Königsberg in Preußen, den 30. Septemb. 1784.

I. Kant.

Werkregister 1

CHRISTIAN THOMASIUS

Über Zweifel und Vorurteil

aus Außübung Der Vernunfft-Lehre. Erstes Hauptstück.

28. Nun wollen wir das Werck selbst angreiffen. Miste für allen Dingen deinen Verstand aus / das ist / *lege die Verhinderungen weg / und bestreite die praejudicia* als den Ursprung aller Irrthümer. 29. Fange erst an *sie beyde zugleich zu attaquiren.* und weil du bißher zum öfftern erfahren / daß du theils von andern Leuten / theils durch deine eigene praecipitanz bist betrogen worden / so traue künfftig nicht mehr so leichte / sondern fange an und *Zweiffele.*

87. Wenn du demnach durch diese Art / und durch den Anfang an allen Lehr=Sätzen / die von denen Grund Sätzen entfernet sind / zu zweiffeln / beyderley praejudicia zugleich tapfer zu bestreiten angefangen; so fahre so dann ferner fort / derer iedes absonderlich hertzhafft zu attaquiren / und zwar erstlich das *praejudicium autoritatis,* wider welches du solcher gestalt folgende regel in acht zu nehmen hast: *Verlaß dich in Erforschung der Warheit niemahlen auff die autorität einiges Menschen / er sey auch / wer er wolle / wenn du nicht eine innerliche Versicherung bey dir befindest / daß die bißher geglaubte Beredung mit denen allbereit erkandten Grundwarheiten nothwendig verknüpfft sey.* 88. Denn du hast in der Vernunfft=Lehre allbereit gelernet / daß die Warheit in Ubereinstimmung der äusserlichen Dinge und unserer eigenen / nicht aber frembder Gedancken bestehe / und daß man die Menschliche autorität weiter nicht als nur ein klein wenig in wahrscheinlichen Dingen / die nicht zu unstreitigen Warheiten gebracht werden können / brauchen müsse. 89. Dannenhero laß dich das Geschrey derer / denen sehr viel dran gelegen ist / daß die Welt nicht aus den gemeinen Irrthümern gerissen werde / nicht irre machen / wenn sie dir die Autorität deiner *Obrigkeit /* deiner *Eltern* oder Praeceptorum vorhalten / und dein Gewissen ängstigen wollen / als wenn du das natürliche Recht gröblich verletzetest / wenn du an der Warheit dessen / was von deinen Obern / Eltern oder Praeceptoren du gelehret worden bist / zweiffeln und dich unterfangen woltest von ihrer Meinung abzuweichen. Denn in dem ich aller Menschen / *sie seyn auch wer sie wollen* / erwehnet / habe ich auch Obere / Eltern und Praeceptores darunter begriffen / weil die itzo angeführte Ursache dieselben so wohl als andere Menschen angehet. 90. Die Sittenlehre wird dir zeigen / daß wir zwar schuldig sind / unser *äusserlich Thun und Lassen* nach dem *Willen* unserer Obern und Eltern einzurichten / und ihnen angenehme Dienste auch wohl mit Gefahr unsers

Lebens zu leisten; aber daß der *Verstand* keinen Gesetzen unterworffen sey /
weil er von unsern freyen Willen dependiret.

91. Was aber die Praeceptores absonderlich anlanget / so laß dir doch über
dieses deinen Opponenten den Ursprung zeigen / *woher es komme / daß man
die obligation gegen dieselbe der Pflicht gegen die Eltern gleich gemacht /
oder wohl gar dieser vorgezogen.* Gewißlich / wenn du dich nicht mit Testi-
moniis vieler Menschen / und zwar solcher / die hierbey ein großes interesse
gehabt / wilst abspeisen lassen / (welches doch sehr lächerlich heraus kommen würde / wenn man / da man in Bestreitung menschlicher autorität
begriffen ist / derselbigen auf einige Weise seinen Verstand unterwerffen
solte) / wird man dir keinen andern Ursprung sagen können / als daß bey
Verwilderung des menschlichen Verstandes / diejenigen / die unter dem af-
fectirten Schein einer sonderlichen Weißheit sich für andern in Ansehen zu
bringen getrachtet / und aber ohne eitele persuasion anderer Menschen solches zu thun unvermögend gewesen / kein dienlicher Mittel gewust / die
menschliche autorität als einen Abgott auff den Thron GOttes (der allein
über den menschlichen Verstand zu gebieten hat) zu erheben / als wenn man
die Obliegenheit gegen Praeceptores der Pflicht gegen die Eltern vorzöge /
und denen Lehrlingen inculcirte / daß es eine von den grösten Boßheiten sey /
wenn sich ein discipel unterstehe von denen Lehr=Sätzen seines Praeceptoris
im geringsten abzuweichen.

92. Hiernechst kannstu dich ferner bey denen / die dich mit denen Praeceptoren wollen zu fürchten machen / erkundigen / *was denn unter dem Nahmen eines Praeceptoris von dessen Meinung man nicht abweichen solle /
verstanden werde.* Ob auch z. e. ein Fecht= Dantz= und Sprachmeister u. s. w.
darunter zu rechnen sey? Ob die Dorff=Schulmeister und die denen Kindern
das a. b. c. lehren hieher gehören? Ob nur diejenigen die umsonst informiren /
oder mit denen man der Information wegen einen contract macht? Ob allein
die Praeceptores und Doctores publici oder auch privati? Ob allein diejenigen
die bey der alten Lehrart geblieben / oder auch die / die von ihrer Praeceptoren Meinung abgewichen / dieses privilegium praetendiren können? Ja endlich frage mit Ernst; Ob ich alleine von derer Praeceptoren ihrer Meinung
nicht abweichen solle / die mich wohl und rechtschaffen informiret, oder
auch von denen nicht / die mir Narrenpossen und Irrthümer beygebracht?
Ich will dich versichern / du wirst auff diese Weise deinen Antagonisten bald
loß werden / oder er wird sich mit seinen Antworten im höchsten grad
prostituiren.

93. Und gewiß es kan nicht anders seyn / diejenigen / die da vorgeben /
man müße von der Lehre der Obern / Eltern oder Praeceptoren bey leibe
nicht abweichen / müssen in ihren Verstande gantz geblendet seyn / weil sie
diesen ihren Lehr=Satz mit keiner andern raison wahrscheinlich machen können / wenn sie nicht besagten Personen *eine infallibilität zu=schreiben* / dergleichen Raserey man keinen Heyden / geschweige denn einem Christen zu

gute halten würde / weil man auch durch die Vernunfft erkennet / daß die infallibilität GOtt allein zukomme.

94. Und mit was für Scham wollen solche Leute praetendiren / daß ein anderer / den sie eines *Irrthumbs* beschuldigen / *den er aber von seinem Praeceptore her hat / denselben verlassen* / und ihrer Meinung beypflichten solle / wenn sie nicht öffentlich die Nichtigkeit ihrer Meinung bekennen und zugeben wollen / daß er gar wohl von seinen Obern dissentiren könne.

95. Bey der Bestreitung des praejudicii praecipitantiae nim diese Regel in acht: *Hüte dich / daß du keiner Sache innerlichen Beyfall als einer unstreitigen Warheit gebest / wenn du dieselbe nicht wohl überleget / und alle darzu gehörige Umstände genau in acht genommen.*

Werkregister 236

Unbekannter Verfasser

Gegen Christian Thomasius und Gottfried Arnold

Nunmehr ist es (GOtt sey es geklagt!) so weit kommen / daß das Holländische Samaria gegen das Evangelisch=Deutsche Jerusalem fromm worden ist. Denn es haben es ja einige Lichtscheuende Kinder der Finsternüß bißhero ärger / als jene gemacht / und ist hiernechst die Zahl derer ärgerlichen deutschen Schrifften bißhero in Proportion viel häuffiger / als jene worden. GOtt bekehre den Weltbekandten / und seinen theuren Vater gar ungleichen Politicum, der durch öffentliche Schrifften meistentheils den Anfang hierzu gemacht / und grosse Herrn und hohe Bediente durch seine glatte Schreib=Art beredet hat / es müsse / wenn die Erudition bey uns / wie in Holland steigen solte / der indifferentismus sentiendi in Schrifften eingeführet werden. GOtt gebe ihm / wo er es noch annehmen will / reuig zu erkennen / was vor Unheil er durch diesen Ahitophelischen=Rath angerichtet hat. Ein gleichmäßiges wündschen wir aus Christlichen Hertzen allen denen / so theils durch versäumte rechtmäßige Censur solcher Schrifften / und unterlassene Unterdrukkung derselben / theils durch andern Vorschub solchen Greuel der Verwüstung befördert haben; Ingleichen denen Verlegern / die umb eines geringen Gewinsts halber solche zum Druck befördert haben; Der GOtt der Barmhertzigkeit gebe auch / daß das erbärmliche Ärgernüß / so durch die bekandte *Kätzer=Historie, den Democritum Christianum, das entdeckte Carneval, des verlarvten Friedliebes = Tractat de Indifferentismo, und andere dergleichen carcinomata gegeben worden / nicht weiter einreisse; Er steure dem Satan und zutrete ihn unter unsere Füsse in kurtzen!* Dieses bedauern wir am meisten / daß dergleichen giftige Dinge nicht allein am allermeisten gekaufft und gelesen werden / sondern auch deßwegen viel eher Verleger finden / als was zu GOttes Ehre und Beförderung des Guten gemeinet ist; dadurch der Satan /

der umb unserer sündlichen Unart willen immer mehr Gehör bey den Menschen findet / als der Geist GOttes / sein Reich am füglichsten befördern / und viel 1000. Seelen unvermerckt in Fanatische= und Atheistische= Irrwege verleiten kann. Zumahl die Erfahrung lehret / daß die gründlichste Wiederlegung solcher schädlichen Schrifften / entweder keinen Verleger bekommen / oder von wenigen und mit Unwillen gelesen werden. Derhalben hat man / damit man iederman alles / nach Pauli Exempel, werden / und auch die heutige neugierige Welt gewinnen möge / auff heilsame Wege dencken müssen. Und vermeinen wir in Christlicher Demuth / solche durch GOttes Gnade im gegenwärtigen Vorhaben gefunden zu haben.

Werkregister 11

Unbekannter Verfasser

Gegen den Rationalismus

Hiernächst kan auch nicht geleugnet werden / 1. daß ermeldten Herrn Thomasii Schrifften dem Naturalismo und hintensetzung aller geoffenbahrten Wahrheiten und offentlichen Gottes=Dienst Thür und Thor öffnen / 2. daß fast alles darinnen aus derer Französischen und Holländischen Atheisten / Scepticorum, Naturalisten und Socinianer Schrifften gezogen ist / ohne vorgegangne Zusammenhaltung mit Gottes Wort. 3. daß in selbigen umb der Mißbräuche willen / fast alle alte Ordnungen gar verworffen / nicht aber gebessert werden / 4. daß nichts darinnen gebauet / sondern nur umbgerissen wird / 5. daß das Christenthum auff ein moralisches raisonniren reduciret / und das Werck Gottes in uns zur raison gemacht wird. Ob nun bey solcher Bewandnüß man diese Schrifften zu Lehrmeistern in geistlichen Dingen annehmen solle / urtheile alle Welt. *Wir* wollen nur mit Paulo sprechen / daß geistlicher Lehrer Wort / *nicht in vernünfftigen Reden menschlicher Weißheit* 1. Cor. II, 4. bestehe. So viel müssen wir Gewissens wegen sagen / und verschweigen hertzlich gerne viel bittere Dinge / die man nach der Welt und seiner eigenen Art ihm in grossen Masse vorwerffen / und gar leicht mit einer gesaltzenen Schreibart vortragen könte. Nun lassen sich zwar oben erzehlte 8. Characteres fast in allen von Herrn Thomasio bißhero edirten Schrifften bemercken / insonderheit in der Historia sapientiae & stultitiae, dem Fürstenrecht / &c. wir wollen aber nur diejenigen / so am gefährlichsten sind / nach und nach untersuchen. Darunter stehet voran die vor einigen Jahren zu Halle gehaltene Disputation de Haeresi. In selbiger will er behaubten / daß keine Kätzerey sey / und also noch weniger als ein Laster könne bestrafft werden. Gleich anfangs verräth er sein naturel, wenn er p. 1. schreibt / er wisse nicht wie es zugehe / daß ihm alle alte Meinungen verdächtig vorkämen. Er will hierauff das crimen und die Straffen der Kätzer aus dem Pabsthum / als daher das gantze Recht käme / herführen / und bringet folgende Ursachen bey / warum keine Kätzerey seyn könne. 1. Weil man sie nicht könne definiren / noch einen Concept davon machen. 2. Weil alle Kätzereyen sich endlich in einen philosophischen Irrthum resolvirten / 3. weil allein die Affecten der Clerisey an dem Kätzermachen Schuld wären / 4. weil man von GOtt gar keinen conceptum verum positivum haben könte. *Allein der erste Einwurff hat zum Grund das praejudicium Naturalismi, der andre die fallaciam à particulari ad universale, der dritte nebst diesen die Seelen Kranckheit des Argwohns und scepticismi, der vierdte das praejudicium der Eigenheit. Ubel ist es auch geredt und vor den Gerichte Christlicher Liebe unverantwortlich / wenn p.4. gesagt wird / Augustinus sey ein böser Theologus und böser Christ; wenn es e. c. heist / die gantze Welt habe auffgehört / Christlich zu seyn.* Andre Dinge /so uns nicht anstehen / wollen wir andern daraus zu bemercken überlassen. Indessen ist dem treuen GOtt bekandt / daß wir aus keinen Haß / oder Zancksucht dieses schreiben / den Respect / den wir erwehnter Person schuldig sind / nicht dabey vergessen / gleichwohl von Hertzen über das Verderben seiner Seele seuffzen und dem HErrn anflehen / *ob er ihm dermaleins Buße gebe / die Weißheit zu erkennen.* 2. Tim. II, 25.

Werkregister 11

CHRISTIAN WOLFF

Von der Welt-Weißheit.

aus Vernünfftige Gedancken Von den Kräfften
des menschlichen Verstandes. Vorbericht.

§. 8. Vielleicht werden sich einige verwundern / daß sich die Welt=Weißheit auff alle mögliche Dinge erstrecken soll / da doch der allerweiseste unter der Sonnen sich nicht weiter rühmen kan / als er habe nur einen gantz geringen Theil davon begriffen. Wäre es also nicht besser / daß man die Beschreibung der Welt=Weißheit nicht so hochmüthig machte? *Einwurff wieder die Erklärung der Welt= Weißheit.*

§. 9. Wem diese Gedancken einfallen / dem gebe ich zu bedencken / daß es allerdinges viel rathsamer sey / man richte die Beschreibung der Welt=Weißheit nach ihrer grösten Vollkommenheit / die sie in sich haben kan / als entweder nach seinem eigenen / oder eines andern Mannes Begriffe ein / den er davon erlanget. Denn auf solche Weise werden dem Wissen keine unnöthige Schrancken gesetzet / wodurch viele abgehalten werden / denen Sachen weiter nachzudencken / und demnach viele nützliche Erfindungen zu rücke bleiben. Vielmehr wird ein jeder auffgemuntert weiter als seine Vorgänger zu gehen / in dem er siehet / daß noch gar viel zu erfinden übrig ist. Man wird *Beantwortung desselben.*

auch zugleich gedemüthiget / daß man sich seiner vermeinten hohen Gaben nicht überhebet / in dem man erkennet / der gröste Theil desjenigen / so wir wissen / sey der geringste von denen Dingen / die wir noch nicht wissen.

Erster
Theil der
Welt=
Weißheit.

§. 10. Wenn wir auf uns selbst acht haben / so werden wir überführet / es sey in uns ein Vermögen zu gedencken / was möglich ist / welches wir *den Verstand* zu nennen pflegen. Allein wie weit sich seine Kräffte erstrecken und wie man sich derselben bedienen müsse so wohl durch eigenes Nachsinnen die uns verborgene Warheit zuerkennen / als die von anderen an das Licht gestellte vernünfftig zu beurtheilen / fället nicht gleich einem jeden in die Augen. Derowegen damit wir wissen / ob wir zu der Welt=Weißheit geschickt sind / oder nicht; soll dieses unsere erste Arbeit seyn / daß wir die Kräffte des menschlichen Verstandes und ihren rechten Gebrauch in Erkänntnis der Warheit erkennen lernen.

Anderer
Theil.

§. 11. Unter denen Dingen / die möglich sind / muß eines nothwendig selbstständig seyn / denn sonst wäre etwas möglich / davon man keine raison geben könnte / warum es ist / welches dem zu wieder lieffe / so bereits oben (§. 4) bestetiget worden. Das Selbstständige Wesen nennen wir *GOtt:* die anderen Dinge / welche ihre raison, warum sie sind / in dem selbstständigen Wesen haben / heissen *Creaturen.* Da nun die Welt=Weißheit raison giebet / warum etwas seyn kan (§. 5); muß billich die Lehre von GOtt / oder dem selbstständigen Wesen erst vorgenommen werden / ehe man sich auff eine genaue Erkänntnis der Creaturen leget / ob wir zwar nicht leugnen / daß einer eine gemeine Erkäntnis derselben zuvor haben muß / die er aber nicht nöthig hat aus der Welt=Weißheit zu holen / in dem wir durch die tägliche Erfahrung von Jugend auff dazugelangen (§. 6).

Dritter
Theil.

§. 12. Die Creaturen äussern ihre Thätlichkeit entweder durch Bewegung / oder durch Gedancken. Jene nennen wir *Cörper;* diese *Geister.* Da nun die Weltweißheit sich bemühet von allen Dingen richtigen Grund anzuzeigen; muß sie so wohl die Kräffte und Würckungen derer Dinge untersuchen / welche das ihrige durch Bewegung verrichten / als der anderen / welche durch ihre Gedancken ihnen selbst bewust sind. Also zeiget sie / was in der Welt möglich ist so wohl durch die Kräffte der Cörper / als der Geister.

Vierdter
Theil.

§. 13. Das Wesen / welches in uns dencket / nennen wir *die Seele.* Da nun die Seele unter die Zahl der Geister gehöret (§. 12) und ausser dem Verstande auch einen Willen hat / davon viel in der Welt herrühret; so muß in der Welt=Weißheit auch gewiesen werden / was durch den Willen der Seele möglich ist: wohin alles dasjenige gehöret / was insgemein von dem Rechte der Natur / der Sitten=Lehre / Staats=Kunst etc. gesaget wird.

Ursprung
der Ma-
thematick.

§. 14. Unsere Erkänntniß stehet entweder der stille / wenn wir wissen / durch was vor Kräffte etwas in der Natur gewürcket werden kan; oder sie gehet weiter fort und messet so wohl die Grösse der Kräffte / als der Würckung auff das genaueste aus / damit augenscheinlich erhelle / daß eine Würckung von gewissen Kräfften herrühren könne. Als zum Exempel: ich lasse

mich entweder vergnügen / wenn ich weiß / die mit Gewalt zusammen
gepressete Lufft könne das Wasser in einem Spring=Brunnen sehr hoch treiben; oder ich bemühe mich genau zuerfahren / wie starck das Vermögen der
Lufft zunimmet / nach dem sie in den halben / oder dritten / vierdten etc.
theil des vorigen Raumes gepresset worden / und wieviel Schuhe hoch sie in
jedem Falle das Wasser treiben könne. Der letztere Grad der Erkäntnis erfordert / daß man alle Dinge / die eine Grösse haben / auszumessen wisse: aus
welcher Absicht die Mathematick erfunden worden.

§. 15. Solcher Gestalt bringet uns die Mathematick zu der allergenauesten
und vollkommensten Erkäntnis / welche zu erlangen möglich ist.

Nutzen
derselben.

Werkregister 258

CHRISTIAN WOLFF

Vernünfftige Gedancken Von den Kräfften
des menschlichen Verstandes.

Vorrede.

Geneigter Leser /

Der Mensch hat nichts vortreflicheres von GOTT empfangen als seinen
Verstand: denn so bald er nur in demselben verrücket wird / so bald wird er
entweder ein Kind / oder ärger als ein wildes Thier / und ist also ungeschickt
GOtt zu ehren und den Menschen zu dienen. Solcher gestalt kan einer um so
viel mehr ein Mensch genennet werden / je mehr er die Kräffte seines Verstandes zu gebrauchen weiß. Und dannenhero solte ein jeder / absonderlich
aber der ein Gelehrter seyn oder werden wolte / mit rechtem Eifer darnach
streben / wie er zu so hurtigem Gebrauche der Kräffte seines Verstandes
gelangen möchte / als nur immer möglich ist. Allein daran gedencken die
wenigsten und die meisten machen aus der Gelehrsamkeit ein blosses Ge-
dächtnis=Werck / fliehen vor dem Nachsinnen ärger als vor einer Schlangen.
Daher ist ihnen alles verhasset / was Nachdencken erfordert und sie zu
fertigem Gebrauche ihres Verstandes bringet; hingegen angenehm / was sie
als ein Mährlein halb schlaffend fassen können und sie bey der Art zu denk-
ken lässet / welche sie von Kindheit auf mit ungelehrten Leuten gemein
gehabt. Man kan aber die Kräfte des menschl. Verstandes nicht anders als
durch die Erfahrung erkennen / in dem wir sie gebrauchen. Solcher gestalt
können diejenigen / welche nur anderer Gedancken zusammen schreiben /
niemals im Erfinden sich geübet / auch die Zeit ihres Lebens keine demonstrirte / das ist / recht gründlich ausgeführte Wahrheit begriffen / wenig oder

gar nichts von den Kräfften des Verstandes und ihrem Gebrauche wissen / es sey denn daß sie etwas in tauglichen Büchern davon gelesen. Allein die Bücher sind in dieser Materie eben nicht in allen Buchläden zu finden und ich fürchte / wenn auch einer / der noch nicht in gründlichen Wissenschafften erfahren / eines antrifft / er werde das wenigste davon verstehen. Also ist kein anderes Mittel zu dieser Erkäntnis zugelangen / als wenn mann gründlich demonstrirte Wahrheiten recht begreiffen lernet / darnach untersuchet / wie sie hätten können erfunden werden und wenn man dadurch einige Fähigkeit nachzusinnen erlanget / Sachen zusuchen sich bemühet / die uns noch unbekandt sind / ja auch wohl noch sonst von niemanden erfunden worden; endlich genau zu erforschen sich angelegen seyn lässet / was die Ursache sey / daß wir von demonstrirten Wahrheiten so deutlich überführet werden / und wie es zugehe / daß man aus einigen bekandten Wahrheiten andere noch verborgene herleiten könne. Nun wäre derjenige entweder höchst unverschämt / oder überaus einfältig / welcher vorgeben wolte / man könte ausser der Mathematick eben so gründlich erwiesene oder demonstrirte Wahrheiten und so richtige Erfindungen antreffen als in derselben / denn ausser der Mathematick schreibet man entweder nach einer gantz anderen Methode / als in derselben gewöhnlich ist / oder man befleißiget sich die Mathematische Methode anzubringen. Indem ersten Falle sehen verständige eine sehr grosse Verwirrung: denn bald beklagen sie sich daß die Wörter gar nicht / oder doch selten tauglich erkläret / viele Sachen ohne Beweiß angenommen und andere nicht genug / öffters gar unrichtig erwiesen werden. In dem anderen Falle aber ist es zur Zeit wohl noch keinem gelungen / der Mathematische Demonstrationen in anderen Disciplinen als der Mathematick vorbringen wollen. *Des-Cartes,* ob er gleich ein grosser Mathematicus war / hat die Schwäche seines Beweises / daß ein GOtt sey / niemahls mehr sehen lassen / als da er sich bereden ließ auff Geometrische Art denselben vorzutragen. *Spinosa* in seiner Ethica und *Raphson* in seiner Demonstratione de Deo haben sich im Demonstriren sehr schlecht auffgeführt / ob es gleich beyden an Verstande nicht gefehlet / auch beyde in der Mathematick nicht unerfahren / massen sie viele Wörter durch andere gleichgültige erklären / unbewiesen annehmen / was öffters am meisten hätte sollen erwiesen werden / ja auch unterweilen gar die Schlüsse nicht mit einander verbinden / wie es billich geschehen solte. Derowegen bleiben bloß die Mathematischen Wissenschafften übrig / daraus man den richtigen Gebrauch der Kräffte des Verstandes ersehen kan. Und in dieser Absicht habe ich in meinen Anfangs=Gründen der Mathematischen Wissenschafften mich bemühet alles auff eine solche Art / so viel möglich / vorzutragen / wie es hätte können erfunden werden / und befleißige mich auch in meinen Collegiis dergleichen Anmerckungen einfliessen zulassen / damit ich so viel an mir ist meine Zuhörer zum Nachsinnen anführe / da wieder ihnen ohne dem viele Hindernisse in Weg geleget werden. Es darff aber niemand das gemeine Sprüchwort / ein jeder Schäfer lobet seine Keule /

auf mich appliciren: denn wer mich kennet und nicht wieder sein Gewissen reden will / wird sich nicht entbrechen mir das Zeugnis zu geben / daß die Liebe zur Wahrheit bey mir über alles gehet / und soll sich keiner getrauen mir unter die Augen zu sagen / daß ich aus interessirtem Gemüthe etwas rede / vielweniger schreibe. Vielmehr enthalte ich mich öffters die Wahrheit zu sagen und misse lieber den profit, den ich rechtmäßiger Weise haben könte / so offte ich sehe es könte Anlaß geben mich vor interessiret zu halten. Derowegen will ich auch lieber hier anderer Zeugniß anführen; als mich auf meine Erfahrung beruffen. Man hält hier an unseren Orten *Lockens* Werck vom Verstande des Menschen insgemein vor überaus sinnreich / so daß auch diejenigen / welche alle seine Landes=Leute schimpflich verachten / ihn dennoch erheben. Allein / lieber / wem schreibet *Locke* die Fähigkeit seines Verstandes zu und was recommendiret er vor ein Mittel scharfsinnig zu werden? Man schlage auf unter den Wercken / die zu London 1706 nach seinem Tode heraus kommen / den Tractat von der Leitung des Menschlichen Verstandes p. 32 & seqq. so wird man finden / daß er seine Scharfsinnigkeit der Mathematick zu schreibet und vielmehr Rühmens von der Mathematick / absonderlich der Algebra / machet als einem Mittel zu rechtem Gebrauche des Verstandes zu gelangen / als ich wegen tieff eingewurtzelter Vorurtheile und Affecten ihrer viele nicht thun wolte. Andere Zeugnisse will ich hier nicht wiederholen / weil sie in der Vorrede über den Unterricht von der Mathematischen Methode in meinen Anfangs=Gründen der Mathematischen Wissenschafften angeführet worden. Und dieses ist eben eine von meinen Haupt=Absichten gewesen / warum ich mich mit Ernst auf die Mathematick geleget / nicht daß ich sie als ein Handwerck Brodt zu verdienen gelernet: denn es ist wohl niemahls mein rechter Ernst gewesen / einen Professorem Matheseos abzugeben / als wie ich die erste vocation dazu erhalten / welche ich als einen göttlichen Winck angesehen. Was ich nun bey Durchlesung Mathematischer Schriften und bey vielfältigem eigenem Nachsinnen von dem Gebrauche der Kräffte des Menschlichen Verstandes angemercket; davon habe das leichteste und was am ersten zu wissen nöthig ist / in kurtze Regeln verfassen wollen. Denn wenn ich alles schreiben solte / was ich durch mein Nachdencken erkennen gelernet: würde ich wenigen von meinen Teutschen dienen / massen den meisten bald als Grillen vorkommen / wo sie ein wenig zu lange die Gedancken bey ander halten sollen und es würde sich auch nicht vor Anfänger schicken / denen zu Liebe ich gegenwärtige Gedancken dem Drucke anvertrauet. Und dieses ist eben mit eine Ursache / warumb ich es Teutsch geschrieben / indem unter den Ausländern viele sind / die auf gründliche Erkäntnis viel halten: denen zu gefallen bey anderer Gelegenheit etwas vollständigeres von dieser Materie in Lateinischer Sprache mitgetheilet werden soll / gleichwie ich in die Lateinische Edition meiner Elementorum Matheseos mehr theoretica einfliessen lassen / als in die Teutsche hat kommen dörffen / wie wohl es bißher meine Unpäßlichkeit gehindert / und die noch anhaltende schwache Leibes=Constitution es noch hindert / daß es damit nicht so bald zu Stande kommen kan / als ich wohl wünschete. Ich kan aus meiner Erfahrung versichern / daß die gegebenen Regeln mir gute Dienste thun / wenn ich entweder etwas erfundenes beurtheilen / oder durch eigenes Nachsinnen etwas heraus bringen soll. Ich zweiffele auch nicht / daß andere ein gleiches befinden werden. Jedoch kan ich nicht verheelen / daß zu hurtigem Gebrauche dieser Regeln viel beytragen werde / wenn sie mit Fleiß auch nur meine Anfangs=Gründe der Mathematischen Wissenschafften durchgehen und dabey Achtung geben werden / wie man daselbst die Regeln angebracht. Denn die Fertigkeit kommet durch die Ubung: die Ubung bestehet darinnen / daß man richtig erwiesene Sachen viel überleget. Man lasse sich den besten Fechtmeister die herrlichsten Maximen von dem Fechten sagen / so wird man deswegen doch nicht wohl fechten / wenn man niemals die Hand angeleget. Vielweniger aber wird man fechten lernen / wenn einer / der vom Fechten Regeln geben will / selber niemahls gefochten. Es wird zwar die Jugend heute zu Tage bey uns Teutschen wenig zu gründlichen Wissenschafften angehalten / sonderlich an solchen Orten / wo die Lehrer der Unwissenheit über Hand nehmen / und da man es vor eine sonderbahre Klugheit ausgiebet / wenn man das Studiren zu einem blossen Handwercke machet; allein da hierdurch nicht tüchtige Handwercker / sondern nur eingebildete Stümper gezogen werden / so werden doch endlich einmahl auch denen die Augen auffgehen / die jetzt in ihrer Blindheit nichts sehen können. Man lasse einen etwas gründliches in der Mathematick und Welt=Weißheit studiren / wenn er auff Universitäten kommet und alsdenn erst / wie unseres Allergnädigsten Königes und Herrens aus Landes=Väterlicher Vorsorge gegebene Rescripte (a) es mit Nachdruck anbefohlen / zu den höheren Facultäten (daß ich nach unserer Teutschen Mund=Art rede) schreiten; so wird man finden / wie geschwinder und besser sie ihr Handwerck lernen werden. Ich könnte es mit meiner eigenen Erfahrung bestätigen / wenn ich nicht bey Wiedriggesinneten einen ob zwar unverdienten Verdacht auf mich laden dörffte. Es ist aber auch nicht nöthig / denn es haben schon andere recht-

---

(a) Der Innhalt eines der Königlichen Rescripte ist dieser: Es sollen die Professores allen und jedweden / welche auff unserer Universität Halle sich auffhalten und von ihren eigenen Mitteln studiren / sie mögen seyn wer sie wollen / diensame Vorstellung thun / daß sie das erste Jahr vornemlich auff die studia Philosophica & elegantiorem litteraturam sich befleißigen / hernach aber / wenn sie gute fundamenta geleget / alsdenn ad superiores Facultates schreiten möchten. Diejenigen aber / welche unserer eigenen oder in unseren Landen fundirter stipendien und vor einiger Zeit neu angerichteter Frey=Tische geniessen / nicht minder alle Conventualen unseres nach Halle transferirten Closters Hillersleben / habt ihr mit Ernst und Nachdruck dahin anzudeuten / daß sie zuförderst die studia Philosophica und politiorem litteraturam zum wenigsten ein Jahr lang allein tractiren / und hernach nebst dem studio Theologico damit fortfahren – – – wann sie aber darinnen nachläßig erfunden / solche collegia, praevia exhortatione versäumen würden / sie so fort des beneficii verlustig seyn / und andere an ihre Stelle angenommen werden sollen.

schaffene Leute sich auff ihr Exempel in diesem Stücke öffentlich vor mir beruffen / und werden es auch ins künfftige thun. Und wer meinen Worten glaubet / der wird es in der That erfahren / daß sie Wahrheit sind. Zum Beschluß muß ich noch eines erinnern. Wenn jemand eines und das andere von meinen Gedancken vor bedencklich halten möchte / so wird mir nicht zu wieder seyn / wenn er entweder in einem besonderen Schreiben an mich / oder auch / wenn er es vor so wichtig hält / in einer gedruckten Schrifft seine Gedancken eröffnen wird. Jedoch bitte ich mir Bescheidenheit aus: denn sonst werde ich einen / der Lust zu schelten hat / so lange schelten lassen wie er will / gleich wie ich es bereits anderen von solchem Gebäcke gemacht / massen kluge und verständige Leute zur Gnüge sehen / daß es theils aus Boßheit / theils aus Einfalt herrühre. Finde ich aber Einwürffe die untersuchet zu werden verdienen / und die verlangte Bescheidenheit dabey; so werde ich mich auch nicht entbrechen ihnen mit solcher Bescheidenheit zu antworten / wie ich anderen Gelehrten in Engelland und Franckreich auff ihre Einwürffe geantwortet. Ich hoffe auch sie werden mit mir eben so wie diese zu frieden seyn. (b). Endlich muß ich auch bekennen / daß / wie ich im Anfange meines Nachsinnens über die Kräffte des Verstandes mich in vieles nicht recht finden konte / auch in einigen Stücken ohne Noth auff Umbwege gerathen war / mir des Herrn von *Leibnitz* sinnreiche Gedancken von der Erkäntnis / der Wahrheit und den Begriffen in den Leipziger=Actis, An. 1684 p. 537 unverhofft ein grosses Licht gegeben / so daß mich wundert / warum andere / die von dergleichen Materie nach der Zeit zu schreiben sich unterwunden / nicht darauff achtgegeben. Ich wünsche / daß Lehrbegierige Gemüther aus meiner wenigen Arbeit den Nutzen ziehen mögen / den ich ihnen von Hertzen gönne. Wenn mein Wunsch erfüllet wird; so werde ich mit desto grösserer Lust und desto mehrerem Eifer darnach streben / wie ich ihnen in den andern Theilen der Welt=Weißheit eben so ein helles Licht anzünde.

Werkregister 258

(b) Memoires pour l' Histoire des Sciences & des beaux Arts. Août 1711 art. 220. p. 1407. On scait bon gré a Mr. *Wolfius* d'avoir ramené une matiere de foi agréable & curieuse, & encore plus de s' être exprimé avec tant d'honnêteté.

VALENTIN ERNST LÖSCHER

Gegen Mißbrauch der philosophischen Freiheit

aus   Quo ruitis? Erstes Pensum.

V. Viele werden davor halten, es sey zu viel geredet, wenn ich sage, es breche ietzo der vierdte Sturm über unsere allbereit tieff genung gebeugte und verlassene Evangelische Kirche aus, durch die neue auf allen unsern hohen Schulen bereits fast herrschende Philosophie: und wenn ich darzu setze, dieser Sturm sehe allbereit gefährlicher aus als die vorigen, so möchte man wohl ein hefftiges Geschrey wieder mich erheben, als je geschehen. Doch ich sage es nicht ohne Grund, und will es sattsam erweisen; wünsche aber von Hertzen, daß meine Besorgniß, (wie es denn der Allmächtige in Gnaden wenden kan,) nicht eintreffen möge. Ich muß von derjenigen Philosophie also reden, welche bald von ihrem ersten Urheber dem vortrefflichen Herrn *Geh. Rathe von Leibnitz* die Leibnitzische, bald von dem berühmten *Herrn Hoff= Rathe Christian Wolffen,* welcher sie fleißiger ausgearbeitet hat, die Wolfi- sche; bald von beyden Leibnitio-Wolfiana genennet wird. Beyde Männer halte ich in ihren gebührenden Ehren, als grosse Mathematicos, den ersten preise ich auch als einen wahren und überaus nützlichen Polyhistorem, von welchem unser Teutschland besondere Ehre hat; den andern als einen sehr fleißigen und geschickten Scriptorem; und rühme ich aufrichtig dessen grosse Fähigkeit, manches deutlich und begreifflich zu machen, das vielleicht noch lange in seiner Dunckelheit blieben wäre. Ich halte gar nicht davor, daß beyde gelehrte Männer mit Willen unserer Kirche ein Unglück bereitet hätten, oder daß derjenige, welcher unter beyden noch lebet, dergleichen im Sinne hätte: Ich erkenne sie insonderheit frey von dem Vorsatz, den Spinosismum einzu- führen, welcher ihnen von manchem aufgebürdet wird. Ich wünsche, daß ihre Philosophie gebeßert werden, und also, nebst dem völligen Ruhm ihrer Mei- ster, bestehen möchte. Weiter aber weiß ich mit der Liebe und Billigkeit nicht zu gehen. Das Ansehen der Menschen, auch der trefflichsten Männer, soll uns nicht von der Untersuchung, Annehmung und Bekänntniß der Wahrheit abhalten, viel weniger zum Stillschweigen bewegen, wann von ihnen, auch wieder ihren Willen, ein grosses Unglück entstehet.

VI. Unstreitig ist es, daß die wahre geoffenbahrte Religion 1) keine herr- schende Philosophie leiden, noch sich derselben accommodiren, viel weniger unterwerffen könne: 2) Daß sie ohne wahre Geheimnisse, welche in diesem Leben nicht zu ergründen sind, nicht bestehen könne, und daß demnach eine Philosophie, die alles mathematisch demonstriren will, sich mit derselben nicht vertragen könne: 3) Daß eine bloße mechanische Welt, wenn man gleich eine Geister=Welt dabey zuläßt, mit der wahren Religion nicht bestehen könne: 4) Daß dieselbe eine wahre und eigentliche Philosophische Freyheit des Menschen nach Seele und Leib zuvoraus setze, und wo derselben etwas entzogen wird, alsobald dabey grossen Schaden leide: 4) Daß die Religion über den Hauffen falle, wenn die Lehre, daß der Mensch ein Gewissen habe, und daß solches ein Werck GOttes, und eine Regul seiner Verrichtungen sey, nicht treulich behauptet wird: 5) Daß die menschliche Seele, und sonderlich die geistlichen oder theologischen Geschäffte, der Philosophie, ohne grossen Schaden der Religion, nicht können unterworffen werden: Daß endlich 6) u. s. f. diese es nicht vertragen könne, wenn man die Ewigkeit der Welt, den processum in infinitum, und die Möglichkeit unserer Welt ohne GOttes besondere Providentz und Regierung, auch nur einiger massen behaupten und beybehalten will: wie auch, wenn die Lehren vom Gebeth und von den Wunderwercken nicht rein erhalten werden, oder wenn geläugnet wird, daß ein Geist an einem Corper oder an der Materie etwas würcken könne. Alle diese Puncte betreffen insonderheit und hauptsächlich unsre Evangelische Religion der ungeänderten Augsburgischen Confeßion, welche sonderlich an dem ersten und vierdten Punct den grösten Antheil hat. Und ist es damit gewiß nicht ausgerichtet, oder das Unglück abgewendet, wenn man endlich in allen diesen Stücken ein Temperament suchet, oder wenn man sich äußerlich accommodiret, auch wohl ausser dem Systemate also redet, wie es die Evangelische Religion erfodert, so lange der studirenden Jugend eingeprägt wird, daß die Sachen in und nach dem demonstrirten Systemate, welches sie erlernet, sich anders verhalten.

VII. Wenn es nun diese Gestalt mit der neuen begierig angenommenen Philosophie hätte, wovon in den künfftigen Pensis mit aller Treue und möglicher Behutsamkeit gehandelt werden soll, so wäre dieses gewiß einer der größten Stürme und Anfälle, so unsere liebe Kirche, ja die geoffenbahrte Religion überhaupt, auszustehen hätte, und wogegen sich die Lehrer mit unermüdetem Fleiß, mehr als bißhero geschehen, zu setzen hätten; als welches auch selbst den Vertheidigern dieser Philosophie am Ende recht heylsam seyn würde, zum wenigsten damit sie sich nicht weiter vergehen, und der Schade nicht gantz unheilbar werde. Es ist wahrhaftig damit nicht gethan; daß vorgegeben wird, unsre Evangelisch=Lutherische Kirche würde manchen Nutzen von dem Leibnitzischen Systemate haben, wie der gelehrte Hr. Cantius solches in zweyen Büchern darthun wollen. Wer sich damit wollte befriedigen, oder gar zur Ergreifung dieser Philosophie bewegen lassen, der würde mit dem Aesopischen Hunde nach dem Schatten schnappen, und das Fleisch fahren lassen.

VIII. Daß von unserer Väter Zeiten her, durch die weit und breit eingerissene Cartesische Philosophie, welche zwar auch manches gutes an sich hat, nicht nur unter den Reformirten, sondern auch unter uns, der Religion grosser Schade angerichtet worden, liegt am Tage. Man ist durchgehends allzu lüstern, zweifelhaft und kühne worden, und der wunderlichen Einfälle sind immer mehr ausgebrochen, nach welchen sich auch die Theologie hat richten sollen. So bald man nur anfing die, zum wenigsten gar ungewisse, Lehren, daß die Sonne stehe, und unsre Erd=Kugel um dieselbige herum gedreht werde, fest zu setzen, so bald nahm die Verachtung der heil. Schrifft und der Glaubens=Puncten mercklich zu; hingegen vermehrte sich der Laßdünckel, sammt der Lust, neue und paradoxe Meynungen anzunehmen, und auszubreiten, von Tag zu Tag. Ich muß mit anführen, daß der große Beyfall, welchen die sonst gute und nützliche Pufendorfische Moral-Philosophie durchgehends erhalten, auch ein ziemliches hierzu beygetragen habe, und wer dem Wercke aufrichtig nachdencket, wird mir hierinnen nicht ablegen können. Auf beydes, nemlich den Cartesischen und Pufendorfischen applausum, gründeten sich Herr *Christian Thomasius,* und nach ihm Herr *Andr. Rüdiger,* mit ihren *Philosophischen,* grösten theils schädlichen, Neuerungen, und sind sie zum wenigsten dadurch lüstern gemacht worden, sich zu vergehen, da sie sonst hätten nützliche Werckzeuge seyn können: Weil ihnen auch die *Academische* Jugend zufiel, haben sie desto ungescheuter allerley gewagt. Es ist also unverantwortlich und dem wahren Besten der Kirche Gottes und des menschlichen Geschlechts allerdings schädlich, wenn diejenigen, welche solchem Unheyl in Schrifften Wiederstand gethan haben, verhöhnet, als tumme Zäncker gehasset, und als elende *Saalbader* und *Scholastische Würmer* ausgepeitschet werden. Man schreyet leider über sie mit Unverstand, da die Sache noch lange nicht ausgemacht ist, das vae victis! und befödert damit ein Wehe, welches der gerechte Zorn GOttes der letzten Welt gedrohet hat.

IX. Nimmt ein verständiges Gemüth auch nur diese allgemeine Anmerkkungen in Obacht, so wird es schon zu einem nützlichen Nachdencken und genauer Überlegung dessen, was ietzo auf unsern Universitäten im Schwange ist, erwecket und bereitet werden. Dieses ist ja die Art der wahren Philosophie, daß man sich nicht nach dem Genio seculi und Geschmack der gegenwärtigen Welt schlechterdings richte; sondern, weil derselbe gutentheils falsch und schädlich ist, so muß derjenige, der nützlich und rechtschaffen studiren will, der realitaet und nicht dem Schein nachgehen, er muß das beste und richtigste behalten, solte es gleich den meisten Leuten seiner Zeit abgeschmackt vorkommen, und ausser der Mode seyn. Wollen wir philosophiren, so last uns rechte Philosophos werden, und weder den Alten noch den Neuen schlechterdings nachlauffen, sondern allein der Wahrheit, der beständigen und nutzbahren Wahrheit, uns zum Dienste ergeben. Dieses letzte ist vernünfftigen Menschen wohl anständig und in seiner Art glorieus; Jenes hingegen, wenn man nemlich mit den Studiis und Principiis verfähret, wie mit den Kleider=Moden, schimpfft den Adel des menschlichen Verstandes, und setzt ihn gewisser massen, sonderlich in den Hauptstücken, unter den Pöbel herunter.

X. Daß die Studia und das Nachsinnen der Menschen weiter und höher getrieben werden, ist allerdings gut und schätzbar. Der Welt=Lauff aber ist, sich in dem Wachsthum zu übereilen, und gar bald in die Meinung zu verfallen, man sey über den Berg hinweg, welches insgemein auf eine nichtige Prahlerey hinaus läufft, und verursacht, daß der Mensch seiner Schwäche, ja sein selbst, vergeße. In solche Gefahr setzen sich die Liebhaber der neuen Philosophie, noch mehr als andere, wie solches künfftig klar werden soll. Ein ansehnlicher berühmter Lehrer, welcher sich derselben ergeben hat, und sie zu erheben bemühet ist, hat unlängst ein deutliches Kennzeichen gegeben, daß solche Warnung hochnöthig sey. In seinem Sermone ad Studiosos de discendi Regulis ex comparatione corporis et animae erutis,* beschwehrt er sich p. 16. darüber, daß das Gebäude der Gelehrsamkeit noch nicht gar hoch geführet sey: Es solte dasselbe ein Thurm seyn, der biß in den Himmel stiege, aber es sehe wie der Babels=Thurm aus, welcher nicht höher hätte steigen können, weil die Bauleute mit ihrer Uneinigkeit es verhindert hätten. GOtt verhüte, daß man unter dem Schein des augmenti scientiarum, und bey dem Vorhaben die Philosophie aufs höchste zu treiben, nicht abermahls in den ungeheuren Vorsatz ausbreche: *Wolauf, last uns eine Stadt und einen Thurm bauen, dessen Spitze biß in den Himmel reiche, daß wir uns einen Nahmen machen.* Die Einigkeit der Arbeiter wird es gewiß nicht ausrichten, oder den bestimmten Zorn GOttes über ein solches Vorhaben, und von diesem hohen Babels=Thurm, abwenden. Zumahl ist die Lust, alsbald vollkommene Systemata zu machen, und denselben, auf den ersten Succeß und guten Schein, beyzufallen, ein sehr schädliches und die Welt so wohl, als vornehmlich die Kirche, zerrüttendes Werck. Kommt aber die Lust zur wilden Freyheit darzu, so wird das Unglück reiff, und diese schädliche Begierde wird nimmermehr gesättiget werden, sondern, wenn sie eine starcke debauche in der neuesten Philosophie gethan, wird sie eine neuere und noch gefährlichere suchen, biß man gar aufhören wird zu philosophiren. Der Mißbrauch der Philosophischen Freyheit, welche jetzo grösser ist, als sie jemahls gewesen, bleibt unter sündigen Menschen nicht aus, und läst sich endlich gar nicht mehr einschränken, sondern reisset, wenn der gerechte GOtt es zuläst, alles hinweg.

Werkregister 11

---

* G. B. B. Tub. 1734. M. Nov. Neque alte exstructum est eruditionis aedificium. Turrim refert Babelicam, quae ad Coelos debebat assurgere, sed dissensu fabricantium inter primas finita est contignationes: confusis adeo non linguis solum sed & animis operarum (operae enim sumus plerique) ut si quis forte pristinam molem uno alterove passu altiorem praestare connitatur, destrui illius facta per alios, abigi artificem & operi ne confiat, sepem praetendires sit non insolens.

JOHANN PETER UZ

Magister Duns.

Magister Duns, das grosse Licht,
Des deutschen Pindus Ehre,
Der Dichter, dessen Muse spricht,
Wie seine Dingerlehre;
Der lauter Metaphysik ist,
Und metaphysisch lacht und küßt;
Ließ jüngst bey seiner Schönen
Ein zärtlich Lied ertönen.

Er sang: o Schmuck der besten Welt!
Du Vorwurf meiner Liebe!
Dein Aug ists, das den Grund enthält
Vom Daseyn meiner Triebe.
Die Monas, die in mir gedenkt,
Vermag, in deinen Reiz versenkt,
Die blinden Sinnlichkeiten
Nicht länger zu bestreiten.

Drauf nannt er gründlich hier und
dort
Den Grund des Widerspruches
Und noch so manches Modewort,
Die Weisheit manches Buches.
Der Mann bewies, wie sichs gehört,
Und bat, abstract und tiefgelehrt,
Durch schulgerechte Schlüsse
Um seiner Chloris Küsse.

Das arme Kind erschrack und floh;
Die Grazien entsprungen.
Kein Dichter hatte noch also,
Seit Musen sind, gesungen.
Bey Hecatens erbleichtem Schein
Läßt murmelnd im erschrocknen
Hayn
Ein Meister im Beschwören
Dergleichen Lieder hören.

Das Mädchen eilt ins nahe Thal,
Aus diesem Zauberkreise.
Da sang Damöt von gleicher Qual;
Doch nach der Schäfer Weise.
Sein Lied, bey manchem stillen Ach!
Floß heiter, wie der sanfte Bach,
Und floß ihm aus dem Herzen,
Der Quelle seiner Schmerzen.

Ihm wollte Chloris nicht entfliehn;
Ihm ward ein Kuß zu Lohne.
Die Musen selbst belohnten ihn
Mit einer Myrthenkrone.
So sinnlich schätzt man ein Gedicht!
O Musen! Musen! wollt ihr nicht
Vom Pöbel euch entfernen,
Und Metaphysik lernen?

Werkregister 241

ABRAHAM GOTTHELF KÄSTNER

Von einem Philosophen.

Stets wird *Abstrakt* die *beste Welt* verklagen,
Und schweiget nie von *Wolfens* Tadel still.
Er muß ja was, das man versteht, noch sagen,
Denn auserdem weiß niemand, was er will.

Wiederruf.

Nein, selbst dein Feind wird dir gestehen müssen,
Man weiß, *Abstrakt*, vollkommen, was du willst,
Und daß du nur, was alle Kinder wissen,
In dunkle Pracht barbarscher Wörter hüllst.

Werkregister 152

UNBEKANNTER VERFASSER

Gegen ein neues Schriftverständnis – Wertheimer Bibel

So weit ist es mit der herrschsüchtigen Philosophie kommen, und so kühne
hat der unbedachtsame Beyfall etliche Mathematisch=Gelehrten gemacht, daß
sie nicht nur die beste Auslegerin der Schrifft (*Interpres Scripturae*, wie man
vor 60. Jahren in Holland öffentlich vorgab,) sondern auch die authentische
Übersetzerin der Bibel seyn und es dahin bringen will, daß alle vorige Uber-
setzungen der Welt anstincken sollen. Zu diesem Sünden=Dienste hat sich
leider! Herr Joh. Leonhard Schmidt, Gräfflicher Informator zu Wertheim,
brauchen lassen, welcher das Werck nach den Grundsätzen und der Art der
Wolffischen Philosophie auszuführen sich vorgenommen hat.

In der Vorrede zeigt sich alsbald der überstoltze Sinn, sammt einer schlimmen Gleichgültigkeit gegen das theure Wort GOttes. Es heißt bald im Anfang, diese Schrifften, (die Bibel) stünden bey einem guten Theil der Menschen in dem grösten Ansehen, und man räume ihnen eine völlige Untrüg-
lichkeit ein; Sie wären zu diesem hohen Range gelanget, weil ihre Verfasser
durch Erscheinungen und besondre Wirckungen erlanget, daß man ihnen
einen Umgang mit dem höchsten Wesen zugeschrieben. Etliche Jüdische
Lehrer hätten sich *unternommen*, diese und ihre eigene dazu gethane Schrifften unter den Völckern weiter (als Göttlich) bekannt zu machen, sie hätten
diesen Platz biß auf *unsre Zeiten* behaubtet, da die *Wahrheiten schärffer als
jemals geprüfft worden:* Die Bibel sey von den frommen Jüden ohne Untersuchung angenommen worden, und hernach von dem gemeinen Volcke der
Römer und Griechen, weil es in der Unwissenheit gesteckt und erhalten
worden. Hier machet der Vorredner den gantz ungeräumten und rohen
Schluß: Auf *solche Art* geschahe es, daß diese Schrifften nach und nach zu
ihrem Ansehen gelangten, *welches sie suchten.* Er fährt fort, die scharffsinnige
Gelehrten, so an der Göttlichkeit der Bibel gezweiffelt, wären kurtz abgewie-
sen worden, und man habe keinen Beweiß geben wollen, hernach hätten sich
zwar (die Bibel=Verehrer) auf Beweiß eingelassen, seyen aber schlecht bestanden, und so stehe die Sache zu unsern Zeiten; welches gewiß erschrecklich

lautet. Man will es hernach etwas verbessern, und stellt der Vorredner die Gründe der Wolffischen Philosophie dichte nach einander vor, mit dem Vorgeben, auf keine andere Art könne die Wahrheit der Heil. Schrifft, (von welcher er nach diesem mit mehrer Ehrerbietung schreibet,) demonstrirt werden, er wolle die gantze Sache zur Uberzeugung der Ungläubigen vorbereiten, u. s. f. Hingegen räumet er p. 15. und sonst ein, daß man in vielen hierzu gehörigen Stücken nur zu dem höchsten Grad der *Wahrscheinlichkeit*, und also nicht zur völligen Uberzeugung, kommen werde. Er will auch p. 15. keine eigentliche Glaubens=Geheimnisse zulassen, es sey ein Vorurtheil, so bey dem Fortgang der Wissenschafften wegfalle. Sein Vorhaben ist, alle uneigentliche Worte und Reden (metaphorica etc.) in deutliche und natürliche zu verwandeln, alles zu definiren und zu einem raisonirten Zusammenhang zu bringen, oder eine demonstrirte Bibel, vel quasi, zu machen, welches ohne Herrschaft der Philosophie nicht geschehen kan. Er unterstehet sich, dieses eine göttliche Absicht zu nennen, p. 46. weil es hohe Standes=Personen beför- dert hätten, und gestehet daselbst, er rede in dieser Ubersetzung von GOtt, und dem was zu seinem Thun *gerechnet* wird, wie es seine Eigenschafften, *nach der Gewohnheit unser Zeiten* erfodern. Dieser erste Theil begreifft nur die Bücher Mosis und nennt der Verfasser selbst seine Arbeit eine *freye* Ubersetzung, weil er alles nach seinen Begriffen gegeben, jedoch soll alles dem Original gleich lautend seyn. Er stößt alsbald Genes. I.1. an, da soll *Schammaim* heissen alle Welt=Cörper; Und was nützet die Redens=Art, diese und unser Erde *selbst* sind erschaffen? Warum ist das Wort *tohu* V.2. nicht übersetzt? *Hhoschech* soll ein Nebel heissen, wider alle Hebräische Kundte. *Al pne tehom* wird auf recht ungeheure Art übersetzt, *die Erde war rings herum mit Wasser umflossen:* Und das Schweben des Geistes GOttes wird also vereitelt: Hefftige Winde weheten darüber. GOttes Sprechen V.3. ver- kehrt der Mann in eine Göttliche *Absicht*, und setzt, es sey *nur etwas* helle worden, an statt des Macht=Wortes, es *werde Licht.* Und so ist die gantze Ubersetzung beschaffen. Äusserste Kühnheit regirt allhier, die Grund=Sätze der Hebräischen Sprache gelten offt gar nichts, es wird in den Text geflickt, weggenommen und verändert, was dem Ubersetzer gefällt. Das schädlichste ist, daß der Mann alle Stellen Mosis, welche die gantze Christliche Kirche von der Heil. Dreyeinigkeit, von dem Erlöser der Welt, von der Erbsünde, und der Glaubens=Gerechtigkeit je und je verstanden, und welche theils von Chri- sto und den Aposteln selbst also angeführt worden, dergestalt verdrehet, als ob sie mit keinem Grund und Recht davon erkläret, und zum Beweiß ange- führt werden könten.

Werkregister 11

Unbekannter Verfasser

Gegen ein neues Schriftverständnis – Berleburger Bibel

Von der berüchtigten Berlenburgischen Bibel, davon allbereit in unsern Sammlungen a. 1725. p. 819. einige Nachricht gegeben worden, ist dieses der erste Theil, welcher das Gesetz oder die 5. Bücher Moses in sich fasset. Darinnen findet man

Anfangs eine allgemeine Vorrede zu dem gantzen Werck, welche aus Zach. XIV, 7. beweiset, daß den Gläubigen die Betrachtung der H. Schrifft in der letzten Zeit sonderlich solte angelegen seyn. *Darauf* wird gemeldet, daß man, nach Anweisung dieser Weissagung *erstlich* den Grund=Text in unsere Mutter= Sprache aufs einfältigste übersetzet jedoch auch der Deutlichkeit sich beflissen habe; wie denn die Ubersetzung Lutheri gäntzlich verlassen, und eine neue gemachet worden; *so dann,* daß man die H. Schrifft also ausgeleget habe, daß man den buchstäblichen, Geistlichen und geheimen Verstand überall gesuchet und angezeiget. Durch den Geistlichen Verstand, verstehen sie den so genannten moral. Verstand oder die Nutz=Anwendung der H. Schrifft; durch den geheimen Verstand die innere Erkäntniß, die durch den Geist GOttes in der Seele gewircket wird. Diese nennen sie die wahre Erkäntniß GOttes im Geist und in der Warheit, und sagen, man müsse sich nicht wundern, wenn die Gedancken der Gläubigen noch verschieden seyn in einem solchen tieffen und geheimen Sinn, der einigermassen unendlich mannigfältig sey. Daher wollen sie, daß man das unbeurtheilet lasse, was sich an unser Hertz eben so nicht offenbahren wolle, oder doch seine Unwissenheit erkenne. Von dem buchstäblichen Verstand melden die Verfasser, daß sie die besten Ausleger unserer Kirchen, Calovium, Osiandrum, Seb. Schmidtium &c. nicht beyseit gesetzt. In der Geistlichen Bedeutung haben sie sich der Schrifften Cocceji bedienet. Den geheimen Sinn haben sie aus Origene, Leade, Bourignon, Mad. de Gvion und D. Petersenin genommen, welche sie erleuchtete Seelen nennen, und bezeugen, sie wolten sich ihrer Meinungen eben nicht theilhafftig machen, jedoch hätten sie selbige reden lassen wollen, was ihnen von GOtt geoffenbahret worden. Wenn es ihnen aber GOtt als erleuchteten Seelen geoffenbahret, warum wollen sie sich ihrer Meinungen nicht theilhafftig machen? Ubrigens zeiget schon die Vorrede zum Voraus, was man sich für gutes und böses von diesem Biblischen Werck zu versprechen habe. Wo Lutheri version vom Grund=Text abgehet, hätte man solches in denen Anmerckungen berühren können, daß man sie aber gantz und gar verlassen, und eine neue eingeschoben, ist übel, und zum wenigsten imprudenter gethan. Die Beschreibung des geheimen Sinns der H. Schrifft ist so beschaffen, daß darinnen alle Irrgeister ihre Schlupffwinckel finden können. Inzwischen ist diese zu Ende der *Vorrede* befindliche protestation der Verfasser zu loben, wenn es nur nicht wäre protestatio ipsi facto contraria: *Der Zweck ist in keine Wege, neue Lehren einzuführen, sondern vielmehr das alte und neue Gebot der Liebe allenthalben anzupreißen.* Wie man denn auch *alles, was nicht dem Wort, Willen und der Ehre GOttes gemäß solte vorgebracht seyn, auf das feyerlichste hiemit wiederruffen wird.*

Auf diese allgemeine Vorrede folget ein besonderer Vorbericht von den 5. Büchern Mosis. Vor einem jeden Buch stehet wieder eine kurtze Einleitung. Die Erklärung ist weitläufftig, und fast kein vers ohne Anmerckung vorbey gelassen. Nur wäre zu wünschen, daß diese Erklärung so ordentlich, verständlich und unanstössig seyn möchte, als weitläufftig sie ist. Doch muß diese Weitläufftigkeit nicht von dem Buchstäblichen Verstand angenommen werden, als worinnen diese Erklärung etwas sparsam ist, sondern von dem so genannten Geistlichen und geheimen Verstand. Wahr ist es, daß man in der Erklärung viel gutes findet, welches aber durch das mit eingemischte böse und anstößige fast gantz verdunckelt wird. Denn der Geistliche und geheime Verstand ist gemeiniglich sehr weit hergesuchet, mit unverständlichen Worten und Redens=Arten fürgetragen, und nichts weniger, als von dem H. Geist intentiret, offt ist er sehr anstößig und gantz irrig. Wir wollen solches mit einem und dem andern Exempel bestätigen. Wenn Gen. I, 27. gesaget wird, GOtt habe den Menschen nach seinem Bilde geschaffen, so erkläret man solches also, weil der Mensch nach der puren Gottheit unmittelbarer Weise nicht habe können gebildet werden, so sey er geschaffen nach dem Bilde des Erstgebohrnen vor allen Creaturen, Col. I, 15. welches der Sohn GOttes sey, der die *himmlische Menschheit* vor Grundlegung der Welt angenommen habe. Eben dieses wird ad Gen. XXXII, 24. p. 205. fürgetragen, welcher grobe Schwarm ad Gen. V, 2. anders und also fürgetragen wird: *Wie eine gewisse erleuchtete Person in unsern Tagen von GOtt eine Offenbahrung gehabt, so ist Christus der zweyte Adam, von dem ersten Adam bald nach seiner Schöpfung, und noch vor dem Fall, auch vor der Eva, als der Erstgebohrne aller Creaturen und der Sohn des Menschen erzeuget worden, welcher hernach als der Gott=Mensch mit Adam im Garten Eden wandelte, und also freylich viel eher war, als Abraham.* Wie kan nun Adam nach dem Bild des Sohnes GOttes, der vor Grundlegung der Welt Mensch worden, geschaffen worden seyn, wenn der zweyte Adam von dem Menschen Adam erzeuget worden? so muß sich also die Lügen selbst widersprechen. Der Irrthum von den 3. wesentlichen Theilen eines jeden Menschen, Leib, Seele und Geist, wird p. 12. aus Hrn Buddei introd. ad hist. Philos. Ebr. fürgetragen, und p. 18. wiederholet. Wird Gen. I, 27. gesaget, GOTT *habe den Menschen ein Mann und Weib geschaffen,* so wird gefraget, wie das zugegangen, da doch die Eva noch nicht da gewesen? und will man da ein *Geheimniß des H. Geistes* bemerken, da er allen vernünfftigen Geschöpffen die ausgebährende Krafft anderer Geschöpffe ihres gleichen, mitgetheilet, und wird fürgegeben, der erste Mensch sey anfänglich nach beyderley Geschlecht, männlich und weiblich, in beyden tincturen geschaffen worden, nicht in zweyen, sondern in einer Person. Wenn die Feuer=Eigenschafft oder das männliche, und die Lichts Eigenschafft oder das weibliche einander in süsser Gemeinschafft umfasset, so habe der Mensch die Macht gehabt, durch Bewegung ein Bild seines gleichen aus sich auszugebähren, ohne daß er einer vorhergehenden Thierischen Vermischung und nachfolgenden schmertzlichen Geburt von nöthen gehabt hätte. Welche ärgerliche Meynung ad Gen. V, 2. p. 42. wiederholet und gesaget wird, es sey nicht abzusehen, warum die Lehre, daß Adam beyderley Geschlechts in der Krafft, nicht aber der jetzigen eußern fleischlichen Gestalt nach, gewesen, den jetzigen meisten Menschen so unglaublich vorkomme. Von der Erschaffung der Even wird zum Nachtheil des nach dem Bilde GOttes gemachten Menschen Gen. II. 18. also geurtheilet: *Es muß was anders zu dem guten Geschöpff GOttes, das allein geschaffen war, gekommen seyn, dadurch es nicht gut worden, allein zu seyn. Und was solte dieses wol anders seyn, als die Verbildung in die Thiere und ihre zweyfache Gestalt und getheilte Eigenschafft, und darauf erfolgte Neigung, wodurch er seine Liebe von GOtt abgezogen hatte, und da er die Creaturen um sich herum gesehen, und wie sie sich geliebet, inwendig eine Lust in sich erwecket, auch was äuserliches creatürliches zu verlangen. Um deßwillen hatte es GOtt für gut befunden, die Eva aus ihm heraus zu nehmen, von ihm zu scheiden, und äuserlich zu seiner Gehülffin zu verordnen, an welcher er seine Lust hätte, damit er selbige nicht anders wohin ausgehen und ausbrechen liesse. War also eben darum nicht gut, den Menschen allein zu lassen, der sich leicht mit andern Creaturen hätte einlassen können.* Ad Gen. I, 28. wird gelehret, wie Christo alle Macht im Himmel und auf Erden gegeben, so habe auch der Mensch, welcher sein Ebenbild und lebendiger Ausdruck sey, alle Macht auf Erden, und deßwegen befinde er sich in der Ubergab, Vereinigung und Verwandelung seines Willens in den Göttlichen so bevestiget, daß er gar keinen eigenen Willen in sich mehr finden könne. = = = Christus würde uns nicht befohlen haben im *V. U.* zu beten: Dein Wille geschehe, wie im Himmel, also auch auf Erden; wenn es nicht möglich wäre, diese Versenckung des Willens in GOttes Willen hier in dieser Welt zu erlangen, wie es die Seligen in dem Himmel besitzen. Ad Gen. II, 3. findet man deutliche Merckmahle des Tausendjährigen Reichs. Denn nachdem angemercket worden, daß bey dem siebenden Tage keines Abends gedacht werde, so heisset es: *In der Erfüllung der letzten Zeiten wird es eben also ergehen, daß an dem gantzen siebenden Tage keine Nacht der Finsterniß und Boßheit mehr seyn wird, weil die Gottlosen vorher weggethan seyn, und die Sanfftmüthigen das Erdreich besitzen werden*, Zach. XIV, 6. &c. Add. Gen. V, 22. 24. p. 45. allwo es heisset, die Gläubigen in der 7den Zeit würden heiliglich mit GOtt wandeln *auf Erden*. Conf. etiam p. 46. allwo gesaget wird, *die Zehen=Zahl der Väter vor der Sündfluth sey die Wurtzel oder Stam̄=Zahl, woraus die Tausend=Zahl des Reichs Christi mit seinen Heiligen erwachse. add. Ex. XIII, 6. p. 328. Ad.*

Gen. II, 7. wird angemercket, der Mensch habe Anfangs einen Geistlichen Leib gehabt, weil er sich aber mit seinen Begierden zu sehr nach den Geschöpffen gesehnet, so habe ihm GOTT einen Leib aus dem Staub der Erden bereitet, darein der Geistliche Leib, wie in ein Gehäuß, gleichsam gesetzet worden. Ad Gen. V, 2. wird es ein grosser Mißverstand genennet, wenn man meyne, der erste Adamische Mensch sey ein *irdischer* und thierischer Mensch erschaffen worden, in eben demselben Bild, Gestalt und Figur, wie wir unter dem Fall gebohren werden. Der lebendige *Odem,* den GOtt in die Nasen des Menschen geblasen, solle die Göttliche *Natur* seyn, die ihm mitgetheilet worden. Sehr lästerlich lautet es, wenn ad Gen. III, 4. 5. geschrieben wird: *Dieses Wort der Verführung und falschen Beredung führet die Schlange noch heutiges Tags. Z. E.* der Apostel spricht: So wir mit ihm sterben, so werden wir auch mit ihm leben, Rom. VI, 8. 2. Tim. II, 11. *Nein, spricht die Schlange, nur allein glaube, so wirst du leben.* Eben, als wenn dieses die Sprache der alten Schlangen wäre: glaube, so wirst du leben. Da es doch der Ausspruch Christi und seines Geistes ist, Joh. III, 16. 36. c. XVII, 3. c. XX, 31. Das Bild Adams, nach welchem er seinen Sohn Seth gezeuget, Gen. V, 3. soll das Ebenbild GOttes seyn, weil Adam dazumal durch die Erneuerung wieder geschaffen gewesen nach dem Ebenbild GOttes. Woraus denn folget, daß annoch wiedergebohrner Eltern Kinder nach dem Ebenbild GOttes zeugen müssen, wider den Ausspruch Christi, Joh. III, 6. P. 47. wird ad Gen. VI, 2. die Galle wider das Evangelische Predigt=Amt ausgeschüttet, und gesaget, die grösseste Unordnung in der Ehe, da man nur Unreinigkeit, Ehre und Geld zur Absicht habe, werde lästerlich eine Ordnung und Einsetzung GOttes, und der Stand der *H.* Ehe genennet, alles aus Verführung falscher Lehrer, welche um der accidentien willen gleich den Heydnischen Pfaffen alles gut hiessen, segneten und heilig sprächen, ja mit ihren Exempeln vorgiengen. Die 120. Jahre, Gen. VI, 3. werden von Jubel=Jahren erkläret, welche zusammen 5880. Jahre ausmachen, bey deren Vollendung die Gerichte GOttes über die AntiChristische Welt einbrechen sollen, welche Zeit einfallen solle, wenn wir schreiben 1739. Ad Ex. XVI, 14. sqq. p. 344. wird das H. Abendmal das Anbetungswürdige Sacrament genennet, und also der Papisten Abgötterey gebilliget. Ad Ex. XXXIII, 20. wird fürgegeben, niemand könne GOtt sehen, noch seiner völlig geniessen, wenn er nicht gäntzlich allem eigenen Leben, so wol der Natur, als der Gnaden, und von allem, was nicht GOtt ist, entkommen und gestorben sey. Ad Ex. XXXIV, 10. schreibet man: *Wenn GOtt in eine Seele kommen will, so muß sie durch die geheime Vernichtigung aller seiner Gnaden beraubet seyn.* Wenn es Lev. XXV, 13. heisset, am grossen Jubel=Jahr solle ein jeder zu seiner Haabe wiederkommen, so bringet man die Origenianische und Petersenische Schwärmerey an, und schreibet: *Zuvorderst ist in diesem Jahr den Gläubigen diß grosse Geheimniß vorgestellet worden, wie es nun viele erleuchtete Seelen in unsern Zeiten also einsehen, daß hiermit auf die grosse Wiederbringung aller vernünfftigen Geschöpffe gesehen werde.* === *da ein jeder wieder zur Besitzung GOttes, als seines Ursprungs, kommen wird: womit er denn auch wieder zu seiner Väterlichen Haabe, der ewigen Glückseligkeit im Himmel, und zur Freyheit der Kinder GOttes gelangen wird; wenn er erst mit dem verlohrnen Sohn die Träbern mit den Säuen, den unreinen Geistern, wird in der Hölle in den Pein=Ewigkeiten geschmäcket haben.* Diese Geheimnißreiche Sache, wie man sie vermessentlich nennet, wird hernach aus einem geheimen Philosopho deutlicher erkläret, nach dessen Gedancken diese Sieben=Zahl und Ewigkeiten=Währung biß aufs Jubel=Jahr in sich halte fünff Millionen sieben hundert vier und sechzig tausend acht hundert und ein Jahr, da nemlich nach funffzigmal hundert tausend, als dem grossen Hall= und Jubel=Jahr, und wiederum sieben hundert tausend Jahren, nach und nach alle menschliche Creaturen, so in der Verdammniß gelegen, wiederum zu ihrer Haabe und ihrem ewigen Erbe gelangen werden. In den übrigen vier und sechzig tausend und achthundert Jahren aber die gefallenen Engel. In dem letzten einem Jahr aber werde der Lucifer in der allerletzten und grausamsten Qval und gäntzlichen Verlassenheit von allen Verdammten Menschen und bösen Geistern, gantz bloß und allein stehen, und das Leiden der gantzen Creatur in gantz unermeßlichen Grimm und unergründlicher Marter ausstehen müssen, biß er endlich seine Boßheit und Fall erkenne, und nach der niemals aufhörenden Barmhertzigkeit GOttes in JEsu Christo dürste, und also auch wieder zu Gnaden gelange.

Man könnte noch viel ein mehrers anführen, welches eben so weit von dem Fürbild der heylsamen Worte abgehet, wenn man nicht das angezogene für hinlänglich achtete, damit zu beweisen, daß viel irriges und verführisches in diesem Berlenburgischen *Bibel=Werck* enthalten. Es vermessen sich zwar die Verfasser desselben, in ihrer billigen Vorstellung, daß ihre Erklärung recht reell, voller Krafft und Salbung sey; in der That aber trifft von ihnen ein, was Paulus von den falschen Lehrern zu seiner Zeit schreibet: *Sie wollen der Schrifft Meister seyn, und verstehen nicht, was sie sagen, oder was sie setzen,* 1. Tim. I, 7. Sie sind so ruhmredig, und schreiben, man werde vielleicht in 20. oder 30. Jahren dergleichen Arbeit mit mehrerm Danck erkennen, als die jetzige noch allzusehr im Tadel=Geist stehende Welt thue. Wie aber die jetzige rechtgläubige Kirche von Hertzen wünschet, daß dergleichen ihr nachtheiliges Bibel=Werck nimmermehr zum Vorschein möchte gekommen seyn; also wird sie es auch nach 20. und 30. Jahren noch mehr thun, wenn sie den aus diesem Bibel=Werck ihr zugewachsenen Nachtheil noch empfindlicher fühlen und erfahren wird. Ja, unsere Nachkommen werden die Nachläßigkeit unsrer jetzigen Zeiten verabscheuen, nach welcher man in der Evangelischen Kirchen geschehen lassen, daß eine solche Bibel gedrucket worden, dadurch die von unsern Gottseligen Vorfahren mit so grosser Mühe ans Licht gebrachte Evangelische Warheit verdunckelt, und die Gewissen verwirret werden. Je grösserer Schaden nun für unsere reine Evangelische Kirche von diesem Unternehmen zu besorgen ist, desto mehr ist zu wünschen, daß GOtt Evangelische Fürsten und Lehrer erwecke, welche sich um den Schaden Josephs bekümmern, und diesen Bibel=Druck, wo nicht zu verhindern, doch dessen Gifft und Blöse gründlich, zur Warnung der Schwachen im Glauben, entdek-ken, und zu zeigen, daß es bey den Verfassern der Berlenburgischen Bibel eintreffe, was der Apostel vorher verkündiget: *Dafür, daß sie die Liebe zur Warheit nicht haben angenommen, daß sie selig würden, darum wird ihnen GOtt kräfftige Irrthümer senden, daß sie gläuben der Lügen,* 2. Thess. II, 10. 11. GOtt aber bewahre sein rechtgläubiges Zion, daß es sich nicht durch die in diesem Bibel=Werck enthaltene kräfftige Irrthümer bezaubern und verwir-ren lasse.

Werkregister 11

JOHANN CONRAD DIPPEL

Parodie des gewöhnlichen Kirchen-Gesangs:
Es ist das Heyl uns kommen her.

aus   Schild der Warheit gegen die nichtige Auflagen
Hn. Alberti Joachimi von Krackewitz.

Ich muß zum Beschluß dieses Capitels / und zur Bedeckung ihres falschen Evangelii / ihnen eine Parodie des gewöhnlichen Kirchen=Gesangs: *Es ist das Heyl uns kommen her etc.* vors Gesicht legen / ob ihnen die vorgesungene und gepfiffene Wahrheit etwan besser möchte einleuchten und im Gedächt-nüß bleiben / und ob vielleicht auch ein Bettler sich möchte finden / der solches Lied zur Zeit / da das wahre Evangelium soll wieder herfür gesucht werden / vor ihren Thüren singen wolte / wie sonst ein Bettler vor der Thür Lutheri dessen Ohren so sehr soll erfreuet haben / da er gehöret / wie das imputirte Heyl in Christo schon so weit durchgedrungen / daß Paulus Spera-tus die gantze Orthodoxie in ein Lied gebracht.

Es sollen aber zum Grunde dieses neu Reformirten Liedes die erste Verse aus dem 8. Cap. der Epistel an die Römer geleget werden / welche nach dem Grund=Text und Sinn des Geistes übersetzet / also lauten:

So ist nun keine Verdammung über die / die in Christo JEsu sind / die nicht nach dem Fleisch wandeln / sondern nach dem Geist.

Denn das Gesetz des Geistes des Lebens in JEsu Christo / hat mich frey gemacht vom Gesetz der Sünden und des Todes.

Dann die Unmöglichkeit des Gesetzes (ist daher) weil es durch das Fleisch geschwächet wurde.

GOtt (aber) da er seinen Sohn gesand hatte in der Gestalt des sündlichen Fleisches / um der Sünden willen / hat er verdammet die Sünde im Fleisch / (das ist: ihr das Urtheil gestellet / daß sie sterben solle.)

Auf daß die Gerechtigkeit / vom Gesetz erfordert / in uns erfüllet würde /
die wir nicht nach dem Fleisch wandeln / sondern nach dem Geist.

1.

ES ist das Heyl uns kommen her Von Gnad und lauter Güte; das eigen
Werck taugt nimmermehr / und bläs't auf das Gemüthe; der Glaub sieht
JEsum Christum an / der alles / was er je gethan / in uns noch kan erfüllen.

2.

Was GOtt im G'setz geboten hat / kan Fleisch und Blut nicht halten; Es
bringt herfür nur Heuchel=That / in heiligen Gestalten: Das Fleisch sich
stellet an als Geist / und doch nur eigen Willen weis't / wann es sein Thun
will schmücken.

3.

Es ist ein falscher Wahn dabey / GOtt hab' ein G'setz gegeben / nach dem
der Mensch im Willen frey / zur Danckbarkeit könt' leben / da es doch ist ein
Spiegel zart / so nur entdeckt die sündlich' Art / und keine Krafft verleyhet.

4.

Nicht möglich war dieselbig' Art / durch Zwang und Würcken lassen / und
ob es schon versuchet ward / so hört' nicht auf das hassen / im inneresten
Willens=Grund / gegen des grossen Schöpffers Bund / die Feindschafft blieb
gegründet.

5.

Noch muß das G'setz erfüllet seyn / sonst sind wir all' verlohren / darum
schickt GOtt sein'n Sohn herein / in unserm Fleisch gebohren / in welchem
er die Sünd verstört / und also GOttes Zorn abkehrt / der nimmer Sünd kan
lieben.

6.

Da dieser nun erschienen ist / der das Gesetz kan halten / so lerne / wilt du
seyn ein Christ / des Glaubens recht' Gestalten: Er spricht / mein GOtt und
HErre mein / du solt mir alles geb'n und seyn / was GOtt von mir begehret.

7.

Daran ich keinen Zweiffel trag; Dein Wort kan nicht betrügen / in dir ich /
sprichst du / all's vermag / das wirst du nimmer lügen / wer glaubt an dich /
besiegt die Welt / dein Geist ihn taufft / und bey dir hält / daß er nicht werd'
verlohren.

8.

Der wird gerecht vor GOtt allein / der diesen Glauben fasset / dann ihn
bethört kein falscher Schein: GOtt sein Werck nicht selbst hasset. Der Glaub
thut Christo auf die Thür / derselbe bringt die Werck' herfür / in uns / die
GOtt gefallen.

9.

So wird dann nur die Sünd erkannt / durchs G'setz / und schläget nieder / Christus hingegen bieth't die Hand / und bringt das Leben wieder / Er rufft: kommt her in meine Zucht / ihr bleib't sonst ewiglich verflucht; Mein Joch allein giebt Frieden.

10.

So folgen denn gewißlich her die Werck' aus wahrem Glauben / da man dem Schöpffer giebt die Ehr / die er ihm nie läst rauben. Nothwendig wird der Mensch gerecht / in dem GOtt selbst ist Licht und Recht / und Satans Werck verstöret.

11.

Die Hoffnung freu't sich auf die Zeit / die GOttes Wort zusaget / in welcher den / der wohl hie streit't / kein Feind und Sorg mehr plaget / doch schon im Kampff Gewißheit ist / daß alle Macht und Feindes=List / uns nicht von GOtt könn' scheiden.

12.

Ob sichs anließ / als wärs zu schwer / laß dich doch gar nicht schrecken: Dann stürmt die Sünde noch so sehr / so kan dich Christus decken / in ihm dir alles möglich ist / er braucht an uns kein' arge List / wann er sein Hülff anbiethet.

13.

Sey Lob und Ehr mit hohem Preiß / um dieser Gutthat willen / des Heylands Krafft und Lebens=Geist / wird g'wiß sein Werck erfüllen. Was er in uns ang'fangen hat / zu Ehren seines Vatters Rath / daß heilig werd sein Name.

14.

So kommt sein Reich / so g'schicht sein Will / auf Erd wie vor dem Throne / so giebt der Vatter Brods die Füll / der uns in seinem Sohne / die Sünd vergiebt / und auch verstört / und dem Versucher kräfftig wehrt / biß alles Böß besieget. AMEN!

Werkregister 72

Unbekannter Verfasser

Lied der Salzburger Religions-Exulanten

Cassel, vom 18. Junii. Alhier ist jüngstens bey Gelegenheit des Durchzuges der saltzb. Religions=Exulanten folgendes in dem saltzburgischen Dialect abgefasstes Lied gedruckt worden:

1. I bin ein armer Exulant,
   A so thu i mi schreiba,

Ma thuet mi aus dem Vatter=Land
Um GOTTES Wort vertreiba.

2. Das weiß i wohl HErr JEsu Christ,
Es ist dir ach so ganga,
Itzt will i dein Nachfolger seyn,
HERR machs nach deim Verlanga.

3. Ei Pilgram bin i holt numehr,
Mueß rasa fremde Strosa,
Das bitt i di, mein GOTT un HERR,
Da wirst mi nit verlosa.

4. Den Glauba hob i frey bekennt,
Des dorf i mi nit schäma,
Wenn mo mi glei ein Ketzer nennt,
Au thuet mirs Leba nehma.

5. Ketta und Banda war mein Ehr
Um JESU Willa z'dulda.
Un dieses mocht die Glaubens=Lehr,
Un nit mein bös Verschulda.

6. Mueß i glei in das Elend fort,
Will i mi do nit wehra,
So hoff i do GOTT wird mir dort
Och gute Fründ beschera.

7. HERR! wie du wilt, so gib mi drin,
Be dir will i verbleiba,
I will mi gern dem Wille dein
G'duldig unterschreiba.

8. Mueß i glei fort, in GOTTES Nam,
Un wird mir alls genomma,
So wooß i wohl, die Himmel=Cron
We i oumahl bekomma.

9. So mueß i heüt von meinem Haus,
Die Kindel mueß i losa,
Mein GOTT! es treibt mir Zährel aus
Zu wandern frembde Strosa.

10. Mein GOTT! führ mi in eine Stodt,
Wo i dein Wort kan hoba,
Darinn will i mi früh un spot,
In meinem Hertzel loba.

11. Soll i in diesem Jammerthol
Noch länger in Armuth leba,
So hoff i do, GOTT wird mir dort
Ein bessre Wohnung geba.

Werkregister 15

UNBEKANNTER VERFASSER

Gespräch über Toleranz

Ich nam, was er mir gab; und hörte beim Essen, daß der Ort dem Fürsten von *Portia* gehöre, daß ein LandGericht, ein Pfleger, ein Vicarius, und ein Caplan, hier wären. – Auch saßen einige Bauern da in einem warmen Gespräche, und zwar, wie ich merkte, vom *Toleranz*Wesen. Der Wirt entfernte sich; ich horchte, was die Leute nach ihrem MenschenVerstande von der Sache hielten, und merkte, daß ein evangelischer Bauer darunter, die andern aber katholisch waren. Jener war ganz ruhig, und wollte durchaus nichts von ReligionsSachen sprechen, indem er sich auf das kaiserl. Verbot bezog: allein es half alles nichts; jener wollte fort, aber die katholischen hielten ihn zurück. Nun ging die Disputation an.

„Ihr Evangelische seid übel dran", sagten die leztern: „ihr habt soviel Unkosten mit Aufbauung des BetHauses, mit Erhaltung eurer Pastoren –: und auf die lezt werdet ihr doch *fortgefürt*, denn das hat uns unser Geistliche und der gestrenge Herr gesagt." „Hat keine Not, Nachbar", fing der Evangelische an; „der Kaiser ist ein braver Herr, er wird sein Wort nicht brechen: Gottlob daß wir keine Gleißner mer seyn dürfen, auch nicht mer Zucht=Haus, Ketten und Bande, nebst unmenschlichen Schlägen, zu fürchten haben." Er zog hiebei seinen Hut ab, hob die Hände auf, und rief aus: „Gott und dem Kaiser haben wir die guten Zeiten zu danken. Wegen der Unterhaltung hat es keine Not, noch darf unsre Herrschaft nicht klagen, daß wir ihr schuldig bleiben". „Du weißt", fing der kathol. Bauer an, „daß ich all die Evangelischen Bücher hab, den *Schnitberger*, *Arndts* Christentum, *Habermann:* ich wollte mich auch schreiben lassen, aber da hat der geistliche Commissarius gesagt, ich könnt all die Bücher behalten, dürfte keinen Rosenkranz beten, brauchte auch kein Fegfeur zu glauben, ich sollte nur katholisch bleiben, und hat mir einen geschriebenen Zettel gegeben. Sieh, jetzo hab ich keine Unkosten." – „O nein", antwortete der Evangelische, „Gott und der Kaiser will keine Gleißner, so bistu nichts. Aus unsern Büchern betest du, und mit dem katholischen Glauben geht das nicht zusammen". – „Aber, Hanßel, glaubst du denn selig zu werden?" – „O ja, mit Gottes Hülfe; denn wir Evangelische leben nach dem klaren Worte Gottes, und haben keine MenschenSatzungen". – „Aber den lezten Sonntag hat unser Geistliche ja gsagt, die Evangelischen wären alle verdammt, hat euer BetHaus eine hölzerne Hütte genannt, und hat uns gewarnt, nicht zu der verfürerischen Ler zu gehen, weil ihr nur einen Gott glaubt, und durch den allein selig werden wollt, da man doch ohne Anrufung der Heiligen nicht in Himmel kommen kan." – „Hast du die Bibel gelesen?" – „Nein, unser Geistliche sagt, das Papir kan viel leiden, es ist nicht alles war, was in der Schrift stehet." – „Ich will nicht streiten; wenn ihr aber die Bibel verwerft, wie lebt ihr denn?" So kamen sie nach und nach auf alle die Gebräuche der kathol. Kirche. Wundern mußte ich mich, wie der Evangelische solche Sprüche aus der Bibel entgegen setzte, daß der Katholische verstummte. – Endlich kamen sie auch auf die *Schulen.* Der eine schien mir ein kathol. Schulmeister zu seyn, denn der Evangelische sagte zu ihm: „ja wol hat der Pfleger die Evangel. Kinder gezwungen, in die Schule zu gehen; aber was haben unsre Kinder bei dir gelernt? Kannstu's läugnen, hat nicht der Bub, in deiner und aller Kinder Gegenwart, der Dirne die Brüste ausm Mieder gezogen? Heist das lernen?" – „War ists", fing der kathol. Bauer an, „meine Dirn hat mirs erzält, du bist mir ein rechter Schulmeister." – – Dann kamen sie auch auf die *Lerer.* „Ja", fing der kathol. Bauer an, „unser Geistliche sagt, eure Pastoren sind nur HandwerksBursche, sie haben keine Weih." – „Sie brauchen keine, die Apostel hatten auch keine; und studirt haben sie auch, vielleicht besser wie die eurigen. Solltest nur unsern Pastor predigen hören, wirst wol anderst denken, der legt das Evangelium recht aus! da eure Geistliche wenig oder nichts aus der Bibel beweisen, und so lang ich in die kathol. Kirch gehen mußte, hab ich keine Erbauung gehabt, weil sie immer einerlei predigten, und nichts vom Evangelio sagten." – „Und euer Abendmal ist nichts", fur der Katholik fort, „hats unser Geistliche neulich gsagt; es ist eben soviel, als wenn man ins WirtsHaus geht, trinkt eine Halbe Wein, und tunkt ein Brod ein." – „Nachbar, wir genießen das Abendmal, so wie es Christus der Herr eingesetzt hat, und eure Geistliche verdrehen nur die Stelle beim Matth. 26, wo sie sagen, es stünde nur vom Brod, da sie die Stelle v. 29 auslassen. Aber wir wollen schweigen, es ist genug, die Religion läßt sich nicht zwingen. Gottlob, der GewissensZwang ist aufgehoben, wir lassen euch mit Frieden, und unser Pastor prägt es uns bei aller Gelegenheit ein, daß wir euch lieben sollen, und das tun wir: und wenn gleich viele kathol. Geistliche uns öffentlich verdammen, schmähen und fluchen, so wird kein Pastor uns mit einem Wort etwas sagen."

(Bei einer andern Gelegenheit erfur ich abscheuliche Anekdoten von Geistlichen. Z. Ex. einer predigte, wenn die Evangelische die ware Religion wäre, so sollte ihn der T– holen: er stand auf der Kanzel, „und Ihr, meine Lieben, weil der Teufel an meinen PriesterKleidern keine Gewalt hat, so will ich die Kleider ablegen", zog sie aus, legte sie hin; „nun", sagte er, „T– komm, hole mich!" – Ein andrer Geistlicher sagte zu einem Weibe, welches in den Beicht-Stul kam, ob sie Fegfeur und Heiligen glaubte? „Nein". „So leck . . .", packte sie an, und schleuderte sie fort.)

Dann kamen sie auch auf die Bedrückungen, die ihnen von den Pflegern angetan würden; wie diese öffentlich sagten, *Wir geben den Evangelischen keinen Schutz,* und bei aller Gelegenheit, wo sie nur können, die Evangelischen zu drücken suchten, daß es selbst der kathol. Bauer bezeugte. Doch ließ der Evangelische einigen Gerechtigkeit widerfaren, die ihre Untertanen ohne Ansehen der Religion behandeln, wie Vater Josef haben will.

Der kathol. Bauer ging endlich fort, der evangel. blieb da über Nacht, um mit mir den andern Tag ins BetHaus aufs Feld zu gehen. Ich setzte die Unterredung fort; er pries mit Thränen die jetzo von ihm erlebten Zeiten glücklich, und sprach mit ländlich=herzlichen Ausdrücken von seinem Kaiser. „Jetzo haben wir, fur er auf meine Fragen fort, 8 Pastoren; aber in die *Gnessa* und ins *Bleiberg* sollen auch noch 2 kommen. Diese Pastoren werden schändlich mishandelt: einige sind mit Steinen und SchneeBällen geworfen worden; oben im GailTal wurden 2 in ihrem Zimmer mit Steinen in der Nacht attaquirt; ein andrer, wie er vor einem WirtsHause vorbei fur, sollte von den da wartenden Burschen derb abgeprügelt werden, welcher Gefar er noch durch die Geschwindigkeit seines Pferdes entrann; ein andrer wurde in einem öffentlichen WirtsHause für Sauhalter geschimpft". Die Feindschaft zwischen den beiden Parteien ist unbeschreiblich groß; das machen die Geistlichen, die ich hier so fanatisch, so stupid finde, als in keinem einzigen andern deutschen katholischen Lande, und ich habe deren doch viele durchreist. Unters Gesicht sind diese Leute den evangel. Geistlichen freundlich; aber in Predigten nicht nur, sondern auch bei jeder andrer Gelegenheit, suchen sie sie verächtlich zu machen. Will einer von den Ihrigen zu uns übertreten: so schicken sie ihm Wein, Geld, Fleisch, ins Haus, unterschreiben die Bücher, geben alles zu, was sie verlangen, nur sollen sie *katholisch* bleiben. Was beim Examen manchmal vorgehen soll, scheue ich mich niederzuschreiben. Gleißner also, nicht Katholiken, gedungene Gleißner, erzieht der Kärnter Klerus seinem Monarchen zu Untertanen!

Die Evangelischen sind hier weit zalreicher, wie die Katholiken: und in einem Umfang von 5 Stunden, sind gleichwol 5 kathol. Kirchen und 8 Geistliche. „Muß denn diese der Kaiser alle besolden?" fragte der ehrliche Bauer; „er könnte ja viel ersparen, da oft ein kathol. Geistlicher kaum 6 Personen in seiner Kirche hat. Wir müssen auch die *Stolla* zalen, das tun wir: allein der kathol. Geistliche verlangt, was er will, oft von einer Leiche oder Hochzeit 4 fl. und mer, und er tut doch nichts dafür."

Indeß kam ein kathol. Geistlicher in die Stube. Der Baur ging hin, und küßte ihm die Hand, welches hier allgemeine Sitte ist. Er grüßte mich auch, ich ließ mich mit ihm in ein Gespräch ein: aber welche Leere fand ich bei dem Manne! Über Litteratur wollte er sich gar nicht einlassen, sondern sagte: er lese keine Zeitungen, weil doch lauter Lügen darinn stünden. Er aß, und trank, und ging.

Den Tag darauf ging ich auf das Feld, um dem protestantischen Gottesdienst beizuwonen. Das BetHaus, welches von Holz aufgefürt ist, steht auf einer Ebene, an welche der FreydHof auch mit Holz eingezäunt stößt: oben auf einem Berge, fast eine halbe Stunde davon, ist die PredigerWonung angefangen. Von allen Seiten eilten ganze Scharen von Menschen her: der Prediger kam von seinem Berge herab, alles strömte auf ihn los, und bewillkommte ihn herzlich; er unterhielt sich mit ihnen. Dann fing der Gottesdienst mit einem

Lied an, wo einer vorsang, und der allergrößte Teil der Gemeinde recht gut mit einstimmte. Ihre Gesänge waren aus einem kleinen brochirten Buche, welches in Wien 1783 zum Behuf der Evangel. Gemeinden herauskam, und einstweilen gebraucht wird, bis das große GesangBuch kömmt, welches das bekannte *Holsteinische* ist, das in Wien aufgelegt, und bei allen neuen deutschen Gemeinden eingefürt wird. Die *Predigt* war über den Satz: *Was fodert Jesus von seinen Bekennern? I. Glauben, II. Evangelische MenschenLiebe.* Der schlichteste MenschenVerstand konnte alles verstehen: so popular war der Vortrag, und dabei doch äußerst rürend. Zulezt machte der Prediger die Anwendung auf „einen Teil unsrer MitChristen in *Villach*, die durch den Brand verunglückt waren", und foderte seine Gemeinde zu einem Beitrag auf, – mit solcher Wirkung, daß ich viele sagen hörte: „Wenn wir auch nicht könnten, so müßten wir den lezten Heller hergeben." Nachher wurde ChristenLere gehalten, wo ich sah, daß die Kinder sehr flink Sprüche aufschlagen konnten. Dieser würdige Geistliche ist Hr. *Knopf,* aus Nürnberg. Wie er aus der Kirche kam, drengte sich wieder alles zu, küßte ihm die Hand etc. Noch besprach er sich mit seiner Gemeinde, und fur dann auf ein andres weit entlegenes Dorf, um auch da ChristenLere zu halten.

Ich speiste zu Mittag, und besah nachher die Gegend umher. Sie ist voller Gebirge, aber die steilsten Berge sind angebaut. Wo man nicht pflügen kan, da brennen die Bauren das Gesträuch weg; dies macht eine Art Dünger (*Galle* hier zu Land genannt), und dann wird SommerRoggen daraufgebaut. Auf den Wiesen der höchsten Berge, *Alpen* genannt, lassen sie den Sommer über ihr Vieh weiden, wobei eine WeibsPerson ist, die die Küche versorgt, melkt, Butter macht, und dem Bauern alle 14 Tag abliefert. Das Heu liegt in Hütten aufgestapelt, die hie und da herum stehen. Kartoffeln (hier *FletzBirn*) ziehen sie etwas, aber nur noch wenig. Noch sah ich auf den hohen Gebirgen Schnee, und an einigen Orten soll er gar nicht weggehen. Sonderbar ist es, daß fast alle 2 Stunden das Klima anders ist. Von *Villach* bis *Treffen* ist es warm: dann mindert sich solches gegen *Afriz* und das Feld; und gegen *Kirchheim* und weiter hinein ist es so kalt, daß kein ObstBaum wächst, wogegen es auf der andern Seite ungleich wärmer ist, und man schon in der Mitte des Juls schneidet, da man an diesen Orten kaum vor Anfang des Augusts daran denken darf.

Nun überstig ich einen fürchterlichen Berg, um das *KatharinenBad* zu besehen. Ich traf keinen BadGast an, und erfur, daß das Bad blos von den Frauenzimmern besucht wird, die gerne fruchtbar wären. Es hat eine sehr kalte Lage; auch ist die Einrichtung nicht die beste. Nach meiner ersten Untersuchung möchte das Wasser gute Wirkung tun, allein es scheint, daß man es vernachlässige. Und wer wird dahin faren, da die Wege so schlecht sind, und man solche nicht ohne LebensGefar passiren kan?

Ich geriet wieder an einen Bauer, der mir auf meine Frage, ob er Evangelisch sei? mit Ehrfurcht antwortete: „ja! Gott und unserm Kaiser haben wirs

zu danken." Er sagte weiter, vordem habe es immer geheissen, der Bauer
brauche nichts wie seine MistGabel, er brauche nicht in der h. Schrift zu
lesen, sondern soll nur seine BetSchnur nemen, wozu er also lesen lernen
solle? Er und andre Bauern hätten ihre Buben schreiben wollen lernen lassen,
aber der Geistliche habe es scharf verboten etc. Viele wären, so bald man nur
ein Buch bei ihnen gemerkt, geschlagen worden, hätten 60, 80 fl. Strafe geben
müssen, wären weggefürt worden nach Siebenbürgen und Ungern, wo viele
solche Kärnter waren. Die Anzal der waren Katholiken sei sehr klein: die
meisten hätten noch evangelische Bücher, und beteten blos daraus, aber aus
Furcht der Strafe, oder aus Liebe zur Geistlichkeit blieben sie äußerlich katholisch. – Anfangs habe man öffentlich gesagt, der Kaiser wolle sie nur
probiren, sie würden nie einen Pastor bekommen, aufs Wasser werde man sie
setzen: ja man habe gesagt, die Katholiken sollten sich bereit halten, alles zu
bezalen, was sie ihnen (den Evangelischen) schuldig wären; denn die Herrschaft würde die Huben kaufen, und sie fortjagen. – Die starken Unkosten,
da sie den kathol. Geistlichen bezalen, und ihren eignen Pastor aushalten
müßten, trügen sie gerne: wenn nur jener nicht alles zur *Stolle* machte! So gar
fürs LeichenTuch, das doch ihrem Pastor gehöre, fodre er Geld. Gleichwol
brauchtens die Herren nicht; sie hätten Felder, Pferde, und alles was zu einem
HubWerk gehöret, hätten 6, 700 und mer fl. Einname, und haschten doch
nach jedem Kreuzer etc. etc. – Wie sie ihn und seine andern GlaubensGenos-
sen examinirt hätten, und sie auf die Frage, zu was für einer Religion sie sich
bekännten, geantwortet hätten, zur *Evangelischen,* hätten sie ihnen gesagt:
,,wir sind auch evangelisch"; und wie sie weiter nichts mit ihnen ausrichten
können, hätten sie gesagt: sie (die Bauern) wären TrutzKöpfe, mit denen
nichts anzufangen wäre, sie sollten sich fortscheren.

Das HauptArgument ist immer, die Pastoren wären Kätzer, und hätten
keine Weih. Und hie und da hört ein Fremder auch von sogenanten *gestrengen* Herren die Ausdrücke: ,,die verdammten Kätzer sind beim *T*–; das verfl–
Luthertum ist auch bei uns, weiß nicht, was dem Kaiser eingefallen, solches
zu bewilligen; durch das Luthertum, das der Kaiser eingefürt hat, werden wir
alle unglücklich; in Wien sind lauter FreiGeister, denn wer nicht glaubt, was
die Kirche glaubt, ist ein FreiGeist etc."

Allem Ansehen nach also, werden Josefs große Absichten in diesem Lande
am spätesten zur Reife kommen. Kärnten ist weit abgelegen, und unglaubli-
che Finsternis bedeckt das Land im Ganzen genommen. Die Geistlichkeit
gibt den Ton an; und nach einer Berechnung, die ich in *Villach* gesehen, ist
die Anzal derselben 1009 Köpfe, von denen nur wenige je über ihre Gränze
gekommen: diese regiren Pfleger und Pflegerinnen, und keine herkulische
Macht kan sie bändigen. In allen Staten des Kaisers sollen keine erbärmlichere
Predigten gehalten werden, wie hier. Über die Abschaffung der *Processionen*
ist der Pöbel noch immer aufgebracht.

Die Industrie der LandLeute ist groß, aber die Macht der Vorurteile und des Aberglaubens ist noch größer. Sie brauchen Unterricht und Lere. Wenigere, aber aufgeklärte Seelsorger, könnten viel tun. Die Kärnter *Leinwand* könnte einen wichtigen AusfurArtikel machen, wenn eine LinnenLegge die Bauern nötigte, besser spinnen zu lassen.

Werkregister 27

JOHANN CONRAD DIPPEL

CHRISTIANI DEMOCRITI
Berlinische Arrest=Gedancken.

Mel. *An Wasser=Flüssen Babylon.*

1.
Kom Thorheit brauche Macht und
                    List,
Versuch, ob noch zu finden
Ein Christ, den GOtt zu jeder Frist
Ausrüst zum Uberwinden.
Ermuntre deiner Götzen Schaar
Und jetzt kein Fleiß noch Mühe spar
Das Cräntzlein abzujagen
Dem, der den wahren GOtt erkannt,
Und über deinen Babels=Tand
Nur prophezeyet Plagen.
2. Auf Atheist! den allzeit schröckt,
Was sonst ein Christ verlachet,
Und dem nichts angenehmer
                    schmeckt,
Als was zum Thier ihn machet.
Erfahr, ob dein Betrügerey
Den könne fesseln, der sonst frey
In Unschuld GOtt verehret;
Vielleicht entsincket ihm der Muth,
Wann er des Creutzes heisse Glut
Mit Nachdruck recht erfähret.
3. Verhöhner der Gerechtigkeit,
Regierer ohn Gesetze,
Versäume jetzt nicht deine Zeit,
Umstell mit deinem Netze
Ein Wild, nach dem dein Hunger
                    schnaubt,

Es schadet nichts, wann selbst der
                    raubt,
Der sonst das Gute schützet;
Dann Staats=Vernunft fragt nicht was
                    recht,
Sie braucht nur eine Regel schlecht:
Es ist erlaubt, wenns nützet.
4. Doch wisset, daß ein Rächer lebt,
Der eure Thaten zehlet,
Und endlich aus dem Staub erhebt,
Was Er sich hat erwehlet.
Ihr werdet seine grosse Macht
In einer duncklen Unglücks=Nacht
In kurtzem wohl empfinden;
Ihr seyd verkauffet zum Gericht,
Und habt schon längst das Recht u.
                    Licht
Verkehrt in Schand und Sünden.
5. Ja selbst in eurer tollen Wut
Kennt ihr nicht, was ihr wehlet;
Dann was euch Argen scheinet gut,
Gar offt dem Wunsche fehlet:
So sehet ihr, daß Sodoms=Zucht,
In Blindheit, die zweymal verflucht,
Euch gäntzlich hat verstricket;
Im Guten seyd ihr längsten blind,
Und jetzt, da ihr nur wehlet Sünd,
Die Boßheit euch misglücket.

6. Ihr solt den lassen gehn im Fried,
  Den euer Sodom plagte,
Nehmt an, zu guter Letzt, dieß Lied,
  Da man ihn selbst verjagte,
Und doch zugleich erst halten wolt,
Weil Ketzerey sich mit dem Gold
  In euren Augen paarte;
Das Gifft wär worden gut und rein,
Wann es in güldnen Büchsen fein
  Sich klüglich selbst verwahrte.
7. Ihr dachtet, nun muß werden klar,
  Was er so lang verfehlet,
Es wird ihn schröcken die Gefahr,
  Daß er das Kürtzste wehlet,
Und sich mit Gold vom Creutz
               erlößt,
Um den, der ihn zu Boden stößt,
  Mit Prahlen zu besiegen;
Vielleicht hat er auch Lust zum Staat,
Und greifft nach hoher Herren Gnad,
  Wills anders sich nicht fügen.
8. Ja Sclav der Laster! wann kein
           GOtt
  Den freyen Geist könt binden,
Daß Er allzeit Hohn, Spott und Noth
  Fürzög dem Dienst der Sünden;
So möchte deine List und Macht,

Dein Schwelgerey, dein Weiberpracht,
  Vielleicht den Sinn bethören,
Nun aber wird ein Diamant,
Den GOtt bewahrt in seiner Hand,
  Sich nicht an Proben kehren.
9. Glaub mir, es ist ein grösser Lust,
  Für den, den du wilst schröcken,
Wann er im Kercker, Band und Wust
  Sich kan mit Unschuld decken,
Als wann er deine Herrlichkeit,
Und alles, was dich jetzt erfreut,
  Könt tausend Jahr geniessen.
Doch ist dir dieser Gnaden=Fluß,
Und der Sophien Liebes=Kuß
  Verborgen und entrissen.
10. Dieß einzig wirst du sehen nur,
  Daß dein Verstand gefehlet,
Und daß auf deinem Thier die Hur
  Umsonst die Unschuld quälet.
Es ist bestimmet eine Zeit,
In welcher dieser Babels=Streit
  Sich wunderlich verkehret,
Und da dir wiedrum Spott und
           Hohn
Wird werden zum verdienten Lohn,
  Du bist schon halb verstöhret.

Werkregister 73

Carl Friedrich Bahrdt

aus   *Vorrede zur Übersetzung des Neuen Testaments*

Ich sehe schon zum voraus, daß man über diese *Übersetzung des Neuen Testaments* sehr verschiedene Urtheile fällen wird, welche theils die verschiedenen Grade von Abneigung oder Zuneigung gegen meine Person, theils die mannigfaltigen Grundsätze, die der oder jener, bey Beurtheilung eines Übersetzers, als wahr annimmt, veranlassen werden. Allein ich bin dabey ganz unbesorgt, weil ich nicht für das Lob der Kunstrichter, sondern für den Nutzen meiner Leser gearbeitet habe.

Mein Zweck war, den Freunden der liebenswürdigsten Religion eine solche

Übersetzung in die Hände zu geben, welche sie *ohne Commentar verstehen*, und zu ihrer *Befestigung im Glauben benutzen* könnten.

Diesem Zwecke war eine *wörtliche Übersetzung* in dem Geschmack eines *Michaelis*, bey welcher man sich getreu, oder wie man eigentlich sagen sollte, sclavisch, an die ersten Wörterbuchs=Bedeutungen hält, und statt *deutsch* zu schreiben, *griechisch* oder *hebräisch* mit *deutschen Buchstaben* hinschreibt, schlechterdings entgegen.

Der Leser, der den Grundtext nicht versteht, und gern, ohne weiteres Nachschlagen und Forschen, den Sinn der h. Schriften gerade vor Augen haben möchte, kann sich ohnmöglich mit einer Übersetzung begnügen, die nach dem Ideal dererjenigen gemacht ist, welche verlangen, daß das Original, in jeder Zeile der Übersetzung, sichtbar bleiben soll. Er will – und wenigstens sind unter tausend Lesern neun hundert und funfzig, die es wollen – er will bey einer Übersetzung nicht anstossen. Er will nicht genöthigt seyn, über einen Ausdruck seitenlange Anmerkungen zu lesen, oder Commentare zu Rathe zu ziehen. Er will, frey von allen Schwierigkeiten, nur lesen und auch, gleich beym Lesen, seinen Autor verstehen. Es ist ihm zu seinem Zweck, (wenigstens zu dem, in welchem er *die heilige Schrift* liest) gleichgültig, was im Original eigentlich für eine Wortfügung stehe, wenn er nur in einem *gleich geltenden* – *reinen* – *deutschen* Ausdrucke, den *wahren* Gedanken des Schriftstellers findet. Er sucht den Inhalt der Bibel, aber nicht ihre Schale. Er verlangt Sachen und keine Worte. Er wünscht Unterhaltung, er dürstet nach Wahrheit, er sucht sich zu erbauen, er sehnt sich nach Gefühl und Empfindung, welche das Hinreissende göttlicher Wahrheit in die Seele strömt. – Man sage mir also, was für diese Foderungen eines Bibellesers, der durchleuchtende Orientalismus oder Hellenismus soll, der die Übersetzung dem Layen dunkel und schlechterdings unbrauchbar macht?

Wollen wir nie, daß unsere Christen die Bibel mit Geschmack und Vergnügen lesen sollen? Wollen wir es nie möglich machen, daß auch Leute, die sonst mit Eckel die Schrift lasen, weil sie das wenigste verstunden, anfangen sollen, sie mit Lust zu lesen? Wollen wir dieses vortrefliche Buch nie auch in die Hände derer kommen lassen, welche nun einmal alles vereckeln, was nicht gleich bey dem ersten Anblicke, mit dem übereinkommt, was sie Vernunft, Geschmack und Anstand nennen? Wollen wir die grosse Absicht, Gottes Wort allgemein beliebter zu machen, jener Grille aufopfern, welche nur deswegen so viel Beyfall gefunden hat, weil sie einige grosse Köpfe aufgebracht haben.

Doch wozu vertheidige ich meine Art zu übersetzen? Der Erfolg wird es lehren, daß Hunderte mir für ein verständliches Buch danken, wenn zehen mich bey dem Richterstuhle der Kritik anklagen werden, daß ich zu frey – das heißt, nicht unverständlich genug, übersetzt habe.

Die Grundsätze, welche der Verfasser der *Kritiken über die Michaelische Bibelübersetzung* vorgetragen hat, werden immer die richtigsten und brauchbarsten bleiben, wenn auch noch so viele kleine oder grosse Schreyer auftreten sollten, sie zu verurtheilen.

Meinetwegen mag man es also tadeln, a) daß ich, um dem Leser verständlich zu werden, zuweilen einen Gedanken eingeschoben habe, der zwar nicht geradezu in den griechischen Worten liegt, den aber der Schriftsteller mitgedacht hat, oder den wenigstens die Parallele autorisirt. – b) Daß ich Bilder, Anspielungen und Sprüchwörter nur da beybehalten habe, wo sie in der deutschen Sprache *verständlich* und *anständig* ausgedruckt werden konnten: daß ich sie im Gegentheil weggeworfen, wo sie in unserer Sprache unverständlich oder unedel würden geworden seyn: (denn was verliert der oben festgesetzte Endzweck meiner Leser, durch ein solches Bild oder Sprüchwort? (z. E. Matth. 8, 11.12.) c) Daß ich um eben der Ursachen willen Sprüchwörter mit Sprüchwörtern vertauscht habe; (z. E. Matth. 23, 15.) d) Daß ich den eckelhaften morgenländischen *Dialog* modernisirt habe; e) daß ich eine deutsche Wortfügung eingeführt, und nicht immer Frage in Frage, Periode in Periode, Exclamation in Exclamation etc. übergetragen habe: f) daß ich *zuweilen*, wo es ganz unvermeidlich war, das heißt, wo bey dem *einfachen* Wort schlechterdings der wahre Gedanke verlohren gieng, *umschrieben* habe. (Z. E. πενθουντες Matth. 5.)

Und wer überlegt, 1) daß die Verfasser der heiligen Schrift unstudirte Leute waren, die weder Plan noch Ausdruck zu wählen wußten, und die in ihren *Erzählungen*, abgebrochen und unvollständig, in ihren *Briefen* aber, oft voll Affect waren, welcher einen Strom von Worten, aber ohne *ausgedruckten* Zusammenhang, hervorbrachte; 2) daß die, in Luthers Übersetzung beybehaltene, morgenländische Wortfügungen und Wörterbuchs=Ausdrücke, so vielen mystischen, zweydeutigen und dunkeln Kram in die Dogmatiken, ich will nicht sagen, hineingetragen, aber doch unterhalten haben, (Buchstabe, Geist, Fleisch, Gesetz, Werke, Gerechtigkeit,) – 3) daß das Griechische im Neuen Testament ein Bastart von einer Sprache ist, wo es gar nicht der Mühe verlohnt, das Originelle derselben in der Übersetzung durchleuchten zu lassen – wer, sage ich, diese drey Stücke mit kaltem Blute überlegt, der wird vielleicht über meine Art zu übersetzen weniger zürnen, als diejenigen, welche mich nach entgegengesetzten Grundsätzen beurtheilen. Wer auch noch mit meiner Erklärung unzufrieden seyn möchte, den ersuche ich, sein Urtheil so lange aufzuschieben, bis mein Commentar erschienen seyn wird, welchen ich Bandweise herausgeben, und worin ich meine Übersetzung rechtfertigen werde.

CARL FRIEDRICH BAHRDT

aus   *Übersetzung der Bergpredigt*

Christi Bergpredigt, worinnen er die Hauptsumme
seines Evangeliums zusammenfaßt.

Als er einst eine vorzügliche grosse Menge um sich herum sahe, stieg auf 1.
auf eine Anhöhe (um von allen gehört zu werden.) Sobald er sich gesetzt 2.
hatte, versammelten sich seine Freunde um ihn herum, und er fieng folgen-
dermassen an zu reden.

Eingang.

„Wohl denen, die wenige Wünsche für diese Erde haben. Für sie ist die 3.
Religion, die ihre Bekenner auf die Ewigkeit vertröstet. – Wohl denen, wel- 4.
che die süssen Melancholien der Tugend den rauschenden Freuden des Lasters vorziehen, sie werden reichlich dafür getröstet werden! – Wohl denen, 5.
welche Unrecht ertragen und Beleidigungen erdulden können. Das Vaterland
der Tugendhaften ist ihr gewisses Erbtheil! – Wohl denen, deren Seele einen 6.
immerwährenden Durst nach Vollkommenheit empfindet. Ihr Durst wird
reichlich gestillet werden! – Wohl denen, welche wohlthätige und edelmüthi- 7.
ge Menschenfreunde sind. Sie sollen an ihrem Herrn den gegen sich finden,
welche sie selbst gegen ihre Nebenmenschen waren! – Wohl denen, welche 8.
ihr Herz vor allen unreinen Begierden verschliessen. Sie werden die Vertrau-
testen Gottes ihres Königes seyn! – Wohl denen, welche Eintracht lieben und 9.
befördern. Der Gott (des Friedens) wird sie als seine Kinder ansehen! – Wohl 10.
denen, welche für die Tugend auch zu leiden bereit sind. Für sie, für sie ist die
Religion, die ihre Verehrer jenseit des Grabes belohnt. – Wohl also auch 11.
euch, meine Freunde, wenn ihr einst um meinetwillen es erdulden werdet,
daß man euch beschimpfe, verfolge und auf alle Weise verlästere. Ihr habt 12.
Ursach, euch im höchsten Grad darüber zu erfreuen. Denn eure Belohnung
wird im Himmel ausserordentlich groß seyn. Ihr seyd mit den heiligen Propheten zu gleichem Schicksale bestimmt, (so wie ihr mit ihnen die Pflichten,
die euch obliegen, aber auch die Belohnungen, die euch bevorstehen gemein
haben werdet.)
Ihr seyd (wie sie) das Salz des übrigen Menschengeschlechts. So wie man 13.
verdorbenes Salz zu nichts brauchen kann, als daß man es auf die Gasse
schütte und in den Koth treten lasse; (so seyd ihr vor Gott schlechterdings
verwerflich, wenn ihr dazu nicht taugt, durch Lehre und Beyspiel das Menschengeschlecht gleichsam vor der Fäulniß zu bewahren, mit welcher
Aberglaube und Laster es angesteckt hat.) – Ihr seyd das Licht der itzigen 14.
Welt, (wenn es durch euch nicht in ihr helle wird, so bleibt sie ewig in der

Finsterniß. –) Ihr seyd für die übrigen Menschen wie eine Stadt auf einem hohen Berge. So wenig es möglich ist, daß diese nicht allen in die Augen falle, (so wenig ist es möglich, daß ihr, als die erste Pflanzschule der Wahrheit und Tugend verborgen bleibet. Und es ist auch mein Wille, daß ihr vor der Welt
15. in die Augen fallen sollet,) So wenig man ein Licht ansteckt um es unter einen Scheffel zu setzen, sondern vielmehr um es aufzustellen und allen die im Hause sind dadurch Leuchtung zu verschaffen; so wenig will ich, daß ihr im
16. verborgenen bleiben sollet. Ich verlange vielmehr, daß ihr allen euren Neben-menschen gleichsam in die Augen leuchtet, so daß alle, die euch sehen, ange-trieben werden, euren Vater im Himmel zu verherrlichen, indem sie eurem Beyspiele folgen, und wie ihr, Weißheit und Frömmigkeit üben lernen."

17. „Oder glaubt ihr etwa, ihr hättet an mir einen Erlöser in dem Verstande, daß ich euch von allen Verbindlichkeiten gegen die Religion, die Moses und die Propheten euch in ihren Schriften hinterlassen haben, frey machen wür-de? Nein, meine Freunde, nicht die Aufhebung, sondern die strenge Erfül-lung dieser uralten Lehren der Weißheit und Tugend, ist die Absicht meines
18. Hierseyns. Ich betheure es euch auf das Heiligste: so lange dieser Himmel über uns steht, und diese Erde unter unsern Füssen fest bleibt, so lange wird sie alle Menschen zum strengsten Gehorsam verbinden, so daß auch nicht ein Buchstabe, nicht ein Punkt davon ungültig werde, – (so daß auch nicht der
19. kleinste Theil davon heilig und unverletzlich zu seyn aufhöre.) Und wer sich unterstehen wird, die geringste von diesen ihren Vorschriften abzuschaffen, oder die Leute zu überreden, als ob sie nicht mehr nöthig hätten, sich darnach zu richten, der wird sehr bey den Vortheilen der neuen Societät zu kurz kommen* welche in der Ewigkeit verheissen sind. Im Gegentheil wer durch Lehre und Beyspiel ihr göttliches Ansehen in der Welt behaupten helfen wird, der darf hoffen unter den Ersten und Vornehmsten zu seyn, die jene Vortheile einerndten."

Werkregister 44

---

* Ich schreibe nicht vor, was man in Absicht auf die Dauer der Höllenstrafen glau-ben soll. Ελαχιστος – er wird sehr dabey zu kurz kommen: – ist ein Ausdruck der beyden Partheyen unanstößig bleiben muß: und der sich auf die eigentlichste Bedeu-tung des Worts gründet.

CHRISTIAN FRIEDRICH DANIEL SCHUBART

Kritik am Kirchengesang

Leipzig. Als man hier eben an einem neuen Gesangbuche zu druken anfangen wollte, kam ein Rescript von dem Oberkonsistorium in Dresden, welches dieses Unternehmen verbot. Vermuthlich nicht, weil man das bisher eingeführte für unverbesserlich hält, denn es gehört bekanntermaßen zu den *allerelendesten*; der größere Theil der Lieder widersteht einem nur etwas feinen Geschmake, ein Drittheil schon dem gesunden Menschenverstande, und Unsinn zu singen kann unmöglich Nuzen stiften! – sondern, weil man, wie es heißt, in Dresden darauf denkt, ein *Allgemeines Sächsisches Gesangbuch* zu veranstalten. In der Universitätskirche zu Leipzig hat man schon vor einigen Jahren einen Anhang zu dem alten Gesangbuch eingeführt, und dieses dadurch stillschweigend ausser Gebrauch gesezt. Es wäre zu wünschen, daß dieser Anhang wenigstens auch in den übrigen Kirchen Leipzigs gebraucht werden dürfte, bis das allgemeine Sächsische Gesangbuch zu Stande kömmt, da mehrere Privilegien und andere Hindernisse seine Erscheinung nicht so bald wahrscheinlich machen. Ist es aber auch nüzlich, daß ein Land ein allgemeines Gesangbuch hat? Ein Gesangbuch muß wenigstens alle hundert Jahre von neuem durchgesehen und verbessert werden, und diß ist leichter möglich, wenn jede Stadt ihr eigenes hat. Die Verschiedenheit ist auch dazu gut, daß das Volk nicht in den Wahn falle, ein Gesangbuch habe die Sanktion der Bibel. Schon zu Luthers Zeiten wollte man allgemeine Gesangbücher und Gleichförmigkeit in den Kirchengebräuchen einführen, allein der grose Mann sezte sich dagegen, *damit nicht ein neues Pabstthum daraus entstehe*. Wie tiefeindringend in das menschliche Herz!

*) Mannichfaltigkeit in den Gesängen kann wohl unter den protestantischen Gesangbüchern statt finden, aber nicht eine so verwirrende Verschiedenheit in den Lesearten. So wird z. B. Luthers Triumphgesang: Ein veste Burg ist unser Gott etc. bereits mit 20erlei Lesarten in Deutschland gefunden, wovon manche oft äusserst elend sind. Nur eine Probe. Vom Satan sagt Luther zwar hart, aber ausserordentlich stark:

> Groß Macht und viel List
> Sein grausam Rüstung ist.

Dafür sezt ein Verbesserer, im Zeichen des Wassermanns gebohren:

> Er rüstet sich mit List,
> Trozt, daß er mächtig ist.

Luther:

> Mit unsrer Macht ist nichts gethan u. s. w.

Der Verbesserer:

> Nicht unsre Macht ist's, die ihn fällt.

Luther:

> Und wenn die Welt voll Teufel wär u. s. w.

Der Wassermann auf eine jämmerliche Weise:

> Und wenn die Welt voll Teufel wär,
> Die uns verschlingen wollten,
> So achten wir's doch nicht so sehr,
> Daß wir drum weichen sollten.

Und solche elende Lesarten findet man in unsern besten – sogar *Klopstoki-schen* Liedern. Man kann ein treflicher Theolog und dabei ein blutschlech-ter Dichter seyn. Daher sollte die Herausgabe der Gesangbücher immer von mehreren Geistlichen, mit Zurathziehung eines Dichters und Ton-künstlers veranstaltet werden. Denn wie viel, wie ausserordentlich viel ist an einem Gesangbuche gelegen, woraus das Volk Ermunterung, Beleh-rung, Trost im Leiden und Erquikung auf dem Sterbebette schöpft.

Werkregister 216

Helfrich Peter Sturz

Auszug eines Briefes.

Ich habe Herdern in Pyrmont predigen gehört, und ich wünschte, daß ihn alle gute Christen hörten, die ihn aufs Wort ihrer Stimmführer so rechtgläu-big hassen. Unsere vornehme Versammlung war eben nicht zur Andachts-empfänglichkeit der ersten Kirche gestimmt, und doch – Sie hätten es sehen sollen, wie er all das Aufbrausen von Zerstreuung, Neugierde, Eitelkeit in wenig Augenblicken fesselte, bis zur Stille einer Brüdergemeine. Alle Herzen öfneten sich; jedes Aug hing an ihm und freute sich ungewohnter Thränen; nur Seufzer der Empfindung rauschten durch die bewegte Versammlung. Mein lieber B. so predigt niemand, oder die Religion wäre allen, was sie eigentlich seyn sollte, die vertrauteste, wertheste Freundin der Menschen. Ueber das Evangelium des Tages ergoß er sich ganz ohne Schwärmerey, mit der aufgeklärten hohen Einfalt, welche, um die Weisheit der Welt zu überflie-gen, keiner Wortfiguren, keiner Künste der Schule bedarf. Da wurde nichts erklärt, weil alles faßlich war, nirgends an die theologische Metaphysik ge-rührt, die weder leben noch sterben, aber desto bündiger zanken lehrt. Es war keine Andachtsübung, kein in drey Treffen getheilter Angriff an die verstock-ten Sünder, oder wie die Kurrentartikel aus der Kanzelmanufaktur alle heis-sen, auch war es keine kalte heidnische Sittenlehre, die nur den Sokrates in

der Bibel aufsucht, und also Christum und die Bibel entberen kann; sondern
er predigte den von dem Gott der Liebe verkündigten Glauben der Liebe, der
vertragen, dulden, ausharren und hoffen lehrt, und, unabhängig von allen
Freuden und Leiden der Welt, durch eigenthümliche Ruhe und Zufriedenheit
belohnt. So, dünkt mich, haben die Schüler der Apostel gepredigt, welche
nicht über ihre Dogmatik verhört wurden, und also auch nicht mit Systems=
und Kompendiumswörtern, wie Kinder mit Rechenpfenningen, spielten, wo-
für man am Ende nichts einkaufen kann. Sie wissen, wie ungleich ich mit dem
Schriftsteller Herder denke: Wir gehn nur eine kleine Ecke Wegs mit einander, so entbraust er mir, glänzend und schnell wie eine Rakete, aber als
Prediger und Mensch ist Herder mein Mann, und auch auf der kleinen Ecke
Weges, die wir zusammen wandeln können, ist er einer meiner liebsten Ge-
fährten. – –

Werkregister 229

Johann Melchior Goeze

Gegen Gotthold Ephraim Lessing

Ich werde gegenwärtig nur über eine Stelle des Hrn. Herausgebers, welche
vermuthlich die *Grundlage zu den Gegensätzen* enthalten sol, eine kurze
Untersuchung anstellen. Es ist folgende, S. 495.

„Der Buchstabe ist nicht der Geist, und die Bibel ist nicht die Religion,
folglich sind Einwürfe gegen den Buchstaben, und gegen die Bibel, nicht eben
auch Einwürfe gegen den Geist, und gegen die Religion."

„Denn die Bibel enthält offenbar mehr als zur Religion gehöriges; und es
ist bloße Hypothes, daß sie in diesem Mehrern gleich unfehlbar seyn müsse.
Auch war die Religion, ehe eine Bibel war. Das Christenthum war, ehe
Evangelisten und Apostel geschrieben hatten. Es verlief eine geraume Zeit,
ehe der erste von ihnen schrieb, und eine beträchtliche, ehe der ganze Kanon
zu Stande kam. Es mag also von diesen Schriften noch so viel abhängen; so
kan doch unmöglich die ganze Wahrheit der Religion auf ihnen beruhen. War
ein Zeitraum, in welchem sie bereits so ausgebreitet war, in welchem sie
bereits sich so vieler Selen bemächtiget hatte, und in welchem gleichwol noch
kein Buchstab *aus dem* von ihr aufgezeichnet war, was bis auf uns gekommen: so muß es auch möglich seyn, daß wenn alles, was Evangelisten und
Apostel geschrieben haben, wiederum verloren ginge, die von ihnen gelehrte
Religion, doch bestünde. Die Religion ist nicht wahr, weil die Evangelisten
und Apostel sie lehreten; sondern sie lehreten sie, weil sie wahr ist. Aus ihrer
innern Wahrheit müssen die schriftlichen Ueberlieferungen erkläret werden,
und alle schriftliche Ueberlieferungen können ihr keine innere Wahrheit geben, wenn sie keine hat."

Ich finde in dieser ganzen Stelle auch keinen einzigen Satz, den ich in der Verbindung, in welcher er hier stehet, für richtig erkennen könte. Der Herr Herausgeber hat sie zwar alle als lauter Axiomen dahin gepflanzet, aber einige davon bedürfen allerdings noch einen sehr starken Beweis, die übrigen, und das sind die meisten, sind erweislich falsch.

Es ist eine wesentliche Pflicht eines Weltweisen, daß er die Worte, welche die Hauptbegriffe in seinen Sätzen ausdrücken, richtig und bestimt erkläre, und den Lesern ohne alle Zweydeutigkeit auf die bestimteste Art, die möglich ist, sage, was er selbst dabey denket, und was der Leser dabey denken sol. Der Hr. Herausgeber redet *vom Buchstaben und Geiste,* von *Bibel* und *Religion,* von *dem, was zur Religion gehörig* und *nicht gehörig ist,* ohne die Begriffe dieser Ausdrücke, unter welchen doch die meisten vieldeutig sind, im allergeringsten zu bestimmen. Was kan daher anders entstehen, als zweideutige, unbestimte, schwankende und irrige Sätze? Es wird sich dieses augenscheinlich zeigen, wenn wir einen nach dem andern, besonders betrachten.

1. *Der Buchstabe ist nicht der Geist, und die Bibel ist nicht die Religion.* Die beyden Ausdrücke, *Buchstabe und Geist,* wenn sie einander entgegen gesetzet werden, sind Ausdrücke, welche der Bibel allein eigen sind, 2 Kor. 4, 6. In diesem Verstande finden wir solche bey keinem andern Schriftsteller. Hier heist der Buchstabe das Gesetz, der Geist aber das Evangelium. Nimt der Hr. H. diese Worte aber auch in dieser Bedeutung? nein! sondern da er zween Sätze: *der Buchstabe ist nicht der Geist, und die Bibel ist nicht die Religion,* zusammen setzet, welche identische Sätze seyn sollen; so sagt er damit zugleich, daß er durch den Buchstaben die Bibel, und durch den Geist, die Religion wolle verstanden wissen. Nach dieser Erklärung getraue ich mir die Gegensätze zu behaupten: *der Buchstabe ist der Geist,* und *die Bibel ist die Religion,* und solches mit eben dem Grunde, mit welchem Jesus sagt: *die Worte, die ich rede, sind Geist und Leben.* Joh. 6, 63. Das Wort, *Religion,* kan entweder objective, oder subjective genommen werden. Im *ersten* Verstande bedeutet solches diejenigen Lehrsätze zusammen genommen, welche ein Mensch erkennen und als Wahrheit annehmen muß, der sich gegen Gott gebührend verhalten wil: und in dem *zweiten* Verstande bedeutet solches die Gemüthsfassung, und das Verhalten eines Menschen, welche er im Verhältnisse gegen Gott, zu haben, und zu beweisen schuldig ist. Natürlicher Weise kan der H. H. durch den Buchstaben und durch die Bibel nichts anders verstehen, als was die Gottesgelehrten die *innere Form* der heil. Schrift nennen, nemlich den Sin und Verstand der, mit Worten ausgedrückten Sätze, und den daraus entspringenden Zusammenhang der Gedanken und Vorstellungen, welche durch die heil. Schrift, ihrem Endzwecke gemäs, bey den Menschen hervorgebracht werden sollen. Da nun diese Sätze der heil. Schrift, und der daraus entspringende Zusammenhang der Gedanken und Vorstellungen von unserm Verhältniße und Verhalten gegen Gott, die Religion, objective

genommen, ausmachen; so ist allerdings *der Buchstabe der Geist*, und *die Bibel ist die Religion*. Ist nun die Erkäntnis, die Gesinnung und Gemüthsfaßung eines Menschen, dem Systeme der Glaubenslehren und Lebenspflichten der heiligen Schrift gemäs; so kan ich mit Recht sagen: ein solcher Mensch hat die Religion der heil. Schrift. Was sind also die Antithesen des Hrn. H.? spielender Witz? oder Wahrheit?

2. *Folglich sind die Einwürfe gegen den Buchstaben, und gegen die Bibel, nicht eben auch Einwürfe gegen den Geist und gegen die Religion.* Eine Folge, welche nothwendig die Natur des Grundsatzes haben muß, aus welchem sie hergeleitet wird. Jener ist falsch, also kan diese nicht wahr seyn. Da nach der Erklärung, welche ich vom Buchstaben und Bibel, vom Geist und Religion gegeben habe, und welche der Hr. H. auch nothwendig annehmen muß, wofern er nicht etwas ganz unbedeutendes gesagt haben wil, beyde, *Buchstabe* und *Geist*, *Bibel* und *Religion*, eines sind; so müssen auch die Einwürfe gegen den Buchstaben, Einwürfe gegen den Geist und Einwürfe gegen die Bibel, Einwürfe gegen die Religion seyn. Ich wil die Sache durch eine Instanz erläutern. Wir wollen den Willen eines Herrn, nach welchem sich seine Unterthanen verhalten sollen, die *Landesordnung* nennen, das Buch aber, in welches er seine Vorschriften verfassen lassen, mag die *Landesverfassung* heißen. Wenn nun ein Unterthan gegen die letzte Einwürfe machte, um solche ihres Ansehens zu berauben, und er wolte gegen seine Richter sagen: Die Landesverfassung ist nicht die Landesordnung, Einwürfe gegen die erste, sind also keine Einwürfe gegen die letzte; würde eine solche Antithese eine Kraft haben, ihn zu rechtfertigen?

3. *Die Bibel enthält offenbar mehr, als zur Religion gehört.* In diesem Satze liegen zween Sätze. Einmal, die Bibel enthält das, was zur Religion gehört. Zweytens, sie enthält mehr, als zur Religion gehört. In dem ersten Satze räumet der Herr Herausgeber das ein, was er in dem vorgehenden geläugnet hatte. Enthält die Bibel das, was zur Religion gehört; so enthält sie die Religion, objective, selbst. Und der zweyte Satz kan zugegeben werden, wenn man einen Unterscheid macht, zwischen dem, was zur Erläuterung und Bestätigung der Hauptsätze, welche eigentlich das Wesen der Religion ausmachen, gehöret. Sol aber dieser Satz der Bibel zum Nachtheile gereichen; so ist er völlig unkräftig, eben so unkräftig, als wenn ich sagen wolte: Wolfs System der Mathematik enthält Scholia, und diese verringern den Werth desselben.

4. *Es ist bloße Hypothese, daß die Bibel in diesem Mehrern gleich unfehlbar sey.* Nein! dieses ist nicht Hypothese, sondern unwidersprechliche Wahrheit. Entweder dieses Mehrere ist von Gott eingegeben, oder wenigstens gebilligt, oder nicht. Ist das erste, so ist es eben so unfehlbar, als das wesentliche. Nimt man aber das letzte an, so verlieret das erste auch alle Zuverläßigkeit. Welcher großer Herr würde es zugeben, daß diejenigen, denen er es aufgetragen hätte, eine Landesverfassung nach seinem Willen abzufassen, wenn es auch nur zur Erläuterung und Bestätigung dienen solte, aus ihrem eigenen Gehirne solche

Dinge mit einfließen ließen, welche er selbst für falsch und unrichtig erkennete. Würde, wenn solches den Unterthanen bekannt würde, oder wenn sie im Stande wären, solches zu entdecken, nicht seine gesamte Landesverfassung dadurch alles Ansehen verlieren? Wer sol bey der Bibel vest setzen, was darin unfehlbar ist, und was zu dem Wesentlichen oder Mehrern gehört? Wir sehen die Folgen dieser verderblichen Meinung schon mehr als zu deutlich. Es finden sich schon manche sogenante Gottesgelehrte, selbst in unsrer Kirche, welche von dem Mehreren und nicht Unfehlbaren eine solche Rechnung machen, daß sie uns von dem Wesentlichen, oder von dem, was zur Religion gehört, nichts mehr, als die Grundsätze der natürlichen Theologie übrig lassen. Christus weiset die Juden auf die Schrift, ohne Einschränkung, und sagt: sie zeuget von mir. Joh. 5, 39. Paulus behauptet von *aller Schrift*, (er nimmt offenbar diesen Ausdruck in dem eminenten Verstande, in welchem ihn dazumal alle Juden und Christen nahmen) daß sie von Gott eingegeben, und nütze sey zur Lehre, zur Strafe, zur Besserung, zur Züchtigung in der Gerechtigkeit. 2 Tim. 3, 16. Petrus weiset uns auf das vestere prophetische Wort, 2 Pet. 1, 19. und versteht dadurch den ganzen Kanon, so wie er damals von Juden und Christen angenommen wurde. Sie haben also die neue Weisheit entweder gar nicht gewust, oder tückisch verschwiegen. Eines von beyden muß derjenige annehmen, der es für bloße Hypothes erklärt, daß alles, was in der heiligen Schrift enthalten ist, gleich unfehlbar sey.

5. *Auch war die Religion, ehe eine Bibel war.* Aber doch nicht, ehe eine Offenbarung war. Freylich konte diese Offenbarung das noch nicht in sich fassen, was hernach in der Bibel enthalten war; sie fassete aber doch alles in sich, was die Menschen, denen sie mitgetheilet wurde, nach den Absichten Gottes, von Gott, und von der Art und Weise, wie sie Ihn verehren solten, wissen musten. Da nun Offenbarung und Bibel, in Absicht auf das Wesentliche, eben das sind, da der Unterscheid zwischen beyden blos in zufälligen Nebendingen bestehet; so sagt der Satz: *die Religion war, ehe die Bibel war,* im Grunde gar nichts, und wenn der Herr Herausgeber Vortheile daraus ziehen wolte, so hätte er solchen also abfassen müssen: *auch war die Religion, ehe eine Offenbarung war;* allein dieser Satz fällt gleich als falsch in die Augen, da im Gegentheile der von dem Herrn Herausgeber gewählte, blendet, und in den Augen kurzsichtiger Leser die völlige Gestalt eines Axioma hat.

6. *Das Christenthum war, ehe Evangelisten und Apostel geschrieben hatten. Es verlief eine geraume Zeit, ehe der erste von ihnen schrieb, und eine sehr beträchtliche, ehe der ganze Kanon zu Stande kam.* Alles dieses kan ich dem Herrn Herausgeber einräumen. Indessen aber werde ich diesen Satz doch eben, als den vorhergehenden, zu seiner Absicht unbrauchbar machen, wenn ich diesem Satze die Frage entgegen setze: *War denn das Christenthum schon, ehe Christus und die Apostel gepredigt hatten?* So lange Christus und die Apostel predigten; so lange die ausserordentlichen Gaben des heil. Gei-

stes in den Gemeinen wirksam waren, so lange konte die Fortpflanzung der christlichen Religion durch mündlichen Unterricht besser erhalten werden, als durch Schriften. Nachher aber mußten, wenn das von Christo und den Aposteln gegründete Christenthum nicht wieder zu Grunde gehen, und weiter ausgebreitet werden solte, die Schriften solcher Zeugen Jesu, deren unmittelbare Erleuchtung durch den heil. Geist unleugbar war, in die Stelle des mündlichen Unterrichts treten. Dieser Satz ist also mit dem vorhergehenden von einerley Beschaffenheit. Er ist blendend, er sagt aber im Grunde nichts.

7. *Es mag also von diesen Schriften noch so viel abhängen; so kann doch unmöglich die ganze Wahrheit der christlichen Religion auf ihnen beruhen.* Die Wahrheit der christlichen Religion beruhet allerdings auf sich selbst, sie bestehet in ihrer Uebereinstimmung mit den Eigenschaften und Willen Gottes, und auf der historischen Gewisheit der Factorum, auf welche ihre Lehrsätze sich zum Theile gründen. Allein unsere *Ueberzeugung von der Wahrheit der christlichen Religion* beruhet doch lediglich und allein auf diesen Schriften. Würde, wenn diese Bücher nicht geschrieben, und bis auf uns gekommen wären, wohl eine Spur von dem, was Christus gethan und gelehret hat, in der Welt übrig geblieben seyn? Ich möchte wissen, aus welcher Quelle die Menschen die bloße historische Kentnis davon hätten schöpfen sollen? und ohne eine historische Kentnis würde eine lebendige doch wohl schwerlich stat gefunden haben.

War ein Zeitraum, in welchem sie bereits so ausgebreitet war, in welchem sie sich bereits so vieler Seelen bemächtiget hatte, und in welchem gleichwohl noch kein Buchstabe aus dem von ihr aufgezeichnet war, was bis auf uns gekommen ist: so muß es auch möglich seyn, daß alles, was die Evangelisten und Apostel geschrieben haben, wiederum verloren gienge, und die von ihnen gelehrte Religion doch bestünde. Bey aller Achtung, welche ich für die sonstige Geschicklichkeit und Verdienste des Herrn Herausgebers um die weltliche Gelehrsamkeit habe, kan ich mich doch nicht entbrechen, diesen ganzen Schlus für ein handgreifliches Sophisma zu erklären. Man setze nur für die Worte: *in welchem gleichwohl noch kein Buchstabe aus dem von ihr aufgezeichnet war, was bis auf uns gekommen ist*, diese: *in welchem gleichwohl noch kein Wort aus dem von ihr gepredigt war, was bis auf uns gekommen ist*; so wird uns die Falschheit desselben in die Augen leuchten. Die christliche Religion hat ihren Ursprung nicht aus den Schriften der Evangelisten und Apostel, sondern aus den Predigten Christi und der Apostel. Durch diese ist sie gepflanzet und gegründet, durch die letzte aber fortgepflanzet, erhalten und ausgebreitet worden. Der Herr Herausgeber muß also, wenn sein Schluß etwas beweisen sol, einen Zeitraum angeben, in welchem die christliche Religion ausgebreitet gewesen, und sich vieler Selen bemächtiget, ehe Christus und die Apostel gepredigt haben. Wird dieses ihm möglich seyn? Auf den Lehren und Thaten Christi und der Apostel beruhet also die gesamte christliche Religion, als auf ihrem unmittelbaren Grunde. Woher können wir nun diese Lehren und Thaten wissen? allein aus den Schriften der Evangelisten und Apostel. Wenn also diese verloren gingen; so müßten jene gewiß auch mit verloren gehen. Und alsdann würde die christliche Religion eben so gewiß auch mit verloren gehen, als ein Haus zu Grunde gehen muß, dessen Pfeiler weggerissen werden; oder Gott müßte in jedem Menschen=Alter viele tausende erwecken, welche aus unmittelbarer Eingebung des heiligen Geistes dasjenige wieder lehreten, was Christus und die Apostel gelehret haben, und ihre Lehre mit Wundern bewiesen. Ich überlasse dem Herrn Herausgeber, und allen einsehenden Lesern, das Urtheil, ob dieser Weg, die christliche Religion zu erhalten, fortzupflanzen und auszubreiten, schicklicher sey, oder der, welchen die göttliche Weisheit selbst erwählt hat?

Daß die christliche Religion dennoch bestehen würde, wenn auch alles, was die Evangelisten und Apostel geschrieben haben, verloren ginge, ist überdem ein Satz, der der Erfahrung und Geschichte offenbar widerspricht. Von dem neunten Jahrhundert an, bis auf den Anfang des funfzehnten, war ein Zeitraum, in welchem die Schriften der Evangelisten und Apostel beynahe verloren gegangen waren. Wer kante, außer wenigen Gelehrten, die Bibel? Sie steckte in Handschriften und Uebersezungen, bis auf die Erfindung der Druckerey, in den Klöstern. Der große Haufe erfuhr aus derselben nichts mehr, als was ihm die römische Klerisey davon sagte, und diese sagte ihm nichts mehr, als was er, ohne Nachtheil ihres Interesse, wissen konte. Wie war in dieser Zeit die christliche Religion, in Absicht auf den großen Haufen, beschaffen? war sie mehr als ein verwandeltes Heidenthum? Nichts, als die Namen der ehemaligen Stifter derselben, welche sich aber unter einer großen Menge neuerschaffener Heiligen fast verloren, waren übrig, ihre Lehren aber völlig vergessen, und dagegen elende Menschenlehren eingeschoben. Es fanden sich zwar hin und wieder einige Zeugen und Bekenner der Wahrheit, aber würden diese existirt haben, wenn keine Bibel mehr existirt hätte? Mit einem Worte, dieser ganzer Satz ist so beschaffen, daß ich nicht genug bewundern kan, daß derselbe aus der Feder des Herrn Herausgebers habe fließen können.

9. *Die Religion ist nicht wahr, weil die Evangelisten und Apostel sie lehreten: sondern sie lehreten sie, weil sie wahr ist.* Auch diese Antithese sagt nichts. Sind die Evangelisten und Apostel Männer, welche geredet und geschrieben haben, getrieben durch den heiligen Geist; so ist die christliche Religion wahr, weil die Evangelisten und Apostel, oder eingentlich, weil Gott selbst sie gelehrt hat. Der zweyte Satz steht blos müßig da.

10. *Aus ihrer innern Wahrheit müssen die schriftlichen Ueberlieferungen erkläret werden, und alle schriftliche Ueberlieferungen können ihr keine innere Wahrheit geben, wenn sie keine hat.* Gut! aber derjenige, der mir die schriftlichen Ueberlieferungen aus ihrer innern Wahrheit erklären will, muß mich vorher überzeugen, daß er selbst von der innern Wahrheit derselben, eine richtige und gegründete Vorstellung habe, und daß er sich nicht selbst

ein Bild davon mache, das seinen Absichten gemäs ist. Woher aber will er die
Erkentnis der innern Wahrheit der christlichen Religion nehmen, als aus den
schriftlichen Ueberlieferungen, oder aus den Schriften der Evangelisten und
Apostel, in der gehörigen Verbindung mit den Schriften des alten Testaments? Ich werde seiner Vernunft hier nichts einräumen, ob ich gleich vor-
aussetze, daß die Lehrsätze der Religion, welche mir als die christliche vorge-
predigt wird, nie einem algemeinen und unstreitigen Grundsatze der Vernunft widersprechen müssen. Wir erkennen also die innere Wahrheit der
christlichen Religion nur alsdann, wenn unsere Begriffe von derselben eben
diejenigen sind, welche die schriftlichen Ueberlieferungen, die in der heiligen
Schrift enthalten sind, davon in unsern Selen hervorbringen sollen. Freylich
können die Ueberlieferungen der christlichen Religion keine innere Wahrheit
geben, wenn sie keine hat. Das sollen sie aber auch nicht. Ihr Zweck ist also
dieser: die innere Wahrheit derselben zu entdecken und zu beweisen. Folglich sind es leere Worte, wenn man die innere Wahrheit der christlichen
Religion und die Ueberlieferungen, oder deutlicher, die heilige Schrift, einander, als zwey verschiedene Dinge entgegen setzen wil. Eben so vergeblich, als
wenn man sagen wolte: man muß die Gesetze eines Gesetzgebers aus seiner
innern Gerechtigkeit erklären. Umgekehrt! die innere Gerechtigkeit eines
Gesetzgebers muß aus seinem Gesetze erkant und beurtheilet werden.

Dieses wäre also, setzet der Herr Herausgeber hinzu, *die algemeine Antwort auf ein großen Theil dieser Fragmente – wie gesagt in dem schlimmesten
Falle, in dem Falle, daß der Christ, welcher zugleich Theolog ist, in dem
Geiste seines angenommenen Systems, nichts Befriedigendes darauf zu antworten wisse.*

Ich würde den Christen, der zugleich Theolog ist, sehr bedauren, wenn er
sich, aus Mangel anderer Gründe, in der traurigen Nothwendigkeit sehen
solte, diesen aus Stroh geflochtenen Schild, den in den Fragmenten befindli-
chen feurigen Pfeilen, entgegen zu halten. Ich würde ihm lieber rathen, gar
die Flucht zu nehmen: denn durch Anwendung dieser von dem Herrn Herausgeber an die Hand gegebenen Sätze, würde er *die Bibel Preis geben, um
die Religion zu retten*; aber welche Religion? gewiß nicht die christliche, als
welche mit der Bibel stehet und fält.

Noch ein Wort von den *Fragmenten* überhaupt. Sie sind keine bescheidene
Einwürfe gegen die christliche Religion, sondern die *lauteste Lästerung* derselben. Ihre Wirkungen sind in unsern gegenwärtigen Zeiten schon sehr betrübt, und werden noch schröcklicher werden. Den Juden wird insonderheit
das letzte Fragment sehr wilkommen seyn, und ihnen zur Bestärkung in
ihrem Unglauben, und in ihrer feindseligen Gesinnung gegen Jesum und
gegen seine Religion, bessere Dienste thun, als ihr Toldos Jeschu. Wie
schwarz und wie stumpf zugleich die Sele des Verfassers gewesen, kan man
allein aus dem vierten Fragmente sehen, in welchem seine Hauptabsicht dahin
gehet, die Jünger Jesu als die ärgsten Bösewichter anzuschwärzen, indem er

es als eine ausgemachte Wahrheit annimt, daß sie den Leib Christi gestohlen, und hernach die Welt mit der schandbaren Lüge von seiner Auferstehung betrogen hätten; ja da er so frech ist, S. 541 von der Erzählung Matthäi Kap. 28 zu sagen, daß er solche allein aus seinem Gehirne ersonnen habe, weil er auf die Beschuldigung etwas habe antworten wollen, und nichts besseres finden können.

Ich würde vor meiner Todesstunde zittern, wenn ich besorgen müste, daß von der Ausbreitung dieser boshaften, so vielen Selen höchst gefährlichen, und der Ehre unsers großen Erlösers so nachtheiligen Aufsätze, die Rechenschaft an jenem Tag von mir würde gefordert werden. Ich wünsche, daß uns der Herr Herausgeber aus den Schätzen der Bibliothek, welcher er vorgesetzet ist, künftig etwas bessers liefern möge, als Gift und Aergernisse.

Werkregister 111

GOTTHOLD EPHRAIM LESSING

Gegen Johann Melchior Goeze

I. (3).
Die Bibel enthält offenbar mehr, als zur Religion gehöret.

Dieses geschrieben zu haben, darf mich nicht reuen. Aber darauf geantwortet haben, wie der Hr. Pastor *Goeze* darauf antwortet, möchte ich um alles in der Welt nicht.

„In diesem Satze, antwortet er, liegen zwey Sätze. Einmal: die Bibel enthält das, was zur Religion gehört. Zweytens: die Bibel enthält mehr als zur Religion gehört. In dem ersten Satze räumt der Hr. H. das ein, was er in dem vorhergehenden geleugnet hat. Enthält die Bibel das, was zur Religion gehört: so enthält sie die Religion objective selbst."

Ich erschrecke! Ich soll geleugnet haben, daß die Bibel die Religion *enthalte?* Ich? Wo das? Gleich in dem vorhergehenden? Doch wohl nicht damit, daß ich gesagt habe: die Bibel *ist* nicht die Religion? damit?

Lieber Herr Pastor, wenn Sie mit allen Ihren Gegnern so zu Werke gegangen sind! Ist denn *seyn* und *enthalten* einerley? Sind es denn ganz identische Sätze: die Bibel *enthält* die Religion; und die Bibel *ist* die Religion? Man wird mir doch nimmermehr in Hamburg den ganzen Unterschied zwischen *Brutto* und *Netto* wollen streitig machen? Da, wo so viele Waaren ihre bestimmte *Thara* haben, wollte man mir auf die h. Schrift, auf eine so kostbare Waare, nicht auch eine kleine Thara gut thun? – Nun, nun; der Hr. Pastor ist auch wirklich so *unkaufmännisch* nicht. Denn er fährt fort:

„Der zweyte Satz kann zugegeben werden, wenn man einen Unterschied macht zwischen dem, was wesentlich zur Religion gehört, und zwischen dem, was zur Erläuterung und Bestätigung der Hauptsätze, welche eigentlich das Wesen der Religion ausmachen, gehöret."

Gut! also handeln wir doch schon um das *Brutto*. Und wie? wenn auch ganz unnöthige *Emballage* darunter wäre? – Wie? wenn auch nicht Weniges in der Bibel vorkäme, das schlechterdings weder zur Erläuterung noch zur Bestätigung, auch des allergeringsten Satzes der Religion, diene? Was andere *auch gute* Lutherische Theologen von ganzen Schriften der Bibel behauptet haben, darf ich doch wohl von einzeln Nachrichten in dieser und jener Schrift behaupten? Wenigstens muß man ein Rabbi oder ein Homilet seyn, um nur eine Möglichkeit oder ein Wortspiel auszugrübeln, wodurch die Hajiemim des Ana, die Crethi und Plethi des David, der Mantel, den Paulus zu Troas vergaß, und hundert andere solche Dinge, in einige Beziehung auf die Religion können gebracht werden.

Also der Satz, *die Bibel enthält mehr, als zur Religion gehöret*, ist ohne Einschränkung wahr. Auch kann er, durch seinen gehörigen Gebrauch, der Religion unendlich vortheilhafter, als durch seinen Mißbrauch ihr schädlich werden. Mißbrauch ist von allen Dingen zu besorgen; und ich hätte nichts dagegen, daß man sich im voraus darwider decket. Nur hätte das auf eine passendere Art geschehen müssen, als es in folgendem Zusatze des Hrn. Pastors geschehen ist.

„Soll aber dieser Satz der Bibel zum Nachtheil gereichen; so ist er völlig unkräftig, eben so unkräftig, als wenn ich sagen wollte: Wolfs System der Mathematik enthält Scholia, und diese verringern den Werth desselben."

Wie gesagt, bey mir soll dieser Satz, der Bibel zu keinem Nachtheile gereichen. Er soll sie vielmehr mit Eins unzähligen Einwürfen und Spöttereyen entziehen, und in die aufgegebnen Rechte alter Urkunden wieder einsetzen, denen man Ehrerbietung und Schonung schuldig ist.

Mit Ihrem Exempel hiernächst, Herr Pastor, bin ich mehr zufrieden, als Sie glauben. Freylich verringern die Scholia in Wolfs Elementen der Mathematik, nicht den Werth derselben. Aber sie machen doch, daß nun nicht alles darin demonstrirt ist. Oder glauben Sie, daß die Scholia eben so gewiß seyn müssen, als die Theoremata? Nicht zwar, als ob nicht auch Scholien demonstrirt werden *könnten:* sondern sie brauchen es hier nur nicht. Es hieße die Demonstration verschwenden, wenn man alle die Kleinigkeiten damit versehen wollte, die man in ein Scholion bringen und auch nicht bringen kann. – Eine ähnliche Verschwendung der Inspiration ist von eben so wenig Nutzen, aber von unendlich mehr Ärgerniß.

II. (4)
Es ist bloße Hypothese, daß die Bibel in diesem Mehrern
gleich unfehlbar sey.

Nicht? Sondern was denn? *Unwidersprechliche Wahrheit.* Unwidersprechlich? dem so oft widersprochen worden! dem noch itzt so viele widersprechen! So viele: die auch Christen seyn wollen, und Christen sind. Freylich
nicht Wittenbergisch=Lutherische Christen: freylich nicht Christen von *Ca-
lovs* Gnaden. Aber doch Christen, und selbst Lutherische Christen; von
Gottes Gnaden.

Wenn indeß *Calov* und *Goeze* doch Recht hätten! Letzterer führt wenigstens ein so treffliches Dilemma an. „Entweder, sagt er, dieses Mehrere ist
von Gott eingegeben, wenigstens gebilliget, oder nicht. Ist das erste, so ist es
eben so unfehlbar, wie das Wesentliche. Nimmt man aber das letzte an, so
verliert das erste auch seine Zuverläßigkeit."

Wenn dieses Dilemma richtig ist: so muß es auch gelten, wenn ich, anstatt
des *Mehrern,* irgend ein ander Subject setze, von welchem das nehmliche
doppelte Prädicat zu gelten scheinet. Z. E. „Das moralisch Böse ist entweder
durch Gott geworden, wenigstens von ihm gebilliget, oder nicht. Ist das
erste: so ist es eben so göttlich, und also eben so gut, als das Gute. Nimmt
man aber das letzte an, so können wir auch nicht wissen, ob Gott das Gute
erschaffen und gebilliget habe. Denn Böses ist nie ohne Gutes, und Gutes nie
ohne Böses."

Was denkt mein Leser? Wollen wir beide Dilemmata behalten? oder beide
verwerfen? Ich bin zu dem letzten entschlossen. Denn wie? wenn sich Gott
bey seiner Inspiration gegen die menschlichen Zusätze, die selbst durch die
Inspiration möglich wurden, eben so verhalten hätte, wie bey seiner Schöpfung gegen das *moralisch Böse?* Wie? wenn er, nachdem das eine und das
andere Wunder einmal geschehen war, das, was diese Wunder hervorgebracht
hatten, seinem natürlichen Laufe überlassen hätte? Was schadet es, daß in
diesem Falle die Grenzen zwischen menschlichen Zusätzen und geoffenbarten Wahrheiten, so genau nicht mehr zu bestimmen wären? Ist doch die
Grenzscheidung zwischen dem moralisch Bösen und dem moralisch Guten,
eben so unbestimmbar. Haben wir aber darum gar kein Gefühl vom Guten
und Bösen? Würden sich deswegen gar keine geoffenbarte Wahrheiten von
menschlichen Zusätzen unterscheiden? Hat denn eine geoffenbarte Wahrheit
gar keine innere Merkmale? Hat ihr unmittelbar göttlicher Ursprung an ihr
und in ihr keine Spur zurückgelassen, als die historische Wahrheit, die sie mit
so vielen Fratzen gemein hat?

Also gegen den Schluß des Hrn. Pastors hätt ich das, und sonst noch
manches, einzuwenden. Aber er will auch nicht sowohl durch Schlüße beweisen, als durch Gleichniße und Schriftstellen.

Und diese letztern, die Schriftstellen, werden doch wohl unwidersprechlich seyn? Wenn sie das doch wären! Wie gern wollte ich den ewigen Zirkel vergessen, nach welchem die Unfehlbarkeit eines Buches aus einer Stelle des nehmlichen Buches, und die Unfehlbarkeit der Stelle, aus der Unfehlbarkeit des Buches bewiesen wird. Aber auch die sind so wenig unwidersprechlich: daß ich denken muß, der Hr. Pastor hat nur gerade die allerzweifelhaftesten für mich aufgesucht, um die triftigern auf eine bessere Gelegenheit zu versparen.

Wenn Christus von der Schrift sagt, *sie zeuge von ihm*: hat er damit sagen wollen, daß sie *nur* von ihm zeuge? Wie liegt in diesen Worten die Homogenität aller biblischen Bücher, sowohl in Ansehung ihres Inhalts, als ihrer Eingebung? Könnte die Schrift nicht eben sowohl von Christo zeugen, wenn auch nur das eingegeben wäre, was sich darin als ausdrückliche Worte Gottes oder der Propheten auszeichnet?

Und die πασα γραφη des Paulus! – Ich brauche den Hrn. Pastor nicht zu erinnern, wem er erst über die wahre Erklärung dieser Stelle genug thun muß: ehe er fortfährt, sich ihrer so geradehin zu bedienen. Eine andere Construction giebt den Worten des Paulus einen so andern Sinn; und diese Construction ist eben so grammatisch, mit dem Zusammenhange eben so übereinstimmend, hat eben so viele alte und neue Gottesgelehrten für sich, als die in den gemeinsten Lutherschen Dogmatiken gebilligte Construction: daß ich gar nicht einsehe, warum es schlechterdings bey dieser bleiben soll? *Luther* selbst hat in seiner Übersetzung nicht sowohl diese, als jene befolgt. Er hat kein και gelesen; und schlimm genug, wenn durch diese Variante, so wie man dieses και mitnimmt oder wegläßt, die Hauptstelle von dem principio cognoscendi der ganzen Theologie, so äußerst schwankend wird.

Endlich das *feste prophetische Wort*! – Woher der Beweis, daß unter dem prophetischen Worte auch alle historischen Worte verstanden werden? Woher? Die historischen Worte sind das *Vehiculum* des prophetischen Wortes. Ein *Vehiculum* aber soll und darf die Kraft und Natur der Arzeney nicht haben. Was hat der Hr. Pastor an dieser Vorstellung auszusetzen? Daß es nicht seine, nicht seine Wittenbergische Vorstellung ist: das weiß ich. Wenn aber nur das, Deutschland durch zwey Zeitungen erfahren sollen: warum hat er sich und mir die Sache nicht noch leichter gemacht? Warum hat er nicht kurz und gut in Bausch und Bogen erklärt, daß meine ganze Stelle den Compendien der Wittenbergischen Orthodoxie platterdings widerspreche? Zugegeben; und herzlich gern! hätte ich sodann eben so kurz antworten können.

III. (1)
Der Buchstabe ist nicht der Geist, und die Bibel ist nicht die Religion.

Wenn es wahr ist, daß die Bibel mehr enthält, als zur Religion gehöret: wer kann mir wehren, daß ich sie, in so fern sie beides enthält, in so fern sie ein bloßes Buch ist, den *Buchstaben* nenne; und dem bessern Theile derselben, der Religion ist, oder sich auf Religion beziehet, den Namen des *Geistes* beylege?

Zu dieser Benennung ist derjenige sogar berechtiget, der das innere Zeugniß des h. Geistes annimmt. Denn da dieses Zeugniß sich doch nur bey denjenigen Büchern und Stellen der Schrift mehr oder weniger äussern kann, welche auf unsere geistliche Besserung mehr oder weniger abzwecken: was ist billiger, als nur solcherley Bücher und Stellen der Bibel den Geist der Bibel zu nennen? Ich denke sogar, es streife ein wenig an Gotteslästerung, wenn man behaupten wollte, daß die Kraft des H. Geistes sich eben sowohl an dem Geschlechtsregister der Nachkommen des Esau beym Moses, als an der Bergpredigt Jesu beym Matthäus, wirksam erzeigen könne.

Im Grunde ist dieser Unterschied zwischen dem Buchstaben und dem Geiste der Bibel, der nehmliche, welchen andere *auch gute* Lutherische Theologen schon längst zwischen der heiligen Schrift und dem Worte Gottes gemacht haben. Warum hat Hr. Pastor *Goeze* nicht erst mit diesen angebunden, ehe er einem armen Layen ein Verbrechen daraus macht, in ihre Fußtapfen zu treten?

IV. (2)

Folglich sind die Einwürfe gegen den Buchstaben und gegen die Bibel, nicht eben auch Einwürfe gegen den Geist und gegen die Religion.

Ganz gewiß hat eine Folge die Natur des Grundsatzes, aus welchem sie hergeleitet wird. Jener ist theils zugegeben, theils erwiesen. Sind Einwürfe gegen zufällige Erläuterungen der Hauptsätze der christlichen Religion, keine Einwürfe gegen die Hauptsätze selbst: so können noch weniger Einwürfe gegen biblische Dinge, die auch nicht einmal zufällige Erläuterungen der Religion sind, Einwürfe gegen die Religion seyn.

Ich brauche also hier nur noch auf die Instanz des Hrn. Pastors zu antworten. Freylich, wenn eine *Landesverfassung* gerade nicht weniger und nicht mehr enthält, als die *Landesordnung*: so hat derjenige Unterthan, der muthwillige Einwürfe gegen die Landesverfassung macht, auch die Landesordnung muthwillig angegriffen. Aber wozu wären denn sodann ganz verschiedne Benennungen? Warum hieße nicht das Eine, sowohl als das Andere, Landesordnung oder Landesverfassung? Daß das Eine anders *heißt*, als das Andere, ist ja ein offenbarer Beweis, daß das Eine auch etwas anders *ist*, als das Andere. Denn vollkommne Synonyma giebt es nicht. Ist aber das Eine etwas anders, als das Andere: so ist es ja nicht wahr, daß das Eine bestreiten, nothwendig auch das Andere bestreiten, heißen muß. Denn der Umstand, welcher die zweyfache Benennung veranlaßt hat, sey noch so klein: so kann der Einwurf auch doch nur diesen kleinen Umstand betreffen; und das, was der Hr. Pastor so spöttisch Antithese nennt, ist völlige Rechtfertigung. Ich will mich an einem Exempel erklären, das ihm ganz nahe ist. Die Sammlung

Hamburgischer Gesetze des Hrn. Syndicus *Klefeker* (wenn sie fertig geworden, was ich itzt nicht weiß,) enthält doch wohl die vollständigste und zuver-
läßigste Verfassung der Stadt Hamburg? könnte doch wohl auch diesen Titel
führen? Wenn sie ihn nun führte: könnte ich keinen Einwurf gegen dieses
Werk machen, ohne mich der Autorität der Hamburgischen Gesetze selbst
entgegen zu stellen? Könnte mein Einwurf nicht die historischen Einleitungen betreffen, die Hr. *Klefeker* einer jeden Klasse von Gesetzen vorausgeschickt hat? Oder haben diese historischen Einleitungen dadurch die Kraft
der Gesetze erhalten, weil sie mit den Gesetzen in Einem Bande abgedruckt
worden? Woher weiß der Hr. Pastor, daß die historischen Bücher der Bibel,
nicht ohngefehr solche Einleitungen seyn sollen? welche Bücher Gott eben so
wenig einzugeben, oder auch nur zu genehmigen brauchte, als Bürgerschaft
und Rath nöthig hatten, diese Einleitungen in ihren besondern Schutz zu
nehmen. Genug, daß *Klefekern* alle Archive der Stadt offen stunden! Hat er
sie nicht sorgfältig genug gebraucht: so brauche sie ein andrer besser; und
damit gut. Vielmehr wäre es ein ärgerlicher Mißbrauch, eine unnütze Ver-
schleuderung der gesetzgebenden Macht, wenn man ihr Ansehen an zwey so
verschiedene Dinge so ganz gleich hätte vertheilen wollen; an die Gesetze,
und an die Geschichte der Gesetze.

V. (5)
Auch war die Religion, ehe eine Bibel war.

Hierwider sagt der Hr. Pastor: ,,Aber doch nicht ehe eine Offenbarung
war." – Was er damit will, ist mir ganz unbegreiflich. Freylich kann eine
geoffenbarte Religion nicht eher seyn, als sie geoffenbaret worden. Aber sie
kann doch eher seyn, als sie niedergeschrieben worden. Davon ist ja nur die
Rede. Ich will ja nur sagen: die Religion war, ehe das geringste von ihr
schriftlich verfaßt wurde. Sie war, ehe es noch ein einziges Buch von *der* Bibel
gab, die itzt sie selbst seyn soll. Was soll nun die windschiefe Frage, die mich
in meinen eignen Gedanken irre machen könnte? – Mehr weiß ich hierauf
nicht zu erwiedern.

VI. (6)
Das Christenthum war, ehe Evangelisten und Apostel geschrieben hatten. Es
verlief eine geraume Zeit, ehe der erste von ihnen schrieb; und eine sehr
beträchtliche, ehe der ganze Kanon zu Stande kam.

,,Alles dieses, sagt der Hr. Pastor, kann ich dem Herausgeber einräumen."
– *Kann*? warum denn nur *kann*? – *Muß* mir der Hr. Pastor einräumen.

Muß er mir das aber einräumen: so räumt er mir ja auch zugleich ein, daß
das mündlich geoffenbarte Christenthum weit früher gewesen, als das aufge-
schriebne; daß es sich erhalten und ausbreiten könne, ohne aufgeschrieben zu

seyn. Mehr will ich ja nicht; und ich weiß wiederum gar nicht, warum er mir auch hier die Frage entgegen setzt: „War denn das Christenthum schon, ehe Christus und die Apostel geprediget hatten?"

Diese Frage soll diesen Satz zu seiner Absicht unbrauchbar machen; welche Absicht der folgende Satz enthält. Da wollen wir sehen.

Hier möchte ich vorläufig nur auch gern eine Frage, oder zwey, thun; blos um mich zu belehren, blos den ganzen Sinn des Hrn. Pastors zu fassen. – „Wenn, so lange Christus und die Apostel predigten, so lange die ausserordentlichen Gaben des h. Geistes in den Gemeinen wirksam waren, die Fortpflanzung der christlichen Religion durch mündlichen Unterricht *besser* zu erhalten war, als durch Schriften:" fieng der Gebrauch der Schriften erst an, als jene ausserordentlichen Gaben aufhörten; oder fieng er früher an? Fieng er früher an, und ist es unleugbar, daß diese Gaben nicht zugleich mit den Aposteln aufhörten, sondern noch Jahrhunderte fortdauerten: entlehnten in diesem Zeitraume die Gaben den Beweis von den Schriften, oder die Schriften von den Gaben? Jenes hat keinen Verstand; und war dieses: sind *wir* nicht sehr übel daran, daß die nehmlichen Schriften, welche die ersten Christen auf den Beweis der Gaben glaubten, wir ohne diesen Beweis glauben müssen? Fieng hingegen der Gebrauch der Schriften nicht eher an, als die Wundergaben aufhörten: woher nehmen wir den Beweis, daß die Schriften in die Stelle der Wundergaben nicht sowohl *getreten,* als treten *sollen?*

Und doch erhellet aus der Geschichte, daß dieses allerdings der Fall ist. Allerdings ist zu erweisen, daß so lange die Wundergaben, und besonders die unmittelbare Erleuchtung der Bischöfe, Statt hatten, man aus dem geschriebenen Worte weit weniger machte. Es war ein Verbrechen sogar, dem Bischofe nicht anders, als auf das geschriebene Wort glauben zu wollen. Und das nicht ohne Grund. Denn die ἔμφυτος δωρεα της διδαχης, die in den Bischöfen war, war eben dieselbe, welche in den Aposteln gewesen war; und wenn Bischöfe das geschriebene Wort anführten, so führten sie es freylich zur Bestätigung ihrer Meynung, aber nicht als die Quelle ihrer Meynung an.

Dieses bringt mich nahe zu der Absicht wieder zurück, in welcher ich den Satz, bey welchem wir halten, und den nächstvorgehenden, vorausgeschickt habe. Zu der Folge nehmlich:

VII. (7)

Es mag also von diesen Schriften noch so viel abhangen: so kann doch unmöglich die ganze Wahrheit der christlichen Religion auf ihnen beruhen.

D. i. wenn es wahr ist, daß die Religion des A. und N. Testaments eine geraume Zeit schon geoffenbaret war, ehe das geringste von ihr schriftlich verfaßt wurde; und eine noch geraumere Zeit bestand, ehe alle die Bücher fertig wurden, die wir itzt zum Kanon des A. und N. Testaments rechnen: so muß sie ja wohl ohne diese Bücher sich denken lassen. Ohne diese Bücher, sage ich. Ich sage nicht: ohne den Inhalt dieser Bücher. Wer mich dieses, statt jenem, sagen läßt: läßt mich Unsinn sagen, um das große heilige Verdienst zu haben, Unsinn zu widerlegen. Nochmals, und nochmals: ohne diese Bücher. Auch hat, so viel ich weiß, noch kein Orthodox behauptet, daß die Religion in einem dieser Bücher zuerst, durch eines dieser Bücher uspründlich, geoffenbaret worden, und so wie die übrigen dazu gekommen, allmälig mit angewachsen sey. Vielmehr gestehen es gelehrte und denkende Theologen einmüthig, daß in diesen Büchern bloß *gelegentlich,* bald mehr bald weniger, davon aufbehalten worden. – Dieses Mehrere oder Wenigere wäre schon *wahr gewesen, ehe* es gelegentlich schriftlich aufbehalten wurde: und sollte itzt für uns nur *wahr seyn, weil* es schriftlich aufbehalten worden? –

Hier sucht sich zwar der Hr. Pastor mit einer Unterscheidung zu helfen: ein andres, will er, sey die Wahrheit der Religion; und ein andres, unsre Überzeugung von dieser Wahrheit. „Die Wahrheit der christlichen Religion, sagt er, beruhet allerdings auf sich selbst; sie bestehet auf ihrer Übereinstimmung mit den Eigenschaften und Willen Gottes, und auf der historischen Gewißheit der Factorum, auf welche ihre Lehrsätze sich zum Theil gründen. Allein, unsere Überzeugung von der Wahrheit der christlichen Religion beruhet doch lediglich und allein auf diesen Schriften." Aber, wenn ich diese Worte recht verstehe: so sagt der Hr. Pastor entweder etwas sehr Unphilosophisches, oder er schlägt sich selbst, und ist völlig meiner Meynung. Vielleicht auch, daß er sich so unphilosophisch ausdrücken mußte, um nicht gar zu deutlich meiner Meynung zu scheinen. Denn man überlege doch nur! Wenn die Wahrheit der christlichen Religion *Theils* – (dieses *Theils* hat er freylich nicht buchstäblich hingeschrieben, aber sein Sinn erfodert es doch nothwendig –) wenn sie, sage ich, *Theils* auf sich selbst, d. i. auf ihrer Übereinstimmung mit den Eigenschaften und dem Willen Gottes, *Theils* auf der historischen Gewißheit der Factorum beruhet, auf die sich einige ihrer Lehrsätze gründen: entspringt nicht aus diesem doppelten Grunde, auch eine doppelte Überzeugung? Hat nicht jeder einzelne Grund seine Überzeugung für sich? Was braucht einer von beiden, die Überzeugung des andern zu entlehnen? Ist es nicht fauler Leichtsinn, dem einen die Überzeugung des andern zu gute kommen zu lassen? Ist es nicht leichtsinnige Faulheit, die Überzeugung des einen, auf beide erstrecken zu wollen? Warum soll ich Dinge, die ich deswegen für *wahr halten muß,* weil sie mit den Eigenschaften und dem Willen Gottes übereinstimmen, *nur* deswegen *glauben,* weil andre Dinge, die irgend einmal in Zeit und Raum mit ihnen verbunden gewesen, historisch erwiesen sind?

Es sey immerhin wahr, daß die biblischen Bücher alle die Fakta erweisen, worauf sich die christlichen Lehrsätze zum Theil gründen: Fakta erweisen, das können Bücher; und warum sollten es diese nicht können? Genug, daß die christlichen Lehrsätze sich nicht alle auf Fakta gründen. Die übrigen gründen sich, wie zugegeben, auf ihre innere Wahrheit: und wie kann die innere Wahrheit irgend eines Satzes von dem Ansehen des Buches abhangen, in dem sie vorgetragen worden? Das ist offenbarer Widerspruch. Noch kann ich mich über eine Frage nicht genug wundern, die der Hr. Pastor mit einer Zuversicht thut, als ob nur *Eine* Antwort darauf möglich wäre. ,,Würde, fragt er, wenn die Neutestamentlichen Bücher nicht geschrieben, und bis auf uns gekommen wären, wohl eine Spur von dem, was Christus gethan und gelehret hat, in der Welt übrig geblieben seyn?" – Gott behüte mich, jemals so klein von Christi Lehren zu denken, daß ich diese Frage so gerade zu mit Nein zu beantworten wagte! Nein; dieses *Nein* spräche ich nicht nach, und wenn mir es ein Engel vom Himmel vorsagte. Geschweige, da mir es nur ein Lutherscher Pastor in den Mund legen will. – Alles, was in der Welt geschieht, ließe Spuren in der Welt zurück, ob sie der Mensch gleich nicht immer nachweisen kann: und nur deine Lehren, göttlicher Menschenfreund, die du nicht aufzuschreiben, die du zu predigen befahlest, wenn sie auch *nur* wären geprediget worden, sollten nichts, gar nichts gewirket haben, woraus sich ihr Ursprung erkennen ließe? Deine Worte sollten erst, in todte Buchstaben verwandelt, Worte des Lebens geworden seyn? Sind die Bücher der einzige Weg, die Menschen zu erleuchten, und zu bessern? Ist mündliche Überlieferung nichts? Und wenn mündliche Überlieferung tausend vorsetzlichen und unvorsetzlichen Verfälschungen unterworfen ist: sind es die Bücher nicht auch? Hätte Gott durch die nehmliche Äusserung seiner unmittelbaren Gewalt, nicht eben sowohl die mündlichen Überlieferungen vor Verfälschungen bewahren können, als wir sagen, daß er die Bücher bewahret hat? – O über den Mann, allmächtiger Gott! der ein Prediger deines Wortes seyn will, und so keck vorgiebt, daß du deine Absicht zu erreichen, nur den einzigen Weg gehabt, den du dir gefallen lassen, ihm kund zu machen! O über den Gottesgelehrten, der ausser diesem einzigen Wege, den er sieht, alle andere Wege, weil er sie nicht sieht, platterdings leugnet! – Laß mich, gütiger Gott, nie so rechtgläubig werden, damit ich nie so vermessen werde! –

Wie viel kleine Nachrichten und Begriffe sind nicht auch wirklich, durch bloße mündliche Überlieferung bis auf den heutigen Tag fortgepflanzet worden, *ohne* deren Hülfe wir schwerlich wohl die Schriften des N. T. vollkommen *so* verstehen und auslegen würden, als wir *mit* ihrer Hülfe thun? Dieses gilt nicht allein von den Katholiken, die es eingestehen: sondern auch von den Protestanten, ob deren es schon wenige zugeben.

Das Apostolische Glaubensbekenntniß ist offenbar mehr aus einem mündlich überlieferten Lehrbegriffe entstanden, als unmittelbar aus der Schrift gezogen worden. Wäre es dieses: so würde es gewiß, Theils vollständiger, Theils bestimmter seyn. Daß es dieses nicht ist, läßt sich weniger aus der Muthmassung erklären, daß es nur ein Formular für Täuflinge seyn sollen, als daher, daß es den mündlich überlieferten Glauben enthält, der zur Zeit seiner Abfassung, als man die Bücher des N. Testaments so sorgfältig noch nicht durchsiebt hatte, auch den Grund noch nicht erkannte, sie so sorgfältig durchsieben zu müssen, gänge und gäbe war.

Doch wo gerathe ich hin? – Wohin der Hr. Pastor mir leichter ein Kreutz nachschlagen kann, mir lieber einen Fluch nachrufen wird, als mir folgen. – Also zurück und weiter.

Werkregister 170

ABRAHAM GOTTHELF KÄSTNER

Holberg zu Paris.

Holberg gab in Norwegen mit vielem Beyfall im Französischen Unterricht. Er kam nach Paris und fand, daß er kein Französisch verstand.

Ich hoffe, so wird es manchem Theologen im Himmel gehen. Warum ich das hoffe? Je, es sezt ja zum voraus, daß er in Himmel kömmt.

Werkregister 9

JOHANN ADOLF SCHLEGEL

Der Papagoy.

Es hatte kaum mit vielem Weh und Ach
Ein Mann jüngst seine Frau begraben;
So wünscht er Trost in seinem Schmerz zu haben,
Und sehnte sich, – Was meynet ihr? Wornach?
Was gilts? Ihr werdets nicht errathen.
Nicht wahr? Ihr bildet euch wohl ein,
Was zu des Ehstands Ruhm schon so viel Wittwer thaten,
Werd' auch von ihm geschehen seyn;
Daß er, um den Verlust recht schleunig zu ersetzen,
Nach einer zweyten Frau sich umgesehn? – O nein!
Das Glück der Eh wußt' er nicht sonderlich zu schätzen,
Und das, warum ihr Tod ihm so beschwerlich fällt,
Ist bloß der Abgang an Geschwätzen,
Den kann ein Papagoy ihm schon genug ersetzen.

Er geht zum Kaufmann hin, der eine kleine Welt
Von Vögeln mancher Art ihm vor die Augen stellt,
Und was dabey vor allem ihm gefällt,

Ein ganzes Volk von Papagoyen,
Die keines Kenners Auge scheuen.
Sie schwatzen allesamt, und jeglicher davon
Hält im Geschwätz doch seinen eignen Ton.
Der ist ein frecher Lustigmacher;
Der ein gedankenloser Lacher;
Ein dritter weiß, süß wie ein Seladon,
Den Schönen zärtlich liebzukosen;
Ein vierter flucht noch ärger, als Matrosen;
Ein fünfter schimpft gleich jeden, den er sieht;
Der sechste pfeift sein Gassenlied.
Man wundert sich vielleicht, daß sie nichts klügers sagen!
Doch, da der Mensch sie unterweist,
Wie kann man da noch lange fragen?

Indem der Kaufmann jeden preist,
Steht oft bald hier bald da des Käufers Auge still,
Und, weil er gern den besten wählen will,
Verwirft er wieder den, den er sich erst erlesen.
Des Schönen ist hier allzuviel.
Wem wäre da die Wahl nicht schwer gewesen?

Zuletzt als einer sich im finstern Winkel zeigt,
Der ungesellig scheint, und stolz und altklug schweigt,
Spricht er: ,,Dort Menschenfeind! Du schweigst? Bist du zu blöde?"
Ich denke desto mehr; war drauf die Antwort. ,,Hört!
Hört, welche weise Gegenrede!
Ist sie nicht eines Plato werth?
Geschwind gebt her!" So schreyt der Käufer, und mit Freuden
Zahlt er fast mehr, als man begehrt.

Er trägt in aller Eil ihn heim, und, wie er meynt,
Wird jeder Papagoyenfreund
Um diesen Leibnitz ihn beneiden.

,,Ein Vogel von so viel Verstand;
Was wird nicht der für Weisheit fassen!
Wie manchen Sittenspruch, den ich noch nicht gekannt,
So gut, wie meine Frau, die doch so viel verstand,
Mich unvermuthet hören lassen!"

So hofft er anfangs; doch er fand
In seiner Hoffnung bald sich schändlich hintergangen.
Mit aller Müh war hier nichts weiter zu erlangen.
Fleiß, Zucker, Schmeicheln war vergebens angewandt.

Ich denke desto mehr, schwatzt er am frühen Morgen;
Ich denke desto mehr, wenn ihm sein Futter schmeckt;
Ich denke desto mehr, auch wenn ihn niemand neckt;
Ich denke desto mehr, so oft sein Herr voll Sorgen
Im Winkel sitzt, und sich vergißt;
Ich denke desto mehr, auch wenn er lustig ist;
Ich denke desto mehr, wenn er die Zeitung liest;
Ich denke desto mehr, am Abend, wie am Morgen.
Kurz, ob er gleich nicht denkt, so quält er das Gehör
Doch durch sein ewiges *Ich denke desto mehr.*

Du bist ein Gimpel! Schweig! sprach drauf sein Herr im Eifer;
Doch ein noch größrer ist dein Käufer,
Daß er vor allen dich erlas,
Und deinen ganzen Werth nach Einem Worte maß.

Werkregister 206

CARL FRIEDRICH BAHRDT

Lernt, Christen, lernt

Lernt, Christen, lernt, was steifer vester Glaube
Für eine stolze Ruhe schenkt.
Zu seinen Füssen liegt der Philosoph im Staube,
Der rastlos forscht und denkt.

Mit Mitleid sieht er ihn. ,,Du armer Sünder,"
Spricht er, ,,Du forschst nach Wahrheit viel:
Durch Glauben hat man sie geschwinder,
Und mühelos ist dann der Weg zum Ziel."

O schweig, mein Geist! und lerne Fesseln tragen:
Du sparst des Denkens Unbequemlichkeit.
Laß Priester dir, was du sollst glauben, sagen:
Dumm' oder klug' – ist lang wie breit.

Werkregister 43

GOTTHOLD EPHRAIM LESSING

Nathan der Weise.

Ein Dramatisches Gedicht.

aus

Dritter Aufzug.
Fünfter bis siebenter Auftritt.

Fünfter Auftritt.

Saladin und Nathan.

SALADIN.
Tritt näher, Jude! – Näher! – Nur ganz her! –
Nur ohne Furcht!

NATHAN.
Die bleibe deinem Feinde!

SALADIN.
Du nennst dich Nathan?

NATHAN.
Ja.

SALADIN.
Den weisen Nathan?

NATHAN.
Nein.

SALADIN.
Wohl! nennst du dich nicht; nennt dich das Volk.

NATHAN.
Kann seyn; das Volk!

SALADIN.
Du glaubst doch nicht, daß ich
Verächtlich von des Volkes Stimme denke? –
Ich habe längst gewünscht, den Mann zu kennen,
Den es den Weisen nennt.

NATHAN.
Und wenn es ihn
Zum Spott so nennte? Wenn dem Volke weise
Nichts weiter wär' als klug? und klug nur der,
Der sich auf seinen Vortheil gut versteht?

SALADIN.

Auf seinen wahren Vortheil, meynst du doch?

NATHAN.

Dann freylich wär' der Eigennützigste
Der Klügste. Dann wär' freylich klug und weise
Nur eins.

SALADIN.

Ich höre dich erweisen, was
Du widersprechen willst. – Des Menschen wahre
Vortheile, die das Volk nicht kennt, kennst du.
Hast du zu kennen wenigstens gesucht;
Hast drüber nachgedacht: das auch allein
Macht schon den Weisen.

NATHAN.

Der sich jeder dünkt

Zu seyn.

SALADIN.

Nun der Bescheidenheit genug!
Denn sie nur immerdar zu hören, wo
Man trockene Vernunft erwartet, eckelt.
(Er springt auf.)
Laß uns zur Sache kommen! Aber, aber
Aufrichtig, Jud', aufrichtig!

NATHAN.

Sultan, ich
Will sicherlich dich so bedienen, daß
Ich deiner fernern Kundschaft würdig bleibe.

SALADIN.

Bedienen? wie?

NATHAN.

Du sollst das Beste haben
Von allem; sollst es um den billigsten
Preis haben.

SALADIN.

Wovon sprichst du? doch wohl nicht
Von deinen Waaren? – Schachern wird mit dir
Schon meine Schwester. (Das der Horcherinn!) –
Ich habe mit dem Kaufmann nichts zu thun.

NATHAN.

So wirst du ohne Zweifel wissen wollen,
Was ich auf meinem Wege von dem Feinde,
Der allerdings sich wieder regt, etwa
Bemerkt, getroffen? – Wenn ich unverhohlen ...

SALADIN.

Auch darauf bin ich eben nicht mit dir
Gesteuert. Davon weiß ich schon, so viel
Ich nöthig habe. – Kurz; –

NATHAN.

Gebiethe, Sultan.

SALADIN.

Ich heische deinen Unterricht in ganz
Was anderm; ganz was anderm. – Da du nun
So weise bist: so sage mir doch einmal –
Was für ein Glaube, was für ein Gesetz
Hat dir am meisten eingeleuchtet?

NATHAN.

Sultan,
Ich bin ein Jud'.

SALADIN.

Und ich ein Muselmann.
Der Christ ist zwischen uns. – Von diesen drey
Religionen kann doch eine nur
Die wahre seyn. – Ein Mann, wie du, bleibt da
Nicht stehen, wo der Zufall der Geburth
Ihn hingeworfen: oder wenn er bleibt,
Bleibt er aus Einsicht, Gründen, Wahl des Bessern.
Wohlan! so theile deine Einsicht mir
Dann mit. Laß mich die Gründe hören, denen
Ich selber nachzugrübeln, nicht die Zeit
Gehabt. Laß mich die Wahl, die diese Gründe
Bestimmt, – versteht sich, im Vertrauen – wissen,
Damit ich sie zu meiner mache. – Wie?
Du stutzest? wägst mich mit dem Auge? – Kann
Wohl seyn, daß ich der erste Sultan bin,
Der eine solche Grille hat; die mich
Doch eines Sultans eben nicht so ganz
Unwürdig dünkt. – Nicht wahr? – So rede doch!
Sprich! – Oder willst du einen Augenblick,
Dich zu bedenken? Gut; ich geb' ihn dir. –

(Ob sie wohl horcht? Ich will sie doch belauschen;
Will hören, ob ichs recht gemacht. –) Denk nach!
Geschwind denk nach! Ich säume nicht, zurück
Zu kommen. *(Er geht in das Nebenzimmer, nach welchem sich Sittah begeben.)*

Sechster Auftritt.

NATHAN
allein.

Hm! hm! – wunderlich! – Wie ist
Mir denn? – Was will der Sultan? was? – Ich bin
Auf Geld gefaßt; und er will – Wahrheit. Wahrheit!
Und will sie so, – so baar, so blank, – als ob
Die Wahrheit Münze wäre! – Ja, wenn noch
Uralte Münze, die gewogen ward! –
Das ginge noch! Allein so neue Münze,
Die nur der Stempel macht, die man aufs Bret
Nur zählen darf, das ist sie doch nun nicht!
Wie Geld in Sack, so striche man in Kopf
Auch Wahrheit ein? Wer ist denn hier der Jude?
Ich oder er? – Doch wie? Sollt' er auch wohl
Die Wahrheit nicht in Wahrheit fodern? – Zwar,
Zwar der Verdacht, daß er die Wahrheit nur
Als Falle brauche, wär' auch gar zu klein! –
Zu klein? – Was ist für einen Grossen denn
Zu klein? – Gewiß, gewiß: er stürzte mit
Der Thüre so ins Haus! Man pocht doch, hört
Doch erst, wenn man als Freund sich naht. – Ich muß
Behutsam gehn! – Und wie? wie das? – So ganz
Stockjude seyn zu wollen, geht schon nicht. –
Und ganz und gar nicht Jude, geht noch minder.
Denn, wenn kein Jude, dürft er mich nur fragen,
Warum kein Muselmann? – Das wars! Das kann
Mich retten! – Nicht die Kinder blos, speist man
Mit Mährchen ab. – Er kömmt. Er komme nur!

Siebender Auftritt.

Saladin und Nathan.

SALADIN.

(So ist das Feld hier rein!) – Ich komm' dir doch
Nicht zu geschwind zurück? Du bist zu Rande

Mit deiner Ueberlegung. – Nun so rede!
Es hört uns keine Seele.

NATHAN.
Möcht auch doch
Die ganze Welt uns hören.

SALADIN.
So gewiß
Ist Nathan seiner Sache? Ha! das nenn'
Ich einen Weisen! Nie die Wahrheit zu
Verhehlen! für sie alles auf das Spiel
Zu setzen! Leib und Leben! Gut und Blut!

NATHAN.
Ja! ja! wanns nöthig ist und nutzt.

SALADIN.
Von nun
An darf ich hoffen, einen meiner Titel,
Verbesserer der Welt und des Gesetzes,
Mit Recht zu führen.

NATHAN.
Traun, ein schöner Titel!
Doch, Sultan, eh ich mich dir ganz vertraue,
Erlaubst du wohl, dir ein Geschichtchen zu
Erzählen?

SALADIN.
Warum das nicht? Ich bin stets
Ein Freund gewesen von Geschichtchen, gut
Erzählt.

NATHAN.
Ja, *gut* erzählen, das ist nun
Wohl eben meine Sache nicht.

SALADIN.
Schon wieder
So stolz bescheiden? – Mach! erzähl', erzähle!

NATHAN.
Vor grauen Jahren lebt' ein Mann in Osten,
Der einen Ring von unschätzbarem Werth'

Aus lieber Hand besaß. Der Stein war ein
Opal, der hundert schöne Farben spielte,
Und hatte die geheime Kraft, vor Gott
Und Menschen angenehm zu machen, wer
In dieser Zuversicht ihn trug. Was Wunder,
Daß ihn der Mann in Osten darum nie
Vom Finger ließ; und die Verfügung traf,
Auf ewig ihn bey seinem Hause zu
Erhalten? Nehmlich so. Er ließ den Ring
Von seinen Söhnen dem Geliebtesten;
Und setzte fest, daß dieser wiederum
Den Ring von seinen Söhnen dem vermache,
Der ihm der liebste sey; und stets der Liebste,
Ohn' Ansehn der Geburt, in Kraft allein
Des Rings, das Haupt, der Fürst des Hauses werde. –
Versteh mich, Sultan.

SALADIN.

Ich versteh dich. Weiter!

NATHAN.

So kam nun dieser Ring, von Sohn zu Sohn,
Auf einen Vater endlich von drey Söhnen;
Die alle drey ihm gleich gehorsam waren,
Die alle drey er folglich gleich zu lieben
Sich nicht entbrechen konnte. Nur von Zeit
Zu Zeit schien ihm bald der, bald dieser, bald
Der dritte, – so wie jeder sich mit ihm
Allein befand, und sein ergiessend Herz
Die andern zwey nicht theilten, – würdiger
Des Ringes; den er denn auch einem jeden
Die fromme Schwachheit hatte, zu versprechen.
Das ging nun so, so lang es ging. – Allein
Es kam zum Sterben, und der gute Vater
Kömmt in Verlegenheit. Es schmerzt ihn, zwey
Von seinen Söhnen, die sich auf sein Wort
Verlassen, so zu kränken. – Was zu thun? –
Er sendet in geheim zu einem Künstler,
Bey dem er, nach dem Muster seines Ringes,
Zwey andere bestellt, und weder Kosten
Noch Mühe sparen heißt, sie jenem gleich,
Vollkommen gleich zu machen. Das gelingt
Dem Künstler. Da er ihm die Ringe bringt,

Kann selbst der Vater seinen Musterring
Nicht unterscheiden. Froh und freudig ruft
Er seine Söhne, jeden ins besondre;
Giebt jedem ins besondre seinen Seegen, –
Und seinen Ring, – und stirbt. – Du hörst doch, Sultan?

SALADIN.
(der sich betroffen von ihm gewandt.)
Ich hör, ich höre! – Komm mit deinem Mährchen
Nur bald zu Ende. – Wirds?

NATHAN.
Ich bin zu Ende.
Denn was noch folgt, versteht sich ja von selbst. –
Kaum war der Vater todt, so kömmt ein jeder
Mit seinem Ring', und jeder will der Fürst
Des Hauses seyn. Man untersucht, man zankt,
Man klagt. Umsonst; der rechte Ring war nicht
Erweislich; –
(nach einer Pause, in welcher er des Sultans Antwort erwartet.)
Fast so unerweislich, als
Uns itzt – der rechte Glaube.

SALADIN.
Wie? das soll
Die Antwort seyn auf meine Frage? . . .

NATHAN.
Soll
Mich blos entschuldigen, wenn ich die Ringe,
Mir nicht getrau zu unterscheiden, die
Der Vater in der Absicht machen ließ,
Damit sie nicht zu unterscheiden wären.

SALADIN.
Die Ringe! – Spiele nicht mit mir! – Ich dächte,
Daß die Religionen, die ich dir
Genannt, doch wohl zu unterscheiden wären.
Bis auf die Kleidung; bis auf Speis und Trank!

NATHAN.
Und nur von Seiten ihrer Gründe nicht. –
Denn gründen alle sich nicht auf Geschichte?
Geschrieben oder überliefert! – Und
Geschichte muß doch wohl allein auf Treu

Und Glauben angenommen werden? – Nicht? –
Nun wessen Treu und Glauben zieht man denn
Am wenigsten in Zweifel? Doch der Seinen?
Doch deren Blut wir sind? doch deren, die
Von Kindheit an uns Proben ihrer Liebe
Gegeben? die uns nie getäuscht, als wo
Getäuscht zu werden uns heilsamer war? –
Wie kann ich meinen Vätern weniger,
Als du den deinen glauben? Oder umgekehrt. –
Kann ich von dir verlangen, daß du deine
Vorfahren Lügen strafst, um meinen nicht
Zu widersprechen? Oder umgekehrt.
Das nehmliche gilt von den Christen. Nicht? –

SALADIN.
(Bey dem Lebendigen! Der Mann hat Recht.
Ich muß verstummen.)

NATHAN.
Laß auf unsre Ring'
Uns wieder kommen. Wie gesagt: die Söhne
Verklagten sich; und jeder schwur dem Richter,
Unmittelbar aus seines Vaters Hand
Den Ring zu haben. – Wie auch wahr! – Nachdem
Er von ihm lange das Versprechen schon
Gehabt, des Ringes Vorrecht einmal zu
Geniessen. – Wie nicht minder wahr! – Der Vater,
Betheu'rte jeder, könne gegen ihn
Nicht falsch gewesen seyn; und eh' er dieses
Von ihm, von einem solchen lieben Vater,
Argwohnen laß': eh' müß' er seine Brüder,
So gern er sonst von ihnen nur das Beste
Bereit zu glauben sey, des falschen Spiels
Bezeihen; und er wolle die Verräther
Schon auszufinden wissen; sich schon rächen.

SALADIN.
Und nun, der Richter? – Mich verlangt zu hören,
Was du den Richter sagen lässest. Sprich!

NATHAN.
Der Richter sprach: wenn ihr mir nun den Vater
Nicht bald zur Stelle schafft, so weis' ich euch
Von meinem Stuhle. Denkt ihr, daß ich Räthsel

Zu lösen da bin? Oder harret ihr,
Bis daß der rechte Ring den Mund eröffne? –
Doch halt! Ich höre ja, der rechte Ring
Besitzt die Wunderkraft beliebt zu machen;
Vor Gott und Menschen angenehm. Das muß
Entscheiden! Denn die falschen Ringe werden
Doch das nicht können! – Nun; wen lieben zwey
Von euch am meisten? – Macht, sagt an! Ihr schweigt?
Die Ringe wirken nur zurück? und nicht
Nach aussen? Jeder liebt sich selber nur
Am meisten? – O so seyd ihr alle drey
Betrogene Betrieger! Eure Ringe
Sind alle drey nicht echt. Der echte Ring
Vermuthlich ging verloren. Den Verlust
Zu bergen, zu ersetzen, ließ der Vater
Die drey für einen machen.

SALADIN.
Herrlich! herrlich!

NATHAN.
Und also; fuhr der Richter fort, wenn ihr
Nicht meinen Rath, statt meines Spruches, wollt:
Geht nur! – Mein Rath ist aber der: ihr nehmt
Die Sache völlig wie sie liegt. Hat von
Euch jeder seinen Ring von seinem Vater:
So glaube jeder sicher seinen Ring
Den echten. – Möglich; daß der Vater nun
Die Tyranney des Einen Rings nicht länger
In seinem Hause dulden wollen! – Und gewiß;
Daß er euch alle drey geliebt, und gleich
Geliebt: indem er zwey nicht drücken mögen,
Um einen zu begünstigen. – Wohlan!
Es eifre jeder seiner unbestochnen
Von Vorurtheilen freyen Liebe nach!
Es strebe von euch jeder um die Wette,
Die Kraft des Steins in seinem Ring' an Tag
Zu legen! komme dieser Kraft mit Sanftmuth,
Mit herzlicher Verträglichkeit, mit Wohlthun,
Mit innigster Ergebenheit in Gott,
Zu Hülf'! Und wenn sich dann der Steine Kräfte
Bey euern Kindes=Kindeskindern äussern:
So lad' ich über tausend tausend Jahre,

Sie wiederum vor diesen Stuhl. Da wird
Ein weisrer Mann auf diesem Stuhle sitzen,
Als ich; und sprechen. Geht! – So sagte der
Bescheidne Richter.

SALADIN.

Gott! Gott!

NATHAN.

Saladin,
Wenn du dich fühlest, dieser weisere
Versprochne Mann zu seyn: . . .

SALADIN.

(der auf ihn zustürzt, und seine Hand ergreift, die er bis zu Ende nicht wieder
fahren läßt.)
Ich Staub? Ich Nichts?

O Gott!

NATHAN.

Was ist dir, Sultan?

SALADIN.

Nathan, lieber Nathan! –
Die tausend tausend Jahre deines Richters
Sind noch nicht um. – Sein Richterstuhl ist nicht
Der meine. – Geh! – Geh! – Aber sey mein Freund.
[. . .]

Werkregister 170

DAVID FRIEDLÄNDER

aus   Proben Rabbinischer Weisheit*.

„Wer sich der Gerechtigkeit annimmt, richtet das Land auf; wer sich ihr
entzieht, ist Schuld an seinem Verderben.“

Rabbi *Assi* war krank, lag auf dem Bette, von seinen Schülern umgeben,
und bereitete sich zum Tode. Sein Neffe trat zu ihm herein, und fand, daß er
weinte. – Was weinst du, Rabbi? fragte er. Muß nicht jeder Blick in dein
vollbrachtes Leben dir Freude bringen? Hast du etwa das heilige Gesetz nicht
genung gelernt, nicht genung gelehrt? Siehe, deine Schüler hier sind Beweise

---

* Aus dem Talmud und dem Midrasch gezogen. Die Erzehlungen beziehen sich auf
Sprüche der Schrift, die eben darum voranstehn.

vom Gegentheil. Hast du etwa versäumt, Werke der Gottseligkeit auszu-
üben? Jedermann ist eines Bessern überführt. Und die Demuth war die Krone aller deiner Tugenden! Niemals wolltest du erlauben, daß man dich zum
Richter der Gemeine wählte, so sehr auch die Gemeine es wünschte. –
Eben das, mein Sohn, antwortete Rabbi *Assi*, betrübt mich jetzt. Ich konnte
Recht und Gerechtigkeit unter den Menschenkindern handhaben, und aus
mißverstandener Demuth hab ich es unterlassen. „Wer sich der Gerechtigkeit
entzieht, ist Schuld an dem Verderben des Landes."

„*Wer ein tugendhaft Weib gefunden, hat einen größern Schatz, denn köstliche Perlen.*"

Einen solchen Schatz hatte Rabbi *Meir*, der große Lehrer, gefunden. Er saß
am Sabbath in der Lehrschule und unterwieß das Volk. Unterdessen starben
seine beyden Söhne, beide schön von Wuchs und erleuchtet im Gesetze. Seine
Hausfrau nahm sie, trug sie auf den Söller, legte sie auf ihr Ehebette und
breitete ein weißes Gewand über ihre Leichname. Abends kam Rabbi *Meir*
nach Hause. – Wo sind meine Söhne, fragte er, daß ich ihnen den Segen gebe?
– Sie sind in die Lehrschule gegangen, war ihre Antwort. – Ich habe mich
umgesehen, erwiederte er, und bin sie nicht gewahr worden. – – Sie reichte
ihm einen Becher; er lobte den Herrn zum Ausgange des Sabbaths,* trank
und fragte abermals: Wo sind meine Söhne, daß sie auch trinken vom Wein
des Segens? – Sie werden nicht weit seyn, sprach sie, und setzte ihm vor zu
essen. Er war guter Dinge, und als er nach der Mahlzeit gedankt hatte, sprach
sie: Rabbi, erlaube mir eine Frage! – So sprich nur, meine Liebe! antwortete
er. – Vor wenig Tagen, sprach sie, gab mir jemand Kleinodien in Verwahrung, und jetzt fordert er sie zurück. Soll ich sie ihm wiedergeben? – Dieß
sollte meine Frau nicht erst fragen, sprach Rabbi *Meir*. Wolltest du Anstand
nehmen, einem jeden das Seine wiederzugeben? – O nein! versetzte sie; aber
auch wiedergeben wollte ich, ohne dein Vorwissen, nicht. – Bald darauf
führte sie ihn auf den Söller, trat hin und nahm das Gewand von den Leichna-
men. – Ach meine Söhne! jammerte der Vater; meine Söhne = = = und meine
Lehrer! Ich habe euch gezeugt, aber ihr habt mir die Augen erleuchtet im
Gesetze. – Sie wendete sich hinweg und weinte. Endlich ergriff sie ihn bey der
Hand und sprach: Rabbi, hast du mich nicht gelehrt, man müsse sich nicht
weigern wiederzugeben, was uns zur Verwahrung vertraut ward? Siehe, der
Herr hats gegeben, der Herr hats genommen; der Namen des Herrn sey
gelobet! – Der Namen des Herrn sey gelobet! stimmte Rabbi *Meir* mit ein.
Wohl heißt es: „Wer ein tugendhaft Weib gefunden, hat einen größern
Schatz, denn köstliche Perlen. Sie thut ihren Mund auf mit Weisheit, und auf
ihrer Zunge ist holdselige Lehre."

---

* Eine Ceremonie der Juden beym Ein= und Ausgange eines Festtages, und vornehmlich des Sabbaths.

Die Schöpfung des Weibes.

Jene Matrone sagte zu Rabbi *Josse:* „In der Schöpfungsgeschichte der *Eva* erscheint euer Gott nicht in dem schönsten Lichte. Warum mußte er dem *Adam* die Ribbe entwenden? warum sie ihm in tiefem Schlaf gleichsam rauben?" – „Vater! sagte Rabbi *Josse's* anwesende Tochter; laß *mich* ihr antworten! – Weißt Du schon, edle Frau, daß diese Nacht Diebe bei uns eingebrochen sind? daß sie uns eine Silberstange geraubt, und ein goldnes schöngearbeitetes Prachtgefäß dafür hingesezt haben? Sage, was dünkt Dir zu diesem Frevel?" – „Du scherzest, Mädchen, erwiderte die Matrone: kannst Du *das* Rauben nennen? Kann eine solche Handlung Dir Frevel dünken?" – „Nicht? sagte die Jungfrau. So klage auch Du unsern Gott nicht an, daß er eine entbehrliche Ribbe nahm, und statt ihrer eine unschätzbare Gehülfinn baute."

Werkregister 25

GOTTHOLD EPHRAIM LESSING

Die Erziehung des Menschengeschlechts.

§. 1.

Was die Erziehung bey dem einzeln Menschen ist, ist die Offenbarung bey dem ganzen Menschengeschlechte.

§. 2.

Erziehung ist Offenbarung, die dem einzeln Menschen geschieht: und Offenbarung ist Erziehung, die dem Menschengeschlechte geschehen ist, und noch geschieht.

§. 3.

Ob die Erziehung aus diesem Gesichtspunkte zu betrachten, in der Pädagogik Nutzen haben kann, will ich hier nicht untersuchen. Aber in der Theologie kann es gewiß sehr großen Nutzen haben, und viele Schwierigkeiten heben, wenn man sich die Offenbarung als eine Erziehung des Menschengeschlechts vorstellet.

§. 4.

Erziehung giebt dem Menschen nichts, was er nicht auch aus sich selbst haben könnte: sie giebt ihm das, was er aus sich selber haben könnte, nur geschwinder und leichter. Also giebt auch die Offenbarung dem Menschengeschlechte nichts, worauf die menschliche Vernunft, sich selbst überlassen, nicht auch kommen würde: sondern sie gab und giebt ihm die wichtigsten dieser Dinge nur früher.

§. 5.

Und so wie es der Erziehung nicht gleichgültig ist, in welcher Ordnung sie
die Kräfte des Menschen entwickelt; wie sie dem Menschen nicht alles auf
einmal beybringen kann: eben so hat auch Gott bey seiner Offenbarung eine
gewisse Ordnung, ein gewisses Maaß halten müssen.

§. 6.

Wenn auch der erste Mensch mit einem Begriffe von einem Einigen Gotte
sofort ausgestattet wurde: so konnte doch dieser mitgetheilte, und nicht er-
worbene Begriff, unmöglich lange in seiner Lauterkeit bestehen. Sobald ihn
die sich selbst überlassene menschliche Vernunft zu bearbeiten anfing, zerleg-
te sie den Einzigen Unermeßlichen in mehrere Ermeßlichere, und gab jedem
dieser Theile ein Merkzeichen.

§. 7.

So entstand natürlicher Weise Vielgötterey und Abgötterey. Und wer
weiß, wie viele Millionen Jahre sich die menschliche Vernunft noch in diesen
Irrwegen würde herumgetrieben haben; ohngeachtet überall und zu allen
Zeiten einzelne Menschen erkannten, daß es Irrwege waren: wenn es Gott
nicht gefallen hätte, ihr durch einen neuen Stoß eine bessere Richtung zu
geben.

§. 8.

Da er aber einem jeden *einzeln Menschen* sich nicht mehr offenbaren konnte, noch wollte: so wählte er sich ein *einzelnes Volk* zu seiner besondern
Erziehung; und eben das ungeschliffenste, das verwildertste, um mit ihm
ganz von vorne anfangen zu können.

§. 9.

Dieß war das Israelitische Volk, von welchem man gar nicht einmal weiß,
was es für einen Gottesdienst in Aegypten hatte. Denn an dem Gottesdienste
der Aegyptier durften so verachtete Sklaven nicht Theil nehmen: und der
Gott seiner Väter war ihm gänzlich unbekannt geworden.

§. 10.

Vielleicht, daß ihm die Aegyptier allen Gott, alle Götter ausdrücklich untersagt hatten; es in den Glauben gestürzt hatten, es habe gar keinen Gott, gar
keine Götter; Gott, Götter haben, sey nur ein Vorrecht der bessern Aegyptier: und das, um es mit so viel größerm Anscheine von Billigkeit tyrannisiren
zu dürfen. – Machen Christen es mit ihren Sklaven noch itzt viel anders? –

§. 11.

Diesem rohen Volke also ließ sich Gott anfangs blos als den Gott seiner
Väter ankündigen, um es nur erst mit der Idee eines auch ihm zustehenden
Gottes bekannt und vertraut zu machen.

§. 12.

Durch die Wunder, mit welchen er es aus Aegypten führte, und in Kanaan einsetzte, bezeugte er sich ihm gleich darauf als einen Gott, der mächtiger sey, als irgend ein andrer Gott.

§. 13.

Und indem er fortfuhr, sich ihm als den Mächtigsten von allen zu bezeugen, – welches doch nur *einer* seyn kann, – gewöhnte er es allmälig zu dem Begriffe des *Einigen.*

§. 14.

Aber wie weit war dieser Begriff des Einigen, noch unter dem wahren transcendentalen Begriffe des Einigen, welchen die Vernunft so spät erst aus dem Begriffe des Unendlichen mit Sicherheit schließen lernen!

§. 15.

Zu dem wahren Begriffe des Einigen – wenn sich ihm auch schon die Besserern des Volks mehr oder weniger näherten – konnte sich doch das Volk lange nicht erheben: und dieses war die einzige wahre Ursache, warum es so oft seinen Einigen Gott verließ, und den Einigen, d. i. Mächtigsten, in irgend einem andern Gotte eines andern Volks zu finden glaubte.

§. 16.

Ein Volk aber, das so roh, so ungeschickt zu abgezognen Gedanken war, noch so völlig in seiner Kindheit war, was war es für einer *moralischen* Erziehung fähig? Keiner andern, als die dem Alter der Kindheit entspricht. Der Erziehung durch unmittelbare sinnliche Strafen und Belohnungen.

§. 17.

Auch hier also treffen Erziehung und Offenbarung zusammen. Noch konnte Gott seinem Volke keine andere Religion, kein anders Gesetz geben, als eines, durch dessen Beobachtung oder Nichtbeobachtung es hier auf Erden glücklich oder unglücklich zu werden hoffte oder fürchtete. Denn weiter als auf dieses Leben gingen noch seine Blicke nicht. Es wußte von keiner Unsterblichkeit der Seele; es sehnte sich nach keinem künftigen Leben. Ihm aber nun schon diese Dinge zu offenbaren, welchen seine Vernunft noch so wenig gewachsen war: was würde es bey Gott anders gewesen seyn, als der Fehler des eiteln Pädagogen, der sein Kind lieber übereilen und mit ihm prahlen, als gründlich unterrichten will.

§. 18.

Allein wozu, wird man fragen, diese Erziehung eines so rohen Volkes, eines Volkes, mit welchem Gott so ganz von vorne anfangen mußte? Ich antworte: um in der Folge der Zeit einzelne Glieder desselben so viel sicherer zu Erziehern aller übrigen Völker brauchen zu können. Er erzog in ihm die künftigen Erzieher des Menschengeschlechts. Das wurden Juden, das konnten nur Juden werden, nur Männer aus einem so erzogenen Volke.

§. 19.

Denn weiter. Als das Kind unter Schlägen und Liebkosungen aufgewachsen und nun zu Jahren des Verstandes gekommen war, stieß es der Vater auf einmal in die Fremde; und hier erkannte es auf einmal das Gute, das es in seines Vaters Hause gehabt und nicht erkannt hatte.

§. 20.

Während daß Gott sein erwähltes Volk durch alle Staffeln einer kindischen Erziehung führte: waren die andern Völker des Erdbodens bey dem Lichte der Vernunft ihren Weg fortgegangen. Die meisten derselben waren weit hinter dem erwählten Volke zurückgeblieben: nur einige waren ihm zuvorgekommen. Und auch das geschieht bey Kindern, die man für sich aufwachsen läßt; viele bleiben ganz roh; einige bilden sich zum Erstaunen selbst.

§. 21.

Wie aber diese glücklichern Einige nichts gegen den Nutzen und die Nothwendigkeit der Erziehung beweisen: so beweisen die wenigen heidnischen Völker, die selbst in der Erkenntniß Gottes vor dem erwählten Volke noch bis itzt einen Vorsprung zu haben schienen, nichts gegen die Offenbarung. Das Kind der Erziehung fängt mit langsamen aber sichern Schritten an; es hohlt manches glücklicher organisirte Kind der Natur spät ein; aber es hohlt es doch ein, und ist alsdann nie wieder von ihm einzuholen.

§. 22.

Auf gleiche Weise. Daß, – die Lehre von der Einheit Gottes bey Seite gesetzt, welche in den Büchern des Alten Testaments sich findet, und sich nicht findet – daß, sage ich, wenigstens die Lehre von der Unsterblichkeit der Seele, und die damit verbundene Lehre von Strafe und Belohnung in einem künftigen Leben, darinn völlig fremd sind: beweiset eben so wenig wider den göttlichen Ursprung dieser Bücher. Es kann dem ohngeachtet mit allen darinn enthaltenen Wundern und Prophezeyungen seine gute Richtigkeit haben. Denn laßt uns setzen, jene Lehren würden nicht allein darinn *vermißt,* jene Lehren wären auch sogar *nicht* einmal *wahr;* laßt uns setzen, es wäre wirklich für die Menschen in diesem Leben alles aus: wäre darum das Daseyn Gottes minder erwiesen? stünde es darum Gotte minder frey, würde es darum Gotte minder ziemen, sich der zeitlichen Schicksale irgend eines Volks aus diesem vergänglichen Geschlechte unmittelbar anzunehmen? Die Wunder, die er für die Juden that, die Prophezeyungen, die er durch sie aufzeichnen ließ, waren ja nicht blos für die wenigen sterblichen Juden, zu deren Zeiten sie geschahen und aufgezeichnet wurden: er hatte seine Absichten damit auf das ganze Jüdische Volk, auf das ganze Menschengeschlecht, die hier auf Erden vielleicht ewig dauern sollen, wenn schon jeder einzelne Jude, jeder einzelne Mensch auf immer dahin stirbt.

§. 23.

Noch einmal. Der Mangel jener Lehren in den Schriften des Alten Testaments beweiset wider ihre Göttlichkeit nichts. Moses war doch von Gott gesandt, obschon die Sanktion seines Gesetzes sich nur auf dieses Leben erstreckte. Denn warum weiter? Er war ja nur an das *Israelitische* Volk, an das *damalige* Israelitische Volk gesandt: und sein Auftrag war den Kenntnissen, den Fähigkeiten, den Neigungen dieses *damaligen* Israelitischen Volks, so wie der Bestimmung des *künftigen*, vollkommen angemessen. Das ist genug.

§. 24.

So weit hätte *Warburton* auch nur gehen müssen, und nicht weiter. Aber der gelehrte Mann überspannte den Bogen. Nicht zufrieden, daß der Mangel jener Lehren der göttlichen Sendung Mosis nichts schade: er sollte ihm die göttliche Sendung Mosis sogar beweisen. Und wenn er diesen Beweis noch aus der Schicklichkeit eines solchen Gesetzes für ein solches Volk zu führen gesucht hätte! Aber er nahm seine Zuflucht zu einem von Mose bis auf Christum ununterbrochen fortdaurenden Wunder, nach welchem Gott einen jeden einzeln Juden gerade so glücklich oder unglücklich gemacht habe, als es dessen Gehorsam oder Ungehorsam gegen das Gesetz verdiente. Dieses Wunder habe den Mangel jener Lehren, ohne welche kein Staat bestehen könne, ersetzt; und eine solche Ersetzung eben beweise, was jener Mangel, auf den ersten Anblick, zu verneinen scheine.

§. 25.

Wie gut war es, daß *Warburton* dieses anhaltende Wunder, in welches er das Wesentliche der Israelitischen Theokratie setzte, durch nichts erhärten, durch nichts wahrscheinlich machen konnte. Denn hätte er das gekonnt; wahrlich – alsdenn erst hätte er die Schwierigkeit unauflöslich gemacht. – Mir wenigstens. – Denn was die Göttlichkeit der Sendung Mosis wieder herstellen sollte, würde an der Sache selbst zweifelhaft gemacht haben, die Gott zwar damals nicht mittheilen, aber doch gewiß auch nicht erschweren wollte.

§. 26.

Ich erkläre mich an dem Gegenbilde der Offenbarung. Ein Elementarbuch für Kinder, darf gar wohl dieses oder jenes wichtige Stück der Wissenschaft oder Kunst, die es vorträgt, mit Stillschweigen übergehen, von dem der Pädagog urtheilte, daß es den Fähigkeiten der Kinder, für die er schrieb, noch nicht angemessen sey. Aber es darf schlechterdings nichts enthalten, was den Kindern den Weg zu den zurückbehaltnen wichtigen Stücken versperre oder verlege. Vielmehr müssen ihnen alle Zugänge zu denselben sorgfältig offen gelassen werden: und sie nur von einem einzigen dieser Zugänge ableiten, oder verursachen, daß sie denselben später betreten, würde allein die Unvollständigkeit des Elementarbuchs zu einem wesentlichen Fehler desselben machen.

§. 27.

Also auch konnten in den Schriften des Alten Testaments, in diesen Elementarbüchern für das rohe und im Denken ungeübte Israelitische Volk, die Lehre von der Unsterblichkeit der Seele und künftigen Vergeltung gar wohl mangeln: aber enthalten durften sie schlechterdings nichts, was das Volk, für das sie geschrieben waren, auf dem Wege zu dieser großen Wahrheit auch nur verspätet hätte. Und was hätte es, wenig zu sagen, mehr dahin *verspätet*, als wenn jene wunderbare Vergeltung in diesem Leben darinn wäre versprochen, und von dem wäre versprochen worden, der nichts verspricht, was er nicht hält?

§. 28.

Denn wenn schon aus der ungleichen Austheilung der Güter dieses Lebens, bey der auf Tugend und Laster so wenig Rücksicht genommen zu seyn scheinet, eben nicht der strengste Beweis für die Unsterblichkeit der Seele und für ein anders Leben, in welchem jener Knoten sich auflöse, zu führen: so ist doch wohl gewiß, daß der menschliche Verstand ohne jenem Knoten noch lange nicht – und vielleicht auch nie – auf bessere und strengere Beweise gekommen wäre. Denn was sollte ihn antreiben können, diese bessern Beweise zu suchen? Die blosse Neugierde?

§. 29.

Der und jener Israelite mochte freylich wohl die göttlichen Versprechungen und Androhungen, die sich auf den gesammten Staat bezogen, auf jedes einzelne Glied desselben erstrecken, und in dem festen Glauben stehen, daß wer fromm sey auch glücklich seyn müsse, und wer unglücklich sey, oder werde, die Strafe seiner Missethat trage, welche sich sofort wieder in Segen verkehre, sobald er von seiner Missethat ablasse. – Ein solcher scheinet den Hiob geschrieben zu haben; denn der Plan desselben ist ganz in diesem Geiste. –

§. 30.

Aber unmöglich durfte die tägliche Erfahrung diesen Glauben bestärken: oder es war auf immer bey dem Volke, das diese Erfahrung hatte, *auf immer* um die Erkennung und Aufnahme der ihm noch ungeläufigen Wahrheit geschehen. Denn wenn der Fromme schlechterdings glücklich war, und es zu seinem Glücke doch wohl auch mit gehörte, daß seine Zufriedenheit keine schrecklichen Gedanken des Todes unterbrachen, daß er alt und *lebenssatt* starb: wie konnte er sich nach einem andern Leben sehnen? wie konnte er über etwas nachdenken, wornach er sich nicht sehnte? Wenn aber der Fromme darüber nicht nachdachte: wer sollte es denn? Der Bösewicht? der die

Strafe seiner Missethat fühlte, und wenn er dieses Leben verwünschte, so gern auf jedes andere Leben Verzicht that?

§. 31.

Weit weniger verschlug es, daß der und jener Israelite die Unsterblichkeit der Seele und künftige Vergeltung, weil sich das Gesetz nicht darauf bezog, gerade zu und ausdrücklich leugnete. Das Leugnen eines Einzeln – wäre es auch ein Salomo gewesen, – hielt den Fortgang des gemeinen Verstandes nicht auf, und war an und für sich selbst schon ein Beweis, daß das Volk nun einen großen Schritt der Wahrheit näher gekommen war. Denn Einzelne leugnen nur, was Mehrere in Ueberlegung ziehen; und in Ueberlegung ziehen, warum man sich vorher ganz und gar nicht bekümmerte, ist der halbe Weg zur Erkenntniß.

§. 32.

Laßt uns auch bekennen, daß es ein heroischer Gehorsam ist, die Gesetze Gottes beobachten, blos weil es Gottes Gesetze sind, und nicht, weil er die Beobachter derselben hier und dort zu belohnen verheissen hat; sie beobachten, ob man schon an der künftigen Belohnung ganz verzweifelt, und der zeitlichen auch nicht so ganz gewiß ist.

§. 33.

Ein Volk, in diesem heroischen Gehorsame gegen Gott erzogen, sollte es nicht bestimmt, sollte es nicht vor allen andern fähig seyn, ganz besondere göttliche Absichten auszuführen? – Laßt den Soldaten, der seinem Führer blinden Gehorsam leistet, nun auch von der Klugheit seines Führers überzeugt werden, und sagt, was dieser Führer mit ihm auszuführen sich nicht unterstehen darf? –

§. 34.

Noch hatte das Jüdische Volk in seinem Jehova mehr den Mächtigsten, als den Weisesten aller Götter verehrt; noch hatte es ihn als einen eifrigen Gott mehr gefürchtet, als geliebt: auch dieses zum Beweise, daß die Begriffe, die es von seinem höchsten einigen Gott hatte, nicht eben die rechten Begriffe waren, die wir von Gott haben müssen. Doch nun war die Zeit da, daß diese seine Begriffe erweitert, veredelt, berichtiget werden sollten, wozu sich Gott eines ganz natürlichen Mittels bediente; eines bessern richtigern Maaßstabes, nach welchem es ihn zu schätzen Gelegenheit bekam.

§. 35.

Anstatt daß es ihn bisher nur gegen die armseligen Götzen der kleinen benachbarten rohen Völkerschaften geschätzt hatte, mit welchen es in beständiger Eifersucht lebte: fing es in der Gefangenschaft unter dem weisen Perser an, ihn gegen das Wesen aller Wesen zu messen, wie das eine geübtere Vernunft erkannte und verehrte.

§. 36.

Die Offenbarung hatte seine Vernunft geleitet, und nun erhellte die Vernunft auf einmal seine Offenbarung.

§. 37.

Das war der erste wechselseitige Dienst, den beyde einander leisteten; und dem Urheber beyder ist ein solcher gegenseitiger Einfluß so wenig unanständig, daß ohne ihm eines von beyden überflüssig seyn würde.

§. 38.

Das in die Fremde geschickte Kind sahe andere Kinder, die mehr wußten, die anständiger lebten, und fragte sich beschämt: warum weiß ich das nicht auch? warum lebe ich nicht auch so? Hätte in meines Vaters Hause man mir das nicht auch beybringen; dazu mich nicht auch anhalten sollen? Da sucht es seine Elementarbücher wieder vor, die ihm längst zum Ekel geworden, um die Schuld auf die Elementarbücher zu schieben. Aber siehe! es erkennet, daß die Schuld nicht an den Büchern liege, daß die Schuld ledig sein eigen sey, warum es nicht längst eben das wisse, eben so lebe.

§. 39.

Da die Juden nunmehr, auf Veranlassung der reinern Persischen Lehre, in ihrem Jehova nicht blos den größten aller Nationalgötter, sondern Gott erkannten; da sie ihn als solchen in ihren wieder hervorgesuchten heiligen Schriften um so eher finden und andern zeigen konnten, als er wirklich darinn war; da sie vor allen sinnlichen Vorstellungen desselben einen eben so großen Abscheu bezeugten, oder doch in diesen Schriften zu haben angewiesen wurden, als die Perser nur immer hatten: was Wunder, daß sie vor den Augen des Cyrus mit einem Gottesdienste Gnade fanden, den er zwar noch weit unter dem reinen Sabeismus, aber doch auch weit über die groben Abgöttereyen zu seyn erkannte, die sich dafür des verlaßnen Landes der Juden bemächtiget hatten?

§. 40.

So erleuchtet über ihre eignen unerkannten Schätze kamen sie zurück, und wurden ein ganz andres Volk, dessen erste Sorge es war, diese Erleuchtung unter sich dauerhaft zu machen. Bald war an Abfall und Abgötterey unter ihm nicht mehr zu denken. Denn man kann einem Nationalgott wohl untreu werden, aber nie Gott, so bald man ihn einmal erkannt hat.

§. 41.

Die Gottesgelehrten haben diese gänzliche Veränderung des jüdischen Volks verschiedentlich zu erklären gesucht; und Einer, der die Unzulänglichkeit aller dieser verschiednen Erklärungen sehr wohl gezeigt hat, wollte endlich „die augenscheinliche Erfüllung der über die Babylonische Gefangenschaft und die Wiederherstellung aus derselben ausgesprochnen und aufgeschriebnen Weissagungen", für die wahre Ursache derselben angeben. Aber auch diese Ursache kann nur in so fern die wahre seyn, als sie die nun erst veredelten Begriffe von Gott voraus setzt. Die Juden mußten nun erst erkannt haben, daß Wunderthun und das Künftige vorhersagen, nur Gott zukomme; welches beydes sie sonst auch den falschen Götzen beygeleget hatten, wodurch eben Wunder und Weissagungen bisher nur einen so schwachen, vergänglichen Eindruck auf sie gemacht hatten.

§. 42.

Ohne Zweifel waren die Juden unter den Chaldäern und Persern auch mit der Lehre von der Unsterblichkeit der Seele bekannter geworden. Vertrauter mit ihr wurden sie in den Schulen der Griechischen Philosophen in Aegypten.

§. 43.

Doch da es mit dieser Lehre, in Ansehung ihrer heiligen Schriften, die Bewandniß nicht hatte, die es mit der Lehre von der Einheit und den Eigenschaften Gottes gehabt hatte; da jene von dem sinnlichen Volke darinn war gröblich übersehen worden, diese aber gesucht seyn wollte; da auf diese noch *Vorübungen* nöthig gewesen waren, und also nur *Anspielungen* und *Fingerzeige* Statt gehabt hatten: so konnte der Glaube an die Unsterblichkeit der Seele natürlicher Weise nie der Glaube des gesammten Volks werden. Er war und blieb nur der Glaube einer gewissen Sekte desselben.

§. 44.

Eine *Vorübung* auf die Lehre von der Unsterblichkeit der Seele, nenne ich z. E. die göttliche Androhung, die Missethat des Vaters an seinen Kindern bis ins dritte und vierte Glied zu strafen. Dieß gewöhnte die Väter in Gedanken mit ihren spätesten Nachkommen zu leben, und das Unglück, welches sie über diese Unschuldige gebracht hatten, voraus zu fühlen.

§. 45.

Eine *Anspielung* nenne ich, was blos die Neugierde reizen und eine Frage veranlassen sollte. Als die oft vorkommende Redensart, *zu seinen Vätern versammlet werden*, für sterben.

§. 46.

Einen *Fingerzeig* nenne ich, was schon irgend einen Keim enthält, aus welchem sich die noch zurückgehaltne Wahrheit entwickeln läßt. Dergleichen war Christi Schluß aus der Benennung *Gott Abrahams, Isaacs und Jacobs*. Dieser Fingerzeig scheint mir allerdings in einen strengen Beweis ausgebildet werden zu können.

§. 47.

In solchen Vorübungen, Anspielungen, Fingerzeigen besteht die *positive* Vollkommenheit eines Elementarbuchs; so wie die oben erwähnte Eigenschaft, daß es den Weg zu den noch zurückgehaltenen Wahrheiten nicht erschwere, oder versperre, die *negative* Vollkommenheit desselben war.

§. 48.

Setzt hierzu noch die Einkleidung und den Stil – 1) die Einkleidung der nicht wohl zu übergehenden abstrakten Wahrheiten in Allegorieen und lehrreiche einzelne Fälle, die als wirklich geschehen erzählet werden. Dergleichen sind die Schöpfung, unter dem Bilde des werdenden Tages; die Quelle des moralischen Bösen, in der Erzählung vom verbotnen Baume; der Ursprung der mancherley Sprachen, in der Geschichte vom Thurmbaue zu Babel, u. s. w.

§. 49.

2) den Stil – bald plan und einfältig, bald poetisch, durchaus voll Tavtologieen, aber solchen, die den Scharfsinn üben, indem sie bald etwas anders zu sagen scheinen, und doch das nehmliche sagen, bald das nehmliche zu sagen scheinen, und im Grunde etwas anders bedeuten oder bedeuten können: –

§. 50.

Und ihr habt alle gute Eigenschaften eines Elementarbuchs sowol für Kinder, als für ein kindisches Volk.

§. 51.

Aber jedes Elementarbuch ist nur für ein gewisses Alter. Das ihm entwachsene Kind länger, als die Meinung gewesen, dabey zu verweilen, ist schädlich. Denn um dieses auf eine nur einigermaassen nützliche Art thun zu können, muß man mehr hineinlegen, als darinn liegt; mehr hineintragen, als es fassen kann. Man muß der Anspielungen und Fingerzeige zu viel suchen und machen, die Allegorieen zu genau ausschütteln, die Beyspiele zu umständlich deuten, die Worte zu stark pressen. Das giebt dem Kinde einen kleinlichen, schiefen, spitzfindigen Verstand; das macht es geheimnißreich, abergläubisch, voll Verachtung gegen alles Faßliche und Leichte.

§. 52.

Die nehmliche Weise, wie die Rabbinen ihre heiligen Bücher behandelten! Der nehmliche Charakter, den sie dem Geiste ihres Volks dadurch ertheilten!

§. 53.

Ein bessrer Pädagog muß kommen, und dem Kinde das erschöpfte Elementarbuch aus den Händen reißen. – Christus kam.

§. 54.

Der Theil des Menschengeschlechts, den Gott in *Einen* Erziehungsplan hatte fassen wollen – Er hatte aber nur denjenigen in Einen fassen wollen, der durch Sprache, durch Handlung, durch Regierung, durch andere natürliche und politische Verhältnisse in sich bereits verbunden war – war zu dem zweyten großen Schritte der Erziehung reif.

§. 55.

Das ist: dieser Theil des Menschengeschlechts war in der Ausübung seiner Vernunft so weit gekommen, daß er zu seinen moralischen Handlungen edlere, würdigere Bewegungsgründe bedurfte und brauchen konnte, als zeitliche Belohnung und Strafen waren, die ihn bisher geleitet hatten. Das Kind wird Knabe. Leckerey und Spielwerk weicht der aufkeimenden Begierde, eben so frey, eben so geehrt, eben so glücklich zu werden, als es sein älteres Geschwister sieht.

§. 56.

Schon längst waren die Bessern von jenem Theile des Menschengeschlechts gewohnt, sich durch einen *Schatten* solcher edlern Bewegungsgründe regieren zu lassen. Um nach diesem Leben auch nur in dem Andenken seiner Mitbürger fortzuleben, that der Grieche und Römer alles.

§. 57.

Es war Zeit, daß ein andres *wahres* nach diesem Leben zu gewärtigendes Leben Einfluß auf seine Handlungen gewönne.

§. 58.

Und so ward Christus der erste *zuverlässige, praktische* Lehrer der Unsterblichkeit der Seele.

§. 59.

Der erste *zuverlässige* Lehrer. – Zuverlässig durch die Weissagungen, die in ihm erfüllt schienen; zuverlässig durch die Wunder, die er verrichtete; zuverlässig durch seine eigene Wiederbelebung nach einem Tode, durch den er seine Lehre versiegelt hatte. Ob wir noch itzt diese Wiederbelebung, diese Wunder beweisen können: das lasse ich dahin gestellt seyn. So, wie ich es dahin gestellt seyn lasse, wer die Person dieses Christus gewesen. Alles das kann damals zur *Annehmung* seiner Lehre wichtig gewesen seyn: itzt ist es zur Erkennung der Wahrheit dieser Lehre so wichtig nicht mehr.

§. 60.

Der erste *praktische* Lehrer. – Denn ein anders ist die Unsterblichkeit der Seele, als eine philosophische Speculation, vermuthen, wünschen, glauben: ein anders, seine innern und äussern Handlungen darnach einrichten.

§. 61.

Und dieses wenigstens lehrte Christus zuerst. Denn ob es gleich bey manchen Völkern auch schon vor ihm eingeführter Glaube war, daß böse Handlungen noch in jenem Leben bestraft würden: so waren es doch nur solche, die der bürgerlichen Gesellschaft Nachtheil brachten, und daher auch schon in der bürgerlichen Gesellschaft ihre Strafe hatten. Eine innere Reinigkeit des Herzens in Hinsicht auf ein andres Leben zu empfehlen, war ihm allein vorbehalten.

§. 62.

Seine Jünger haben diese Lehre getreulich fortgepflanzt. Und wenn sie
auch kein ander Verdienst hätten, als daß sie einer Wahrheit, die Christus nur
allein für die Juden bestimmt zu haben schien, einen allgemeinern Umlauf
unter mehrern Völkern verschaft hätten: so wären sie schon darum unter die
Pfleger und Wohlthäter des Menschengeschlechts zu rechnen.

§. 63.

Daß sie aber diese Eine große Lehre noch mit andern Lehren versetzten,
deren Wahrheit weniger einleuchtend, deren Nutzen weniger erheblich war:
wie konnte das anders seyn? Laßt uns sie darum nicht schelten, sondern
vielmehr mit Ernst untersuchen: ob nicht selbst diese beygemischten Lehren
ein neuer *Richtungsstoß* für die menschliche Vernunft geworden.

§. 64.

Wenigstens ist es schon aus der Erfahrung klar, daß die Neutestamentlichen Schriften, in welchen sich diese Lehren nach einiger Zeit aufbewahret
fanden, das zweyte beßre Elementarbuch für das Menschengeschlecht
abgegeben haben, und noch abgeben.

§. 65.

Sie haben seit siebzehnhundert Jahren den menschlichen Verstand mehr als
alle andere Bücher beschäftiget; mehr als alle andere Bücher erleuchtet, sollte
es auch nur das Licht seyn, welches der menschliche Verstand selbst hinein-
trug.

§. 66.

Unmöglich hätte irgend ein ander Buch unter so verschiednen Völkern so
allgemein bekannt werden können: und unstreitig hat das, daß so ganz ungleiche Denkungsarten sich mit diesem nehmlichen Buche beschäftigten, den
menschlichen Verstand mehr fortgeholfen, als wenn jedes Volk für sich besonders sein eignes Elementarbuch gehabt hätte.

§. 67.

Auch war es höchst nöthig, daß jedes Volk dieses Buch eine Zeit lang für
das *Non plus ultra* seiner Erkenntnisse halten mußte. Denn dafür muß auch
der Knabe sein Elementarbuch vors erste ansehen; damit die Ungeduld, nur
fertig zu werden, ihn nicht zu Dingen fortreißt, zu welchen er noch keinen
Grund gelegt hat.

§. 68.

Und was noch itzt höchst wichtig ist: – Hüte dich, du fähigeres Individuum, der du an dem letzten Blatte dieses Elementarbuches stampfest und
glühest, hüte dich, es deine schwächere Mitschüler merken zu lassen, was du
witterst, oder schon zu sehn beginnest.

§. 69.

Bis sie dir nach sind, diese schwächere Mitschüler; – kehre lieber noch einmal selbst in dieses Elementarbuch zurück, und untersuche, ob das, was du nur für Wendungen der Methode, für Lückenbüsser der Didaktik hältst, auch wohl nicht etwas Mehrers ist.

§. 70.

Du hast in der Kindheit des Menschengeschlechts an der Lehre von der Einheit Gottes gesehen, daß Gott auch bloße Vernunftswahrheiten unmittelbar offenbaret; oder verstattet und einleitet, daß bloße Vernunftswahrheiten als unmittelbar geoffenbarte Wahrheiten eine Zeit lang gelehret werden: um sie geschwinder zu verbreiten, und sie fester zu gründen.

§. 71.

Du erfährst, in dem Knabenalter des Menschengeschlechts, an der Lehre von der Unsterblichkeit der Seele, das Nehmliche. Sie wird in dem zweyten bessern Elementarbuche als Offenbarung *geprediget*, nicht als Resultat menschlicher Schlüsse *gelehret*.

§. 72.

So wie wir zur Lehre von der Einheit Gottes nunmehr des Alten Testaments entbehren können; so wie wir allmälig, zur Lehre von der Unsterblichkeit der Seele, auch des Neuen Testaments entbehren zu können anfangen: könnten in diesem nicht noch mehr dergleichen Wahrheiten vorgespiegelt werden, die wir als Offenbarungen so lange anstaunen sollen, bis sie die Vernunft aus ihren andern ausgemachten Wahrheiten herleiten und mit ihnen verbinden lernen?

§. 73.

Z. E. die Lehre von der Dreyeinigkeit. – Wie, wenn diese Lehre den menschlichen Verstand, nach unendlichen Verirrungen rechts und links, nur endlich auf den Weg bringen sollte, zu erkennen, daß Gott in dem Verstande, in welchem endliche Dinge *eins* sind, unmöglich *eins* seyn könne; daß auch seine Einheit eine transcendentale Einheit seyn müsse, welche eine Art von Mehrheit nicht ausschließt? – Muß Gott wenigstens nicht die vollständigste Vorstellung von sich selbst haben? d. i. eine Vorstellung, in der sich alles befindet, was in ihm selbst ist. Würde sich aber alles in ihr finden, was in ihm selbst ist, wenn auch von seiner *nothwendigen Wirklichkeit*, so wie von seinen übrigen Eigenschaften, sich blos eine Vorstellung, sich blos eine Möglichkeit fände? Diese Möglichkeit erschöpft das Wesen seiner übrigen Eigenschaften: aber auch seiner nothwendigen Wirklichkeit? Mich dünkt nicht. – Folglich kann entweder Gott gar keine vollständige Vorstellung von sich selbst haben: oder diese vollständige Vorstellung ist eben so nothwendig wirklich, als er es selbst ist etc. – Freylich ist das Bild von mir im Spiegel nichts als eine leere Vorstellung von mir, weil es nur das von mir hat, wovon Lichtstrahlen auf seine Fläche fallen. Aber wenn denn nun dieses Bild *alles*, alles ohne Ausnahme hätte, was ich selbst habe: würde es sodann auch noch eine leere Vorstellung, oder nicht vielmehr eine wahre Verdopplung meines Selbst seyn? – Wenn ich eine ähnliche Verdopplung in Gott zu erkennen glaube: so irre ich mich vielleicht nicht so wohl, als daß die Sprache meinen Begriffen unterliegt; und so viel bleibt doch immer unwidersprechlich, daß diejenigen, welche die Idee davon populär machen wollen, sich schwerlich faßlicher und schicklicher hätten ausdrücken können, als durch die Benennung eines *Sohnes*, den Gott von Ewigkeit zeugt.

§. 74.

Und die Lehre von der Erbsünde. – Wie, wenn uns endlich alles überführte, daß der Mensch auf der *ersten und niedrigsten* Stufe seiner Menschheit, schlechterdings so Herr seiner Handlungen nicht sey, daß er moralischen Gesetzen folgen könne?

§. 75.

Und die Lehre von der Genugthuung des Sohnes. – Wie, wenn uns endlich alles nöthigte, anzunehmen: daß Gott, ungeachtet jener ursprünglichen Unvermögenheit des Menschen, ihm dennoch moralische Gesetze lieber geben, und ihm alle Uebertretungen, in Rücksicht auf seinen *Sohn*, d. i. in Rücksicht auf den selbstständigen Umfang aller seiner Vollkommenheiten, gegen den und in dem jede Unvollkommenheit des Einzeln verschwindet, lieber verzeihen wollen; als daß er sie ihm nicht geben, und ihn von aller moralischen Glückseligkeit ausschließen wollen, die sich ohne moralische Gesetze nicht denken läßt?

§. 76.

Man wende nicht ein, daß dergleichen Vernünfteleyen über die Geheimnisse der Religion untersagt sind. – Das Wort Geheimniß bedeutete, in den ersten Zeiten des Christenthums, ganz etwas anders, als wir itzt darunter verstehn; und die Ausbildung geoffenbarter Wahrheiten in Vernunftswahrheiten ist schlechterdings nothwendig, wenn dem menschlichen Geschlechte damit geholfen seyn soll. Als sie geoffenbaret wurden, waren sie freylich noch keine Vernunftswahrheiten; aber sie wurden geoffenbaret, um es zu werden. Sie waren gleichsam das Facit, welches der Rechenmeister seinen Schülern voraus sagt, damit sie sich im Rechnen einigermaassen darnach richten können. Wollten sich die Schüler an dem voraus gesagten Facit begnügen: so würden sie nie rechnen lernen, und die Absicht, in welcher der gute Meister ihnen bey ihrer Arbeit einen Leitfaden gab, schlecht erfüllen.

§. 77.

Und warum sollten wir nicht auch durch eine Religion, mit deren historischen Wahrheit, wenn man will, es so mißlich aussieht, gleichwohl auf nähere und bessere Begriffe vom göttlichen Wesen, von unsrer Natur, von unsern Verhältnissen zu Gott, geleitet werden können, auf welche die menschliche Vernunft von selbst nimmermehr gekommen wäre?

§. 78.

Es ist nicht wahr, daß Speculationen über diese Dinge jemals Unheil gestiftet, und der bürgerlichen Gesellschaft nachtheilig geworden. – Nicht den Speculationen: dem Unsinne, der Tyranney, diesen Speculationen zu steuern; Menschen, die ihre eigenen hatten, nicht ihre eigenen zu gönnen, ist dieser Vorwurf zu machen.

§. 79.

Vielmehr sind dergleichen Speculationen – mögen sie im Einzeln doch ausfallen, wie sie wollen – unstreitig die *schicklichsten* Uebungen des menschlichen Verstandes überhaupt, so lange das menschliche Herz überhaupt, höchstens nur vermögend ist, die Tugend wegen ihrer ewigen glückseligen Folgen zu lieben.

§. 80.

Denn bey dieser Eigennützigkeit des menschlichen Herzens, auch den Verstand nur allein an dem üben wollen, was unsere körperlichen Bedürfnisse betrift, würde ihn mehr stumpfen, als wetzen heissen. Er will schlechterdings an geistigen Gegenständen geübt seyn, wenn er zu seiner völligen Aufklärung gelangen, und diejenige Reinigkeit des Herzens hervorbringen soll, die uns, die Tugend um ihrer selbst willen zu lieben, fähig macht.

§. 81.

Oder soll das menschliche Geschlecht auf diese höchste Stufen der Aufklärung und Reinigkeit nie kommen? Nie?

§. 82.

Nie? – Laß mich diese Lästerung nicht denken, Allgütiger! – Die Erziehung hat ihr *Ziel;* bey dem Geschlechte nicht weniger als bey dem Einzeln. Was erzogen wird, wird zu Etwas erzogen.

§. 83.

Die schmeichelnden Aussichten, die man dem Jünglinge eröfnet; die Ehre, der Wohlstand, die man ihm vorspiegelt: was sind sie mehr, als Mittel, ihn zum Manne zu erziehen, der auch dann, wenn diese Aussichten der Ehre und des Wohlstandes wegfallen, seine Pflicht zu thun vermögend sey.

§. 84.

Darauf zwecke die menschliche Erziehung ab: und die göttliche reiche dahin nicht? Was der Kunst mit dem Einzeln gelingt, sollte der Natur nicht auch mit dem Ganzen gelingen? Lästerung! Lästerung!

§. 85.

Nein; sie wird kommen, sie wird gewiß kommen, die Zeit der Vollendung,
da der Mensch, je überzeugter sein Verstand einer immer bessern Zukunft
sich fühlet, von dieser Zukunft gleichwohl Bewegungsgründe zu seinen
Handlungen zu erborgen, nicht nöthig haben wird; da er das Gute thun wird,
weil es das Gute ist, nicht weil willkührliche Belohnungen darauf gesetzt
sind, die seinen flatterhaften Blick ehedem blos heften und stärken sollten, die
innern bessern Belohnungen desselben zu erkennen.

§. 86.

Sie wird gewiß kommen, die Zeit eines *neuen ewigen Evangeliums,* die uns
selbst in den Elementarbüchern des Neuen Bundes versprochen wird.

§. 87.

Vielleicht, daß selbst gewisse Schwärmer des dreyzehnten und vierzehnten
Jahrhunderts einen Strahl dieses neuen ewigen Evangeliums aufgefangen hatten; und nur darinn irrten, daß sie den Ausbruch desselben so nahe verkündigten.

§. 88.

Vielleicht war ihr *dreyfaches Alter der Welt* keine so leere Grille; und
gewiß hatten sie keine schlimme Absichten, wenn sie lehrten, daß der Neue
Bund eben so wohl *antiquiret* werden müsse, als es der Alte geworden. Es
blieb auch bey ihnen immer die nehmliche Oekonomie des nehmlichen Gottes. Immer – sie meine Sprache sprechen zu lassen – der nehmliche Plan der
allgemeinen Erziehung des Menschengeschlechts.

§. 89.

Nur daß sie ihn übereilten; nur daß sie ihre Zeitgenossen, die noch kaum
der Kindheit entwachsen waren, ohne Aufklärung, ohne Vorbereitung, mit
Eins zu Männern machen zu können glaubten, die ihres *dritten Zeitalters*
würdig wären.

§. 90.

Und eben das machte sie zu Schwärmern. Der Schwärmer thut oft sehr
richtige Blicke in die Zukunft: aber er kann diese Zukunft nur nicht erwarten.
Er wünscht diese Zukunft beschleuniget; und wünscht, daß sie durch ihn
beschleuniget werde. Wozu sich die Natur Jahrtausende Zeit nimmt, soll in
dem Augenblicke seines Daseyns reifen. Denn was hat er davon, wenn das,
was er für das Bessere erkennt, nicht noch bey seinen Lebzeiten das Bessere
wird? Kömmt er wieder? Glaubt er wieder zu kommen? – Sonderbar, daß
diese Schwärmerey allein unter den Schwärmern nicht mehr Mode werden
will!

§. 91.

Geh deinen unmerklichen Schritt, ewige Vorsehung! Nur laß mich dieser Unmerklichkeit wegen an dir nicht verzweifeln. – Laß mich an dir nicht verzweifeln, wenn selbst deine Schritte mir scheinen sollten, zurück zu gehen! – Es ist nicht wahr, daß die kürzeste Linie immer die gerade ist.

§. 92.

Du hast auf deinem ewigen Wege so viel mitzunehmen! so viel Seitenschritte zu thun! – Und wie? wenn es nun gar so gut als ausgemacht wäre, daß das große langsame Rad, welches das Geschlecht seiner Vollkommenheit näher bringt, nur durch kleinere schnellere Räder in Bewegung gesetzt würde, deren jedes sein Einzelnes eben dahin liefert?

§. 93.

Nicht anders! Eben die Bahn, auf welcher das Geschlecht zu seiner Vollkommenheit gelangt, muß jeder einzelne Mensch (der früher, der später) erst durchlaufen haben. – ,,In einem und eben demselben Leben durchlaufen haben? Kann er in eben demselben Leben ein sinnlicher Jude und ein geistiger Christ gewesen seyn? Kann er in eben demselben Leben beyde überhohlet haben?"

§. 94.

Das wohl nun nicht! – Aber warum könnte jeder einzelne Mensch auch nicht mehr als einmal auf dieser Welt vorhanden gewesen seyn?

§. 95.

Ist diese Hypothese darum so lächerlich, weil sie die älteste ist? weil der menschliche Verstand, ehe ihn die Sophisterey der Schule zerstreut und geschwächt hatte, sogleich darauf verfiel?

§. 96.

Warum könnte auch Ich nicht hier bereits einmal alle die Schritte zu meiner Vervollkommnung gethan haben, welche blos zeitliche Strafen und Belohnungen den Menschen bringen können?

§. 97.

Und warum nicht ein andermal alle die, welche zu thun, uns die Aussichten in ewige Belohnungen, so mächtig helfen?

§. 98.

Warum sollte ich nicht so oft wiederkommen, als ich neue Kenntnisse, neue Fertigkeiten zu erlangen geschickt bin? Bringe ich auf Einmal so viel weg, daß es der Mühe wieder zu kommen etwa nicht lohnet?

§. 99.

Darum nicht? – Oder, weil ich es vergesse, daß ich schon da gewesen? Wohl mir, daß ich das vergesse. Die Erinnerung meiner vorigen Zustände, würde mir nur einen schlechten Gebrauch des gegenwärtigen zu machen erlauben. Und was ich auf itzt vergessen *muß*, habe ich denn das auf ewig vergessen?

§. 100.

Oder, weil so zu viel Zeit für mich verloren gehen würde? – Verloren? – Und was habe ich denn zu versäumen? Ist nicht die ganze Ewigkeit mein?

Werkregister 170

IMMANUEL KANT

Preisschrift über die Fortschritte
der Metaphysik

Vorrede

Die Königliche Academie der Wissenschaften verlangt die Fortschritte eines Theiles der Philosophie, in einem Theile des gelehrten Europa, und auch für einen Theil des laufenden Jahrhunderts aufzuzählen. Das scheint eine leicht zu lösende Aufgabe zu seyn, denn sie betrifft nur die Geschichte, und wie die Fortschritte der Astronomie und Chemie, als empirische Wissenschaften, schon ihre Geschichtschreiber gefunden haben, die aber der mathematischen Analysis, oder der reinen Mechanik, die in demselben Lande, in derselben Zeit gemacht worden, die ihrige, wenn man will, auch bald finden werden: so scheint es mit der Wissenschaft, wovon hier die Rede ist, eben so wenig Schwierigkeit zu haben. – Aber diese Wissenschaft ist Metaphysik, und das ändert die Sache ganz und gar. Dies ist ein Uferloses Meer, in welchem der Fortschritt keine Spuhr hinterläßt, und dessen Horizont kein sichtbares Ziel enthält, an dem, um wie viel man sich ihm genähert habe, wahrgenommen werden könnte. – In Ansehung dieser Wissenschaft, welche selbst fast immer nur in der Idee gewesen ist, ist die vorgelegte Aufgabe sehr schwer, fast nur an der Möglichkeit der Auflösung derselben zu verzweifeln, und, sollte sie auch gelingen, so vermehrt noch die vorgeschriebene Bedingung, die Fortschritte, welche sie gemacht hat, in einer kurzen Rede vor Augen zu stellen, diese Schwierigkeit. Denn Metaphysik ist ihrem Wesen, und ihrer Endabsicht nach, ein vollendetes Ganze; entweder Nichts, oder Alles, was zu ihrem Endzweck erforderlich ist, kann also nicht, wie etwa Mathematik oder empirische Naturwissenschaft, die ohne Ende immer fortschreiten, fragmentarisch abgehandelt werden. – Wir wollen es gleichwohl versuchen. Die erste und nothwendigste Frage ist wohl: was die Vernunft eigentlich mit der Metaphysik will? welchen Endzweck sie mit ihrer Bearbeitung vor Augen habe? denn groß, vielleicht der größeste, ja, alleinige Endzweck, den die Vernunft in ihrer Speculation je beabsichtigen kann, weil alle Menschen, mehr oder weniger daran Theil nehmen, und nicht zu begreifen ist, warum bey der sich immer zeigenden Fruchtlosigkeit ihrer Bemühungen in diesem Felde, es doch umsonst war, ihnen zuzurufen: sie sollten doch endlich einmahl aufhören, diesen Stein des Sisyphus immer zu wälzen, wäre das Interesse, welches die Vernunft daran nimmt, nicht das innigste, was man haben kann.

Dieser Endzweck, auf den die ganze Metaphysik angelegt ist, ist leicht zu entdecken, und kann in dieser Rücksicht eine Definition derselben begründen: „sie ist die Wissenschaft von der Erkenntnis des Sinnlichen zu der des Uebersinnlichen durch die Vernunft fortzuschreiten."

Zu dem Sinnlichen aber zählen wir nicht blos das, dessen Vorstellung im Verhältniß zu den Sinnen, sondern auch zum Verstande betrachtet wird, wenn nur die reinen Begriffe desselben, in ihrer Anwendung auf Gegenstände der Sinne, mithin zum Behuf einer möglichen *Erfahrung* gedacht werden; also kann das Nichtsinnliche, z. B. der Begriff der Ursache, welcher im Verstande seinen Sitz und Ursprung hat, doch, was das Erkenntniß eines Gegenstandes durch denselben betrifft, noch zum Felde des Sinnlichen, nähmlich der Objecte der Sinnen gehörig genannt werden. –

Die Ontologie ist diejenige Wissenschaft (als Theil der Metaphysik), welche ein System aller Verstandesbegriffe und Grundsätze, aber nur so fern sie auf Gegenstände gehen, welche den Sinnen gegeben, und also durch Erfahrung belegt werden können, ausmacht. Sie berührt nicht das Uebersinnliche, welches doch der Endzweck der Metaphysik ist, gehört also zu dieser nur als Propädeutik, als die Halle, oder der Vorhof der eigentlichen Metaphysik, und wird Transscendental=Philosophie genannt, weil sie die Bedingungen und ersten Elemente aller unsrer *Erkenntniß a priori* enthält.

In ihr ist seit Aristoteles Zeiten nicht viel Fortschreitens gewesen. Denn sie ist, so wie eine Grammatik die Auflösung einer Sprachform in ihre Elementarregeln, oder die Logik eine solche von der Denkform ist, eine Auflösung der Erkenntniß in die Begriffe, die a priori im Verstand liegen, und in der Erfahrung ihren Gebrauch haben; – ein System, dessen mühsamer Bearbeitung man gar wohl überhoben seyn kann, wenn man nur die Regeln des richtigen Gebrauchs dieser Begriffe und Grundsätze zum Behuf der Erfahrungserkenntniß beabsichtigt, weil die Erfahrung ihn immer bestätigt oder berichtigt, welches nicht geschieht, wenn man vom Sinnlichen zum Uebersinnlichen fortzuschreiten Vorhabens ist, zu welcher Absicht dann freylich die Ausmessung des Verstandesvermögens und seiner Prinzipien mit Ausführlichkeit und Sorgfalt geschehen muß, um zu wissen, von wo an die Vernunft, und mit welchem Stecken und Stabe von den Erfahrungsgegenständen zu denen, die es nicht sind, ihren Ueberschritt wagen könne.

Für die Ontologie hat nun der berühmte Wolf durch die Klarheit und Bestimmtheit in Zergliederung jenes Vermögens, aber nicht zur Erweiterung der Erkenntniß in derselben, weil der Stoff erschöpft war, unstreitige Verdienste.

Die obige Definition aber, welche nur anzeigt, was man *mit* der Metaphysik *will*, nicht aber, was *in ihr* zu thun sey, würde sie nur als eine zur Philosophie, in der eigenthümlichen Bedeutung des Wortes, d. i. zur Weisheitslehre gehörige Unterweisung, von andern Lehren auszeichnen, und dem schlechterdings nothwendigen practischen Gebrauch der Vernunft seine Prinzipien vorschreiben, welches nur eine indirecte Beziehung der Metaphysik ist, unter der man eine scholastische Wissenschaft und System von gewissen theoretischen Erkenntnissen a priori versteht, welche man sich unmittelbar zum Geschäfte macht. Daher wird die Erklärung der Metaphysik nach dem Begriff der Schule seyn: – sie ist das System aller Prinzipien der reinen theoretischen Vernunfterkenntniß durch Begriffe; oder kurz gesagt: sie ist das System der reinen theoretischen Philosophie.

Sie enthält also keine praktischen Lehren der reinen Vernunft, aber doch die theoretischen, die dieser ihrer Möglichkeit zum Grunde liegen. Sie enthält nicht mathematische Sätze, d. i. solche, welche durch die Construction der Begriffe Vernunfterkenntniß hervorbringen, aber die Prinzipien der Möglichkeit einer Mathematik überhaupt. Unter Vernunft aber wird in dieser Definition nur das Vermögen der Erkenntniß a priori, d. i. die nicht empirisch ist, verstanden.

Um nun einen Maasstab zu dem zu haben, was *neuerdings* in der Metaphysik geschehen ist, muß man dasjenige, was in ihr *von jeher* gethan worden, beydes aber mit dem vergleichen, was darin hätte gethan werden sollen. – Wir werden aber den überlegten vorsätzlichen Rückgang nach Maximen der Denkungsart, mit zum Fortschreiten, d. i. als einen negativen Fortgang in Anschlag bringen können, weil dadurch, wenn es auch nur die Aufhebung eines eingewurzelten, sich in seinen Folgen weit verbreitenden Irrthumes wäre, doch etwas zum Besten der Metaphysik bewirkt werden [kann,] so wie von dem, der vom rechten Wege abgekommen ist, und zu der Stelle, von der er ausging, zurückkehrt, um seinen Compaß zur Hand zu nehmen, zum wenigsten gerühmt wird, daß er nicht auf dem unrechten Wege zu wandern fortgefahren, noch auch still gestanden, sondern sich wieder an den Punkt seines Ausganges gestellt hat, um sich zu orientiren.

Die ersten und ältesten Schritte in der Metaphysik wurden nicht etwa als bedenkliche Versuche blos gewagt, sondern geschahen mit völliger Zuversicht, ohne vorher über die Möglichkeit der Erkenntnisse a priori sorgsame Untersuchungen anzustellen. Was war die Ursache von diesem Vertrauen der Vernunft zu sich selbst? Das vermeynte *Gelingen*. Denn in der Mathematik gelang es der Vernunft, die Beschaffenheit der Dinge a priori zu erkennen, über alle Erwartung der Philosophen vortrefflich; warum sollte es nicht eben so gut in der Philosophie gelingen? Daß die Mathematik auf dem Boden des Sinnlichen wandelt, da die Vernunft selbst ihm Begriffe construiren, d. i. a priori in der Anschauung darstellen und so die Gegenstände a priori erkennen kann, die Philosophie hingegen eine Erweiterung der Erkenntniß der Vernunft durch bloße Begriffe, wo man seinen Gegenstand nicht, so wie dort, vor sich hinstellen kann, sondern die uns gleichsam in der Luft vorschweben, unternimmt, fiel den Metaphysikern nicht ein, als einen himmelweiten Unterschied, in Ansehung der Möglichkeit der Erkenntniß a priori, zur wichtigen Aufgabe zu machen. Genug, Erweiterung der Erkenntniß a priori, auch außer der Mathematik, durch bloße Begriffe, und daß sie Wahrheit enthalte, beweiset sich durch die Uebereinstimmung solcher Urtheile und Grundsätze *mit der Erfahrung.*

Ob nun zwar das Uebersinnliche, worauf doch der Endzweck der Vernunft in der Metaphysik gerichtet ist, für die theoretische Erkenntniß, eigentlich gar keinen Boden hat: so wanderten die Metaphysiker doch an dem Leitfaden ihrer ontologischen Prinzipien, die freylich wohl eines Ursprunges a priori sind, aber nur für Gegenstände der Erfahrung gelten, doch getrost fort, und obzwar die vermeynte Erwerbung überschwenglicher Einsichten auf diesem Wege durch keine Erfahrung bestätigt werden konnte, so konnte sie doch eben darum, weil sie das Uebersinnliche betrifft, auch durch keine Erfahrung widerlegt werden: nur mußte man sich wohl in Acht nehmen, in seine Urtheile keinen Widerspruch mit sich selbst einlaufen zu lassen, welches sich auch gar wohl thun läßt, obgleich diese Urtheile, und die ihnen unterliegenden Begriffe, übrigens ganz leer seyn mögen.

Dieser Gang der Dogmatiker von noch älterer Zeit, als der des Plato und Aristoteles, selbst die eines Leibnitz und Wolf mit eingeschlossen, ist, wenn gleich nicht der rechte, doch der natürlichste nach dem Zweck der Vernunft und der scheinbaren Ueberredung, daß Alles, was die Vernunft nach der Analogie ihres Verfahrens, womit es ihr gelang, vornimmt, ihr eben so wohl gelingen müsse.

Der zweyte, beynahe eben so alte, Schritt der Metaphysik war dagegen ein Rückgang, welcher weise und der Metaphysik vortheilhaft gewesen seyn würde, wenn er nur bis zum Anfangspunkte des Ausganges gereicht wäre, aber nicht um dabey stehen zu bleiben mit der Entschließung, keinen Fortgang ferner zu versuchen, sondern ihn vielmehr in einer neuen Richtung vorzunehmen.

Dieser, alle fernere Anschläge vernichtende Rückgang, gründete sich auf das gänzliche *Mißlingen* aller Versuche in der Metaphysik. Woran aber konnte man dieses Mißlingen und die Verunglückung ihrer großen Anschläge erkennen? Ist es etwa die Erfahrung, welche sie widerlegte? Keineswegs! Denn was die Vernunft als Erweiterung a priori von ihrer Erkenntniß der Gegenstände möglicher Erfahrung, in der Mathematik sowohl, als in der Ontologie sagt, das sind wirkliche Schritte, die vorwärts gehen, und wodurch

sie Feld zu gewinnen sicher ist. Nein, es sind beabsichtigte und vermeynte
Eroberungen im Felde des Uebersinnlichen, wo vom absoluten Naturganzen,
was kein Sinn fasset, ingleichen von Gott, Freyheit und Unsterblichkeit die
Frage ist, die hauptsächlich die letztern drey Gegenstände betrifft, daran die
Vernunft ein praktisches Interesse nimmt, in Ansehung deren nun alle Versuche der Erweiterung scheitern, welches man aber nicht etwa daran sieht, daß
uns eine tiefere Erkenntniß des Uebersinnlichen, als höhere Metaphysik,
etwa das Gegentheil jener Meynungen lehre, denn mit dem können wir diese
nicht vergleichen, weil wir sie als überschwenglich nicht kennen, sondern
weil in unsrer Vernunft Prinzipien liegen, welche jedem erweiternden
Satz über diese Gegenstände einen, dem Ansehen nach, eben so gründlichen
Gegensatz entgegen stellen, und die Vernunft ihre Versuche selbst zernichtet.

Dieser Gang der Sceptiker ist natürlicher Weise etwas spätern Ursprungs,
aber doch alt genug, zugleich aber dauert er noch immer in sehr guten Köpfen
allenthalben fort, ob wohl ein anderes Interesse, als das der reinen Vernunft,
Viele nöthiget, das Unvermögen der Vernunft hierin zu verhehlen. Die Ausdehnung der Zweifellehre, sogar auf die Prinzipien der Erkenntniß des Sinnlichen, und auf die Erfahrung selbst, kann man nicht füglich für eine ernstliche
Meynung halten, die in irgend einem Zeitalter der Philosophie statt gefunden
habe, sondern ist vielleicht eine Aufforderung an die Dogmatiker gewesen,
diejenigen Prinzipien a priori, auf welchen selbst die Möglichkeit der Erfahrung beruht, zu beweisen, und da sie dieses nicht vermochten, die letztere
ihnen auch als zweifelhaft vorzustellen.

Der dritte und neueste Schritt, den die Metaphysik gethan hat, und der
über ihr Schicksal entscheiden muß, ist die Kritik der reinen Vernunft selbst,
in Ansehung ihres Vermögens, das menschliche Erkenntniß überhaupt, es sey
in Ansehung des Sinnlichen oder Uebersinnlichen, a priori zu erweitern.
Wenn diese, was sie verheißt, geleistet hat, nähmlich den Umfang, den Inhalt
und die Gränzen desselben zu bestimmen, – wenn sie dieses in Deutschland,
und zwar seit Leibnitzens und Wolfs Zeit geleistet hat, so würde die Aufgabe
der Königlichen Akademie der Wissenschaften aufgelöset seyn.

Es sind also drey Stadien, welche die Philosophie zum Behuf der Metaphysik durchzugehen hatte. Das erste war das Stadium des Dogmatism; das
zweyte das des Sceptizism; das dritte das des Kriticism der reinen Vernunft.

Diese Zeitordnung ist in der Natur des menschlichen Erkenntnißvermö-
gens gegründet. Wenn die zwey erstern zurückgelegt sind, so kann der Zustand der Metaphysik viele Zeitalter hindurch schwankend seyn, vom unbegränzten Vertrauen der Vernunft auf sich selbst, zum gränzenlosen Mißtrau-
en, und wiederum von diesem zu jenem abspringen. Durch eine Kritik ihres
Vermögens selbst aber würde sie in einen beharrlichen Zustand, nicht allein
des Aeußern, sondern auch des Innern, fernerhin weder einer Vermehrung
noch Verminderung bedürftig, oder auch nur fähig zu seyn, versetzt werden.

JOHANN PEZZL

aus   Faustin oder das philosophische Jahrhundert.

Die Philosophie auf dem Thron.

Ueber all dem Lesen, Bewundern und Beloben waren sie endlich in Wien selbst angelangt. Von des Römischen Bischofs vergeblicher Reise bemerkten sie keine weitere Folge mehr, als die paar Inschriften dieses merkwürdigen Vorfalls, die es bei unsern Nachkommen verewigen werden, daß unter *Joseph II.* die Römischen Usurpazionen über den größten Theil von Deutschland ihr Ende erreichten; daß der Einfluß des geistlichen Zauberstabes in die deutschen Kabinette, Aerarien und Geldbeutel verstopft ward; daß Gottes Vizeregent wieder so weit zu Sinnen gekommen, daß er eine freundschaftliche Visite bei einem andern wohl eben so göttlichen Statthalter machte, um einen Theil seiner vermeintlichen und Jahrhunderte durch mächtiglich erkämpften Prätensionen zu retten.

Ihr erster Gang war nun in den Augarten. Faustin las die Aufschrift ober dem Eingang, die Joseph hingesezt:

Allen Menschen gewiedmeter Belustigungsort
von ihrem Schäzer.

Heiliger Hain! rief er bei Ansicht dieser Aufschrift: Wonnigliches Denkmal der Philosophie auf dem Thron! wie glüklich sind wir, unter deinen Schatten, in der Nähe des erhabnen Schäzers der Menschheit wandeln zu können! – Diese Aufschrift war ihm schöner als alle die je eine Akademie der Inschriften zur Welt gebracht hatte.

Was hältst du von dem Projekt einiger Grossen und Kleinen, Priester und Layen, Gelehrten und Ungelehrten, von dem Projekt die drei Kristensekten von Deutschland unter Einen Hut zu bringen, woran schon wirklich soll gearbeitet werden? frug Traubach seinen Freund ... Nichts gutes, antwortete dieser. Fürs erste ist das Projekt lächerlich, wegen den unendlichen, unübersteiglichen Schwierigkeiten, die demselben im Wege stehen müssen, wo man viele Millionen Köpfe, Interessen, Meinungen, Begriffe und Ueberzeugungen unter Einen Hut bringen will. Und gesezt, das Ding gienge einstweilen an: wie lange würde, wie lange könnte es dauern? Keine drei Generazionen, so kömmt gewiß wieder Einer, vielleicht zween, sechs, zehn, die den Reformatortitel verdienen wollen, und aus ihren guten oder schlimmen, scheinbaren oder gründlichen Absichten und Einsichten eine neue Verwirrung anrichten, die ärger ist als die jezige. Wollten die Gönner und Mitarbeiter an diesem Projekte ihre Mühe dahin verwenden, alle Fürsten und Regierungen darauf zu lenken, daß eine allgemeine, ganz uneingeschränkte Toleranz allenthalben eingeführt und geschüzt würde; das wär ein Stük Arbeit, wobei mehr wesentlicher Nuze, Ruhm und Wohlfahrt zu hoffen wäre, als bei einer kalten halberzwungenen Sekten=Vereinigung. Man lasse dem Katholiken seine Messe, dem Lutheraner seine Generalbeicht, dem Kalvinisten seine Prädestinazion, dem Hebräer seine Beschneidung, dem Mahomedaner seinen Koran, dem Deisten seinen Deismus etc. etc. etc. und sie und ihre Priester werden sich freundschaftlicher und friedlicher unter einander vertragen, als wenn sie alle Einerlei Schnitt und Dogmatik haben. Nur muß man keine vor der andern begünstigen, keine unter die andre drüken, und alle ihre Schulgefechte mit keinem andern Auge ansehen, als ein brittisches Hahnengefecht. – Auch hoffe ich, der weise *Joseph* wird nie auf eine so unnatürliche, abentheuerliche, und zweklose Sektenheirat denken ... Ich wahrlich auch nicht, sagte Traubach. Und beim Lichte besehn, scheint mir das ganze Projekt weiter nichts als eine Windbeutelei einiger Theologen zu seyn, die dabei etwas Dunst und ein Stükchen Geld erhaschen wollen. Ein Mann von Welt- und Menschenkenntniß wird nie an diese Arbeit Hand legen.

Hätte bald eine wichtige Frage vergessen, sagte Faustin: Wie stehts wohl mit der Litteratur des katholischen Deutschlands? ... Wie du leicht vermuthen kannst: äusserst elend. Die katholischen Idioten scheinen sich gegen alle Aufklärung zusammen verschworen zu haben. Sie pissen jeden an, der dem Mönchswesen, dem Aberglauben und dem Pfaffismus zu Leibe geht. Sogar an *Eybel* wagten sie sich, hiessen ihn einen Mönchssatan, und insultirten ihn aufs gröblichste dafür, daß er den Wienern das alte Römische Idol im wahren Licht gezeigt hatte.

Lassen wir immerhin die katholischen Idioten und dergleichen Schufte in ihrer verdienten Vergessenheit, sagte Faustin: Zähle du mir die schönen Thaten her, deren Ruhm durch ganz Europa gedrungen, unsern grossen Kaiser unsterblich macht, und Licht und Heiterkeit, und Ehre und Hochachtung über unser Deutschland verbreitet.

Traubach, dem die Brust von patriotischem Vergnügen hoch anschwoll, seinem Freund die weisen Anstalten, welche Licht und Leben über unsern Horizont ausgiessen, anpreisen zu können, gab ihm folgende philosophische Skizze von einigem, was zur Erleuchtung, Beförderung der Toleranz, und Umschaffung der Nazional=Denkart unter *Joseph* schon gethan worden.

Abstellung der geistlichen Possenspiele unter dem Name von Prozeßionen; der lächerlichen Gebetsformeln und nächtlichen Andachten, wobei mehr der Aphrodite als sonst einer Heiligen geopfert ward.

Reinigung der Bücherzensur nach den beßten Grundsäzen. Die Bibliotheken der Privatleute müssen unangetastet, undurchsucht in die Monarchie eingehen.

Alle Mönchsorden werden von ihren Generalen in Rom emanzipirt, und ganz den vaterländischen Bischöfen unterworfen. Erster Geldkanal nach Rom verstopft.

Dispensazionen in Ehesachen werden an die Bischöfe gewiesen. Verbot dieselben aus Rom zu holen. Zweiter Geldkanal an die päbstliche Kammer verstopft.

Aufhebung der päbstlichen Monate, Benefizien = Vergabungen etc. Dritter Geldkanal nach Rom abgegraben.

Plorer wird gegen Migazzi's Kabale geschüzt. Die unsinnigen Bullen *In coena Domini* und *Unigenitus* aus allen Ritualen herausgerissen.

Toleranz = Edikte durch die ganze Monarchie.

Aufhebung des heiligen Müßiggangs der kontemplativen Mönche und Nonnen.

Juden in die Rechte der Menschheit eingesezt.

Aufhebung der Leibeigenschaft durch die ganze Monarchie.

Mönche werden zur Seelsorge angestellt, und tretten dadurch wieder in die Pflichten des Menschen ein.

Vertilgung des empörenden Eides der Bischöfe für den Römischen Bischof.

Der phantastische Eid für die Unbeflektheit Mariä auf immer untersagt.

Casus reservati und andre dergleichen Römische Geldschneidereien auf immer vertilgt.

Einführung protestantischer Bethäuser als ernstliche Beweise der Toleranz.

Die romantisch=kindischen Eheverlobnisse werden für nichtig erklärt.

Kirchen werden von all dem gewöhnlichen fanatischen, theatralischen, Aberglaube nährenden, unsinnigen, tändelhaften Puze gereinigt.

Vermehrung und Verbesserung der Stadt- und Landschulen.

Anwendung des Kirchenreichthums zur Unterstüzung Armer und Kranker.

Verbot der Kontretänze in Kirchen. Einführung des deutschen Kirchengesanges.

Reinigung und Verbesserung des Justizwesens.

etc.   etc.   etc.

Und nun fügte er zu jedem Artikel einen kleinen Kommentar hinzu, um seinem Freund den ganzen Werth dieser und aller noch übrigen Verfügungen fühlen zu lassen, die seit dem Ende des Jahrs 1780 zum Vergnügen des Philosophen und Menschen=Freundes ausgeführt worden. Faustin aber fieng mit Klopfstok an zu singen:

> – – – Wer hat so geendet,
> Wie Du beginnst?

Er pries *Joseph* den *Allgeliebten* von ganzem seinem Herzen, von ganzer seiner Seele und aus allen seinen Kräften. All sein ausgestandenes Ungemach von Wansthausen bis London vergaß er nun, und alle jene Feinde der Aufklärung und Duldung, des Menschenverstandes und Menschengefühls, die ihm so manche herbe, bittere Stunde gemacht hatten.

Bei Ansicht der nach edler religiöser Simplizität eingerichteten, mit einem einzigen Kreuzbild geschmükten Hofkirche erinnerten sie sich der Kirche zu Ferney; und Faustin schloß daraus, daß der Kaiser den Grundsäzen des größten Philosophen doch nicht sehr abgeneigt wäre, wenn er ihn schon auf seiner Reise nicht eines persönlichen Besuches gewürdiget hat. – Indessen war es ihm unmöglich, das Lachen an diesem so ehrwürdigen Orte ganz zu unterdrüken: Die im Missale verklebte Kanonisazion *Hildebrands,* den Gregor XIII wider allen Respekt zum Heiligen gemacht, und Benedikt XIII gar in das Brevier einschieben wollte, belustigte ihn mehr als die Heuschreken-Exkommunikazion in Rom und Konstanz.

> Enfin, grace en nos jours à la philosophie,
> Qui de l'Europe éclaire au moins une partie!

sagte er voll Begeisterung zu seinem Freund. Wird sich der Mann, der ehedem dogmatisch lehrte:

> Rex ego sum Regum, Lex est mea maxima Legum!

wird sich der geärgert haben, wenn er alle diese Dinge bei seinem Hierseyn so mit verstellter Gleichgültigkeit ansehn mußte; wird er griesgramen dort auf seinen sieben Hügeln, wenn er so das Licht der Philosophie unaufhaltsam über Deutschland aufgehen sieht, das er mit all seinen Segen und Bannstrahlen nicht mehr verscheuchen kann! – Hatte Recht, der Vater Voltäre, da er den habsüchtigen Aposteln der Finsterniß mit der Donnerstimme der Wahrheit drohte:

> ,,Zittert, Elende, vor dem Anbruch der Tage der Vernunft!``

Sie sind angebrochen diese schönen Tage, und die Elenden schnauben und knirschen umsonst. Das Joch des tyrannischen Roms ist abgeschüttelt; der Bischof von Lateran marschiert nun wieder im gleichen Schritte mit seinen übrigen Brüdern im Herrn; und Herr August Ludwig Schlözer wird ja wohl nicht vergessen, bei einer neuen Ausgabe seiner Universalhistorie anzumerken: ,,Der ehemals so übermächtige Pabst starb endlich an der Auszehrung durch Philipp den Schönen, Doktor Luther, Voltäre und *Joseph II.*``

Werkregister 187

GOTTLIEB CONRAD PFEFFEL

Das Schwein.

Eine Fabel.

Ein Affe kam ins Reich der Thiere
Aus Josephs Reich zurük. – „Was Neues, Freund, aus Wien?"
So fragt, im Klub der Esel und der Stiere,
Ein feistes Schwein den Paladin.

„Mein Tagebuch," sprach er, „liegt fertig für die Presse;
Indessen hört, was ich gesehn.
Ich sah, wie, Hand in Hand, die Welschen in die Messe,
Die Sachsen in die Predigt gehn;
Und wie bei einem Glas mit Ofnerweine
Ein Jud' in froher Harmonie
Mit Christen Schinken aß." – „Ha!" riefen Groß und Kleine,
„Es ist ein herrlich Ding um die Philosophie!"

„Mag sein!" versetzt die Sau, der Herz und Knie
Beim Worte *Schinken* bebt: – „nur nicht für fette Schweine!"

Werkregister 1

IMMANUEL KANT

Träume eines Geistersehers.

aus   Erster Theil. Viertes Hauptstück.

Ich habe meine Seele von Vorurtheilen gereinigt, ich habe eine jede blinde
Ergebenheit vertilgt, welche sich jemals einschlich, um manchem eingebildeten Wissen in mir Eingang zu verschaffen. Jetzto ist mir nichts angelegen,
nichts ehrwürdig, als was durch den Weg der Aufrichtigkeit in einem ruhigen
und vor alle Gründe zugänglichem Gemüthe Platz nimt; es mag mein voriges
Urtheil bestätigen oder aufheben, mich bestimmen oder unentschieden lassen. Wo ich etwas antreffe, das mich belehrt, da eigne ich es mir zu. Das
Urtheil desjenigen, der meine Gründe widerlegt, ist mein Urtheil, nachdem
ich es vorerst *gegen* die Schaale der Selbstliebe und nachher *in* derselben
gegen meine Vermeintliche Gründe abgewogen und in ihm einen größeren
Gehalt gefunden habe. Sonst betrachtete ich den allgemeinen menschlichen

Verstand blos aus dem Standpunkte des meinigen: jetzt setze ich mich in die Stelle einer fremden und äußeren Vernunft, und beobachte meine Urtheile samt ihren geheimsten Anlässen aus dem Gesichtspunkte anderer. Die Vergleichung beyder Beobachtungen giebt zwar starke Parallaxen, aber sie ist auch das einzige Mittel den optischen Betrug zu verhüten, und die Begriffe an die wahre Stellen zu setzen, darin sie in Ansehung der Erkenntnißvermögen der menschlichen Natur stehen.

Werkregister 154

IMMANUEL SWEDENBORG

Von den Gesellschaften, welche den Himmel ausmachen.

684. Es sind drei Himmel, der Erste, wo die guten Geister, der Zweite, wo die Engelischen Geister, der Dritte, wo die Engel sind; und einer innerlicher und reiner als der andere; somit unter sich ganz geschieden, sowohl der Erste Himmel, als der Zweite, und der Dritte, ist geschieden in unzählige Gesellschaften, und jede Gesellschaft besteht aus Vielen, welche durch Harmonie und Einmüthigkeit gleichsam Eine Person bilden; und alle Gesellschaften zusammen gleichsam Einen Menschen. Die Gesellschaften sind unter sich geschieden je nach den Unterschieden der gegenseitigen Liebe und des Glaubens an den HErrn; welche Unterschiede so unzählig sind, daß nicht einmal die allgemeinsten Gattungen aufgezählt werden können; auch gibt es nicht das Geringste eines Unterschiedes, das nicht auf's Geordnetste darauf angelegt wäre, daß es einmüthigst mitwirke zur allgemeinen Einheit, und die allgemeine Einheit zur Einmüthigkeit der Einzelnen, und von daher zu der Allen aus den Einzelnen, und den Einzelnen aus Allen entspringenden Seligkeit; daher denn ein jeder Engel und eine jede Gesellschaft ein Bild des gesammten Himmels und gleichsam ein kleiner Himmel ist.

685. Wunderbare Zusammengesellungen sind im andern Leben; sie verhalten sich vergleichungsweise wie die Verwandtschaften auf Erden, daß man nämlich sich anerkennt als Eltern, als Kinder, als Brüder, als Blutsverwandte, als Verschwägerte; solchen Unterschieden gemäß ist die Liebe; die Unterschiede sind endlos, die sich mittheilenden Wahrnehmungen so fein, daß sie nicht geschildert werden können; gar keine Rücksicht wird genommen auf Eltern, Kinder, Verwandte und Verschwägerte auf der Erde, auch nicht auf irgend eine Person, wer sie auch war, somit nicht auf Würden, nicht auf Reichthümer und dergleichen, sondern allein auf die Unterschiede der gegenseitigen Liebe und des Glaubens, zu deren Aufnahme man das Vermögen empfing vom HErrn, da man in der Welt lebte.

686. Es ist des HErrn Barmherzigkeit, das ist die Liebe gegen den gesamm-

ten Himmel und das gesammte Menschengeschlecht, somit Allein der HErr, Welcher Alles und Jegliches zu Gesellschaften bestimmt; diese Barmherzigkeit ist es, welche die eheliche Liebe, und aus dieser die Liebe der Eltern gegen die Kinder erzeugt, welche die Grund= und Haupt=Liebearten sind, aus welchen in endloser Mannigfaltigkeit alle übrigen Arten der Liebe, welche in höchster Geschiedenheit in Gesellschaften geordnet sind.

687. Weil der Himmel so beschaffen ist, so kann kein Engel oder Geist je ein Leben haben, er sey denn in einer Gesellschaft, und so in der Harmonie Vieler; eine Gesellschaft ist nichts Anderes als eine Harmonie Mehrerer; denn es gibt überall kein Leben von Jemand, das getrennt wäre von dem Leben Anderer; ja es kann durchaus kein Engel, oder Geist, oder Verein einiges Leben haben, das heißt vom Guten angeregt werden,[und] wollen, noch vom Wahren angeregt werden, [und] denken, er habe denn eine Verbindung durch Mehrere seiner Gesellschaft mit dem Himmel und mit der Geisterwelt, eben so wenig kann das Menschengeschlecht, ein Mensch, wer und wie beschaffen er auch sey, irgend leben, das heißt vom Guten angeregt werden, wollen, vom Wahren angeregt werden, denken, er sey denn in gleicher Weise verbunden mit dem Himmel, durch die Engel bei ihm und mit der Geisterwelt, ja mit der Hölle durch die Geister bei ihm, denn jeder ist, wenn er im Leibe lebt, in einer gewissen Gesellschaft von Geistern und Engeln, obwohl er dieß gar nicht weiß, und wenn er nicht durch die Gesellschaft, in der er ist, verbunden ist mit dem Himmel und mit der Geisterwelt, so kann er auch nicht eine Minute leben; es verhält sich dieß wie bei dem menschlichen Leibe, welcher Theil desselben nicht mit den Uebrigen verbunden ist durch Fibern und Gefäße, und so durch die Verhältnisse der Funktionen, der ist kein Theil des Leibes, sondern wird sogleich ausgeschieden und als leblos weggeworfen. Die Gesellschaften selbst, in welchen und mit welchen die Menschen bei Leibes Leben gewesen sind, wurden ihnen gezeigt, als sie in's andere Leben kamen; wenn sie in dieselbe Gesellschaft nach dem Leben des Leibes kommen, so kommen sie in ihr eigentlichstes Leben, das sie im Leibe hatten, und von diesem Leben fangen sie ein neues an, und so gemäß ihrem Leben, das sie im Leibe führten, gehen sie entweder hinab zur Hölle, oder werden erhoben zum Himmel.

688. Weil eine solche Verbindung Aller mit Jeden und Jeder mit Allen besteht, so findet eine gleiche auch bei dem Allereinzelnsten einer Regung und bei dem Allereinzelnsten eines Gedankens Statt.

689. In Folge hievon besteht ein Gleichgewicht Aller und Jeder in Ansehung der himmlischen, geistigen und natürlichen Dinge, so daß Keiner denken, fühlen und handeln kann als aus Mehreren, und gleichwohl meint Jeder, er thue es ganz frei aus sich; ebenso gibt es überall nichts, das nicht im Gleichgewicht erhalten wird von seinem Gegensatz und den Mittelgliedern des Gegensatzes, so daß ein Jeder durch sich und Mehrere zugleich im vollkommensten Gleichgewicht lebt; daher auch Niemanden Böses widerfahren

kann, ohne daß es sogleich in's Gleichgewicht gesetzt wird; und wenn ein
Uebergewicht des Bösen Statt findet, dann wird das Böse oder der Böse nach
dem Gesetze des Gleichgewichts gezüchtigt, wie von ihm selbst, aber überall
nur für den Zweck, daß daraus Gutes hervorgehe. In solcher Form und dem
Gleichgewicht aus ihr besteht die himmlische Ordnung, welche vom HErrn
Allein gebildet, bethätigt und erhalten wird in Ewigkeit.

690. Außerdem ist zu wissen, daß durchaus nie eine Gesellschaft der andern ganz und vollkommen ähnlich ist, auch Keiner in der Gesellschaft einem
andern, sondern es besteht eine zusammenstimmende und harmonische Verschiedenheit Aller, und diese Verschiedenheiten sind vom HErrn so geordnet, daß sie zu Einem Zweck hinstreben, was durch die Liebe und den Glauben an Ihn geschieht, daher die Einheit. Folglich gibt es nie einen ganz und
vollkommen gleichen Himmel und eine dergleichen himmlische Freude für
Einen wie für den Andern, sondern wie sich die Verschiedenheiten der Liebe
und des Glaubens verhalten, so auch der Himmel und die Freude in ihnen.

691. Dieß im Allgemeinen von den Gesellschaften aus vielfältiger und langer Erfahrung, wovon vermöge der Göttlichen Barmherzigkeit des HErrn im
Folgenden besonders.

Werkregister 232

FRIEDRICH GOTTLIEB KLOPSTOCK

Über Swedenborg

Swedenborg war einmal in Kopenhagen. Unsere Damen ließen mich nicht
eher in Ruhe, als bis ich ihn besuchte; denn mir selbst lag nichts daran, ihn zu
sehn: er war kein Gegenstand der Neubegierde für mich. Wem sind Leute,
die der Stolz auf diese Art verwahrloste, nicht schon aus der Geschichte
bekannt? Ich fiel gleich Anfangs dadurch bei ihm in Ungnade, daß ich zum
Ankaufe seiner theuren Quartanten keine Lust hatte. Ich schritt gleichwohl
zur Sache, und bat ihn, sich mit einem meiner verstorbenen Freunde zu
besprechen. Er sagte mit einem Tone, der noch langweiliger, als seine Art sich
auszudrükken, war: ,,Wenn Ihro Königliche Majestät, der jetztregierende
König von Dänemark, Friederich der Fünfte" (ich setze kein Wort hinzu)
,,mir allergnädigst beföhlen, mit Höchstderoselben verstorbenen Gemahlin,
Ihro Majestät, der Königin Luise" .. Ich unterbrach ihn: ,,Wer also kein
Fürst ist, dessen Freunde mögen immer in der anderen Welt sein; der Herr
von Swedenborg würdiget sie seines Gespräches nicht." Ich ging; er sagte
noch: ,,Wenn Sie weg sind, so bin ich gleich wieder in der Gesellschaft der
Geister." ,,Ich hätte Unrecht," antwortete ich, ,,wenn ich nicht eilte. Denn
Sie sollen durch mich keinen Augenblick verlieren, den Sie in so guter Gesell-
schaft zubringen können."

Ich weiß wohl, daß in der Vorrede zu Swedenborgs Schriften kein Wort von diesem Besuche vorkommen wird; aber deswegen erzähle ich Ihnen auch nicht davon, sondern allein in der Absicht, damit Sie desto genauer einsehen, daß ich des Zutrauens, welches Sie mir gezeigt haben, völlig unwürdig bin. Ich muß noch hinzusetzen: daß selbst Männer, die ich mir über Ihnen und Swedenborg denken kann, nicht im Stande wären, mich zur Annahme und Ausbreitung solcher Meinungen, wie die Ihrigen sind, zu erniedrigen. Und wenn ich nun vollends darauf verfallen könnte, diese Meinungen nicht für die Ihrigen, wenigstens nicht für die der ganzen Gesellschaft, zu halten? Sie werden dies Argwohn nennen, den aber die Schwäche des Alters entschuldige. So verzeihen Sie es denn einem Manne, der es nicht nur durch jene Schwäche, sondern auch dadurch entschuldigen kann, daß ihm schon in seiner frühesten Jugend bei Untersuchung der Wahrheit der Zweifel heilig gewesen ist.

Werkregister 1

CARL FRIEDRICH POCKELS

Ueber die Neigung der Menschen zum Wunderbaren.

Das Wunderbare ist zu allen Zeiten und bei allen Völkern, bei den rohesten und unwissendsten sowohl, als bei den kultivirtesten und aufgeklärtesten ein Gegenstand ihrer besondern Aufmerksamkeit und Hochachtung gewesen. Jede Nation glaubt an geschehene Wunder, und ist geneigt an zukünftige zu glauben. Jede Religion, oder eigentlicher zu reden, das Ansehn jeder Religion, gründet sich nach der Meinung der größern Menge auf den Glauben an wundervolle Begebenheiten, und durch diesen Glauben, eben weil er von jeher der Glaube der größern Menge war, sind unter den Menschen die wichtigsten Revoluzionen bewürkt worden, welche die scharfsinnigste Philosophie und weiseste Politik, verbunden mit der unumschränktesten Gewalt nie zu Stande gebracht haben würde – und welche wichtige Veränderungen wird dieser Wunderglaube nicht noch in Zukunft hervorbringen können! – Doch hievon wollte ich nicht reden. Meine Absicht geht dießmal nur vornehmlich dahin, einige Gedanken über die Neigung des menschlichen Geistes zum Wunderbaren in psychologischer Rücksicht aufzusetzen, und ihre Ursachen, und Aeusserungen zu beleuchten.

Weil der Glaube an Wunderwerke sich allemal auf den Glauben an ein unsichtbares, oder mehrere unsichtbare Wesen, und deren besondern Einfluß auf die Begebenheiten der Welt gründet; so will ich hier nur noch dieß Wenige vorausschicken.

Wir sind durch die tägliche Erfahrung so unendlich oft belehrt worden, daß eine jedwede Würkung eine vorhergegangene Ursach zum Grunde haben muß, daß auch der gemeinste Verstand, gleichsam durch eine mechanische Verknüpfung seiner Vorstellungen von Ursach und Würkung, gezwungen wird, sich da eine Ursach hinzudenken, wo sie auch nicht in die Sinne fällt, oder überhaupt ganz unbekannt ist.

Unsere Seele fühlt gemeiniglich eine Art von besonderer Unruhe, so lange sie noch nicht die zureichende Ursache einer Begebenheit kennt, und in dieser Unruhe fühlt der Mensch sich besonders sehr geneigt, zur Befriedigung seiner Wißbegierde Ursachen zu fingiren, und diese fingirten für die wahren zu halten. Ein Fehler, worein oft selbst die größten Köpfe gefallen sind. Der gemeine Menschenverstand nimmt hiebei seine Zuflucht gemeiniglich zu einem Mittel, wodurch er auf einmal seine Wißbegierde, ohne daß er schwerere Untersuchungen über die Natur der Dinge nöthig hat, zu befriedigen glaubt, und wobei seine Phantasie zugleich auf eine angenehme Art unterhalten wird – er macht unsichtbare Wesen zu den Ursachen ihm unerklärbarer Begebenheiten. Je mehr dergleichen Begebenheiten der, mit den natürlichen Beschaffenheiten der Dinge unbekannte menschliche Verstand in der Welt antraf, je geneigter mußte er sich fühlen, an jene unsichtbaren Geister zu glauben, und ihre unmittelbare Einwürkung auf die Welt sich bei den natürlichsten Zufällen vorzustellen, von denen er nicht den physischen Grund kannte. Es ist daher wohl nicht zu läugnen, daß die Menschen nicht durch tiefes Nachdenken, oder Offenbarungen, sondern durch Unwissenheit in der Naturlehre, und durch die Neigung zum Wunderbaren zuerst auf die Begriffe von Geistern und Göttern guter und böser Art gekommen sind. Die alte Philosophie und Dichtkunst haben sich gleich eifrig bemüht, diese Begriffe, welche vornehmlich die Großen zur Lenkung ihrer Untergebenen so nöthig hatten, zu befestigen, und zu verschönern; aber aller ihnen gegebene dichterische Schmuck, und alle Philosophie hat nicht zureichen wollen, ihren Ursprung aus einem rohen Zeitalter der menschlichen Vernunft vor den Augen aufgeklärterer Richter zu verhüllen.

Doch zur Sache. – Die Neigung der Menschen zum Wunderbaren, und, ich kann hinzusetzen, zum Fabelhaften, hängt lediglich von dem so mächtigen Triebe der menschlichen Seele ab, neue Vorstellungen, und zwar solche zu empfangen, wodurch ungewöhnlich lebhafte angenehme Empfindungen in uns hervorgebracht, und erhalten werden. Jene neuen Vorstellungen, wonach wir vermöge eines uns natürlichen Erweiterungstriebes unserer Geistesthätigkeit streben, sind uns allemal um so viel willkommener, je mehr sie den Reiz der Neuheit an sich haben; je weniger sie also an eine uns schon geläufige Menge bekannter Vorstellungen gränzen, und je lebhafter die Eindrücke sind, welche sie in dem Gebiete unserer Empfindungen zurücklassen. Das Wunderbare ist aber vornehmlich geschickt, lebhafte Eindrücke auf uns zu machen und unsere Leidenschaften zu erschüttern. Wir fühlen es sehr deutlich, daß unsere Seele in eine heftige Bewegung geräth, wenn uns eine wunderbare Begebenheit erzählt wird; oder wenn wir sie selbst zu sehen Gelegenheit haben. Unser Blut fängt heftiger zu wallen an, unsere Gedanken folgen in einer ungewöhnlichen Schnelligkeit auf einander. Unsere Aufmerksamkeit scheint sich mit jedem Augenblicke zu verdoppeln. Alle unsere Seelenkräfte sind gespannt, um keinen Umstand der sonderbaren Begebenheit ausser Acht zu lassen, und diese Spannung drückt sich sogar in Zügen unseres Gesichts aus. Man hat sogar merkwürdige Beispiele, daß Menschen dabei in Ohnmachten und Wahnsinn gefallen sind. Nichts ist uns unangenehmer, als in diesem Zustande lebhafter Vorstellungen, worein uns das Wunderbare versetzt hat, durch Gegenstände gestört zu werden, welche diese neuen Vorstellungen unterbrechen, und wir wünschen nicht selten – wenn wir auch gleich an die wunderbare Begebenheit selbst nicht glauben können – daß sie wahr seyn möchte. So angenehm ist das Vergnügen, welches wir daraus schöpfen, und so stark der Reiz, welchen die Bewunderung für unsere Vorstellungen und Empfindungen hat.* Die Wunderthäter älterer und neuerer Zeiten haben hierin die menschliche Seele sehr gut gekannt. Sie haben den erstaunlichen Hang derselben zum Wunderbaren zu nähren, und ihre Phantasie für ihre Plane durch allerlei Kunstgriffe zu erhitzen gewußt, und die Menschen – die so leicht zu täuschenden Menschen – haben ihnen auch bereitwillig die Hände gebothen, sich hintergehen zu lassen. –

Mich dünkt, es giebt noch einen Hauptumstand, wodurch die Neigung der Menschen zum Wunderbaren so stark, und dieses so anziehend für sie ist, ich meine den, daß wir nicht nur mit einer angenehmen Leichtigkeit und Schnelligkeit unseres Geistes jene neuen Ideen, die durch das Wunderbare in uns hervorgebracht werden, auffassen; sondern daß auch jedesmal unsere Einbildungskraft dadurch aufs lebhafteste beschäftigt wird. Alles was diese in uns unaufhörlich thätige Kraft der menschlichen Seele in Bewegung setzt, alles was ihr neue Bilder verschaft, gesetzt daß auch diese Bilder selbst etwas Schreckliches an sich haben sollten, hat einen besonders hohen Grad des Vergnügens für uns, und wir schätzen diese Art des Vergnügens um so viel mehr, weil es unzähliger Abwechselungen fähig ist, und nicht, wenn es lange genossen wird, wie die Ergötzungen der Sinne am Ende Ekel mit sich führt. Es ist bekannt, daß die Bilder unserer Einbildungskraft, welche ohnedem noch den Reiz haben, daß sie sich ohne Anstrengung des Geistes von selbst darbieten, oft so lebhaft und mächtig in uns werden können, daß sie uns nicht selten aus einer würklichen Welt in eine idealische hinausheben, worin es uns

---

* Hume – der unsterbliche Hume, hat sehr Recht. Die Leidenschaft des Erstaunens und des Bewunderns, sagt er, die durch die Wunderwerke erregt wird, ist eine angenehme Bewegung und Aufwallung des Gemüths, und lenket uns deswegen auf eine merkliche Weise diejenigen Begebenheiten zu glauben, durch welche sie erregt wird. Und dieses geht so weit, daß selbst diejenigen, welche dieses Vergnügen nicht unmittelbar geniessen, noch diejenigen wunderbaren Begebenheiten glauben können, von denen sie berichtet werden, dennoch dieses Vergnügens von der andern Hand, und gleichsam durch eine Zurückprallung theilhaftig werden wollen, und einen Stolz und eine Belustigung darin suchen, die Bewunderung anderer zu erwecken. Siehe Humes Versuch von den Wunderwerken.

denn deswegen gemeiniglich so wohlgefällt, weil wir lauter unbekannte Dinge darin antreffen, die unsere Neugierde beschäftigen. Nichts beschäftigt und unterhält daher unsere Einbildungskraft mehr, als das Wunderbare. Eine natürliche Begebenheit macht darum den lebhaften Eindruck nicht auf uns, weil sie gemeiniglich schon in allen ihren Theilen bestimmt ist, weil sie nichts Besonderes enthält, was unsere Neugierde reitzt, und weil wir dergleichen Begebenheiten schon oft gesehen und gehört haben. Mit dem Wunderbaren verhält sichs ganz anders. Hier bemerken wir lauter neue Gegenstände, eine ganz neue Scene wird auf einmal vor unsern Augen eröfnet, und hundert angenehme Bilder unserer Phantasie schwärmen um uns herum. Die Ideen, womit wir uns sogern beschäftigen, daß gewisse überirrdische Wesen bei einer wundervollen Begebenheit mit im Spiele gewesen seyn müssen; die dunkeln uns in Erstaunen setzenden Begriffe von der ausserordentlichen Kraft, die, um jene Begebenheit zu Stande zu bringen, erfordert wurde; die Wißbegierde, wie doch wohl wunderthätige Menschen in den Umgang mit der Gottheit gekommen seyn mögen, und wie sie sich darin zu erhalten wissen; die äusserst schnelle, ungewöhnliche, uns unbegreifliche Zusammenstellung von Umständen, die eine wunderbare Scene ausmachen – alles dies erhält unsern Geist in einer beständigen Spannung, und weil unsere Wißbegierde dabei eigentlich nie ganz befriedigt wird, weil uns dabei, wenn wir auch einen deutlichen Begrif von dem Zusammenhange der Begebenheit haben, immer die geheime Einwürkung der Gottheit auf Sachen und Personen unbegreiflich bleibt; so verdoppeln jene Umstände unsere Aufmerksamkeit ohngefähr so, wie wir unsere Augen anstrengen, um eine entfernte uns sonderbar vorkommende Sache zu sehen. Unbefriedigte Wißbegierde ist es also vornehmlich, was unsere Seele so geneigt gegen das Wunderbare macht.

Ueberhaupt aber reitzt in unzähligen Fällen das Unvollendete, Halbbekannte und Versteckte in Erzählungen sowohl, als Begebenheiten und Gegenstände menschlicher Künste und Wissenschaften unsere Aufmerksamkeit mehr, als das Bestimmte, Vollendete und Bekannte, weil durch jenes nach einem psychologischen Erfahrungssatze die Lebhaftigkeit unserer Ideen in Bewegung erhalten; durch dieses aber gewissermaßen eingeschränkt wird.

Die Würkungen, welche das Wunderbare in unserer Seele hervorbringt, fangen sich allemal durch jenen Zustand des Gemüths an, den wir Erstaunen, oder wenn wir nicht so lebhaft wie bei diesem afficirt werden, Bewunderung zu nennen pflegen; Gefühle, die sich mehr durch ihre Empfindungen von einander unterscheiden, als sich genau beschreiben lassen. Alles, was sich der menschliche Geist als etwas Großes und Erhabnes, in der Geisterwelt sowohl, als in der Körperwelt vorstellt; wobei er sich die Ueberwindung, oder die Nothwendigkeit der Ueberwindung einer Menge von Hindernissen und Gefahren denkt; wo er sich lebhafte Begriffe von einer ausserordentlichen Kraft macht, die entweder mit einer unerwarteten Schnelligkeit, oder in einem großen Umfange würkt, erregt in uns jenes Gefühl des Erstaunens, welches bisweilen, wenn es zu stark, und durch zu lebhafte Bilder der Phantasie erzeugt wird, in eine Betäubung unserer Sinne ausartet, welche die Folge unserer Vorstellungen unterbricht, und den Gebrauch unserer Sprache aufhebt.

Mich dünkt, daß Erstaunen, es mag nun entweder durch eine wunderbare Begebenheit, oder durch etwas körperlich Erhabenes hervorgebracht werden, überhaupt genommen allemal von einigen dunkeln Begriffen über die Sache begleitet werden muß, wenn unsere Seele in diesen Zustand gerathen soll. Dunkele Vorstellungen haben eine erstaunliche Gewalt über das Gebiete unserer Empfindungen, sonderlich zur Hervorbringung der Furcht, und des damit so nah verwandten Erstaunens. Die Erfahrung ist offenbar für jene Behauptung. Wir fühlen es deutlich, daß ein erhabener Gegenstand, eine wunderbare Begebenheit, welche in uns ein Erstaunen hervorbringt, diese Würkung nicht mehr, wenigstens lange nicht in einem so hohen Grade äussert, wenn jener Gegenstand in seine einzelnen Theile zergliedert, nach den verschiedenen Verhältnissen seiner Größe einzeln betrachtet; und diese Begebenheit nach ihren einzelnen geheimen Triebfedern uns deutlich vor Augen gestellt wird. Unsere Bewunderung hört auf, wenn wir uns das Ding auf einmal deutlich nach seinem ganzen Umfange vorstellen können.

Unter den sinnlichen Gegenständen erregen ein Erstaunen besonders Dinge von einer großen Dimension, vornehmlich einer großen Höhe und Tiefe; oder wo wir uns vermöge unserer Einbildungskraft eine große Dimension hinzudenken, daher Dunkelheit und Finsterniß so leicht ein Erstaunen erzeugt, weil wir uns alles Dunkele von einer ungeheuren Ausdehnung denken, wenn wir seine Gränze nicht überschauen können; Aeusserungen einer sehr großen Kraft, sie mag nun als eine todte, oder lebendige Kraft betrachtet werden; sehr schnelle Bewegung eines Körpers; unerwartete fürchterliche, oder auch angenehme Töne die uns überraschen – alle Gegenstände, wovon wir uns in dem Augenblicke der Ueberraschung und des Erstaunens keine deutlichen, sondern nur dunkele Begriffe machen können.

Bei Vorstellungen von etwas Wunderbarem scheint unsere Seele ohngefähr so afficirt zu werden, als wenn sich ihr Gegenstände von einer sehr großen Dimension darstellen. Nur ist hierbei der Unterschied zu merken, daß das durchs Wunderbare erregte Erstaunen von einer längern Dauer ist, als dasjenige, welches sichtbar erhabene Gegenstände in uns hervorbringen. Der Grund der Dauer einer Empfindung liegt allemal in der längern Lebhaftigkeit unserer Vorstellungen einer Sache, und diese längere Lebhaftigkeit unserer Vorstellungen bei dem Wunderbaren hängt gewiß davon ab, daß das Wunderbare in allen seinen Theilen wunderbar und erhaben ist, daß wenn wir es auch Stückweise betrachten wollen, wenn uns nur nicht dadurch die versteckten natürlichen Triebfedern desselben bekannt werden, immer der Zustand der Bewunderung unserer Seele noch fortdauert, weil uns noch viel Unbekanntes davon zu wissen übrig bleibt, und unsere Aufmerksamkeit eben dadurch immer gleich lebhaft erhalten wird.

Sichtbar erhabene Gegenstände aber hören gemeiniglich auf, unser Erstaunen zu erregen, sobald wir sie in ihre einzelnen Theile zerlegen und uns das Ganze mehr succeßiv als auf einmal und folglich dunkel vorzustellen anfangen. Hierzu kommt noch der besondere Umstand, daß wir uns nach und nach an erhabene sinnliche Gegenstände, wenn wir sie oft sehen, so gewöhnen können, daß sie endlich keinen, oder doch nur einen geringern Grad des Erstaunens in uns erzeugen. Ich gebe zu, daß sich unsere Phantasie endlich auch an das Wunderbare gewöhnen kann; aber dieses Gewöhnen geschieht gewiß bei diesem auf eine weit langsamere Art, als bei sichtbar erhabnen Gegenständen. Wir können eine wunderbare Begebenheit hundertmal erzählen hören, und doch wird sie uns immer neu zu bleiben scheinen. Unsere Einbildungskraft wird bei jeder wiederhohlten Erzählung von neuem mächtig aufleben, unsere Wißbegierde wird uns immer wieder antreiben, die wunderbaren Maschinen zu entdecken, wodurch jene Begebenheit bewürkt wurde, und eine Reihe von Jahrhunderten selbst, die seit geschehenen Wunderwerken bis jetzt verflossen sind, wird uns gegen Dinge nicht gleichgültig machen können, die wir gleichsam noch jetzt vor Augen zu sehen glauben. Wir versetzen uns nur zu gerne in jene Epochen der Geschichte, die sich durch ausserordentliche Begebenheiten und Wunderwerke auszeichnen, wir wünschen zu diesen Zeiten gelebt zu haben, und in dieser Stimmung unseres Gemüths wird es ausserordentlich leicht, alles – ohne Untersuchung zu glauben, was uns aus jenen wundervollen Tagen erzählt wird; aber nicht nur zu glauben, sondern uns auch gegen jeden zu entrüsten, welcher aus Gründen der Vernunft jene wunderbaren Begebenheiten, die sich gemeiniglich unter sehr unwissenden Leuten zugetragen haben, nicht glauben kann.

Doch ich komme wieder zu den Würkungen des Wunderbaren auf die menschliche Seele zurück. Die lebhafte Bewegung, in welche unsere Phantasie allemahl durch ausserordentliche Begebenheiten versetzt wird, theilt sich zugleich einer Menge unserer Leidenschaften mit, die sich bald mit Schrecken und Furcht, bald mit einer überwiegenden Freude, bald in beiden, oder gemischten Empfindungen äußern, je nachdem das Wunderbare einer Begebenheit bald so, bald anders auf unser Herz würkt, und auf dieses würkt es allemal, daher wir auch gemeiniglich einen so lebhaften Antheil an den Schicksalen sogenannter Wunderthäter nehmen, und nicht selten noch eine Hochachtung für sie fühlen, wenn auch ihre Betrügereien schon entdeckt sind.

Nächst dem Erstaunen ist Furcht und Schrecken gemeiniglich mit dem Zustande der Bewunderung verbunden, obgleich jenes von diesen letztern Empfindungen sehr verschieden seyn kann. Die Vorstellung von gewissen bei wunderbaren Begebenheiten verborgenen unsichtbaren Kräften und Geistern erregt nie Empfindung des Erstaunens allein, wie andere erhabene Gegenstände pflegen, sondern wir nehmen zugleich ein Gefühl von Furcht und Schrecken in uns wahr, sobald wir uns das Wunderbarerhabene in Verbindung mit jenen unsichtbaren Wesen denken. Der Grund von dieser besondern Art des Erstaunens liegt ohnstreitig darin, daß wir immer mehr geneigt sind, uns die Gottheit als die unmittelbare Ursach des Wunderbaren, von einer schrecklichen, als liebevollen Seite vorzustellen; weil wir fühlen, daß keine Kraft unserer Natur zureichen würde, die Gewalt eines unsichtbaren Wesens aufzuhalten, wenn sie gegen uns gerichtet würde, und weil wir sogleich immer an andre schreckliche Begebenheiten denken, die ehemals von der Gottheit die Menschen zu bestrafen, veranstaltet wurden, und diese Ideen zusammengenommen zwingen uns die Furcht ab, die wir empfinden, wenn wir die Gottheit gleichsam vor unsern Augen in wunderbaren Begebenheiten handeln sehen. Wenn auch darin der Dichter nicht Recht haben sollte, daß die Furcht zuerst den Glauben an das Dasein der Götter unter den Menschen eingeführt habe; so ist doch nicht zu zweifeln, daß Furcht ihnen zugleich ihre Altäre erbauen, und ihnen Opfer bringen halfen, um ihren Zorn gegen die Menschen zu besänftigen.

Ohnerachtet jener Empfindung der Furcht und des Schreckens, die wir gewöhnlich bei Vorstellung einer wunderbaren Begebenheit in uns wahrnehmen, begleitet uns doch dabei auch oft eine gemischte Empfindung der Freude, die bald allein durch die Neuheit der Sache hervorgebracht, bald durch den Antheil erzeugt wird, den wir an der glücklichen Entwickelung wunderbarer Zufälle nehmen. Auch sind nicht alle Wunderwerke schrecklich, sondern viele stimmen so sehr mit den Wünschen unseres Herzens überein, daß sich nicht selten unsere Freude darüber in ein Entzücken verwandelt, zumal wenn es denjenigen Leuten in einer Wundergeschichte gut geht, für die sich unser Herz gleichsam durch eine zärtliche Sympathie erklärt hat, wenn sie auch gleich seit Jahrhunderten nicht mehr – oder wol gar nicht in der Welt gewesen sind; denn unsere Gefühle täuschen uns oft so sehr, daß wir selbst von Schicksalen solcher Personen gerührt werden, die in der bloßen Einbildungskraft eines Dichters, oder Romanschreibers existirt haben.

Es sei mir erlaubt zum Beschlusse dieses Aufsatzes noch jener besondern Erscheinung der menschlichen Seele zu gedenken, die sich bei Leuten von einer sehr lebhaften Einbildungskraft schon so oft gezeigt hat, und sich in unsern Tagen bei so manchem erhitzten – auch wohl aufgeklärten Kopfe, bis diesen Augenblick zeigt – nehmlich des schwärmerischen Gefühls, welches jene Leute von einer eigenen beiwohnenden Wunderkraft zu empfinden glauben. Man kann alle menschlichen Wunderthäter der alten und neuen Geschichte in zwei Klassen theilen, in solche, die nie geglaubt haben, daß sie Wunder thun könnten; aber es doch zur Erreichung gewisser politischen oder moralischen Endzwecke vorgaben, – dieß waren geflissentliche Betrüger, – und in solche, die wirklich glaubten, daß ihnen eine Kraft Wunder zu thun wirklich mitgetheilt sei, ohne daß sie diese Kraft besaßen. Von diesen letztern Wunderthätern, die in sich eine Wunderkraft fühlten, ob sie sie gleich nicht hatten, will ich nur mit Wenigem reden.

Diese sind – und waren meistentheils gutmüthige Schwärmer, welche durch einen eingebildeten Umgang mit der Gottheit, den sie nicht selten im Schlaf und Traum unterhielten; durch allerlei geistliche und strenge Uebungen, vornehmlich durch die sogenannte Kreuzigung des Fleisches, es dahin gebracht zu haben glaubten; daß sich ihnen die Gottheit nicht nur besonders mittheilen könne, sondern auch als Gliedern ihres Wesens mittheilen müsse; (denn fast alle Schwärmer haben sich mit Gott in einer mystischen Vereinigung zu einem Ganzen betrachtet) die aber doch auch auf der andern Seite gemeiniglich Stolz genug besaßen, um sich von andern Menschen auf eine ausserordentliche Art auszeichnen zu wollen. Kein Schwärmer, selbst der berühmte Gaßner nicht, der uns oft als das höchste Muster der Demuth und der sittlichen Einfalt geschildert worden ist, war vom Stolze frei, und man müßte das menschliche Herz nicht kennen, wenn man jene Leute davon freisprechen wollte. Es ist eine sehr richtige Bemerkung eines großen Kenners des menschlichen Herzens, daß sich Stolz, wenn er kein anderes Mittel mehr wisse, um sich der Welt zu zeigen, in freiwilliger Erniedrigung und Demüthigung nähre. Bemühen, keinen Stolz zu zeigen, ist also an sich schon ein sehr hoher Grad von Ruhmsucht, indem man die Welt uberreden will, daß man – was unter tausenden so wenige können, – über die mächtigste Neigung des menschlichen Herzens Herr werden kann, und ich nehme mir die Freiheit zu behaupten, daß geheimer geistlicher Stolz, um das Ding bei seinem rechten Namen zu nennen, die meisten Wunderthäter zu Wunderthätern gemacht habe, und daß der stolze Gedanke, besondere Vertraute der Gottheit zu seyn, ihrer Einbildungskraft alle die listigen Kunstgriffe erfinden half, wodurch sie sich so glücklich in ihrem Ansehn, wenigstens bei der größern Menge zu erhalten gewußt haben.

Aber wie mögen die Schwärmer auf die Idee einer ihnen beiwohnenden Wunderkraft gekommen seyn? Auf eine sehr natürliche Art, und gewissermaßen auch auf einerlei Wege ihrer Vorstellungen. Unsere Phantasie kann mit uns machen was sie will, wenn der ihr so nöthige Führer, die gesunde Vernunft, erst von seinem Posten vertrieben worden ist. Ihre Gefühle können leicht eine solche Gewalt über uns bekommen, daß sie die Empfindungen der Sinne verdunkeln, und uns Dinge als gegenwärtig darstellen, die nie existirt haben. Was sieht nicht alles der im hitzigen Fieber Liegende, und der Wahnwitzige in seiner Phantasie! Der Schwärmer liegt gewissermaßen auch an einem dieser Uebel krank, ohne daß er es weiß und glaubt. Die so lebhafte Art zu denken und zu empfinden, die allen Schwärmern eigen ist; das immerwährende Bemühen, die Seele mit Bildern aus der Geisterwelt zu unterhalten, und geflissentlich von der äußern Welt zurück, und in sich selbst zu kehren; das ängstliche Auflauren auf den Kampf unserer sinnlichen Natur mit göttlichen sich eingebildeten in uns wohnenden Kräften; die seltsame Anstrengung unserer Natur, unsere Sinnlichkeit durch fromme Bilder der Phantasie zu verscheuchen – alles dies muß über lang oder kurz in der Seele des Schwärmers Gefühle erzeugen, die er in dem noch gesunden Zustande seiner Seele nie gehabt hat; die er nun aber, da sie ihm unmittelbar in den Augenblicken, wenn er sich mit der Gottheit beschäftigt, aus dieser Beschäftigung zu entstehen scheinen, wegen ihrer ganz besondern Lebhaftigkeit für Eingebungen der Gottheit hält, so leicht sie sich auch aus der Natur der menschlichen Seele und des Körpers – freilich als Krankheiten und Auswüchse unserer Phantasie, mögen erklären lassen. Wer erst glauben kann, daß die Gottheit mit ihm in einem so genauen Umgange stehe, daß sie auf ihn besonders influire, der hat nur noch einen Schritt zu thun, zu glauben, daß man durch jene Influenz auch Wunder verrichten könne. Dieser Glaube ist gleichsam das *non plus ultra* aller Schwärmer gewesen; bis hierher haben sie nur zu kommen gesucht – und konnte wohl etwas in der Welt mehr ihrem Stolz schmeicheln, als eben dieser Glaube! Was ging es übrigens den Schärmer an, ob er auf Kosten der gesunden Vernunft geglaubt wurde, da ohnehin von jeher die Schwärmerei alles angewandt hat, um die gesunde Vernunft zu unterdrücken, und sie als eine armselige Führerin der Wahrheit auszuschreien.

Werkregister 18

GOTTFRIED AUGUST BÜRGER

Lenore.

Lenore fuhr um's Morgenroth
Empor aus schweren Träumen:
,,Bist untreu, Wilhelm, oder todt?
Wie lange willt du säumen?'' –
Er war, mit König Friedrichs Macht,
Gezogen in die Prager Schlacht,
Und hatte nicht geschrieben,
Ob er gesund geblieben.

Der König und die Kaiserinn,
Des langen Haders müde,
Erweichten ihren harten Sinn,
Und machten endlich Friede;
Und jedes Heer, mit Sing und Sang,
Mit Paukenschlag, mit Kling und
Klang,
Geschmückt mit grünen Reisern,
Zog heim zu seinen Häusern.

Und überall, all überall,
Auf Wegen und auf Stegen,

Zog Alt und Jung dem Jubelschall
Der Kommenden entgegen.
Gottlob! rief Kind und Mutter laut,
Willkommen! manche frohe Braut;
Ach! aber für Lenoren
War Gruß und Kuß verloren.

Sie frug den Zug wol auf und ab,
Und frug nach allen Namen;
Doch keiner war, der Kundschaft
Von allen, so da kamen. [gab,
Als nun das Heer vorüber war,
Zerraufte sie ihr Rabenhaar,
Und warf sich hin zur Erde
Mit wütiger Geberde.

Die Mutter lief wol hin zu ihr:
,,Ach! daß sich Gott erbarme!
Du liebes Kind! was ist mit dir?'' –
Und schloß sie in die Arme. –

„O Mutter! Mutter! hin ist hin!
Nun fahre Welt und alles hin!
Bey Gott ist kein Erbarmen:
O weh, o weh mir Armen!" –

„Hilf Gott! hilf! Sieh uns gnädig an!
Kind, bet' ein Vaterunser!
Was Gott thut, das ist wohlgethan;
Gott, Gott erbarmt sich unser!" –
„O Mutter! Mutter! eitler Wahn!
Gott hat an mir nicht wohlgethan!
Was half, was half mein Beten?
Nun ist's nicht mehr vonnöthen!" –

„Hilf Gott! hilf! Wer den Vater
                        kennt,
Der weiß, er hilft den Kindern.
Das hochgelobte Sakrament
Wird deinen Jammer lindern." –
„O Mutter! Mutter! was mich
                        brennt,
Das lindert mir kein Sakrament!
Kein Sakrament mag Leben
Den Todten wiedergeben!" –

„Hör, Kind! Wie, wenn der falsche
Im fernen Ungerlande,   [Mann,
Sich seines Glaubens abgethan,
Zum neuen Ehebande? = = =
Laß fahren, Kind, sein Herz dahin!
Er hat es nimmermehr Gewinn!
Wann Seel' und Leib sich trennen,
Wird ihn sein Meineid brennen!" –

„O Mutter! Mutter! hin ist hin!
Verloren ist verloren!
Der Tod, der Tod ist mein Gewinn!
O wär' ich nie geboren! = =
Lisch aus, mein Licht! auf ewig aus!
Stirb hin! stirb hin! in Nacht und
                        Graus!
Bey Gott ist kein Erbarmen:
O weh, o weh mir Armen!" –

„Hilf Gott! hilf! Geh nicht ins
                        Gericht
Mit deinem armen Kinde!
Sie weiß nicht, was die Zunge
                        spricht;
Behalt ihr nicht die Sünde! = =
Ach Kind! vergiß dein irdisch Leid,
Und denk an Gott und Seligkeit,
So wird doch deiner Seelen
Der Bräutigam nicht fehlen!" –

„O Mutter! was ist Seligkeit?
O Mutter! was ist Hölle?
Bey ihm, bey ihm ist Seligkeit!
Und ohne Wilhelm, Hölle! = =
Lisch aus, mein Licht! auf ewig aus!
Stirb hin! stirb hin! in Nacht und
                        Graus!
Ohn' ihn mag ich auf Erden,
Mag dort nicht selig werden!" – –

So wütete Verzweifelung
Ihr in Gehirn und Adern.
Sie fuhr mit Gottes Fürsehung
Vermessen fort zu hadern;
Zerschlug den Busen, und zerrang
Die Hand, bis Sonnenuntergang,
Bis auf am Himmelsbogen
Die goldnen Sterne zogen.

Und aussen, horch! ging's trap trap
Als wie von Rosses Hufen,   [trap,
Und klirrend stieg ein Reiter ab
An des Geländers Stufen.
Und horch! und horch! den
                        Pfortenring
Ganz lose, leise kling ling ling!
Dann kamen durch die Pforte
Vernehmlich diese Worte:

„Holla! holla! Thu auf, mein Kind!
Schläfst, Liebchen, oder wachst du?
Wie bist noch gegen mich gesinnt?
Und weinest oder lachst du?" –

„Ach Wilhelm! du? = = So spät bey
      Nacht? = =
Geweinet hab' ich und gewacht;
Ach! großes Leid erlitten!
Wo kömmst du her geritten?" –
„Wir satteln nur um Mitternacht.
Weit ritt ich her von Böhmen;
Ich habe spat mich aufgemacht,
Und will dich mit mir nehmen!" –
„Ach, Wilhelm! 'rein, herein
      geschwind!
Den Hagedorn durchsaust der Wind:
Herein in meinen Armen,
Herzliebster, zu erwarmen!" –
„Laß sausen durch den Hagedorn,
Laß sausen, Kind, laß sausen!
Der Rappe scharrt; es klirrt der Sporn;
Ich darf allhier nicht hausen!
Komm, schürze, spring' und
      schwinge dich
Auf meinen Rappen hinter mich!
Muß heut noch hundert Meilen
Mit dir ins Brautbett eilen." –
„Ach! wolltest hundert Meilen noch
Mich heut ins Brautbett tragen?
Und horch! Es brummt die Glocke
      noch,
Die elf schon angeschlagen." –
„Herzliebchen! komm! der Mond
      scheint hell;
Wir, und die Todten, reiten schnell;
Ich bringe dich, zur Wette,
Noch heut ins Hochzeitsbette." –
„Sag an! wo ist dein Kämmerlein?
Wo? wie dein Hochzeitbettchen?" –
„Weit, weit von hier! = = Still, kühl
      und klein! = =
Sechs Bretter und zwey Brettchen!" –
„Hat's Raum für mich?" – „Für
      dich und mich!
Komm, schürze, spring' und
      schwinge dich!

Die Hochzeitgäste hoffen;
Die Kammer steht uns offen." –

Schön Liebchen schürzte, sprang
      und schwang
Sich auf das Roß behende;
Wol um den trauten Reiter schlang
Sie ihre Lilienhände,
Und als sie saßen, hop! hop! hop!
Ging's fort im sausenden Galopp,
Daß Roß und Reiter schnoben,
Und Kies und Funken stoben.

Zur rechten und zur linken Hand,
Vorbey vor ihren Blicken,
Wie flogen Anger, Haid' und Land!
Wie donnerten die Brücken! = = = =
„Graut Liebchen auch? = = Der
      Mond scheint hell!
Hurrah! die Todten reiten schnell! = =
Graut Liebchen auch vor Todten?" –
„Ach nein! = doch laß die Todten!" –

Was klang dort für Gesang und
      Klang?
Was flatterten die Raben? = =
Horch Glockenklang! Horch
      Todtensang!
„Laßt uns den Leib begraben!" = =
Und näher zog ein Leichenzug,
Der Sarg und Todtenbaare trug.
Das Lied war zu vergleichen
Dem Unkenruf in Teichen.

„Nach Mitternacht begrabt den Leib
Mit Klang und Sang und Klage!
Jetzt führ' ich heim mein junges
      Weib;
Mit, mit zum Brautgelage! = =
Komm, Küster, hier! komm mit
      dem Chor,
Und gurgle mir das Brautlied vor!
Komm, Pfaff', und sprich den Segen
Eh wir zu Bett uns legen!" –

Still Klang und Sang = = Die Baare
    schwand = =
Gehorsam seinem Rufen
Kam's hurre! hurre! nachgerannt
Hart hinter's Rappen Hufen.
Und immer weiter, hop! hop! hop!
Ging's fort im sausenden Galopp,
Das Roß und Reiter schnoben,
Und Kies und Funken stoben.

Wie flogen rechts, wie flogen links
Die Hügel, Bäum' und Hecken!
Wie flogen links, und rechts und
    links,
Die Dörfer, Städt' und Flecken!
,,Graut Liebchen auch? = = der
    Mond scheint hell!
Hurrah! die Todten reiten schnell! = =
Graut Liebchen auch vor Todten?" –
,,Ach! laß sie ruhn, die Todten!" –

Sieh da! sieh da! Am Hochgericht
Tanzt, um des Rades Spindel,
Halb sichtbarlich, bey Mondenlicht,
Ein luftiges Gesindel.
,,Sa! sa! Gesindel! hier! komm hier!
Gesindel, komm und folge mir!
Tanz uns den Hochzeitreigen,
Wann wir das Bett besteigen!" –

Und das Gesindel, husch! husch!
    husch!
Kam hinten nach geprasselt,
Wie Wirbelwind am Haselbusch
Durch dürre Blätter rasselt.
Und weiter, weiter, hop! hop! hop!
Ging's fort im sausenden Galopp,
Daß Roß und Reiter schnoben,
Und Kies und Funken stoben.

Wie flog, was rund der Mond
    beschien,
Wie flog es in die Ferne!
Wie flogen oben überhin
Der Himmel und die Sterne!

,,Graut Liebchen auch? = = Der
    Mond scheint hell!
Hurrah! die Todten reiten schnell! = =
Graut Liebchen auch vor Todten?" –
,,O weh! laß ruhn die Todten?" – – –
,,Rapp! Rapp! Mich dünkt der Hahn
    schon ruft = =
Bald wird der Sand verrinnen = =
Rapp! Rapp! ich wittre Morgenluft = =
Rapp! tummle dich von hinnen! = = = =
Vollbracht, vollbracht ist unser Lauf!
Das Hochzeitbette thut sich auf!
Die Todten reiten schnelle!
Wir sind, wir sind zur Stelle!" – – –

Rasch auf ein eisern Gitterthor
Ging's mit verhängtem Zügel;
Mit schwanker Gert' ein Schlag
    davor
Zersprengte Schloß und Riegel.
Die Flügel flogen klirrend auf,
Und über Gräber ging der Lauf;
Es blinkten Leichensteine
Ringsum im Mondenscheine.

Hasi! Hasi! im Augenblick,
Hu! hu! ein gräßlich Wunder!
Des Reiters Koller, Stück für Stück,
Fiel ab, wie mürber Zunder.
Zum Schädel ohne Zopf und Schopf,
Zum nackten Schädel ward sein
    Kopf,
Sein Körper zum Gerippe
Mit Stundenglas und Hippe.

Hoch bäumte sich, wild schnob der
    Rapp,
Und sprühte Feuerfunken;
Und huy! war's unter ihr herab
Verschwunden und versunken.
Geheul! Geheul aus hoher Luft,
Gewinsel kam aus tiefer Gruft;
Lenorens Herz, mit Beben,
Rang zwischen Tod und Leben.

Nun tanzten wol, bey Mondenglanz,	„Gedult! Gedult! wenn's Herz auch
Rund um herum im Kreise,	bricht!
Die Geister einen Kettentanz,	Mit Gott im Himmel hadre nicht!
Und heulten diese Weise:	Des Leibes bist du ledig;
	Gott sey der Seele gnädig!"

Werkregister 13

GEORG CHRISTOPH LICHTENBERG

Über Träume

Es ließe sich ein philosophisches Traumbuch schreiben, man hat, wie es gemeiniglich geht, seine Altklugheit und Eifer die *Traumdeutungen* empfinden lassen, die eigentlich bloß gegen die *Traumbücher* hätte gewendet werden sollen. Ich weiß aus unleugbarer Erfahrung daß Träume zu Selbst-Erkenntnis führen. Alle Empfindung, die von der Vernunft nicht gedeutet wird, ist stärker. Beweis das Brausen in den Ohren während des Schlafs, das bei Erwachen nur sehr schwach befunden wurde. Daß es mir alle Nacht von meiner Mutter träumt und daß ich meine Mutter in allem finde ist ein Zeichen wie stark jene Brüche des Gehirns sein müssen, da sie sich gleich wieder herstellen, so bald das regierende Principium den Scepter niederlegt. Merkwürdig ist, daß einem zuweilen von Straßen der Vaterstadt träumt, man sieht besondere Häuser, die einen frappieren, bald darauf aber besinnt man sich und findet (wiewohl es falsch ist), es sei ehmals so gewesen.

Ich empfehle Träume nochmals; wir leben und empfinden so gut im Traum als im Wachen und sind jenes so gut als dieses, es gehört mit unter die Vorzüge des Menschen, daß er träumt *und es weiß*. Man hat schwerlich noch den rechten Gebrauch davon gemacht. Der Traum ist ein Leben, das, mit unserm übrigen zusammengesetzt, das wird, was wir menschliches Leben nennen. Die Träume verlieren sich in unser Wachen allmählig herein, man kann nicht sagen, wo das Wachen eines Menschen anfängt.

Die Träume können dazu nützen, daß sie das unbefangene Resultat, ohne den Zwang der oft erkünstelten Überlegung, von unserm ganzen Wesen darstellen. Dieser Gedanke verdient sehr beherzigt zu werden.

Werkregister 172

JOHANN SALOMO SEMLER

Schulerinnerungen

Auf dieser Schule habe ich sehr bald eine Menge alter Erzälungen und *Traditionen* gehöret und, wie es diesem Alter natürlich ist, aufgefangen. Da lies sich zuweilen ein Mönch sehen, in den abgelegenen Theilen nemlich; das *lateinische* Singen, früh an hohen Festtagen, wurde damalen ausdrücklich also unter uns kleinen Menschen gerechtfertiget, daß die grossen Schüler sonst nicht ruhig schlafen könten; der Mönch werfe sie aus dem Bett. Von einem grossen Schatz, der in der Klosterkirche liegen solte, und entweder eine ganz silberne Orgel, oder eine silberne Gans mit goldnen Eiern und Edelsteinen; oder ein grosser eiserner Kasten mit altem Geld seyn solte, wurde fast unaufhörlich und als ausgemacht richtig gesprochen: Weil auch einige ernsthafte Dinge, so gar Entschliessungen in neuerer Zeit, mit diesen alten Erzälungen noch zusammen hängen, wil ich auf einmal alles hier beibringen, was in die damalige Zeit und zu den Schulfabeln gehört, um nachher die ganze, oft veränderte Einrichtung der Schule selbst, ohne Unterbrechung zu beschreiben. Jede Stadt hat gewis ein Haus oder etliche Häuser, Plätze, Gegenden, wovon man aus alten Zeiten änliche und freilich auffallende Dinge fortzupflanzen pflegt, wenn sie auch von den Mittheilern der Erzälung selbst nicht mehr geglaubt werden. Von diesem Kloster haben sich insbesondre seltsame Erzälungen nach und nach gehäuft, über welche ich nicht selten noch sehr ernsthafte Geberden und zutrauliche Gesichter bemerket habe. Ich erinnere mich von meinem Vater selbst dieses gehört zu haben, was er in der That sehr genau wissen konte; ob es gleich mir damalen so wichtig nicht war, daß ich seinen eigenen schriftlichen Aufsatz darüber mir ausgebeten hätte. Er muste, nachdem er 1727 *Archidiaconus* worden war, mit dem *Diaconus* einen Sontag um den andern in einem Dorfe über der Saale, meist eine Stunde weit, *Gorrendorf*, predigen und Abendmal halten; dieweil ein ansenlicher Theil der Besoldung in dem jährlichen Zehenten dieses Dorfes an die zwey Pfarrherren in Salfeld bestund. Es gibt auf dem Wege nach *Gorrendorf* von Zeit zu Zeit Merkmale, daß ein Dorf oder einige Häuser ehedem hier gestanden, welche wol im dreyßigjährigen Kriege verwüstet worden, wie es vielen ehedem sehr ergiebigen Gruben in dieser Gegend, zumal des rothen Berges, eben so ergangen. Unter diesem verfallenen Gemäuer war noch ein Keller, ziemlich geräumig, worein die Arbeitsleute auf dem Felde zuweilen ihre Geräthschaften ablegten, oder sich für einem jälingen Platzregen schützten – Er muste also freilich vielen von ihnen recht sehr bekant seyn. Ein fleißiges Bauermädgen träumt einmal, als stehe ein alter unkentlicher Mann (der Beschreibung nach müste es ein Franciscanermönch heißen;) bey ihr, und spräche recht deutlich, komme mit mir. Sie weigert sich anfänglich, aus Furcht; er spricht aber nochmalen, komme mit mir, ich thue dir nichts. Sie gehet also (im Traum) ihm nach; er gehet in diesen Keller, und greift in der gegen über stehenden Mauer einen ziemlich grossen Stein an, ziehet ihn heraus, und zeiget ihr darunter zwey Schlüssel, mit der Nachricht, sie gehören in die Klosterkirche in Salfeld, und beschliessen einen Schatz. Sie stelt sich dieses so lebhaft vor, daß sie darüber aufwacht, und kaum den hellen Tag erwarten kan, um in den Keller zu gehen. Sie thut es, und nimt ihren Vater oder Bruder mit sich; weil sie sich nicht getrauet, einen so grossen Stein aus der Mauer zu ziehen, als sie im Traum gesehen hatte. So gleich erkent sie einen Stein für eben den, welchen sie im Traum in dieser Gegend gesehen habe; sie bringen ihn mit Messern endlich heraus, und finden wirklich zwey Schlüssel da, wie sie solche im Traum gesehen. Diese Schlüssel sollen so gleich ins Schlos geliefert worden seyn, und von Zeit zu Zeit soll in diesem Kloster gar viel gegraben worden seyn, aber nie habe man eine solche Thür gefunden, an welcher man diese Schlüssel probiren können. Die Erzälung, als solche, war in Gorrendorf wirklich zu Hause; ich weis aber nicht genau, wie alte Zeit sie begreift. Die Schlüssel sol man auch eine lange Zeit aufbehalten haben. So viel bin ich selbst noch Augenzeuge gewesen, daß fast in der Mitte der Klosterkirche, etwas weiter nach dem Altar hin, sehr tief gegrabene Oefnungen gewesen sind, die erst nach und nach, zum Theil von uns Schülern, wenn wir spieleten, wieder zugefüllet und der Boden meist ganz gleich gemacht worden; es war auch kein steinerner oder ausgelegter Fußboden in der Kirche; vielmehr lauter Schutt und Steine. Von eben diesen ziemlich tiefen Gruben erzählte man ganz dreiste, daß, wie der Herzog (einer nante ihn so, der andere anders) durch geschworne Bergleute graben lassen, die ein tiefes Stillschweigen sich zugesagt hätten, so seien sie endlich wirklich auf einen eisernen Kasten gekommen, und hätten ihre schwere Hebebäume untergestellt: als auf einmal einer oben über dem Altar Feuer in der Decke und am Gesimse gesehen, und ausgerufen hätte, Feuer! Sogleich seie der Kasten wieder eingesunken und habe des Fürsten Hut mit genommen. Man siehet allerdings daselbst noch einen Fleck, kohlschwarz, und ziemlich lang; es kan aber so gar ehedem vom Bliz unmerklich gezündet gewesen seyn. Eben so ernsthaft erzählte man eine ähnliche Sache, von den vorletzten zwey Brüdern, *Schneyer,* deren einer Christoph Wilhelm, von 1691 bis 1736 Rector; Friedrich Leonhard, eben so lange als *Conrector* zugleich an dieser Schule gewesen. Alle Sonntage brachten sie beieinander zu; der Rector wonte im Amtshofe wie er noch heißt, fast der Morgenseite der Klosterkirche gegenüber; der Conrector aber hinter der Mauer, und wol einige hundert Schritte hinter dem Amtshofe. Einen Sontag seie der Conrector ziemlich spät von seinem Bruder zu Hause gegangen; er muste, weil es nun eine sehr schmale Ecke wird, ziemlich nahe an der Klosterecke vorbey gehen; und bemerkte, daß es im Kloster ganz helle sey. Er gehet nach dem Klosterthore zu, und findet es ganz offen, tritt näher, und siehet, daß einige Leute da graben. Einer wirft ihm eine Schaufel vol Leimen oder gelbe Erde in die Schuhe; er schüttelt sie ab, wird bange, und macht, daß er zu Hause kömt; sagt nichts; findet aber des Morgens einige alte Stücke von Gold in den Schuhen liegen. Bis hieher habe ich Erzählungen gesamlet, die ich als Schüler gar oft, freilich nicht immer gleichlautend, gehört habe.

So leicht es den allermeisten Lesern jetzt ist, diese Erzälungen unter jene Stadt= und Landfabeln zu verweisen, wohin sie wenigstens *der Einkleidung nach*, ganz gewiß gehören: so wenig ist doch dieses gesunde Urtheil in aller dieser Zeit meinem Vaterlande ganz gemein worden. Wie ich das vorletzte mal mit meiner sel. Frau nach Salfeld und Coburg reisete vor wol 13 Jahren, bin ich ein Augenzeuge gewesen von einer grossen Leichtgläubigkeit mancher Personen, bey denen man sie von Rechtswegen nicht suchen solte. Leichtgläubigkeit hat eben die nachtheiligen Folgen als Unwissenheit und Aberglaube; ich wil aber nur das hier aufschreiben, was ganz unleugbar gewis ist, und wil die ungewissen Umstände, was man eigentlich zu finden sich hatte vorbilden lassen, (zwey Särge mit sehr kostbaren Sachen, die zwey Aebte mit ins Grab genommen etc.) hier nicht mittheilen. Ich besuchte des Nachmittags vor meiner Abreise nach Halle, ganz allein alle Theile und Gegenden, der mir so lieben Vaterstadt, die mir als Schüler und Einwoner ehedem lieb oder merkwürdig gewesen waren; also ging ich auch auf diese alte Klosterkirche zu, und zwar kam ich hinter der Stadtmauer her, um weniger bemerkt zu werden. Ich sahe durch die Spalten des alten Thores, weil ich überal noch sehr bekant war, und erblickte Bergleute, deren einer aus einer grossen Tiefe, immer erst wieder über eine gleiche Zeit, in die Höhe kam, und Erde auswarf; die schon auf beiden Seiten sehr hohe Haufen oder Wände ausmachte. Ich pochte an; man antwortete, es wird niemand aufgemacht; und da erkante ich den einen Bergmann deutlich, und rief ihn mit Namen. Daß ich sehr viel mit Bergleuten ehedem umgegangen bin, und mir sehr gerne ihre angeblichen Erfarungen von ihrer Wünschelruthe, von Berggeistern etc. habe vorsagen lassen, werde ich nachher erzälen. Dieser erstaunte über eine ganz fremde Stimme; ich nante meinen Namen und sagte, da ich aus der Fremde käme, so würde ich wol ihren noch so grossen Geheimnissen keinen Schaden bringen. Sie machten mir also auf, und ich durfte nun alles besehen. Ich sahe an der Erdart, daß sie so sehr tief schon gegraben hatten, als kein Mensch seitdem die Erde stehet hier gegraben hatte: ich fragte sie, gute liebe Landsleute, handelt ihr auch ehrlich? Wißt ihr es nicht, daß das alles vergebliche Arbeit ist? Wo solten hier in diese Tiefe Schätze kommen, da diese Erde seit dem unsre Erde bewonet ist, von keinem Eisen berürt worden ist? Sie zuckten mit den Achseln, und sagten, wir werden wöchentlich für unsre Arbeit bezalt, und leben davon; nach unsern Bergmannischen Gutachten hat aber noch niemand gefragt; so lange deren -- der -- thut was er will, ist es für Leute unsres Standes eben nicht rathsam, die noch so reine Wahrheit zu sagen. Ich hörte, daß sie ihr Geld in dem alten Schlosse holeten, wo just die neue Münze angelegt worden war, ebenfals mit manchen neuen Personen und Einrichtungen. Ich machte mir also Gelegenheit, unter dem Vorgeben, Geld einzuwechseln, mit dem Interimsaufseher dieses Schatzgrabens selbst zu sprechen. Er kante mich so wenig als ich ihn; ich gab mich für einen fremden Gelerten aus, bis der Mann aus manchen Reden merkte, ich müsse schon sonst in Salfeld gewesen seyn, weil ich um alles so genau bescheid wuste. Ich gestund nach einiger Zeit, daß ich nicht nur vor mehrern Jahren einigemal hier gewesen, sondern auch gar hier geboren und gezogen sey; und nante meinen Namen. Nun wurde der Mann gleich vertraulich; und sagte, da sie ein Gelerter und ein Geistlicher sind, so mus ich sie um ihre Meinung fragen über eine Sache, welche mir allerley Gedanken macht. Ich kam ihm zuvor, und sagte mit verachtungsvoller Mine, ohne Zweifel von ihrem Schatzgraben? Da wenden sie sich in der That an den rechten Mann, der dazu gehört; ich werde ihnen ehrliche Antwort geben. Er wunderte sich, daß ich zugesehen hätte, es seie so sehr verboten – ich sagte, so müssen sie alle Spalten und Risse der Thüren besser verwaren, und gar den Weg dorthin abtragen oder verhauen lassen. Warum verbietet man, daß etwa ein ehrlicher Mann noch eher als ich, durch seine Freimütigkeit eine Thorheit in Israel schon eher abgewendet hätte? Ich bin mit Recht aufgebracht, daß meine Vaterstadt sich eine solche Lächerlichkeit zuziehen mus, daß so viel gute ehrliche Leute den Mund nicht aufthun, und diese Schande doch von sich abwenden dürfen? also, erwiederte der gute Mann, denken sie, daß diese Arbeit ganz vergeblich ist? Ja freilich fur ich fort, nicht nur vergeblich sondern lächerlich und des öffentlichen Spottes wehrt. Ey was gar, sprach der Mann ziemlich hitzig; nun sind wir unsrer Hoffnung fast gewis; übermorgen sol aus *Erfurt* ein *Dominicaner* kommen, und den Geist beschwören, der diesen Schatz so hartnäckig bewaret. Ich sprang vom Stul auf, und sagte im Affect, so viel Schimpf und Schande hätte ich doch nicht so leicht hiebey zu finden geglaubt, als man sich hier so gar von *Erfurt* aus für lutherische Einwoner noch bestellen wolle. Ich ergriff den Mann bey der Hand, und sagte, lieber Patron, den Teufel auf den Kopf würde Luther sagen; das sind rechte Grundsätze, sich als einen treuen Diener gegen seine Herrschaft zu zeigen und – – –. Sind sie denn, lieber Freund, auch klein und albern genug, solche Dinge selbst zu glauben? Ein *Dominicaner* solte Geister um Schätze willen, zur Rede setzen können? Er gestund, daß er freilich seine eigene Gedanken darüber hätte. Nun, sagte ich, ich kan zwar nicht bis Uebermorgen hier warten, meine Erlaubnis gehet alsdenn gerade zu Ende; da mus ich schon wieder in Halle seyn; aber den Geisterbanner wil ich wol abwenden. Von heute an erzäle ich es noch mehrern guten Leuten in Salfeld, damit es indes ein Mährgen werde, und der ganze Vorschlag mit Verachtung ausgezischet wird. Er bat mich, noch einmal mit ihm ins Kloster zu gehen; er wolte mir einige Orte zeigen, wo alte Mönchsschrift wäre; die könte bisher niemand lesen, es möge wol etwas wichtiges anzeigen. Ganz gerne, sagte ich; ob ich gleich ihnen es jetzt schon sagen wil, welche Stellen sie meinen, und was diese Schrift anzeigt. Dort ist eine alte rothe Schrift, eine Zeile lang, über einem steinern Bilde in der Mauer, wo sie aus der alten Münze, in die Kirche kommen. Nicht wahr? Ja, es ist wahr, antwortete er, mit Verwunderung. Und diese Zeile ist nichts mehr und nichts weniger, als der Name einer adelichen Person, die da begraben liegt mit der Jahrzal. Dort ist dis – diese Mönchsschrift habe ich als Schüler lesen können, und jetzt wil jemand sich wol darauf berufen, um seine Einfälle von Weiten her zu färben? Wir kamen nun ins Kloster; er fürte mich aber auch den ganz andern Weg, hinten herum, nahe an der Wonung des Conrectors; er wies mir noch andre angeblich merkwürdige Orte; ich konte ihm aber auf der Stelle die Unerheblichkeit vor Augen legen. Dagegen wiese ich ihm in dem Kreuzgange, der sonst den Eingang in die alte Münze aus dem Schulgebäude ausmachte, gerade an der grossen Treppe hinter Sexta, eine ganz kleine Figur, in einem Zirkel; dergleichen Zirkel die Abschnitte des Gewölbes Reihe durch in sich fasseten. In manchem Zirkel waren eingehauene Rosen und andre Figuren; aber hier war ein kleiner Mann, der einen Pfeil auf einem gespannten Bogen liegen hatte, und zu zielen schien. Hier sagte ich, wenn man die geradeste Linie von der Pfeilspitze an das andere Ende der gegenüberstehenden Wand fände, dächte ich wol, möchte man etwas finden; daß es gerade ein Schatz seie, wüste ich nicht zu behaupten. Aber ich wüste historisch gewis, daß schon einmal in einem Kloster in Teutschland durch so einen Pfeil eine Hölung entdeckt worden, wo man alte Urkunden und kleine Seltenheiten wirklich gefunden habe. Eine solche Aufmerksamkeit seie wenigstens untadelhaft, und ohne alle schimpfliche Beurtheilung. So schieden wir auseinander; jene Schatzgräberey bekam gleich darauf ein Ende, und ich hatte durch meine Dreistigkeit eine Beschimpfung abgewendet, welche noch dazu die armen Leute in Stadt und Land gleichsam feierlich mit dummen Aberglauben wieder angesteckt hätte.

Obrigkeiten solten unaufhörliche Aufmerksamkeit beweisen, daß dergleichen Aberglaube von Schatzgraben, von Geistercitiren, von alten und neuen Erscheinungen etc. durch aus gar nicht sich unter ihren Unterthanen erhalten und fortpflanzen könne. Ein ganz neues Beispiel, das ich hier in *Halle* belebet habe, beweiset gewis, daß vielmehr die Leute geneigt und bemühet sind, dergleichen abergläubische Grundsätze zu unterstützen, als ernstlich zu widerlegen. Ich wil nicht an eine Begebenheit in *Quedlinburg* erinnern, wo ein Frauenzimmer das unglückliche Vorrecht haben wolte, fast überal einen längst gestorbenen alten Mann immer zu erblicken; welche Gauckeley doch anfänglich viele, auch ernsthaften Leute betrogen hat, welche hierüber noch alte Grundsätze beinahe mit in das Weichbild der christlichen Religion setzten. Hier in Halle erhält sich noch immer eine Erzälung von einem herumschleichenden Mönch; oder sind es gar mehrere. Ein Studiosus *Theologiä*, – H** redete gegen das Ende des vorigen Jahres gar ernsthaft mit mir, ob es wol erlaubt seie, eine solche eigene Erfarung zu versuchen, da so eben wieder von einem kleinen Mönch geredet wurde, der in *Glaucha*, oben hinter dem

Hospital, unten von der Saale her, gewisse Nächte sich sehen liesse, und seinen Gang gegen die Weingärtnische Schule zu nemen pflege? Die Erzälung käm von einem Nachtwächter her, der sich keinesweges fürchte, weil er ehedem ein wohl versuchter Soldat gewesen; der noch dazu nicht nur seinen Hund zum Zeugen anfüre, der alsdenn ihm zwischen die Beine kröche, den Schwanz einziehe etc. sondern auch sich selbst zum Beweise machte, da er einsmalen dem Mönch ungebürlich begegnet, und dafür von ihm jämmerlich zugerichtet worden sey, daß ihn einige benachbarte Leute aus Mitleiden aufgehoben und zu sich genommen hätten. Ohnerachtet ich nun dieser Ansage und Frage sehr wichtige Gründe entgegen setzte, weil ich durchaus dergleichen Geschäfte der Gestorbenen leugne, und meine Schüler ausdrücklich zu einer festen Ueberzeugung zu bringen suche, dis als Regel anzunemen; (die angebliche Exception überlasse ich der Ehre eines jeden;) so gab ich doch dem Studiosus die gleichsam von mir gesuchte Erlaubnis, daß er nicht nur ohne Sünde, sondern auch zur Ehre Gottes solche Dinge selbst untersuchen möge, wenn er übrigens wegen der Kälte in dieser Nachtzeit, und wegen seiner Lebensart, sich keines *physicalischen* Schadens zu befürchten hätte. Ich redete daher ganz umständlich mit ihm, wie er sich seines rechten Bewustseyns gewis versichern solle, ob er gleich einen Officier Hrn. von – – nante, der auch bey dieser Untersuchung seyn wolte. Seine Vorstellungen müsse er vorher gleichsam alle in Reihe und Ordnung setzen, eben der Sache wegen, zumal alle Gegengründe, um desto leichter nur auf die rechte Ursache einer Erscheinung (in ihm selbst) Achtung zu geben. Er solte folglich in der Gegend schon vorher ab= und zugehen, alle Winkel, Bäume, Mauren, Gräben, Steine etc. wahrnemen; mit sich selbst, wenn er ja allein gienge, wirklich so laut reden, und zwar um andrer Leute willen, lateinisch, daß er auch das Gehör fest hielte wider andre Empfindungen. Glaube er nun, von da an diesen kleinen Mönch zu sehen, so solte er ganz bedächtig darauf zu gehen; lateinisch fortreden, denn wenn es ja einen so kleinen Mönch, (einen Zwerg beschrieb man, noch nicht zwey Ellen hoch) gegeben hätte, so müste er Latein reden können; er solte gerade vor der Gestalt stehen bleiben, und nun die Hände ohne Frechheit, um sich nichts vorzuwerfen, wirklich zum gewissen Gefüle brauchen, und nun erst erwarten, ob er wirklich von einer fortgehenden Bewegung dieser Figur sich überzeugen könte. Nach einigen Abenden kam der Studiosus an einem Sonnabend kurz vor Mittagsessen wieder, und versicherte mir, daß es seine Richtigkeit hätte. Er habe alles beobachtet, seie weiter vorgegangen, als sein Gefärte; habe sich der kleinen Figur entgegen gestellet, ihr recht zugesehen; ganz deutlich einen geschornen Kopf, tief gehende Augenlöcher, aber keine Hände gesehen, die in der Kutte gesteckt hätten. Er habe sowol ein Kreuz auf der Brust hängen sehen, als einen Strick um die Mitte, dessen Enden er unterschieden. Die Bewegung sey totalis, der ganzen Figur zugleich, nicht der einzelnen Füsse, gewesen; er habe keine Füsse bemerket, sondern es seie gleichsam eine gerade vorschwebende Bewegung, und die Figur wie Nebel oder Rauch gewesen. Er habe mit der Hand durch und durch gestrichen; da habe sich die Figur umgekehret, und seie wieder gerade zurück gegangen, und ziemlich nahe am Wasser verschwunden. Ich wil die Einwürfe nicht widerholen, die ich entgegengesetzt habe; genug, ich lies den Historiker mit mir zu Mittage essen, um mich recht mit ihm auszureden. Er bliebe immer dabey, und versprach mir, so wol dis alles mir schriftlich zugeben, als auch diese Erfarung zu wiederholen; da ich denn selbst dabey seyn wolte, so bald es wieder die Zeit hiesse, daß der Mönch sich sehen läßt. Ich habe auch einen schriftlichen Aufsatz darüber bekommen, den ich nicht gleich wieder finden kan; es ist aber meine Erzälung ganz zuverläßig, nicht mehr und nicht weniger, als seine eigene. Nach einiger Zeit kam er wieder, und sagte, daß ihm ein alter Soldat *Charactere* gegeben hätte, die solte er bey sich tragen, und das ablesen, was auf dem Zettel daneben stünde so müsse der Geist unfelbar antworten. Ich brachte ihn dahin, daß er mir den Zettel wies; ich behielt ihn, und zeigte ihm an klaren Merkmalen, die *sichtbaren Schreibfehler* aus verdorbener mündlichen Aussprache, und nun warnte ich ihn, vor solchen keinesweges mehr unschuldigen oder rechtmäßigen Beschäftigungen. Es ist mir auch nichts wieder gemeldet worden; ich halte alles für bedächtige Erfindungen, aus Eigenliebe, wo nicht gar für Theilnehmung an manchen unedlen Absichten; indem der Mensch bald nachher in sehr unerlaubten geheimen Unternemungen betroffen, und daher von der Universität entfernt worden. Dis Beispiel wird, wie ich eben sagte, noch mehr bestätigen, daß in der That von Obrigkeit wegen, alle solche Erzälungen ernstlich verfolget und die Unwahrheit unerbitlich dargethan werden solte; weil sonst viel Einfältige Menschen durch offenbahren Vorwand hintergangen und betrogen worden, überhaupt aber eine wirkliche Besserung und Unterweisung der zusammengehörigen Zeitgenossen immer mehr befördert werden kan. Bey der *Salfeldischen* Historie wil ich nur noch hinzusetzen, daß ich hiemit nicht sage, daß diese Anstalten des – – zugleich mit Kentnis und Genemhaltung des Herzoglichen Hofes wirklich zu sammen gehänget haben; es geschiehet vieles, wovon Könige und Fürsten nichts wissen.

Werkregister 220

Johann Georg Jacobi

Der Blocksberg.

Ja leider! – – indem ich ihn von ferne sah – – bist du deswegen unter uns berühmt, weil Hexen auf Dir tanzen. Kämen sie nur wenigstens nicht auf Ofengabeln herbeygeritten! Der Besuch von artigen Zauberinnen, gleich der Zauberinn des Theokrit und Virgil, könnte dich immer veredlen. Ich selbst

möchte solch ein Mädchen bey dem von ihm angezündeten nächtlichen Feuer
sehen.

Von schönen Thränen sind die Wangen überschwemmt,
Wenn sie durch ihre Kunst die Flucht des Lieblings hemmt,
Wenn sie, voll Zärtlichkeit und voller Majestät,
Dreymal um den Altar mit seinem Bilde geht,
In dreyfach zauberischen Knoten
Das Band der Liebe fester schlingt,
Und ihre Stimme, die zu Todten
In abgelegne Grüfte dringt,
Den jungen Daphnis wiederbringt*.

Schämen müssen wir uns, wenn wir solche Fabeln mit den Fabeln der Alten
vergleichen; unsern Blocksberg mit dem Berge, von welchem Herkules als
Gott zum Olympe stieg; unsren Mäusethurm mit dem Thurme der Danae;
unsre Teufelsmauer** mit Ossa und Pelion, die, von Riesen aufeinanderge-
thürmt, den Göttern einen Sturm drohten, u. s. w. Wir haben viele zur Erdichtung geschickte Gegenden: Wollten unsre Schriftsteller sich dieselben
nur zu Nutze machen! Welch eine Menge *Local Schönheiten* treffen wir nicht
in den Alten an! Ihren Zeitgenossen gereichten diese zum Vergnügen, und
wir machen uns gern mit alle dem bekannt, was dazu gehört, sie völlig zu
empfinden.

Werkregister 148

UNBEKANNTER VERFASSER

Erscheinung des Todenvogels zu Anspach.

Den 1 Febr. 1786.
Die Ziehensche Prophezeihung, nach welcher am 22 Febr. der größte
Theil des südlichen Deutschlands durch Erdbeben verheert werden soll, wird
hier von allen aufgeklärten Personen verlacht – und nur vom niedrigsten
Pöbel angstvoll geglaubt. Es ist überhaupt unbegreiflich, wie diese niedere

---

* Terna tibi haec primum triplici diuersa colore
  Licia circumdo, terque haec altaria circum
  Effigiem duco, numero Deus impare gaudet.
  Ducite ab vrbe domum, mea carmina, ducite Daphnim.
  Necte tribus nodis ternos, Amarylli, colores:
  Necte, Amarylli, modo: et, Veneris, dic, vincula necto.
  Ducite ab vrbe domum, etc. VIRGIL. Bucol. VIII. 73. sqq.
** Eine Reihe von Felsen am Harze.

Menschensorte noch so ungeläuterte Begriffe haben und am Aberglauben so vest hangen kann, da doch Prediger und jeder vernünftig denkende Mensch sich bestrebt, gesunde Begriffe zu verbreiten. Ich will Ihnen heute nur eine Probe liefern, und dann ein andermahl mehr. Vor etlichen Tagen erblickte man auf dem Stern, oder der obersten Spitze des Thurms der hiesigen St. Gumberts Stiftskirche einen Vogel, der, nach der Höhe des Thurms zu schließen, von ziemlicher Größe schien. Augenblicklich versammelten sich eine Menge Menschen um diesen Thurm her, und staunten, mit vielbedeutenden Minen den verirrten Vogel an. Wenige Minuten brauchte es nur, um auf dessen beyden Flügeln Todenköpfe – am andern Tag aber gar noch sieben dergleichen auf dem Schwanz zu entdecken. Angstvoll raunte man sich ins Ohr: der Vogel habe aus dem Marktbrunnen getrunken und Ströme von Feuer hineingespien. Fünf Tage hatte die Phantasie Raum neue Zusätze zu machen, und diesen Furcht verbreitenden Gegenstand geradezu für den *Todenvogel* zu erklären, als endlich bey dessen Wiedererscheinung ein hiesiger Infanterieofficier, in eben dem Augenblick, als er sich wieder auf seinen gewohnten Stand setzen wollte, durch einen glücklichen Schuß den thörichten Pöbel überzeugte, daß das Unglück drohende Phänomen nichts anders, als ein vor Alter grau gewordener *Sperber* war.

Gut war es gewiß, daß der arme Sperber sogleich tod herabfiel; denn hätte er zu entrinnen das Glück gehabt, was würde nicht da wieder Dummheit und Aberglaube ausgebreitet haben.

Schade ist es, wenn dieser Vogel, der so vieles Reden verursacht hat, nicht ausgestopft neben die Haut des am 9ten October 1685 hier *gehängten Wolfes* gestellt wird: denn schwerlich wird sich, in weitern hundert Jahren ein besserer Pendant hiezu finden.

Werkregister 17

UNBEKANNTER VERFASSER

Eine Schatzgräbergeschichte aus Pommern.

Eingesandt vom Herrn Prediger S**.

Eine außerordentliche Begierde, in der Erde Schätze aufzusuchen, ist seit einiger Zeit selbst unter Leuten, die sonst nicht einfältig sein wollen, ein ansteckendes Uebel geworden. Wie viel Aberglauben, Zeitversäumniß und Geldverlust, wie viel bittre Reue am Ende damit verbunden sei, kann man in manchen Familien bereits sichtbar genug wahrnehmen. Solche Betrogene werden dann um so unglücklicher, da sie das Gespött der Vernünftigen sind, und es aus Schaam nur selten wagen, Andern ihr Unglück zu gestehen. Es ist daher für jeden Menschenfreund Pflicht, durch wahrhafte Erzählung solcher

Beispiele gegen einen so schädlichen und schändlichen Aberglauben zu Felde zu ziehen. – Um nun auch an meinem Theile zu dessen Ausrottung etwas beizutragen, will ich hier eine neuere Schatzgräbergeschichte aus meiner Gegend mit allen Umständen erzählen.

Kaum verbreitete sich gegen Michaelis 1788 in der Gegend um Stargard das sehr unwahrscheinliche Gerücht, daß ein gewisser Mann auf dem Lande einen sehr ansehnlichen *Schatz* auf dem Grundstück einer Mühle gefunden habe, und zwar nach der Anweisung einer *Wünschelruthe;* so erregte dieses die Aufmerksamkeit der ganzen Dorfgemeinde. Mit dieser entstand zugleich das Verlangen, ebenfalls Schätze zu graben. Der Prediger, welcher dies bei Manchem bald bemerkte, und außerdem erfuhr, daß bereits einige der Aermsten den Versuch gemacht hätten, die Erde unter der betrüglichen Direktion einer Wünschelruthe und unter abergläubischen Beschwörungen der Geister umzuwühlen, hielt Rath mit sich, was hierbei seine Pflicht als Volkslehrer sei.

Auf der Kanzel warnte er bloß gegen den Mißbrauch des Namens Gottes, und ermahnte zum Vertrauen auf Gott, und zur christlichen Genügsamkeit; in Gesellschaften aber unterhielt er seine Kirchkinder mit allerlei Schatzgräberhistorien, bei denen es sich am Ende allezeit ausgewiesen hätte, daß Schatzgräber Landstreicher und Betrüger wären. Bei dem allen konnte er es nicht verhindern, daß nicht Einige erst durch ihren eigenen Schaden klug werden mußten. Die Mehresten, und zwar Alle, deren Nahrungsumstände nicht in Verfall waren, folgten der Anleitung ihres Predigers, und freuen sich nun ihrer bessern Einsicht; aber Einige, die mit Schulden beladen waren, konnten diese gefährliche Klippe nicht vermeiden.

Es ward ihnen ein *Weib* als eine sehr versuchte Hexe, Zauberin und Schatzgräberin beschrieben, und sammt ihrem Manne empfohlen. Diese erschien auf vorgängiges Ersuchen, und ward mit ihrem Manne und Kinde als die besten Freunde aufgenommen und bewirthet. Das Weib (die *Schumannin,* denn diesen Namen gab sie sich) spielte die Hauptrolle, ihr Mann machte zu ihren Zauberkünsten nur den Handlanger.

Bei der ersten Bewillkommung nach dem 2ten Advent versicherte sie mit der ernstlichsten Miene und scheinbarsten Freude: daß sie ganz sicher von dem Dasein eines Schatzes in dem Garten des einen Leichtgläubigen benachrichtiget wäre; er bestehe aber nicht in einem, sondern in zwei mit Gelde angefüllten Kasten. Nachdem sie den Leuten die Gegend genau bezeichnet hatte, überließen sich Alle, eines großen Reichthums versichert, der Ueppigkeit und dem Wohlleben, wozu sie denn auch die Zauberin fleißig ermunterte, indem sie ihnen güldene Berge versprach. Dieses Unwesen dauerte so lange die Erde so hart gefroren war, daß man fast unmöglich eingraben konnte. Dann aber sollte die erwünschte Zeit kommen, daß sie sich des Schatzes bemächtigen würden.

Während der Zeit aber mußte ihr *Gympf,* den sie in einer Bouteille mit sich führte, ihrem Vorgeben nach gut gefüttert werden: weil er sonst faul und träge würde, und er gleichwohl zum Reifen und zur Herbeischaffung des Schatzes am meisten thun müsse. Sie versicherte dabei, daß er nichts als delikate Bissen esse, und nichts als Kaffee, Brandwein und gutes Bier trinke. Das Kuchenbacken, Kochen, Schmooren und Braten nahm also während dieser ganzen Zeit kein Ende. Um aber den Betrug mit dem Gympfe, diesem Beschützer der Unterirdischen Reichthümer, den armen Tröpfen desto besser zu verbergen; so wußte das verschlagene Weib durch den Bauch einen Laut hervorzubringen, welcher dem Geschrei eines Kindes ähnlich war. Der Gympf ward hiernächst in eine Kammer gesetzt, in welche das Weib mit ihrem Manne nur allein hineingehen durfte. Wenn sie dann täglich die besten Speisen und Getränke ihrem Vorgeben nach zur Sättigung desselben hinein-trug; so sagte sie öfter bei ihrem Heraustreten zu den Umstehenden: „Daß Dich! Das hat ihm einmal recht geschmeckt!" Zuweilen, wenn sie nicht alles selbst hatte verzehren können; so hieß sie den Mann hineingehen, unter dem Vorgeben: der Gympf wäre eigensinnig; vielleicht möchte er von ihm die Speise annehmen.

Mit der Zeit wurden die Bauern des Dinges überdrüssig, und wollten kurz-um Geld haben. Das Weib stellte vor, daß es für sie mit Gefahr verknüpft sei, wenn sie vor der Zeit etwas erpressen wolle; indessen werde sie einen Ver-such machen. Kaum war sie in die Kammer hineingegangen, als sie schon wieder mit einer blutenden (von ihr selbst blutig geritzten) Nase herausgeflo-gen kam. „Habe ichs nicht gesagt?" sprach sie, „daß es mir übel bekommen werde? Diese Wunde habe ich eurer Ungeduld zu verdanken! Indeß, wenn ihr es durchaus so wollt, so gebt mir nur Vorspann; ich will euch von meinem bereit liegenden Vorrath gleich Geld vorstrecken." Des andern Tages ging also die Reise mit den größten Freuden nach Groß-Rischow. Unterwegs unterhielt sie die Bauern mit allerlei grausenden Historien, natürlich um ihnen Schrecken einzujagen, und ihren natürlichen Verstand zu betäuben. Unter dergleichen Gesprächen kamen sie an Ort und Stelle. Sie ging in ein Haus, und holte einen etwa halbvollen Sack heraus, ließ ihn auf den Wagen heben; und nun traten die Bauern mit ihr sehr vergnügt ihre Rückreise an. Einer indeß, weniger gläubig oder furchtsam als die Andern, eröfnet unbe-merkt den Sack, und wird gewahr, daß lauter glatte Steine darin befindlich sind. „Frau! sagte er, es fühlt sich an dem Sack, als wenn lauter Steine darin wären." „Ich weiß wohl, antwortete sie, daß deine Hand dabei gewesen ist; aber du dummer Teufel, warte erst das Ende ab! Wenn ich zu Hause den Sack eröfnen werde, so wirst du über die Verwandlung erstaunen!" – Indeß, was geschicht? Als der Sack kaum in des Bauern Haus kömmt, ist er auf einmal verschwunden. Das Weib erhebt ein Zetergeschrei: „Dabei war was verse-hen!" hieß es; indeß des Weibes Mann, oder ein anderer Helfershelfer den Sack mit Steinen hinwegpraktisirt hatte. Noch gingen aber den armen Betrogenen die Augen nicht auf. Alles war über diese Verschwindung in Erstaunen.

Das Gerücht von diesem Weibe kam gar bald zu einem andern Dorfe. Es meldete sich aus demselben sogleich ein Bauer bei ihr, mit Begehrung ihrer Beihülfe zur Hebung eines Schatzes, welcher nahe bei seinem Hause ge*brannt* habe. Das Weib nahm den Vorschlag an, zauberte zuförderst, zu mehrerer Bequemlichkeit, den Schatz in die Stube; und nun ging das Graben an, nachdem die Lichter ausgelöscht waren. Denn, wohl zu merken, Licht und Aufklärung müssen bei solchen Dingen nicht sein. Auch durfte kein Mensch ein Wort dabei sprechen. Wie nun die Leute in bester Arbeit sind; siehe! da entsteht ein Hagel von Sand und Steinen, daß die Arbeiter laut aufschreien mußten; und – weg war der Schatz. ,,Dies ist nicht Mangel meiner Kunst, sprach die Schumannin; sondern eure Schuld, daß ihr nicht euer Maul gehalten habt." Diese Entschuldigung war gültig; denn die einfältigen Leute betheuerten, daß sie den Schatz bereits mit den Spaten hätten fühlen können: Sicherlich aber war es nur ein tüchtiger Stein.

Endlich kam die Zeit, daß der große Schatz in dem zuerst bemeldeten Dorfe gehoben werden sollte. Die Aufgrabung der Erde ging bei der Dunkelheit der Nacht gut von Statten; und der Gympf war so gefällig, zwei mächtige Kästchen, jedes in einem besondern Sack, herbeizuschaffen. Die Säcke wurden auf 14 Tage in einer Kammer uneröfnet niedergesetzt. Nun gings erst recht an ein Schmausen und Schuldenmachen von diesen überreichen Leuten. – Ein sonst verständiger Mann kam, sah, befühlte und erstaunte. Das Weib fragte: Ob er seinen Schatz nicht auch wolle heben lassen, der in seinem Keller befindlich wäre? Mit Freuden ward der Antrag angenommen. Nun ging es auch auf diesen Keller loß; bald war er im Dunkeln umgewühlt. Da man nun auf etwas Hartes stieß, drei Stunden vergebens auf die Erscheinung des bösen Dämons wartete, den man zwingen wollte, den Schatz zu verlassen, und man bereits laut über Betrug murrete; so verschwand auch dieser Schatz, und blieb dafür ein mächtig großer Stein. – Zu eben der Zeit verschwanden auch die 2 Säcke mit den Kästchen darin, und hiemit hatte die ganze Gaukelei, welche gegen 4 Wochen gedauert hatte, ein Ende; denn gleich darauf entwischte auch das Weib mit ihrem Komplott.

Auffallend und merkwürdig ist es, daß Einer der Gaukler versicherte: um die Geister zu zwingen, wären *geweihte* Sachen aus einer *katholischen* Kirche erforderlich, als welchen sie nur allein gehorchten.

Werkregister 1

K. G. Schröder

Wiederum ein Beispiel von trauriger Schwärmerei aus Aberglauben.

Gegen Ende vorigen Jahres kam eine Bauersfrau aus dem Dorfe Quetzin, ohnweit Kolberg in Pommern, beim König mit einer Bittschrift ein, worin sie, weil sie keine Ruhe mehr auf Erden hätte, um ihren Tod bat. Die Eingabe ward an den Staatsminister Freiherrn von Zedlitz remittirt; und von diesem ward mir aufgetragen, die Frau ad Protokollum zu vernehmen. Hernach sind auch Akten darüber verhandelt, die ich itzt vor mir habe. Die Sache verhält sich folgendergestalt.

Die Frau heißt *Malwitzen* (gebohrne Rasch), 40 Jahr alt, und ohngefähr seit 20 Jahr mit ihrem noch lebenden Manne verheirathet. Sie gebahr ihm 6 Kinder; vier davon starben, vor ohngefähr drittehalb Jahren, plötzlich und schnell hintereinander an einer anstekkenden Krankheit. Dieß versetzte ihrem Herzen und ihrem Verstande einen gefährlichen Stoß. Sie war schon sonst, auch vor ihrer Verheirathung, zuweilen melancholisch gewesen; in ihrem Ehestande war sie's auch, und vorzüglich während der Schwangerschaft. Dieser traurigen Gemüthslage war sie sich jedesmal selbst bewußt, und pflegte dann drei Prediger ihrer Gegend zu ersuchen für sie zu beten. Wahnsinnig mögte ich sie doch nicht nennen, so wenig wie alle Religionsschwärmer; selbst, wie ich sie sprach, im höchsten Momente ihrer Schwärmerei und Traurigkeit, sprach sie noch immer über alles andere völlig vernünftig. – Genug diese verstorbnen Kinder beschäftigten nun beständig ihre Einbildungskraft. Sie dachte stets an sie; was Wunder, daß sie sie endlich auch sah? Sie liebte sie, sie hielt sie für fromm und gut; und sah sie also in weißen Kleidern erscheinen. So sah sie einst namentlich die älteste zum meisten von ihr geliebte Tochter, in weissem Gewande, im Garten spatzieren, und hörte sie singen: ,,durch einen sanften Tod komm' ich zur Ruh, u. s. w." Sie hielt solche Besuche und Erscheinungen für Trost und für unumstößliche Beweise der Seligkeit ihrer Kinder. Dennoch konnte sie sich nicht zufrieden geben; sie war Tag und Nacht bei den Gräbern ihrer Kinder, kniete darauf, betete, sang, gieng um die Kirche herum, weinte, schrie, u. s. w. Ein Vierteljahr nachher klagte sie – und unter andern auch dem Prediger ihres Dorfes – daß sie fürchte, ihre Kinder sein nicht selig. Bald darauf kam die sichre Behauptung dieser Sache, die nach ihren Ausdrükken so lautete, daß ihre Kinder Höllenglut schwitzten; und, setzte sie hinzu, ihre Kinder sein auch nicht mehr im Grabe. Um über diese letzte ihr so schrekliche Sache zur Gewißheit zu gelangen, verfiel sie darauf, selbst auf dem Kirchhofe nachzugraben, sprach mit dem Prediger darüber; und unternahm es endlich, am hellen Tage, in Gesellschaft ihres Mannes und anderer. Eine Menge Volks lief hinzu; dies zog auch den Prediger hin, der die Sache schon geschehen fand. Der Körper der geliebtesten Tochter war ausgegraben, der Sarg stand auf der Bahre; die unglükliche Mutter fand ein schwarzes Band an dem Leichnam, und rief aus: dies sei ein schwarzes Höllenband, womit ihre Tochter gebunden sei; worauf des Predigers Frau ihr ein rothes Band schikte. Die ganze Sache gab ihrer Schwärmerei freilich neuen Schwung, indessen hatte der Augenschein sie doch etwas beruhigt. Bald aber dünkte es ihr, man wolle ihr ihr Kind wegstehlen; sie lief hin, grub, sah nach, verscharrte das Kind wieder, und gieng nach Hause; und so dauerte das Hinlaufen und Ausgraben eine Weile fort.

Itzt erwachte unglüklicherweise in ihrer Seele ein bekannter und bis dahin bei ihr gleichsam eingeschlummerter Volksglaube; daß ein Todter, dessen Gebeine in seiner Ruhestätte gestört wären, auch im Genuß der Seligkeit dadurch gestöret würde. Nun hielt sie sich für die abscheulichste Kindermörderinn, Mörderinn des ewigen Glüks ihrer Kinder. Nun rief sie aus: ihre Kinder wären durch das Ausgraben aus der Herrlichkeit Gottes gestoßen, und wären ewig verdammt; und daran sei nur sie Schuld. Nun erschienen ihr die Todten wieder; aber aus den friedfertigen weißen Gespensterchen wurden mit einemmal schwarze Unholde, die sie immer verfolgten, sich bald auf ihren Kopf bald auf den Hals setzten, sie stießen, kniffen, u. s. w. Und in dieser bejammernswürdigen Lage blieb sie nun immer fort. Zwar hatte sie nur Ein Kind ausgegraben, und hätte sich also wegen der übrigen beruhigen können; allein sie war sinnreich genug sich selbst zu quälen. Dies eine Kind hatte sie mehr als viermal ausgegraben, und dies berechnete sie nun so, daß auch alle übrigen vom gleichen Fluche getroffen wären. Auszureden war ihr dies nicht; die schwarze Farbe der Erscheinungen bestätigte es zu sehr. Zwei Jahre lang litt die Unglükliche diesen Schmerz eigener Vorwürfe und eingebildeter körperlicher Peinigung. Man kann sich ihr Jammern, ihr ganzes Thun und Leben vorstellen. Ihr Mann, ein Muster von Gedult, konnte es endlich nicht mehr aushalten, und entschloß sich davon zu gehen. Das, und der Gedanke an ihre zwei dann völlig unversorgten Söhne machte ihr das Leben zuwider; sie gieng nach Potsdam, um dem König die oben angeführte Bittschrift zu übergeben.

Sie gestand, seitdem sie von ihrem Dorfe entfernt gewesen, von dem Quälen der schwarzen Gespenster befreit gewesen zu sein. Das habe sich auch schon bei ihren andern kleinen Reisen zugetragen. Natürlich mußte jeder Winkel im Hause sie lebhafter an ihren Verlust erinnern, und ihre Phantasie beflügeln. Darum wollte sie auch durchaus nicht wieder nach Hause. So glaubte sie doch einer Art Qual los zu sein; obgleich sie noch immer das traurige Gefühl mit sich herumträgt, ihre Kinder *auf ewig* unglüklich gemacht zu haben. – Itzt befindet sie sich hier im Arbeitshause.

Noch ist bemerkenswehrt, daß sie angab: das Ausgraben der Verstorbnen sei im Pommerschen sehr gewöhnlich; und sie bat aufs rührendste, daß man doch dies verbieten mögte, damit nicht soviel Menschen unschuldigerweise verdammt würden. Auch ergiebt sich wirklich aus den Akten, daß vor mehrern Jahren im nehmlichen Dorfe der damalige Prediger einer fast auf gleiche Art melancholischen Frau, als die Malwitzen es *Anfangs* war, rieth ihr Kind auszugraben, worauf sie soll beruhigt worden sein.

Werkregister 1

Unbekannter Verfasser

Bemerkungen über den anspachischen Curiosen Zeit= und Historienkalender, auf das Jahr 1787.

Im 9ten Stück des Journals von u. f. D. 3ter Jahrgang, werden einige auffallende Stellen des fränkischen Haushaltungs= und Wirthschaftskalenders mit Recht gerügt. Mich wundert, daß Ihr Correspondent nicht auch der übrigen in Anspach und Schwabach jährlich herauskommenden Kalender gedacht hat, die *alle* zusammen nur dazu gemacht zu seyn scheinen, Volksthorheiten, Aberglauben und Finsterniß unter dem gemeinen Haufen zu erhalten.

Gegenwärtig nur etwas weniges von dem Gehalt des so betitelten

Curiosen Zeit und Historienkalenders, auf das Jahr 1787 Anspach gedruckt und verlegt durch Johann David Messerer, Hochfürstlichen Hof= und Canzleybuchdruckern.

Man findet darin

1.) ein jedes der 12 Monate mit mancherley gar lieblichen *Haushaltungs=* und *Bauernregeln* reichlich gespickt.

Gegen diese Einrichtung würde ich gar nichts äussern, wenn sie die Regeln einer guten, erprobten Landökonomie *allein* enthielte. Die wenigsten aber bezielen diesen würdigen Gegenstand; sie enthalten vielmehr reichen Stoff zum Aberglauben, theils in Prosa, theils in erbärmlichen Reimen. Um Sie davon zu überzeugen, hebe ich einige derselben aus:

Jenner. Wenn an Vincenzentag ist klarer Sonnenschein, so rüstet Fässer zu, denn es verkündet Euch viel Wein.

Februar. Wenn die Sonne an Faßnacht scheint, so soll die zukünftige Ernde gutes Wetter haben.

März. Wenn am Tag Mariäverkündigung früh vor der Sonnenaufgang der Himmel schön hell ist, daß die Sterne funkeln, so soll ein gut Jahr folgen.

April. Donnerts in diesem Monat, so soll es ein gut und fruchtbares Jahr bedeuten.

May. Wenn es an Walpurgisabend oder in derselben Nacht regnet, so hoffet man ein fruchtbares Jahr.

Junius. Wie die Witterung am Medarditag ist, also solls auch in der Ernde-
zeit gemeiniglich seyn.

Julius. Regnet es am Tag Mariäheimsuchung, so bedeutet es nachgehends
noch mehr Regen.

August. Wann etwann zwey, drey oder vier Tage vor oder nach Oßwaldi,
von der Hitze die unter den Bäumen liegende Aepfel braten, so erfrieren
gemeiniglich den folgenden Winter die Weinreben.

September. Donnert es in diesem Monat, so gibt es das folgende Jahr viel
Getraid und viel Obst.

October. Bleiben die Aehren am Getraid sehr kurz, so soll ein harter Winter folgen.

November. Wie sich der 24ste Tag dieses Monats anläßt, so soll sich nachgehends der Monat Hornung anlassen.

December. Ist es windig an den Weihnachtsfeiertägen, sollen die Bäume
viel Obst tragen.

Ausser diesen aberglaubischen Dummheiten können Sie auch

2) bey jedem Monat *das Schicksal der darin geboren werdenden Kinder im
prophetischen Tone* angezeigt finden. Glauben Sie, daß der größte Theil des
Bauernstandes noch so mit Vorurtheilen umnebelt ist, daß er diesen Kalen-
derpropheten beynahe so vielen Glauben, als dem heiligsten Buch der Christen beyleget. Wie muß zum Beyspiel, einem solchen Bauer zu Muthe seyn,
wenn die arme Gattin im *Märzmonat* entbunden wird, und er dann von dem
scheußlichen Kalenderorakel die, seiner Meinung nach, unfehlbare Nachricht
hört:

„Kinder im März geboren sind widerspenstig, neidisch, unkeusch, werden
große Betrüger und Lügner, reich an zeitlichen Gütern, haben aber dabey
kein gar gutes Gewissen."

Und mit solchen elenden Weissagungen ist jeder Monat dieses, im aufgeklärten philosophischen Jahrhundert 1787 gedruckten Kalenders versehen.
Der übrige Raum dieses Volksbuchs wird

3.) mit Anekdoten und Histörchen, ohne alle Wahl und Ordnung, ausge-
füllt. Wenigstens sind diese so beschaffen, daß sie der aufgeklärte Theil der
Landeseinwohner ohne Bauchgrimmen nicht durchlesen, – der Bauer aber
daraus nicht die mindeste Nahrung für seinen Verstand und sein Herz hohlen
kan.

Wenn man nun – wie es denn auch wirklich ist, – annimmt, daß der
Kalender (ausser der Bibel und dem Gesangbuch) beynahe die einzige Lectüre des Bauers ausmacht; – daß dieser ohnehin noch in einer dicken aberglaubischen Finsterniß sitzt; – kann man sich dann wohl des Wunsches erwehren,
daß man doch einmahl daran denken möchte, dieses Volksbuch zu verbessern?

Würde man nicht bey dem gegenwärtigen Vorrath der besten Volksschriften Mittel genug an der Hand haben! Gemeiniglich sind diese Bücher zu theuer, als daß sie der Landmann kaufen sollte. Man liefere sie ihm also im Auszuge durch die Kalender, und suche ihn dadurch *nach und nach* aufzuklären; denn zu schnell darf das Licht nicht über ihn hereinbrechen, es würde seine stumpfen Augen blenden. – Aber durch die *Kalender* könnte man dieser Volksgattung Geschmack an besserer Lectüre, und gesunde Begriffe von der Natur und andern Gegenständen beybringen; könnte den Aberglauben, durch Beweise, in seiner Blöße darstellen, und so endlich den guten Endzweck der Aufklärung erreichen. Man sagte mir, daß die anspachischen Kalender vor dem Druck zur Censur eingereicht werden müssen; das ich aber fast nicht glaube, weil mir unbegreiflich ist, wie ein aufgeklärter Kopf, den ich doch bey einem Büchercensor vermuthen sollte, solches elendes aberglaubisches Zeug dulden könne.

Werkregister 17

KurBairische Verordnung, die Abschaffung des Wetter=Läutens betreffend.

Aus dem Münchner IntelligenzBlatt, Num. 33, 14 Aug. 1783.

Nachdem die leidige Erfarung durch eingelaufene Berichte, und öffentliche ZeitungsBlätter bewiesen hat, daß das bisher üblich gewesene WetterLäuten mer schädlich, als nützlich, und eben darum bereits in den meisten auswärtigen Orten abgeschafft worden sei: so wollen *Seine Kurfürstl. Durchl. etc.*, kraft einer bei höchster Stelle unterm 28. abhin abgefaßten huldreichesten Entschließung, anmit gnädigst, daß künftighin in Höchstdero hiesigen Landen, außer des gewönlichen, zu Anrufung des göttlichen Beistandes bestimmten englischen Grußes, und des, nach geendigtem Gewitter, zur Danksagung abermal zu gebenden Zeichens, in keinem Orte mer zum Wetter geläutet, und besonders von jedem OrtsPfarrer mit Nachdruck getrachtet werden solle, seinen PfarrKindern das dafür etwa noch habende widrige Vorurteil, durch Beibringung der ächten Begriffe, sonderbar der erst zu vernemen gestandenen Beispiele, wodurch das vielfältige Geläute den Donner herbei gezogen, und die betrübtesten Folgen, teils mit gefärlicher Verletzung, meistenteils aber mit Todschlagung der zum Wetter läutenden Personen, wie auch mit Beschädigung der Thürme, zurück gelassen wurden, zu benemen; sohin dieselben ihres Irrtums bestmöglichst zu überfüren.

Uebrigens geht die kurfürstl. höchste WillensMeinung auch dahin, daß dadurch den *Meßnern,* an Verreichung der sogenannten LäutGarben, oder

LäutPfennings, nicht praejudiciret, sondern sothane Abgabe, bis zur Substituirung eines hinlänglichen Aequivalents, noch fernershin unweigerlich fort gereicht werden solle. Sämtliche OrtsObrigkeiten werden demnach hiemit gnädigst angewiesen, nicht nur diese kurfl. höchste Verordnung aller Orten gehörig publiciren, und affigiren zu lassen, sondern auch an genauer Darobhaltung pflichtschuldigst zu sorgen, und besonders den unterhabenden Pfarrern das Erfoderliche nachdrucksamst einzubinden, mit dem vorläufig gnädigsten Unverhalt, daß, in soferne von ein= oder dem andern Teile, eine Contravenirung, oder Saumsal zu erfragen seyn sollte, man hingegen mit den empfindlichst= ungnädigsten Ahndung= und Bestrafungen verfaren lassen würde. Gegeben in der kurfl. Haupt= und ResidenzStadt *München, den 1 August 1783.*

Ex Commiss. Sereniss. Dni. Dni. Ducis et Elect. speciali.

(L. S.)

Josef Anton *Kreitmayr,*

kurfl. obern LandesRegirungs=Sekretär.

Werkregister 27

Johann Caspar Lavater

An den Hofmedikus Marcard über Magnetismus

Lieber Marcard,
Sie mögen nun wollen oder nicht, Sie müssen nun einmal lieb heißen; lieber Marcard! ich diktire einen Brief an Sie, theils um meiner gegenwärtigen *Situation* willen; theils weil in zwener Zeugen Munde eine Sache besteht. *Dr. de Neufville* von Frankfurt schreibet diesen Brief, und kann, nebst dem expreß in die Stadt berufnen *Dr. Hotze,* Ihnen bezeugen: daß meine *von mir magnetisirte* Frau in den *famösen Zustand des Schlafredens* gekommen ist; daß sie in demselben die Methode ihrer Heilung theils freiwillig diktirt, theils auf bestimmte Fragen das Nöthige zur Erläuterung geantwortet. Zehn Tage, sagte sie, soll ich sie Morgens und Abends vom Sonntag den 3. Sept. an, eine halbe Stunde magnetisiren; am Dienstag soll man ihr 4 bis 5 Blutsauger hinter den Ohren ansetzen; am Donnerstag ihr ein solches und solches Klystier geben; am Freitag müsse sie einen Kräuterthee nehmen; wenn dieses nicht hinlänglich sei, so müsse sie noch ein (ihr und uns bekanntes) Theepulver gebrauchen; – aber beileibe nichts anders. Vierzehn Tage nach ihrer ersten Reinigung müsse sie zur Ader lassen; alle Woche 2 mal, Dienstag und Freitag, magnetisirt werden; oft bis an den Hals hinauf baden in beinahe kaltem

Wasser; das Haar auf dem Kopfe müsse ihr abgeschnitten werden; und sie müsse sich täglich vor Schlafengehen mit kaltem Wasser, Kopf, Rükken, und Bauch waschen. Vierzehn Tage lang vom künftigen Dienstag (den 13ten) an, müsse sie Schwalbacher Wasser mit Milch täglich 4 Gläser voll trinken. Sie müsse wenig Fleisch und mehr Gemüse essen; das Wasser müsse ihr magnetisirt werden; und über dem Mittagsessen werde ihr ein Spitzgläschen alten guten Weins, aber er müsse nicht süß sein, wohl bekommen; täglich müsse sie beim Dejeuniren, auch des Abends 2 Theelöffel voll Milchzukker nehmen: – das alles werde ihr zur möglichsten Gesundheit helfen. Völlig gesund und beschwerdenlos werde sie nie werden; aber so, daß sie gar wol zufrieden sein könne. In 3 Wochen werde sie ganz gesund ausgehn, und dieses Jahr keine Hauptkrankheit mehr haben.

Das alles sagte sie zu wiederholten malen vor mehrern Zeugen, *in tiefstem Schlafe*, dessen Länge sie immer genau bestimmte. Sie wußte, wer im Zimmer und Vorzimmer war, wofern sie nemlich die Personen sonst gekannt hatte. Sie kannte durch *das bloße Gefühl*, alle ihr auf die Hand oder zwischen die Finger gelegte, ihr sonst bekannte Handschriften; waren sie von einem *Unbekannten*, so sagte sie's; waren sie *französisch*, desgleichen. Ich legte ihr unter die Fingerbeeren ein Blatt des *griechischen Testaments;* „*das ist nicht deutsch, nicht latein, es wird griechisch oder hebräisch sein; das ist für dich, nicht für mich.*"

Für verschiedene andere Kranke, über die wir sie konsultirten, gab sie uns die bestimmtesten und vernünftigsten Räthe, die nur von einem wachenden äußerst besonnenen Menschen erwartet werden könnten, und deren Erfolge nun über die Wahrheit ihrer *Divination* entscheiden werden.

Sie sagte von einer gewissen Person, sie werde durch die Magnetisirung in Schlaf, aber nicht zum Sprechen, kommen. Beides erfolgte.

Wider den Keichhusten der Kinder schlug sie, mit den Worten: *lachet oder lachet nicht!* Milchzukker des Morgens, und Magnetisirung auf den Nabel, vor.

Ich übergehe, mein Lieber! manche andere *Divinationen*, Aeußerungen, Räthe, Urtheile, Sentiments, *Gebete*, Herzensleerungen, die wir in diesem *exaltirten* Zustande von ihr vernahmen, die alle aufgezeichnet sind, und die die Zeit bestimmen muß. Alles ist wörtlich aufgeschrieben worden; auf die Wahrheit dessen, was ich Ihnen schreibe und was sonst verzeichnet wurde, *können Sie Sich wie auf Gottes Wort* verlassen.

Ich mache nun keine weitere Anwendung. Was ist, ist wahr; was wahr ist, ist annehmungswerth. Philosophie und Wahrheitsliebe ist eins. Ich sage nun nichts mehr; Männer wie Tissot, Zimmermann, Marcard, sollen untersuchen, wenn es möglich wäre, daß sie in das Zeugniß Lavaters und dreier gegenwärtiger Aerzte ein Mißtrauen setzten.

Mein Zwek ist erreicht, wenn meine Frau den möglichsten Grad der Gesundheit erlangt; und die Absicht dieses Schreibens, wenn Sie auch nur einen

Moment im Innersten Ihrer Seele nun fühlen: daß es *Fakta* giebt, vor denen die *Weltweisheit* den Finger auf den Mund legen muß.

Leben Sie wohl, lieber Marcard! und lieben mich – nicht zu viel.

Zürich den 10. Sept. 1785.

Morg. um 10 Uhr. *Joh. Caspar Lavater.*

Werkregister 1

Antwortschreiben des Herrn Hofmedikus Marcard

Der merkwürdige Brief, mein lieber und sehr verehrter Lavater, den Sie unterm 10. Sept. an mich richteten, hat ein sonderbares Schiksal gehabt. In der Schweiz bin ich beinahe einer von den letzten gewesen, in dessen Hände er kam. Am Tage vor meiner Abreise aus Bern erfuhr ich zwar schon, durch eine von Ihnen dahin geschikte Abschrift desselben, daß ein solcher Brief vorhanden sei und begierig gelesen werde. Weil aber in der Ueberschrift dieser Kopie der Namen verschrieben war, und an einen Herrn *Manard* in Lausanne lautete: so konnte ich kaum muthmaßen, der Brief sei an mich; worauf mich sonst meine Ihnen in Zürich geäußerten Zweifel an die Existenz eines *thierischen Magnetismus* hätten leiten können. Ich erhielt endlich diesen Brief, verschiedene Tage nach meiner verspäteten Ankunft in Lausanne, aus den Händen des jüngeren Herrn Spalding; und daher erfolgt meine Antwort so spät.

Ich will Ihnen, vortreflicher Mann, meine Gedanken über den auffallenden Inhalt desselben sagen; so gut ichs jetzt kann. Wenn Sie mich auch nicht auf Ihrem Wege finden, so sollen Sie doch hoffentlich nicht unzufrieden mit mir sein.

Ihre *Fakta* zu leugnen, Ihnen und den drei gegenwärtig gewesenen vortreflichen und einsichtsvollen Aerzten nicht glauben zu wollen, was Sie sahen, hörten und beobachteten – wenn ich auch annehme, daß Sie alle schon vor diesen Begebenheiten dem Magnetismus geneigt waren – das sei ferne! Aber in den *Schlüssen*, die ich aus dem ziehe, was Sie erfuhren, werde ich mich nicht übereilen.

Sehe ich den Magnetismus nur an als ein *Arzeneimittel;* so gebietet mir die Kenntniß der Arzneiwissenschaft, und ihre Geschichte große Behutsamkeit. Wie oft erlebte ich nicht, daß gute und glaubwürdige Aerzte die größten Wirkungen von gewissen Mitteln rühmten, und wiederholt erfahren zu haben glaubten, die sich in der Folge nicht bestättigten! Muß man aber schon so vorsichtig sein in Sachen, die gar nicht außerhalb dem gewöhnlichen Laufe der Dinge sind; wie viel mehr ist dazu Grund, wenn die Rede von Begebenheiten ist, die allem widersprechen, was wir bisher von gewissen Kräften wissen?

Seit vielen tausend Jahren haben sich so viele Milliarden von Menschen, auf so unendlich mannigfaltige Weise, *befühlt, betastet, bestrichen, berührt,* und *begriffen;* und es entstand daraus nie eine andere Wirkung, als was wir etwa alle erfahren haben und kennen. Sehr schwer muß es daher eingehn, zu glauben: eine *größere Wirkung* daraus sei *möglich;* und man habe in diesem Jahre eine *Weise den Körper mit den Händen zu streichen* erfunden, die von erstaunlichen und unerhörten Folgen sei.

Alles, was man, zur Begreiflichmachung dieser Dinge, von gewissen *Ausflüssen* des Menschen sagt, die so wirken sollen, ist unerwiesen; und die Beispiele von Menschen, die durch Auflegen der Hände Krankheiten heilten (durch sogenanntes *Segnen*) beweisen viel zu wenig, um eine so schlechte Theorie zu begründen. Wirkt auch unter gewissen Umständen der Dunstkreis des einen Menschen etwas auf den andern, so ist es sehr wenig; und vielleicht ist dieses wenige noch bloße *Elektricität,* die sich mittheilt, und die bei einigen Menschen sehr stark werden kann (wie ich aus Exempeln weiß), ohne daß daraus irgend eine beträchtliche Wirkung entstünde.

Durch solche Begriffe vorbereitet, können mir die außerordentlichen und unerhörten Wirkungen, die man jetzt von dem Streichen mit der Hand rühmt, nicht anders als höchst befremdlich und verdächtig sein. Das wenigste, was man unter solchen Umständen thun kann, ist: sein Urtheil aufschieben, und warten bis viele ganz evidente Beispiele alle Zweifel heben. Bei einer Sache, die so gründlich ausgemacht werden kann, wie diese, die nicht, wie historische Fakta, nur einmal, so zu sagen nur einen Augenblick wahr sind, sondern die man so oft wahr machen kann, als man will, verliert man gar nichts, wenn man mit seiner Entscheidung zögert; vielmehr wäre es Leichtsinn, sich zu früh zu überzeugen. Je unwahrscheinlicher ein Ding ist, je mehr es von dem gewohnten Laufe und Ordnung abgeht, desto stärker und schärfer muß seine Wahrheit bewiesen werden; das ist ein Gesetz – nicht der Philosophen – sondern der Vernunft, dem jeder Mensch täglich in den gewöhnlichen Vorfällen des Lebens folgt.

Sie sehen nun leicht, mein verehrter Freund, was ich will. Ich gebe Ihnen alle *Phänomene* zu, die Sie an Ihrer Gattin bemerkt haben; aber zweifeln werde ich vor der Hand noch, ob sie wirklich die *Folge* der an ihr vorgenommenen *Manipulationen* waren, die man mit dem nicht recht paßlichen Namen *Magnetisation* benennt.

In einem *exaltirten* Zustande war Ihre Frau Gemalin. Ein exaltirter Zustand der menschlichen Seele ist bei Krankheiten nicht selten. Prosaische Menschen machten in Krankheiten Verse bei Tausenden; andere hielten Reden und sagten Dinge von denen Niemand vermuthete, sie lägen in ihnen; andere zeigten Kenntniß von Sprachen, die sie nur in ihrer Kindheit gehört, kaum gelernt hatten. In allen solchen Fällen wachten nur Vorstellungen auf, die ehemals schon in der Seele waren, und die – wirklich zu wichtigen und tröstlichen Betrachtungen, über Gedächtniß, Vergessenheit, und einige andere Dinge Stof geben können.

Sollten nun Mittel vorhanden sein, den Menschen *durch Kunst* in einen solchen widernatürlichen Zustand zu versetzen? Sollte dieses Mittel die *Magnetisation* sein? – Die Zeit wird es lehren. Aber die Magnetisation soll Dinge im Menschen hervorbringen, die so viel wir wissen *nicht im Menschen liegen*, soll einen *Divinationsgeist* erwekken! Hier stehe ich still. – Unter solchen Umständen, so wie bei vielen andern, ist es rathsam, sich in Gedanken einige Jahre weiter hinaus zu versetzen, und, indem man sich erinnert, wie man etwa über gewisse ähnliche Dinge aus der Vorzeit denkt, zu fragen: wie wird dieses nach so viel Jahren ausehn?

Bisher, dünkt mich, kann ich den Zustand Ihrer Frau Gemalin aus *lauter bekannten Ursachen* und Kräften erklären. Sie wuste, was man für Wirkungen von der Magnetisation vorgiebt, und glaubte daran. Durch die *etliche Wochen* lang an ihr vorgenommenen Operationen ward endlich ihre Einbildungskraft in den höchsten Flug gebracht; und daraus konnte leicht entstehn, was Sie sahen, zumal bei einer Art von Nervenkrankheit, wo der Kopf durch Schmerzen heftig leidet. Ihre Vorhersagungen in Absicht auf ihre *eigene* Gesundheit werden ohne Zweifel alle eintreffen; weil bei allen Nervenkrankheiten alles möglich ist und geschieht, was man fest glaubt. Sie haben daher auf jeden Fall etwas wichtiges und großes gethan, wenn Sie sich der Einbildungskraft mit solcher Gewalt bemeisterten, daß sie ihre großen Kräfte zu so nützlichen Endzwekken hergeben mußte. Von den *andern* Dingen, die sie vorher sagte, wird einiges wahr werden, und anderes nicht; wie es immer geschieht, wenn man über viele Dinge die Zukunft erräth.

Wegen der Kenntniß der Schriften durch *bloßes Gefühl*, bin ich in einigem Zweifel. Bei Blinden wird zwar das Gefühl zu einem solchen Grade fein, aber nie bei Sehenden. Sollte sich nicht etwa in dem ekstatischen Halbschlummer, ohne daß die Umstehenden es bemerkten, oder sie selbst es wußte, *zuweilen ein Auge geöfnet* haben? Ein einziger kleiner Blik (und wie leicht ist der möglich?) vermag in einem solchen gespannten Zustande alles.

Bis jetzt, sage ich, sehe ich alle in Ihrem Briefe beschriebenen, nach der Magnetisation erfolgten Erscheinungen, für bloße Wirkungen der in Aufruhr gebrachten und auf Einen Punkt geleiteten *Imagination* an; nicht für physische Folgen des Magnetismus. Wer weiß, was Einbildungskraft ist, und was sie wirkt, den wird dieses nicht wundern; sie hat schon erstaunlichere Dinge hervorgebracht, als diese.

Aber ich will mich gerne bequemen, an physische Folgen des *Magnetismus*, an *Krisiaken*, und künstlichen *Somnambulismus* zu glauben; so bald an jeder Person, die ich, oder jeder der hierüber so denkt wie ich, Ihnen oder dem Herrn von Püysegür, oder wem Sie wollen, bringt, eine gleiche Wirkung entsteht.

Dieses ist kürzlich mein Glaubensbekenntniß in Ansehung des thierischen Magnetismus der *neuen* Art. Denn, daß der alte Mesmerische Magnetismus,

so wie seine ganze Theorie und die ganze Geschichte des Baquets, aus der
Luft gegriffene Dinge, bloße Charlatanerie und Staub sei für die Augen der
Einfältigen: versteht sich von selbst.

Ich habe das Vergnügen, mich hier zu überzeugen, daß Herr *Tissot*, dem
doch alles bekannt ist, was man jetzt über diese Dinge weiß, nicht verschieden von mir denkt. Auch wollte ich kühnlich behaupten, ich sei nicht weit
von der Meinung des Herrn *Zimmermanns* über diesen Punkt entfernt; und
das wären denn doch die beiden großen Aerzte unserer Zeit, die Sie selbst
auszeichnen.

Sie nennen die *Weltweisheit* am Ende Ihres Briefes. Ich glaube, über diesen
Punkt werden wir uns leicht vereinigen. Die ganze *Schulphilosophie* war
niemals mein Idol. Das Seiltanzen der Vernunft, so wie das Seiltanzen auf
dem Markte, fördert zwar zum Besten der Welt nicht viel; doch läßt immer
die Köpfe und Füße derer wirksam sein, deren Hände, weil sie zum Akker-
bau überflüssig sind, aus Langerweile sich Geschiklichkeit erwerben möchten, ihren Nächsten des Geldbeutels zu berauben. Ehrwürdig aber ist die
Philosophie des vernünftigen Mannes. Alle Dinge in dieser Welt aus dem
Gesichtspunkt eines vernünftigen, weder von Aberglauben und Vorurtheilen
noch von Schulweisheit verwirrten, bloß durch das Leben in der Welt gebildeten, Mannes anzusehn – (ich möchte sagen, eines Mannes, so wie er zuweilen hinter dem Pfluge hergeht, aber öfter in Kabinetten sitzt): das war immer
mein Wunsch und mein Bestreben. Das ist nicht die *Ueberphilosophie*, die
keine Wahrscheinlichkeit gelten läßt, die so fein untersucht, bis man vor
Subtilität nichts mehr glaubt; aber auch nicht die *Unphilosophie*, die auf jeden
Schein hin alles annimmt, was eben in ihren Kram paßt.

Diese Art von Weltweisheit, die einzige wahre, wie mich dünkt, legt zwar
oft vor Faktis den Finger auf den Mund; aber, durch Erfahrung gewarnet,
wird sie sich auch wohl hüten vor zu eiliger Ueberzeugung; zumahl wird sie
sich davor hüten *in unsern Tagen.*

Eine unbändige Leichtgläubigkeit gehört zu den ärgsten und schädlichsten
Frivolitäten unserer Zeit; und nirgends herrscht diese ärger, als, wo alle Frivolitäten immer am besten gedeihen, unter den *Vornehmern*, die sonst Kultur
genug haben könnten, um gegen diese Schwachheit verwahrt zu sein. Sie
wollen nicht dagegen verwahrt sein. Es sei die Folge der Langenweile, welche
der lange Frieden über diese Klasse von Menschen verbreitet, die die Künste
des Friedens nicht häufig übt; oder es sei die Begierde mit dem kleinsten
Aufwande von Kräften und von Anstrengung am stärksten beschäftigt und
erschüttert zu sein: genug, es ist wahr, daß man unter den ersten Klassen von
Menschen in Deutschland und in Frankreich die Köpfe voll von den tollsten
Dingen hat. Die Absichten gewisser Menschen, deren Interesse darunter befördert werden mag, daß solche Dinge im Schwange gehn, sind über alle
Erwartung erfüllt worden. In Deutschland treibt man alle, von allen Vernünf-
tigen seit langer Zeit verlachten, *übernatürlichen Künste* und so genannten

höheren Wissenschaften: das heißt, man citirt Geister, macht Gold, Universaltinkturen, den Stein der Weisen, zaubert den Mond herab, reißt die Welt aus ihrer Achse, – greift nach Schatten in der Luft; und ob man gleich Schröpfer, Saint=Germain und andere jetzt für Betrüger gelten läßt: so glaubt man doch steif und fest an die Wahrheit ihrer Künste. Freilich hat noch Niemand erweislich einen Grashalm aus der Stelle gebracht, ohne auf die gewöhnliche Weise; aber man glaubt immer *nahe dabei* zu sein. – Mit Wehmuth sieht man doch immer solche Raserei unter vielen sonst guten und nur auf diesem Flek thörigten Menschen.

Aber dieser Verfall meines Vaterlandes würde mich noch mehr betrüben, wenn wir nicht sähen, daß es in Frankreich beinahe noch ärger hergehe. Viele tausend Menschen in Paris glauben fest, was der Kardinal von Rohan auch glaubte: daß *Calliostro* ihn kurz vor seiner Haft wirklich mit Heinrich IV. und andern berühmten Todten zu Abend essen, und die Nacht in den Armen der Königinn Kleopatra hinbringen lasse. Was sagt wohl zu solchen Dingen die *Weltweisheit des vernünftigen Mannes?* Wird sie sich hinreißen lassen von dem Strome, von der frivolen Leichtgläubigkeit der Zeit, und von dem Ansehen der Vornehmen und Großen? – Mich dünkt, ich höre sie ausrufen: ,,das ist des Unnsins zu viel!" Und zu jedem, der einen bessern Funken in sich fühlt, höre ich sie sagen: ,,Nehmt in eure Hand, was sie zu führen gewohnt ist: *Lavater* den Palmzweig, ein Anderer die Stachelpeitsche; und bändigt oder besänftigt damit das rasende Volk. Niemand aber thue etwas, auch nicht das geringste, um diesen Unfug zu befördern; oder er sei des Unwillens der Zeitgenossen und der Misbilligung der Nachwelt gewiß!"

Hier haben Sie, mein Freund, meine Antwort auf Ihren Brief, so gut meine jetzige Lage, auf einer Reise, sie zuläßt. Ich wünsche sehr, daß Sie damit zufrieden sein mögen; ich wünsche es sehr, denn Sie sind mir herzlich lieb. Wie verschieden wir auch über einige Punkte denken mögen, so erfreulich ist mir Ihre Bekanntschaft, und so äußerst angenehm jede Viertelstunde gewesen, die Sie mir haben schenken wollen. Ohngeachtet alles Guten, was mir immer unser Zimmermann von Ihnen sagte; so kam ich doch nicht ohne Vorurtheile gegen Sie nach Zürich. Aber, seitdem ich Sie zum erstenmale sah, da Sie mir an Ihrer Kirchhofsmauer begegneten, ohne mich zu kennen; seitdem ich Ihren ersten mir unendlich angenehmen Blik empfing, seit dem Augenblikke, und noch mehr, seitdem ich Ihres nähern Umganges genoß, liebe ich Sie wahrlich, und seitdem werde ich mich immer sehnen Sie wieder zu sehn.

Leben Sie wohl, lieber Lavater, und bleiben mir freundschaftlich gewogen.

Lausanne, den 27. Sept. 1785. *H. Marcard.*

N. S. Meine eiligen paar Zeilen werden Sie erhalten haben, worin ich Ihnen mit letzter Post, *auf Verlangen* eines Ihrer hiesigen Freunde, *historisch* melde-

te, wie man den Somnambulismus vertreibe. – Derjenige, welcher die Magnetisation vorgenommen hat, *kein anderer*, heißt es, muß oft mit den Fingern beider Hände über die Augen des Kranken (von der Nase nach den Ohren, oder umgekehrt, das weiß ich nicht) streichen. Dieser Unterricht kommt aus Paris hieher.

Werkregister 1

GEORG CHRISTOPH LICHTENBERG

Über den Aberglauben

Als ich mich am 24. und 25. Januar 90 auf den Namen des schwedischen Literators und Buchhändlers Gjörwell besann, den ich gar nicht finden konnte, so bemerkte ich folgendes: von Anfang verzweifelte ich ganz ihn je aus mir selbst wieder zu finden. Nach einiger Zeit bemerkte ich daß, wenn ich gewisse schwedische Namen aussprach, ich dunkel fühlte wenn ich ihm näher kam, ja ich glaubte zu bemerken, wenn ich ihm am nächsten war, und doch fiel ich plötzlich ab und schien wiederum zu fühlen daß ich ihn gar nicht finden würde. Welche seltsame Relation eines verlornen Worts gegen die andern, die ich noch bei mir hatte, und gegen meinen Kopf. Den zweisilbigten gab ich übrigens immer den Vorzug. Auch waren mir Bjelke, Niökoping u. d.gl. der nächste endlich wegen des ö und des j. Endlich bemühte ich mich, nachdem ich mich die Nacht durch gequält und dadurch meine Nerven-Zufälle gewiß verschlimmert hatte, den Anfangs-Buchstaben zu finden, und als ich an das G kam nach dem Alphabet stutzte ich und sagte sogleich Gjörwell, allein einige Zeit hernach fing ich wieder an zu glauben, es sei der rechte nicht, bis ich endlich aus dem Bette kam und heiterer wurde. Was mein Aberglaube dabei für eine wichtige Rolle spielte, so daß ich, als ich ihn fand, sogar glaubte, es sei ein Zeichen, daß ich nun gesund werden würde, hängt mit einer Menge ähnlicher Vorfälle in meinem heimlichen Leben zusammen, daß ich nicht nötig habe [davon zu sprechen]. Ich bin sehr abergläubisch, allein ich schäme mich dessen gar nicht, so wenig als ich mich schäme zu glauben daß die Erde stille steht, es ist der *Körper* meiner Philosophie und ich danke nur Gott, daß er mir eine Seele gegeben hat [die] dieses korrigieren kann.

Werkregister 172

II. MENSCHENLEBEN

ALEXANDER GOTTLIEB BAUMGARTEN

Fiktion und wahre Fiktion

aus   Meditationes de nonnullis ad poema pertinentibus.

§. LI. Repraesentationum talium obiecta vel in mundo existente possibilia vel impossibilia. Has *Figmenta*, illas liceat dicere *Figmenta Vera*. §. LII. Figmentorum obiecta vel in existente tantum, vel in omnibus mundis possibilibus impossibilia, haec quae *Vtopica* dicemus absolute impossibilia, illa salutabimus *Heterocosmica*. Ergo vtopicorum nulla, hinc nec confusa, nec poetica datur repraesentatio. §. LIII. Sola figmenta vera et heterocosmica sunt poetica §. 50.52.

Werkregister 49

JOHANNES THEODOR JABLONSKI

Roman.

Roman, Fabula Romanensis, Roman. Eine ertichtete doch wahrscheinliche geschichte, die mit mancherley unvermutheten zufällen erfüllet, und durch allerhand liebes=händel und ritterlichen thaten untermischt, endlich einen frölichen ausschlag gewinnet. *Heliodorus* ein Bischoff zu *Trica*, im vierten jahrhundert, ist der erste gewesen, der eine solche liebes=geschicht, unter dem namen *Aethiopica*, ans licht gebracht, daher man schertz=weise sagt, daß von seinem *Theagenes* und *Chariclea* (also heissen die haupt=personen seines romans) alle andere romans herstammen. Ein Ertz=Bischoff in Franckreich, *Turpin* genannt, hat dem *Heliodoro*, wie man glaubt, nachgefolgt, und die helden=geschichte Carls des grossen und Rolands auf gleiche weise beschrieben. Dieses wurde beliebt, und haben sich sonderlich in *Provence* sinnreiche köpffe gefunden, die einer über den andern mit ihren erfindungen sich hervor zu thun getrachtet. Diesen haben es die Spanier und Italiäner abgelernet, bis endlich auch die Teutschen, nachdem sie sich eine zeitlang mit übersetzungen der andern beholffen, auch selbst dergleichen zu ersinnen angefangen. Von dem nutzen oder schaden, so aus der lesung der romanen zu gewarten, sind die meinungen sehr unterschiedlich. Das müßige frauenzimmer, und junge vorwitzige leute, würden ihrer schwerlich entrathen wollen. Verständige leute geben ihnen ein schlechtes zeugniß, wenn sie sagen, daß das lesen solcher bücher zum müßiggang und zärtlichkeit anleite, das hertz durch einen stetswährenden verfolg mancherley regungen in einer angenehmen unruhe aufhal-

te, und das gemüth mit eitelkeit und falschen einbildungen erfülle. Gewissen-
haffte Gottesgelehrte verwerffen sie durchaus, als eine pest der jugend, und
ein tödtliches gifft für unschuldige seelen; oder zum wenigsten als einen
sündlichen zeit=verderb. Es haben zwar einige vortreffliche verfasser in
Franckreich und Teutschland ihnen vorgesetzet, solchen vorwurff von ihren
schrifften abzuwenden, und sie auf eine solche weise zu stellen, daß sie mit
nicht minderer erbauung als ergötzung gelesen werden möchten. Allein ausser daß der untüchtigen ungleich mehr als der guten umher gehen, so werden
auch jene vor diesen durchgehends von mehrern beliebt und gesuchet. De
l'origine des Romans hat der gelehrte Bischoff in Franckreich *Huet* ein artiges
büchlein geschrieben.

Werkregister 146

UNBEKANNTER VERFASSER

aus Einige Gedanken und Regeln von den deutschen Romanen.

§. 8.

Ein Roman muß ein Gedichte seyn, (§. 2.); man hat daher Ursache, sich zu
bekümmern, wie es überhaupt eingerichtet werden müsse, und ob es nothwendig sey, daß es in allen Theilen erdichtet werde, oder ob man eine wahre
Geschichte zum Grunde legen könne? Ich will hievon in den folgenden §en
die Regeln festsetzen. Das Wesen eines Romans erfordert, daß er also eingerichtet werde, damit der Leser nicht mit einer völligen Gewißheit beweisen
kann, daß sich die erzählten Begebenheiten nicht auf unserer Erdkugel zugetragen haben (§. 2.). Derowegen muß sich der Dichter hüten, daß er überhaupt nichts erzähle, welches der Natur der Dinge auf unserer Erdkugel
offenbar wiederspricht. Er muß seinen aufgeführten Personen nicht solche
Eigenschaften und Neigungen beylegen, welche bey uns nicht gefunden werden. Würde er also dieselben in Ansehung der moralischen Eigenschaften
über das Maaß der Menschen erheben, oder sie auch so lasterhaft fürstellen,
daß man dazu hier keine Muster finden kann, so machet er sie den guten oder
bösen Engeln ähnlich, und sündiget wider die vorher festgesetzte Regel. Da-
ferne auf unserer Erdkugel alle Dinge in einer genauen Verbindung stehen, so
muß auch überhaupt unter den erzählten Begebenheiten eines Romans ein
Zusammenhang seyn. Keine darf daher den andern wiedersprechen, und
überhaupt muß eine genaue Wahrscheinlichkeit beobachtet seyn. In dieser
Welt hat der vorhergehende Zustand den Grund von dem folgenden in sich,
und man kann daraus erkennen, weswegen er so und nicht anders beschaffen
ist. Dieses verbindet einen Dichter, sein Gedicht also einzurichten, damit die
folgenden Begebenheiten aus den vorhergehenden können gerechtfertiget
werden. Man irret sich demnach, wenn man meynet, daß in den Romanen

eine willkürliche Ordnung statt habe. Der vorher angeführte philosophische Satz lehret uns auch, daß in den Romanen die Einheit müsse beobachtet werden; das ist, es muß eine solche genaue Verbindung unter den erzählten Begebenheiten seyn, daß nicht eine einzige hat können ausgelassen werden, wenn nicht das ganze Gedichte vieles von seiner Annehmlichkeit und Deutlichkeit hat verlieren sollen. Diese Regel zeiget dem Romanschreiber, wie er die Zwischenbegebenheiten einrichten müsse, die in dem Hauptgedichte eingeschaltet werden. Diese müssen nicht allein dienen, den Roman zu verlängern, sondern sie müssen nothwendige Erläuterungen entweder von den vorhergehenden oder nachfolgenden Begebenheiten in sich enthalten. Man kann daher leicht beurtheilen, ob eine Zwischenbegebenheit mit Recht da ist. Man darf sie nur im lesen überschlagen; kann alsdenn dennoch der Roman gut verstanden werden, so ist diese Zwischenbegebenheit als unnütz zu verwerfen. Es ist daher thöricht, wenn von einer ieden aufgeführten Person die Begebenheiten erzählet werden, welche derselben nach der Erdichtung des Dichters vorher begegnet sind, ehe sie in dem Romane erscheinet. Es ist zwar nothwendig, daß die Leser die Zufälle der Hauptpersonen wissen, weil diese das Wesentliche des Romans ausmachen; aber es muß die Lesern verdrüßlich machen, wenn ihre Aufmerksamkeit unterbrochen wird, welche sie auf die Hauptgeschichte gerichtet hätten; und sie genöthiget werden, viele Bogen durchzulesen, auf welchen ihnen die Zufälle einer Person erzählet werden, welche fast alsobald verschwindet, als die Erzählung ihrer Begebenheiten geendiget ist. Die letzte Regel, die ich dem Romanschreiber bey der allgemeinen Einrichtung seines Gedichtes fürschreiben will, soll darinnen bestehen: Er muß zwar durch Beyspiele lehren; aber er muß sich hüten, weitläuftige moralische Betrachtungen zu machen. Er muß zu dem Verstande der Leser das Vertrauen haben, daß sie die Nutzanwendungen selbst machen werden. Die Sorgfalt einiger Romanschreiber, da sie fast aus einer ieden Geschichte einen moralischen Satz ziehen, und denselben mit grossen Buchstaben drukken lassen, ist ihnen nicht rühmlich, man mag auch zur Ursache angeben, was man will. Denn entweder sie befürchten, daß der Leser, wegen Mangel der Einsicht, die Erzählungen, der Absicht gemäß, nicht anwenden werde; und alsdenn geben sie einen lächerlichen Hochmut zu erkennen, da sie sich alleine für verständig und weise halten. Oder sie sind bey sich überführt, daß die Moral in den Gedichten so versteckt sey, daß man sie nicht daraus ohne viele Mühe und Vernunft ziehen könne; aber dieses heimliche Geständniß kann sie auch zugleich lehren, daß sie nur schlechte Romanen geschrieben haben, und also ihre Schuldigkeit sey, dieselben zu verbessern, und also einzurichten, daß sie deutliche Beyspiele von beglückten Tugendhaften und gestraften Bösewichtern in sich enthalten. Endlich kann die Ursache dieser ausdrücklich gesetzten moralischen Sätze seyn, daß die Dichter ihre Gelehrsamkeit an den Tag legen wollen; aber diese Auskramung geschiehet nicht zur rechten Zeit, und man erblicket an den Romanschreibern eine zu verspottende Pedanterie.

Es ist in den Romanen nichts ekelhafter zu lesen, als die gelehrten Ausschweifungen. Der Leser will alsdenn durch Beyspiele, und nicht durch trockene
Erinnerungen unterrichtet seyn. Dieses ist unter andern die Ursache, daß die
vor kurzer Zeit aus der französischen Sprache übersetzte Geschichte der
Herzoginn von Vaujour unangenehm zu lesen ist. Der Verfasser befleissiget
sich ungemein, ein gelehrter Sittenlehrer zu scheinen; daher werden von ihm
viele Betrachtungen gleichsam bey den Haaren herbey gezogen, welchen man
an einem bequemern Orte ihre Schönheit nicht absprechen würde. Folgender
Einwurf vertheidiget so wenig diesen Roman, als auch andere, die ihm ähnlich sind, wieder meine Beschuldigungen. Man wendet ein: die Romanen
würden nur um des Frauenzimmers und derienigen Menschen willen geschrieben, welche nur sinnliche Fürstellungen lieben, und auch durch dieselben zur Tugend müssen geführet werden. Solche Menschen würden aber
schwerlich die Verbindung unter den erzählten Begebenheiten, und den daraus flüssenden moralischen Wahrheiten erkennen, und sie wären schon mit
den ersten, als den Schalen, vergnüget, und bemüheten sich nicht, den Kern
zu bekommen. Es wäre daher nothwendig, daß die Romanschreiber diesen
Unachtsamen zu Hülfe kämen, und dieienigen Lehren anzeigeten, um welcher willen die Romanen erdichtet werden. Ich gestehe, daß dieser Einwurf
Grund haben würde, wenn zu der Erfindung der moralischen Wahrheiten aus
den erdichteten Begebenheiten eine grosse Einsicht in den Zusammenhang
der Wahrheiten erfordert würde. Aber was ist leichter als dieses, wenn nur
der Roman gut geschrieben ist? Dem Leser werden die Handlungen einiger
Personen fürgestellet, welche diese in gewisse Umstände versetzen, darinnen
sie glücklich oder unglückselig sind. Welcher Schluß ist nun wol leichter, und
der menschlichen Natur gemässer, als dieser: Jene Handlungen müssen nachgeahmet, und diese vermieden werden? Uebersteiget derselbe wol der Fähigkeit des geringsten Verstandes, und werden wir nicht fast gezwungen, denselben zu machen, weil wir einen unauslöschlichen Trieb haben, glückselig zu
werden?

Werkregister 6

JOHANN CARL WEZEL

Herrmann und Ulrike.

Vorrede.

Der Roman ist eine Dichtungsart, die am meisten verachtet und am meisten gelesen wird, die viele Kenntnisse, lange Arbeit und angestrengte Uebersicht eines weitläuftigen Ganzen erfodert, und doch selbst von vielen Kunstverwandten sich als die Beschäftigung eines Menschen verschreyen lassen
muß, der nichts besseres hervorbringen kan. Ein Theil dieser unbilligen

Schätzung entstund aus dem Vorurtheile, daß Werke, wovon die Griechen und Römer keine Muster, und worüber Aristoteles keine Regeln gegeben hat, unmöglich unter die edleren Gattungen der Dichtkunst gehören könnten: zum Theil wurde sie auch durch die häufigen Misgeburten veranlaßt, die in dieser Gattung erschienen und lange den Ton darinne angaben; denn freylich, eine Menge zusammengestoppelter übertriebner Situationen zusammenzureihen; gezwungene unnatürliche Charaktere ohne Sitten, Leben und Menschheit zusammenzustellen, und sich plagen, hauen, erwürgen und niedermetzeln zu lassen; oder einen Helden, der kaum ein Mensch ist, durch die ganze Welt herumzujagen und ihn Türken und Heiden in die Hände zu spielen, daß sie ihm als Sklaven das Leben sauer machen; ein verliebtes Mädchen durch mancherley Qualen hindurchzuschleppen; Meerwunder von Tugend und schöne moralische Ungeheuer zu schaffen: ein solches Chaos von verschlungenen, gehäuften, unwahrscheinlichen Begebenheiten, Charaktere, die nirgends als in Romanen existirten und existiren konten, solche Massen ohne Plan, poetische Haltung und Wahrscheinlichkeit zu erfinden, bedurfte es keines Dichtergenies und keiner dichterischen Kunst.

Der Verfasser gegenwärtigen Werkes war beständig der Meinung, daß man diese Dichtungsart dadurch aus der Verachtung und zur Vollkommenheit bringen könne, wenn man sie auf der einen Seite der Biographie und auf der andern dem Lustspiele näherte: so würde die wahre *bürgerliche Epopee* entstehen, was eigentlich der Roman seyn soll.

Das bisher sogenannte Heldengedicht und der Roman unterscheiden sich blos durch den *Ton* der Sprache, der Charaktere und Situationen: alles ist in jenem *poetisch*, alles muß in diesem *menschlich*, alles dort zum Ideale hinaufgeschraubt, alles hier in der Stimmung des wirklichen Lebens seyn. Die Regeln, die man für jenes gegeben hat, paßten auch auf diesen, wenn sie nur nicht blos willkührliche Dinge beträfen: aber die wirklichen Regeln, die sich auf die Natur, das Wesen und den Endzweck einer poetischen Erzählung gründen, sind beiden gemein: was man bisher zu Regeln des epischen Gedichts machte, gieng blos die *Form* und *Manier* an, und waren alle blos von der Homerischen abgezogen.

Die bürgerliche Epopee nimmt durchaus in ihrem erzählenden Theile die Mine der Geschichte an, beginnt in dem bescheidenen Tone des Geschichtschreibers, ohne pomphafte Ankündigung, und erhebt und senkt sich mit ihren Gegenständen: das Wunderbare, welches sie gebraucht, besteht einzig in der sonderbaren Zusammenkettung der Begebenheiten, der Bewegungsgründe und Handlungen. In dem gewöhnlichen Menschenleben, aus welchem sie ihre Materialien nimmt, nennen wir eine Reihe von Begebenheiten wunderbar, die nicht täglich vorkömmt: die einzelnen Begebenheiten können und müssen häufig geschehen – denn sonst wären sie nicht wahrscheinlich – aber nicht ihre Verknüpfung und Wirkung zu Einem Zwecke. So verhält es sich auch mit dem Wunderbaren der Handlungen: wir schreiben es ihnen alsdann zu, wenn sie entweder aus einer ungewöhnlichen Combination von Bewegungsgründen und Leidenschaften entstehen, oder in dem Grade der Thätigkeit, womit sie gethan werden, zu einer ungewöhnlichen Höhe steigen. Je höher der Dichter dieses Wunderbare treibt, je mehr verliert er an der Wahrscheinlichkeit bey denjenigen Lesern, die das nur wahrscheinlich finden, was in dem Kreise ihrer Erfahrung am häufigsten geschehen ist: aber dies ist eine falsche Beurtheilung der poetischen Wahrscheinlichkeit, die allein in der Hinlänglichkeit der Ursachen zu den Wirkungen besteht. Der Dichter schildert das *Ungewöhnliche,* es liege nun in dem Grade der Anspannung bey Leidenschaften und Handlungen, oder in der Verknüpfung der Begebenheiten und ihrer Richtung zu Einem Zwecke; und dies Ungewöhnliche wird *poetisch wahrscheinlich,* wenn die Leidenschaften durch *hinlänglich starke* Ursachen zu einem solchen Grade angespannt werden, wenn die vorhergehende Begebenheit *hinlänglich stark* ist, die folgende hervorzubringen, oder die Summe aller *hinlänglich stark* ist, den Zweck zu bewirken, auf welchen sie gerichtet sind. Dies ist der einzige feine Punkt, der das Wunderbare und Abentheuerliche scheidet.

Der Verfasser kan unmöglich in einer Vorrede die Ideen alle entwickeln, die ihn bey der Entwerfung seines Plans leiteten, und wie er seine beiden vorhin angegebnen Absichten zu erreichen suchte: er muß es auf das Urtheil der Kunsterfahrnen ankommen lassen, ob sie in seinem Werke Spuren antreffen, daß er mit Wahl und Absicht verfuhr. Er wählte eine Handlung, die den größten Theil von dem Leben seiner beiden Helden einnahm, um sich die Rechte eines Biographen zu erwerben: aber er wählte unter den Begebenheiten und Handlungen, die diesen größten Theil des Lebens ausmachten, nur solche, die auf seine Haupthandlung Beziehung oder Einfluß hatten, um ein poetisches Ganze zu machen.

Jedes poetische Ganze hat zween Theile – die Anspinnung, Verwickelung und Entwickelung der Fabel: die Exposition und stufenweise Entwickelung des Hauptcharakters oder der Hauptcharaktere. Auf diese beiden Punkte muß der Blick des Dichters bey der Anordnung beständig gerichtet seyn, um zu beurtheilen, welche Charaktere er nur als Nebenfiguren behandeln, wie er sie stellen und handeln lassen soll, daß sie auf die Hauptpersonen ein vortheilhaftes Licht werfen, ihre Charaktere durch Kontrast oder blos graduale Verschiedenheit heben und anschaulich machen; um zu beurtheilen, wie er die Scenen stellen soll, daß die vorhergehenden die folgenden mittelbar oder unmittelbar vorbereiten, und alle auf den Hauptzweck losarbeiten; welche er gleichsam nur im Schatten lassen, nur flüchtig und kurz übergehen, und welche er in das größte Licht setzen und völlig ausmalen soll; wie er sie so ordnen soll, daß jede mit der nächsten mehr oder weniger kontrastirt, und wie er dieses Mehr oder Weniger so einrichten soll, daß es Einförmigkeit und gezwungene Symmetrie verhindert.

Um sich diese und so viele andre Pflichten zu erleichtern, vereinigte der

Verfasser alle Mittel, die dem Dichter verstattet sind – Erzählung und Dialog, worunter man auch den Brief rechnen muß, der eigentlich ein Dialog zwischen Abwesenden ist. Ob er ein jedes am rechten Orte, dem poetischen Effekte gemäß, gebraucht und den eigentlichen Dialog und die Erzählung gehörig in einander verflößt hat, kan nur der Leser beurtheilen, der hierinne kompetenter Richter ist. Wer ihm Fehler anzeigt und sich so dabey benimmt, daß er mit Nachdenken gelesen und mit Einsicht geurtheilt zu haben scheint, wird ihn durch eine solche, mit Gründen unterstüzte Anzeige so sehr verbinden, als durch den uneingeschränktesten Beyfall: wer aus geheimer Abneigung gegen der Verf. oder aus Tadelsucht auf sein Buch schlechtweg schmäht und das Geradeste am schiefsten findet, wird erlangen, was er verdient – Verachtung.

Viele Leser erlassen dem Romanenschreiber gern alle mögliche poetische Vollkommenheiten, wenn er sie nur durch eine Menge seltsamer Begebenheiten unterhält, worunter eine mit der andern an Abentheuerlichkeit streitet, und die Personen recht winseln, brav küssen und oft sterben läßt: solche Leser werden bey dem Verf. ihre Rechnung nicht sehr finden; denn er geht mit den Küssen außerordentlich knickerig um, und steigt nie zu einer großen Quantität, um ihren Werth und Effekt nicht abzunutzen. Keine von seinen Personen wird bis zum Wahnsinne melancholisch, keine ist so sanft und schmelzend, als wenn sie nur ein Fluidum von Thränen wäre. Ueberhaupt hat der Verf. die Ketzerey, daß er den raschen, von Sanftheit temperirten Ton in der Menschheit liebt und die butterweichen Seelen, die fast gar keine Konsistenz haben, schlechterdings entweder belachen oder verachten muß: auch glaubt er daher, daß es für die Stimmung unsers Geistes zuträglicher wäre, wenn wir mit unsern Romanen wieder in den Geschmack der Zeiten zurückgiengen, wo der Liebhaber aus Liebe *thätig* wurde und nicht blos aus Liebe *litt*, wo die Liebe die Triebfeder zum Handeln, zu Beweisung großer Tugenden wurde, Geist und Nerven *anspannte*, aber nicht erschlafte.

Andre Leser verlangen blos Muster der Tugend, oder wie sie es nennen, die Menschheit auf der schönen Seite zu sehen: der Verf. hat allen Respekt für die Tugend und möchte sie, um sich in diesem Respekte zu erhalten, nicht gern zur alltäglichen Sache machen: er findet, daß diese kostbare Pflanze in unserer Welt nur dünne gesäet ist, und will sich also nicht so sehr an dem Schöpfer versündigen und seine Welt schöner machen, als *er* es für gut befand.

Endlich suchen einige in einem Romane und auf dem Theater die nämliche Erbauung, die ihnen eine Predigt giebt, und wollen gern, wenn sie das Buch zumachen, das moralische Thema samt seinen partibus wissen, das der Herr Autor abgehandelt hat. Für diese hat der Verfasser der gegenwärtigen Geschichte am meisten gesorgt; denn aus jeder Zeile können sie sich eine Moral ziehen, wenn es ihnen beliebt. *Wzl.*

Werkregister 248

Unbekannter Verfasser

Lebensregeln für einen ehrbaren Kaufmann

Beginne nichts ohne GOtt, und nichts ohne Raht. In deinen Dienst=Jahren diene so, daß dir einmahl wieder gedienet werde. Verrichte mehr, als deine Verrichtungen von dir fodern. Durch Ausrichtung des Befohlenen wirst du nur Schuld=frey. Wenn du aber dich arbeitselig erweisest; so wird dir einmahl wieder gewiesen, daß du Creditor geworden, und das Capital deiner Tugend und Fleisses Zinsen getragen, nemlich Verdienst und Ehre.

Kleide dich ehrbar, und reinlich. Ein unsauberes Kleid zeiget ein träges Gemüht, und ein unziemliches ein eitles Hertz, an.

Unter deinen Bekandten mache einen Ausschuß. Entziehe dich der Ungezügelten und Ruchlosen: meide die Müßiggänger und Unmäßigen: fliehe diejenigen, so junge Leute vervortheilen. Dagegen halte dich zu denen, von welchen du Vortheil geniessen kanst, d. i. habe fleißigen Umgang mit Frommen und Geschickten.

Reise vorhero in Büchern, ehe du deine Reisen in auswärtige Länder antrittst. In der Fremde betrachte alles, was du siehest: forsche aber noch mehr nach den Vortheilen deines Beruffs, und führe dich so auff, daß der Ruhm vor dir her zu Hause reise.

Laß dir hauptsächlich empfohlen seyn, daß du dich nicht übereilest. Uebereilungen sind Unbesonnenheiten, und zeugen von einem ungewissen übel=eingerichteten Verstande. Dahero erwäge, ehe du wagest; sey aber auch nicht zweiffelhafftig und unschlüßig.

Mache dir kein falsches Ansehen, weder in der Handlung, noch in der Haushaltung. Diese schrencke am Anfang jener auff das behendeste ein, und glaube: daß es mehr Ehre giebt, wenn man aus einer Hütte in ein Haus, als aus einem Hause in eine Hütte, ziehet.

In und ausser deinem Gewerbe begegne einem jeden höflich, hurtig und auffrichtig. So bringest du dir ein 3faches Lob zu wege, und wirst deine Waaren 3mahl eher unter die Leute bringen, als wenn du das Gegentheil ausübest.

Falls jemand auff Treue und Glauben mit dir handelt; so bediene ihn besser, als wenn er selber zugegen wäre, und zusähe.

Gieb und nimm einen mäßigen Vortheil, und laß andere auch was verdienen, weil du nicht allein in der Welt bist.

Nach dem Mangel und Ueberfluß einer Waare kanst du es auff etwas höhere Preise wagen. Laß dich aber auch die Gewinnsucht nicht verstocken, damit, wenn etwa der Wind umgehet, das Sprichwort an dir nicht wahr werde: Nach Wolle gehen, und selbst geschoren werden.

Ueberkommt dir eine Miß=Rechnung; so dencke, daß der erste Schaden der kleinste, und ein kleiner Verlust gegen einen grossen ein Gewinn, sey.

Wilt du jemand Credit geben; so laß kein äusserliches Ansehen dich blenden, sondern die Gemühts=Beschaffenheit und Lebens=Art der Person dir zur Beurtheilung dienen: sintemahl das Gold der Treue nach dem innerlichen Werth zu prüfen.

Deinen eigenen Credit bewahre, als deinen Aug=Apffel. Wie diesen die geringste Unreinigkeit trübe macht; so wird jener durch die kleinste Unrichtigkeit verdunckelt.

Führe richtige Scripturen, und laß keine irrige Rechnungen vom Contoir gehen. Solche Fehler sind von Folgerungen, und werden nicht gern entschuldiget.

Erhalte deine Bedienten in Furcht und Liebe: beweise, daß du ihr Herr und auch ihr Freund seyst: vertraue ihnen viel, und auch nicht zuviel : sey selber der beste Diener, und belohne Gutes mit Gutem.

Drücke nicht die Bedrückten, und entziehe den Arbeitern den billigen Lohn nicht. Denn durch dessen ungerechte Entziehung wird GOttes Straffe auff einen gezogen.

An deinem Ueberfluß laß die Nohtleidenden Theil nehmen, so wirst du wieder Theil an den Göttlichen Verheissungen haben.

Wenn du demnach gegen GOtt als ein Christ, mit dem Nächsten als ein Freund, und gegen dich selber vernünfftig, handelst; so wirst du, eine gewisse zeitliche und überschwengliche ewige Glückseligkeit zu gewinnen, Hoffnung haben.

Werkregister 24

MARTIN WINCKELMANN

aus Familiennachrichten

Soli Deo Gloria,
J. N. J.

Anno 1686. den 27 Martij Bin ich Martin Winckellmann auf diese Wellt gebohren des Abends umb 10 Uhr, des Zeichen im Stier, und darauff den 30 Dito, zu Brieg in Schlesien in der *St. Nicolai* Kirchen getauffet worden der Nahmen des Herrn sey hertzlich dafür gelobt und gepreisset in Ewigkeit.

Anno 1705 in Fastnachten nach dem ich Bey Meinem Vater M. Nicolaus Winckellmann daß Schuhmacher Handtwerck allhier in Stendal außgelernet, zu einem ehrlichen gesellen gemacht worden,

Anno 1707 bin ich in Johanni durch Gottes geleite in die frembde gereiset, und selbige Meine Wanderschaft glücklich beendet Anno 1710. nach Johanni.

Anno 1715 25 Martij war der Tag Verkündigung Mariae bin ich mit der viel Ehr und tugendt begabten Jungfer. *Anna Maria Meyrin* H. Joachim Meyers und Frau Margarita Ebels Jungfer Tochter, in beysey Beyderseits Eltern ehrlich als rechtschaffenen Eheleuten gebühret Verlobt und versprochen worden

Anno 1716 in der Bartholomeus Woche bin ich bey der Gilde der Schumacher allhier in Stendall Meister geworden

Anno 1716 d. 27 October habe ich mit Jungfer *Anna Maria Meyrin* Hochzeit gehalten. G Geben unß beyderseyts seynen reichen Seegen an Leib und seele, und schenke uns nach diesem die Krone der Seligkeit umb des Tods Christi Willen. Amen.

Anno 1. 7. 17. am Tage *Joachimij* welches wahr der 9te Decembr, des morgendts zwischen 6. und 7 Uhr, ist unser gelibtes Söhnlein Johann Joachim Winckellman auf diese Wellt gebohren, und den 12 Decembr als am 3 Advent=Sontage, durch die heylige Tauffe, dem Herrn Jesu Christo, in sein Gemeynde einverleibet worden.

Werkregister 252

JOHANN SEBASTIAN BACH

Brief an Georg Erdmann

Hochwohlgeborener Herr,

Er: Hochwohlgeb. werden einem alten treuen Diener bestens excusiren, daß er sich die Freyheit nimmet Ihnen mit diesen zu incommodiren. Es werden nunmehr fast 4 Jahre verfloßen seyn, da E: Hochwohlgeb. auf mein an Ihnen abgelaßenes mit einer gütigen Antwort mich beglückten; wenn mich dann entsinne, daß Ihnen wegen meiner Fatalitäten einige Nachricht zu geben, hochgeneigt verlanget wurde, als soll solches hiermit gehorsamst erstattet werden. Von Jugend auf sind Ihnen meine Fata bestens bewust, biß auf die mutation, so mich als Capellmeister nach Cöthen zohe. Daselbst hatte einen gnädigen und Music so wohl liebenden als kennenden Fürsten, bey welchem auch vermeinete meine Lebens zeit zu beschließen. Es mußte sich aber fügen, daß erwehnter Serenissimus sich mit einer Berenburgischen Prinzeßin vermählte, da es denn das Ansehen gewinnen wolte, als ob die musicalische Inclination bey gesagtem Fürsten in etwas laulicht werden wolte, zumahle da die neüe Fürstin schiene eine amusa zu seyn: so fügte es Gott, daß zu hiesigem Directore Musices u. Cantore an der Thomas Schule vociret wurde. Ob es mir nunzwar anfänglich gar nicht anständig seyn wolte, aus einem Capellmeister ein Cantor zu werden, Weßweg auch meine resolution auf ein vierthel Jahr trainirete, jedoch wurde mir diese Station dermaßen favorable beschrieben, daß endlich (zumahle da meine Söhne denen studiis zu incliniren schienen) es in des Höchsten Nahmen wagete, u. mich nacher Leipzig begabe, meine Probe ablegte, u. so dann die mutation vornahme. Hirselbst bin nun nach Gottes Willen annoch beständig. Da aber nun 1) finde, daß dieser Dienst bey weiten nicht so erklecklich, als man ihn mir beschrieben, 2) viele accidentia dieser Station entgangen, 3) ein sehr theurer Orth u. 4) eine wunderliche und der Music wenig ergebene Obrigkeit ist, mithin fast in stetem Verdruß, Neid und Verfolgung leben muß, als werde genöthiget werden mit des Höchsten Beystand meine Fortun anderweitig zu suchen. Solten Er: Hochwohlgeb. vor einen alten treuen Diener dasiges Orthes eine convenable station wißen oder finden, so ersuche gantz gehorsamst vor mich eine hochgeneigte Recommendation einzulegen; an mir soll es nicht manquiren, daß dem hochgeneigten Vorspruch und interceßion einige satisfaction zu geben, mich bestens beflißen seyn werde. Meine itzige station belaufet sich etwa auf 700 Cr., und wenn es etwas mehrere, als ordinairement, Leichen gibt, so steigen auch nach proportion die accidentia; ist aber eine gesunde Lufft, so fallen hingegen auch solche, wie denn voriges Jahr an ordinairen Leichen accidentia über 100 Cr. Einbuße gehabt. In Thüring kann ich mit 400 Cr. weiter kommen als hiesiges Orthes mit noch ein mahl so vielen hunderten, weg der excessiven kostbahren Lebensarth. Nunmehro muß doch auch mit noch wenigen von meinem häußlichen Zustande etwas erwehnen. Ich bin zum 2ten Mahl verheurathet und ist meine erstere Frau seel. in Cöthen gestorben. Aus ersterer Ehe sind am Leben 3 Söhne u. eine Tochter, wie solche Er: Hochwohlgeb. annoch in Weimar gesehen zu haben, sich hochgeneigt erinnern werden. Aus 2ter Ehe sind am Leben 1 Sohn u. 2 Töchter. Mein ältester Sohn ist ein studiosus Juris, die andern beyde frequentiren noch einer primam und der andere 2dam classem, u. die älteste Tochter ist auch noch unverheurathet. Die Kinder anderer Ehe sind noch klein, u. der Knabe erstgeb. 6 Jahr alt. Insgesamt aber sind sie gebohrne Musici, u. kan versichern, daß schon ein Concert vocaliter u. instrumentaliter mit meiner Familie formiren kan, zumahle da meine itzige Frau gar einen saubern Soprano singet, auch meine älteste Tochter nicht schlimm eimschläget. Ich überschreite fast das Maaß der Höfligkeit wenn Er: Hochwohlgeb. mit mehrern incommodire, deroweg eile zum Schluß mit aller ergebensten respect zeit Lebens verharrend

Er: Hochwohlgeb.   gantz gehorsamst ergebenster Diener
Leipzig, d. 28. *Octobr.* 1730.   Joh: Seb. Bach.

Werkregister 42

CHRISTIAN FÜRCHTEGOTT GELLERT

Die Verlobung der Gräfin von G***

Nunmehr kömmt eine von den wundersamsten Begebenheiten meines Lebens, welche mir von den Leuten, die den Stand lieben, und die Menschen
nicht nach ihren Neigungen und Eigenschaften, sondern stets nach der Geburt und nach dem Range unter einander vergleichen, schwerlich wird vergeben werden. Ich war noch in meinen besten Jahren, und die Annehmlichkeiten in meiner Bildung waren noch nicht verlohren gegangen oder höchstens
zum Theile nur so verloschen, wie die kleinen Züge in einem Gemälde, die
man nicht sehr vermißt. Es fanden sich verschiedene Holländer von Ansehen
und grossem Vermögen, die mich zur Frau begehrten. Allein ihr Suchen war
umsonst. Wer einen so liebenswürdigen und vortrefflichen Gemahl, als ich,
gehabt, konnte in der Liebe leicht etwas eigensinnig seyn. Ob nun gleich
keiner von meinen Freyern seine Absicht erreichte: so weckten sie doch die
Erinnerung von der Süßigkeit der Liebe bey mir wieder auf. Du willst, dachte
ich, um dieser Herren los zu werden, dich selbst zu einer Wahl entschließen.
Diese Ursache zu einer Ehe ist etwas weit hergeholet. Indessen war es gewiß,
daß ich sie bey mir selber vorwand, weil es mein Herz haben wollte. Der
Herr R== kam an einem Nachmittage zu mir auf meine Stube und fragte mich,
ob ich mich bald der Ehe zum Besten entschlossen hätte. Rathen sie mir denn,
sprach ich, daß ich wieder heyrathen soll? Nicht ehe, versetzte er, als bis ich
sehe, daß es ihnen ihr eigen Herz gerathen hat. Sie kennen meine Aufrichtigkeit, und sie wissen, daß ich nichts für ein Glück halte, was man nicht
verlangt und freywillig wählt. Unter der großen Anzahl Männer, die sich um
ihr Herz bemühen, gefällt mir keiner besser, als der Herr von der H==; Nicht
deswegen, weil er sehr gelehrt ist; sondern weil er außer seinen Wissenschaften und seiner wichtigen Bedienung sehr viele Vortheile hat, die ihm Liebe
erwerben, und ihn zur Liebe geschickt machen. Ich habe gewiß Recht, daß er
ein liebenswürdiger Mann ist; allein diesem Urtheile dürfen sie darum nicht
trauen. Ich betrachte den Mann zwar nach einerley Begriffen mit ihnen, allein
nicht nach einerley Empfindungen. Ich liebe ihn als einen Freund, und als ein
Freund kann er ihnen angenehm und liebenswerth vorkommen, aber darum
noch nicht als ein Ehemann. Unser Herz ist oft so beschaffen, daß es die
Liebe gegen eine ihm angenehme Person zurück hält, sobald es auf das genaueste mit ihr verbunden werden soll. Vielleicht, fuhr er fort, gefällt ihnen
einer von den andern Herren besser zur Liebe, ob ihnen dieser gleich zu
einem guten Freunde genug gefällt.

Ich versicherte ihn, daß ich mich seines Raths bedienen würde, so bald ich
meine eigene Neigung zu Rathe gezogen hätte. Warum, fuhr ich fort, heira-

then sie denn nicht? O, sagte er, ich würde es gewiß gethan haben, wenn meine Umstände und die Liebe mir zur Ehe gerathen hätten. Die Liebe und meine Philosophie sind einander gar nicht zuwider. Eine recht zufriedene Ehe bleibt nach allen Aussprüchen der Vernunft die größte Glückseligkeit des gesellschaftlichen Lebens. Zeigen sie mir nur eine Person, die mir anständig ist, und die ihnen die Versicherung giebt, daß sie mich zu besitzen wünscht: so werde ich sie, so bald ich sie kenne, mit der größten Zufriedenheit zu meiner Gattinn wählen. Wir haben alle eine Pflicht, uns das Leben so vergnügt und anmuthig zu machen, als es möglich ist. Und wenn es wahrscheinlich ist, daß es durch die Liebe geschehen kann: so sind wir auch zur Liebe und Ehe verbunden. Allein, versetzte ich, sie haben ja, so lange ich sie kenne, gegen unser Geschlecht sehr gleichgültig zu seyn geschienen; wie kömmt es denn, daß sie der Liebe itzt das Wort reden? Ich bitte, sprach er, vermengen sie die Bescheidenheit nicht mit der Gleichgültigkeit. Ich weis, daß man dem andern mit seiner Liebe oft so beschwerlich fallen kann, als mit seinem Hasse. Und aus diesem Grunde bin ich stets behutsam, aber darum nicht gleichgültig gegen das Frauenzimmer. Ich weis eine Person, hub ich an, die sie liebt, und ich glaube nicht, daß sie ihnen misfallen wird. Allein deswegen weis ich auch noch nicht, ob es eben diejenige ist, mit der sie das genaueste Band der Liebe schliessen wollen. Er ward bestürzt, und fragte mich wohl zehnmal, wer sie wäre. Ich hielt ihn lange auf, und endlich versprach ich ihm, daß er sie Nachmittage zu sehen bekommen sollte. Nachmittage schickte ich ihm mein Portrait, und schrieb ein Billett ungefehr dieses Innhalts an ihn:

So hat die Person in ihrer Jugend ausgesehn, die sie liebt. Erst hat sie nur Freundschaft und Erkenntlichkeit gegen sie empfunden. Die Zeit und ihr Werth hat diese Regungen in Liebe verwandelt. Der liebste Freund meines Gemahls hat das erste Recht auf mein Herz. Sie sind so großmüthig und tugendhaft mit mir umgegangen, daß ich Sie lieben muß. Antworten Sie mir schriftlich. Entschuldigen Sie sich nicht mit ihrem Stande. Sie haben die Verdienste; was geht die Vernünftigen die Ungleichheit des Standes an? Um die Unvernünftigen dürfen wir uns nicht bekümmern, weil hier niemand von meinem Stande weis.

Er kam den Augenblick zu mir. Und eben der Mann, der so wohl bey meines Gemahls Lebzeiten, als nach seinem Tode nie so gethan hatte, als ob er mir eine Liebkosung erweisen wollte, wußte mir itzt seine Zärtlichkeit mit einer so anständigen und einnehmenden Art zu bezeigen, daß ich ihn würde zu lieben angefangen haben, wenn ich ihn noch nicht geliebt hätte. Nunmehr, sagte er, haben sie mir das Recht gegeben, ihnen mein Herz sehen zu lassen. Und nunmehr kann ich ihnen ohne Fehler das gestehen, was mich die Ehrerbietung sonst hat verschweigen heissen. Ich habe an das Glück, das sie mir itzt anbieten, wie der Himmel weis, kaum gedacht. Und wenn ich auch daran gedacht hätte: so würde mich meine wenige Eigenliebe niemals diesen Ge-

danken haben fortsetzen lassen. Es fehlt zu meiner Zufriedenheit nichts, als
daß sie mich überzeugen, daß ich ihrer werth bin: so will ich mich für den
glücklichsten Menschen schätzen. Kurz, wir giengen zu unserer Wirthin, wir
sagten ihr unsern Entschluß, und sie war nebst ihrem Manne über diese
unvermuthete Nachricht ausnehmend erfreut. Unsere kleinen Capitale hatten
sich binnen sechs Jahren in der Handlung fast um noch einmal so viel vermehret, und wir hätten beyde sehr gemächlich davon leben können. Allein
unser freundschaftlicher Wirth wollte uns nicht aus seinem Hause lassen. Er
behielt unser Geld, und erwies uns, wie zuvor, alle mögliche Gefälligkeiten.
Also war Herr R==, mein Gemahl, oder wenn ich nicht mehr standesmäßig
reden soll, mein lieber Mann. Ich liebte ihn, wie ich aufrichtig versichern
kann, ganz ausnehmend, und so zärtlich, als meinen ersten Gemahl. An
Gemüthsgaben war er ihm gleich, wo er ihn nicht noch in gewissen Stücken
übertraf. Aber an dem äußerlichen kam er ihm nicht bey. Er war wohl
gewachsen; allein er hatte gar nicht das Einnehmende an sich, das gleich auf
das erstemal rührt. Nein, man mußte ihn etliche mal gesehen, man mußte ihn
gesprochen haben, wenn man ihm recht gewogen seyn wollte. Ich will deswegen nicht behaupten, daß er sich für alle Frauenzimmer geschickt haben
würde. Genug, er gefiel mir, und ich fand jeden Tag in seinem Umgange eine
neue Ursache, ihn zu lieben. Er war nahe an vierzig Jahre, und er hatte seit
der Zeit, daß ich ihn bey meinem Gemahle kennen lernen, sich gar nicht von
Person geändert. Seine ordentliche und stille Lebensart erhielten ihn so gesund, als ob er erst zu leben anfieng. Wer war glücklicher, als wir! Unser
Glück fiel niemanden in die Augen, und desto ruhiger konnten wir es genießen. Wir lebten ohne zu befehlen, und ohne zu gehorchen. Wir durften
niemanden von unsern Handlungen Rechenschaft geben, als uns selbst. Wir
hatten mehr, als wir begehrten, und also genug, andern wohl zu thun. Wir
hatten eine Gesellschaft, die sich zu unsern Neigungen schickte. Wir lebten
an dem volkreichsten Orte in der größten Stille. Dieses war unser Verlangen.
Wir konnten uns beyde mit dem edelsten Zeitvertreibe, mit Lesen und Denken unterhalten. Wir studirten, ohne daß uns deswegen jemand bewundern
sollte. Wir studirten zu unserer eigenen Ruhe. Und daß ich alles mit einmal
sage, wir wußten in unserer Ehe von keinem andern Wechsel, als von Gefälligkeiten und Gegengefälligkeiten. Viele können es nicht vertragen, wenn sie
die Liebe verehlichter Personen so zärtlich geschildert sehen, als die Liebe
zwischen unverehlichten, weil man sieht, daß die meisten Ehen die Liebe
eher auslöschen, als vermehren. Doch solche Leute wissen nicht, was Klugheit und Behutsamkeit in der Ehe für Wunder thun können. Sie erhalten die
Liebe und befördern ihren Fortgang, wie das Herz durch seine Bewegung
den Umlauf des Geblüts. Es ist wahr, eine beständige und sich stets gleiche
Zärtlichkeit ist in der Ehe nicht möglich. Doch wenn nur auf beyden Seiten
eine gegründete Liebe vorhanden ist: so kann sie bis in die spätesten Jahre
feurig und lebhaft bleiben. Unsere Empfindungen können wohl etwas abneh-

men, allein diese Abnahme heißt wenig. Derjenige hat allemal genug Vergnügen, so lange er so viel hat, als das Maaß seiner Empfindungen verlangt.

Werkregister 91

Brautbriefe der Luise Adelgunde Kulmus an Johann Christoph Gottsched

Danzig den 27. October. 1730.

Hochzuehrender Herr,
Wie viel Dank bin ich meinen Eltern schuldig, daß sie mir einen so lehrreichen Briefwechsel erlauben. Die Bücher, die Sie mir zu lesen empfehlen, sind vortreflich. Ein *Fenelon*, ein *Fontenelle* haben sich viel Mühe gegeben, unser Geschlecht zu unterrichten und zu bessern. Vorzüglich aber gefällt mir die Marquise von *Lambert*. Welche unvergleichliche Mutter! Sie lehrt ihre Tochter nicht auf den äußerlichen Reitz ihrer Jugend, ihres Geschlechts sich zu verlassen, sondern ihr Herz zu bilden, ihren Verstand aufzuklären, und sich wirkliche Vorzüge zu verschaffen. Ich werde Ihrem Rathe folgen, und mich an die Uebersetzung wagen.

Aber warum wollen Sie mir nicht erlauben, daß ich französisch schreibe? Zu welchem Ende erlernen wir diese Sprache, wenn wir uns nicht üben und unsere Fertigkeit darinnen zeigen sollen? Sie sagen, es sey unverantwortlich, in einer fremden Sprache besser als in seiner eigenen zu schreiben, und meine Lehrmeister haben mich versichert, es sey nichts gemeiner als deutsche Briefe, alle wohlgesittete Leute schrieben französisch. Ich weiß nicht, was mich verleitet, Ihnen mehr als jenen zu glauben, aber so viel weis ich, ich habe mir nun vorgesetzt, immer deutsch zu schreiben. Sie werden mich tadeln, und dieser Tadel wird mich bessern. Dieses ist doch Ihre Absicht? Die englische Sprache hat vielen Vorzug in meinen Augen. Wenn ich mehr davon wüßte, schrieb ich Ihnen lauter englische Briefe. Ich hoffe es noch so weit zu bringen, und Sie sollen die Erstlinge meines Fleißes erhalten.

Jetzt lese ich Les hommes illustres de Plutarque. Ich bin begierig zu wissen, welches Ihr Held ist, und ob wir in unserer Wahl gleichförmig sind? = = Ich versichere Ihnen meine beständige Hochachtung.

Kulmus.

An eben Denselben.

Danzig den 15. Febr. 1733.

Hochzuehrender Herr,
Sie haben Recht, bald wäre ich gestorben. Die Klagelieder, die Ihnen die Freundschaft gegen mich in die Feder geflößet, erweckten mich aus meiner Leblosigkeit. Aber welch Unrecht thun Sie mir, wenn Sie mein voriges

Schreiben für eine Erklärung meines Willens, nicht aber für das annehmen, was ich der Vorschrift meiner Anverwandten schuldig bin? Was würden Sie von einer Person halten, die in dem Hause Ihrer Mutter sich derselben widerspenstig erzeigte, und dieser nicht ihren ganzen Willen aufopferte? Würden Sie nicht vermuthen, daß diese Person in Zukunft auch eine widerspenstige Frau seyn würde? wie unbillig sind also Ihre Verweise? Sie nennen mich grausam, Sie beschuldigen mich meines Versprechens vergessen zu haben = = = Doch ich will von allen nichts mehr erwähnen, was Sie mir beymessen. Haben alle Versicherungen einer beständigen und ewigen Freundschaft nichts mehr ausgerichtet, als daß Sie bey *jedem rauschenden Blatte* solche in Zweifel ziehen? Meynen Sie daß ich fähig sey, einen so ernsthaften Briefwechsel zu führen, wie der meinige gewesen? solche Versicherungen zu geben, wie ich mündlich und schriftlich gethan, und demohngeachtet mein Wort nicht zu erfüllen? Halten Sie mich keiner so unedlen Gesinnung fähig, ich beschwöre Sie darum, oder hören Sie auf sich meinen Freund zu nennen. Meynen Sie, daß es mir nicht schwer geworden, Ihnen die Nachricht von unsern gehemmten Briefwechsel zu geben, und das Verbot hernach zu erfüllen? Sie irren sehr, wenn Sie mich ganz gelassen bey dieser Sache glauben, die einen wesentlichen Theil meiner Glückseeligkeit ausmachte; Glauben Sie mir, es hat mich viel Ueberwindung gekostet diesen Schritt zu thun. Wäre unsre Freundschaft ein Feuer, das erstickt werden könnte, so wäre es längst geschehen. Wäre meine Mutter Ihnen ganz abgeneigt; so hätte Sie Ihnen alles abgeschlagen, und ihre Tochter nicht auf gewisse Bedingungen versprochen. Diese hängen von der Zeit und einigen günstigen Umständen ab, und müssen von unserer Gedult erwartet werden. Fürchten Sie also nichts, wo nichts zu fürchten ist; und lassen Sie uns eine Probe unserer Gedult ablegen, so werden wir endlich herrlich belohnt werden.

Ich war krank, traurig, sterbend; aber diesen Augenblick erhalte ich ein neues Schreiben, und so werde ich wieder munter, gesund und ganz neu belebt. So viel Gewalt hat ein Brief von Ihnen über Ihre

Kulmus.

Werkregister 121

Unbekannter Verfasser

Bürgerleben in Hamburg

Als ich vor einiger Zeit auf unserm Wall mir eine kleine Bewegung machte, wie ich fast täglich zu thun pflege, dafern nur die Witterung es zulässt; so ward ich ungefehr eines beschriebenen Papiers gewahr, das der Wind auf der Erde vor mir hinrollte. Ich ergriff es, und sahe eine Englische Schrifft darauf. Vielleicht war einer von dieser Nation kurtz vor mir denselben Weg gegangen, der solches verlohren, oder unversehens weggeschmissen hatte. Indem ich aber fand, daß es verschiedene Anmerckungen über den Zustand und die Lebens=Art unserer Einwohner enthielt; steckte ichs zu mir, und übersetzte es zum Dienste meiner Leser, die Zweifels=ohne nicht weniger neugierig sind, als ich, zu wissen, was Fremde von uns gedencken. Es scheinet der erste Aufsatz eines Briefes zu seyn, der von Hamburg aus an einen Freund in London geschrieben worden, und lautet folgends:

Hamburg, den $\frac{6}{17}$ Jan. 1724.

Mein Herr!

Ich habe schon einmahl die Ehre gehabt, Ihnen von hieraus zu schreiben, und von der angenehmen Lage dieser Stadt, der Stärcke ihrer Vestungs= Wercke, der Menge ihrer Einwohner, der Pracht ihrer Häuser, der Gelindig- keit ihrer Regierung, und den Freyheiten des Volcks, etwas zu melden. Zu der Zeit gedachte ich nicht, daß ich so lange hieselbst würde verweilen müs- sen; allein die verdrießliche Sache des Herrn N. hat mich bis itzund aufgehal- ten, und mich verlanget sehr, sie je eher je lieber geendigt zu sehen. Indessen habe ich Gelegenheit gehabt, mit der Teutschen Sprache mich einiger massen bekandt zu machen, und den Zustand der hiesigen Einwohner in etwas ken- nen zu lernen.

Die Kauff=Leute hieselbst, die den grösten Theil der Stadt ausmachen, sind meistens sehr vernünfftige, redliche Leute, und ist sehr wohl mit ihnen umzu- gehen. Sie sind die Grund=Pfeiler der gemeinen Wohlfahrt, und helffen selbi- ge, unter Göttlicher Obhut, in derjenigen Grösse unterhalten, dazu sie von ihnen selbst mit erhoben worden. Durch ihren Fleiß haben die Einwohner alle Gewächse und Seltenheiten eines jedweden Landes eben so überflüßig und leicht, als wären sie innerhalb ihrer eigenen Ring=Mauren hervor ge- bracht. Die Güter der entferntesten Völcker sind ihnen schon längst auf gewisse Art zinsbahr geworden. Ihre Häuser findet man mehrentheils mit Italiänischen Schildereyen, Türckischen Tapeten, und Pyramiden von Sinesi- schem Porcellan ausgeschmücket. Die Frauenzimmer prangen in den seide- nen Stoffen aus Persien, schertzen bey den Blättern einer Pflantze aus Indien, wärmen sich des Winters mit Zobeln aus Rußland, und kühlen sich im Som- mer mit Fischbein aus Grönland. Die Bürger haben häufige Wein=Berge in Franckreich, wo sie ihre Trauben wachsen lassen, und gantze Pomerantzen= Wälder in Portugall, davon die dasigen Einwohner nur den Schatten und Geruch haben. Viele tausend Schaaffe blecken itzund auf unsern Brittischen Wiesen, welche sie jährlich zur Kleidung für sich scheren lassen. In unserm West=Indien sind gantze Felder mit Zucker und Toback bedeckt, der hier entweder im Wasser zerschmeltzt, oder im Rauche vergehet. Durch diese ansehnliche Gesellschafft von Handels=Leuten ist Hamburg ein Magazyn ausländischer Schätze, daraus die benachbahrten Länder nicht allein ihre Nohtdurfft, sondern auch ihre Bequemlichkeit, holen müssen, folglich der- selben sehr vieles zu dancken haben. Der Fleiß und die Künste werden durch

ihre Belohnung ermuntert, und sie machen, daß das Geld, als der Nahrungs=
Safft der Republick, durch alle derselben Adern fliesse. Der Arme hat von
ihnen seine Nohtwendigkeit, der Mittel=Mann seine Gemächlichkeit, der
Reiche seine Pracht, und, indem sie ihr eigenes Glück machen, befördern sie
zugleich das Glück der Republick, welches ebenfalls ihr eigenes ist.

Die Ansehnlichkeit dieses Orts äussert sich so gleich durch die Menge der
Kutschen, deren hier so viele, daß die meisten kein eigenes Gebäude dazu
haben, sondern die Pferde sanfftmühtig in den Keller hinunter, die Kutschen
aber die Treppe hinauf ins Hauß, steigen müssen.

Die Frauens=Personen sind hieselbst durchgehends sehr schön, und man
findet unter ihnen nicht solche gelbliche Gesichter, als unsere Engländerin-
nen vom Rauche der Stein=Kohlen annehmen. Sie beladen aber sich selbst mit
häuffigen Juwelen, die, meines Bedünckens, mehr Schönheit an ihnen bedek-
ken, als sie selber ihnen ertheilen können. Wenn sie ausgehen, umhängen sie
sich mit einem schwartzen seidenen Schleyer, worunter ihre Augen, wie
Sterne in einer finstern Nacht, viel angenehmern Glantz haben. Jedweder von
diesen Schönheiten folget eine nett=geschnührte Junge=Magd mit einem me-
tallenen Rauch=Gefässe, als ob sie ihrer Göttin opffern wolte. Die Matronen
sind sorgfältige Haußhälterinnen, offenhertzig, gutthätig, und allezeit wohl
aufgeräumet, wenn sie gesund sind. Etliche aber, wiewohl sehr wenige, sind
einer wunderlichen Kranckheit unterworffen, welche sie plötzlich mit einem
hefftigen Beben der Glieder überfällt. Das Hertz klopffet, die Adern schwel-
len auf, die Augen blitzen, das Gesicht wird bey einigen blaß, bey andern
feurig, und sie fühlen in sich selbst solche ängstliche Unruhe, daß sie alles,
was ihnen vorkömmt, gleichsam mit ihren Zähnen angreiffen wollen. Die
guten Männer, so dergleichen kränckliche Frauen haben, sind sehr zu beklagen, und was das schlimmste dabey, so entstehet diese Unpäßlichkeit aus
dermassen vielfältigen Ursachen, daß es fast unmöglich, ihr vorzubauen.
Wenn eine Freundin auf sie geschimpffet, oder ihr Mädgen eine Thee=Tasse
zerbrochen, ihr Mann eine Nacht aus dem Hause geblieben, oder ihr Diener
dem Schooß=Hündchen eine unfreundliche Mine macht; so ist jeder von
diesen Umständen vermögend, die arme Frau in Gefahr ihres Lebens zu
bringen. Hiebey aber mercke ich ins besondere, daß diese Kranckheit am
meisten, wiewohl mit veränderten Umständen, in engen zugebaueten Gängen
herrsche, wo die Häußlinge in dunckeln Sählen, Buden und Kellern, zusammen gepfropfft sind, und keiner frischen Lufft geniessen können. Diesen
Leuten schreibt man gemeiniglich gegen solche Unpäßlichkeit nichts anders
für, als etliche Schluck Kümmel=Brandtwein, welcher das kräfftigste Mittel
ihrer Genesung. Die Einwohner nennen solches Uebel in ihrer Sprache die
Aergerniß. Diese halte ich für eine passionem hystericam, so eigentlich eine
weibliche Kranckheit ist. Nichts destoweniger sind auch verschiedene Männer von solcher Art einer Mutter=Beschwehrung angefochten, und theils derselben bald darauf verstorben. Wiewohl ich zugleich an den Frauens=Perso-

nen bemercket, daß selbige in ihren paroxysmis viel Männliches an sich haben, indem sie mit Flüchen um sich werffen, die ihrem zärtlichen Geschlechte durchaus nicht anständig.

Indem ich aber des hiesigen Frauenzimmers erwehne: so muß Ihnen nohtwendig von der unglaublichen Anzahl der Säug=Ammen, die in dieser Stadt befindlich, erzehlen. Diese sind insgemein junge unverheyrahtete Frauen, so der Zusage ihres Bräutigams zu viel getrauet. Sie werden fast in allen Häusern gehalten, und geniessen so grosser Höflichkeit, Pflege und Belohnungen, daß die neben ihnen dienende Mägde durch blosse Beneidung gereitzet werden, auf Mittel zu dencken, wodurch sie ihnen gleichmäßige Vortheile verschaffen mögen. Wie man mir gesagt, sind hieselbst auf vier tausend solcher Fontainen, die von Milch ohne Unterlaß rinnen, und kaum, daß etliche derselben verseigen, so qvillen, an deren statt, schon andere wieder hervor. Eine junge Ehe=Frau, die ihrer Niederkunfft nahe ist, und deren höflicher Mann gerne ein Vater seyn will, hat für nichts anders zu sorgen, als für eine Mutter desjenigen Kindes, das sie selbst zur Welt bringen soll. So bald sie deßwegen zu einer Ammen=Vermiehterin geschickt; kommen gleich ein Stück sechs Gläser mit warmer Milch aus eben so vielen Qvellen ins Hauß, und werden nur den Aertzten zur Prüffung gegeben, dafern etwa die Zeichen einiger Kranckheit darin zu entdecken. Ihre Kunst aber würde am nützlichsten seyn, wenn sie auch den verschiedenen und verborgenen Saamen der Zancksucht, der Niederträchtigkeit, des Aberglaubens, etc. durch ihre Vergrösserungs= Gläser darin wahrnehmen könten, als welchen sonst die armen Kinder mit ihrer Nahrung einsaugen, und dadurch in einen Stand gesetzet werden, daß sie hernach unsägliche Mühe haben, die Amme aus ihrer Natur wieder heraus zu bringen.

Wir vertreiben hieselbst unsere Zeit sehr annehmlich, und trincken öffters Ihre Gesundheit in Rhein=Wein aus einem ungeheuren grossen Fasse, woraus schon ihr Groß=Vater sich manchen kleinen Rausch geholet. Ich finde keinen so grossen Unterschied des Wetters zwischen hier und England, als ich besorgte, und bin sehr wohl mit den Oeffen zufrieden, wodurch man die Gemächer in solchem Grad der Hitze wärmen kan, als man selber will. Das Wetter= Glaß, so in der Stube hängt, zeigt solches auf das genaueste an. Es stehet unterweilen auf *schwühlheiß* zu eben derselben Zeit, da der Schnee auf den Gassen gefrieret, so daß nur eine dünne Glaß=Scheibe die Grentz=Scheidung ist zwischen Sommer und Winter. Solten wir vor dem Frühlinge noch einen starcken Frost haben; so werde ich jedes mahl, wenn ich ausgehe, eine Zeitlang zuvor meine Thür ein wenig offen halten, und den Winter allmählig herein kommen lassen. Denn ich bin nicht so künstlich, wie einige Nord= Völcker, die denselben Augenblick, da sie sich im Back=Offen fast halb gebraten, im dickesten Schnee sich wieder herum wältzen. Ich glaube auch nicht, daß es meiner Gesundheit zuträglich seyn würde, auf einmahl meinen Fuß aus Africa in Neu=Zembla zu setzen.

Ich muß aber nicht vergessen, eine der lustigsten Begebenheiten zu erzehlen, die uns beyden in unserm Leben noch nicht begegnet ist, und worüber Sie nohtwendig recht hertzlich lachen müssen. Verwichene Woche war ich an einem Orte zu Gaste, wo die gantze Taffel auf einmahl = =

So weit geht mein aufgehobenes Schreiben, welches ich desto lieber gantz zu haben wünschte, je lebhaffter und natürlicher es ist. Meine Mit=Einwohner werden vielleicht damit zu frieden seyn, daß unser Engländer die Aergerniß nur für eine Leibes=Schwachheit, und nicht vielmehr für einen Gemühts= Fehler, oder für eine Boßheit des Hertzens, angesehen. Vielleicht aber hat er sich auch darin betrogen, daß er glaubet, diese Kranckheit gehe hier stärcker im Schwange, als anderwärts. Wenigstens erinnere ich mich, bey vielen Nationen sie noch in weit höherem Grad wahrgenommen zu haben. Manchen Cannibalen habe ich vor Eiffer in die härtesten Steine, ja in seine eigenen Wunden, beissen sehen; viele Frantzösinnen und Holländerinnen aber in grimmiger Wuht mit Pantoffeln und Feuer=Zangen ihren Männern zu Leibe gehen. In seinen artigen Gedancken über unsere Ammen hat er sonst völlig Recht; doch wolte ich ihn bitten, in dieser Sache nach London einmahl zurück zu dencken, woselbst man so gar die Kinder von sich weg auf die Dörffer schickt, und von den Bauer=Frauen groß säugen lässt, ja sie in Gefahr setzt, nicht nur ihres Vaters, sondern auch würcklich ihrer Mutter, ungewiß zu seyn, und gegen andere Kinder vertauscht zu werden. Was endlich die Witterung betrifft; so ist mir um unsers furchtsamen Engländers willen lieb, daß er dieses Jahr den rechten Winter bey uns angetroffen. Es bedarffs nicht, mit weitläufftigern Gedancken über sein Schreiben mich heraus zu lassen, und ich habe noch einigen Raum zu ein paar andern Nachrichten nöhtig.

Werkregister 24

JOHANN GOTTFRIED SCHNABEL

Cavaliersgeschichten

Den folgenden Tag, als *Elbenstein* noch im Schlaf=Rocke herum gieng, meldete sich das angenehme *Grisettgen* bey ihm an, brachte eine Schüssel mit Obst und Confecturen nebst einem Morgen=Compliment von ihrer gnädigen Fräulein. *Elbenstein*, dem die in Italien angewöhnte Liebes=Näscherey von neuen ankam, auch allhier nicht solche Lebens=Gefährlichkeiten, wie dort, zu befürchten hatte, gab seinem Diener eine Pistolette, mit Befehl, ihm solche zu verwechseln, aber kein anderes als lauter gantz Geld an Lüneburgischen 2. Drittel=Stücken davor zu bringen, nennete ihm auch etliche Juden, zu welchen er gehen solte, und wenn einer nicht wolte, würden es schon andere thun, wodurch er denn gnugsame Zeit gewann, sich mit seiner *Grisette*, deren Augen aus Begierde zum Liebes=Kampfe gleichsam brannten, nach Wunsche zu ergötzen, welches denn, da der Diener kaum den Rücken gewendet, mit beyderseits entzückender Zufriedenheit geschahe.

Zwar merckte er so viel, daß in diesem Liebes=Garten bereits andere die ersten Früchte gebrochen hatten, weil er aber eben nicht so gar sehr eigensinnig in diesem Stücke war, ließ er es dem treuhertzigen Kinde nicht entgelten, indem er noch so viel Annehmlichkeiten bey derselben fand, seinen Appetit zu stillen, und zugleich sie sattsam zu vergnügen. Nach gebüsseter Lust wurde die Abrede genommen, über 3. Tage diese Ringe=Kunst weiter zu versuchen, und ein und andere von der Alo = = Sig = = vor geschriebene Lehren zu versuchen, vor diesesmahl aber ließ er sie mit einem Geschencke vor erzeigte Gefälligkeit, und einem ergebensten Compliment an ihre Gn. Fräulein wieder von sich.

Hierauf kleidete er sich vollends an, und begab sich nach Hofe, allwo die sämmtliche Damen und Cavaliers in der Fürstin Vorgemach versammlet waren. Einer von den Cammer=Junkern ersuchte *Elbensteinen* daselbst, die Gefälligkeit vor die Fräuleins und ihn zu haben, und eine gewisse Arie, die er ihm in einer Italiänischen Oper zeigte, ins Deutsche zu übersetzen, worzu er sich denn sogleich willig finden ließ, begab sich demnach etwas bey Seite an ein Fenster, und übersetzte solche in eben der Vers=Art, welche der Italiänische Poet gebraucht hatte, folgender Gestalt:

Aria.

1.

Von euch Sonnen kömmt mein Aechtzen,
Euer Strahl hat mich fast halb entseelt,
Des Hertzens=Entzünden
Kan schwerlich verschwinden,
Indem es sein Lächtzen
Und Quälen verheelt.

2.

Schönster Mund, du bringst mir Schmertzen,
Und mein Hertz vergehet fast vor Gluth,
Mit Hoffen und Sehnen
Mit Schweigen und Stöhnen
Empfind ich im Hertzen
Des Cypripors Wuth.

Solche Ubersetzung erwarb ihm bey den sämmtlichen Damen und Cavaliers nicht nur vieles Lob, sondern es verursachte auch bey den erstern gewisse Gemüths=Regungen, die sie aber ihrer angewohnten Eigensinnigkeit und

Hoffarth nach, welche nur Verehrer haben, aber denselben keine Vergeltung thun, vielweniger ihre Liebe mit Gegen=Liebe belohnen will, vertuscheten, indem sie sich nicht entschliessen konten, ihre Leidenschaften an den Tag zu geben. Wie aber auch die wildesten Creaturen zahm und bändig gemacht werden können, also gewann die Liebe bey diesen Hochmüthigen, durch die sittsame und höfliche Aufführung, des von *Elbenstein,* welche mit einer wohlanständigen Blödigkeit und einnehmenden Schmeicheley untermengt war, endlich die Oberhand, daß, da sie zuvor gewohnt waren, diejenigen, so sie fast anbetheten, mit lauter spröden Verachtungen zu quälen, sich nunmehro bequemten ein gelasseneres Wesen an sich zunehmen. Aus diesem entsprunge ein Verlangen alleine zu seyn, und in solcher Einsamkeit mahlete ihnen der Liebes=Gott in Gedancken alle die trefflichen Gemüths= und Leibes= Gaben des von *Elbenstein* auf das allerangenehmste ab, worauf der Wunsch folgte, von einem solchen artigen Cavalier geachtet zu werden, und endlich sagte ihnen ihr eigenes Hertze, daß dergleichen Regungen mit keinem andern Nahmen, als der *Liebe* belegt werden könten. Unter diesen grösten Theils veränderten Damen befand sich eine unverheyrathete, so die Baroneßin von *L.** genennet ward, welche, jemehr sie von *Elbensteins* Eigenschaften eingenommen war, je vergnügter sie sich hergegen schätzen konte, indem ihre mit einer artigen Traurigkeit verknüpften Blicke *Elbensteinen* dermassen fesselten, daß, je länger er mit dieser liebenswürdigen Person umgieng, je heftiger er in sie verliebt ward, und so viel schöne Leibes= und Gemüths=Eigenschaften diese Fräulein besaß, so viel Fesseln und Ketten waren auch den fladderhaften und unbeständigen *Elbenstein* nunmehro feste zu binden, und aus einem flüchtigen und fladderhaften einen getreuen und beständigen Liebhaber zu machen; denn ausser der angenehmen Gesichts=Bildung, wie auch unvergleichlich wohlgestalten Leibe, war diese Dame aus einem Uralten berühmten Freyherrlichen Geschlechte, aus welchem etliche zu zählen, die im Röm. Reiche unter dem Titul Chur=Fürstl. Gn. vor weniger Zeit waren berühmt gewesen. An Gütern und Mitteln mangelte es auch nicht, denn die halbe Herrschafft *H.** bey Landau gelegen, vermöge des Väterlichen Testaments, ihr als der einzigen Tochter anderer Ehe, nebst vielen Wein=Zehendten an der Mosel eigenthümlich zugehöreten, und obgleich die meisten von diesem vornehmen Geschlechte sich zur Röm. Catholischen Religion bekenneten, so war doch dieses Fräulein so wohl als ihre bereits verstorbenen Eltern der Protestantischen oder Evangelischen Religion zugethan, daß also *Elbenstein* auch wegen der Religion nichts bedenckliches fand.

Alles dieses, zumahlen er durch dergleichen Heyrath bey dem *D.** Hofe höher zu steigen sich gute Rechnung machen konte, bewogen ihm dahin, daß er alle sonst gewohnte Liebes=Ausschweiffungen gäntzlich verbannete, und sich seiner auserwehlten und allerliebsten Fräulein von *L.** gantz und gar allein ergab. Ob sie nun gleich anfänglich seinen Verpflichtungen nicht sofort völligen Glauben beymessen wolte, so ward doch endlich ihr tugendhaftes

Hertze durch seine tägliche Schmeicheleyen und Betheurungen überwunden, indem er dieselben sowohl schriftlich als mündlich anbrachte, bis sie sich ihm endlich gantz zu eigen ergab. Es wird nicht unangenehm seyn, eine von dessen poetischen Liebes=Anträgen anhero zu setzen:

Mein Schicksaal hat den Schluß nun über mich gefasset,
  Ich soll, mein Engel! Dir allein gewidmet seyn,
Da ich doch noch nicht weiß, ob mich dein Auge hasset,
  An statt der Gegengunst, und ob Dein Herz ein Stein?
Doch will ich meine Gluth Dir nochmahls offenbahren,
  Die durch dein schönes Licht sich in mir angeflammt,
Mein frey Bekänntniß will nichts widriges befahren,
  Dieweil Dein Gütig seyn vom frommen Himmel stammt.
Die Sanftmuth, welche sich in deinen Augen zeiget,
  Weissaget mir noch nicht, daß ich zu viel gethan,
Und ob dein schöner Mund annoch gantz stille schweiget,
  Zeigt doch sein Purpur=Roth kein Ungewitter an.
Erlaube mir demnach, dich ewig zu verehren,
  Und glaube, daß mein Hertz Dir bis in Todt getreu,
Du kanst, mein Leben! ja die Treu vorher bewähren,
  Laß bey der Prüfung nur vor mich die Hofnung frey.
Wenn Dir gefallen wird, mich zornig anzublicken,
  Beth ich die Strengigkeit in tiefer Ehrfurcht an.
Will mir dein schöner Mund ein kaltes Nein zu schicken,
  So glaube, daß ich auch bey Nein treu lieben kan.
Sprächst du auch gleich zu mir: Ich soll und muß dich hassen,
  Ja stiesse mich dein Fuß gantz spröde von sich hin,
Wolt' ich doch mit Begier die schönen Hände fassen,
  Zu zeigen aller Welt, wie ich beständig bin.
Auch wenn zum Uberfluß die Treue zu probiren,
  Du mir verbiethen wilst dich gar nicht anzusehn,
Soll deinen Schatten doch mein Auge nicht verlieren,
  Bis deine Güte spricht, daß Proben gnug geschehn.

Diesemnach wurde beyderseits Liebe dergestalt heftig, daß eines ohne das andere fast keine Stunde bleiben konte. Die erste Probe seiner liebreichen Fräulein von *L.** geschwornen Treu legte *Elbenstein* damit ab, daß als *Grisette* kam, und ihn im Nahmen ihrer Fräulein nöthigte, diesen Nachmittag, in des Ober=Jägermeisters Hause, allwo eine Zusammenkunft seyn würde, zu erscheinen, er seinen Diener nicht wegschickte; weßwegen das arme Ding ungelabt fortgehen muste.

Werkregister 209

Gebet gegen Fleischeslust

Heiliger und gerechter GOtt, barmherziger lieber vater! dir bekenne und klage ich die grosse unart meines verkehrten fleisches, und die unreinigkeit meines herzens, aus welchem, als aus einer giftigen quelle, allerley böse lüste entspringen, die wider die seele streiten. Ach HErr! wie oft, wie geschwinde übereilet und bethöret mich ein böser gedanke, eine verkehrte lust, und unterstehet sich mein herz einzunehmen, und zur sünde zu verleiten! Herzlich leid ist mir solches, und ich habe keinen gefallen an den bösen gedanken und lüsten des fleisches. So verwirf mich doch nicht von deinem angesichte, oh mein GOtt! und nim deinen heiligen geist nicht von mir. Schaffe aber in mir ein reines herz, und gib mir einen neuen gewissen geist, damit ich die vergängliche lust der welt fliehe, und nicht nach meinen lüsten wandele; sondern meinen willen breche, und deinem allein guten willen vom herzen gehorche. Vergib mir auch, o HErr! meine verborgene fehler um Christi willen, und wapne mich durch deinen geist, daß ich ja die sünde in meinem sterblichen leibe nimmermehr herrschen lasse, ihr gehorsam zu leisten in ihren lüsten; sondern daß ich dir lebe im glauben und rechtschaffener heiligkeit. Regiere mich allezeit, daß ich vom herzen alle dinge fliehe, durch welche des fleisches lust angereizet und entzündet wird, und daß ich mich hingegen zu deinen zeugnissen halte, und alle meine lust an deinen gebohten habe: sonderlich aber daß ich allezeit bedenke, wie so eine grosse unausprechliche und ewige pein auf die kurze und elende lust dieses lebens erfolgen werde; damit ich desto lieber aller fleischlichen lust widerstrebe, und allein trachte nach dem, das droben ist, da mein heiland JEsus Christus ist: damit ich dermaleinst allezeit bey ihm seyn möge, da ich mit rechter himlischer wollust, als mit einem strome, werde getränket werden; da ewige freude über meinem haupte seyn, freude und wonne mich ergreifen und aller schmerz und herzeleid weg müssen wird. Dahin hilf, o vater! mir und allen frommen herzen, um JEsu Christi willen, Amen.

Werkregister 36

UNBEKANNTER VERFASSER

Tageslauf einer Dame

Man wird wenig Menschen finden, welche nicht zuweilen die schon alten Klagen über die Kürze und Flüchtigkeit des Lebens erneuern und nicht wünschen sollten, daß sie es verlängern und die Zeit auf ihrer schnellen Flucht aufhalten könnten. Aber wie selten sind nicht diejenigen, denen solche Klagen Ehre machen, und können wohl solche Wünsche denen ein Ernst seyn, welche sich in so vielen unbeschäfftigten Stunden so oft über die unerträglich lange Dauer derselben beschweren, ihnen Flügel wünschen, und es gerne sähen, wenn zuweilen ganze Tage und ganze Wochen aus ihrem flüchtigen Daseyn ausgetilgt werden könnten, weil sie nicht wissen, was sie mit sich und mit ihrer Zeit anfangen sollen?

Es giebt zwar; (zur Ehre des menschlichen Geschlechts sey es gesagt!) einige außerordentliche Menschen, welche so begierig sind, zur Verherrlichung ihres unendlichen Urhebers und zur Beförderung der allgemeinen Wohlfahrt zu leben, so sorgfältig, keine Gelegenheit, die sich ihnen anbeut, Gutes zu thun, und keine einzige von ihren Pflichten zu vernachläßigen, so fruchtbar in der Erfindung nützlicher Unternehmungen und so glücklich in der Ausführung vortrefflicher Absichten, daß sie wirklich für die Größe ihrer Tugend und für ihren Eifer, mit ihrem Leben zu wuchern, zu wenig Zeit zu haben scheinen. Allein so würdig sie derjenigen sind, welche so viele Tausende verlieren, oder misbrauchen und zernichten, so klein ist doch die Anzahl dieser bewundernswürdigen Menschen. Den Meisten wird sie zur Last, und ungeachtet sie ein so kostbares Gut ist, daß es selbst der Dankbare nicht wieder erstatten kann, so bieten sie es doch einem jeden zum Raube an, sehr zufrieden und glücklich, wenn sie einen Räuber finden. Sie reisen, wie der *Zuschauer* sagt, durch die Zeit, als durch ein Land voll wilder und dürren Einöden; man möchte durchfliegen können, um desto geschwinder zu den angenehmen Ruheplätzen zu kommen, die man in der Ferne zu entdecken glaubt. Man kann also leicht begreifen, daß ein Jahr für sehr viele unter uns eine erstaunlich lange Zeit seyn müsse; daß es eine große Menge Stunden darinnen geben werde, über welche sie nicht anders als sehr verlegen seyn können.

Was soll *Cidalinde* mit einem ganzen Jahre anfangen? Mit acht tausend sieben hundert und sechzig Stunden? Sie muß nothwendig erschrecken, wenn sie daran denkt, wie ewig ihr zuweilen nur eine einzige Stunde wird. Ich will gar nicht sagen, daß sie für die ganze Summe zittern dürfte. Sie hat ihre Einrichtung schon so getroffen, daß die meisten vergehen, ohne daß sie ihre Flucht einmal bemerkt. Allein so genau die Berechnung ist, die ich über ihre Zeit gemacht habe, so finde ich doch noch immer eine beträchtliche Menge von Stunden, die ihr sehr zur Last seyn müssen. Man kann sich leicht davon überzeugen, wenn man folgende sehr billige Berechnung nur mit einem flüchtigen Blicke durchgehen will:

Zum Schlafe. Für einen zärtlichen Körper kann nicht weniger gerechnet werden, als zehn Stunden auf Tag und Nacht. Beträgt im Jahre:. 3650

Zu Conferenzen mit dem Medicus. Cidalinde ist zwar ziemlich gesund; allein man hat zuweilen *Vapeurs.* Man fürchtet auch oft, daß

man krank werden könne, wenn man es auch noch nicht ist. Auf die
Woche nur drittehalb Stunden gerechnet, macht im Jahre   125
Zum Ankleiden. Nur zwo Stunden; denn sie kann diejenigen Frau-
enzimmer nicht ausstehn, die so viel Zeit vor dem Spiegel verderben.
Macht   730
Zum Essen. Nur drey Stunden des Tags, den Caffee eingerechnet.
Macht   1095
Visiten anzunehmen. Die Woche nur dreymal, und auf einen Besuch
nur in allem zwo Stunden. Beträgt   312
Zum Spiele. Denn der Mensch muß doch eine Gemüthsergetzung
haben. Nicht alle Tage, versteht sich, nur dreymal in der Woche und
jedes mal nur sechs Stunden, welches gewiß viele Damen sehr billig
finden werden. Macht in allem   936
Zum Kirchengehn. Denn *Cidalinde* ist keine Heidinn. Alle Sonntage
und Festtage ists nicht möglich; man hat seine Verhinderungen. Vier-
zigmal im Jahre und jedesmal zwo Stunden. Beträgt   80
Zur Oper und Comödie. Man lebt in der großen Welt, und was
würde diese sagen, wenn man in keiner Loge gesehen würde? In sieben
Monaten die Woche nur einmal ungefähr vier Stunden, beträgt zusammen.   120
In den Wagen ein und auszusteigen. Auf die Woche nur drey Stunden, beträgt.   150
Den Küchenzettel täglich anzusehen. Denn *Cidalinde* bekümmert
sich um ihre Oekonomie. Auf die Woche in allem zwo Stunden;
macht.   104
Zum Spazieren und Ausfahren auf dem Lande. Für fünf Monate,
und auf den Monat 123 Stunden gerechnet, beträgt   615
Zum Aussehen aus dem Fenster, im ganzen Jahre nur   132

Summe   8049
Diese von der Summe aller Stunden des Jahres abgezogen   8760

Bleiben 711 Stunden.

Wirklich sieben hundert und eilf Stunden, die alle unbesetzt sind! Was soll
Cidalinde thun, sich von so viel Stunden zu entledigen? Gesetzt sie hielte den
Aufseher, weil ich mir doch wohl schmeicheln darf, ein Modeblatt zu schreiben, und sie brauchte auch zum Ansehn und Weglegen jedesmal eine Viertelstunde, welches gewiß reichlich gerechnet ist: So macht doch das im ganzen
Jahre nicht mehr als ungefährt *dreyzehn* Stunden, und es bleiben noch immer
fast sieben hundert volle Stunden übrig. Was soll sie thun? Lesen?

> Den Augen schadet vieles Lesen,
> Und ihr Paar Augen ist ihr lieb.

> *Hagedorn.*

Arbeiten? Aber Arbeiten schickt sich nicht für Vornehme. Und was können Damen von einem gewissen Stande arbeiten, wobey sie nicht sitzen müssen? Sie müssen so schon genug sitzen. Viel Sitzen aber macht hypochondrisch und kann die beste Gesundheit verderben. Für seine Gesundheit soll man sorgen. Also kann man leicht denken, daß man in sieben hundert Stunden viel Langeweile haben müsse. Man kann daraus sehen, welche nützliche Einflüsse alle Arten von Künsten ins menschliche Leben haben. Denn wenn es weder Poeten, noch Componisten, noch Kartenmacher gäbe: Wie würde eine *Cidalinde* mit einem ganzen Jahre auskommen können?

Unterdeß hat doch *Cidalinde* eine solche Einrichtung getroffen, daß sie ihrer meisten Stunden schon los werden wird, ohne sich eben sehr davon beschwert zu fühlen, und wenn man sich ja nicht zu helfen weiß, so kann sie mit ihrem Manne reden, oder einmal in der Gesellschaft ihrer Kinder einschlafen, oder den Schneider sprechen, oder den Kaufmann kommen und sich allerley neue Stoffe vorzeigen lassen, und in die übrige Langeweile muß sie sich finden: Denn Vornehme müssen doch auch etwas zu leiden haben, ob es gleich ein grosses Leiden ist, wenn man nicht weiß, wo man mit seiner Zeit hin soll. Aber wie es der Herr von *Fortunat* machen wird, sich von der seinigen zu befreyen, das weiß ich nicht. Ein junger Herr von drey oder vier und zwanzig Jahren darf gewiß nicht so lange schlafen, als eine Dame. Mit acht Stunden kann er sehr bequem auskommen; das wären zwar für einen von den seltnen Menschen, von denen ich im Anfange geredet habe, sieben hundert und dreyßig gewonnen; aber er hat eine Last mehr. Nun darf er wohl auch nicht so viel Stunden aufs Spiel wenden, als *Cidalinde*. Denn wenn eine Dame auch alle Tage noch mehr dazu bestimmen wollte, als diese thut: So wird doch niemand die dem schönen Geschlechte schuldige Achtung und Höflichkeit so weit vergessen, daß er sie eine Spielerinn heißen sollte. Eine Person aus unserm Geschlechte muß schon vorsichtiger seyn. Den Küchenzettel wird er gewiß nicht ansehen; in die Oper wird er nicht kommen, weil er kein Italienisch versteht; in die Kirche auch nicht, weil er nicht zum großen Haufen gehören will. Vielleicht braucht er auch eine Viertelstunde weniger zu seinem Anzuge. Wenn ich alles dieses überrechne, so kann er leicht tausend leere Stunden mehr haben, als *Cidalinde*. Wo soll er mit so vieler Zeit hin? Ein Amt hat er nicht; seine eignen Angelegenheiten braucht er nicht selbst zu besorgen; dafür bezahlt er seinen *Scrivekarl* und auf seinen Gütern den *Verwalter*. Was bleibt ihm also übrig? Denken; studieren, wird vielleicht ein beschwerlicher Rathgeber sagen. Aber das Denken hat schon lange angefangen, unter jungen Herren abzukommen, und das Studiren noch mehr. Denn wenn man reich ist, oder einmal Kriegsdienste nimmt: Was braucht man viel zu wissen? Und dazu gehört doch allezeit Kopfbrechen. Wie sehr beklage ich also nicht den Herrn von *Fortunat* wegen des langen Jahres, wovon noch nicht einmal vierzehn Tage zurückgelegt sind!

Als ein *Ironside* sollte ich freylich allen denen, die zu viel Zeit haben, ein

Mittel vorschlagen, sie zu verkürzen. Ich kenne aber kein andres, als dasjenige, welches schon lange vor mir mein Großoheim, der Zuschauer, vorgeschlagen hat. Dieses ist die Ausübung der Tugend. Allein was kann ein *Aufseher* mehr thun, wenn sie keinen Geschmack daran finden? Was für eine Veränderung müßte nicht mit ihnen vorgehen? Vielleicht könnte sie in ihren Herzen gewirkt werden, wenn sie erwägen wollten, daß dieses Jahr für alle *Cidalinden* und *Fortunate* das letzte sey könnte. Der Gedanke ist freylich sehr ernsthaft: Aber wenn er mit Ernst gedacht würde: Wie würden sie die Zeit nicht schätzen lernen? Und wie gern würden sie nicht der Ermahnung folgen, die eines *Youngs* so würdig ist: *Gieb sie, wie Geld mit sparender Hand aus; zahle keinen Augenblick hin, ohne damit so viel zu erkaufen, als er werth ist, und was er werth sey, darum frage die Sterbebetten.* – *Ueberall herrscht Zeitvertreib, des Menschen höchster Wunsch; Spielen ist Leben: Und ist es denn auch ein Spielwerk zu sterben?*

Werkregister 23

Justus Möser

Schreiben einer Dame an ihren Kapellan über den Gebrauch ihrer Zeit.

Mein lieber Herr Kapellan! Ich muß Ihnen einmal einige Gewissensfragen tun. Sie sagen mir immer, ich müßte von jeder Stunde meines Lebens am Ende Rechenschaft geben; und die Stunde dieser Rechenschaft rücke mit jedem Augenblicke näher. Nun wollte ich gern beim Schlusse dieses Jahres, um nicht übereilt zu werden, einen kleinen Anfang mit der Rechnung machen. Ich finde aber dabei einige Schwierigkeiten, worüber ich mir Ihre Erläuterungen ausbitten muß.

Erstlich habe ich auf dem Lande gesehen, daß die Leute bei der schwersten Arbeit nur 5 und höchstens 6 Stunden schlafen. Ich aber bin des Abends um 11 Uhr zu Bette gegangen und des Morgens um 8 wieder aufgestanden, mithin vier Stunden länger im Bette geblieben. Sollte ich diese auch berechnen müssen, oder werden sie so mit durchlaufen?

Zweitens habe ich in meinen jungen Jahren wohl einige Stunden am Kaffee= und Nachttische zugebracht; jetzt aber, da ich eben keinen Trost mehr vor dem Spiegel finde und meine Dormeuse sehr geschwind aufsetze, bringe ich diese Zeit mit der größten Langeweile zu. Sollte ich dafür nicht billig eine Schadloshaltung fordern können?

Drittens habe ich oft Gott gedankt, daß ich drei Stunde am Tische verweilen könnte, weil mir sonst die Zeit bis zur Assemblee zu lang wurde. Diese Wohltat habe ich mit Dank genossen; und so wird man von mir doch nicht verlangen, daß ich dieserhalb noch lange Rechnung geben solle?

Viertens hoffe ich doch, eine Stunde zum Kaffeetrinken werde einem jeden Christenmenschen freigegeben sein?

Fünftens habe ich von 5 Uhr bis um 8 in diesem Jahre 730 Spiel Karten verbrauchen helfen und solchergestalt arme Fabrikanten unterstützt; könnte ich diese nützliche Anwendung meiner Zeit nicht doppelt anrechnen?

Sechstens habe ich von 8 Uhr bis um 11 zu Abend gegessen und mich einigermaßen zu den Verrichtungen des folgenden Tages vorbereitet; auch wohl, nachdem ich eben aufgeräumet war, ein hübsches Buch zu meiner Ermunterung in die Hand genommen; diese Stunden können also richtig berechnet werden. Wollten Sie mir aber wohl dieserhalb ein Zeugnis geben, womit ich bestehen könnte?

Sagen Sie mir nicht, daß ich die Zeit hätte nützlicher anwenden sollen. Denn dieses ist hiesigen Orts, wo man weder Opern noch Komedien, weder Redouten noch Akademie hält, schier unmöglich. Gesetzt also, ich hätte weniger Zeit im Bette und bei Tische zubringen wollen, was hätte ich in aller Welt anfangen sollen? Reiten habe ich nicht gelernt; die Jagd ist mir zu mühsam; des Spazierens werde ich bald müde; und durch jede Arbeit, die ich verrichtet hätte, würde ein armer Mensch sein Brod verloren haben. Mein gutes Einkommen überhebt mich auch der Arbeit, und je weniger ich selbst tue, je mehr gebe ich fleißigen Armen zu verdienen. Es würde ein sträflicher Geiz sein, wenn ich selbst die Küche versehen oder ein Kammermädgen weniger halten wollte.

Ich habe es einmal versucht und bin mit einem heroischen Vorsatze um 4 Uhr des Morgens aufgestanden; allein, so wahr ich ehrlich bin, ich mußte mich um 6 Uhr wieder niederlegen, bloß um mich von der Langenweile zu erholen. Was für ein entsetzlicher Morgen war dieser! Es fror mich; ich gähnte; mein Kammermädgen grämelte; die Leute murreten; und die ganze Haushaltung geriet in Unordnung. Ich las ein Buch, ohne das Gelesene zu empfinden; ich war geschäftig, ohne was zu beschicken; dabei regnete es, sonst wäre ich wohl hingegangen, um ein bißgen im Holze bei den Nachtigallen zu schaudern. Kurz, den ganzen Tag über war mir nicht wohl; und da tat ich ein Gelübde, niemals ohne die höchste Not vor 8 Uhren aufzustehen.

Ebenso bin ich einmal des Nachmittags zu Hause und allein geblieben. Um 4 Uhr trank ich meinen Kaffee; um 5 Uhr Tee; um 6 Uhr ward ich etwas matt; ich ließ mir meine Tropfen und eine kleine Bouteille Kapwein geben. Ich nahm etwas davon und las; nahm wieder ein bißgen, und was meinen Sie? – Aus war die Bouteille, ehe es achte schlug. Bei Tische des Abends war ich nicht ein bißgen heiter, und alles, was ich mit Mühe herunterbringen konnte, war eine Tasse Schokolade, und nach Tische mußte ich mich gleich zu Bette legen. So übel lief dieser Versuch ab.

Was aber bei dem allen das Beste sein mag, mein Herr Kapellan, so preise ich die Leute glücklich, die alle Tage 16 Stunde mit nützlichen Arbeiten zubringen können; ich beneide sie sogar, wenn dieses etwas zu meiner Entschuldigung helfen kann. Ja, mich dünkt, daß Leute, die im Leben so glücklich sind, alle ihre Stunden nützlich hinbringen zu können, wenn es dermaleinst zur Rechnung kommen sollte, mindern Lohn verdient haben als ich, der es so sauer wird, nur eine Stunde ohne Schlaf, Spiel oder Essen zu nutzen. Ich spreche im Ernst; die Tage gehen mir so langsam und die Jahre so geschwind hin, daß ich ganz verwirret darüber bin. Oft schmäle ich noch mit meiner seligen Mutter im Grabe, daß sie mich nicht mehrern Geschmack an der Haushaltung beigebracht und daß ich in den Jahren, wo die Begierde zu gefallen mich zu keiner ernsthaften Überlegung kommen ließ, mir nicht wenigstens eine kleine gute Faust, womit ich einen Topf vom Feuer nehmen könnte, erworben habe. Allein, da sagte meine liebe Mutter: ,,Kind, wer will dir die Hand küssen, wenn sie nach der Küche riecht?" Und um einen kleinen Fuß zu behalten, trippelte ich höchstens einmal auf einer grünen Terrasse herum. Jetzt in meinem Alter kann ich mir nicht einmal abgewöhnen, ohne Handschuh zu schlafen; wie wollte ich mich denn in andern Stücken ändern können?

Sie, Herr Kapellan, haben mir oft gesagt, daß Sie keine Stunde hinbringen könnten, ohne eine Prise Tabak zu nehmen. Ach, nehmen Sie jetzt auch eine und überlegen dabei einmal, wie ich meine Rechnung besser einrichten könte? Zeigen Sie mir einen Plan, der meinen Kräften und meiner Gewohnheit angemessen ist. Einen Plan, wobei ich nicht nötig habe, meine Bette früher zu verlassen oder die Assemblee zu versäumen. Nehmen Sie mich als ein Geschöpfe an, das lahme Füße und Hände und dabei einen Kopf hat, der durch die Länge der Zeit nun einmal so verdorben ist, daß er zu einsamen ernsthaften Betrachtungen gar nicht mehr aufgelegt ist, dem Youngs Nachtgedanken sogleich die heftigste Kopfschmerzen verursachen und der diese Nacht gewiß nicht schlafen wird, da ich so lange geschrieben habe.

Ich bin in dessen Erwartung etc.

Werkregister 180

Gebet um ein Christlich Hauß Regiment.

Heiliger Vater! keuscher GOtt du hast Lust an dem Ehe-Stande, welchen du selbst im Paradieß gestifftet: Ich dancke dir von Hertzen, daß du mich mit meinem lieben Ehe=Gatten ordentlicher Weise darein gesetzet, auch mit Leibes=Früchten, Gesundheit und einem ziemlichen Hauß=Wesen geseegnet hast. Hilff, treuer GOtt! daß wir mit Vernunfft, in Gottseeligkeit einig und friedlich beysammen wohnen, eines sich gegen dem andern seiner Gebühr nach erzeige: Erhalte uns und unsere Kinder, nach deinem Wohlgefallen, in Gesundheit und Wohlstande lange Zeit! laß uns dieselben zu deinen Ehren erziehen, und unser Gesinde in Zucht und Erbarkeit halten. Gib iederzeit zu unserm Beruff und Vorhaben dein Gedeyen: seegne und mehre nach deinem

Willen unsere Nahrung, bewahre dieselbige vor allem Unglück, und hilff uns das Creutz, so uns nach deinem Verhängniß begegnen mag, mit Gedult tragen, um deines lieben Sohnes JEsu Christi willen, Amen!

Werkregister 35

JUSTUS MÖSER

Die gute selige Frau.

Ich habe meine Frau im vierzigsten Jahre verloren, und meine Umstände erfordern, daß ich mich wieder verheirate. Allein, so viele Mühe ich mir auch dieserhalb bereits gegeben: so kann ich doch keine finden, die mir ansteht und der lieben Seligen einigermaßen gleich ist. Ich höre von keiner, oder man sagt mir sogleich: ,,Diese Person hat sehr vielen Verstand, eine schöne Lektüre und ein überaus zärtliches Herz. Sie spricht französisch, auch wohl englisch und italienisch, spielt, singt und tanzt vortrefflich und ist die artigste Person von der Welt." Zu meinem Unglück ist mir aber mit allen diesen Vollkommenheiten gar nichts gedient. Ich wünsche eine rechtschaffene christliche Frau, von gutem Herzen, gesunder Vernunft, einem bequemen häuslichen Umgange und lebhaften, doch eingezogenen Wesen; eine fleißige und emsige Haushälterin, eine reinliche, verständige Köchin und eine aufmerksame Gärtnerin. Und diese ist es, welche ich jetzt nirgends mehr finde.

Der Himmel weiß, daß ich es nie verlangt habe; allein, meine Selige stand alle Morgen um fünf Uhr auf; und ehe es sechse schlug, war das ganze Haus aufgeräumet, jedes Kind angezogen und bei der Arbeit, das Gesinde in seinem Beruf und des Winters an manchen Morgen oft schon mehr Garn gesponnen, als jetzt in manchen Haushaltungen binnen einem ganzen Jahr gewonnen wird. Das Frühstück ward nur beiläufig eingenommen; jedes nahm das seinige in die Hand und arbeitete seinen Gang fort. Mein Tisch war zu rechter Zeit gedeckt und mit zween guten Gerichten, welche sie selbst mit Wahl und Reinlichkeit simpel, aber gut zubereitet hatte, besetzt.

Käse und Butter, Äpfel, Birn und Pflaumen, frisch oder trocken, waren von ihrer Zubereitung. Kam ein guter Freund zu uns: so wurden einige Gläser mit Eingemachtem aufgesetzt, und sie verstand alle Künste, so dazu gehörten, ohne es eben mit einer Menge von Zucker verschwenderisch zu zwingen: was nicht davon gegessen wurde, blieb in dem sorgfältig bewahrten Glase. Ihre Pickels übertrafen alles, was ich jemals gegessen habe; und ich weiß nicht, wie sie den Essig so unvergleichlich machen konnte. Sie machte alle Jahr ein Bitters für den Magen, wogegen Dr. Hills und Stoughtons Tropfen nichts sind. Ihren Hollundersaft kochte sie selbst; und in keinem Nonnenkloster fand man bessers Krausemünzenwasser als das ihrige. In unserm ganzen Ehestande hat keines aus dem Hause dem Apotheker einen Groschen gebracht, und wenn sie etwas Lächerliches nennen wollte: so war es ein Kräutertee aus der Apotheke. Auf jedes Stück Holz, das ins Feuer kam, hatte sie acht. Nie ward ein großes Feuer gemacht, ohne mehrere Absichten auf einmal zu erfüllen. Sie wußte, wieviel Stunden das Gesinde von einem Pfund Tran brennen mußte. Ihre Lichter zog sie selbst und wußte des Morgens an den Enden genau, ob jedes sich zu rechter Zeit des Abends niedergelegt hatte. Das Bier ward im Hause gebraut, das Malz selbst gemacht und der Hopfe daheim besser gezogen, als er von Braunschweig eingeführet wird. Der Schlüssel zum Keller kam nicht aus ihrer Tasche. Sie wußte genau, wie lange ein Faß laufen und wie viel ein Brod wägen mußte. Butter und Speck gab sie selbst aus und, ohne geizig zu sein, bemerkte sie das Gesinde so genau, daß nichts davon verbracht werden konnte. Ebenso machte sie es mit der Milch. Sie kannte jedes Huhn, das legte, und futterte nach der Jahrszeit so, daß kein Korn zu viel oder zu wenig gegeben wurde. Das Holz kaufte sie zu rechter Jahrszeit und ließ die Mägde des Winters alle Tage zwei Stunden sägen, um sie bei einer heilsamen Bewegung zu bewahren. Im Sommer ward des Abends nie warm gegessen. Die warmen Suppen schienen ihr eine lächerliche Erfindung der Franzosen; und bei dem kalten Essen konnte das Geschirr auch mit kaltem Wasser gewaschen werden. Man brauchte alsdenn kein Feuer, und bei Winterabenden ward bei dem letzten Feuer im Ofen gekocht. Was in der Dämmerung geschehen konnte, geschahe nicht bei Lichte, und die Arbeit war darnach abgepaßt. Ihre schmutzige Wäsche untersuchte sie alle Sonnabend und hieng solche des Winters einige Tage auf Linien, damit sie nicht zu feucht weggelegt und stockicht werden mögte. Wenn die Bettetücher in der Mitte zu sehr abgenutzt schienen, schnitte sie solche los und kehrte die Außenseite gegen die Mitte. Auch die Hemde wußte sie auf eine ähnliche Art umzukehren und die Strümpfe zwei- bis dreimal anzuknütten. Alles, was sie und ihre Kinder trugen, ward im Hause gemacht; und sie verstand sich auch sehr gut auf einen Mannsschlafrock. Sie konnte ihn in einem Tage mit eigner Hand fertig machen. Im Stopfen gieng ihr keine Frau über; alle Jahr wurden einige Stücken Linnen in der Haushaltung gemacht und einige greis zugekauft, welche sie hernach zusammen bleichen ließ. Sie bükete solches selbst und bewahrte es soviel möglich für die gewaltsame Behandlung des Bleichers. Das Garn zu einem Stücke mußte von einer Hand und von einer Art Flachs gesponnen sein. Von dem Besten ward gezwirnet; und keine Nadel oder Nähnadel konnte verloren gehen, weil nicht ausgefegt werden durfte, ohne daß sie zugegen war.

Ihr Garten war zu rechter Zeit und mit selbst gezogenem Samen bestellt. Im Frühjahr erholte sie sich in demselben von der langen Winterarbeit, indem sie säete und jätete. Die Früchte lachten dem Auge entgegen, ob sie gleich kaum den halben Dünger gebrauchte, den ihre Nachbaren ohne Verstand untergruben. Da sie allem Unkraut zeitig widerstand: so hatte sie nicht die halbe Arbeit. Alles, was sie pflanzte, geriet recht wunderbarlich, und ihr Vieh gab bei kluger Futterung bessere und mehr Milch, als andre mit doppeltem Futter erhalten konnten. Keine Feder wurde verloren, und kein Brocken fiel auf die Erde. Das Bewußtsein ihrer guten Eigenschaften gab ihr einen ganz vortrefflichen Anstand. Alles, was bei Tische mit Appetit gegessen wurde, war die schmeichelhafteste Lobrede für sie. Das Tischzeug konnte nicht bewundert werden, ohne daß nicht der Ruhm davon auf sie fiel. Ihre emsigen, reinlichen und muntern Kinder verkündigten der Mutter Lob für allen Augen; und die Ordnung im Hause, die Fertigkeit, womit alles vonstatten gieng, und die Zufriedenheit, womit sie vieles ohne Beschwerde geben konnte, erheiterten ihre Blicke dergestalt, daß alle Gäste davon entzückt wurden. Keiner Frau ist mehr geschmeichelt und keiner weniger Schmeichelhaftes gesagt worden. Ihr Blick breitete Lust und Zufriedenheit über alles aus, und ich kann es nicht genug sagen, wie artig sie jede Gesellschaft mit in den Plan ihrer Arbeit ziehen konnte. In der Dämmerung schäleten wir Äpfel mit ihr oder pflückten Hopfen, und wer sein ihm zugeteiltes Werk zuerst fertig hatte, bekam von ihr einen Kuß. Man glaube es oder nicht, der eine hielt den Zwirn, der andre wickelte ihn auf, der dritte las Erbsen oder andere Samen aus, der vierte machte Dochte zu Lichtern, und ich glaube, wir hätten ihr zu gefallen gern mit gesponnen, wenn wir es verstanden hätten. ,,Spinnen", sagte sie uns oft, ,,giebt allezeit warme Füße und würde sehr gut gegen die Hypochondrie sein." Wenn wir unsre Arbeit gut gemacht hatten, setzten wir uns, nachdem die Jahrszeit war, an das Darrenfeuer und trunken ein Glas Septemberbier, welches derozeit noch nicht so schwach gebrauet wurde, daß es in dem ersten Monat sauer werden mußte; oder wir taten uns sonst mit Plaudern etwas zugute.

Nach ihrem Tode, ach ich kann ohne Tränen nicht daran gedenken, fand ich die Brautwagen für unsre vier Töchter fertig; und wie ich alles, was sie während unserm 16jährigen Ehestande in der Haushaltung gezeugt hatte, überschlug, belief es sich höher als das Geld, was sie in aller Zeit von mir empfangen hatte. So vieles hatte sie durch Fleiß, Ordnung und Haushaltung gewonnen.

Werkregister 180

Briefe der Meta Moller

An Klopstock [vor dem 15. 10. 1752]

Ich schreibe Dir diesen Abend, und Du wirst meinen Brief in Coppenhagen erhalten. Bester der Männer! Du wirst in mir ein Weib finden, welches danach strebt, Dir so viel als möglich nachzuahmen. Ich will – in der That, ich will Dir ähnlich seyn, so viel als ich kann. Meine Seele stützt sich an die Deinige. Dies ist der Abend, wie wir Deine Ode an Gott lasen. Weißt Du es noch? Wenn ich so viel Stärke behalte, als ich diesen Abend mir errungen habe, so werde ich beym Abschiede keine Thräne vergießen. Du verläßt mich, aber ich soll Dich wieder haben, und Dich wieder haben als Dein Weib. Ach, einen andern Tag wirst Du von mir gehen weit weg, und es wird lange währen, ehe ich Dich wieder sehe; doch ich muß meinen Schmerz mäßigen. Gott wird mit Dir seyn. Dein Gott und meiner. Wenn Du erst weg bist, werde ich fester seyn, als jetzt, das habe ich Dir versprochen. Ich vertraue unserm gütigen Gott, er wird Dich wieder herstellen, weil er mich glücklich machen will. Er weis es, daß durch Dich ich immer besser werde. Er wird unsre Glückseligkeit immer vollkommner machen. Beginne nur Deine Reise, und laß mich allein weinen. Warlich, ich kann es nicht helfen. Gott sey mit Dir! O, mein Gott, es ist Klopstock, für den ich bete! Sey Du mit ihm; zeige mir Deine Gnade dadurch, daß Du mein Flehen erhörst. Könnte mein Dank Dir gefallen. Du weißt, wie ich Dir danke. O, Du Allgütiger, wie viel Glückseligkeit versprichst Du mir! – Glückseligkeiten, um die ich nicht hätte wagen mögen zu bitten. O fahre fort, Klopstock gnädig zu seyn! Ich befehle ihn Dir.

An Klopstock

Den 15ten Oct: 1752

Mein Allerliebster! Mein Bester! Mein Ewiggeliebter!

Ach! nun hab ich dich nicht mehr mein Klopstock! Nun bist du weg! Nun bist du schon so weit, weit von mir! Ach sey nur sicher, sey nur sicher! Nun fängt es wieder an dunkel zu werden, nun geht meine schwerste Sorge wieder an. – O Gott! O Gott! sey mit ihm! – Ach was machst du? was machst du? Wenn ich das doch nur wüste, du Geliebter, was du machst! – Aber ich weis es, ich hoffe ich weis es. Du bist wohl, du bist ruhig, du denkst an deine Cläry, an deine ewiggeliebte Cl. Ja du Süsser, ja, du denkst so immer an mich, als ich an dich denke. Ich kenne dein Herz, ich kenne deine Liebe. Dein Herz ist wie mein Herz, deine Liebe wie meine Liebe. –Ach Kl, ich hätte es nicht gedacht, daß der Abschied so schwer wäre! O was ist ein Leben ohne dich! Und was ist ein Leben mit dir! O wie ist itzt alles so traurig! Wie süß war jede

Kleinigkeit, da ich sie noch durch dich hatte! Wie traurig ist es itzt! da alles mich an die Zeit erinnert, die ich verlohren habe. An die Glückseeligkeit, den Besten, den Geliebtesten, den, der mich so sehr liebte immer um mich zu haben. Ach! – Ach! – Ich habe dich nicht mehr! Ich werde dich auch in so langer, langer Zeit nicht wieder haben! Ach mein Kl! mein Kl! – – Wenn du nur erst glüklich in Kopp[enhagen] wärst, ach wenn ich das nur erst wüste, so wollte ich ruhig seyn. So wollte ich mich mit dem Gedanken trösten, daß du wieder kömmst, daß du bald wiederkömmst, ach! daß du dann als mein Mann wiederkömmst. Ja mein Kl, glaube daß ich mich so sehr beruhige, als man sich in *deiner* Abwesenheit beruhigen kann. Wärst *du* nur bey mir! Könntest *du* mich nur trösten, du, der mich über alles, über alles in der Welt trösten kann, du, dessen Ton der Stimme mich schon aufheitern kann. – Aber ich bin dein, ich bin ewig dein – du liebst mich ewig. – Ja Kl, ja, ich schone mich für dich! O könntest du es sehen, wie ich schon heute meine Thränen zurück halte, auf daß mir das Weinen nicht schade. Gestern konnte ich es noch nicht, gestern weinte ich den ganzen Tag, aber ich konnte es nicht helfen mein Geliebter, ach! ich konnte es gestern noch nicht, sonst hätte ichs gewiß gethan. Es hat mir aber nicht geschadt. Ich war gestern zwar matt, aber ich bin heute schon wieder auf. – Unsre Freunde führen sich vortreflich auf. Die Schmidten u die Schlebusch sind nur selbst zu betrübt. Die Schl. hat diesen Nachmittag sehr mit mir geweint, aber hernach haben wir uns wieder aufgeheitert. Alle, alle, bis auf Mary sind recht zärtlich besorgt u sehr aufmerksam um mich, daß sie mir alles auch so angenehm machen als sie können. – Aber was ist alles ohne dich! Ich erwarte Olde, welcher gestern mir deinen letzten Gruß brachte, u mir erzählte, wie du, Zärtlicher, noch von der Post hattest zu mir kommen wollen (ach Bester). Ich erwarte auch die Herteln, weil die Scheelen nicht kann. – Lebe wohl, sey sicher. Ach! mein Gebet, mein beständiges Gebet, begleitet dich immerwährend.

An Gleim

Hamburg den 5ten Sept. 1753

Mein lieber Herr Gleim

Ich bin Ihnen unendlich verbunden für die Freundschaft, die Sie mir erzeigt, da Sie mir Klopstocks Portrait geschickt haben. Welche Freude haben Sie mir damit gemacht! O ich kann Ihnen nicht sagen, wie ich es geliebkoset u wie ichs noch täglich liebkose! Es hängt so daß ichs allenthalben in meinem Zimmer sehen kann. Und o, wie seh ich immer hin! Es ist zwar dem Gesichte nicht ganz ähnlich, womit Kl. pflegte *mich* anzusehn; aber sonst bin ich doch sehr damit zufrieden. Wie gerne schickte ich Ihnen itzt schon die Copie. Aber mein lieber Hr. Gleim, Sie denken das wohl nicht von Hamburg, ich weis noch keinen Maler, dem ichs anvertrauen mag. Dennoch habe ich jemand aufgetragen, unter den mittelmässigen den besten auszusuchen, u so bald ich hiervon Nachricht bekomme, werde ich ihn den Anfang machen lassen. Es ist doch besser, daß Sie eine schlechte Copie bekommen, als gar keine. Und wenns auch gleich noch etwas zögert (welches ich doch sehr werde suchen zu verhüten) so können Sie sich doch gewiß dazu verlassen, daß Sie eine kriegen. Giseke hat mir Ihre Geschichte erzählt. Ich will Ihnen nichts darüber sagen, weil Ihnen alle Erinnerung daran unangenehm seyn muß, da Sie selbst am liebsten davon schweigen wollen. In den Verdacht werden Sie bey mir niemals kommen, daß Sie von der Unbeständigkeit Eines Mädchens, das Sie nicht einmal Zeit genug gehabt hatten kennen zu lernen, um von Ihrer Beständigkeit versichert zu seyn, daß Sie davon auf der Unbeständigkeit unsers ganzen Geschlechts schliessen wollten. Wenn Sie in den Verdacht bey mir kommen könnten; so würde ich auch die Ausnahme, die Sie von mir machen, als ein blosses Compliment ansehn, das Sie in einem solchen Falle an ein jedes Mädchen machen müsten. Ich traue aber Ihrer Einsicht u Ihrem Herzen zu viel zu, als daß ich weder den einen, noch den andern Argwohn haben sollte. Ich will vielmehr glauben, daß diese Geschichte Sie von dem kleinen stolzen Grundsatz zurük gebracht hat: Daß man ein Mädchen kann in einer Viertelstunde kennen lernen.

Dieses Jahr werde ich wohl nicht das Vergnügen haben, Sie persönlich kennen zu lernen, weil wir schon dem Winter so nahe sind. Ich denke aber immer, daß es doch nicht gar zu lange dauern wird. Ich bin so schon so glüklich, daß ich es für eine Verwegenheit halte mehr zu wünschen, oder wenigstens anders als mit einer völligen Gelassenheit zu wünschen. – Ich danke Ihnen nochmals auf das verbindlichste für das Portrait u bin

Mein bester Herr Gleim   Ihre beständige Freundinn
                                                                       M. Moller

Werkregister 181

JOHANN HEINRICH MERCK

aus   Eine Landhochzeit.

Mein Nachbar, der reiche Müller Reusch, hat kürzlich seine Tochter an den Rentsekretär des Amts verheyrathet, und weil der Alte selbst gekommen war, mich zu der Hochzeit einzuladen, so wars nicht möglich auszuschlagen. Meine Gegenwart, als des Edelmanns, und des einzigen Staabsoffiziers auf zwey Meilen in der Runde, war ein Gericht, auf das man die Gäste so gut eingeladen hatte, als auf den Wilden=Schweinskopf, der mit seiner Zitrone und den vergoldeten Lorbeerblättern im Maule am andern Ende der Tafel figurirte. Wir wurden sogleich beym Aussteigen aus dem Wagen von allen geputzten Stadtleuten in corpore empfangen. Der Herr Rentsekretär, der noch vor vier Jahren gerne meinem Verwalter die Milch= und Brandweinbrennerey=Rechnung hätte versehen wollen, war in einen eleganten Frak von Drap mouché und eine atlaßgestickte Weste und Beinkleider gekleidet, und der ganze Rücken des neuen Rocks war in einem großen halben Zirkel weis gepudert, in welchem Nimbo der Eleganz in der Mitte ein höchst schmales Haarbeutelchen pendulierte. Er gab sich die Ehre meine Frau die Stufen im Hof hinaufzuführen. Wir fanden beym Eingang des Hauses die Braut in einer schönen Pikesche Couleur de Puce, mit rosenfarbnen Taft gefüttert, und auf der Brust und in der Taille mit den reichsten silbernen Drotteln besetzt, worinn mancher blanker Thaler des alten Müllers ausgesponnen war. Der Vater der Braut war in seinem bläulichten müllerfarbenen Rock und seiner Weste, die mit kleinen Knöpfen gerade bis an die Kniee reichte. Er hatte seine leinenen Strümpfe sauber über die gelbledernen Beinkleider gewickelt. Sein muntres Aug und sein graues kurzes Haar mit dem Kamm auf dem Kopf machten, daß ich ihm zuerst treuherzig die Hand schüttelte. Die Mutter mit ihrer schwarzen Sammthaube, und den langen seidnen Blonden drum, hatte ihre Hände queer übereinander vor sich auf ihrer grautuchenen Weste liegen, wovon die Enden auf den vielen dicken Röcken abstanden, die sie heute übereinander anzuziehn für nöthig gefunden hatte. Der Sohn des Hauses war ein munterer Candidatus Theologiae, der Spitzen=Manschetten von Göttingen mitgebracht hatte, und wohl wuste, daß es mit dem Spruche 1 Joh. 5. nicht ganz seine Richtigkeit hätte. Er war so elegant wie sein Herr Schwager, der Rentsekretär, angekleidet; nur war seine weiße Halsbinde um zwey Zolle stärker und höher, und der Cadogan noch nachlässiger und stärker aufgestrupft, als bey jenem. Uebrigens war ein Offizier von der Garnison, der Pfarrer, der Amtmann und seine Familie noch zugegen. Der Rest der Gesellschaft bestand aus braven Landleuten, die alle munter, trotzig und alert aussahen, aber weder Puder noch Haarnadeln noch seidene Strümpfe hatten, wie wir. Ihr Anzug und der Kontrast mit dem unsrigen machte wirklich, daß ich glaubte, Menschen aus zweyerley Jahrhunderten vor mir zu sehen. Aus diesen wackern Leuten hätte ich für ein historisches Gemählde aus A. Dürers Zeiten ein Abendmahl des Herrn mit einem Dutzend Aposteln, oder aus den Weibern einige brave Magdalenen und Marieen beym Grabe, finden wollen. Unsre Gruppe hingegen sah ärmlich aus, und sie war auch meist zu Karrikaturen nicht kräftig genug.

Der Pfarrer, ein langer schmächtiger Mann, der in der Stadt bey allen Bücherauctionen präsidiert, und einer von den 72 Mitarbeitern der Alg. D. Bibliothek seyn soll, hielt eine kurze wohlanständige Rede, von der Bestimmung des Menschen und von den feinern Vergnügungen des Lebens, die aus dem wahren Adel des Herzens, und einem wohlgeordneten Gefühl der ganzen Seelenkräfte der Menschen entspringen. Er hütete sich sorgfältig keinen Spruch zu berühren; und als er an die Kirchenordnung und den darinn enthaltenen Mosaischen Fluch und Seegen kam, so litt sein Geist merklich: denn die Sprache nahm ab, und die Wörter artikulierten sich nicht mehr.

Nach geendigter Zerimonie gieng ich zum Alten und wünschte ihm nebst andern Glück zu dieser Verbindung. Er hatte alle Komplimente kalt, und oft mit Nehmung einer Prise Taback erwiedert. Als ich mich aber näherte, reichte er mir die Hand, und die Augen stunden ihm voll Wasser. Ich kann nun ruhig sterben, sagte er, weil ich weiß, daß es nach mir in meinem Hause nicht schlechter gehen kann, wie jetzo. Mein Junge hat zuerst seinen Vater verlassen, und Er ist auch Schuld, daß meine Kathrine den Mann nimmt, den ich ihr habe geben müssen. Die Leute in der Stadt haben meinen Kindern weiß gemacht, daß es ihnen nie fehlen könnte. Gott gebe, daß sie wahr gesagt haben!

Es muß Sie freylich schmerzen, versetzte ich, daß dies ganze weitläuftige Gewerbe keinen Nachfolger in ihrer eigenen Familie haben soll. Gott hat alles gut gemacht, antwortete der Alte. Wie gesagt, es wirds niemand von meinem Namen auf dem Platze schlechter machen, wie ich, und so kann ich ruhig sterben über das, wies ein Fremder anfangen wird.

Auf Angeben des Rentsekretärs hatte man neben der großen Tafel für die meisten Gäste eine kleinere gedeckt, die ganz anders serviert war, wie die erste. Der Wein stand in kleinen Karafen, und die Teller waren von gelbem Englischen Steingut. Ich merkte bald, daß dies uns gelten, und daß ich und meine Frau hier mit dem Volke in seidnen Strümpfen vorlieb nehmen sollten. Ich protestierte daher zum voraus gegen diese Einrichtung, und behauptete, daß man den kleinen Tisch an den großen stoßen, und also aus dem Allen ein Ganzes machen sollte. Den Landleuten gefiels, daß ich die großen blankgeschliffnen Flaschen am andern Tische vorzog, und mich für die Schüsseln mit Hirsenbrey, dürren Pflaumen, Schweinebraten, und in Ringeln gelegten vielerley Bratwürsten, deklarierte. Wir setzten uns alle so untereinander wie sichs traf. Ich hatte auf der einen Seite den Pfarrer und auf der andern den Alten neben mir; meine Frau nahm zwischen dem Rentsekretär und dem Kandidaten ihren Platz. Zum Unglücke kamen die Teller mit dem Englischen Steingut an die Bauern, die herzlich erschraken, wenn die silbernen Löffel auf dem Porzellain erklangen, und die Leute daher fürchteten, es gäbe hier Stükken. Der Alte schnitt hurtig aber treuherzig vor, und man sah seinem Schwiegersohn an, wie er roth ward, wenn die Teller mit den großen Stücken Fleisch herumgiengen. Er hielt dies für sehr unschicklich, und so oft mich sein Auge traf, sprach es einige Entschuldigung deswegen. Die Gesellschaft ward laut und munter. Der Kandidat hielt sich verpflichtet, meine Frau standesmäßig zu unterhalten. Er sprach von den schönen Promenaden um Göttingen, und wie man nicht weit nach Hannover und Kassel hätte. Besonders aber gefiel ihm, daß Gotha nur neun Meilen abläge, und daß das dortige Theater jetzo eins der blühendsten in ganz Teutschland wäre. Er hatte öfters im Mohren logiert, und fand, daß man da vortreflich für sein Geld bewirthet würde. Er hatte das Glück gehabt, mit den berühmtesten schönen Geistern bey Herrn Ettinger zu speisen, und hatte auch Bekanntschaft mit verschiednen Fräulein gemacht. Er war ganz allein mit den Meklenburgern liiert gewesen, und war auch in Göttingen auf die Reitbahn gegangen.

Der allgemeine Gegenstand der Unterredung bey Tische war indessen das so außerordentlich fruchtbare Jahr, und die Landleute besonders gestanden alle ein, daß sie nie etwas dergleichen erlebt hätten. Da diese Leute täglich in ihrem Gewerbe erfahren, daß ihr Wissen und Sorgen nichts hilft, wenn ihnen Sonne und Regen nicht günstig sind, so sehen sie alles als geschenkt an, weils ihnen so leicht kann genommen werden. Sie sind daher die einzigen Menschen, die von dem Seegen Gottes noch mit Ueberzeugung sprechen, und glauben alles aus seiner Hand unmittelbar zu empfangen.

Aber was hilft das meinem Herrn? fuhr sie der Rentsekretär an: ihr möcht so viel haben als ihr wollt, so möcht ihr doch keine Steuern und Gaben geben. Ich bin nun erst ein halb Jahr im Amt, aber es soll mir bald anders werden. Die Liquidation muß heraus, und solten Ofen und Fenster drauf gehen. Die Lumpen sollen zum Land hinaus, mein Herr braucht keine. Jetzo haben sie wieder ihre alte Exküse; die Frucht gilt nichts, sagen sie, aber ins Wirthhaus können sie gehn. Ich will sie bald anders kuriren, wie mein Vorfahr; der ließ sich von ihnen weiß machen, was sie wollten. Das ist ein strenger Herr, lispelte mir der Amtmann über den Tisch zu. Da er eines Bauern Sohn ist, so sollte er doch aus Erfahrung wissen, was ein Gulden für ein unerschwingliches Kapital ist, wenn mans von einem Bauer zur Unzeit fodert. Das Eigenthum ist so schon durch das viele Geben, und die Auflagen ohn Ende ganz prekär geworden, und kein gescheuter Mann könnte sich ein Gut heutzutage auf die Bedingungen schenken lassen, wies der Bauer bauen muß. Sie geben alle, wenn mans beym Licht besieht, ihre 40 pCt. vom Ertrag. Wie ich nachher erfuhr, so hätte der Herr Rentsekretär seine Kaution nicht zu stellen vermocht, wenn er dem, der sie vorschoß, nicht die heimliche Unterhandlung mit Müllers Kathrinchen und ihrem Bruder dagegen hätte vorweisen können. Der alte Müller mit seinem Heyrathschatze war also wirklich der Patron, der dem gestrengen Herrn Cyklopen, der die Bauern spießen wollte, zum Brod geholfen hatte.

Nach Tische ward unter den jungen Leuten eine Parthie Kegelschieben vorgeschlagen. Man sah deutlich, wie der jungen Frau die Poschen im Wege waren, denn sie konnte ihre Ellenbogen nicht in die gehörige Richtung setzen, und die großen Schritte, die sie noch aus ihrem alten Stande zu thun gewohnt war, paßten mit nichten zu der zierlichen Pikesche mit den silbernen Drotteln. Die beyden Herren Schwäger hatten indessen Punsch in die Gartenhütte kommen lassen, und waren mit langen Pfeiffen in ihren Hemdärmeln. Eh man sichs versah, gab es an einem andern Ende hinter der Hütte ein Lermen; es klatschte was. Als man zusah, war der eine Backen des Herrn Rentsekretärs roth, als wenn er gemahlt wäre. Er hatte sich in der Freude seines Herzens vergessen, einem hübschen Bauermädchen in den Busen zu greifen, und diese hatte die Kühnheit mit einer derben Ohrfeige erwiedert.

Der Pfarrer, der Amtmann und ich giengen mit dem Alten, seine schöne Einrichtung auf dem Hofe und in den Stallungen zu betrachten. Ich wuste schon längst, daß er allein aus Mastvieh jährlich seine baare tausend Thaler herauszog. Ueberall war Ueberfluß, Ordnung und die natürliche Folge davon, die höchste Reinlichkeit. Das Gesinde war ungeachtet des Lermens im Hause alles an seinen nöthigen Geschäften. Ich hatte lang auf keinem Edelhof schöneres Vieh gesehen, und da er es nach und nach selbst gezogen hatte, so sah es aus, als wenns alles von einer Mutter gefallen wäre. Wir bezeugten dem Alten unsre Verwunderung darüber. Es kann niemand so sehr freuen als mich, wenn ers auch geschenkt bekommen hätte, weil ich weiß, wie sauer es mir geworden ist zu erwerben. Ich habe die Hof=Raithe mit Schulden angetreten, und nun bin ich schon seit 15 Jahren frey, und mein Inventarium ist verdoppelt. Aber es fliegt einen nicht an, und ich weiß gar wohl, wenn man nicht verderben will, daß man mit Glock zwölf zu Bette, und Glock zwey wieder bey der Hand seyn muß. Da ich von Kindheit sah, daß aus meinem Jungen nichts rechts werden würde, so danke ich Gott, daß er geistlich studiert hat. Wenn er nun die Ehe nicht bricht, und keinen todt schlägt, so müssen ihn irgendwo der kleine Zehnte und die Pachtfrüchte wohl, wenn Gott will, zu tode füttern.

Als wir zu den Pferden kamen, waren die Knechte im Abfüttern begriffen. Wir trafen den Sohn des Amtmanns, einen muntern Knaben von 15 Jahren, an, der ihnen half Heu vorstecken, und diese Beschäftigung dem Kegelschieben vorgezogen hatte. Mir fiel dabey mein alter Freund Horatius ein, ich rief ihm zu:

Imberbus Juvenis tandem custode remoto
Gaudet equis, canibusque et aprici gramine campi.

Der junge Mensch sah mir starr ins Gesicht, und ich merkte, daß er nicht viel davon begriffen hatte. Pst! stieß mich der Pfarrer sacht in die Seite; da war ihr Latein übel angewandt. Sie hätten den jungen Menschen eben so gut koptisch anreden können. (Der Amtmann war eben mit dem Müller in einem Gespräch begriffen und konnte uns nicht hören.) So ein kluger Mann, als unser Amtmann ist, fuhr der Pfarrer fort, so wenig kann ich doch von der Erziehung seiner Kinder begreifen. Er hat seinen Sohn erzogen, als wenn er ein Bauer werden solte. Der fährt in Acker, geht hinter dem Pfluge, und letzt hab ich ihn schon mit dem Säetuche angetroffen. Das gefällt mir nicht übel, gab ich zur Antwort. Aber um Gottes willen, versetzte er, was soll aus dem Menschen werden? Er weiß kein Latein, kein Wort Geschichte, keine Mythologie, an Philosophie gar nicht zu gedenken. Die weiß vermuthlich unser Wirth, der brave Reusch, auch nicht, gab ich ihm zur Antwort, und ist doch Gott und seinem Herrn ein nützlicher Unterthan. Da haben wir in der Stadt (fiel er mir ein) die treflichsten Anstalten, und unser Amtmann hat das schöne Vermögen, seinen Kindern was lernen zu lassen. Es ist eine Freude wenn man den Lektionskatalogus sieht. Wenn man zu meiner Zeit die Jugend auf solche Art angewiesen hätte, ich solte wohl auch an einem andern Platz mein Leben zubringen, als hier auf dem elenden Dorfe. – Und ist Ihnen das Dorf nicht gut genug, wo der Seegen Gottes auf allen Fluren lacht, und man noch oben drein so manch ehrliches Bauerngesicht in den Lauf bekommt, wornach so vielen honetten Leuten in der Stadt lüstet? – ,,Ja in der Barbarey lebt man, ich höre das Jahr über kein gescheutes Wort, als von Schafen, Kühen und Schweinen. Wenn ich nicht gut mit den Buchhändlern stünde, und der Inspektor und ich die gelehrten Zeitungen nicht für uns allein hielten, ich glaube, ich vergienge.'' – Nun hatte ich genug, und war froh, wie ich den Amtmann und den Müller auf uns zukommen sah.

Sie haben ihren Sohn, fieng ich an, allem Ansehn nach, wohl nicht zum akademischen Leben bestimmt? ,,Dafür hat die Natur gesorgt, gab er lächelnd zur Antwort, und wenn ich auch einen tollern Einfall gehabt hätte. Unter tausend Vortheile, die wir auf dem Lande haben, und die man in der Stadt als Unbequemlichkeiten ansieht, gehört auch dieser, daß wir unsre Kinder selbst erziehen können, oder daß sie uns nicht von andern erzogen werden. Der Junge war von Jugend auf der anstelligste unter meinen Kindern. Ohne einen Gran von Imagination, wußte er immer wo zu helfen war, und wo's was zu thun oder zu rathen gab, ward er gerufen. Sein Sinn für Kraft, Gewicht, Entfernung, Maaß, Größe u. dgl. ist außerordentlich scharf. Er war immer der Liebling des Gesindes, so wie die Thiere seine Lieblinge waren. Ich ließ ihn also sehen, versuchen, handthieren was er wollte. Gottlob, daß bey uns auf dem Lande alles, was nützliche Beschäftigung ist, nicht mit dem Worte niedrig kann gebrandmarkt werden; und daß wir mit den Menschen, die uns die Nahrung des Lebens verdienen helfen, in einem Stande von Gleichheit zu leben gewohnt sind.'' – Aber was soll aus dem allen werden? fiel der Pfarrer ein, Sie werden doch ihr liebstes Kind nicht aus der menschlichen Gesellschaft ausstoßen, und zum Bauer erniedrigen wollen?

Warum nicht? fieng der Amtmann an. Die menschliche Gesellschaft besteht wohl nicht allein aus Leuten, die Papier beschreiben. Er kann, wenn er ein Landmann wird, das mit Nutzen treiben, was so oft der Edelmann mit Schaden treibt. Und läßt ihm sein Vater Vermögen zurück, so denk ich er wird, ohne zum Zusammenscharren verdammt zu werden, reicher, so wie er arbeitet und weniger bedarf. Es treten ja jährlich so viele Leute aus dem Baurenstande in die Klasse derjenigen über, die am Aerario publico nagen wollen, daß es billig ist, daß zum Ersatz wieder andre in die natürliche Klasse zurücktreten. Schlimm genug, versetzte der Pfarrer, daß so viele Leute studieren, die nicht das Vermögen dazu haben; aber denen es Gott gegeben hat, die solltens auch zum Studiren anwenden. Wo steht das geschrieben? fiel der Amtmann ein. Ich denke derjenige Beruf ist wohl der sicherste, wo ich mir meine Bestimmung selbst geben kann, und sie nicht erst aus fremden Händen erwarten darf.

Aber wie können Sie das bey Gott und ihren Anverwandten verantworten, fiel der Pfarrer ein, gar nichts für ihre Kinder gethan zu haben?

,,Ich thu also nichts für sie, nach Ihrer Meinung, wenn ich ihnen ein sichres Eigenthum übergebe, und sie von Jugend auf dazu vorbereite, es mit Nutzen zu genießen, und sich ihren Unterhalt standesmäsig zu erwerben? Sie lachen hier über das Wort standesmäsig; aber wahrlich ist es nie in einem ernsthaftern und würdigern Sinne genommen worden als ichs hier nehme, wenn von der Klasse derjenigen Menschen die Rede ist, die so viel geben, und so wenig fodern.

Sie sehen die Sache sehr sublim an, versetzte der Pfarrer, wenn der Mensch nah am Thiere lebt, und uneingedenk seines intellektuellen Werths, alle seine Seelenkräfte in ewiger Unthätigkeit läst?

,,Ich sehe wohl, mein Sohn soll ein Virtuose werden, der Talente aus der Tasche spielt, und nachher den Hut gegen die Umstehenden aufhält, zu sehen, was ihm jeder nach seinem guten Willen dafür geben will. Nein, lieber mag er selber einer von den Umstehenden seyn, und sollte er auch das Talent so starr angaffen als die übrigen, wenn ihm nur was zu geben übrig bleibt. Ihr Herren, noch nie haben Eure Modescribenten so viel von Freyheit, Independenz und Thatkraft geschwatzt, und keiner hat doch den Muth, sich einen Beruf zu wählen, wo man, fern von Kredit, und Sage, und gutem Willen Anderer, sein Brod in Ruh und Gewißheit findet und verzehrt.

,,Ich weiß aus Erfahrung was es heißt, als Diener von der Konstitution abzuhängen. Diese fordert viel und giebt wenig, an Ehre, Einkünften oder Einfluß. Ich werde mich nie über die Regierung insbesondere beschweren, unter der ich diene. Sie ist weder schlimmer noch besser als ihre Nachbarn, und derjenige ist ein Thor, der sich aus einer in die andre flüchtet, um sein Heil zu finden. Aber das ist doch wahr, daß es ewig ein bloßer Herrendienst bleibt; und daß wir, die wir fern vom Hofe, mitten im Lande arbeiten, eben die Vergessenheit und den Undank zu erwarten haben, wie Hofleute, ohne den Vortheil eines Leibdieners zu genießen, der dem Fürsten von Angesicht bekannt ist, und an dem und seiner Familie der Fürst deswegen Antheil nimmt, blos weil er sie gesehen hat. Geschäfte und Hof bleiben in der ganzen Welt ewig getrennt; und die Leichtigkeit, womit alles dem Herrn auch von dem besten Minister muß vorgetragen werden, erzeugt eine Idee von Geringfügigkeit der Dinge. Es geht alles vor seinen Augen wie Bilder in der Laterna magica vorüber, wenn auch gleich nicht das geringste falsche Licht darüber verbreitet ist.

,,Und dann die Kollegia, von denen wir abhangen, wie wenig sind diese von dem instruiert, was sie uns so oft vorzuschreiben für gut befinden? –

,,Doch das sind politische Lieder; und diese können nie kurz genug seyn. –

Also, Meister Reusch, haben Sie meinen Vorschlag überdacht, den ich Ihnen eben gethan habe? Für Eins von meinen Kindern hab ich ein sichres Gewerbe nöthig, und die Ihrigen richten sich so ein, daß sie wahrscheinlich künftig

Geld brauchen. Könnten wir wohl bald unsern Tausch treffen, wenn Sie Ihren Anschlag billig einrichten? Mein Junge tritt bey Ihnen in die Lehre; und es ist wohl nicht ungereimter, daß des Amtmanns Sohn ein braver Müller wird, als des Müllers Sohn ein unnöthiger Amtmann.

Top! sagte Reusch, und schob den Hut aus der Stirn, schicken Sie mir ihn nur, und wir wollen versuchen, wie er sich anstellen wird, wenn wir zu Markte fahren.

Ich brauche Ihnen nicht zu sagen, daß es unschiklich befunden ward, an das Tanzen zu denken, weil die Gesellschaft so meliert war, und die saubern Leute aus der Stadt sich nicht mit dem Landvolke beschmuzen wollten. Es gieng also den Abend an eine neue Mahlzeit, wo ich sah, daß die Bauren nicht bestehen konnten, sondern die meisten sehr schläfrig aussahen. Ich retirierte mich zeitig, so wie ich mich vielleicht bey Ihnen auch zeitiger hätte retirieren sollen. Leben Sie wohl. etc. – F.

Werkregister 29

Gebet in Kindsnöten

O Allmächtiger GOtt! himmlischer Vater! du hast mich itzt zu einer sauren Arbeit beruffen, und mich an einem harten Stand in deinem Wein=Berge gestellt, und mir das schwere Creutz auferleget, daß ich mit grossen Schmertzen mein Kindlein gebähren soll. Ich bitte dich, du barmhertziger GOtt! hilff mir in dieser grossen Noht, und stärcke mich mit deiner Gnade, daß ich als eine getreue Kindes=Mutter thue, und arbeite, wie ich soll; damit ich an meinem Kindlein nicht eine Mörderin werde; und was ich dariñ; zu schwach bin, das wollest du verrichten, du treuer, starcker GOtt! und wenn das rechte Stündlein ist mich gnädiglich entbinden, mit einem frölichen An-blick erfreuen, um deines lieben Sohnes JEsu Christi willen, Amen.

Werkregister 35

Matthias Claudius

Die Mutter bey der Wiege.

Schlaf, süsser Knabe, süß und mild!
Du deines Vaters Ebenbild!
Das bist du; zwar dein Vater spricht,
Du habest seine Nase nicht.

Nur eben jetzo war er hier
Und sah dir ins Gesicht,
Und sprach: Viel hat er zwar von mir,
Doch meine Nase nicht.

Mich dünkt es selbst, sie ist zu klein,
Doch muß es seine Nase seyn;
Denn wenn's nicht seine Nase wär,
Wo hätt'st du denn die Nase her?

Schlaf, Knabe, was dein Vater spricht,
Spricht er wohl nur im Scherz;
Hab' immer seine Nase nicht,
Und habe nur sein Herz!

Werkregister 68

Matthias Claudius

Motetto, als der erste Zahn durch war.

Victoria! Victoria!
Der kleine weisse Zahn ist da.
Du Mutter! komm', und Groß und Klein
Im Hause! kommt, und kuckt hinein,
Und seht den hellen weissen Schein.

Der Zahn soll *Alexander* heißen.

Du liebes Kind! Gott halt ihn Dir gesund,
Und geb' Dir Zähne mehr in Deinen kleinen Mund,
Und immer was dafür zu beissen!

Werkregister 68

Carl Philipp Moritz

Erinnerungen aus den frühesten Jahren der Kindheit.

Die allerersten Eindrücke, welche wir in unsrer frühesten Kindheit bekommen, sind gewiß nicht so unwichtig, daß sie nicht vorzüglich bemerkt zu werden verdienten. Diese Eindrücke machen doch gewissermaßen die Grundlage aller folgenden aus; sie mischen sich oft unmerklich unter unsre übrigen Ideen, und geben denselben eine Richtung, die sie sonst vielleicht nicht würden genommen haben.

Wenn die Ideen der Kindheit bei mir erwachen, so ist es mir oft, als ob ich über die kurze Spanne meines Daseyns zurückschauen könnte, und als ob ich nahe dabei wäre, einen Vorhang aufzuziehn, der vor meinen Augen hängt. Daher ist es auch seit mehrern Jahren oftmals die Beschäftigung meiner einsamen Stunden gewesen, diese Erinnerungen in meine Seele zurückzurufen. Freilich merke ich es deutlich, daß dieses oft nur Erinnerungen von Erinnerungen sind. Eine ganz erloschne Idee war einst im Traume wieder erwacht, und ich erinnere mich nun des Traumes, und mittelbar durch denselben erst jener wirklichen Vorstellungen wieder. Auf die Art weiß ich es, wie meine Mutter mich einst im Sturm und Regen, in ihren Mantel gehüllt, auf dem Arme trug, und ich mich an sie anschloß, und ich kann die wunderbar angenehme Empfindung nicht beschreiben, welche mir diese Erinnerung gewährt.

Im meinem dritten Jahre zog meine Mutter mit mir aus meiner Geburtsstadt weg, die ich seitdem nicht wieder gesehen habe. Ich erinnere mich aber demohngeachtet noch einiger Gegenstände, die dort einen vorzüglichen Eindruck auf mich machten. Einer dunkeln tiefen Stube bei unserm Nachbar, den wir des Abends zuweilen zu besuchen pflegten. Der kleinen Schiffe, welche auf der Weser fuhren, und wo ich einige Weiber am Rande sitzen sahe. Eines Brunnens nicht weit von unserm Hause, dessen Bild mir immer auf eine ganz eigne Art im Gedächtniß geschwebt hat, und wobei es mir noch jetzt in diesen Augenblick ist, als ob ich wehmüthig in eine dunkle Ferne blickte.

Sollten vielleicht gar die Kindheitsideen das feine unmerkliche Band seyn, welches unsern gegenwärtigen Zustand an den vergangnen knüpft, wenn anders dasjenige, was jetzt unser *Ich* ausmacht, schon einmal, in andern Verhältnissen, da war? Unzähligemale weiß ich schon, daß ich mich bei irgend einer Kleinigkeit an etwas erinnert habe, und ich wußte selbst nicht recht an was. Es war etwas, das ich nur im Ganzen umfaßte, was irgend eine dunkle entfernte Aehnlichkeit mit meinem gegenwärtigen Zustande gehabt haben muß, ohne daß ich mir dieselbe deutlich entwickeln konnte.

Auch erinnere ich mich von meiner Geburtsstadt noch eines dunkeln Gewölbes, wo man, glaub' ich, durch ein Gitter, die Särger stehn sahe; eines *schwarzen* Schranks, welches in einem der benachbarten Häuser auf dem Flur stand, und mir so ungeheuer groß vorkam, daß ich glaubte, es müßten nothwendig Menschen darinn wohnen; unsrer Wirthin einer bösen harten Frau, in einem *grauen* Kamisohle, und ihres Mannes im *grünen* Rocke; der *gelben* Thüre in unser Stube; der Treppe, worauf ich oft saß, und auf und niederkletterte; eines Mangelholzes, womit ich spielte; überhaupt aber mehr der *Farben*, als der Gestalten der Dinge.

Ein Umstand ist mir noch insbesondre gegenwärtig. Meine beiden Stiefbrüder saßen auf einer steinernen Bank, vor einem Hause, welches dem unsrigen gerade gegenüber stand, und das *Klingenbergsche* hieß, wie ich mich noch von der Zeit an zu erinnern scheine, weil ich nachher von diesem Hause nicht wieder reden hörte. Ich lief quer über die Straße von unserm zu jenem Hause hin und wieder. Ein ansehnlicher Mann kam in der Mitte der Straße dahergegangen, und ich rannte ihm gerade auf den Leib. Nun weiß ich noch ganz genau, wie ich gegen diesen Mann anfing mit beiden Händen auszuschlagen, weil ich glaubte, er habe mir Unrecht gethan, da ich doch im Grunde der beleidigende Theil war.

Nicht weit von uns gegenüber wohnte der Garnisonprediger, in dessen Garten meine Brüder oft mit mir spazieren gingen. Von diesem Garten kann ich mich weiter nichts, als der grünen Weinranken an den Seiten erinnern. – Die Eindrücke *großer sichtbarer Gegenstände*, als der Thürme, Kirchen, des Umfanges der Häuser, u. s. w. sind von diesen Zeiten her gänzlich aus meinem Gedächtniß verwischt, und haben nicht die mindeste Spur zurückgelassen, nur das scheinet mir noch sehr klar zu seyn, daß unsre Hausthüre weit *größer* war, als die des gegenüberstehenden Hauses.

In der kindischen Einbildungskraft stellen sich die kleinen Gegenstände viel größer dar, als sie sind, und die großen faßt sie nicht.

Erinnerungen aus den frühesten Jahren der Kindheit von mehrern Personen nebeneinander gestellt, würden vielleicht erweisen, wie sich die Ideen zuerst von der Farbe, dann von der Gestalt, dann von der verhältnißmäßigen Größe der Gegenstände, nach und nach in der Seele fixirt haben. Und könnte man nicht auf die Weise vielleicht dem geheimen Gange nachspüren, wie das wunderbare Gewebe unsrer Gedanken entstanden ist, und mit der Zeit die ersten Grundfäden desselben auffinden?

Den ersten starken und bleibenden Eindruck auf mich machte die freie offne Natur, als meine Mutter, während des siebenjährigen Krieges, da ich beinahe drei Jahr alt seyn mochte, aus der Stadt aufs Land zog. Ich weiß noch, wie ich, in ihren Mantel gehüllt, mit ihr auf dem Wagen saß, und gewiß glaubte, daß Bäume und Hecken vor uns vorbei flögen, so wie der Wagen fortfuhr. Auch erinnere ich mich noch, wie wir über eine grüne Wiese fuhren, worauf sich oft Wasser von Regen gesammlet haben mochte, daß mir damals wie lauter große Seen vorkam; und wie meine Brüder in *rothen* Röcken neben dem Wagen hergingen, die ich zu meiner Verwundrung bald erscheinen, bald wieder verschwinden sahe.

Von dieser Zeit an scheinet mir mein gegenwärtiges Daseyn erst recht seinen Anfang genommen zu haben. Der vorige Theil meines Lebens kömmt mir wie *abgerissen* vor. Mit vieler Mühe kann ich ihn nur an mein eigentliches Daseyn anknüpfen, und die Erinnerungen aus demselben scheinen mir alle nur Erinnerungen von Erinnerungen zu seyn. Vom dritten Jahre an aber schweben mir die Ereignisse meiner Kindheit größtentheils noch sehr lebhaft im Gedächtniß.

Werkregister 18

Kinderlieder

Frankfurt am Mayn. In der Gegend um Frankf. am Mayn weiß man von der Gewohnheit am Sonntage Lätare Bilder herum zu tragen zwar nichts. Es ist aber eine andere Spur der Empfindsamkeit unserer Vorältern bey dem Anbruch der schönen Jahrszeit übrig geblieben, welche mit derjenigen, so uns Hr. Seybold im deutsch. Mus. von Speyer* mitgetheilt, einige Aehnlichkeit hat.

Wenn nämlich die Fastnacht mit einer nur halb erträglichen Witterung eintritt, so kommen Kinder armer Leute, wovon zwey einen Korb tragen, vor die Häuser, und singen folgendes Liedchen:

> Hawele hawele Lone.
> Die Fastnacht geht bald one.
> Unten in dem Hünkelhaus’,
> Hängt ein Korb voll Eyer h’raus.
> Droben in der Fürste
> Hängen die Bratwürste.
> Gebt uns von den langen.
> Laßt die kurzen hangen.
> Glück schlag ins Haus,
> Komm nimmermehr heraus.
> Violen und die Blumen
> Bringen uns den Sommer.
> Ri Ra Rum!
> Der Winter ist bald h’rum!
> Der Sommer ist so keck,
> Und wirft den Winter in Dr–.

Läßt man die Jungen auf die Gabe warten, so fahren sie fort:

> Wenn ihr uns was geben wollt,
> So gebt uns alsobald;
> Denn unsere Händ und Füße
> Werden uns allzukalt.

Bekommen sie noch nichts, so folgt nach einer kleinen Pause:

> Stamaus stamaus.
> Kehrt der *Mad* das Hemd aus.

---

* 1778 2ter B. S. 362. Dort ist es der Sonntag Oculi, also 8 Tage vor Lätare.

Und wenn sie sehen, daß sie ganz umsonst gesungen haben, so beschließen
wohl mit dem Reimchen:

> Stockfisch, Stockfisch!
> Gibt uns alle Jahr nichts.

Zu einer Erklärung dieses erbaulichen Volkslieds mag folgendes dienen.

Hawele hawele Lone hieß wahrscheinlich ehemals: Heilige Apollone, und
das Fest der Apollonia, welches der Fastnacht vorhergeht, war der Tag dieser
Frühlings-Verkündigung. Weil man es aber nach der Reformation für anstössig hielt, das Gedächtniß dieser dethronisirten Heiligen fortzupflanzen, so
verlegten die Kinder die Ceremonie auf die Fastnacht selbst, und verunstalte-
ten des Reims wegen den Namen. *One* heißt an. *Hünkelhaus* ist Hühnerhaus.
Fürst der Giebel des Hauses. Wirft den Winter in *Dr–,* bezieht sich vermuthlich auf den Zweykampf, welchen ich bey einer ähnlichen Sitte in Mannheim
gesehen habe, da der eine dieser bettelnden Jungen den Sommer, und der
andere den Winter vorstellte, und dieser jenem der Ordnung nach unterliegen
mußte.

Was soll aber *Stamaus* bedeuten? Ich vermuthe, daß es, nach der Mundart
des gemeinen Manns in der Wetterau, welcher an statt *u, au* sagt, nichts
anders sey, als: *stamus, stamus,* und diesemnach parodirt werden könnte:

> Noch stehen wir, noch stehen wir.
> Gebt der *Magd* die Ruthe dafür.

nämlich zur Strafe ihrer Langsamkeit, ihnen die bestimmte Gabe zu reichen.
    Freilich ist dieses Lied nicht von der Feinheit des Liedes der Kinder von
Rhodus, welche am Frühlingsfest singend und tanzend durch die Straße gingen, und die Vorübergehenden um etwas für die neuangekommene Schwalbe
baten. Indessen macht das frohe:

> Ri Ra Rum!
> Der Winter ist bald h'rum!

auf mich jährlich den nehmlichen Eindruck, wie das Liedchen:

> Hier ist sie, hier ist sie, die Schwalbe,
> Die uns die schönen Tage bringt!

und ich kann böse über die Kaltmüthigkeit unserer aufgeklärten Zeiten werden, wo der größte Theil der Menschen ganz ohne Gefühl von einer Jahrszeit
in die andere hinüber vegetirt.

Werkregister 17

LUDWIG CHRISTOPH HEINRICH HÖLTY

Die Liebe.

Diese Erd' ist so schön, wann sie der Lenz beblümt,
Und der silberne Mond hinter dem Walde steht;
    Ist ein irdischer Himmel,
        Gleicht den Thalen der Seligen.

Schöner lächelt der Hayn, silberner schwebt der Mond,
Und der ganze Olymp fleußt auf die Erd' herab,
    Wann die Liebe den Jüngling
        Durch die einsamen Büsche führt.

Wann ihr goldener Stab winket, beflügelt sich
Jede Seele mit Glut, schwingt sich den Sternen zu,
    Schwebt durch Engelgefilde,
        Trinkt aus Bächen der Seraphim.

Weilt, und trinket, und weilt, schwanket im Labyrinth;
Eine reinere Luft athmet von Gottes Stul
    Ihr entgegen, und weht sie,
        Gleich dem Säuseln Jehovahs, an.

Selten winket ihr Stab, selten enthüllet sie
Sich den Söhnen des Staubs! Ach, sie verkennen dich,
    Ach, sie hüllen der Wollust
        Deinen heiligen Schleyer um!

Mir erschienest du, mir, höheren Glanzes voll,
Wie dein Sokrates dich, wie dich dein Plato sah;
    Wie du jenem im Thale
        Seiner Quelle begegnetest.

Erd' und Himmel entflieht sterbenden Heiligen;
Lebensblüthengeruch strömet um sie herum,
    Engelfittige rauschen,
        Und die goldene Krone winkt.

Erd' und Himmel entfloh, als ich dich, Daphne sah;
Als dein purpurner Mund schüchtern mir lächelte;
    Als dein athmender Busen
        Meinen Blicken entgegenflog.

Unbekanntes Gefühl bebte zum erstenmal
Durch mein jugendlich Herz! Froh wie Anakreon,
Goß ich Flammen der Seele
In mein zitterndes Saitenspiel!

Eine Nachtigall flog, als ich mein erstes Lied,
Süße Liebe, dir sang, flötend um mich herum,
Und es taumelten Blüthen
Auf mein lispelndes Spiel herab.

Seit ich Daphnen erblickt, raucht kein vergoßenes
Blut durch meinen Gesang; spend' ich den Königen
Keinen schmeichelnden Lorbeer;
Sing' ich Mädchen und Mädchenkuß.

Werkregister 145

JOHANN HEINRICH VOSS

Die Spinnerin.

Ich armes Mädchen!
Mein Spinnerädchen
Will gar nicht gehn,
Seitdem der Fremde
In weißem Hemde
Uns half beim Weizenmäh'n!

Denn bald so sinnig,
Bald schlotternd spinn' ich
In wildem Trab,
Bald schnurrt das Rädchen,
Bald läuft das Fädchen
Vom vollen Rocken ab.

Noch denk' ich immer
Der Sense Schimmer,
Den blanken Hut,
Und wie wir beide
An gelber Weide
So sanft im Klee geruht.

Werkregister 243

KurKölnische Verordnung, die Aufhebung der, das Tanzen
hiebevor verbietenden Verordnung, betreffend.

Von Gottes Gnaden *Maximilian Friedrich*, Erzbischof zu Köln, des h.
römischen Reichs durch Italien ErzKanzler und Kurfürst, Legatus natus des
heil. apostolischen Stuls zu Rom, Bischof zu Münster, in Westfalen und zu
Engern Herzog, Burggraf zu Stromberg, Graf zu Königsegg=Rottenfels, Herr
zu Odenkirchen, Borkelohe, Werth, Aulendorf und Stauffen ect. etc.

Wir haben zwar, unterm 26 *Maj* und 24 *Dec.* 1770, die Verordnung erlassen, auf welche Tage das *Tanzen* in unserm ErzStifte dies= und jenseit des
Rheins, erlaubt seyn solle. Gleichwie aber an Uns fast von den meisten Orten
die klägliche Anzeige geschehen, wasmassen die jungen Leute, und besonders
das DienstVolk, auf Sonn= und Feiertagen sich über die Gränzen in der
Nachbarschaft, wo das Tanzen gestattet wird, begeben, ihr Geld also außer
Landes verzeren, die Eltern ihrer Kinder, und die Halbwinner des DienstVol-
kes, sich desto länger beraubt sehen täten, mithin der in obgem. unsern
höchsten Verordnungen heilsamlich abgezielte Zweck, nicht erreicht würde:
so sind Wir andurch mildest bewogen worden, auch in Unsern ErzStifti-
schen, so dies= als jenseits Rheines gelegenen Landen, das *Tanzen* auf Sonn=
und FeierTagen zwar gnädigst zu gestatten; hiebei aber auf denen hierunter
anderweit erlassenen Verordnungen scharfest zu beharren, daß nämlich das
Tanzen eher nicht, als nach der in den PfarrKirchen geendigten Vesper, seinen Anfang nemen, die in den Edicten vorgeschriebene Zeit nicht überschrit-
ten, und alle Unordnungen und Excesse möglichst verhütet werden. Wobei es
denn auch fernerweit sein Verbleib hat, daß darbeneben nur auf den Fast-
nachtsDienstag, wie denn auch nach eingetaner Erndte, nach vollendetem
Herbste, und in Ansehung der Kirchweihe nur den einen, in obgem. Unsern
gnädigsten Verordnungen bestimmten Tagen, getanzt werden solle.

Gleichwie Wir nun unsern getreusten Untertanen hiedurch eine erweiterte
ehrbare Lustbarkeit zugestehen: so versehen Wir uns zu denselben gnädigst,
daß sie in den anderweit erlassenen heilsamsten Verordnungen sich desto
genauer fügen, unsre Beamten aber darauf ein wachsames Auge halten, mithin andurch sich außer aller Verantwortung setzen werden. Befelen demnach
hiemit gnädigst, daß diese unsre Verordnung zu jedermanns Wissenschaft
öffentlich verkündet, auch sonsten gewönlicher massen angeschlagen werde.
Urkund dieses.

Geben in unsrer ResidenzStadt Bonn, den 30 Jul. 1779.

Maximilian Friederich Kurfürst. (L.S.)

Vt. C. O. Freyh. von Gymnich.

Werkregister 27

LEOPOLD FRIEDRICH VON GOECKINGK

Bey Uebersendung des Schlüssels zur Gartenthür.

Soll ich dich in den Brunnen werfen?
Schick ich dich hin zu Amarant?
Sollt ich vielleicht das Schwerd zu meinem Tode schärfen?
Selbst geben in des Mörders Hand?

Was soll ich thun? Vernunft, du prahlest immer
Mir deine weisen Lehren vor,
Doch lauter steiget noch der Liebe sanft Gewimmer
Aus der beklemmten Brust empor.

Wohlan, es sey! Zwar könnt' ich widerstehen,
Weil dieses Herz mir das verspricht:
Doch, Amarant, in dir, in dir den Mörder sehen,
Das will ich und das kann ich nicht.

Da nimm ihn hin! Komm, wenn die kleine Glocke
Die Nonnen zu der Hora weckt,
Verhülle dich besorgt in deinem Ueberrocke,
Und geh, von deinem Muth bedeckt.

Schon an der Thür sollst du den Busen hören,
Der wie ein Eisenhammer pocht;*
Sollst fühlen, wie das Blut in allen Herzensröhren
Beym Feuer deiner Küsse kocht.

Was willst du mehr? Schon das sollt' ich nicht geben;
Wem gäb' ichs auch wohl außer dir?
Doch, willst du kühner seyn? Nimm lieber gleich mein Leben;
Langsam nimmt sonst der Gram es mir.

Macht mich der Rausch von deiner Liebe trunken,
So kannst du leicht mein Sieger seyn:
Doch würde, wenn ich nun durch dich ins Grab gesunken,
Dich so ein Sieg wohl noch erfreun?

Werkregister 106

---

* Unter Eisenhammer wird hier ein Hüttenwerk verstanden, wo das Eisen verarbeitet wird, dergleichen es in Nantchens Gegend viele giebt.

LEOPOLD FRIEDRICH VON GOECKINGK

Nach dem ersten nächtlichen Besuche.

Bin ich nüchtern, bin ich trunken?
Wach' ich, oder träum' ich nur?
Bin ich aus der Welt gesunken?
Bin ich anderer Natur?
Fühlt' ein Mädchen schon so was?
Wie begreif' ich alles das?

Weis ich, daß die Rosen blühen?
Hör' ich jene Raben schreyn?
Fühl ich, wie die Wangen glühen?
Schmeck ich einen Tropfen Wein?
Seh ich dieses Morgenroth? –
Tot sind alle Sinnen, tot!

Alle seyd ihr denn gestillet?
Alle? Habet alle Dank!
Könnt' ich so in mich gehüllet,
Ohne Speis' und ohne Trank,
Nur so sitzen Tag für Tag,
Bis zum letzten Herzensschlag.

In die Nacht der Freude fliehet
Meine Seele wieder hin!
Hört und schmeckt, und fühlt und
              siehet
Mit dem feinem innrem Sinn!
O Gedächtniß! schon in dir
Liegt ein ganzer Himmel mir!

Worte, wie sie abgerissen
Kaum ein Seufzer von ihm stieß,
Hör' ich wieder, fühl' ihn küssen:
Welche Sprache sagt, wie süß?
Seh' ein Tränchen – Komm herab!
Meine Lippe küßt dich ab!

Wie ich noch so vor ihm stehe,
Immer spreche: Gute Nacht!
Bald ihn stockend wieder flehe:
Bleibe, bis der Hahn erwacht!
Wie mein Fuß bei jedem Schritt
Wanket, und mein Liebster mit!

Wie ich nun, an seine Seite
Festgeklammert, küssend ihn
Durch den Garten hin begleite!
Bald uns halten, bald uns ziehn!
Wie da Mond und Sterne stehn
Unserm Abschied zuzusehn.

Ach da sind wir an der Türe!
Bebend hält er in der Hand
Schon den Schlüssel. – Wart', ich
              spüre
Jemand gehen, Amarant!
Warte nur das Bischen doch!
Einen Kuß zum Abschied noch!

Ich verliere, ich verliere
Mich in diesem Labyrint!
Traumt' ich je, daß ich erführe,
Was für Freuden, Freuden sind?
Wenn die Freude töden kann,
Triffst du nie mich wieder an.

Werkregister 106

FRIEDRICH WILHELM GOTTER

Epistel an Herrn und Frau von St.
als sie sich auf ihre Güter zurückzogen.

1773.

Wie ein Roman, von zehn bis zwanzig Tomen,
Der uns von Feyn und Zauberern und Gnomen,
Die einem treuen Paare nachgestellt,
Zur Besserung von Herz und Sitten unterhält;
Uns lehret, wie sich die Verliebten
Viel Jahre lang in der Geduld,
Der besten Erdentugend, übten;
Auf eines guten Gottes Huld,
Der fromme Liebe schützet, harrten;
Und bald im wohlverwahrten Garten,
(Der Held schlich durch die Hinterthür hinein)
Wenn alles schlief, bey Mondenschein,
Sich sahen, seufzten, wenig sagten;
Bald, mittelst der Verschwiegenheit
Von einer Zof', ihr Herzeleid
Herzbrechend sich in Briefen klagten,
Und Gut und Blut, die Wachsamkeit
Der Hüter zu betriegen, wagten;
Und, wie sie neue Süßigkeit
Selbst in dem Widerstande fanden,
Sich täglich heiliger verbanden,
Je mehr sie Schwierigkeiten sahn;
Wie solch ein nützlicher Roman
Fing Eure Liebe sich einst an.
Doch nach Verlauf der ersten Bände,
(Eh' noch von einer Räuberschaar,
Von Blut, Entführung, von Gefahr
Zu fallen in Korsarenhände,
Und daß, nach Sturm und Schiffbruch, ein Barbar
Auf wüster Insel die Geliebte schände,
Von Fieber, Ohnmacht, Todtenbaar,
Und Thurmeinsperren Rede war;)
Da hüpftet Ihr geschwind ans Ende
Und wurdet glücklich; seyd's; und eilt,
Das Loos, das euch der Himmel zugetheilt,

In einer Freystatt zu genießen,
Wo Ruh' und Einfalt euch umschließen,
Und nur die Liebe mit euch weilt;
Die Liebe, die dem falschen Schwarme
Des Hofes gern entsagt, der ganzen Welt vergißt,
Und sich in ihres Abgotts Arme,
Die Welt, der Himmel ist.

Ich, den umher im Kreis von Wünschen, Planen, Zielen
Ein Wirbelwind zu lange rastlos trieb,
Mißgünstig würd' ich hin nach eurer Freystatt schielen,
Wenn (gönnt mir diesen Trost!) wenn Hofnung mir nicht blieb,
Einst mein Romänchen auch so glücklich auszuspielen.

Werkregister 113

Leopold Friedrich von Goeckingk

Am Tage eines abgeredeten Besuchs.

Wenn der Schlaf, um Mitternacht,
Fest auf allen Augen lieget,
Wenn allein dein Mädchen wacht,
Und auf langen leisen Zähn
Sich bey jedem Schritte wieget:
Werden wir uns wieder sehn.

Wie? das wären bis dahin,
Funfzehn, ganze funfzehn Stunden?
Ha! wenn ich nicht bey dir bin,
Schleicht der Zeiger an der Uhr;
Schnell verfliegen die Secunden,
Wenn ich bey dir sitze, nur.

Was vertreibt mir diese Zeit?
Ach! kein Lesen und kein Schreiben!
Eher noch als *Kleist,* (so weit
Ists mit Nanten!) mögte mir
*Annens** Schwatzen sie vertreiben:
Sie spricht wenigstens von dir.

Werkregister 107

---

* Ihr Mädchen.

LEOPOLD FRIEDRICH VON GOECKINGK

Wachen und Schlafen.

Wie war ich sonst dem Wachen doch so gram,
Dem Schlafe wie so gut!
Wenn ungelockt er auf die Augen kam,
Noch unbenetzt von süßer Thränen Flut.

Ich gähnte schon, so bald der Hesperus
Am Horizonte stand,
Gab nickend oft dem Nähpult einen Kuß,
Und leise fiel mein Strickzeug aus der Hand.

Fand ich nicht oft am Abend meinen Kopf,
Auf meinen Arm gelegt,
An dem Klavier; und sucht ihn, wie ein Tropf,
Wenns vor ihm steht, das Glück zu suchen pflegt?

Wie bin ich nun dem Schlafe doch so gram,
Dem Wachen, wie so gut!
Itzt, Lucifer, siehst du am Näherahm
Mich noch so glüh als hätt' ich sanft geruht.

Hier ist dein Bild, mein zweites liebes *Du!*
Ich werfe weinend dann
Ihm Kuß auf Kuß von meinen Lippen zu;
Wie lächelt's mich so innig dankbar an!

Ich flüstre gar, als könnt' es mich verstehn,
Ihm meine Seufzer vor,
Denk' als ein Kind: (auch der Betrug ist schön!)
Nun klingt ihm itzt vielleicht sein rechtes Ohr.*

Wenn auch der Schlaf die Augenlieder treu
Mit Schwanenflügeln streicht,
Macht meine Hand ihn endlich doch so scheu,
Daß er verwirrt zu meiner *Ann'* entweicht.

Denn so der Schlaf dich meinem Geist' entriß:
Ach, ach! was hätt' ich dann?
Ob dich ein Traum mir zeig', ist ungewiß,
Drum schmieg' ich mich im Wachen an dich an.

Werkregister 107

---

* Die Landleute haben den Aberglauben, daß, wenn ihnen das rechte Ohr klinget,
ein Abwesender Gutes, klingt ihnen aber das linke, Böses von ihnen spricht.

CHRISTOPH MARTIN WIELAND

Geschichte des Agathon.

[Agathon, der platonisch Liebende, ist nach einer kurzen Wiederbegegnung erneut von der geliebten Psyche getrennt und in Smyrna von Seeräubern als Sklave verkauft worden. Sein neuer Herr, der Sophist Hippias, gibt ihm den Namen Callias und versucht, ihn von seinen antiplatonischen Maximen zu überzeugen. Als er mit Argumenten nichts ausrichtet, überläßt er es der schönen Danae, mit einem Anschlag auf die Tugendfestigkeit des jungen Helden dessen Weltbild ins Wanken zu bringen.]

Fünftes Buch
Sechstes Capitel
Worinn der Geschichtschreiber sich einiger Indiscretion schuldig macht.

Die schöne Danae war sehr weit entfernt, gleichgültig gegen die Vorzüge des Callias zu seyn, und es kostete ihr würklich, so gesezt sie auch war, einige Mühe, ihm zu verbergen, wie sehr sie von seiner Liebe gerührt war, und wie gern sie sich dieselbe zu Nuz gemacht hätte. Allein aus einem Agathon einen Alcibiades zu machen, das konnte nicht das Werk von etlichen Tagen seyn, und um so viel weniger, da er durch unmerkliche Schritte, und ohne, daß sie selbst etwas dabey zu thun schien, zu einer so grossen Veränderung gebracht werden mußte, wenn sie anders dauerhaft seyn sollte. Die grosse Kunst war, unter der Masque der Freundschaft seine Begierden zu eben der Zeit zu reizen, da sie selbige durch eine unaffectirte Zurückhaltung abzuschreken schien. Allein auch dieses war nicht genug; er mußte vorher die Macht zu widerstehen verliehren; wenn der Augenblick einmal gekommen seyn würde, da sie die ganze Gewalt ihrer Reizungen an ihm zu prüffen entschlossen war. Eine zärtliche Weichlichkeit mußte sich vorher seiner ganzen Seele bemeistern, und seine in Vergnügen schwimmende Sinnen mußten von einer süssen Unruhe und wollüstigen Sehnsucht eingenommen werden, ehe sie es wagen wollte, einen Versuch zu machen, der, wenn er zu früh gemacht worden wäre, gar leicht ihren ganzen Plan hätte vereiteln können. Zum Unglük für unsern Helden ersparte ihr seine magische Einbildungskraft die Helfte der Mühe, welche sie aus einem Uebermaß von Freundschaft anwenden wollte, ihm die Verwandlung, die mit ihm vorgehen sollte, zu verbergen. Ein Lächeln seiner Göttin war genug, ihn in Vergnügen zu zerschmelzen; ihre Blike schienen ihm einen überirdischen Glanz über alles auszugiessen, und ihr Athem der ganzen Natur den Geist der Liebe einzuhauchen: Was mußte denn aus ihm werden, da sie zu Vollendung ihres Sieges alles anwendete, was auch den unempfindlichsten unter allen Menschen zu ihren Füssen hätte legen können? Agathon wußte noch nicht, daß sie die Laute spielte, und in der Musik eine eben so grosse Virtuosin als in der Tanzkunst war. Die Feste und Lustbarkeiten, in deren Erfindung er unerschöpflich war, um ihr den ländlichen Aufenthalt angenehmer zu machen, gaben ihr Anlaß, ihn durch Entdekung dieser neuen Reizungen in Erstaunung zu sezen. ,,Es ist billig", sagte sie zu ihm, ,,daß ich deine Bemühungen, mir Vergnügen zu machen, durch eine Erfindung von meiner Art erwiedre. Diesen Abend will ich dir den Wettstreit der Sirenen und der Musen geben, ein Stük des berühmten Damons, das ich noch aus Aspasiens Zeiten übrig habe, und das von den Kennern für das Meisterstük der Tonkunst erklärt wurde. Die Anstalten sind schon dazu gemacht, und du allein sollst der Zuhörer und Richter dieses Wettgesangs seyn." Niemals hatte den Agathon eine Zeit länger gedaucht, als die wenigen Stunden, die er in Erwartung dieses versprochenen Vergnügens zubrachte. Danae hatte ihn verlassen, um durch ein erfrischendes Bad ihrer Schönheit einen neuen Glanz zu geben, indessen daß er die verschwindenden Stralen der untergehenden Sonne einen nach dem andern zu zählen schien. Endlich kam die angesezte Stunde. Der schönste Tag hatte der anmuthigsten Nacht Plaz gemacht, und eine süsse Dämmerung hatte schon die ganze schlummernde Natur eingeschleyert; als plözlich ein neuer zauberischer Tag, den eine unendliche Menge künstlich verstekter Lampen verursachte, den reizenden Schauplaz sichtbar machte, welchen die Fee dieses Orts zu diesem Lustspiel hatte zubereiten lassen. Eine mit Lorbeerbäumen beschattete Anhöhe erhob sich aus einem spiegelhellen See, der mit Marmor gepflastert, und ringsum mit Myrten und Rosenheken eingefaßt war. Kleine Quellen schlängelten den Lorbeerhayn herab, und rieselten mit sanftem Murmeln oder lächelndem Klatschen in den See, an dessen Ufer hier und da kleine Grotten, mit Corallenmuscheln und andern Seegewächsen ausgeschmükt hervorragten, und die Wohnung der Nymphen dieses Wassers zu seyn schienen. Ein kleiner Nachen in Gestalt einer Perlenmuschel, der von einem marmornen Triton emporgehalten wurde, stuhnd der Anhöhe gegen über am Ufer, und war der Siz, auf welchem Agathon als Richter den Wettgesang hören sollte.

Siebentes Capitel
Magische Kraft der Musik.

Agathon hatte seinen Plaz kaum eingenommen, als man in dem Wasser ein wühlendes Plätschern, und aus der Ferne, wie es ließ, eine sanft zerflossene Harmonie hörte, ohne jemand zu sehen, von dem sie herkäme. Unser Liebhaber, den dieser Anfang in ein stilles Entzüken sezte, wurde, ungeachtet er zu diesem Spiele vorbereitet war, zu glauben versucht, daß er die Harmonie der Sphären höre, von deren Würklichkeit ihn die Pythagorischen Weisen beredet hatten; allein, während daß sie immer näher kam und deutlicher wurde, sah er zu gleicher Zeit die Musen aus dem kleinen Lorbeerwäldchen und die Sirenen aus ihren Grotten hervorkommen. Danae hatte die jüngsten und schönsten aus ihren Aufwärterinnen ausgelesen, diese Meernymphen vorzustellen, die, nur von einem wallenden Streif von himmelblauem Byssus umflattert, mit Cithern und Flöten in der Hand sich über die Wellen erhuben, und mit jugendlichem Stolz untadeliche Schönheiten vor den Augen ihrer eifersüchtigen Gespielen entdekten. Allein kleine Tritonen, bliesen, um sie her schwimmend, aus krummen Hörnern, und nekten sie durch muthwillige Spiele; indeß daß Danae mitten unter den Musen, an den Rand der kleinen Halbinsel herabstieg, und, wie Venus unter den Gratien, oder Diana unter ihren Nymphen hervorglänzend, dem Auge keine Freyheit ließ, auf einem andern Gegenstande zu verweilen. Ein langes schneeweisses Gewand floß, unter dem halbentblößten Busen mit einem goldnen Gürtel umfaßt, in kleinen wallenden Falten zu ihren Füssen herab; ein Kranz von Rosen wand sich um ihre Loken, wovon ein Theil in kunstloser Anmuth um ihren Naken schwebte; ihr rechter Arm, auf dessen Weisse die Homerische Juno eifersüchtig hätte seyn dürfen, umfaßte eine Laute von Elfenbein. Die übrigen Musen, mit verschiednen Sayteninstrumenten versehen, lagerten sich zu ihren Füssen; sie allein blieb in einer unnachahmlich reizenden Stellung stehen, und hörte lächelnd der Aufforderung zu, welche die übermüthigen Syrenen ihr entgegensangen. Man muß ohne Zweifel gestehen, daß das Gemählde, welches sich in diesem Augenblik unserm Helden darstellte, nicht sehr geschikt war, weder sein Herz noch seine Sinnen in Ruhe zu lassen; allein die Absicht der Danae war nur, ihn durch die Augen zu den Vergnügungen eines andern Sinnes vorzubereiten, und ihr Stolz verlangte keinen geringern Triumph, als ein so reizendes Gemählde durch die Zaubergewalt ihrer Stimme und ihrer Sayten in seiner Seele auszulöschen. Sie schmeichelte sich nicht zu viel. Die Sirenen hörten auf zu singen, und die Musen antworteten ihrer Ausforderung durch eine Symphonie, welche auszudruken schien, wie gewiß sie sich des Sieges hielten. Nach und nach verlohr sich die Munterkeit, die in dieser Symphonie herrschte; ein feyerlicher Ernst nahm ihren Plaz ein, das Getön wurde immer einförmiger, bis es nach und nach in ein dunkles gedämpftes Murmeln und zulezt in eine gänzliche Stille erstarb. Ein allgemeines Erwarten schien dem Erfolg dieser vorbereitenden Stille entgegen zu horchen, als es auf einmal durch eine liebliche Harmonie unterbrochen wurde, welche die geflügelten und seelenvollen Finger der schönen Danae aus ihrer Laute lokten. Eine Stimme, welche fähig schien, die Seelen ihren Leibern zu entführen, und Todte wieder zu beseelen (wenn wir einen Ausdruk des Liebhabers der schönen Laura entlehnen dürfen) eine so bezaubernde Stimme beseelte diese reizende Anrede. Der Innhalt des Wettgesangs war über den Vorzug der Liebe, die sich auf die Empfindung, oder derjenigen, die sich auf die blosse Begierde gründet. Nichts könnte rührender seyn, als das Gemählde, welches Danae von der ersten Art der Liebe machte; ,,in solchen Tönen'', dacht Agathon, ,,ganz gewiß in keinen andern, drüken die Unsterblichen einander aus, was sie empfinden; nur eine solche Sprache ist der Götter würdig.'' Die ganze Zeit da dieser Gesang dauerte, däuchte ihn ein Augenblik, und er wurde ganz unwillig, als Danae auf einmal aufhörte, und eine der Sirenen, von den Flöten ihrer Schwestern begleitet, kühn genug war, es mit seiner Göttin aufzunehmen. Allein er wurde bald gezwungen anders Sinnes zu werden, als er sie hörte; alle seine Vorurtheile für die Muse konnten ihn nicht verhindern, sich selbst zu gestehen, daß eine fast unwiderstehliche Verführung in ihren Tönen athmete. Ihre Stimme, die an Weichheit und Biegsamkeit nicht übertroffen werden konnte, schien alle Grade der Entzükungen auszudrüken, deren die sinnliche Liebe fähig ist; und das weiche Getön der Flöten erhöhte die Lebhaftigkeit dieses Ausdruks auf einen Grad, der kaum einen Unterschied zwischen der Nachahmung und der Wahrheit übrig ließ. „Wenn die Sirenen, bey denen der kluge Ulysses vorbeyfahren mußte, so gesungen haben", (dachte Agathon) „so hatte er wohl Ursache, sich an Händen und Füssen an den Mastbaum binden zu lassen." Kaum hatten die Sirenen diesen Gesang geendiget, so erhub sich ein frolokendes Klatschen aus dem Wasser, und die kleinen Tritonen stiessen in ihre Hörner, den Sieg anzudeuten, den sie über die Musen erhalten zu haben glaubten. Allein diese hatten den Muth nicht verlohren: Sie ermunterten sich bald wieder, und fiengen eine Symphonie an, wovon der Anfang eine spottende Nachahmung des Gesanges der Sirenen zu seyn schien. Nach einer Weile wechselten sie die Tonart und den Rhytmus, durch ein Andante, welches in wenigen ‹Takten› nicht die mindeste Spur von den Eindrüken übrig ließ, die der Syrenen Gesang auf das Gemüthe der Hörenden gemacht haben konnte. Eine süsse Schwermuth bemächtigte sich Agathons; er sank in ein angenehmes Staunen, unfreywillige Seufzer entflohen seiner Brust, und wollüstige Thränen rollten über seine Wangen herab. Mitten aus dieser rührenden Harmonie erhob sich der Gesang der schönen Danae, welche durch die eifersüchtigen Bestrebungen ihrer Nebenbuhlerin aufgefordert war, die ganze Vollkommenheit ihrer Stimme, und alle Zauberkräfte der Kunst anzuwenden, um den Sieg gänzlich auf die Seite der Musen zu entscheiden. Ihr Gesang schilderte die rührenden Schmerzen einer wahren Liebe, die in ihrem Schmerzen selbst ein melancholisches Vergnügen findet; ihre standhafte Treue und die Belohnung, die sie zuletzt von der zärtlichsten Gegenliebe erhält. Die Art wie sie dieses ausführte, oder vielmehr die Eindrüke, die sie dadurch auf ihren Liebhaber machte, übertraffen alles was man sich davon vorstellen kan. Sein ganzes Wesen war Ohr, und seine ganze Seele zerfloß in die Empfindungen, die in ihrem Gesange herrscheten. Er war nicht so weit entfernt, daß Danae nicht bemerkt hätte, wie sehr er ausser sich selbst war, und wie viel Mühe er hatte, um sich zu halten, aus seinem Siz sich in das Wasser herabzustürzen, zu ihr hinüber zu schwimmen, und seine in Entzükung und Liebe zerschmolzene Seele zu ihren Füssen auszuhauchen. Sie wurde durch diesen Anblik selbst so gerührt, daß sie genöthiget war, die Augen von ihm abzuwenden, um ihren Gesang vollenden zu können: Allein sie beschloß bey sich selbst, die Belohnung nicht länger aufzuschieben, welche sie einer so vollkommenen Liebe schuldig zu seyn glaubte. Endlich endigte sich ihr Lied; die begleitende Symphonie hörte auf; die beschämten Sirenen flohen in ihre Grotten; die Musen verschwanden; und der staunende Agathon blieb in trauriger Entzükung allein.

Achtes Capitel
Eine Abschweiffung, wodurch der Leser zum Folgenden vorbereitet wird.

Wir können die Verlegenheit nicht verbergen, in welche wir uns durch die Umstände gesezt finden, worinn wir unsern Helden zu Ende des vorigen Capitels verlassen haben. Sie drohen dem erhabnen Charakter, den er bißher mit einer so rühmlichen Standhaftigkeit behauptet, und wodurch er sich zweifelsohne in eine nicht gemeine Hochachtung bey unsern Lesern gesezt hat, einen Abfall, der denenjenigen, welche von einem Helden eine vollkommene Tugend fordern, eben so anstössig seyn wird, als ob sie, nach allem was bereits mit ihm vorgegangen, natürlicher Weise etwas bessers hätten erwarten können.

Wie groß ist in diesem Stüke der Vortheil eines Romanendichters vor demjenigen, welcher sich anheischig gemacht hat, ohne Vorurtheil oder Partheylichkeit, mit Verläugnung des Ruhms, den er vielleicht durch Verschönerung seiner Charakter, und durch Erhebung des Natürlichen ins Wunderbare sich hätte erwerben können, der Natur und Wahrheit in gewissenhafter Aufrichtigkeit durchaus getreu zu bleiben! Wenn jener die ganze grenzenlose Welt des Möglichen zu freyem Gebrauch vor sich ausgebreitet sieht; wenn seine Dichtungen durch den mächtigen Reiz des Erhabnen und Erstaunlichen schon sicher genug sind, unsre Einbildungskraft und unsre Eitelkeit auf seine Seite zu bringen; wenn schon der kleinste Schein von Uebereinstimmung mit der Natur hinlänglich ist, die Freunde des Wunderbaren, welche immer die grösseste Zahl ausmachen, von ihrer Möglichkeit zu überzeugen; ja, wenn er volle Freyheit hat, die Natur selbst umzuschaffen, und, als ein andrer Prometheus, den geschmeidigen Thon, aus welchem er seine Halbgötter und Halbgöttinnen bildet, zu gestalten wie es ihm beliebt, oder wie es die Absicht, die er auf uns haben mag, erheischet: So sieht sich hingegen der arme Geschichtschreiber genöthiget, auf einem engen Pfade, Schritt vor Schritt in die Fußstapfen der vor ihm hergehenden Wahrheit einzutreten, jeden Gegenstand so groß oder so klein, so schön oder so häßlich, wie er ihn würklich findet, abzumahlen; die Würkungen so anzugeben, wie sie vermöge der unveränderlichen Geseze der Natur aus ihren Ursachen herfliessen; und wenn er seiner Pflicht ein völliges Genügen gethan hat, sich gefallen zu lassen, daß man seinen Helden am Ende um wenig oder nichts schäzbarer findet, als der schlechteste unter seinen Lesern sich ohngefehr selbst zu schäzen pflegt.

Vielleicht ist kein unfehlbarers Mittel mit dem wenigsten Aufwand von Genie, Wissenschaft und Erfahrenheit ein gepriesener Schriftsteller zu werden, als wenn man sich damit abgibt, Menschen (denn Menschen sollen es doch seyn) ohne Leidenschaften, ohne Schwachheit, ohne allen Mangel und Gebrechen, durch etliche Bände voll wunderreicher Abentheure, in der einförmigsten Gleichheit mit sich selbst, herumzuführen. Eh ihr es euch verseht, ist ein Buch fertig, das durch den erbaulichen Ton einer strengen Sittenlehre, durch blendende Sentenzen, durch Charaktere und Handlungen, die eben so viele Muster sind, den Beyfall aller der gutherzigen Leute überraschet, welche jedes Buch, das die Tugend anpreißt, vortreflich finden. Und was für einen Beyfall kan sich ein solches Werk erst alsdenn versprechen, wenn der Verfasser die Kunst oder die natürliche Gabe besizt, seine Schreibart auf den Ton der Begeisterung zu stimmen, und, verliebt in die schönen Geschöpfe seiner erhizten Einbildungskraft, die Meynung von sich zu erweken, daß ers in die Tugend selber sey. Umsonst mag dann ein verdächtiger Kunstrichter sich heiser schreyen, daß ein solches Werk eben so wenig für die Talente seines Urhebers beweise, als es der Welt Nuzen schaffe; umsonst mag er vorstellen, wie leicht es sey, die Definitionen eines Auszugs der Sittenlehre in Personen, und die Maximen des Epictets in Handlungen zu verwandeln; umsonst mag er beweisen, daß die unfruchtbare Bewunderung einer schimärischen Vollkommenheit, welche man nachzuahmen eben so wenig wahren Vorsaz als Vermögen hat, das äusserste sey, was diese wakere Leute von ihren hochfliegenden Bemühungen zum Besten einer ungelehrigen Welt erwarten können: Der weisere Tadler heißt ihnen ein Zoilus, und hat von Glük zu sagen, wenn das Urtheil das er von einem so moralischen Werke des Wizes fällt, nicht auf seinen eignen sittlichen Charakter zurükprallt, und die gesundere Beschaffenheit seines Gehirns nicht zu einem Beweise seines schlimmen Herzens gemacht wird. Und wie sollte es auch anders seyn können? Unsre Eitelkeit ist zusehr dabey interessiert, als daß wir uns derjenigen nicht annehmen sollten, welche unsre Natur, wiewohl eignen Gewalts, zu einer so grossen Hoheit und Würdigkeit erhalten. Es schmeichelt unserm Stolze, der sich ungern durch so viele Zeichen von Vorzügen des Stands, des Ansehens, der Macht und des äusserlichen Glanzes unter andre erniedriget sieht, die Mittel (wenigstens so lange das angenehme Blendwerk daurt) in seiner Gewalt zu sehen, sich über die Gegenstände seines Neides hinauf schwingen, und sie tief im Staube unter sich zurüklassen zu können. Und wenn gleich die unverheelbare Schwäche unsrer Natur uns auf der einen Seite, zu grossem Vortheil unsrer Trägheit, von der Ausübung heroischer Tugenden loszählt; so ergözt sich doch inzwischen unsre Eigenliebe an dem süssen Wahne, daß wir eben so wundertätige Helden gewesen seyn würden, wenn uns das Schiksal an ihren Plaz gesezt hätte.

Wir müssen uns gefallen lassen, wie diese gewagten Gedanken, so natürlich und wahr sie uns scheinen, von den verschiednen Classen unsrer Leser aufgenommen werden mögen: Und wenn wir auch gleich Gefahr lauffen sollten, uns ungünstige Vorurtheile zuzuziehen; so können wir doch nicht umhin, diese angefangene Betrachtung um so mehr fortzusezen, je grösser die Beziehung ist, welche sie auf den ganzen Innhalt der vorliegenden Geschichte hat.

Unter allen den übernatürlichen Charaktern, welche die mehrbelobten romanhaften Sittenlehrer in einen gewissen Schwung von Hochachtung gebracht haben, sind sie mit keinem glüklicher gewesen, als mit dem Heldenthum in der Großmuth, in der Tapferkeit und in der verliebten Treue. Daher finden wir die Liebensgeschichten, Ritterbücher und Romanen, von den Zeiten des guten Bischofs Heliodorus biß zu den unsrigen, von Freunden, die einander alles, sogar die Forderungen ihrer stärksten Leidenschaften, und das angelegenste Interesse ihres Herzens aufopfern; von Rittern, welche immer bereit sind, der ersten Infantin, die ihnen begegnet, zu gefallen, sich mit allen Riesen und Ungeheuern der Welt herumzuhauen; und (biß Crebillon eine bequemere Mode unter unsre Nachbarn jenseits des Rheins aufgebracht hat) beynahe von lauter Liebhabern angefüllt, welche nichts angelegners haben, als in der Welt herumzuziehen, um die Nahmen ihrer Geliebten in die Bäume zu schneiden, ohne daß die reizendesten Versuchungen, denen sie von Zeit zu Zeit ausgesezt sind, vermögend wären, ihre Treue nur einen Augenblik zu erschüttern. Man müste wohl sehr eingenommen seyn, wenn man nicht sehen sollte, warum diese vermeynten Heldentugenden in eine so grosse Hochachtung gekommen sind. Von je her haben die Schönen sich berechtiget gehalten, eine Liebe, welche ihnen alles aufopfert, und eine Beständigkeit, die gegen alle andre Reizungen unempfindlich ist, zu erwarten. Sie gleichen in diesem Stüke den grossen Herren, welche verlangen, daß unserm Eifer nichts unmöglich seyn solle, und die sich sehr wenig darum bekümmern, ob uns dasjenige, was sie von uns fordern, gelegen, oder ob es überhaupt recht und billig sey, oder nicht. Eben so ist es für unsre Beherrscherinnen schon genug, daß der Vortheil ihrer Eitelkeit und ihrer übrigen Leidenschaften sich bey diesen vorgeblichen Tugenden am besten befindet, um einen Artabanus oder einen Grafen von Comminges zu einem grössern Mann in ihren Augen zu machen, als alle Helden des Plutarchs zusammengenommen. Und ist die unedle Eigennüzigkeit oder der feige Kleinmuth, womit wir (zumal bey jenen Völkern, wo der Tod aus sittlichen Ursachen mehr als natürlich ist, gefürchtet wird) den größesten Theil der bürgerlichen Gesellschaft angestekt sehen, vielleicht weniger intereßirt, eine sich selbst ganz vergessende Großmuth und eine Tapferkeit, die von nichts erzittert, zu vergöttern? Je vollkommener andre sind, desto weniger haben wir nöthig es zu seyn; und je höher sie ihre Tugend treiben, desto weniger haben wir bey unsern Lastern zu besorgen.

Der Himmel verhüte, daß unsre Absicht jemals sey, in schönen Seelen diese liebenswürdige Schwärmerey für die Tugend abzuschreken, welche ihnen so natürlich und öfters die Quelle der lobenswürdigsten Handlungen ist. Alles was wir mit diesen Bemerkungen abzielen, ist allein, daß die romanhaften Helden, von denen die Rede ist, noch weniger in dem Bezirke der Natur zu suchen seyen als die geflügelten Löwen und die Fische mit Mädchenleibern;

daß es moralische Grotesken seyen, welche eine müßige Einbildungskraft
ausbrütet, und ein verdorbner moralischer Sinn, nach Art gewisser Indianer,
destomehr vergöttert, je weiter ihre verhältnißwürdige Mißgestalt von der
menschlichen Natur sich entfernet, welche doch, mit allen ihren Mängeln, das
beste, liebenswürdigste und vollkommenste Wesen ist, daß wir würklich kennen – und daß also der Held unsrer Geschichte, durch die Veränderungen
und Schwachheiten, denen wir ihn unterworfen sehen, zwar allerdings, wir
gestehen es, weniger ein Held, aber destomehr ein Mensch, und also desto
geschikter sey, uns durch seine Erfahrungen, und selbst durch seine Fehler zu
belehren.

Wir können indeß nicht bergen, daß wir aus verschiednen Gründen in
Versuchung gerathen sind, der historischen Wahrheit dieses einzige mal Gewalt anzuthun, und unsern Agathon, wenn es auch durch irgend einen *Deum
ex Machina* hätte geschehen müssen, so unversehrt aus der Gefahr, worinn er
sich würklich befindet, herauszuwikeln, als es für die Ehre des Platonismus,
die er bisher so schön behauptet hat, allerdings zu wünschen gewesen wäre.
Allein da wir in Erwägung zogen, daß diese einzige poetische Freyheit uns
nöthigen würde, in der Folge seiner Begebenheiten so viele andre Veränderungen vorzunehmen, daß die Geschichte Agathons würklich die Natur einer
Geschichte verlohren hätte, und zur Legende irgend eines moralischen Don
Esplandians geworden wäre: So haben wir uns aufgemuntert, über alle die
ekeln Bedenklichkeiten hinauszugehen, die uns anfänglich stuzen gemacht
hatten, und uns zu überreden, daß der Nuzen, den unsre verständigen Leser
sogar von den Schwachheiten unsers Helden in der Folge zu ziehen Gelegenheit bekommen könnten, ungleich grösser seyn dürfte, als der zweydeutige
Vortheil, den die Tugend dadurch erhalten hätte, wenn wir, durch eine un-
wahrscheinlichere Dichtung als man im ganzen „Orlando" unsers Freunds
Ariost finden wird, die schöne Danae in die Nothwendigkeit gesezt hätten, in
der Stille von ihm zu denken, was die berühmte Phryne bey einer gewissen
Gelegenheit von dem weisen Xenocrates öffentlich gesagt haben soll.

So wisset dann, schöne Leserinnen, (und hütet euch, stolz auf diesen Sieg
eurer Zaubermacht zu seyn,) daß Agathon, nachdem er eine ziemliche Weile
in einem Gemüthszustand, dessen Abschilderung den Pinsel eines Thomsons
oder Geßners erfoderte, allein zurükgeblieben war, wir wissen nicht ob aus
eigner Bewegung oder durch den geheimen Antrieb irgend eines antiplatonischen Genius den Weg gegen einen Pavillion genommen, der auf der Morgenseite des Gartens in einem kleinen Hayn von Citronen=Granaten= und Myr-
thenbäumen auf jonischen Säulen von Jaspis ruhte; daß er, weil er ihn erleuchtet gefunden, hineingegangen, und nachdem er einen Saal, dessen herrliche Auszierung ihn nicht einen Augenblick aufhalten konnte, und zwey oder
drey kleinere Zimmer durchgeeilet, in einem Cabinet, welches für die Ruhe
der Liebesgöttin bestimmt schien, die schöne Danae auf einem Sofa von
nelkenfarbem Atlas schlafend angetroffen; daß er, nachdem er sie eine lange

Zeit in unbeweglicher Entzükung und mit einer Zärtlichkeit, deren innerliches Gefühl alle körperliche Wollust an Süßigkeit übertrift, betrachtet hatte, endlich

— — von der Gewalt der allmächtigen Liebe bezwungen,

sich nicht länger zu enthalten vermocht, zu ihren Füssen kniend, eine von ihren nachläßig ausgestrekten schönen Händen mit einer Inbrunst, wovon wenige Liebhaber sich eine Vorstellung zu machen jemals verliebt genug gewesen sind, zu küssen, ohne daß sie daran erwacht wäre; daß er hierauf noch weniger als zuvor sich entschliessen können, so unbemerkt als er gekommen, sich wieder hinwegzuschleichen; und kurz, daß die kleine Psyche, die Tänzerin, welche seit der Pantomime, man weiß nicht warum, gar nicht seine Freundin war, mit ihren Augen gesehen haben wollte, daß er eine zimliche Weile nach Anbruch des Tages, allein, und mit einer Mine, aus welcher sich sehr vieles habe schliessen lassen, aus dem Pavillion hinter die Myrthenheken sich weggestohlen habe.

Neuntes Capitel
Nachrichten zu Verhütung eines besorglichen Mißverstandes.

Die Tugend (pflegt man dem Horaz nachzusagen) ist die Mittelstrasse zwischen zween Abwegen, welche beyde gleich sorgfältig zu vermeiden sind. Es ist ohne Zweifel wol gethan, wenn ein Schriftsteller, der sich einen wichtigern Zwek als die blosse Ergözung seiner Leser vorgesezt hat, bey gewissen Anläsen, anstatt des zaumlosen Muthwillens vieler von den neuern Franzosen, lieber die bescheidne Zurükhaltung des jungfräulichen Virgils nachahmet, welcher bey einer Gelegenheit, wo die Angola's und Versorand's alle ihre Mahlerkunst verschwendet, und sonst nichts besorget hätten, als daß sie nicht lebhaft und deutlich genug seyn möchten, sich begnügt uns zu sagen:

„Daß Dido und der Held in Eine Höle kamen."

Allein wenn diese Zurükhaltung so weit gienge, daß die Dunkelheit, welche man über einen schlüpfrigen Gegenstand ausbreitete, zu Mißverstand und Irrtum Anlaß geben könnte: So würde sie, däucht uns, in eine falsche Schaam ausarten; und in solchen Fällen scheint uns rathsamer zu seyn, den Vorhang ein wenig wegzuziehen, als aus übertriebener Bedenklichkeit Gefahr zu laufen, vielleicht die Unschuld selbst ungegründeten Vermuthungen auszusezen. So ärgerlich also gewissen Leserinnen, deren strenge Tugend bey dem blossen Nahmen der Liebe Dampf und Flammen speyt, der Anblik eines schönen Jünglings zu den Füssen einer selbst im Schlummer lauter Liebe und Wollust athmenden Danae billig seyn mag; so können wir doch nicht vorbeygehen, uns noch etliche Augenblike bey diesem anstößigen Gegenstande aufzuhalten. Man ist so geneigt, in solchen Fällen der Einbildungskraft den Zügel schiessen zu lassen, daß wir uns lächerlich machen würden, wenn wir behaupten wollten, daß unser Held die ganze Zeit, die er (nach dem Vorgeben der kleinen Tänzerin) in dem Pavillion zugebracht haben soll, sich immer in der ehrfurchtsvollen Stellung gehalten habe, worinn man ihn zu Ende des vorigen Capitels gesehen hat. Wir müssen vielmehr besorgen, daß Leute, welche nichts dafür können, daß sie keine Agathons sind, vielleicht so weit gehen möchten, ihn im Verdacht zu haben, daß er sich den tiefen Schlaf, worinn Danae zu liegen schien, auf eine Art zu Nuze gemacht haben könnte, welche sich ordentlicher Weise nur für einen Faunen schikt, und welche unser Freund *Johann Jacob Rousseau* selbst nicht schlechterdings gebilliget hätte, so scharfsinnig er auch (in einer Stelle seines Schreibens an Herrn *Dalembert*) dasjenige zu rechtfertigen weiß, was er „eine stillschweigende Einwilligung abnöthigen" nennet. Um nun unsern Agathon gegen alle solche unverschuldete Muthmassungen sicher zu stellen, müssen wir zur Steuer der Wahrheit melden, daß selbst die reizende Lage der schönen Schläferin, und die günstige Leichtigkeit ihres Anzugs, welche ihn einzuladen schien, seinen Augen alles zu erlauben, seine Bescheidenheit schwerlich überrascht haben würden, wenn es ihm möglich gewesen wäre, der zauberischen Gewalt der Empfindung, in welche alle Kräfte seines Wesens zerflossen schienen, Widerstand zu thun. Wir wagen nicht zuviel, wenn wir einen solchen Widerstand in seinen Umständen für unmöglich erklären, nachdem er einem Agathon unmöglich gewesen ist. Er überließ also endlich seine Seele der vollkommensten Wonne ihres edelsten Sinnes, dem Anschauen einer Schönheit, welche selbst seine idealische Einbildungskraft weit hinter sich zurüke ließ; und (was nur diejenigen begreiffen werden, welche die wahre Liebe kennen,) dieses Anschauen erfüllte sein Herz mit einer so reinen, vollkommnen, unbeschreiblichen Befriedigung, daß er alle Wünsche, alle Ahnungen einer noch grössern Glükseligkeit darüber vergessen zu haben schien. Vermuthlich (denn gewiß können wir hierüber nichts entscheiden) würde die Schönheit des Gegenstands allein, so ausserordentlich sie war, diese sonderbare Würkung nicht gethan haben; allein dieser Gegenstand war seine Geliebte, und dieser Umstand verstärkte die Bewundrung, womit auch die Kaltsinnigsten die Schönheit ansehen müssen, mit einer Empfindung, welche noch kein Dichter zu beschreiben fähig gewesen ist, so sehr sich auch vermuthen läßt, daß sie den mehresten aus Erfahrung bekannt gewesen seyn könne. Diese nahmenlose Empfindung ist es allein, was den wahren Liebhaber von einem Satyren unterscheidet, und was eine Art von sittlichen Grazien sogar über dasjenige ausbreitet, was bey diesem nur das Werk des Instinkts, oder eines animalischen Hungers ist. Welcher Satyr würde in solchen Augenbliken fähig gewesen seyn, wie Agathon zu handeln? – Behutsam und mit der leichten Hand eines Sylphen zog er das seidene Gewand, welches Amor verrätherisch aufgedekt hatte, wieder über die schöne Schlafende her, warf sich wieder zu den Füssen ihres Ruhebettes, und begnügte sich, ihre nachläßig ausgestrekte

Hand, aber mit einer Zärtlichkeit, mit einer Entzükung und Sehnsucht an seinen Mund zu drüken, daß eine Bildsäule davon hätte erwekt werden mögen. Sie muste also endlich erwachen. Und wie hätte sie auch sich dessen länger erwehren können, da ihr bisheriger Schlummer würklich nur erdichtet gewesen war? Sie hatte aus einer Neugierigkeit, die in ihrer Verfassung natürlich scheinen kan, sehen wollen, wie ein Agathon bey einer so schlüpfrigen Gelegenheit sich betragen würde; und dieser lezte Beweis einer vollkommnen Liebe, welche, ungeachtet ihrer Erfahrenheit, alle Annehmlichkeiten der Neuheit für sie hatte, rührte sie so sehr, daß sie, von einer ungewohnten und unwiderstehlichen Empfindung überwunden, in einem Augenblik, wo sie zum erstenmal zu lieben und geliebt zu werden glaubte, nicht mehr Meisterin von ihren Bewegungen war. Sie schlug ihre schönen Augen auf, Augen die in den wollüstigen Thränen der Liebe schwammen, und dem entzükten Agathon sein ganzes Glük auf eine unendlich vollkommnere Art entdekten, als es das beredteste Liebesgeständnis hätte thun können. „O Callias!" (rief sie endlich mit einem Ton der Stimme, der alle Sayten seines Herzens widerhallen machte, indem sie, ihre schönen Arme um ihn windend, den Glükseligsten aller Liebhaber an ihren Busen drükte,) „– was für ein neues Wesen giebst du mir? Geniesse, o! geniesse, du Liebenswürdigster unter den Sterblichen, der ganzen unbegränzten Zärtlichkeit, die du mir einflössest." Und hier, ohne den Leser unnöthiger Weise damit aufzuhalten, was sie ferner sagte, und was er antwortete, überlassen wir den Pinsel einem Correggio, und schleichen uns davon.

Aber wir fangen an, zu merken, wiewohl zu späte, daß wir unsern Freund Agathon auf Unkosten seiner schönen Freundin gerechtfertiget haben. Es ist leicht vorauszusehen, wie wenig Gnade sie vor dem ehrwürdigen und glüklichen Theil unsrer Leserinnen finden werde, welche sich bereden (und vermuthlich Ursache dazu haben) daß sie in ähnlichen Umständen sich ganz anders als Danae betragen haben würden. Auch sind wir weit davon entfernt, diese allzuzärtliche Nymphe entschuldigen zu wollen, so scheinbar auch immer die Liebe ihre Vergehungen zu bemänteln weiß. Indessen bitten wir doch die vorbelobten Lukretien um Erlaubnis, dieses Capitel mit einer kleinen Nuzanwendung, auf die sie sich vielleicht nicht gefaßt gemacht haben, schliessen zu dürfen. Diese Damen (mit aller Ehrfurcht die wir ihnen schuldig sind, sey es gesagt) würden sich sehr betrügen, wenn sie glaubten, daß wir die Schwachheiten einer so liebenswürdigen Creatur, als die schöne Danae ist, nur darum verrathen hätten, damit sie Gelegenheit bekämen, ihre Eigenliebe daran zu kizeln. Wir sind in der That nicht so sehr Neulinge in der Welt, daß wir uns überreden lassen sollten, daß eine jede, welche sich über das Betragen unsrer Danae ärgern wird, an ihrer Stelle weiser gewesen wäre. Wir wissen sehr wohl, daß nicht alles, was das Gepräge der Tugend führt, würklich ächte und vollhaltige Tugend ist; und daß sechzig Jahre, oder eine Figur, die einen Satyren entwafnen könnte, kein oder sehr wenig Recht geben, sich viel auf eine Tugend zu gut zu thun, welche vielleicht niemand jemals versucht gewesen ist, auf die Probe zu stellen. Wir zweifeln mit gutem Grunde sehr daran, daß diejenigen, welche von einer Danae am unbarmherzigsten urtheilen, an ihrem Plaz einem viel weniger gefährlichen Versucher als Agathon war, die Augen auskrazen würden: Und wenn sie es auch thäten, so würden wir vielleicht anstehen, ihrer Tugend beyzumessen, was eben sowohl die mechanische Würkung unreizbarer Sinnen, und eines unzärtlichen Herzens, hätte gewesen seyn können. Unser Augenmerk ist bloß auf euch gerichtet, ihr liebreizenden Geschöpfe, denen die Natur die schönste ihrer Gaben, die Gabe zu gefallen, geschenkt – ihr, welche sie bestimmt hat, uns glüklich zu machen; aber, welche eine einzige kleine Unvorsichtigkeit in Erfüllung dieser schönen Bestimmung so leicht in Gefahr sezen kan, durch die schäzbarste eurer Eigenschaften, durch das was die Anlage zu jeder Tugend ist, durch die Zärtlichkeit eures Herzens selbst, unglüklich zu werden: Euch allein wünschten wir überreden zu können, wie gefährlich jene Einbildung ist, womit euch das Bewußtseyn eurer Unschuld schmeichelt, daß es allezeit in eurer Macht stehe, der Liebe und ihren Forderungen Grenzen zu sezen. Möchten die Unsterblichen (wenn anders, wie wir hoffen, die Unschuld und die Güte des Herzens himmlische Beschüzer hat,) möchten sie über die eurige wachen! Möchten sie euch zu rechter Zeit warnen, euch einer Zärtlichkeit nicht zu vertrauen, welche, bezaubert von dem großmüthigen Vergnügen, den Gegenstand ihrer Liebe glüklich zu machen, so leicht sich selbst vergessen kan! Möchten sie endlich in jenen Augenbliken, wo das Anschauen der Entzükungen, in die ihr zu sezen fähig seyd, eure Klugheit überraschen könnte, euch in die Ohren flüstern: Daß selbst ein Agathon, weder Verdienst noch Liebe genug hat, um werth zu seyn, daß die Befriedigung seiner Wünsche euch die Ruhe eures Herzens koste.

Werkregister 250

Johann Carl Wezel

Herrmann und Ulrike.

[Heinrich Herrmann, Kind einfacher Leute, aber im gräflichen Schloß erzogen, und Baronesse Ulrike von Breysach lieben sich seit früher Jugend. Da der Vormund Ulrikes alles daransetzt, eine unstandesgemäße Ehe zu verhindern, werden die jungen Leute getrennt, begegnen sich jedoch nach Jahren nur brieflichen oder gar keines Kontakts durch einen Zufall im Schauspielhaus zu Berlin. Ehe nach weiteren Prüfungen und Trennungen am Endes des Romans durch fürstlichen Erlaß eine legitime Ehe möglich wird, haben beide Liebenden die Intrigen der Madame Vignali durchzustehen, die Ulrike zunächst an Lord Leadwort, dann an Herrn von Troppau verkuppeln und Herrmanns Liebe für sich gewinnen will. In dieser Handlungsphase kommt es zu

*„jenem unglücklichen Spaziergange, der den wichtigsten Knoten meines Lebens knüpf-
te: die Geschichte desselben ist ein bedeutungsvolles memento mori für die menschliche
Stärke". So der Held selbst in einem späteren Brief an einen Freund.]*

aus   Achter Theil. Fünftes Kapitel

Der unglückliche Spaziergang. dessen hier in diesem Briefe gedacht wird,
geschah an einem der schönsten Tage im August: nach einem schwülen drük-
kenden Vormittage hatte ein Donnerwetter die erhizte Atmosphäre
abgekühlt und eine schmeichelnde, Herz und Sinne belebende Temperatur
der Luft für den Nachmittag hervorgebracht. Alles, was ein Paar Füße bewegen konte, eilte zum Thiergarten, den herrlichen Nachmittag in sonntägli-
chem Wohlleben hinzubringen. Vignali schlug auch eine Spatzierfahrt vor,
allein eine Grille, die sie für Migräne ausgab, bewegte sie zu Hause zu bleiben
und die kleine Karoline bey sich zu behalten: Herrmann und Ulrike giengen
allein und zwar zu Fuße. Das Gewimmel der Gehenden und Fahrenden unter
den Linden war unbeschreiblich groß, – ein bunter funkelnder summender
Schwarm in eine große Staubwolke gehüllt, in welcher man die Gesichter
nicht eher erkannte als bis man den Leuten auf die Füße trat, denen sie
gehörten: das Rasseln der Karossen auf beiden Seiten, wo die hervorragenden
Kutscher auf den hohen Böcken in aufwallendem Staube, wie Jupiter in den
Wolken, dahinzuschweben schienen, indessen daß man Kutsche und Pferde
nur wie Schatten hinter einem Flore dahinlaufen sah – das Rasseln der Karossen stritt mit dem Gemurmel der Gehenden um den Vorzug, welches das
andere am betäubendsten überstimmen könte. Dies ungemein lebhafte Bild,
so erschütternd es war, machte gleichwohl einen schwachen Eindruck auf
Herrmanns Sinne: er gieng, in sich gekehrt, stumm und ängstlich an Ulrikens
Arme durch die Menge dahin, ließ sich treiben und stoßen, ohne es sonderlich zu merken, und hatte kaum für den auffallenden Staub einen Sinn: in ihm
brannte die Atmosphäre noch so glühend heiß, wie Vormittags, und der
Regen hatte sie so wenig gelöscht, als den Sand, auf welchem er wandelte.
Ulrike rühmte, als sie durch das Thor waren, den duftenden Wohlgeruch, den
ein kühles Lüftchen Tannen und Birken raubte, und den Hauch der Fruchtbarkeit, der in den lichten Gängen von Wiesen und Bäumen athmete: Herrmann hatte keinen Sinn dafür. Gewohnheit und Neugierde lenkte Ulriken
nach den Zelten hin: er folgte ihr ohne Widerspruch, sprach wenig, auch die
gleichgültigsten Dinge in harten abgebrochenen Tönen. Zuweilen stund er
plözlich, sah in den Sand, dann ergriff er Ulrikens Hand und drückte sie mit
einer so befeuernden Inbrunst, daß ihr die zitternde Empfindung des Druk-
kes, wie ein geschlängelter Blitz, durch die Seele fuhr. – In lautem Tumulte
spielte Frölichkeit und Eitelkeit bey und unter den Zelten das große Sonn-
tagsschauspiel: im weiten Zirkel saß unter Bäumen und in Hecken die glänzende schöne Welt in Fischbeinröcken und im Frack, in bezahlter und ge-

borgter Seide – ein furchtbares Heer, das in vergnügter Muße nach Herzen
und guten Namen, wie nach der Scheibe schoß: gieng gleich neben den
Herzen mancher Schuß hinweg, so fehlte doch keiner, der einem guten Namen galt. Spott und Plauderey schwebten mit witzigem und unwitzigem
Lärme über der Gesellschaft: gepuzte Franzosen tanzten frölich daher und
suchten den Mann, der sie heute Abend speisen sollte; Hypochondristen
schlichen gebückt dahin und suchten im Sande die Zufriedenheit: nachäffen-
de Teutsche gaukelten mit schwerfälliger Geckerey herum und dünkten sich
Wesen höherer Art, weil sie französisch erzählten, wo sie gestern gegessen
hatten; andre krochen krumm und gebückt, wie lichtscheue Engländer, umher und glaubten, brittische Philosophen zu seyn, weil sie rothfuchsichte
Hüte und zerrißne Ueberröcke trugen: junge Liebesritter eröfneten hier die
Laufbahn ihrer künftigen Größe, das junge Mädchenauge buhlte um Liebhaber oder Mann, was der liebe Himmel bescheeren wollte, und die verblü-
hete Schönheit spottete über Siege, die sie nicht mehr machen konte. Aus
den Büschen tönten muntre Chöre von Oboen und Hörnern, und mit ihnen
wechselten, wenn sie schwiegen, kreischende Fideln und brummende Vio-
lonschelle nebst dem schallenden Händeklatschen des Tanzes ab. Hier saß
ein schweigender Herrenhuter bey dem Bierkruge und betete mit verdreh-
ten Augen für die Sünden, die seine Nachbarn begiengen; dort fluchte ein
trunkner Soldat, daß ihm Jemand das Glas ausgeleeret habe, wovon er tau-
melte; hier suchte ein erboßter Liebhaber sein gestohlnes Mädchen, und
dort ein Andrer sein einziges gestohlnes Schnupftuch: mancher vertrank
hier für den lezten halben Gulden die Sorgen der vorigen Woche, um die
ganze künftige zu darben: mancher gewann mit dem glücklichen Würfel das
Brod, das seine hungernde Familie morgen nähren sollte: jedermann war
vergnügt, entweder weil er Freude genoß, oder wenigstens weil er nichts
that.

Ulriken theilte sich das allgemeine Vergnügen sehr lebhaft mit, und ob sie
gleich nichts weniger als ruhig war, so bildete sie sich doch, wie alle um sie
her, das Vergnügen ein: allein Herrmann hatte für diese geräuschvolle Frölichkeit keinen Sinn. Er eilte vor ihr vorüber durch hohe lichte Alleen in
düstre gewölbte Gänge bis zu den einsamen Schlangenwegen der Wildniß. Sie
sezten sich, schwiegen, sahen vor sich hin: Insekten summten, einzelne Vögel
zwitscherten, in den Wipfeln der hohen Tannen lispelte ein leiser Wind: sonst
war alles menschenleer, dämmernd, schauerlich still. Hastig warf Herrmann
einen Arm um Ulrikens Schulter und drückte sie so fest in sich hinein, daß sie
sich losriß und schüchtern zurückfuhr.

„Herrmann!" rief sie mit zitterndem Erschrecken, indem sie ihn anblickte:
„was ist dir? warum rollen deine flammenden Augen so fürchterlich? warum
bebt deine Unterlippe, wie im Fieberfrost? – Was liegt dir im Sinne, das dich
so heftig erschüttert? Jeder deiner Blicke erfüllt mich mit Entsetzen. – Ich
bitte dich um unsrer Liebe willen, laß uns diesen Ort fliehn! Der Himmel will

über mich einstürzen, so ängstigt mich deine grimmige wilde Miene: laß uns fliehen! mir bricht das Herz vor Angst." Er wollte ihre Hand fassen, um sie zu beruhigen: sie that einen lauten Schrey und sprang auf, wie ein gescheuchtes Reh. „Was fürchtest du?" sprach er, wie vom Froste geschüttelt. „Aengstige dich nicht mit Fantomen deiner Einbildung! Der Ort ist angenehm: setze dich!" Sie gehorchte und sezte sich in einer scheuen Entfernung von ihm, immer zum Fliehen bereit. „Ach, Ulrike," fieng er abgebrochen an, „wie nahe sind Liebe und Grausamkeit verwandt! zwo leibliche Schwestern!"

Ulrike. Grausamkeit? – Was bringt dich auf diesen sonderbaren Gedanken?

Herrmann. Mein Gefühl. – Ich könt' in dieser Minute die barbarischste Grausamkeit an dir begehn. Ich bin der verruchteste Mensch unter der Sonne.

Ulrike. Schon wieder so ein blitzender Blick! – Laß uns fliehen!

Herrmann. Bleibe! fürchte nichts! – Könte die Liebe, wenn sie in diesem Gehölze wohnen wollte, einen angenehmern Platz wählen als diesen? Sieh! Gewürme und Insekten, alles hüpft und scherzt um uns her in reger unbesorgter Freundlichkeit, und wir allein verbittern uns unser Glück durch ängstliche Besorgnisse? – Verscheuche diese bange Mädchenfurcht! Vor wem zitterst du denn? Bin ich nicht dein Freund? der Geliebte deines Herzens? der Vertraute deiner Liebe, der gern jedem rauhen Lüftchen wehren möchte, daß es dir nicht ein Haar krümmte? dein Erwählter, der gern jeden Pfad vor dir ebnete, daß kein Steinchen deine Fußsolen drückte? der dich gern allenthalben auf seinen Armen, oder noch lieber in seinem Herze herumtrüge, um dich vor jeder Gefahr zu sichern? – Bin ich nicht dies alles?

Ulrike. Das bist du! der Retter meiner Tugend! meine Seele, die mich belebt und regiert! – Aber thut nicht die Seele im Menschen das Böse? Da du so unumschränkt über meinen Willen herrschest, was vermöchte das schwächere Mädchenherz wider den stärkern Männerwillen? – Ich bitte dich auf den Knien, tödte die Tugend nicht, die du erhalten hast! Was würde das zarte Gewächs, wenn du ihm die Blüthe abstreiftest? Es senkte die welken Blätter, verdorrte und – stürbe.

Herrmann. Trauest du mir ein solches Verbrechen zu? – Werth wäre ich, daß sich jeder Thautropfen, der mich benetzt, in brennendes Feuer verwandelte, daß jeder Sonnenstrahl ein Schwert würde, das meine Seele verwundete, wenn ich jemals eine solche Uebelthat begönne. – Hab' ich nicht schon der Gefahr in mancherley Gestalten widerstanden? Wenn eine Vignali mit allen zauberischen Künsten und zwingenden Lockungen meine Vernunft nicht einschläferte, sollt' ich da aus freyer Wahl ein Bösewicht werden? Und an wem? an dir? – Hat noch jemals ein Tauber das Täubchen gewürgt, die ihm liebkost? – Sey muthig! Man fällt am leichtesten, wenn man sich zu schwach dünkt.

Ulrike. Und noch leichter durch Sicherheit. – Ich kan dir nicht bergen, ich liebe dich, daß ich mich vor mir selber fürchte. – O warum müssen nun tausend Hindernisse eine Vereinigung verzögern, die der Himmel selbst wollen muß? Sie muß doch geschehn, früh oder spät: warum nun so eine unaussprechliche Langsamkeit in allem, was auf der Welt vorgeht?

Herrmann. Das weis Gott, wie alles in der Welt schleicht! Immer tanzt das Glück, wie ein Irrlicht, vor den Schritten her, und je hurtiger man nachläuft, je weiter stößt man es mit seinem eignen Odem fort. Es ist wahrhaftig schwer, über so ein zauderndes Schicksal nicht zu zürnen: wenn man eine Glückseligkeit doch gewiß einmal haben soll, warum bekommt man sie nicht gleich, wo man sie am liebsten hätte?

Ulrike. Und wo man sie am vollsten und stärksten genösse! Aber nein! da geht alles so einen saumseligen Schneckengang, daß man vor Ungeduld sich verzehren möchte.

Herrmann. Die Wünsche fliegen, und das Schicksal kriecht. Wahrhaftig, mehr als eiserne Geduld hat man nöthig, um in so einer Welt auszudauern –

Ulrike. Das ist ein ewiges Hoffen und Harren; und was hat man am Ende?

Herrmann. Nichts! die Jahre der Freude fliehn, das Alter der Lebhaftigkeit verschwindet, und endlich als schlaffer siecher fühlloser Greis gelangt man zu der so lange gehoften und erharrten Glückseligkeit.

Ulrike. Und kan sie vor Ueberdruß des unendlichen Wartens nicht genießen. Es ist doch fürwahr! eine recht wunderliche Welt.

Herrmann. Alles geht schief, alles quer. Heftige Wünsche, voreilende Begierden, rennende Leidenschaften, und Millionen Gebürge von Hindernissen, Schwierigkeiten, Verzögerungen! Wenn man zu genießen weis, darf man nicht: wenn man genießen soll, kan man nicht. So gehts mit jeder Freude. Tausendmal besser befänden wir uns, wenn wir Klötze wären, nichts wünschten noch begehrten; so entbehrten wir nichts. Das Schicksal reicht uns das Vergnügen so kümmerlich, so kärglich, wie arme Leute ihren Kindern das Brod. – Sollt' es denn nicht Einen Winkel auf dieser Erde geben, wo Ruhe und Glückseligkeit für zween irrende Verliebte wohnt?

Ulrike. O wenn du einen solchen wüßtest! Zu Fuße wollt' ich dir dahin folgen und mit meinen eignen Händen eine Hütte baun, um mit dir dort zu wohnen; aber nirgends ist eine: wir werden sterben, eh' unser Glück vollendet ist.

Herrmann. Traure nicht, Ulrike! Warum sollte nicht ein solcher zu finden seyn? Wir dürfen nur suchen: – aber dann, wenn wir ihn gefunden haben, dann wollen wir die einzigen glücklichen Geschöpfe unter dem Himmel seyn. Unsre Arme sollen vom Morgen bis zum Abend in einander verschlungen seyn, wie unsre Herzen: Liebe soll unsre Speise, Liebe unsre Arbeit seyn; sie soll vor uns hergehn und uns auf allen Schritten begleiten, unser Leben ein wahres arkadisches Leben werden, wie Dichter es nur dachten und noch nie Sterbliche empfanden – ein immer klarer Bach, worinne Freuden, Entzük-

kungen und Seligkeiten in ungestörtem Laufe dahinfließen – ein Himmel, wo
nie die Sonne untergeht, im ewigen Frühlinge alles blüht und grünt – ein
Paradies, voll der lieblichsten Früchte und labendsten Ergötzungen, voll Einigkeit, Ruhe, Zufriedenheit, ohne Kummer und Sorge, wo unsre Gedanken
und Empfindungen in vertraulicher Friedlichkeit in einander fließen, wie
zween Ströme, die sich in Einer Seele vereinigen; wo wir, wie Kinder, stets
nur genießen, kein Unglück kennen, als bis es uns trift, die Gegenwart voll,
rein und unverbittert empfinden, und für die Zukunft nie sorgen, als bis sie da
ist, und sie dann zufrieden theilen, sie gebe Schmerz oder Freude – O des
seligen, des seligen Lebens! –

Die Vorstellung dieser träumerischen Glückseligkeit berauschte sie so heftig, daß sie beide in entzückter Umarmung dahinsanken und weinend ver-
stummten; und bald hätte der Taumel ihrer Träumerey Vignali's Wunsch
erfüllt: kaum trennten sie noch wenige Augenblicke von ihrem Falle: plözlich
geschah in der Nähe ein Schuß: Ulrike wand sich aus seinen Armen, als wenn
ihr der Schuß gegolten hätte, sprang auf und sprach mit zitternder Furcht-
samkeit: ,,Laß uns fliehen!"

,,Laß uns fliehen!" rief Herrmann mit der nämlichen Erschrockenheit. Sie
giengen beide in weiter Entfernung von einander, stillschweigend, mit
schüchternem Mistrauen gegen sich selbst, um einen Ausweg aus dem Gebüsche zu suchen. Der Pfad verlor sich in dichtes Gesträuch: sie mußten wieder
umkehren. Bald kamen sie an einen Ort, wo vier bis fünf kreuzende Wege
nach verschiedenen Richtungen hinliefen: die Wahl war sehr ernsthaft, weil
im Walde schon die Dämmerung anfieng: je weiter sie auf dem gewählten
Pfade fortgiengen, je tiefer geriethen sie in Waldung hinein, je dunkler wurde
die Dämmerung. Das Gewitter hatte des Mittags die Luft so abgekühlt, daß
izt Ulrike in der leichten Sommerkleidung vor Frost zitterte: Fledermäuse
fuhren sausend über ihren Köpfen hin, der ganze Schwarm der Nachtvögel
sezte sich in Bewegung und fieng sein trauriges mißtönendes Konzert an: die
Furcht vor allen diesen ungewohnten Erscheinungen der Nacht, die Furcht
vor Verirrung, und noch mehr die Furcht vor sich selbst und den täuschenden
Verführungen der Liebe schreckte das arme Mädchen so gewaltig, daß ihr die
Knie sanken: ihre Lippen bebten und vermochten kaum ein verständliches
Wort zu sprechen: das Gesicht färbte sich mit einer bläulichen Blässe, und
der Angstschweiß, den ihre innerliche Noth auspreßte, stand in dichten
Tropfen auf der bleichen Stirn: sie klammerte sich fest an Herrmanns Arm
mit dem ihrigen an, schloß die Augen zu, stund und sprach mit schwachem
schaurichtem Tone: ,,ich kan nicht weiter; meine Füße tragen mich nicht
mehr." – Herrmann verbarg, so gut er konte, seine eigne Beängstigung und
tröstete sie, rieth ihr, hier auszuruhen und ihn einen Weg suchen zu lassen.
Das war gar kein Rath für sie, und kaum hatte er ihn gegeben, so hieng sie
sich mit dem ganzen Gewichte ihres Körpers an ihn, um ihn zurückzuhalten:
er mußte sich mit ihr auf den bethauten Boden setzen, und nahm sie in die

Arme, um sie an seiner Brust ausruhen zu lassen. Der innerliche Kampf
zwischen Begierde und Furcht, zwischen Tugend und Schwachheit, zwischen
Leidenschaft und Vernunft stieg bey beiden so hoch, und die Dunkelheit, die
Schöpferin und Pflegemutter der Leidenschaften, vermehrte ihn so gewaltig,
daß sich keins von beiden rührte – hin und wieder ein ängstlicher tiefer
Seufzer! das war ihre ganze Sprache. Die fernen Feldgrillen zischten ihr
muntres Abendlied; aus weiter Entfernung schallte der helltönende Chor der
Frösche; mit dem Schweigen des finstern Waldes wechselte zuweilen das
Rauschen des wehenden Abendwindes in den Aesten der hohen Tannen ab;
auf dem Boden rings um sie her regten sich schlüpfend hie und da Geschöpfe,
die zur Ruhe eilten oder zum nächtlichen Leben erwachten. Ulrike, deren
Einbildung durch die Nachtscene mit seltsamen abentheuerlichen Bildern
erfüllt wurde, wiederholte noch einmal weinend die Bitte, die sie schon bey
dem ersten Niedersitzen an Herrmann gethan hatte: ihr Herz schlug von
einer bangen Ahndung, die er ihr durch die größten Betheurungen nicht
benehmen konte; und ihm selbst flisterte bey jeder neuen Betheurung eine
geheime Stimme zu: „du lügst!"

Sie traten nach langem Ausruhen eine neue Wanderung an, um sich vielleicht herauszufinden: aber da war keine andre Möglichkeit, als daß sie hier
übernachteten: sie wurden eine Jägerhütte ansichtig, und Ulrike selbst be-
zeigte vor großer Ermattung ein Verlangen, sie zum nächtlichen Aufenthalte
zu wählen. Herrmann untersuchte sie und bereitete ihr von den darinne
liegenden Zweigen und Blättern ein Lager: vor Furcht konte sie ihn nicht von
sich lassen, und gleichwohl sezte sich eine eben so große Furcht dawider, daß
er an ihrem Lager Theil nehmen sollte: sie überlegten, stritten und berath-
schlagten lange, theilten schon in vertraulicher Nähe das Lager und berath-
schlagten immer noch, wie sie es anfangen sollten, um es nicht zu thun. Ihre
Berathschlagung verlor sich in Besorgnisse, ihre Besorgnisse in Empfindungen der Liebe, ihre Empfindungen in Liebkosungen, die Zärtlichkeiten stie-
gen zur Flamme empor, und so führte allmälich die Furcht vor dem Falle den
Fall selbst herbey: was keine Reizungen der Wollust, keine Eitelkeit, kein
Geld, keine Vignali, kein Lord Leadwort und kein Herr von Troppau vermochten, vermochte die Allmacht der Liebe. Die Tugend fiel durch ihre
Hand: bey ihrem Falle brauste der blasende Wind durch die Bäume und starb
mit erlöschendem Keuchen in ihren wankenden Wipfeln: Kybitze wimmer-
ten in den sausenden Lüften ihren Klaggesang, und Eulen heulten in den
holen Aesten das Grabelied der gefallnen Unschuld: die Tannen seufzten,
vom Winde bewegt, und der ganze Wald trauerte im Flor der Nacht um die
gefalne Unschuld.

Werkregister 248

Johann Timotheus Hermes

Sophiens Reise von Memel nach Sachsen.

[Auf ihrer Reise begegnet die zwanzigjährige Sophie in Königsberg dem redlichen Schiffseigner und Kaufmann Cornellis Puf van Vlieten, der die schutzlose Reisende vor einem Wollüstling bewahrt und ihr im Hause seiner Schwester, der Frau van Berg, eine vorläufige sichere Bleibe verschafft. In der Gesellschaft der sehr ungleichen van Berg-schen Töchter Konkordia (Koschgen) und Julia lernt Sophie einiges vom Stadt- und Landleben in und um Königsberg zur Zeit des Siebenjährigen Krieges kennen. Sie berichtet darüber in Briefen an ihre in Memel zurückgebliebene Pflegemutter Frau E.]

aus   Zweter Theil.

Koschgen erscheint in ihrer wahren Gestalt. Sophie lernt diejenigen Geschöpfe kennen, die von unten an zu rechnen, zunächst an den Menschen gränzen.

[Sophie an die Frau E.]

den 13. Jun. Sonnab. Abends.

Ich fange wieder einen Brief an. Der Herr *Puff* hat sich gestern und heute nicht sehn lassen. Die Madame *van Berg* sagte mir beim Kaffe er habe sie gebeten, vor der Hand mit mir nicht von ihm zu sprechen, „das wird mir in der That schwer, sezte sie hinzu, denn nun kan ich Ihnen auch die Beleidigung meiner Tochter nicht abbitten!"

Koschgen stand mit einer spöttischen Mine auf, und sagte im Herausgehen: „Ich will meiner Mutter diese Mühe ersparen, und Sie selbst um Vergebung bitten. Aber sind Sie auch aufgeräumt? wo nicht: so würde ich eine Fehlbitte thun. Doch vermuthe ich daß Sie es sind. Einen so reichen Mann bethört zu haben, und sich nun einer beschwerlichen Reise überhoben zu sehen – ein solches Glük dächte ich könte Sie wol aufgeräumt machen."

Ich schwieg, und bükte mich sehr ehrerbietig, und sehr tief; denn ich gestehe, daß ich sie böse machen wolte. Ihre Mutter war an dem, eine so kindische Ungezogenheit so zu strafen wie man Kinder straft: ich hielt sie aber, und *Koschgen* ging mit Grim und Beschämung hinaus. – Ich schlos aus dem, was ich ietzt erfuhr, daß Herr *Puff* gern sehen würde, wenn ich von seinem Briefe nichts sagte, und glaubte ihm diese Bescheidenheit schuldig zu seyn.

Die Krankheit der geliebtern Tochter hat das Herz der Mutter sehr erweicht; doch hat sie noch viele Einwendungen: hauptsächlich die Armut des Herrn *Schulz*. „*Julchen* wird einmal 20,000 Rthlr. besitzen, sagte sie: aber wie wenig ist das, so bald man die Tollkühnheit der Männer bedenkt? Was finge sie an, wenn dies Geld gewagt – und verloren würde, da schon um ihm eine ansehnliche Bedienung zu schaffen, etwas beträchtliches angewand – daß heißt weggeworfen werden müste?"*

Ich durfte nicht sagen, wie viel Mittleiden ich gegen die Reichen habe. Diese *armen* Leute können die Seligkeit des Vertrauens auf Gott, nicht geniessen! Wie hart mus Gott sie angreifen, wann er sie dahin bringen will! und wie viel verliehren sie wenn sie leben und sterben, ohn diesen hohen Glüksstand der Sele gekand zu haben!

Sie sagt noch daß iedermann sie tadeln würde, wenn sie ihrer Tochter nachgeben wolte. „Aber sagte ich, welche Empfelung soll denn der glükliche Mann der *Julchen* bekommen wird, ausser dem Reichtum vor Herrn *Schulz* voraus haben?"

„Keine; ich bin in aller übrigen Absicht, von Herrn *Schulz* sehr zufrieden."

„Wo sich dann Personen finden, deren Tadel mehr gilt, als der meinige: so werden Sie (verzeihen Sie meine Freimütigkeit) Mühe haben, es zu entschuldigen, Ihre Tochter dem einzigen Mann *verweigert* zu haben, *dem nur eine gute Eigenschaft fehlt.* Und liegt nicht das was dem Herrn *Schulz* fehlt, in der Hand Gottes zur milden Austheilung bereit?"

„Ganz recht: aber wissen Sie gewis daß Gott es ihm, oder meiner Tochter geben wird?"

„O! ganz gewis, sobald das nöthig ist!" Sie schwieg mit einer Mine stille, die zu sagen schien, sie wünschte an diesen Gedanken gewönt zu seyn! – –

Ich ging nachher mit *Koschgen* (denn ich will sie nicht fliehen, um mich recht zu kreuzigen) und mit *Julchens* Mädgen am Pregel** spazieren. Der Herr *Malgré* gesellte sich zu uns, so demütig, als *Koschgen* übermütig war. „Wo liegt denn Ihr Schif", sagte sie? Er zeigte uns ein schönes Schif, und bat

---

* *Anmerkung des Setzers.* Der Herausgeber dieser Schrift hat sich beim ersten Theil einer fremden Hand bedient. Jetzt, da der zweite Theil in die Drukerei gebracht wird, den er mit eigner Hand geschrieben hat, sehe ich mit einer angenehmen Befremdung, daß der Herausgeber einer meiner jüngern Brüder ist. Da wir von Englischer Abkunft sind und ich also vermöge des Rechts der Erstgeburt mehr Verstand habe wie Er: so verdriest es mich daß er bei dieser Schrift nicht so wie bei seiner Uebersetzung des *Paddingthon* mich zu rath gezogen hat. Ich werde also hie und da, mit Erlaubnis der Leser, eine Anmerkung machen, theils um ihn zu tadeln, theils um ihm, aus Liebe zu den Lesern zurecht zu helfen. Ich mus bey dieser Stelle sagen, daß sie nichts taugt. Das Geld für Bedienungen oder (wie eigentlich in der Handschrift stand) *für Titel,* ist keineswegs *weggeworfen*; denn mein Titel giebt mir einen erwiesnen Werth, und Verstand, und meinem Landsherrn einen ansehnlichen Zuwachs der Einkünfte; mein Geld konte also nicht besser angebracht werden. Ich sage „mein" Titel, ich habe zwar keinen: aber man spricht im gemeinen Leben oft von sich selbst und meint einen andern, et vice versa. Meine übrigen Anmerkungen werden zwar nicht den Werth der gewönlichen Anmerkungen der Gelehrten haben, denn deren Text steht um der Noten willen da: dagegen haben aber auch unsre Leser den Vorteil daß sie alle meine Noten überschlagen können. Mir schadet das nichts; wenn ich nur meine Gelehrsamkeit auskramen und gedrukt sehen kan: so habe ich gethan, was manche Gelehrte thun.

** Ein Flus der durch Königsberg ins Haf fließt.

uns in die Kaiüte zu kommen. Hier war alles schön: aber *Koschgen* tadelte alles mit sehr verachtenden Ausdrücken, und beschrieb ihm umständlich den Aufpuz des Schiffes eines gewissen Herrn *Proud*. ,,Ich versichre, sagte sie, daß das ein ganz andres Schif war, als Ihrs, und solcher hatte Herr *Proud* drei. Man sah bei ihm alles was prächtig und schön erfunden werden kan."

,,Das komt daher, Mademoiselle, daß Herr *Proud* an eine Person verheirathet ist, die den schönen Geschmak erfinden würde, wenn er noch nicht in der Welt wäre .."

,,Und, fiel sie ein, die reich ist! Wo sind Ihre übrigen Schiffe?"

Herr *Malgré* ward roth, ,,Sie liegen am Vorgebirge der guten Hofnung!"

Sie verstand ihn nicht; ,,So? ich dachte Sie hätten nur dies Eine! Wie heißt denn Ihr Schif?"

Er sagte ihr den Namen, der ganz unschuldig war: ich habe ihn aber vergessen, weil ich ihn vergessen *wolte*, denn *Koschgen* sagte ihm bei dieser Gelegenheit heimlich, aber nur zu laut, eine so schmutzige Zweideutigkeit, daß das Schifvolk überlaut lachte. Ich schreibe dies mit so grossen Unwillen, daß ich nichts weiter davon sagen kan. Von ietzt an ists mir nicht möglich die allergewönlichste Achtung gegen sie zu haben – ich habe sie schon verachtet seitdem sie neulich bei einem änlichen Ausdruk eines Matrosen lachte.* Ich weis nicht ob ein Mädgen etwas thun kan das sie mehr entehrt. Unglük genug wenn man in seiner Unschuld über solche Dinge lacht. Doch auch das kan man vielleicht verhüten, wenn man den Ungesitteten in einer Gesellschaft erst ausfindig gemacht hat, und der zeichnet sich ia immer sehr merklich aus. Ich bin alsdann immer auf meiner Hut, und die Mine eines Tugendhaften oder eines Bösewichts belehrt mich dann bald, ob ein Scherz unschuldig ist oder nicht.

Von diesem Augenblik an ward Herr *Malgré* kühn. Er faßte Ihre Hand und führte sie, indem er uns bat eine Lustfahrt auf dem Flus zu machen, an die Schifleiter, sprang aber vor ihr ins Bot, und hob sie eben so frei als sie sich frei in seine Arme warf, in das Fahrzeug. Ich nahm dieser Zeit wahr um hineinzu-

---

* *Anmerkung des Setzers.* Ich war erst gesonnen, meine Anmerkungen so zu bezeichnen *A. d. S:* aber ein Zufall hat mich noch zu rechter Zeit eines bessern belehrt. Ich sezte neulich eine Schrift, die ich für den Embryo eines Kandidaten hielt. Wie der Titelbogen ankam, fand ich unter dem Namen des Verfassers ,,*der heil. Schrift Doktor, und Lehrer der Gottesgelartheit.*" Die Messe drängte mich so, wie sie in der schon vor 8 Wochen eingelaufnen Vorrede dieses Buchs den Herrn Doktor gedrängt hatte. Ich faßte mich also kurz, und sezte ein *D* vor den Namen des Verfassers. Aber *Ihro Hochwürden* liessen den Bogen umdrucken, aus Furcht, daß man das *D.* für *Daniel* lesen möchte. (dies ienet zum Beweise meiner Meinung von Titeln) Damit man also mein *A. d. S.* nicht etwa lesen möge, ,,*Aus dem Stegreife:*" so will ich immer ganz hinsetzen: ,,*Anmerkung des Setzers.*" – An diesem Ort wolte ich nur über *Sophien* spotten. Sie mus gar keine Kentnis vom *bon ton* haben, wenn sie solche Personen verachten will, die die Gabe der Zweideutigkeiten haben! In *B.* würde sie eine sehr alberne Rolle mit dieser kleinstädschen Verachtung spielen!

steigen. Ich wäre gern zurükgeblieben, konte aber *Koschgen* nicht verlassen; und da *Julchens* Mädgen bei uns war: so hielt ich es nicht für unanständig mitzufaren. *Koschgen* wolte sich ihr voriges Ansehen wiedergeben: aber ich glaube, daß sie schon zuviel vergeben hatte: Herr *Malgré* zeigte mehr Herz und leider mehr Liebe als vorher, aber so wenig Achtung gegen sie als ich. Einige Matrosen die auf dem Bot waren sahen sie mit sehr zweideutigen Augen an, und mochten wol Lust haben etwas eben so zweideutiges zu sagen, unterstanden sichs aber nicht, weil Herr *Malgré* – vielleicht nur aus Achtung gegen mich, ganz gesittet sprach. Ich fuhr mit Vergnügen zwischen den Schiffen so verschiedner Nationen, und belustigte mich an dem mannigfaltigen Laut der verschiednen Sprachen – Die Empfindung mit der man ein halb Dutzend Sprachen zugleich hört, hat etwas sehr besonders. Am meisten ergezte mich der alle Augenblik veränderte Auftritt, da der Flus voll Menschen war, die theils in mühsamer Arbeit, theils in ruhiger Lust auf und abfuhren.

Wir kamen unter sehr angenehmen Gesprächen an ein Haus, wo aus allen Fenstern so viel Menschen sahen, daß ich glaubte halb *Königsberg* sei in dem Einzigen Hause versamlet. *Koschgen* wolte hier Milch trinken, und ich muste folgen. Vor dem Hause wo wir uns wegen des Drängens in der Thür, lange verweilen musten, sassen auf Bänken und Rasen wol funfzig Menschen, die aus aller Kraft der Lunge ein unsinniges Lied sangen. Sie hatten nur Westen an; die mehresten trugen den Hut auf einem sehr zerstörten Harpuz, und noch mehrere hatten ihn auf einem geschornen Kopf, indem ihre Perüken neben der Thür auf einem Hauffen lagen. Alle hatten zerbrochne Tabakspfeiffen im Munde, in einer Hand ein grosses Glas voll Bier und in der andern einen blossen Degen. Auf ein Zeichen das bei iedem Verse des Liedes gegeben ward, tranken alle nach der Reihe, und unterdessen erschallte ein seltsames Geschrei. Viele schrien vorzüglich heftig, und doch schien keiner trunken zu seyn, ia ihr Gesang hatte sogar etwas zustimmendes.

Ich stand wie betäubt da, – etwa so wie wann man ein fremdes Thier sieht. Die Gesellschaft rund umher, in den Fenstern und im Garten belustigte sich an diesem Schauspiel. Ich glaubte daher es sei dies eine Bande von Menschen, die etwa von dem Hauswirth oder von der Gesellschaft, unterhalten würde, um die Gäste zu belustigen. Ich wunderte mich, unter dieser elenden Bande viele zu sehn, deren Gesicht, Kleidung und Stimme einen ganz andern Stand zu bestimmen schien: aber wie erstaunte ich als Herr *Malgré* den ich fragte was für Menschen das wären? antwortete: es sind Studenten.

,,Nun ihr Herren,'' schrie ein Mann in einer grossen Perüke aus dem Fenster, ,,das *Fakultätslied!*'' Die Herren drükten hier ihre Hüte schief ins Gesicht, und legten die Degen nieder. Hierauf ward vom Vorsänger, einem Kerl der so erschreklich aussah, wie sein Bass erschreklich klang, eine Fakultät aufgerufen; ich konte aber nicht verstehen, welche? Sie nahm ihre Degen, sang ein ganz scheusliches Lied, und trank ein volles Glas; doch bemerkte ich einige die bei gewissen Stellen nicht mit sangen, auch das Glas vorbeigehn liessen. Der Vorsänger rief hierauf: „Ihr Herrn Philosophen!" Dies war mir äusserst lächerlich – Die Herrn Philosophen brüllten und tranken wie die vorigen.

Da ietzt in der Thür Plaz war, so entwischte ich – Ich entdekte dem Herrn *Malgré* mein Erstaunen. „Wie gefielen Ihnen, sagte er, die Herrn Theologen?"

„Ums Himmels willen? sind Theologen dabei?"

„Freilig, die Fakultät die zuerst sang, war die theologische!" Ich wolte ihn mein Erstaunen nicht merken lassen, mus auch gestehn, daß ich es nicht glaubte.

Fortsetzung.

Der Leser sieht einer Parti im Schachbret und dem Blindekuhspiel zu. Ein Wörtchen im Vertrauen.

Wir gingen in ein Zimmer, wo lauter artige Leute waren, die sich mit Kaffe, Wein, Punch, Milch und Thee erquikten, und sich in verschiednen Spielen erlustigten. Da keine Stüle im Zimmer ledig waren: so stellte ich mich an den Stul eines behenden und angenehmen Mädgens das mit iemand Schach spielte. Beide spielten ämsig und ohn ein Wort zu sprechen. Die Parti war so schön angelegt, daß ich Mühe hatte, einige Entwürfe der Spieler zu entdekken, die mir aber, so bald ich sie gefunden hatte, so angelegentlich wurden, daß ich die Augen nicht vom Brett wegwandte. Das iunge Frauenzimmer drang so glüklich ein, daß nun etwas entscheidendes kommen muste, als ihr Gegner schnell einen Zug that, der sie in die äusserste Verlegenheit sezte. Sie rekte den Finger bald nach dieser bald nach iener Puppe aus, seufzte scherzhaft, und zog die Hand zurück. Endlich that sie den möglichbesten Zug: aber der Gegner vereitelte ihn. „Nun helfe, sagte sie, die heilige Sankt Ursula!" Ich kan Ihnen nicht sagen, wie reizend der Ton war, mit dem sie diesen Scherz vorbrachte. Sie half sich so gut sie konte, aber ein Zug des Gegners machte die Gefar noch dringender. Sie machte mit noch mehrerer Aengstlichkeit als vorher, die vorigen Bewegungen, und als sie keine Rettung fand, sah sie mich gefällig an, schlug die Hände zusammen und sagte mir mit kläglicher Stimme: *Qui que vous soyez, miséricorde!** zugleich zog sie. Der Gegner that ietzt den entscheidenden Zug. Plözlich rief sie, Matt! und – er war in der That matt. Sie sprang zugleich auf, flog zu ihrer Gesellschaft an den Tisch, und nahm ihr Strikzeug als wenn nichts vorgefallen wäre.

Jetzt hatte ich erst Zeit ihren Gegner anzusehn. Ich ward sehr angenehm überrascht – es war Herr *Schulz.* Er übersah noch tiefsinnig das Spiel, machte als er sahe, daß es allerdings verloren war, seiner angenehmen Gegnerin eine Verbeugung, und wolte hinaus gehn. Jetzt ward er mich gewar. Er ward roth,

---

* „Wer Sie auch seyn mögen, erbarmen Sie sich!"

fragte mich auch mit weniger Freymütigkeit, als er sonst gezeigt hat, ,,und Sie
sind noch in *Königsberg?*" Ich schreibe diese Aengstlichkeit der Furcht zu, in
der er vielleicht steht, daß ich von *Julchen* seine Geschichte gehört haben
möchte. Er redete auch, iedoch mit mehr Freiheit, *Koschgen* an, die auch in
einem tieffen Bücken seinem prächtigen Kleide (viel reicher als das das ich
Ihnen schon beschrieben habe) alle Gerechtigkeit wiederfahren lies. Er ging
hinaus, und seine Frage zog viele Augen auf mich. Das iunge Frauenzimmer
dankte mir für meinen *Beistand* (sie nahm den Ausdruk wörtlich) und sagte,
sie glaube, daß ich ihr *das Däumchen gehalten* habe; sie müsse auch gestehn,
das sie allemal mehr Mut habe, wenn iemand der das Spiel kennte, neben ihr
stünde. Sie bot mir eine Partie an, die ich annahm.

Wir spielten stillschweigend. Ich hatte Gelegenheit sie genau anzusehn,
und mus bekennen, daß ich noch nicht ein Frauenzimmer gesehn habe, das
Julchen so nahe kommt. Sie wissen, daß ich bei dem Schachbrett mich nicht
fürchten darf: aber ich konte ietzt nichts taugliches machen, bis mir zulezt ein
Zug entfuhr, der das Spiel für mich entschied. Sie stand, zwar nicht empfind-
lich, aber doch auch nicht gleichgültig auf, und sagte, indem sie sich sehr
verbindlich neigte, *cela s'appelle jouer de malheur!** Zugleich bat sie mich,
mit ihr auf die Wiese zu gehn. Unsre Gespräche betrafen erst das Spiel, dann
den Karakter dieser Nation, wobei sie mir sagte, sie sei auch eine Fremde;
und zulezt die Schönheit des Tags und der Gegend. Wir wurden so bald
bekand, wie Selen bekand werden, die etwas änliches haben; und sie gewann
mich zärtlich lieb – Noch mehr sie erbat sich meine Freundschaft, mit einer
Art die ich nicht für ein Compliment halten konte.

Sie glauben nun liebste Mutter, daß ich eine *neue Freundin* habe? Ich
glaubte es auch, und meine Freude ward grösser, iemehr vortrefliche Eigenschaften ich an ihr entdekte. Ich sah, ie nachdem unsre Unterredung die
allgemeinen Gegenstände verlies, ihr ganzes Herz, und nahm dies schöne
Herz ganz für mich hin. Sie hat ein zartes Gefül, Ernst anstatt der Neugierde,
Sentimens anstatt des Geschwätzes, Gegenwart des Geistes anstatt der Flat-
terhaftigkeit, reifen Wiz anstatt des Tändelns, Stolz anstatt des Hochmuts –
kurz, aus iedem guten Karakter den schönsten Zug: aber die kan *nicht* meine
Freundin seyn. Sie kennen meine Grundsätze: rathen Sie nichts?

Wir waren schon auf unserm Rückwege, als wir nahe bei dem Hauffen der
Studenten vorbei gehn musten. Sie hatten ein Bot mit Mädgen aufgefangen,
denen sie die Augen verbunden hatten, und ietzt auf der Wiese *Blindekuh* mit
ihnen spielten. Sie können sich kaum vorstellen, wie zügellos es da zuging.
,,O! sagte meine Begleiterin, wie verworfne Menschen sind das! Wie würde
mancher rechtschafnen Mutter zu mut seyn, wenn sie ihren Sohn unter dieser
Rotte sehn solte – ihren Sohn, für den sie vielleicht täglich zu Gott betet –
ihren Sohn, dem sie vielleicht die Hälfte ihres dürftigen Bissens zuschikt! Wie

---

* ,,Das heist unglüklich spielen!" – Dies ist zugleich ein Sprüchwort.

würde ihr zu mut seyn, wenn sie sehn solte, wie fürchterlich die Stütze ihres Alters bricht! und mus nicht eine unbegreifliche Entschlossenheit dazu gehören, wenn Väter die dies Leben gesehn haben, ihre unschuldigen, eines ieden Eindruks fähigen Şöhne in dies wüste Wesen hinschicken?" Herr *Schulz* kam uns entgegen, da er sah daß wir uns dem Hause näherten. Ich fragte ihn ob er iemand unter diesem Hauffen kente? Er beiahte meine Frage, und bezeichnete uns einen iungen Menschen, der vorzüglich wild war. Er sagte uns, dieser Mensch sei einige Jahre lang ein Muster der andern gewesen: aber durch das Spiel zu Grunde gerichtet worden. Er sei der einzige Sohn einer würdigen Wittwe, und da er von der Universität verwiesen worden wäre, so lebe er in diesem Hause vom Spiel, vom Schlagen (das heist im Namen eines andern auf eine Ausfodrung erscheinen) und von einer noch schmälichern Verrichtung – (vermutlich von der, die eben so das Amt alter Weiber, als vieler Lieblinge der Grossen ist!) Mit vieler Furcht daß er ia! antworten möchte, fragte ich ihn: ob die Theologen heute mit gesungen hätten? Ach, des Herrn *Malgré* Aussage war nur alzuwahr.

„Und diese Menschen, sagte meine Begleiterin hitzig, wollen Prediger werden?"

„Die mehresten unter ihnen, antwortete Herr *Schulz*, sind wol selbst in ihren eignen Augen schon so tief gesunken, daß sie diese Unternehmung schon aufgeben – und diese werden zulezt das, wozu andre Menschen sich nicht brauchen lassen: viele aber werden in der That Prediger." „Ich murre nicht, versezte sie: aber wie kann Gott einer Gemeine einen solchen Prediger geben?" „Vielleicht so, sagte Herr *Schulz*, wie er Israel einen König gab. Ich glaube diese Vergleichung in ihren beiden Teilen hier brauchen zu können. Indem Saul seine Schultern wandte von Samuel der ihn zum Könige gesalbt hatte, wegzugehn, dies sind die Worte der Schrift, gab ihm Gott ein ander Herz: so glaube ich, daß wol kein Ordinirter ohne mächtige Rührung vom Altar weggeht – und wer weis, wie manchen Gott von da an (wenn ich meinen Ausdruk noch einmal da nehmen darf) zum auserwälten Rüstzeug macht? Aber eigentlich war Saul eine Strafe: und die göttlichen Drohungen der Strafe über ein undankbares und verhärtetes Volk, erwehnen ausdrüklich der untreuen und blinden Lehrer .." – Sie fiel ihm ein: „das ist freilig sehr fürchterlich: aber woran ist so ein Mensch kentlich? Kan er nicht die Larve des Rechtschafnen nehmen?"

„*Daran*, glaube ich, antwortete Herr *Schulz*, daß er auf krummen Wegen ins Amt zu kommen sucht – Ein sicherer Beweis, daß sein Gewissen geschwärzt ist, und daß er gewis weis er habe sich der göttlichen Fürung nicht zu getrösten .." – Hier unterbrach ich ihn: „Das ist ia aber ietzt eine ganz gewönliche Art zum Amt zu gelangen!"

„Ein Beweis erwiederte er, daß die Kirche ietzt eine Gestalt hat, in der die Strafe nöthig ist!"

Wir sagten ihm, daß seine Anmerkungen sehr richtig wären. „Nennen Sie

sie nicht mein, sagte er, denn sie sind es nicht ganz. Folgende Begebenheit erweiset das."

„Einer meiner Anverwandten war ein rechtschafner Prediger, aber ein hitziger und überdem hypochondrischer Mann. Aus Betrübnis über seine ganz fruchtlose Arbeit, machte er bekand, daß er sein Amt niederlegen würde, und nahm bald drauf in einer Predigt Abschied. Die Zuhörer waren hiebei gleichgültig. Der Herr des Dorfs befragte die sämtlichen Hausväter und Hausmütter; ob sie ihren Prediger nicht bitten wolten bei Ihnen zu bleiben? es wolte sich aber niemand hiezu verstehn. Noch an demselben Tage meldete sich ein sehr geschikter Kandidat, der der Gemeine vorteilhaft bekand war, auch gute Zeugnisse vorzeigte. Verschiednen Bauern misfiel das. Er that mehr. Er erbot sich das Kammermädgen der Dame zu heiraten, ein Frauenzimmer das er nie gesehn hatte; und schikte an die angesehensten in der Gemeine Geschenke, die zusammen gegen tausend Rthlr. betrugen. Hier trat die ganze Dorfschaft zusammen, und bat den alten Prediger aufs dringendste, seinen Entschlus zurükzunehmen, ‚indem man lieber einen rechtschafnen obgleich hitzigen Mann, als einen Bösewicht zum Prediger haben wolte! Man könne, sezte man hinzu, gegen den Kandidaten nichts einwenden; man wisse nichts böses von ihm: man glaube aber, daß er sich selbst nichts gutes bewust sey, weil er kein Vertrauen zu Gott habe, und ein Amt erkauffen und erheiraten wolle, das die Gemeine die bisher eine bessre Meinung von ihm gehabt hätte, ihm anzutragen im Begrif gewesen sei. Der alte Prediger lies sich hiedurch bewegen – und bald drauf ward der Kandidat als ein Mensch bekand, der schon in seinen Universitätsiahren sich der gesuchten Würde unfähig gemacht hatte."

„Ich weis nicht sagte meine Begleiterin, wen ich mehr verachten soll: einen Menschen der sich zum Prediger, oder ein Frauenzimmer, das sich zur Frau anbietet?" Herr *Schulz* antwortete: „Es giebt vielleicht Fälle in denen beide einiger mahssen entschuldigt zu werden verdienen: doch wolte ich nicht in dem Fall des Kandidaten .." „und ich, fiel sie ein, nicht in dem Fall des Frauenzimmers seyn!"

Wir wurden hier unterbrochen: aber ich weis nicht, was das für Fälle seyn können? Nehmen Sie, für ein Frauenzimmer, den Fall einer heftigen und reinen Liebe; und, für den Kandidaten, den Fall der Furcht in der Dunkelheit zu bleiben, oder den Fall einer grossen Begierde gemeinnützig zu werden, oder – ich will es nur heraus sagen, den Fall des Triebes zur Ehe: so fällt alles weg, sobald man eine göttliche Vorsehung glaubt. Freilig dem kranken Gemüt weis ich nicht zu helfen, das sich einbildet, die wahre Ruhe sei *auch anderswo* als in der Hofnung zu suchen, „Gott werde alles mit Trieben seiner väterlichen Liebe, auch *selbst nach unsern Wünschen* lenken, wenn unsre Wünsche stille Wünsche, Wünsche sind, die keine offenbare Unwarscheinlichkeit abweiset, und die keine Regel der Klugheit misbilligt." Doch weis ich nicht ob dieser oder ein änlicher Brief etwas unschikliches haben würde: „*Ew. – suchen einen Kandidaten. Hier sind meine Zeugnisse. Ists Ihnen*

gefällig das zu prüfen was ich zu leisten suchen würde: so bitte ich um Befehle
die mir einen Tag bestimmen. Ich bin etc." Aber gesezt, ein solcher Brief sey
gut: so ist freilig zu zweifeln ob der Verfasser viel Glük machen wird? Das
Gnadeniahr ist für den *Patron* der Kirche eben so die Erndte der *Schmeiche-*
leien, als es für die Wittwe die Erndte der *Hofnungen* ist.

Das was uns unterbrach war für mich traurig genug. Es war der Name den
Herr *Schulz* meiner neuen Freundin gab – der Name, ,,gnädiges Fräulein." O
dachte ich hier, wie ich so oft gedacht habe, ich bin nur *ein bürgerliches*
Mädgen: eine *Gnädige* kan also meine *Gönnerin,* – aber nicht meine *Freundin*
seyn! Ich weis wol daß Sie, meine Wertheste, diesen Saz oft bestritten haben:
aber ich glaube Ihnen im nächsten Briefe manches zu sagen, das ich seitdem
hierüber gedacht habe. Diesen habe ich unter allerlei Begebenheiten geschrieben, denn heut ists schon Montag. Ich unterschreibe meinen Namen mit
zärtlicher Regung

Sophie.

N. S.

Ich kan den Brief nicht siegeln ohn Ihnen zu sagen, daß ich auf dem
Rükwege zufällig erfur, Herr *Puff* sei nach *Elbing* gesegelt. Also habe ich
einige Ruhe. – Aber solte auch der Mann wol nach *Memmel* gegangen seyn?
O! wenn das ist: – doch ich weis, daß Sie meinem Herzen Freiheit lassen
würden, wenn Sie auch meine leibliche Mutter wären. Wäre die Sache dieses
Mannes gut: so würde er sie durch eine Reise nach *Memmel* verderben.

Werkregister 136

UNBEKANNTER VERFASSER

aus   Ueber Sitten und Lebensgenuß in Baiern.
     Aus dem Schreiben eines Reisenden.

       München, den 2ten October 1788.

Der Adel hier – es giebt Ausnahmen versteht sich – ist eben so stolz als
fremd in den Wissenschaften. Der Bürgerstand, zwar noch der unverdorben-
ste Theil der Nation, wird wenig geachtet, daher die Marotte, daß alle, die
einen Charakter haben, oder in Dicasterien sitzen, sich *Ew. Gnaden, gnädige*
Herren, Herren von, nennen lassen. Jemanden nach seinem Amte oder Charakter zu nennen, ist wenig im Gebrauche. Jeder steigt eine Stufe höher, als er
wirklich stehen soll. So heißt der Graf *Excellenz,* der Baron *Graf,* der Edelmann *Baron* und der Unadeliche *Herr von.* Die Damen lassen sich nach
ihrem *angebohrnen* Stande tituliren, wenn sie sich auch unter demselben
vermählen. So bleibt eine Gräfin, die einen Baron oder Edelmann heyrathet,
gnädige Gräfin, und der Herr Gemahl wird dadurch nicht selten mit zum

Grafen gemacht. Für einen Fremden hat das viel Unangenehmes. Ehe er die
Sitte kennt, stößt er aller Orten an. Um diesem auszuweichen, rieth man
einem Reisenden in zweifelhaften Fällen nur immer *Excellenz* zu sagen, und
wie man versichert hat, ist er dabey recht gut gefahren. Für den denkenden
Mann, bey dem Verdienst allein nur etwas gilt, sind denn nun freylich die
vielen Quasi=Excellenzen ein eben so lächerliches Schauspiel als die vielen
gnädigen Herren, Frauen und Fräulein. Die Frauenzimmer aus dem Bürgerstande, wozu aber schon die Ehehälfte eines Kopisten nicht mehr gerechnet
werden darf, haben noch ihre Nationaltracht, besonders in Ansehung des
Kopfputzes. Man kann also bey dem schönen Geschlechte in der Titulatur
weniger fehlen, da man nur jedes nach der jetzigen Mode gekleidetes Frauenzimmer geradezu *gnädige Frau* oder *gnädiges Fräulein* nennen darf. Selbst
sehr vernünftige Familien bürgerlicher Abkunft nehmen diese Standeserhö-
hung ohne Weigerung an. Ein bürgerlicher Gelehrter, der in ganz München
für einen geschickten und aufgeklärten Mann gilt, wird Herr Professor genannt, und seine Gattin und Tochter ließen sich immer *gnädige Frau* und
gnädiges Fräulein heißen. Daß auch kluge Leute solchen Schwachheiten unterliegen können!

Das gesellschaftliche Leben, das in andern großen Städten Teutschlands so
viel Annehmlichkeiten giebt, vermißt man hier ganz. Der große Partheygeist
soll daran schuld seyn. Es sind mehr als sechs gegen einander arbeitende
Partheyen in der Stadt. Der wechselseitige Haß der Baiern und der Pfälzer,
oder wie man hier spricht *Pälzler,* ist unbeschreiblich. Doch, muß man gestehen, geht der Baier darin etwas zu weit, obgleich die unter der jetzigen
Regierung nach München versetzten Mannheimer durch ihr anfängliches Benehmen selbst den alten unter der Asche glimmenden Haß von neuem ange-
facht haben sollen.

Uebertriebene Bigotterie und ausgelassene Freude und wilde Vergnügungen gehen hier Hand in Hand. Das Mädchen, das man vor dem Altare in der
größten Andacht eingehüllt knien sah, findet man oft in der nemlichen Viertelstunde auf dem Tanzboden in einem leichten Walzer dahin schweben.
Essen, Trinken und Tanzen sind die Götzen des Baiers. Es wird hier viel
gegessen, aber ich kann nicht sagen, gut. Der schönen Gemüse ißt der Natio-
nalbaier wenig oder gar keine; Sauerkraut nur findet man bey ihm fast täglich,
auch mitten im Sommer, auf dem Tische, daher er auch diesen Kohl par
excellence *Kraut* nennt. Wein wird weniger als Bier getrunken und man hat
nicht Unrecht, daß man das köstliche baiersche Bier, dem schlechten Weine,
den man hier gewöhnlich antrift, vorziehet. Die Vergnügung des Tanzes liebt
man hier bis zur Ausschweifung; es darf sich nur die Musik zu einem Walzer
hören lassen, so fängt alles, es sey wo es wolle, an zu hüpfen. Die öffentlichen
Tanzböden werden von allen Ständen besucht; sie sind die Oerter, wo man
Ahnen und Verhältnisse zu vergessen und den hochadelichen Stolz abzulegen
scheint. Man sieht hier Profeßionisten, Künstler, Kaufleute, Räthe, Baronen,

Grafen und Excellenzen, mit Kellnerinnen, Bürgerfrauen und Mädchen, gnädigen Frauen und Fräulein unter einander tanzen. Jeder Fremde, der sich eine Zeitlang hier aufhält, wird von dieser Tanzsucht angesteckt. Den Englischen Tanz liebt man nicht. Man walzt, und tanzt bloß, um sich zu erholen, dazwischen eine Menuet. Wie weit die Tanzlust, besonders im Bürgerstande, geht, mag man aus folgenden schließen. Ein sehr artiges Bürgermädchen ward des Morgens in der Kirche ohnmächtig und halb todt nach Hause gebracht, demungeachtet sahe man es denselben Abend noch auf dem Tanzboden unaufhörlich walzen. Wie es unter allen diesen Umständen, da man mehr für den Körper als für den Geist sorgt, um die Wissenschaften stehen kann, ist leicht abzunehmen. Die guten Köpfe, die sich seit einigen Jahren in Baiern hervorgethan haben, sind bekannt. Wollte man aber von ihnen auf den Zustand der Litteratur in diesem Lande schließen, so würde man sich sehr irren. Der gemeine Mann ist ganz unwissend und im Bürgerstande wenig oder gar keine Lektüre zu suchen. Die Pfaffen sind überdem bey diesen Klassen bemüht, alles zu entfernen, was ihnen Aufklärung gewähren könnte. Der Adel und Quasi=Adel nimmt, wenn er ja lesen will, ein französisches Buch zur Hand. Alles, was sich über den Bürgerstand erhebt, affektirt Französisch reden zu wollen. Man sagt, sie thäten es darum, weil sie fühlten, wie schlecht sie ihre Muttersprache sprechen und diese in ihrem Munde klingt. Findet man hier und da ein teutsches Buch liegen, so sind es baiersche Produkte, oder Schriften aus den benachbarten katholischen Ländern, worunter seit einigen Jahren zwar manche Gute erschienen sind, die aber doch, einige ausgenommen, für Protestanten immer entbehrliche Waare genannt werden können. Die neuesten Schriften aus Oberteutschland findet man daher selten oder sehr spät in den hiesigen Buchladen, deren Handel in geistlichen Schriften am ergiebigsten ist.

Werkregister 16

UNBEKANNTER VERFASSER

Ueber alte und moderne Sprach=Sitte, und Art, sich in verschiedenen Ständen mit Unterschied anzureden.

Honor di bocca, assai vale!

Wir nennen die Sprache cultivirter Menschen, in so fern sie Geschmak und Eleganz im Ausdruke verbinden, *modern*. Schon diese Wort=Bezeichnung führt auch die Idee, oder doch derselben ziemlich nahe, daß auch der Geist der *Mode* Einfluß auf die Sprache haben, und in derselben sich thätig erzeigen dürfte. Es bedarf nicht vieler Anstrengung, um wahrzunehmen, daß er sich würklich im Allgemeinen thätig darin erzeige. Aber fleisige Sammlungen der besondern Sprach=Modificationen in verschiedenen Provinzen Teutschlands, und treffende Bemerkungen über die z. B. von 10 zu 10 Jahren wahrgenommenen Unterschiede in den Wendungen des Conversations=Ausdrukes in verschiedenen Distrikten des nördlichen und südlichen Teutschlands fehlen uns noch gar sehr. Folglich gebricht uns noch gröstentheils der Stoff zu Vergleichungen, welche für den philosophischen Beobachter neuerer Cultur gewiß nicht uninteressant seyn würden. Hier sind einige Beyträge, welche aus den vordern Reichs=Kreisen Teutschlands gesammlet sind. Wenn von mehrern Gegenden ähnliche Fragmente einliefen, und von Zeit zu Zeit fortgesezt würden, so dürfte ihre Zusammenstellung in wenigen Jahren entscheidend brauchbar seyn.

Die Art und Weise, wie unsre Zeitgenossen in verschiedenen Ständen sich unter einander im Umgang anreden, ist sehr verschieden. *Du, Er, Ihr* und *Sie* mit ihren angehängten Nenn= und Zeit=Wörtern mischen sich mit sonderbar beliebten Nüancen durcheinander. Ceremoniel und Gefälligkeit haben aber in diesem durcheinanderlaufenden Wirrwarr selbst eine gewisse Ordnung ausstudirt, die jedoch nicht allgemein gültig, noch von bleibender Dauer ist; und über welche sich nur in den vordern Reichs=Kreisen Teutschlands folgende Bemerkungen ergeben.

1) *Du.*

ist die Anrede des Vaters an sein Kind, der Geschwister unter einander, der Ehegatten, (jedoch bey diesen schon mit Ausnahme), übrigens die Anrede recht guter Bekannten, sonderlich in niedrigen Ständen, der Schüler, der Bauern=Jugend durchaus.

Der gnädige Freyherr spricht zu seinen Leibeigenen und Dorfs=Unterthanen auch *Du,* aber schon sehr mit Einschränkung und vielen Ausnahmen. Ehedem war's anders.

Eben so auch mit Herrn und Knechten überhaupt. Ehedem wurde jeder Knecht geduzt. Nun reden sie die meisten Herrn mit *Ihr* an. Auch zur Magd spricht die Frau *Ihr,* und nur bey langer Bekanntschaft oder in ganz niedrigen Ständen wird das Gesinde geduzt.

Gemeine Juden müssens noch fast überall leiden, daß sie durch *Du* erniedriget werden. Der Knecht und die Magd kanns *ressentiren,* d. i. füglich Empfindlichkeit darüber auslassen, wenn ihm das drückende *Du* aufgehalset werden will; aber der Jude nicht.

2) *Ihr.*

Ehedem sprach der Ritter zum Ritter *Ihr,* im 16ten Jahrhundert noch durchgängig, im 17ten noch größtentheils. Gegenwärtig ists, wie gedacht, die gemeine Sprache des Herrn zu seinem Diener, der Frau zur Magd, sodann aber auch des Bürgers zum Bauern, des gemeinen Manns zu Unbekannten von unscheinbarem Anzug, des Handwerkers zu seinem Gesellen.

Uebrigens aber fängt hier bereits eine sehr feine Distinction an, über die sich kaum im allgemeinen etwas schreiben läßt. Die Oberen classifiziren in der Idee, ziemlich conventionell, auf eine ganz eigene Weise die Ansprüche der verschiedenen niedrigern Stände auf *Er* und *Ihr*. Die Oberen sollen uns hier nicht Freyherrn, und Dynasten bedeuten, sondern wir rechnen damit Magistrats= und Canzley=Personen, Officiers, angesehene Kaufleute und Künstler von Distinction in Eine Classe. Diese sämmlich sprechen mit dem Landmanne, mit dem Kärrner, mit dem gemeinen Fuhrmanne, mit dem Mieth=Kutscher, mit dem Gärtner, mit dem gemeinen Soldaten, mit dem Wintzer in der Anrede durch *Ihr*. Aber der Handwerker und Professionist wird fast durchgängig mit *Er* vorzugsweise unterschieden. Allein auch Bediente erhalten nach und nach diese Ehre. Nicht nur der, an den sie mit Ausrichtungen abgeschikt werden, nennt sie so, (denn das ist allgemein), sondern auch die eigene Herrschaft stimmet immer mehr den stolzen Ton herab, und honorirt den Diener mit dem erfreulichen *Er,* an das dieser in sonstigen Zeiten niemals einen Anspruch hatte. Gar viele andre Leute, welchen sonst überall blos *Ihr* zukam, merken sich dieses, und streben nach ähnlichem Vorzuge. Hiedurch werden viele Professionisten veranlaßt, auch ihre Gesellen auf eben solche Art zu beehren, und damit entziehen sich denn auch diese immer mehr und mehr der Region, in welcher *Ihr* regiert. Aber es geht noch weiter!

3) *Er* und *Sie*.

Beinahe ist *Er* ein Merkmaal vom *Meister*=Recht. So heißt der Handwerker nicht nur seinen Mit=Genossen in der Innung; sondern auch jeden andern Handwerker ausser seiner Zunft, Er. Eben so sprechen aber auch Obere mit Handwerkern. Auch schon der geringe Krämer heißt nicht mehr *Er,* auch der Wirth nicht mehr; wenn er nicht eine sehr gemeine Schenke hat, oder etwa blos Bier=Wirth und Bierbrauer ist. Denn diese kommen im Weinlande selten zu Ehren.

Unter den Handwerkern kommen die Gold= und Silberschmiede, die Uhrmacher, die Perukiers, die Seidenwürker, nach und nach zu dem Vorzuge des *Sie's*. Bader und Balbirer ringen ebenfalls nach dieser Ehre, und sie wird auch ihnen immer leichter zu Theil, je mehr sie Chirurgie mit ihrem Handwerke verbinden, oder sie doch damit zu verbinden immer dreister durchgehends vorgeben. Doch reden obrigkeitliche Personen noch vielfältig Leute dieser Stände nach dem alten Schlage mit *Er* an. Der Pfarrer sprich zu dem Schulmeister und Küster *Er;* auch der gemeine Bürger noch öfters ebenso. Jeder lateinische Informator und öffentliche Schullehrer, (wäre er auch ein noch so Kopf und Geld armer Wicht), würde sich dadurch höchlich beleidigt achten, und seine Ansprüche auf *Sie* werden auch für rechtsgültig anerkannt.

Policey=Diener und Amts=Knechte heisen in der Ordnung *Er*. Wenn aber der Bürger ihrer bedarf, wenn er in Executions=Nöthen ist, oder um eine

Gunstbezeugung wirbt, oder um ein Aemtchen ambirt so begrüßt er in auf-
richtiger Herzensangst den Nachtreter des ersten Raths bis zum untersten
Schergen und Büttel mit *Sie*.

Bekanntlich giebts in Schwaben und am Rhein viele sogenannte *Schreiber*,
(deren Charakter schon in mehrern neuen Schriften hinlänglich geschildert
worden ist, die hie und da auch Substituten, oder Canzlisten heißen); diese
müssen sich noch großen Theils das *Er* gefallen lassen; doch entledigen sich
auch diese in zunehmender Ausdehnung des bemeldten ihnen verächtlich
dünkenden Alloquiums.

Edelleute und Freyherrn (adeliche Damen beygerechnet), glauben sich sonderlich berechtigt, mit dem so glüklich unterscheidenden *Er* ganz nach freyer
Willkühr um sich werfen zu dürfen. Auf ihren Gütern und Landsizen wehrt's
ihnen auch niemand. Der Amtmann, der Gerichtshalter, der Pfarrer, der
Hofmeister, der Sekretär, der Krämer im Dorf ist ihr ungestört unterthäniger
Er. Das ist einmal so rechtliche Observanz! Aber, (was Gewohnheit nicht
vermag)! gar öfters trägt sich's zu, daß Edelleute auch ausser ihren Landsizen
in allerley Verhältnissen mit Geistlichen, mit Advocaten, mit Aerzten, mit
Hofmeistern und Schullehrern in Städten, mit Handelsleuten und Künstlern
in Gespräch und Unterhaltung gerathen, daß sie derselben benöthigt sind,
und sie öfters lange um sich haben müssen, und daß sie sich auch da noch –
des angenommenen *Er's* nicht sofort entwöhnen können. Darüber ereignen
sich vielmals gar eigene Scenen. Zumal Juristen und Aerzte ertragen diese
Erniedrigung am wenigsten, und bringen sie am ehesten dreist zur Sprache;
worauf dann meistens nicht sowol *beliebige*, als vielmehr *schleunige* Remedur
geschafft wird, und geschafft werden muß, weil der gnädige Freyherr gar
vielfältig der Hülfe des Arztes und des Juristen nothwendig bedarf, und in
der Enge keinen andern Ausweg sieht, als – durch ungesäumte Abänderung
seiner *Landessprache* sich ein förmliches Dementi zu geben. – Es ist aber
nicht in Abrede zu stellen, daß seit ohngefähr 5 bis 6 Jahren der Ton der
Adelichen gegen Bürgerliche sich sehr herabgestimmt habe. Das Beyspiel des
Kaisers, dessen gefällige Sprache gegen seine hohe und niedre Räthe und
Officianten neuerlich gar zu deutlich, und eben so bestimmt in der Hinsicht
auch *Er* und *Sie* in öffentlichen Blättern gerühmt worden war, veranlaßte
unläugbaren Eindruk und Beschämung, und die Unschicklichkeit des gegenseitigen Betragens, auf welchem der Ahnenstolz an sich zu beharren Lust
hatte, fiel forthin allzusehr auf, um nicht würkliche Aenderungen zur Folge
zu haben.

Weiter! Wenn ein Handwerksmann in ein Gericht, z. B. zur Feldschau,
oder in einen Rath erwählt wird, so hört die Anrede *Er* gegen ihn mit einemmal auf, und er heißt von nun an lebenslang: *Sie!* – und ferner dazu nicht
mehr, *Meister*, sondern *Herr*. Ueberhaupt aber verliert sich im allgemeinen
das *Er*, so wie der *Herrn*=Titel zunimmt; und dieser nimmt *sehr* zu, auch bey
Personen, die nicht den mindesten Anspruch auf obrigkeitliche Aemter ma-

chen. Vor zwanzig Jahren noch stemmte man sich gar gewaltig gegen dergleichen neue Anmaasungen, aber jezt will alles *Herr* heißen, und es wird auch vielen Handwerkern dieser ehrenvolle Titel wirklich ohne Anstösigkeit ertheilt. Sonderlich arbeiten sich unsere *Schneider* fast an allen Orten zu bemeldtem Vorzuge sehr glüklich empor; doch gelingts ihnen und andern ähnlichen Emulanten durchaus leichter und früher in großen Städten, als in kleinen.

– *Er* ist aber nicht blos Ausdruk zu Rang=Bezeichnung, sondern auch Ausdruk von *Vertraulichkeit*. Alte Bekannte auch in vornehmen Ständen sprechen daher öfters mit einander in der dritten Person. In den Gegenden gegen die Schweiz zu, (wie zum Theil in der Schweiz selbst), nennen sogar Mädchen von Cultur und Erziehung einen Fremden oder Reisenden, wenn er in ihre Familie introducirt, und darinn nur etwas bekannt worden ist, *Er*, welches einem Ausländer oft äusserst auffällt. „Will *Er* mir die Arie spielen? – Tanzt *Er* gern Walzer?" – heißt es oft schon im dritten oder vierten Gespräch.

Eben dieses Ausdruks der Vertraulichkeit bedienen sich auch Gattinnen gegen ihre Eheherrn gar häufig; besonders in Gesellschaften, wenn sie freundlich und gefällig erscheinen wollen. Dagegen spricht auch der Mann zu seiner ehelichen Hälfte auf gleiche Art in der dritten Person: „Höre sie, sie ist sehr vergeßlich! bestelle sie mir u. s. w. – Mehrentheils liegt bey dem Gebrauche dieser Sprach=Wendung eine gewisse Ironie oder Laune versteckt, die aber durchaus nichts beleidigendes an sich hat, sondern blos ganz leichthin an etwas erinnern solle. So bizarr dieses Unkundigen scheinen mag, so ists dennoch wahr, daß durch oftbenanntes *Er* gar vielmals eine gewisse Nüance in Lob und Tadel, zu Mäsigung des Stolzes und dennoch zu Schonung der Eigenliebe, angebracht wird, welche mehr von beugsamer Gewandtheit, als von steifer Rohheit zeugt, und diejenige Verhöhnung und Verurtheilung nicht verdient, wozu Fremde blos aus Ungewohnheit oft verleitet werden.

Noch ist nöthig, von der modernen Einführung des höflichen *Sie's* in die Sprache der Eheleute, oder vielmehr von dessen Beybehaltung in der Ehe, einiges zu erwähnen. In Schwaben, in Bayern, und am Rheine ist noch die alte Sitte allgemein, daß Eheleute, vornehme und niedrige, sich duzen; doch zeigen sich hie und da einzelne Ausnahmen, besonders in verschiedenen Revieren und Städten in der Pfalz, und weiter hin am Mayne, und in Hessen; und hie und da gehört es bereits wirklich zum vornehmen Tone, oder wird doch zu rechtlicher Politur gerechnet, im ehelichen Umgange, das *Sie* beyzubehalten. Der größere Theil des Bürgerstandes hält es noch zur Zeit für übertriebene Eleganz, und spottet darüber. Dieß hat einen anonymen Schriftsteller im vorigen Jahre veranlaßt, eine Diatribe über diesen Zwist herauszugeben, unter dem Titel: *Sie über Du!* – worinn er die Frage erörtert, in wie weit die Sprache des gefälligen Umgangs in der Ehe fortzusetzen sey? und gar aus psychologischen Gründen zu erweisen sucht, daß Eheleute in cultivirten

Ständen *Sie* zu einander sprechen sollten! Ich bin nicht der Meinung des Verfassers; ich halte verschiedene Räsonnements seines Werkchens für gezwungen, und bin in der Hauptsache mit dem natürlichen Glauben des Bürgerstandes einstimmig. Aber bey alledem muß man diese Schrift für ein merkwürdiges Paradoxon erkennen, und ich möchte die psychologische Deductionen darinn für keine Auswüchse verdorbener oder überfein gesponnener Einbildungskraft erklären. Es ist sehr treffend und wahr, was der Verfasser gegen das Geschrey von Unnatürlichkeit, das fast bey jedem neuen Phänomen unsrer Cultur erhoben wird, in einer sehr nervichten Sprache sagt; es zeugt von durchdringender Kenntniß des menschlichen Geistes, und dessen nothwendig mannichfaltiger Richtung in verschiedenen Zeiten, was er weiter von dem Stande der Politur, in dem wir einmal stehen, von dessen allgewaltiger Fortrückung, von der Kraft conventioneller an sich willkührlicher Sitten= und Sprach=Receptionen, und von der Aufhebung und Aufwägung des anfangs fühlbaren Zwangs durch die bemeldte Receptionen selbst, analytisch deducirt. Auch werden, in der Beleuchtung des Süjets an und für sich, für das *Sie* mehrere starcke Gründe vorgebracht, an welche gewiß wenigstens tausend trozige Verehrer des alten *Du* nicht gedacht haben, und von welchen wir nicht wissen können, ob sie nicht unsern Enkeln behaglicher vorkommen dürften als uns! Vielleicht befremdet es diese einmal, ehe noch dreisig Jahre vergehen, wie man nur gegenwärtig darüber noch habe zwistig und streitig seyn können, das *Sie*, das zwischen Verliebten und Verlobten ohne Anstösigkeit allgemein gültig ist, in der Ehe für abgeschmackt zu erklären! Vielleicht wendet sich alles zum Gegentheile. Wir können das nicht wissen. Auf jeden Fall aber ists gewiß hübsch und klug, bey dergleichen Verschiedenheiten der Meinungen, sich nicht ungebärdig zu zeigen, und fein tolerant zu seyn.

Da ich einmal vom *Du, Er, Ihr* und *Sie* differire, so dürfte es, dünkt mich, nicht ausser meinem Wege liegen, ein Paar Worte von dem stolzen *Wir,* der sonderbaren Erfindung des ungenügsamen Egoismus, beyzufügen. Schon vor dem Zeitalter Kaiser Justinians, des Gesetzgebers, schon vor 1300 Jahren also, kam die Gewohnheit auf, daß Kaiser und Könige in der mehrern Zahl von sich sprachen. Lange war dieß aber ein Vorrecht blos der höchsten Würde. Erst vor einigen Jahrhunderten riß der Mißbrauch ein, daß auch mindermächtige Dynasten im teutschen und gallischen Reiche sich beygehen liesen, eine gleiche Sprache zu führen. Wir wißen, wie weit sie noch im Canzley=Style gültig ist. In mündlicher Rede enthalten sich, so viel uns bekannt ist, große und kleine Herrn in unsern Tagen dieser Ausdehnung der Ichheit. Zu Anfange dieses Jahrhunderts war's noch nicht also!

Aber eine wahre Sonderbarkeit, die mir von ganz zuverläßigem Munde erzählt worden ist, muß ich zum Schluße noch anführen. In der Gegend des Klosters *Schönthal,* an der Grenze von Franken, (in der Gegend, in welcher Göz von Berlichingen gelebt hat, und begraben liegt), spricht der gemeine Mann, wenn er bestimmt von sich selbst redet, nicht *Ich*, sondern *Wir*; und zwar nicht nur wenn er einen Nachdruck auf seine Persönlichkeit legen will, sondern auch überhaupt in andern Verbindungen. „*Wir* sind nicht da gewesen! *Wir* wissen's nicht! – *Wir* haben ihn gesehen u. d. m. durchaus anstatt: *Ich.*

Es wäre wohl einer Erkundigung werth, ob sich etwa auch anderwärts in Teutschland, in der bürgerlichen Umgangs=Sprache, vielleicht selbst in Städten dergleichen Anti=Egoisten befinden?

Werkregister 16

UNBEKANNTER VERFASSER

aus ## Ueber den Luxus in Berlin.

Viele Frauen und Töchter von Handwerkern, nicht von den einträglichsten, sieht man des Sonntags, im Winter mit atlaßenen Pelzenveloppen, zur Kirche, im Sommer mit seidnen Schuhen, taffeten Enveloppen und langen Kleidern, nicht mehr mit Hauben von Brabanter Spitzen, sondern von Flor, oder gar mit frisirten Köpfen unter den Linden und im Thiergarten einher gehen. Wenige Bürgerfrauen laßen sich mehr Frau, wenige Bürgertöchter mehr Jungfer nennen. Alles heißt Madam und Mamsell. Dafür wollen sie auch nicht mehr als teutsche Frauen und Mädchen leben und arbeiten; die Töchter nicht wieder Bürger, wie ihre Väter waren, heyrathen. Sie lesen Romane, gehn in die Comödie, und der Mann, der den geringsten Titel von einem königlichen Dienst, mit der geringsten Besoldung hat, ist ihnen lieber, als der wohlhabenste geschickteste Handwerksmann. Man fährt Sonntags über Land in zahlreichen Parthien und verzehrt die künftige Ausstattung zum voraus. Im Thiergarten, auf andern Spaziergängen und in öffentlichen Gärten sieht man Perukenmacher, Schneider und dergleichen Handwerker des Sonntags oft in seidnen, in betreßten, in gestickten Kleidern sich in höhere Gesellschaften mischen. Niemand, der sie nicht kennt, nimmt sie für das, was sie sind, und ein Fremder geräth in Versuchung sie für Herren von Stande zu halten.

Hochzeit=Luxus ist in Berlin eben nicht häufig mehr, ausgenommen, wenn ein wohlhabender Handwerksmann seine Tochter an einen betitelten Mann verheyrathet. Dann will er oft zeigen, er erwarte heute von den vornehmen Gästen eine tiefere Verbeugung, als er sonst gewohnt ist; sein Herr Schwiegersohn soll es auch künftig vergessen, daß er eines Handwerkers Schwiegersohn ist. Da wird dann in einem öffentlichen Gasthause, bey *Corsica*, bey *Rexroth*, im englischen Hause, oder einem ähnlichen dazu wohleingerichteten Ort eine prächtige Mahlzeit gegeben. Junge Bürger und Bürgerfrauen und Bürgertöchter erscheinen dann neben jenen Herren so gekleidet, wie Leute vom Stande und schämen sich ihres wirklichen Standes.

Dies alles ist nicht blos Eitelkeit und Thorheit, es ist die Quelle von Sitten-
verderbniß und Zerstörung des bürgerlichen Wohlstandes. Manche Bürgers-
tochter, um den Putz, den der Vater ihr nicht kaufen kann, anzuschaffen,
wird lüderlich, wird entweder heimlich die Mätreße eines reichen oder schul-
denmachenden Herrn, der sie im Putze unterhält, oder verkauft ihre Gunst-
bezeugungen an mehrere für geringere Preise. Manches junge Weib machts
eben so, die Eitelkeit, der Hang zum Putz und Luxus verleitet manche zu
diesen Niederträchtigkeiten, die aus Wollust dahin nicht gekommen seyn
würden. Mancher königliche Bediente wäre bey Verwaltung einer herrschaft-
lichen Kasse ein ehrlicher Mann geblieben, wenn nicht sein oder seiner Frau
und seiner Kinder Neigung zum Luxus ihn dazu verleitet hätten, die anver-
trauete Kaße zu veruntreuen. Einige versuchen noch, durch die verführeri-
sche Zahlenlotterie sich zu helfen, und sinken dadurch immer tiefer ins
Elend. Manche Familie wäre eine wohlbehaltene, geachtete Familie geblieben, wenn sie weniger den Luxus geliebt hätte. Aber auch von dieser Claße
von Berlinischen Einwohnern kann man doch sagen: nicht bey den meisten
ist es noch zur Zeit so; ein großer Theil lebet seinem Stande gemäß, arbeitsam
und sparsam. Indessen ist doch offenbar, daß durch den Luxus, wie er in
Berlin jezt wirklich ist, die Heyrathen sehr gehindert werden. Die jungen
Männer haben die Einkünfte oder den Erwerb nicht, die Eitelkeit der Mädchen ihres Standes, die schon an ihrem Anzuge sichtbar ist, zu befriedigen,
das Schicksal vieler verheyratheten Männer schreckt sie ab, daher heyrathen
so wenige, viele nehmen gemeine Mädchen zu Beyschläferinnen, oder besuchen öffentliche Häuser des Lasters, und dies verursacht wieder, daß viele
Jungfern des Mittelstandes unverheyrathet bleiben, und daß viele Mädchen
niedrigen Standes eine so schlechte Lebensart ergreifen, um sich nur zu putzen. Die Quelle ist gemißbrauchter Luxus.

Werkregister 16

Unbekannter Verfasser

aus   Ueber sogenannte familiere oder vertraute Gesellschaften.

Ein Beytrag zu der Charakteristik des herrschenden Gesellschaftstons
in Deutschland.

Ich wohne seit geraumen Jahren in einer großen Stadt, und habe oft dergleichen vertrauten Gesellschaften bey Leuten beygewohnt, die unter die
Vornehmen des Mittelstandes gehören, meine obige Bemerkung habe ich
aber allemahl bestättigt gefunden. Wie es bey dem Adel zugeht, ist mir unbekannt, da ich bis jetzt noch nicht das Glück oder Unglück gehabt habe, den
Gesellschaften desselben beyzuwohnen. – Ich bin auch zu verschiedenen-

mahlen in den vertrauten Gesellschaften kleiner benachbarter Städte gewesen, habe aber in Ansehung des Tons keinen merklichen Unterschied gefunden.

Dieß bringt mich auf die Vermuthung, derselbe müsse ausgebreiteter seyn, als man vielleicht denkt, und der Gedanke, eine unparteyische Schilderung davon zu machen, dringt sich mir zu sehr auf, als daß ich ihn ersticken sollte.

Meine Absicht ist hiebey, alle Hausväter, die in ihren Häusern Gesellschaften halten, worin dieser Ton herrscht, und alle diejenigen, die Einfluß auf sie haben, darauf aufmerksam zu machen, wie kleinlich, läppisch, ungesellschaftlich und unfreundlich, oft unartig, cultivirt und policirt seyn wollenden Menschen unanständig, häufig gegen die Pflichten des Christenthums anstoßend, und schädlich er sey. Es müßte wunderlich zugehen, wenn sich nicht Mittel finden sollten, ihn einigermaßen abzuändern und zu verbessern. Ich wenigstens gestehe es, daß ich, wenn ich solche Gesellschaften zu halten hätte, sie entweder auf einen andern Fuß setzen, oder gar unterlassen würde.

Des Morgens früh läßt man gewöhnlich schon zur Gesellschaft einladen, damit sich diejenigen, die man gern dazu ziehen will, nicht zu einer andern engagiren. Es wird dabey genau Acht gegeben, wer hat zusagen oder absagen lassen, und aus welchen Ursachen letzteres geschehen. Abends um 5 Uhr fängt man an, sich in der Gesellschaft einzufinden. Herren und Frauenzimmer erscheinen im völligen Putz. Daß der Anzug bey den letztern aufs wenigste zwey Stunden Zeit von dem Nachmittage weggenommen hat, gehört zwar eigentlich nicht hieher, ist aber doch zu bemerken nicht überflüssig. Man empfängt sich auf das freundlichste, bewillkommt sich bis ins Unendliche, umarmt und küßt sich, daß man meinen sollte, es wäre da alles Ein Herz und Eine Seele; Schade ists aber, daß es bey näherer Beleuchtung meistens nichts weiter als Ziererey und manierirtes Wesen ist. So bald jeder seinen Platz eingenommen hat, erzählen sich die verheyratheten Frauenzimmer, was neues in ihren Häusern und Familien vorgefallen ist. Das ledige Frauenzimmer mustert mit Falkenblicken den verschiedenen Anzug und Putz der Anwesenden. Die erwachsenen Herren theilen sich einander die neuen Vorfälle in ihren Geschäften mit. Die jungen Herren sagen einander ihre Urtheile über die Physiognomien der gegenwärtigen Schönen, und sammeln sich um dieselben herum, um ihren Cicisbeendienst anzutreten. Unterdessen wird Kaffee und Thee herum gegeben. Die Unterhaltung wird lebhafter und nimmt eine andere Wendung. Die verheyratheten Frauenzimmer erzählen sich nun die Vorfälle und Verenderungen mit ihrem Hausgesinde, ihre vortheilhaften Einkäufe, ihre neuen Einrichtungen; nicht, um einander dadurch neue Vortheile mitzutheilen, sondern um mit ihrer ökonomischen Klugheit und wirthschaftlichen Einsicht zu prahlen. Sie machen einander darüber Einwürfe, tadeln dieß und jenes daran; nicht, um sich dadurch mit Gründen zu belehren, sondern um etwas zu widersprechen zu haben, und keiner einen Vorzug zu lassen. Die eine Dame klagt über ihr Hausgesinde, die andere kann nicht genug rühmen, wie zufrieden sie mit dem ihrigen ist; diese letztere klagt über die Theurung dieses oder jenes Lebensmittels; die erste kann das nicht begreifen, da sie das nämliche so spottwohlfeil eingekauft hat. Sind nun die Charaktere derselben etwas streng in Behauptung ihrer Meinungen, so trifft sichs oft, daß sie warm werden, und einander aus lauter *intimer Freundschaft* gar unsanfte Stiche geben. Die ledigen Frauenzimmer loben oder tadeln nun einander ihren Putz, theilen sich ihre neuesten Entdeckungen im Reich der Moden mit, nennen sich die Putzhändler* oder Putzhändlerinnen, welche den ganzen schimmernden Flitterstaat am schönsten und niedlichsten nach der Mode verfertigen. Von Haushaltungssachen hört man sie nicht sprechen! – Die erwachsenen Herren unterhalten sich über politische Händel, über die gegenwärtige Lage und den Zustand von Europa, so wie ihn die Zeitungen schildern, über die Neuigkeiten, die sich auf ihre Geschäfte beziehen etc. aber doch nicht mit der Redseligkeit und Leidenschaft, die die Damen in ihren Erzählungen äussern. Die jungen Herren erzählen einander ihre Expeditionen auf den Spatzierritten, bey dem Billard, beym Tanzen, bey dem Frauenzimmer etc. Der Berufsgeschäffte, denen sie sich gewidmet haben, erwähnen sie selten! – Das Kaffee= und Theetrinken ist vorüber, und zur Unterhaltung muß ein neues Capitel aufgeschlagen werden. Die Reihe kommt jetzt an die Gemeinplätze aller Visiten. Die Chronik des Tages wird zuerst vorgenommen, durchgegangen und mit Anmerkungen und Randglossen versehen. Trifft sichs gerade, daß eine Schauspielergesellschaft in der Stadt ist, so gibt dieß einen bequemen Anhang dazu. Man erkundigt sich, was heute oder morgen gespielt wird, ob man gestern im Schauspiel gewesen ist, und wie das Stück gefallen hat. Die Gesellschaft wird auf einmahl ein bureau de belles lettres et de litterature. Die Schauspieler, und die Stücke, die sie aufführen, müssen die Musterung passiren, und dabey wird ganz erbärmlich mit ihnen umgegangen. Jeder vorlaute Gelbschnabel, und jedes naseweise Gänschen nimmt sich die Freyheit, über Schauspieler und Schauspiele zu kritteln, ob sie gleich die letztern nicht einmahl ganz verstehen. Der Schauspieler und die Schauspielerin wird gelobt, gepriesen und vergöttert, ein andrer und eine andre getadelt, heruntergemacht und verdammt. Jenes ist ein herrliches Stück! sagt eine Partie, dieses das erbärmlichste, das nur kann gesehen werden. Eine andre behauptet hierüber gerade das Gegentheil, und meistens haben sie alle beyde Unrecht. Kurz, man höret hier die disparatesten und wunderlichsten Urtheile. Von den Schauspielen wird der Uebergang zur Lectüre gemacht, und dabey geht man auf die nämliche Art zu Werke. Traurig ists, daß unter zehn Büchern, worüber man reden hört, neun allemahl Roma-

---

* Daß Frauenzimmer sich mit Verfertigung der Modewaaren für ihr Geschlecht abgeben, ist gut und keinem Tadel ausgesetzt; daß aber Mannspersonen (wie es deren gibt, und die sich Deutsche nennen,) ihr Geschlecht so weit entehren, und sich an den Haubenstock setzen, Hauben aufstecken, Modehüte machen, und Weiberröcke garniren, um dem andern Geschlechte zu frohnen, ist unverzeihlich. Sie verdienten von Rechtswegen, daß man ihnen auch Weiberröcke anzöge.   d. E.

ne sind. Da die Unterhaltung über einen und denselben Gegenstand in einer solchen Gesellschaft nicht von langer Dauer seyn kann, und wie ein Peloton-feuer schnell vorüber geht, das Discurriren über Bücher auch eine Sache ist, die nicht allen gleich behaget, so wird dieses Capitel abgebrochen, und ein neues angefangen. Die Saite des Kritisirens und der Tadelsucht ist nun ein-mahl berührt, es ist also nichts schicklicher, um sie forttönen zu lassen, als die geheime Lästerchronik der Stadt vorzunehmen. Das lange Sitzen ist auch schädlich; man erhebt sich also von seinen Plätzen. Die Alten treten für sich zusammen, die Jungen desgleichen. Jeder Theil hat nun so viele geheime Anekdötchen von diesem und jenem, von dieser und jener, aus diesem und jenem Hause zu erzählen, daß die Wahl oft schwer fällt. Die jungen Herren bieten besonders bey Erzählung ihrer Histörchen allen ihren Witz auf, um den ganzen Beyfall ihrer Zuhörerinnen zu erlangen, die nie aufmerksamer sind, als wenn es über eine ihres gleichen hergeht. Jedes Stückchen wird begleitet mit einem: *das ist entsetzlich! das ist abscheulich! das ist unerhört! unbegreiflich!* etc. und belächelt und belacht. Daß man hier nicht bloß bey Anekdötchen stehen bleibt, sondern überhaupt alle Gebrechen und Schwach-heiten seiner Nebenmenschen mit auf die Hechel legt, ist leicht zu denken. Eines bringt das andere. So fällt auch bald der Unterschied der Personen weg. Von Unbekannten kommt man auf Bekannte, von Bekannten zu Freunden, die abwesend sind, erzählt von ihnen im Vertrauen dieß und jenes Anstößige, und umarmt sie morgen wieder in einer andern Gesellschaft mit dem freund-lichsten Zuvorkommen, mit dem feurigsten Empressement. Das ist dann familier! – Gewiß, wenn man von solchen Auftritten Augenzeuge ist, so überfallen Einen manchmahl Anwandlungen von Misanthropie und Gesell-schaftsscheu. Möchten doch solche unbesonnene oder lieblose Splitterrichter und Splitterrichterinnen bey ihren Reden und Urtheilen so aufmerksam und vorsichtig seyn, als sie es bey Beobachtung der Gesetze des sogenannten Wohlstands und der Etikette sind! sie würden oft das Unanständige und Abscheuliche derselben gewahr werden. Aber so ist es. Genießt der Mensch einmahl eine Sache mehr aus Gewohnheit als aus Bedürfniß, und ohne Nach-denken, so entsteht leicht ein Mißbrauch derselben. Das zu oft wiederhohlte Gesellschafthalten und Besuchen ist unstreitig mit Ursach an der darin herr-schenden Tadelsucht. Man sieht sich einander zu oft, der Stof der Unterhal-tung muß endlich mangeln, man ergreift also, um sich nur zu unterhalten, alles ohne Unterschied, und somit werden die heiligsten Pflichten verletzt. Hat sich hingegen ein Mensch einige Tage hindurch abwechselnd bloß mit seinen verschiedenen Geschäften abgegeben, und das Bedürfniß sich durch die Freuden der Gesellschaft aufzuheitern, treibt ihn zu guten Freunden, so wird er Stof genug zur Unterredung haben, ohne daß er das verabscheuungs-würdige Geschäft, andere durchzuziehen, zu Hülfe zu nehmen nöthig hat. – Ist nun diese Heucheley zu Ende gebracht, so beginnt schon die Langeweile ihre bleyerne Flügel über die Geister zu schwingen. Um das Unthier gleich

wegzuscheuchen, werden allerley Mittel hervorgesucht. Die älteren Herren
setzen sich meistens an den Spieltisch, und viele der verheyratheten Frauenzimmer leisten ihnen Gesellschaft. Andere, die noch nicht ausgeschnattert
und sich ganz geheime Sachen zu eröffnen haben, oder aber bloß Zuschaue-
rinnen abgeben wollen, von dem, was weiter in der Gesellschaft vorgeht, um
sich darüber ihre Bemerkungen zuflüstern zu können, setzen sich abgesondert in eine Ecke des Zimmers. Die jungen Leute gehen auch für sich besonders. Ist das Frauenzimmer des Hauses, worin die Gesellschaft gehalten wird,
musikalisch, so gehen sie zum Clavier, spielen und singen. Die jungen Herren
unterhalten inzwischen die nicht spielenden oder nicht zuhörenden Frauenzimmer mit ihren Einfällen, und nehmen Gelegenheit hier ihre Süßigkeiten
und Fleuretten zu Markt zu bringen. Ist aber zum Unglück niemand im
Hause musikalisch, so siehts übel aus. Es kommen dann allerley Vorschläge
an den Tag, um die noch übrige Zeit zu töden, und gemeiniglich kommen
Schnörkeleyen heraus. Die eine schlägt dieß Spiel vor, die andere jenes, und
wenn man sich darüber nicht vereinigen kann, bleibt nichts übrig als ein
Kartenspiel zu wählen, wo alle zusammen mitspielen können. Ein müssiger
Kopf, der dieß Bedürfniß unsrer heutigen Gesellschaften einsah, und demselben gern abhelfen wollte, gerieth vor einigen Jahren auf den Einfall sogenannte Conversationskarten zur angenehmen Unterhaltung in Gesellschaften
zu erfinden, und er mag sich nicht wenig auf diese Erfindung zu gut gethan
haben. Ich muß aber sagen, daß seine Karten nichts weniger als angenehm zur
Unterhaltung sind, und anstatt Langeweile zu vertreiben, Langeweile machen. Das Spiel selbst besteht aus Fragen und Antworten. Die Fragen werden
so wie die Antworten gemischt, und letztere unter die Gesellschaft vertheilt,
worauf ein Herr oder Frauenzimmer es auf sich nimmt, die Fragen abzufra-
gen, und jeder liest nach der Reihe eine von den Antworten, die er in Händen
hat, ab. Liest man die Fragen und Antworten nach den Numern, so passen sie
auf einander, durch das Mischen werden sie aber aus dieser Ordnung gebracht, und nun kommt Zeug heraus, das, wie man zu sagen pflegt, wie eine
Faust auf ein Auge paßt. Hierin besteht nun eigentlich die Stärke des Spiels.
Ausserdem aber daß man die Fragen und Antworten, wenn sie ein paarmahl
durchgefragt worden, fast auswendig weiß, und dabey gar nichts nachzudenken ist, sind diese launigt und scherzhaft seyn sollende Fragen und Antworten meistens so läppisch und abgeschmackt, daß man Mitleiden mit des Erfin-
ders Kopf haben muß. Nicht wenige darunter sind auch unanständig und
anstößig, wie mich denn ein Frauenzimmer versicherte, daß sie deswegen
etliche Karten aus ihrem Spiel genommen habe. Um den Lesern, die dieses
Spiel nicht kennen, eine Idee von dem Inhalt der Fragen und Antworten zu
geben, will ich hier einige hersetzen: Nr. 2. *Fr. Sie haben doch wohl erfahren,
was Liebe ist? Antw. Nicht ganz – was recht ist.* 4. *Fr. Lassen Sie sich gern
caressiren? Antw. Sie halten mich für sehr altväterisch.* 9. *Fr. Haben Sie, was
Liebe betrifft, ein gutes Gewissen? Antw. Ich möchte wissen, was Sie das*

interessirte. 11. *Fr. Können Sie galant seyn, wenigstens galant thun? Antw. Von aussen und innen.* 12. *Fr. Theilen Sie gern Mäulchen aus? Antw. Wie man's treibt, so geht's.* 24. *Fr. Essen Sie gern verbotne Speisen? Antw. Ey, da kämen Sie mir recht.* 31. *Fr. Naschen Sie gern oder lassen Sie gern naschen. Antw. Gezwungen, wenn's seyn muß.* 34. *Fr. So ein bischen mitmachen, halten Sie das für Sünde? Antw. Dieß Geständniß macht Sie doch nicht glücklich.* 38. *Fr. Gefällt Ihnen die Religion der Türken, sonderlich das Kapitel von der Vielweiberey? Antw. Sind das nicht Fragen.* 41. *Fr. Brauchen Sie eine Strickleiter? Antw. Auch nicht ein bißchen.* – Ich sollte denken, wenn junge Leute doch so ein Spiel zu ihrem Zeitvertreib wählen wollten, sie thäten besser, wenn sie dazu *Campens geographisches Kartenspiel* nähmen. Ich wollte wetten, zwey Drittheile einer solchen Gesellschaft würden daraus noch manches zur Kenntniß ihres Vaterlandes gehöriges lernen, um das sie sich bisher noch nicht bekümmert haben. Während dieser Unterhaltung wird Obst, Zuckergebackenes, oder in Butter gebackenes und ein Glas Wein herumgereicht. In einigen dieser Gesellschaften geht es aber bey diesem Abschnitt noch ein gut Theil fetter her. Ausser dem Gebackenen wird auch kalte Küche und Wein die Fülle aufgetragen. Man thut sich was rechts zu gute, und der Wein macht jovialisch. Jeder bietet allen seinen Witz auf durch Einfälle die Gesellschaft recht lachen zu machen. Zum Erstaunen sieht man denn da bisweilen, wie Leute es in der Cultur des äussern Anstands und des Anzugs so weit gebracht haben, und in ihren Sitten, und was den wahren Wohlstand betrifft, noch so roh, plump und unverschämt seyn können. Unter diesen Beschäftigungen wird es acht Uhr, und die Zeit, sich nach Haus zu begeben, ist da. Man sagt sich einander, wie man sich so herrlich amüsirt habe, wie die Gesellschaft so munter und lebhaft und lustig gewesen sey, bedankt sich bey jedem für geleistete angenehme Gesellschaft und das angenehme Ruh wünschen will kein Ende nehmen. So gehts in solchen Gesellschaften im Winter und Sommer zu, ausser daß im letztern diejenige, welche Gärten haben, die Scene in ihr Gartenhaus oder eine Laube verlegen.

Werkregister 17

HEINRICH CHRISTIAN BOIE

Gellerts Tod,

Eine Erzählung.

Als Gellert jüngst, den manche Schöne
Aus Mode liest und liebt, der eitlen Welt entfloh,
Beklagten Doris und Klimene,
Die Karten in der Hand, des Dichters Asche so:

„Madam, Sie werden schon die schlimme Nachricht wissen?" –
Sie geben = = Nein! Was ist's? – „Ach! Gellert ist nicht mehr." –
Ist's möglich? Ey Madam, das jammerte mich sehr! –
„Sie heben ab." – So früh ward er der Welt entrissen?
Er ist kein Jüngling mehr, allein – „Sie haben Recht!" –
Ich habe schlecht gekauft – „Und ich nicht minder schlecht!
Kein Sechziger will heute mehr gelingen." –
Fünf Blätter! – „Sie sind gut!" – Ein niedliches Genie! –
„Wie wird ganz Deutschland ihn besingen!" –
Ich liebt ihn ganz gewiß, Madam, so sehr als Sie –
„Die Quart in Coeur, die Terz in Trefle, gelten die?" –
Ja, warf ich Pick nicht weg, konnt ich die Quinte haben.
Man hat ihn wohl mit vielem Pomp begraben? –
„So, so!" – Er starb, woran? – „An der Hypochondrie." –
Drey Damen! – „Nein, drey Könige sind besser." –
Ich zähle zwölf. = = Nie war ein Dichter grösser. –
„Und frömmer = = Was er schrieb erbauet wie ein Spruch." –
Weiß es Kleanthis schon? = = Sie wird ihn sehr beklagen! –
„Coeur Aß!" – Ich habe noch drey Buben anzusagen. –
„Sie wußte fast sein ganzes Fabelbuch." –
Und meine Pachterinn singt alle seine Lieder –

Hier trat das Mädchen ein: Madam! – „Was giebt es wieder?" –
Erschrecken Sie sich nicht, ihr kleiner Hund = = Joli –
Erblaßt fährt Doris auf, ihr zittern alle Glieder:
„Joli! Was ist's? Was bringt ihr? Redet! Wie?" –
Er hat den ganzen Tag auf ihrem Bett gelegen,
Nichts essen und nichts trinken mögen,
Und ächzet laut. – „Das allerliebste Vieh!
Krank ist er? Krank! = = Madam, Sie werden mir vergeben = =
Holt einen Doktor her! = = Geschwind = = ich muß ihn sehn.
O den Verlust könnt ich nicht überleben! = =
Wo ist er? = = Kommt! Es ist um mich geschehn!" –

Werkregister 12

CHRISTOPH MEINERS

Bürgerleben in Zürich

Am folgenden Tage machte ich eine zweyte Spazierfahrt auf der Limmat in Gesellschaft des Herrn – –, seiner vortrefflichen Gattin und liebenswürdigen Schwägerin. Dieser Fluß ist so reißend, und die Bewegung des Schiffs, wenn man ihn hinabfährt, so schnell, daß man in den ersten Augenblicken nicht ganz sicher zu seyn glaubt, und gewiß auch in Gefahr käme, wenn man mit den kleinen Fahrzeugen, wie es bisweilen geschieht, auf einen Pfahl oder Stein stieße. Fast in einer viertel Stunde erreichten wir das Landgut des Herrn Chorherrn G., wo ich den Nachmittag unter dem Schatten prächtiger Bäume, gegen den schnellen und von der Sonne glänzenden Fluß gekehrt, und mit den herrlichsten Wohlgerüchen umduftet, an der Seite meines vortrefflichen Freundes hinbrachte. Gegen Abend gingen wir in das bescheidene, aber bequeme Landhaus, aus dessen Fenstern wie ein Schauspiel beobachteten, dergleichen ich noch nie gesehen hatte. Wir selbst und alle Gärten und Landhäuser, die zwischen uns und der Stadt lagen, waren in tiefes Dunkel versenkt: die von der Abendsonne erleuchtete Stadt hingegen glänzte, als wenn sie in vollem Brande stünde: und die entferntern Schneegebirge, die sich unsern Augen nie sichtbarer darstellten, waren mit einem sanftern rosenfarbenem Lichte umstrahlt.

Zu den angenehmsten Einladungen, welche ich in Zürch erhalten habe, rechne ich die des Herrn Professor Usteri zu dem Schmause, welcher nach geendigter Zunftmeisterwahl auf der Weberzunft, wie auf den übrigen Zünften, gegeben wurde. Die Kosten solcher Schmäuse stehen zum Theil die Zünfte, die nicht nur prächtige Häuser, sondern auch große Capitalien besitzen, zum Theil aber auch die neu erwählten Zunftmeister selbst. Dieser Aufwand ist zwar nicht so groß, daß er einen begüterten Bürger zu Grunde richten, aber doch immer so beträchtlich, daß keiner vom Pöbel es wagen kann, auf die Stelle eines Zunftmeisters Anspruch zu machen. Dieser wichtige und heilsame Zweck, der nie auf eine sicherere und weniger auffallende Art erreicht wurde, ist aber noch nicht die einzige Frucht dieser demokratischen Schmäuse. Sie dienen auch dazu, daß das Volk und seine Vorsteher wenigstens zweymal im Jahre nicht im Verhältnisse von Obrigkeit und Gehorchenden, sondern als Genossen desselbigen Tisches, als Bürger desselbigen Staats, als solche, die sich gegenseitig Wohlthaten erwiesen haben, und wieder empfangen, mehrere Stunden beysammen sind, ihre kleinen Streitigkeiten beylegen, neue Freundschafften stiften, und sich gegenseitig zu künftigen wechselseitigen Diensten verpflichten. Damit aber diese Volksschmäuse, weder der Zunftcasse, noch dem jedesmaligen Zunftmeister (der gewöhnlich alle Jahr wieder erwählt wird) beschwerlich fallen, so hat man einer schädlichen Ver-

schwendung durch strenge sumtuarische Gesetze vorgebeugt, die auf das
genaueste beobachtet werden. Es dürfen weder fremde Weine, noch Geflügel
oder Wildpret, oder Fische, oder andere kostbare Leckereyen gegeben werden, wodurch die Epulae unter den Römern die Reichen zu verderblicher
Verschwendung verleiteten, im Volke neue und schädliche Begierden entzün-
deten, und eine wichtige Mitursache des Untergangs der Freyheit wurden.
Gleich nachdem mein Freund und ich auf dem Speisesaale des Zunfthauses
anlangten, und dies war ohngefähr um halb fünf Uhr, setzten wir uns zu
Tische, und speisten an mehrern Tafeln in einer Gesellschafft, die man nur in
einem Freystaate, und bey einer solchen Gelegenheit so gemischt finden
kann. Viele der Anwesenden hatten nach alter Weise ihre Häupter bedeckt;
alle redeten ohne Zurückhaltung mit ihren Nachbaren, oder Bekannten; allein nirgends hörte man wildes Lachen, oder Geschrey, oder Zänkerey. Als
wir einige Stunden gegessen hatten, machte man eine Pause, während welcher
die Vornehmen sich vertraulich mit den Geringeren unterhielten. Gegen acht
Uhr setzten wir uns wieder, und um neun nahmen Herr Statthalter N. – die
übrigen Mitglieder des Raths, mein Begleiter und ich freundlichen Abschied.
Nach der Entfernung der gnädigen Herren wurde die Gesellschafft sowohl
auf der Zunft, wo ich gespeist hatte, als auf mehrern andern, die nicht weit
vom Schwerdt sind, etwas lärmender, als vorher. Man ließ Weiber, Töchter
und Musikanten kommen, und sang und tanzte bis an den frühen Morgen.
Alle diese nächtlichen Feste aber zogen weiter keine Unbequemlichkeiten
oder Unordnungen nach sich, als daß die Ruhe der nächsten Nachbaren
bisweilen ein wenig unterbrochen wurde: ein Opfer, welches auch Fremdlin-
ge gerne den frölichen Söhnen der Freyheit bringen.

Zürch selbst ist in zwo ungleiche Hälften getheilt. Die so genannte große
Stadt sieht einer teutschen Reichsstadt ähnlich. Diese größere Hälfte hat wie
fast alle alte Städte meistens enge, krumme, übelriechende und oft so steile
Gassen, daß es nicht möglich wäre, mit einem Fuhrwerk oder auch nur mit
einem Pferde hinanzuklimmen. Die öffentlichen Gebäude sind alle schön
oder prächtig: die Häuser der Einwohner aber im Durchschnitt weder in die
Augen fallend, noch weitläuftig; doch finden sich in der kleinen Stadt viele
schöne Privatgebäude, so wie auch gerade und breite Straßen. Die Häuser
haben alle Zeichen und Benennungen, wie in Teutschland die Gasthöfe: zum
Beyspiel zur Reblaube, zum gewundenen Schwerdt. Auch hier, wie in einigen
teutschen Städten, sinkt der Preis, und steigt hingegen die Miethe der Häuser.
Unter den Bürgern und Einwohnern von Zürch findet sich viel Wohlhaben-
heit; allein noch hat das Glück nicht in den Händen von Wenigen ungeheure
Reichthümer versammlet: welchem Umstand die Zürcher hauptsächlich die
Erhaltung ihrer Sitten und Staatsverfassung zu danken haben. Hunderttau-
send Gulden machen in dieser Stadt, wo Handel und Fabriken so sehr blühen, schon einen reichen Mann; und nur wenige giebt es, die zwey- oder
dreymal so viel besitzen. Als ich dieses hörte, wünschte ich, daß die Zürcher

niemals in ihren Mauren von Millionärs hören möchten. Die Sitten sind im Ganzen genommen in Zürch so rein, oder so wenig verdorben, als man sie, glaube ich, in keiner andern Stadt von gleicher Grösse und Reichthum in ganz Europa finden wird. An den Frauenzimmern sieht man hier gar keine Schminke, und sehr wenig von französischen Moden und Sitten, ungeachtet viele Jünglinge und Männer in Frankreich gedient haben, oder noch dienen. Weiber und Jungfrauen haben noch die liebenswürdige Bescheidenheit und Schüchternheit, die sich bey einem beständigen und vertrauten Umgange mit Personen unsers Geschlechts verliert, und von unaufmerksamen Reisenden für Aengstlichkeit und Verlegenheit gehalten wird. Die Zürcherinnen reden anfangs in Gesellschaft von Fremden, besonders von Teutschen, nicht viel, aber nicht deßwegen, weil sie nicht reden könnten, sondern weil sie fürchten, daß Fremde durch ihre Aussprache beleidiget werden möchten, die aber in ihrem Munde viel weniger auffällt und unverständlich ist, als in dem Munde von Mannspersonen. Da ich überzeugt bin, daß man äußere Politur, oder sogenannte feine Welt, und glänzende Kenntnisse immer viel zu theuer um den Verlust guter Sitten kauft, so war es mir angenehm, daß Frauenzimmer lieber ihre Muttersprache, von welcher sie wissen, daß sie für Teutsche befremdend ist, als Französisch redeten, welches ich mich nicht besinne irgendwo in Gesellschaft gehört zu haben. Die Ehen sind zwar hier so wenig, als an irgend einem andern Orte auf der Erde, unverletzlich; allein, daß eheliche Treue hier nicht so selten, oder gar Thorheit ist, wie in manchen nicht größern Städten, kann man allein daraus schließen, daß die Frauen und Mütter sich ihres Hauswesens, und der Erziehung ihrer Kinder mit Ernst annehmen. Vielleicht könnte es Manchem einfallen, die Unverdorbenheit der Sitten daraus zu erklären, daß die Aufwandsgesetze in Zürch strenger, als in irgend einem andern Staate in der Schweiz sind. Allein vielmehr muß man aus der Aufrechthaltung dieser Gesetze schliessen, daß die Sitten noch wenig verfälscht sind. Die Geschichte aller Freystaaten lehrt, daß die Gesetze von den Sitten erhalten, und daß, wenn diese verlohren gehen, die geschärftesten Aufwandsgesetze immer übertreten und verspottet werden. Mannspersonen dürfen weder Gold noch Silber, noch Sammet oder Seide; Frauenzimmer keine Edelgesteine, Spitzen oder Federn tragen. Wenn die letztern in die Kirche gehen, müssen sie mit einem schwarzen langen Kleide von wollenem Zeuge angethan, und ihr Haar mit einem Schleyer oder Haube bedeckt seyn; und selbst im härtesten Winter ist ihnen kein Pelzmantel erlaubt. In der Stadt darf niemand in Kutschen Besuche machen, wiewohl dies Gesetz bisweilen eludirt werden soll. Der Einfalt in Kleidern entspricht das übrige Hausgeräth, selbst in wohlhabenden Häusern. Man findet es durchgehends bequem, reinlich und zierlich; aber nirgends oder selten sehr kostbar. Fremde Weine dürfen in Privathäuser nicht anders als mit ausdrücklicher Erlaubniß und auf ein Zeugniß des Arztes, daß man sie als Arzneymittel brauche, eingeführt werden. Wenn nun bey solchen Gesetzen und Sitten, als die Zürcher noch immer haben, die Zahl der Bürger (ich unterscheide hier Bürger von bloßen Einwohnern, die zu keiner Zunft gehören) jährlich abnimmt, so muß freylich der Grund in gewissen Gebrechen der Staatsverfassung liegen, die sich leichter entdecken und tadeln, als wegschaffen lassen. Schon tausendmal hat man es gesagt, daß die Zünfte eben so viele unabhängige oder für sich bestehende Cörper sind, wovon ein jeder beständig gegen den Staat und das Wohl des Ganzen streitet, wenn es mit seinem Interesse unvereinbar ist: daß eben diese abgesonderten Cörper sich untereinander aufreiben und Fessel anlegen; indem eine jede Zunft die Beschwerden der Privilegien und Monopolien aller übrigen trägt: daß der Zwang und die Vorrechte der Zünfte Industrie und Nacheiferung ersticken, und die Waaren in eben dem Verhältnisse vertheuren, in welcher sie an Güte verlieren: daß endlich die Eifersucht der Zünfte eine Quelle harter und drückender Maaßregeln gegen den Landmann und die Municipal=Städte werde. Allein, wenn man alles dieses gesagt hat, so weiß man doch nicht, wie man diese Uebel ausrotten soll, ohne überwiegendes Gutes zugleich mit auszureißen. Ohne die Mischung von Demokratie, welche die Zünfte in die sonst Aristokratische Verfassung von Zürch bringen, würden Gewerbe, Manufacturen und Handel noch weit weniger blühen; würde der Luxus gewiß viel größer und die Sitten nicht mehr so unverdorben, als jetzt seyn.

Werkregister 177

Gebet eines Hauß=Vaters, der mit seinem Weibe und Kindern an der Nahrung Mangel leidet.

Allmächtiger, ewiger GOtt! du bist mein und aller der Meinen Vater, Beschirmer und Erhalter; von dir haben wir unsern Leib und Seele, Ehre und Guht, Sinn und Verstand, und alles, was wir haben, das hast du uns gegeben; dir allein haben wir darum zu dancken; ist es schon wenig, so kanst du es mehren; und ob es auch viel wäre, so kanst du es mindern; es stehet alles in deiner Hand; es ist alles dein, o HErr! Ich und mein liebes Weib und Kinderlein stecken itzund in grosser Armuth, uns drücket der Hunger, und unsers Brods ist wenig, vermögens auch nicht zu kauffen; so will uns auch schier niemand leihen und borgen, also, daß wir fast von allen Menschen verlassen seyn. Nun haben wir aber von Mutter=Leibe an all unser Vertrauen und Hoffnung auf dich gesetzt; wissen auch, daß du dir die Armen lässest befohlen seyn, und du aller Dürfftigen rechter und wahrer Noht=Helffer bist. Wir haben, wissen und vermögen auch keine andere Hülffe in allen unsern Nöhten zu suchen, denn allein bey dir; unsere Sorge werffen wir auf dich: Denn du ernährest alles, was da lebet. Wir bitten dich hertzlich, du wollest uns mit den Augen deiner Barmhertzigkeit ansehen, unser weniges Brod gnädiglich seegnen, und uns leiblich und geistlich, ja zeitlich und ewig speisen, sättigen und erhalten, durch JEsum Christum, unsern HErrn, Amen.

Werkregister 35

Gebet gegen Teurung

O Allmächtiger GOtt und Vater! wir armen Sünder erkennen und bekennen aus bußfertigem Hertzen, daß die gegenwärtige Theurung und Hungers= Noht deine gerechte Straffe und Ruhte ist, die wir mit unsern viel- und mannigfaltigen Sünden uns selber über den Hals gezogen. Darum bitten wir mit demühtigem Fuß=Fall, daß du uns unsere Missethat aus Gnaden vergeben, und unsere grosse Angst und Noht dich wollest erweichen lassen. Ach HErr! kehre dich doch wieder zu uns, und erbarme dich des armen Volcks, das nichts zu essen hat, daß es nicht sammt ihren Kinderlein vor Hunger verschmachte und verderbe. Errette uns durch deine grosse Errettung, und laß uns Leben und Gnade dafür finden. Habe acht auf unser Land, laß deine Augen immer darauf sehen, von Anfang des Jahrs bis ans Ende, daß es sein Gewächs, und der Himmel seinen Thau gebe. Sende uns Frühe und Spat=Regen, daß die Bäume ihre Früchte bringen, und die Tennen voll Korn seyn, daß wir zu essen genug haben, u. deinen Nahmen preisen. Gebiete deinem Seegen über uns, daß er bey uns sey in unserm Keller, und in allem, das wir vornehmen. Ruffe dem Korn, u. mehre es, samt den Früchten auf den Bäumen, und Gewächs auf dem Felde, daß man uns mit Theurung nicht mehr spotte. Erhöre, o HErr! den Himel, und laß den Himmel die Erde erhören, und laß die Erde Korn, Most und andere Früchte erhören. Ja erhöre u. führe uns immerdar, und sättige unsere Seele in der Dürre, u. stärcke unser Gebein, daß wir seyn wie ein gewässerter Garten, und wie eine Wasser=Quelle, welcher es nimmermehr an Wasser fehlet: Beschere und erhalte uns aber vornehmlich das rechte Himel=Brod deines seeligmachenden Wortes, daß unsere Seel in Wollust fett werde und ewig lebe, Amen.

Werkregister 35

UNBEKANNTER VERFASSER

Über den Nutzen von Fabriken

Mein Herr Ironside,

Ich habe ihr Blatt von den Fabriken mit einem besondern Vergnügen gelesen und ich nehme mir deswegen die Freyheit, da diese Materie so reich ist, ihnen einige Gedanken mitzutheilen, welche durch ihre Betrachtungen veranlaßt worden sind. Die Gründe, mit denen sie beweisen, wie sehr sich diejenigen an ihrem Vaterlande versündigen, welche die Aufnahme der Manufacturen und aller Arten künstlicher Arbeiten hindern, sind von dem wohlthätigen Einflusse derselben in den wahren Nutzen, die Stärke und Unabhängigkeit des Staates hergenommen, und sie müssen einen jeden überzeugen, welcher glaubt, daß es wirklich eine Pflicht sey, daß allgemeine Beste zu befördern. Ein solcher nun, mein Herr Ironside, muß auch sehr durch die Vorstellung gerührt werden, daß der Fortgang der Fabricken und aller nützlichen Professionen nicht wenig zur moralischen Güte und Schätzbarkeit eines Volkes beyträgt. Es ist unläugbar, daß sich die Laster unter einer Nation in dem Grade vermindern, in welchem Müßiggang und Trägheit, woraus so viele schändliche Unordnungen entspringen, abnehmen, Geschäfftigkeit aber, Arbeitsamkeit, Fleiß, Sparsamkeit, und Erfindsamkeit steigen und ausgebreitet werden. Daß aber nichts geschickter sey, dem Müßiggange zu wehren, als die Fabriken, besonders in großen und volkreichen Städten dieses leuchtet jedem in die Augen. Es ist unmöglich, die Menschen, besonders in den niedrigen Ständen, schon in der Kindheit einen jeden langen Tag so zu beschäfftigen, daß ihre noch zarten Gemüther vor Langerweile nicht auf allerley Thorheiten und muthwillige Streiche denken sollten, wodurch gemeiniglich der erste Grund zu den herrschenden Lastern der folgenden Zeiten gelegt wird. Die Fabriken, besonders die in Wolle und Seide arbeiten, sind von der Art, daß sie Kinder von vier, fünf Jahren beschäfftigen und sie so frühe schon zu brauchbaren Gliedern des Staates machen können, zu geschweigen, daß eben dadurch den Aeltern die Erhaltung und Erziehung derselben ungemein erleichtert wird. Möchte man doch nur das Wenige, was man etwa für unsre Manufacturarbeiten mehr ausgeben muß, als was sie bey den Fremden kosten, für eine Belohnung ansehen, die man von seinem Ueberfluße einem dürftigen Kinde mit Freuden geben würde, wenn man sähe, daß es seinen Unterhalt nicht erbetteln, sondern, ungeachtet es noch ein Kind wäre, selbst verdienen wollte! Möchte man es doch als ein Allmosen betrachten, das man Armen zuwendet! Wie sehr klagen wir nicht über die große Menge derselben unter uns! Hätten unsre Fabriken einen glücklichern und schnellern Fortgang, so würden wir die Zahl derselben bald abnehmen sehen! Klagen nicht die meisten von denselben über den Mangel der Arbeit? Diese Klagen würden wegfallen, wenn unsre Manufacturen nicht allein für uns, sondern selbst für Fremde arbeiten könnten. Den man findet nirgends weniger Bettler, als da, wo alle Arten von Fabriken in einem blühenden Zustande sind. Welch ein schöner Anblick ist aber ein Staat nicht, in welchem keine andern der öffentlichen oder besondren Mildthätigkeit bedürfen, als bloß diejenigen, die durch natürliche Gebrechen, durch Krankheiten oder durch das Alter unfähig sind, durch ihr Mitwirken zur allgemeinen Glückseeligkeit selbst nach dem Maasse des Gebrauches ihrer Kräfte und Geschicklichkeiten glücklich zu werden? Ich überlasse es ihrer Beurtheilung, mein Herr Aufseher, ob diese Gedanken werth sind, in ihren Blätter gelesen zu werden und bin,

 Mein Herr Ironside   Ihr aufmerksamer Leser,
              Philoponos.

             Werkregister 23

UNBEKANNTER VERFASSER

Ueber die Landstreicher im Thüringischen.

Es ist ein höchst unangenehmer Anblick, wenn man in Thüringen die große Menge starker und rüstiger Bettler herumschweifen siehet. Man muß sich wundern, was sich da für Gesindel versammelt; abgedankte Soldaten, zuweilen auch Zigeuner, Marionetten= und Taschenspieler*, im Winter dienstlose Hirten, feyernde Handwerkpursche, doch diese meistens nur in einigen Städten, finden sich in Menge ein. Am allerbeschwerlichsten sind die gebornen Bettler und Landstreicher, die so wenig als ihre Aeltern und Vorältern sich einer Heimath rühmen können, mit denen sich oft jene verbinden. Diese gibt es in unerhörter Menge. Um die Dörfer liegen oft mehr denn eine Gesellschaft von 10 bis 20 und mehrern Personen. Sie verbrennen die Zäune des Landmanns, kochen dabey die Gemüse, die sie auf dem Felde gestohlen, mit dem Fleische, wozu sie das Geld nebst Brod, Mehl, Schmalz und dergleichen nicht sowohl erbettelt, als vielmehr erpreßt haben. Bey Winterszeit und bösem Wetter ziehen sie sich in die Dorfschenken und Hirtenhäuser; daselbst ist, wenn es nicht gar zu kalt ist, der Stall ihr Nachtquartier; im Sommer bey gutem Wetter bleiben sie des Nachts unter freyem Himmel bey einem Feuer liegen. Arbeiten mögen sie fast gar nicht, ausser daß zuweilen einer bey seiner Rast einen Knotenstock am Feuer bräunet, oder einen Vogelbauer macht, zuweilen einen Singvogel fängt, und die Weiber während ihres Herumziehens feine baumwollene Strümpfe stricken. Dieses sind die Producte, die ihre Industrie liefert. In ihren Familien – kaum darf man sich des Ausdrucks

---

 * Diese sind sehr häufig auf dem Lande, und den Sitten und dem Beutel der Bauern sehr schädlich. Die Herren Amtleute geben ihnen sehr oft ausdrückliche Erlaubniß, dafür bekommt der Hr. Amtmann und dessen Familie Freybillets.

bedienen – herrscht die äusserste Unordnung. Hier halten sich ein Paar junge
Leute zusammen, zeugen ein oder ein Paar Kinder, und trennen sich wieder,
um sich dort wieder mit andern zu paaren. Fast in allen Kirchenbüchern
finden sich Nachrichten von Taufen und Begräbnissen, äusserst selten aber
von Trauungen solcher Landstreicher. Die Kinder werden sehr vernachlässi-
get, so daß ihrer wenig über ein Jahr leben bleiben; die aber leben bleiben,
wachsen in mehr als halber Wildniß heran, und fangen früh an, ihre Nahrung
durch Betteln und Rauben selbst zu suchen. Sie verlassen dann ihre Aeltern,
oder werden von ihnen verlassen. Man wird nun auch leicht einsehen, daß sie
gar keine Religionskenntniß erlangen, weil sie keinen Unterricht genießen.
Mit Christen haben sie nichts gemein, als daß sie getauft sind. Ihre Lebensart
ist äusserst roh und ungesittet: Knaben von 8 Jahren sieht man schon mit
ihren Müttern und Vätern Toback rauchen, und alle Unarten ungestraft bege-
hen; Mädchen von 14 und 15 Jahren sind oft schon Mütter. Das Betragen der
Erwachsenen selbst ist zügellos und höchst anstößig, daß die Kinder der
Bauern oft das größte Aergerniß nehmen. Die unordentliche Lebensart mag
auch wohl die Ursache seyn, daß man nicht leicht einen Mann von 50 Jahren
unter ihnen antrifft. In den Städten betteln sie selten oder gar nicht, und wenn
sie dahin kommen, welches gewöhnlich an Jahr= und Wochenmärkten geschieht, so sind sie sehr wohl gekleidet, daß, wenn man sie nicht genau kennt,
man keinen Bettler in ihnen vermuthet. Doch ist allezeit ihre Physiognomie
und äusserliches, wie auch ihre Sprache sehr auffallend, und hat etwas widriges. Ob sie sich gleich gewöhnlich sehr wohl herausgeputzt haben, so sieht
man doch, daß es weder Bürger noch Bauern sind. Hätten sie also nicht noch
ein gewisses Kennzeichen, so würden mehr Beutel und andre Sachen in Gefahr kommen, sich von ihrem rechtmäßigen Herrn und Besitzer zu verlieren,
welches demohngeachtet oft genug geschieht. Wird der Thäter entdeckt, so
ist es gewöhnlich einer von dieser saubern Gattung von Menschen. Der
Landmann hat aber das meiste von ihnen auszustehen, und muß sie allein
ernähren. Ungestüm fordern sie eine Gabe, und wird ihnen diese verweigert,
oder ihnen untersagt, das Gemüsefeld oder den Obstgarten zu plündern, oder
den Zaun zu ruiniren: dann wehe dem armen Bauern, ein Hagel von den
häßlichsten Schimpfworten trifft ihn dann, der mit dem frechsten Hohnge-
lächter und so gar mit Drohungen, daß er entweder sein Haus nächstens in
Feuer stehen sehen solle, oder daß sie ihm bey Gelegenheit Arm und Bein
entzwey schlagen oder sich sonst an ihm rächen wollen, begleitet ist. Dergleichen Drohungen sind auch nicht wenig zu fürchten; denn oft haben sie sie zu
erfüllen gesucht, und oft schon wirklich erfüllt. Die Thüringischen Fürsten
haben verschiedene Mittel versucht, dieser beschwerlichen Gäste los zu werden, allein sie sind nie einstimmig gewesen; und dieses mag die Ursache seyn,
warum die gute Absicht nicht hat erreicht werden können. Im Gothaischen
liegt fast in den meisten Dörfern ein Dragoner, der die Bettler nicht dulden
soll. Im Erfurtischen und Weimarischen sind Husaren, die sie auch aus dem

Lande jagen sollen; im Rudolstädtischen und Sondershäusischen hatte man die nämliche Anstalt getroffen; jedoch sieht man noch immer nicht viel dadurch gebessert. Gewöhnlich haben 8 Husaren einen Strich von 10 auch wohl 15 ☐=Meilen durchstreifen. Diese nehmen sich nun freylich Zeit dazu, so daß sie kaum in 14 Tagen, auch wohl in 3 Wochen, mehr als einmahl in ein Dorf kommen. Merken also die Landstreicher, daß gestreift wird, so ziehen sie sich etwa eine Meile über die Gränze und brandschatzen dort, oder gehen auch wohl, so lange der Husar in Dorfe ist, zu einer Seite desselben hinaus, und gehen, wenn es wieder sicher ist, zur andern Seite wieder hinein. Gewöhnlich wissen sie auch die Zeit, wenn gestreift wird, und können sich also leicht vorsehen. Man hat auch Beyspiele, daß die Streifer so galant sind, einer hübschen Landstreicherin die Zeit zu bestimmen, wenn sie wieder kommen werden, dafür sie dann ein Geschenk von feinen Strümpfen, oder andere Gefälligkeiten erwiesen bekommen. Im Sondershäusischen hat man eingesehen, daß die Landhusaren überflüßig und dem Lande eine Last mehr sind, und hat sie also abgeschafft. Statt dessen müssen nun in jedem Dorfe die Bauern die Reihe herum wachen, und sollen die fremden Bettler abhalten oder an die Aemter einbringen, die sie alsdann nach der angeschlagenen Fürstl. Verordnung ins Zuchthaus einschicken sollen. Aber der Bauer fürchtet ihre Rache und läßt sie gehen; noch ist kein Bettler eingebracht und ins Zuchthaus geliefert worden. Fast in allen Thüringischen Herrschaften sind landesherrliche Verordnungen angeschlagen, daß das Betteln bey Zuchthausstrafe verboten sey; aber ohne innern Aerger kann man es nicht sehen, wie die meisten dieser Anschläge gemißhandelt, zerrissen oder mit Koth beworfen sind. Die Bettler sind so frech, zu spotten und zu sagen, daß die Zuchthäuser sehr groß seyn müssen, die sie alle in sich fassen sollten; man solle sie nur hinein bringen, so bekämen sie doch Brod; es könne doch nicht ewig dauern etc. Der Landmann erduldet also alles aus Furcht, beschwert sich nicht bey seiner Obrigkeit, und sieht es für eine unabänderliche Sache an. Er theilt also mit ihnen das, was er im Schweise seines Angesichts gebauet, und die Gewohnheit allein ist es, die ihm dieß Uebel noch ein wenig erträglich macht. Da nun höchst selten die Klagen vor die Ohren der Obrigkeiten kommen, so kommen sie noch weniger vor die Landesherren, die doch meistens mit Recht das Lob erhalten, daß sie ihre Unterthanen glücklich wünschen. Wenn sie sich doch nur alle vereinigten, ein Mittel zu erwählen, wodurch ihre Unterthanen von dieser Last, unter der sie seufzen, möchten befreyet werden. In Thüringen gibt es wenig einheimische Bettler; denn im Durchschnitt kann man kaum auf jedes Dorf einen rechnen, der nicht im Stande ist, sein Brod selbst zu erwerben, und daher genöthiget wird zu betteln. – Möchte aber auch bey einer zu hoffenden Abstellung dieses Unwesens darauf gesehen werden, die bisherigen Bettler nicht blos zu verjagen, sondern sie zu nützlichen und guten Menschen umzubilden. Vielen unter ihnen selbst ist dieß Leben äusserst lästig; oft bieten sie sich zu Diensten und Arbeiten an, aber niemand traut ihnen und will sich mit ihnen abgeben. Es ist so vieles Elend in der Welt abgeschafft worden; ich hoffe dieses wird auch noch einmahl ein Ende nehmen.

Werkregister 17

CHRISTIAN GOTTHILF SALZMANN

Carl von Carlsberg
oder über das menschliche Elend.

aus   Drey und dreyßigster Brief.

In Grünau darf man nicht weit gehen, wenn man Elende finden will. Ich gieng über den Markt, und hörte, da ich an den Rathshof kam, ein erbärmliches Geschrey von Weibern und Kindern. Ich sprang zu –

Machen Sie sich gefaßt, eine der scheuslichsten Scenen zu lesen, die wohl je auf Gottes Erdboden war. Ein Weibsbild war an einem Pfahl mit ihren entblößten Armen angebunden, und ein Teufel von Kerl zählte ihr, mit einer Peitsche, zwölf starke Hiebe zu. Sie schrie, was ihre Kräfte vermochten. Neben ihr lag ihr Säugling, der ebenfalls, so stark als möglich, schrie. Zwey Weibspersonen, die schon durchgeprügelt waren, stunden neben ihr, hielten ihre weinenden Kinder auf dem Arme, ihr Haar flog schrecklich umher, sie fluchten schrien und schimpften. Auf dem Boden lag ein Mädchen in Ohnmacht, dessen reizende Bildung durch die Miene der Unschuld noch mehr gewann, und neben ihr ihr Säugling. Zum Rathhause sahe das Scheusal vom Bürgermeister heraus, das ich Ihnen ohnlängst beschrieben habe, mit eben so einer unempfindlichen Miene, mit welcher ein Pächter seine Schweine abstechen sieht.

Eine von den geprügelten Weibspersonen erblickte ihn, und stieß gegen ihn alle Reden aus, die ihr die höchste Verzweiflung eingab. Kerl! rief sie, warum läßt du uns prügeln? Dafür, daß wir Kinder gekriegt haben? Die Landhuren läßt du herumlaufen, und bekümmerst dich nicht um sie? Du läßt huren und buben und ehebrechen – kein Hahn kräht darnach. Aber wir armen Thiere müssen geprügelt werden, weil wir Kinder bekommen haben. Wenn wir das Abtreiben gelernt hätten, wie deines Sohns Mägde, da würde kein Mensch etwas darnach fragen –

Ich verlohr das Bewußtseyn und meine Knie bebten.

Bald aber kam ich wieder zu mir selbst. Der Gerichtsdiener löste die Unglückliche ab, und wollte das ohnmächtige Mädchen an ihre Statt anbinden. Da er sahe, daß sie ohnmächtig war, gab er ihr einen Stoß in die Seite und schrie: auf Canaille! und rief seiner Frau zu, daß sie einen Eimer voll Wasser bringen und auf sie giessen sollte.

Hier gerieth ich in Wuth. Was? sagte ich, Barbar! was hat das Mädchen gethan, daß du sie so mishandeln willst?

Aergern Sie sich nur nicht, sagte er, es ist ja nur eine Hure.

Mag sie Hure seyn, antwortete ich, sie ist ein Mensch, und ihr Kind ist ein Mensch, ein unschuldiger Mensch, der nie eine Sünde that. Es ist himmelschreyend, wenn ein Mensch den andern so peinigt. Halt Kerl! ich gebe es nicht zu.

Da müssen Sie, sagte der rohe Mensch, es mit dem Herrn da oben ausmachen, mich geht es nichts an, ich thue was mir geheissen wird. Ich prügle sie und lasse sie laufen, oder schneide ihr die Gurgel ab, wie es die gnädigste Obrigkeit verlangt.

Das wolltest du Kerl thun? einem so unschuldigen Mädchen die Gurgel abschneiden?

Das kümmert mich nicht. Dafür besoldet mich meine gnädigste Obrigkeit.

So halt Kerl! ich will es mit deiner gnädigsten Obrigkeit ausmachen.

Was halten, was halten, ich habe obrigkeitlichen Befehl, der muß vollzogen werden.

Aber wenn ich dir einen Gulden gebe –

Einen Gulden? ja das ist etwas anders. Gehn Sie nur, und reden Sie mit dem Herrn Bürgermeister. Es dauert mich selber das arme Mädchen.

Nicht einen Gulden, einen Thaler sollst du haben, aber daß du keine Hand an sie legst.

Sogleich wurde mein Barbar ein Menschenfreund. Frau! sagte er, hast du nicht ein Bischen Spiritus, das man dem armen Mädchen vor die Nase halten könnte – einen Schluck Wein – geschwinde – geschwinde.

Die Frau lief fort, und ich auch.

Fortsetzung.

Ich lief in die Gerichtsstube zum Bürgermeister, mit dem ich bey dem Hofrath Grimlein, da ich ihn einigemal gesprochen, eine Art von Vertraulichkeit errichtet hatte. Um des Himmels Willen, Herr Bürgermeister, sagte ich, wie ists möglich, daß Sie die armen Weibspersonen so barbarisch können mishandeln lassen?

B. Sie haben gewiß auch ein Liebchen darunter? He?

I. Sie irren sich sehr. Muß man denn ein Weibsbild geliebt haben, um Mitleiden gegen sie zu empfinden, wenn man sie auf eine unmenschliche Art prügeln sieht und ihr armes unschuldiges Kind bis zum Convulsionen schreyen hört? Braucht man dazu mehr als ein unverdorbnes Herz?

B. Die Gerechtigkeit fordert diese Genugthuung.

I. So? aber wenn Sie so gerecht sind, lassen Sie denn auch den Verleumder geisseln? auch den Wucherer, der das Mark der Armen aussaugt? Mich dünkt es gehört doch ungleich mehr Bosheit dazu, ein Verleumder und Wucherer zu seyn, als einem starken Naturtriebe unterliegen.

B. Wir richten nach den Landesgesetzen.

I. Welcher Narr hat denn diese dummen Landesgesetze gemacht? Mich dünkt jede Handlung sollte doch nach dem Grade ihrer Bosheit bestraft werden.

B. Menagiren Sie sich, mein Herr! wissen Sie, wen Sie vor sich haben?

I. Ach ich weis es wohl – ich habe den Grünauischen Bürgermeister vor mir, den ich nur allzugut kenne. Ich muß Sie aber doch noch etwas fragen. Ich kenne etliche öffentliche Huren, die schon eine Menge Studirende verführt haben. Haben Sie diese auch peitschen lassen?

B. Zeigen Sie sie an, so werden wir nach den Landesgesetzen über sie sprechen.

I. Ich bin Ihr Spion nicht. Ihnen als Richter kommt es zu, darüber zu wachen. Ich kenne Weiber, die durch ihren höchst ärgerlichen Umgang mit dem männlichen Geschlechte sich des Ehebruchs sehr verdächtig gemacht haben. Lassen Sie diese auch peitschen?

B. Wer sind denn diese Weiber?

I. Das sollten Sie, als Obrigkeitliche Person, längst wissen. Sie strafen also weder Hurerey noch Ehebruch, sondern nur das Kindergebähren. Sie reitzen also das weibliche Geschlecht zum Kindermorde?

B. Ich kann mich auf Ihr Philosophiren nicht einlassen. Böse Arbeit, böser Lohn. Hätten diese Weibsbilder nicht einen ärgerlichen Wandel geführt, so dürften sie nicht leiden. Dabey bleibt es.

I. Aber wer sind denn die Väter zu diesen Kindern?

B. Darnach haben Sie nichts zu fragen. Ich weis es auch nicht.

I. Sie wissen es also nicht! also haben Sie sie auch nicht bestraft? Den Verführer lassen Sie also laufen, und die Elende, die das Unglück hatte verführt zu werden, lassen Sie peitschen?

B. Das Grübeln hilft nun alles nichts, ich spreche nach den Landesgesetzen.

I. Aber wenn diese nun dumm, barbarisch, rasend sind?

B. Herr! reden Sie nicht weiter oder ich lasse Sie in die Wache setzen. Ist das der Dank dafür, daß ich auf Zucht und Ordnung halte, und Personen strafe, die dem Publikum zur Last fallen?

I. Sind denn diese Unglücklichen nicht gestraft genug? Müssen sie nicht die Verachtung der ganzen Stadt tragen? Müssen sie nicht ihre armen Kinder ernähren, pflegen, warten, ohne den männlichen Beystand zu haben, den die Ehefrau genießt? Fühlen diese Unglücklichen nicht alles Elend des Wittwenstandes, ohne das Mitleiden und die Unterstützung zu finden, die man gegen Wittwen beobachtet? Ich dächte solche Personen sollten der Gegenstand der christlichen Barmherzigkeit seyn, und nicht weiter bestraft werden.

B. Das ist eine schöne Moral. Da kann man sehen, was für eine Wohlthat die christliche Obrigkeit ist, die das Schwerd nicht umsonst trägt, sondern eine Rächerin ist, über den der böses thut. Das Gott erbarme! wenn erst wir unser Schwerd niederlegten, was wollte denn aus der Welt werden? da würde ja allen Lastern Thor und Thür geöfnet.

I. Es ist nicht genug, daß man das Schwerd führt, sondern man muß es auch mit Vernunft führen. Diese Unglücklichen hatten durch ihre Ausschweifungen einige Unordnungen im Staate angerichtet, die sie vielleicht durch gute Erziehung ihrer Kinder wieder gut gemacht hätten. Nun aber sind sie schlechterdings verdorben. Durch die Führung Ihres Schwerds sind sie zu den boshaftesten Geschöpfen gemacht worden, die zu den größten Bubenstücken aufgelegt sind.

B. Wie verstehen Sie das?

I. Sie sind öffentlich beschimpft. Nicht für einen Heller Ehre haben sie mehr, deren Verlust sie von fernern Ausschweifungen abhalten könnte. Sie werden ihren Leib öffentlich feil bieten, und die Verführerinnen junger Mannspersonen werden. Hunger und Geilheit werden den Muttertrieb ersticken, sie gegen das Wimmern ihrer Kinder fühllos machen, sie werden sie verschmachten lassen, wenn sie die gegenwärtige Woche überleben sollten. Denn leider glaube ich, daß die Kinder noch heute sterben müssen, wenn sie die durch Zorn, Angst und Bosheit vergiftete Milch ihrer Mutter in sich saugen.

B. Desto besser. So hat das Publikum einige Hurenkinder weniger zu ernähren – Glauben Sie, mein Herr! unsere Gesetze sind sehr weise. Es wird dadurch die Zahl der Hurenkinder vermindert, die dem Publikum zur größten Last fallen würden. Von zwanzig Hurenkindern bleibt kaum eins am Leben. Ist denn das nicht weise, wenn man das Publikum durch gute Anstalten von seinem Unrathe zu säubern sucht?

I. Barbarischer Mann! wäre es nicht noch besser, wenn Sie ein Landesgesetz hätten, das befähle, die Hurenkinder zu ersäufen, wie die jungen Hunde und Katzen?

B. Ich hätte nichts dagegen.

I. So sollten Sie ja aber auch eine Belohnung darauf setzen, wenn eine Hure ihrem Kinde, bey seinem Eintritte in die Welt, sogleich das Genick bricht? sie säubert ja das Publikum vom Unrathe?

B. Hum. Hum – ich sehe der Herr ist ein Naturaliste, und mit solchen Leuten habe ich nicht gern etwas zu thun. Ich werde es aber an höhern Orte zu melden wissen, daß Sie die Landesgesetze geschimpft haben. Wer die Landesgesetze schimpft, der schimpft den Landesherrn. Sie haben ein Crimen laesae majestatis begangen – wissen Sie es mein Herr?

I. Ich muß es mir gefallen lassen, was Sie mit mir vornehmen. Aber – (hier zog ich meinen Beutel heraus) aber wäre es denn nicht möglich, das Mädchen, das noch nicht gepeitscht worden ist, mit Gelde von der Strafe los zu kaufen?

B. (mit holdseliger Miene) Je warum denn das nicht? das ist ja die Frage gar nicht. Wir haben einander unrecht verstanden (hier klopfte er mich freundlich auf die Achsel.) Lieber Freund! glauben Sie doch ja nicht, als wenn wir diese Weibsbilder ihres Fehltritts wegen so hart straften. Es geschieht blos deswegen, weil sie das Bagatell nicht erlegen, das sie bey ihrer Niederkunft entrichten müssen.

I. Und wie viel ist das?

B. Fünf Thaler – das ist alles – ist ja ein Bagatell.

I. Viel genug für ein unglückliches Weib, das kaum die Geburtsschmerzen überstanden hat, allenthalben von der Verachtung gepeinigt wird, neuen Aufwand bekommen hat, nichts verdienen kann, und vielleicht keinen Gulden in ihrem ganzen Vermögen hat. Fünf Thaler zu erlegen, sind eine schreckliche Summe für den, der sie nicht hat, und auch nicht aufzubringen weis.

B. Aber überlegen Sie doch, lieber Freund! das allerhöchste Aerarium würde ja lädirt werden, wenn man gegen dergleichen Personen zu viele Nachsicht beweisen wollte. Müssen wir denn nicht als treue Diener dafür sorgen, daß es aufrecht erhalten werde?

I. Also sind die Strafgelder ein Einkommen für das allerhöchste Aerarium?

B. Ja nothwendig, wenigstens die Hälfte.

I. Hier, Herr Bürgermeister, sind fünf Thaler. Haben Sie die Güte und befehlen, daß das Mädchen mit anderweitiger Strafe verschont werde.

B. Recht gut, recht gut. Nein wir sind so barbarisch gar nicht, als Sie glauben, wir müssen uns nur einander entdecken. Aber noch eins –

I. Und was denn?

B. Das Mädchen hat vierzehn Tage im Arreste gesessen, da sind wieder Kosten aufgelaufen. Sie kann nicht eher von der Pön absolvirt werden, bis diese erlegt sind.

I. Nun wie viel betragen sie denn?

(Er klingelte, daß der Kerkermeister kommen mußte, und trug ihm auf, die Rechnung über die Kosten zu machen, die während des Arrests der Unglücklichen aufgegangen waren. Sie wurden auf 6 Thlr. 12 gl. angeschlagen.)

I. Hier ist auch dieses Geld. Kann ich nun den Befehl wegen ihrer Freystellung bekommen?

B. Gar gerne, gerne, Herr Actuarius schreiben Sie:

Nachdem Friederika Charlotte Rübnerin, die ihr, in puncto Fornicationis, zuerkannten Strafgelder erlegt, auch die, wegen ihres Arrests aufgelaufenen, Kosten vergütet: als wird ihr hiermit angekündigt, daß sie ihres Arrests entledigt und mit anderweitiger Pön verschonet seyn soll. Decr. in sen. d. 26. Jul.

in Fidem
Zungendrescher.

Ich ergrif das Papier mit eben dem Entzücken, mit welchem ein anderer den Adelsbrief würde ergriffen haben, und wollte zu der Unglücklichen rennen, um ihr ihre Rettung anzukündigen. Aber der Actuarius hielt ihn fest und sagte, Sie zahlen sechzehn Groschen, für Ausfertigung des Decrets. Der Bürgermeister, gleich als wenn er keinen Theil daran nähme, nahm eine Prise

Toback, und wendete sich nach dem Fenster um. Seine Schnupftobacksdose schien der letzte Zufluchtsort zu seyn, den seine Niederträchtigkeit aufsuchte, wenn sie sich länger nicht verbergen konnte. Ich warf den Gulden auch hin, nahm das Decret und gieng fort. Nun gratulire, rief mir der Bürgermeister nach, gratulire zu der guten Handlung, die Sie itzo verrichten –
Ich gieng fort, ohne ihm zu antworten.

Fortsetzung.

Barmherziger Vater! bewahre mich, so lange ich lebe, vor der pharisäischen Härte, die die Gefallnen grausam in den Abgrund des Elends hinab stürzt. Schenke mir doch den sanften Sinn deines Sohns, der die Gefallnen mit Blicken des Mitleids ansahe, sie aufrichtete stärkte, und sie mit den Worten entließ: gehe hin, sündige fort nicht mehr, daß dir nichts ärgers wiederfahre –
So bete ich itzo im ganzen Ernst. Mein ganzes Herz ist umgestimmt, seitdem ich des Wohlthuns himmlische Freude geschmeckt habe. Ich betrachte mich und die Welt mit ganz andern Augen, und viele Stellen des N. T. die mir sonst dunkel waren, werden mir deutlich. Ich dächte, wenn man einen Menschen erst so weit bringen könnte, daß er, aus eignem Herzenstriebe, eine gute That verrichtete, und die damit verknüpfte Seligkeit schmeckte, er müßte umgeändert werden.

Da ich auf den Rathshof kam, traf ich eine Menge Leute an, die die Neugier, theils die bestraften Unglücklichen, theils das Wunderthier zu sehen, das für eine gefallne Weibsperson so grossen Aufwand gemacht, herbeygelockt hatte. Sobald ich mich zeigte, flüsterten sie sich in die Ohren, und ein Weib hörte ich ganz laut sagen: es ist ein hübscher Mensch – er wird auch wohl seine guten Ursachen haben, warum er so viel Geld hingiebt. Was meynt ihr dazu, Frau Gevatterin?

Ja das versteht sich, antwortete diese, wer wird denn Geld hingeben für ein Weibsen, die einem weiter nichts angeht. Aber das möchte ich doch wissen, warum er das Geld nicht gleich gezahlt und das arme Thier so hat beschimpfen lassen.

Aus diesen und andern Reden und Mienen des Anwesenden schloß ich nur allzudeutlich, daß man mich, wegen gepflogner Vertraulichkeit mit der Unglücklichen, im Verdacht hatte. Dieß betrübte mich sehr, theils um der übeln Nachrede willen, theils, weil ich sahe, daß auch so wenig Mitleiden gegen diese Art von Unglücklichen in der Welt ist, daß man durchaus nicht glaubt, daß man gegen sie barmherzig seyn könne, ohne an ihren Ausschweifungen Theil genommen zu haben. Wenn ich einen armen Hund den Mishandlungen eines rohen Jungen entrissen hätte, wer würde es misbilligen? Aber eine gefallene Weibsperson aus den Händen ihrer Peiniger zu befreyen, rechnet man uns zur Sünde an.

Desto besser. Meine Handlung macht mir nun noch mehr Vergnügen, da ich mir nicht vorzuwerfen habe, daß sie aus Ruhmbegierde entsprungen sey, und also nicht befürchten darf, daß ich meinen Lohn dahin habe.

Die Unglückliche war in die Stube des Kerkermeisters geführt worden. Sie hatte, da ich in die Stube trat, im linken Arm das Kind, den rechten hatte sie auf den Tisch gelegt, und ihren Kopf darauf.

Der Herr kommt, sagte der Kerkermeister. Sie fuhr auf, hatte aber den Muth nicht, mich anzusehen, sondern legte den Kopf in die Hand und schlug die Augen nieder.

Ich trauete mich auch nicht sie anzureden, sondern sagte zum Kerkermeister, diese Person ist von Gefangenschaft und von aller Strafe frey, zeigte ihm die Schrift und druckte ihm einen Thaler in die Hand.

Da schlug sie ihre Augen das erstemal auf und sagte: nun, mein lieber Herr, in meinem Leben werde ich es ihnen nicht bezahlen können, was Sie itzo an mir thun, aber der liebe Gott im Himmel, der Sie und mich kennt, der wirds vergelten.

Sie wollte mehr sagen, aber ein Thränenstrom und ein heftiges Schluchzen verhinderten sie etwas mehr, als halbgebrochne Worte, hervorzubringen. Ich war im Begrif fort zu gehen, um auf meiner Stube meinen Empfindungen freyen Lauf zu lassen, mußte mich aber doch wieder umkehren, weil mein Herz mir sagte, daß hier noch mehr wohlzuthun sey.

Hast du, sagte ich, armes Mädchen, noch Eltern?

Einen Vater habe ich noch.

Und der ist?

Ein Leinweber.

Und wohnt?

In der Thorgasse, rechter Hand im Eckhause.

Gut! die Thorgasse weis ich nicht, aber auf der breiten Strasse am Brunnen will ich deiner warten. Wenn du vorbey gehst, will ich dir nachfolgen, bis in deines Vaters Haus.

Ich gieng fort, und verabredete es mit dem Kerkermeister, daß er sie durch die Hinterthüre gehen lassen möchte, damit sie nicht nöthig hätte, der versammelten Menge sich so tief gebeugt zu zeigen.

Sie gieng bald vor dem Brunnen vorbey, ich folgte ihr nach, wir kamen in eine Gegend, wo Gärten waren, und niemand zu sehen war. Hier drehte sie sich um und wartete auf mich.

Ach bester Herr! sagte sie wieder weinend. Der liebe Gott muß Sie geschickt haben, anders kann es nicht seyn. Denn sonst keins, als der liebe Gott, weis wer ich bin.

Und wer bist du denn? du bist vielleicht verführt worden?

Verführt eben nicht – aber –

Nun, wie bist du denn in dieß Unglück gekommen?

Ach lieber Herr, ich gieng mit einem Schreinersgesellen um, das war gar ein feiner stiller Mensch, der wollte mich heyrathen.

Nu? und warum thatst du es denn nicht?

Ich hätte es ja vor mein Leben gern gethan, aber er durfte mich nicht nehmen, weil er nicht Bürger war.

Warum wurde er denn nicht Bürger?

Weil er kein Geld hatte. Der Herr Bürgermeister sagte, er müßte sechzig Thaler herwenden, wenn er Bürger werden wollte. Das konnte er ja nicht. Er ist ein armer Schelm, der nichts hat, als ein ehrlich Herze. Er hat den Herrn Bürgermeister um tausend Gottes willen gebeten, daß er ihn doch annehmen möchte. Er sagte, Herr Bürgermeister! macht denn das Geld eben den Mann? Ist denn ein fleißiger Handwerksmann, der arm ist, nicht besser für die Stadt, als ein reicher Faullenzer? Sehen sie da meine Fäuste an, sind denn die nicht mehr als sechzig Thaler werth? Ich kann Schränke, Kommoden, Tische, Stühle, alles machen, was mein Auge sieht. Erkundigen sie sich bey allen Meistern, wo ich gearbeitet habe, ob einer mir was böses nachreden kann. Ist denn das nicht besser als sechzig Thaler? Aber das half alles nichts.

Nun währte der Umgang so fort, da kam ich endlich in das Unglück. Du lieber Gott! mein Vater hat mich zu allem Guten gezogen. In meinem Leben hab ich mich nicht lüderlich aufgeführt.

Und wo ist denn nun der Mensch hin?

Er ist fortgegangen.

Das ist aber doch teuflisch.

Ach schimpfen Sie ja nicht auf ihn. Er ist ein guter Kerl. Er heulte wie ein Kind, da er fortging, und ließ mir alle sein Geld da. Es war aber nicht mehr als 2 Thlr. Die habe ich für die Taufe hingeben müssen. Einen Thaler dem Herrn Magister, und einen Gulden dem Küster.

Kostet hier eine Taufe soviel?

Sonst kostet sie nicht mehr als acht Groschen. Aber so ein Kind zu taufen kostet so viel.

(Was sagen Sie dazu? Herr Vetter!)

Itzo kamen wir in das Gäßchen, wo des Mädchens Vater wohnte. Sie zeigte mir seine Hütte.

Nun, sagte ich, leb wohl armes Mädchen, du dauerst mich von ganzem Herzen, weil ich sehe, daß du so unschuldig bist. Nimm dein unschuldig Kind in acht. Gott ist sein Vater, und du wirst ihm einst müssen davon Rechenschaft geben, wie du es verpflegt hast. Er wird dir aber auch gewiß Brodt bescheren, es zu ernähren. Pflege deinen armen Vater! und – und hüte dich, daß du nicht in ein lüderliches Leben verfällst! Sieh, ich werde mich sorgfältig um dich bekümmern; so lange ich höre, daß du eingezogen und ordentlich lebst, verlasse ich dich nie: so bald ich aber erfahre, daß du ausschweifest, so thue ich nicht das geringste mehr für dich. Hier ist etwas, davon erquicke dich, deinen armen Vater und dein armes Kind.

Ich druckte ihr etwas in die Hand, und sprang fort, ohne ihren Dank abzuwarten.

Werkregister 199

CHRISTIAN GOTTHILF SALZMANN

Carl von Carlsberg
oder über das menschliche Elend.

aus   Sechs und dreyßigster Brief.

Den folgenden Tag, nachdem ich das unglückliche Mädchen erlöst hatte, gieng ich aus, um sie und ihren Vater zu besuchen. Ihre Stube war eine Wohnung des Elends.

Stellen Sie sich ein kleines, niedriges, Stübchen vor, wo ein Mensch, von meiner Länge, kaum aufrecht stehen kann, aus der der stinkende Qualm einer eingeschloßnen, durch die Ausdünstungen der Speisen, Oellampen und Menschen, verunreinigten Luft, jedem Eintretenden entgegen dampft, dessen zwey kleine Fenster halb aus Glasscheiben, halb aus Papiere bestehen, wo ein Weberstuhl und zwey Betten stehen, in deren einem ein kranker schwacher Mann in einigen Lumpen liegt, die ehemals Kissen waren, neben sich einen Topf mit dünnem Biere, und eingeweichtem Brode, stehen hat, vor dem zwey Kinder und ein entehrtes Mädchen sitzen, das dem Zeugen seiner unglücklichen Liebe die Brust reicht, so haben Sie ein Bild von dieser Wohnung des Elends.

Sobald ich hinein trat, rief Charlotte, dieß ist der Name meiner erlößten Unglücklichen, Vater! Vater! der Herr ist da, der mich erlöst hat.

Und der entkräftete Mann richtete sich auf, nahm seine Mütze vom Kopfe, faltete die Hände, und sagte: mein lieber guter Herr! Ich kann nicht viel Worte machen. Aber der, da oben, der alles sieht, zu dem ich gestern morgen betete: Herr du bist nahe, allen, die dich anrufen, allen, die dich mit Ernst anrufen, du thust, was die Gottesfürchtigen begehren, und hörest ihr Schreyen, und hilfst ihnen, der wirds verlohnen –

Hier sank er kraftlos zurück.

Mein Herz wurde weich, und noch weicher, da alle Kinder zu weinen und zu schluchzen anfiengen. Ich mußte mich gegen das Fenster wenden, um meine Thränen zu verbergen. Nach ein paar Minuten wendete ich mich zu ihm und fieng eine Unterredung mit ihm an.

Lieber, kranker, Mann, sagte ich, ihr seyd sehr arm, wie es mir scheint.

K. Ich habe gestern mit meinen Kindern keinen Bissen Brod gehabt, ich hätte noch keins, wenn Sie sich nicht über meine Tochter erbarmt hätten.

I. Seyd getrost! Gott verläßt niemanden.

K. Ach ich weis es, ich weis es. Ich habe gestern gar zu herzlich gebetet. Da hat es der liebe Gott erhört. Wenn die Noth am größten ist, da ist die Hülfe am nächsten.

I. Seyd ihr lange krank?

K. Seitdem sie meine Tochter hinsetzten. Da überfiel es mich und liegt mir in allen Gliedern.

J. Und Geld habt ihr nicht vorräthig?

K. Nicht einen Heller. Es ist bey uns gar ein schlechter Verdienst.

I. Wie viel verdient ihr den Tag?

K. Sechs Groschen. Was ist das für vier Mäuler!

I. Aber das linnene Zeug wird ja itzo stark gesucht. Ich höre, daß es die Bremer aufkaufen, und starke Versendung nach Amerika machen.

K. Kann wohl seyn, das hilft unser einem aber nichts.

I. Und wem denn sonst?

K. Den Fabrikanten, für die wir arbeiten. Die bauen sich Häuser, halten Kutsche und Pferde und –

I. Und erhöhen euren Arbeitslohn nicht?

K. Ach daran ist nicht zu gedenken. Wenn sie nicht nur noch immer abschnittelten von dem Bischen Lohne.

I. Wie ist das zu verstehen?

K. Je daß Gott erbarme, wenn man einen Monat, wie ein Gefangner, gearbeitet hat, und will nun sein Bischen Lohn holen, da geben sie einem leicht Gold oder verschlagen Kupfergeld. Da muß man hier einen Groschen, dort einen Groschen ans Bein wischen.

I. Mann! ist das möglich?

K. Ich würde es ja nicht sagen, wenn es nicht wahr wäre.

I. Und wie heist der Barbar, für den ihr arbeitet?

K. Es ist unserm Herrn Bürgermeister sein Sohn, Herr Kornmann.

I. Nun der Apfel scheint nicht weit vom Stamme zu fallen. Kann ich euch noch mit etwas helfen?

K. Ich weis, daß mein Erlöser lebt – er wird bald kommen – bald und sein Lohn mit ihm. Aber ach! ach! da liegt es auf dem Herzen; wie ein Zentner.

I. Und was denn?

K. Sünde, schwere Sünde.

I. Ich sollte kaum glauben, daß ein Mann, der so ehrlich spricht, schwere Sünde sollte gethan haben.

K. Geht ein bischen hinaus ihr Kinder! (die kleinen traten ab.) Lieber Herr, Sie scheinen mir gar ein christlicher, frommer, Herr zu seyn. Ihnen muß ich es sagen, ich kann es nicht mit in die Grube nehmen – ich bin ein Dieb.

I. Ein Dieb? bewahre Gott, wie so?

K. Es war unmöglich, daß ich mit meinen Kindern von dem Bischen Arbeitslohne leben konnte. Wir kauften nicht ein Loth Fleisch, bis des Sonntags. Es wollte aber doch immer nicht reichen. Wenn ein Kleidungsstück zu schaffen war, oder es wurde jemand von uns krank, so fehlte es immer. Da trieb mich die Noth etwas zu thun, was ich nicht hätte thun sollen.

I. Und was denn?

K. Ich unterschlug immer etwas von dem Garne, das ich zu verarbeiten kriegte. Und wenn ich genug zusammen hatte, so machte ich ein Stückchen Linnen für mich und verkaufte es. Ach Gott, das wird mir Verantwortung kosten, wenn ich vor deinen Richterstuhl komme!

I. Recht ist es nicht. Aber Gott ist barmherzig und vergiebt denen, die ihre Fehler bereuen, und auf seine Gnade hoffen.

K. Das hoffe ich auch – ach aber mannichmal wird es mir doch gewaltig angst.

I. Und der Herr Kornmann wird schwerere Verantwortung haben, als ihr.

K. Wahr ists wohl. Der hat mich eben zum Diebe gemacht. Leben will man doch (hier fieng er bitterlich an zu weinen) und wenn es nun mit aller Arbeit nicht möglich ist sein Brod zu verdienen, was soll man denn da thun? Aber ach! das wird mir vor Gott nichts helfen.

I. Lieber Freund! habt ihr nicht einen Geistlichen, dem ihr euch entdecken könnt?

K. Ich habe ja wohl meinen Herrn Beichtvater. Ich habe mir auch lange schon wollen das heilige Abendmahl reichen lassen. Da kostet es aber auch wieder Geld.

I. Geld? der Geistliche wird doch von so einem armen Manne kein Geld nehmen?

K. Ja wie es so geht, die Herren wollen ja auch leben. Aber es ist wahr, der Herr Kaplan ist ja mein Herr Beichtvater. Das ist ja gar ein lieber Herr. Ich will ihn wirklich rufen lassen.

I. Der wird euch geistlichen Trost verschaffen. Itzo will ich sehen, ob ich nicht eure leiblichen Umstände verbessern kann. Höre Mädchen, sagte ich zu Charlotten, weißt du nicht, wo dein Liebhaber hingegangen ist?

Ch. Er hat es mir nicht gesagt. Zuerst, sagte er, wollte er zu seinem Pathen gehen.

I. Und wer ist der?

Ch. Der Herr Pfarrer in Friedrichsleben.

I. Und dieß Friedrichsleben liegt?

Ch. Zwey Meilen von hier, zum rothen Thore hinaus.

I. Gut. Ich ruhe nicht eher, bis du deinen Liebhaber wieder hast.

Ch. Meinen Heinrich?

I. Ja. Deinen Heinrich, wenn du glaubst, daß er ein ehrlicher Mann ist.

Ch. Ach der ehrlichste Mann, der auf Gottes Erdboden ist. Meinen Heinrich? den wollten Sie mir wieder verschaffen? Vater! hört ihr es denn? der Herr will mir meinen Heinrich wieder verschaffen.

K. Ach der herzensgute Herr. Aber was hilft dirs? Du darfst ihn doch nicht nehmen.

I. Dafür laßt mich sorgen. Seyd rechtschaffen und vertraut auf Gott, er verläßt euch gewiß nicht.

Mit diesen Worten gieng ich fort.

Werkregister 199

GEORG CHRISTOPH LICHTENBERG

Brief an Johann Beckmann

[Göttingen.] Von Haus, den 18ten März 1794

In sicherm Vertrauen auf Ew. Wohlgeboren gütige Gesinnungen gegen mich und auf meine gute Sache selbst nehme ich mir die Freiheit, Dieselben um Ihren wichtigen Beistand für eine rechtschaffene Familie zu bitten, die man unterdrücken will.

Der Hutstaffierer Hachfeld mit seiner Frau gehören mit unter die rechtschaffensten und tätigsten Leute, die mir bei meinem langen hiesigen Aufenthalte vorgekommen sind. Ich kenne beide sehr lange; sie waren Aufwarts-Leute im Dieterichschen Hause, und nie in meinem Leben habe ich eine vollkommnere Aufwartung gehabt, ob meine Geschäfte gleich nur ⅛ oder gar nur ⅒ von dem ausmachten, was sie im Hause zu tun hatten. Daß Herr Dieterich sie endlich entließ, daran war ein Umstand schuld, der, ob ich gleich dem erstern sein Verfahren nicht schlechtweg zur Last legen will, gewiß den letztern nicht zur Schande gereicht, ja ihnen vielleicht ein Recht gibt, zweckmäßigen Beistand von rechtschaffenen Menschen mit Bescheidenheit zu fordern, nämlich der Anwachs der kleinen Familie. Wo man ging und stand, verwickelte man sich in die jungen Sprossen, der Duft derselben wurde manchen Herrn beschwerlich, und weil außer dem Mistbeet, worauf sie gesäet worden waren, kein Platz mehr für sie da war, so kam es dann endlich zur Verpflanzung außer dem Hause. Allein wir wurden leider! bald gewahr, was wir verloren hatten. – Jetzt haben die Leute 8 lebendige Kinder, die alle reinlich und gut gekleidet gehen, so wie die Eltern selbst. Allein das Hutstaffieren ernährt sie jetzt nicht mehr so wie ehedem. Dieses Gewerbe hat seit einiger Zeit zu leiden angefangen, hauptsächlich auch durch die runden Hüte, an denen einmal die profitable Kokarde wegfällt und die ohnehin aus dem Kramladen recta auf den Kopf kommen. Die braven Leute, die gerne arbeiten, wenn es nur etwas zu arbeiten gäbe, bemühten sich also um den Bier- und Branntwein-Schank, den man ihnen jetzt nehmen will. Die Geschichte ist Ew. Wohlgeboren bekannt. Aber vielleicht ist es Denselben nicht so bekannt wie mir, daß dieses bloß deswegen geschieht, weil sich bei diesen rechtschaffenen Leuten die Folgen einer nicht zu ermüdenden und ganz ungöttingischen (möchte ich sagen) Industrie zu zeigen anfangen. Alles ist bei ihnen in der größten Ordnung, selbst die Keller so reinlich wie ein Zimmer, und dieses alles so zu erhalten, geht die Frau selten vor 12, 1 Uhr zu Bette. Des Mannes, der in parenthesi eine viel bessere Hand schreibt als sein Defensor, der jetzt mit Ew. Wohlgeboren zu reden die Ehre hat, ich sage des Mannes Bücher sind in einer solchen Ordnung, daß die Lizent-Bedienten, denen alles in einem Augenblick klar gemacht wird, sagen, sie hätten hier noch nie so etwas gesehen. Den Branntwein geben sie um eine Kleinigkeit wohlfeiler als ihre Kollegen, und das Bier, das sie zwar um gleichen Preis geben, ist aber dafür so sehr viel besser als das übrige aus den Schenken, daß die Leute sogar von der Allee her, unter andern auch der Herr Kriegs-Kommissär, alles Bier von ihnen holen lassen. Ich kaufe selten Bier aus den Schenken, weil ich selbst welches einlege, allein es trifft sich aber doch zuweilen, daß welches gekauft werden muß, und da kann ich Ew. Wohlgeboren versichern, ich konnte das von meinen Herrn Nachbarn oft nicht trinken. Bei Hachfeld trügt es niemals. Ich will damit die andern keines Betrugs beschuldigen, aber sie verstehn es nicht, sparen die Korke oder haben dunkle Keller und bemerken nicht, wo einer abgeschlagen ist, und sind zu faul alles immer zu untersuchen. Ich glaube, solche Leute verdienen die größte Unterstützung, sobald ihr Beifall sich bloß auf Industrie und Reinlichkeit gründet und nicht auf unerlaubte Mittel, und nun hievon nur noch ein paar Worte. – Man hat sie beschuldigt, daß Hasard-Spiele da gespielt würden. Ich habe die Leute kommen lassen und ihnen vorgestellt, daß, wenn sie haben wollten, daß ich bei Ew. Wohlgeboren für sie sprechen sollte, so müßte ich über diesen bösen Punkt völliges Licht haben, sonst würde ich ihrentwegen keine Feder ansetzen. Hier beteuerten sie bei allem was heilig ist und mit Tränen, daß diese Beschuldigung die infamste Lüge sei; sie wollten alles verloren haben, wenn nur ein einziger Zeuge gegen sie auftreten könne. Nicht so völlig rein waren sie bei der Beschuldigung, daß sie zuweilen außer der Zeit Branntwein gegeben hätten, sie gestunden es freimütig, sagten aber, das wären bloß Polizei-Jäger und Nachtwächter gewesen. Es sollte aber niemals wieder geschehen. Andere täten das zwar auch, wenn es verlangt würde; sie aber wollten es nie wieder tun. Sie hätten ein leichtfertiges Mädchen, wurde gesagt. Das war wahr, das inkorrigible Ding ist eine entfernte Verwandte, die sie aus Barmherzigkeit zu sich genommen haben. Sobald aber die Frau Hofrat Richter, die, so wie Herr Hofrat selbst, viel auf diese Leute hält, ihr nur im mindesten bedeuten ließ, daß das Mädchen nichts taugte, so wurde sie sogleich fortgejagt. Es waren auch bloß Studenten, die sich mit derselben an der Tür und auf der Diele unterhielten, und keine Bierkunden. Ich bitte also Ew. Wohlgeboren inständig, lassen Sie doch den braven Leuten und ihren 8 Kindern Ihren Schutz angedeihen. Betriebsamkeit mit ihren natürlichen Folgen haben die Leute verhaßt gemacht, und nun sucht man alles hervor. Gerechter Himmel! gegen wen läßt sich nicht etwas auffinden, wenn ein verschmitzter Advokat kleine Fehler mit den ganz ungeprüften Sagen falscher Menschen auffängt und nun darauf hin, ohne Anhörung des Gegenteils, abgesprochen wird. – Noch muß ich mich selbst wegen eines Verdachts sichern. Ich habe den Leuten etwas Geld auf ihr Haus geliehen, dieses kümmert mich würklich gar nicht. Es ist nicht viel und ich habe die erste Hypothek, oder vielmehr die einzige, und das Haus ist sehr gut assekuriert. Geht die Sache nicht so, wie ich wünsche und wie jeder wünscht, der die Leute kennt, so verkaufen sie das

Haus und ziehen nach Adelebsen, wo sie her ist und noch einige liegende Güter hat.

Sehen Sie, liebster Herr Hofrat, so stehen die Sachen, die gewiß auch noch durch die kräftigen Zeugnisse der Herrn Richter und von Martens unterstützt werden sollen. Letzterer sowohl als Madame Heyne haben ihnen geraten, mich zu ersuchen, einmal bei Ew. Wohlgeboren ein Wort für sie einzulegen, das ich um so lieber tat, als es mit meinen Gesinnungen zusammentraf und mir überdas die Freude gewährte, zu sehen, daß solche Personen glauben, mein Wort gölte bei Ew. Wohlgeboren.

Zum Beschluß bitte ich Ew. Wohlgeboren gehorsamst um Vergebung, daß ich Ihnen Ihre edle Zeit geraubt habe, und zugleich, damit dieses nicht ferner geschieht, daß Sie mir meine Epistel *nicht* beantworten. Ich bin überzeugt, daß Ew. Wohlgeboren alles tun werden, was sich zugleich mit höheren Pflichten und mit meiner Absicht verträgt. Ich verlange weiter keine Antwort, als diese ...

Werkregister 172

THEODOR GOTTLIEB VON HIPPEL

Eine Geschichte

aus   Lebensläufe nach Aufsteigender Linie.

Ein Eigenthümer von einigen Hufen Acker, und einem kleinen artigen Häuschen, hatte einen Sohn und eine Tochter. Eltern und Kinder lebten in so glücklicher Ruhe, daß der Pastor loci selbst zu sagen pflegte, es wäre ein patriarchalisches Leben, das sie führten. Der Sohn kam ins Jahr, in dem sein Vater geheyrathet hatte. Dies fiel dem Alten an seines Sohnes Geburtstage ein, und er fordert' ihn selbst auf, an dies heilige Werk der Natur zu denken. Der Sohn hatte schon daran gedacht, und entdeckte dem Vater seine Absichten. Anwerbung, Verlobung und Hochzeit waren so nahe zusammen, daß alles wie eins war. So solt' es auch immer seyn. Gretchen, so will ich die Tochter des Hauses nennen, (ohne Pastors Gretchen in L – im mindesten zu nahe zu treten,) hatte das gröste Recht von der Welt zu erwarten, daß ihre Mutter sie eben so auffordern würde, als es der Vater in Rücksicht ihres Bruders nicht ermangeln lassen. Sie war ein und zwanzig; ihre Mutter hatte im zwanzigsten geheirathet. Diese Aufforderung blieb aus. Böse war es hiebey nicht gemeynt; die Mütter haben gemeinhin die Rücksichten nicht in diesem Punkt für ihre Töchter, die die Väter für ihre Söhne haben. Gretchen machte diese verfehlte Aufmerksamkeit ihrer sonst lieben Mutter nicht die mindeste Sorge. Sie fiel ihr nicht einst ein. Wenn werden denn wir, sagte Hans ihre Geliebter, es so machen, wie dein Bruder mit seinem Gretchen?

Hans war nicht mit seiner Liebe in der Festung; allein völlig im Freyen war er
auch nicht. Er war nicht blos auf die Wälle eingeschränkt, sondern konnte
Sonntags und Festtags Gretchens Eltern besuchen, Gretchen sehen, ihr ver-
stohlen die Hand drücken, und beym Weggehen ihr gerades Wegs die Hand
geben; bey welcher Gelegenheit ihm aber die Hand so zitterte und bebte, daß
er sie kaum hinlangen konnte. War niemand dabey, als Gretchen und Er, war
sie ihm fest in allen Gelenken. Es war ein starker Hans an Leib und Seel.
Gedacht mögen die Eltern über Hansens Liebe viel haben; allein gesagt hatten sich Vater und Mutter kein Wort. Unser Paar liebte sich so inbrünstig, als
man nur lieben kann, und doch so unschuldig, so rein – Gretchen hatte ihrem
Hansen viel von dem schönen Meyergute erzählt, das ihr Bruder mit bekäme,
und Hansen, obgleich er kein andres Eigenthum, als eine unbefangene Seele,
und ein Paar gesunde Hände, besaß, wär es nicht eingefallen, daß das Gütchen, worauf Gretchens Eltern waren, ihm mit Gretchen zufallen würde,
wenn Gretchen ihn nicht selbst darauf gebracht hätte. Der Sohn, der sonst
das nächste Recht gehabt, war jetzo wohl versorgt. Das liebe Eigenthum; es
hat mehr Unheil, als dies, angerichtet. Hans machte sich den Kopf so warm
mit allerley Entwürfen, die er, wenn Gott will, auf diesem Gütchen ausführen
würde, daß sein Paar gesunde Hände am Werth verlohren. Gretchen merkte,
daß Hans mit etwas umgieng; indessen wußte sie nicht, was es war. Einst
sagte sie ihm, du hast da etwas im Kopf, und sollst doch nur etwas im Herzen
haben. Hans indessen hatte Gretchen bey seinen Entwürfen nicht vergessen.
Alles macht' er an ihrer Hand. Ein Stück uncultivirtes Land wollt' er erziehen, und es sollte Gretchenfeld heissen. Dort sollte ein Gang angelegt werden, und der sollte Gretchenhall genannt werden. Der arme Hans! Was ihm
sein Gütchen, das er nur in Gedanken besaß, schon für Gedanken machte.
Gretchen hatte ihm so viel von der Anwerbung und Verlobung und Hochzeit
ihres Bruders erzählt, daß nichts drüber war, nur einen Umstand hatte sie
verschwiegen, daß nemlich ihre Schwägerin einen Bruder hätte. Die Meyerey,
welche das neue Ehepaar bezogen, lag zwey Meilen von dem Gütchen, das
Hans in Gedanken, und sein künftiger Schwiegervater würklich besaß. Nach
einiger Zeit kamen das neue Paar und die Seinigen, Gretchens Eltern zu
besuchen. Der erste Stoß, den Hans ans Herz erhielt, war die Nachricht, daß
Gretchens Schwägerin einen Bruder hätte. Auf diesen Umstand war Hans
nicht gefaßt, und warum? fragt' er sich selbst, warum hat sie mir das gethan,
und kein Wort darüber verlohren? Sich so in Acht nehmen, wer kann das
ohne böses Gewissen? – Hans hatte nicht so ganz unrecht, so zu fragen; allein
Grete war unschuldig, wie die Sonn am Himmel. Es blieb nicht bey dieser
Unruhe. Hans ward zu den unschuldigen einfachen Gastmälern, welche in
dem Hause seiner Schwiegereltern angestellet wurden, nicht gebeten. Zwar
hätt' er diese Tage für Festtage ansehen, und von selbst gehen sollen; allein
dieser Entschluß, wenn er gleich zuweilen wollte, konnte nicht aufkommen.
Gretchens Bruder, der voll von seinem Weibe war, und der seinen leiblichen

Bruder drüber in den Tod vergessen hätte, besuchte zwar Hansen, seinen alten guten Freund; indessen war es nur so beyläufig. Hans, der einmahl ins Auslegen gekommen war, deutet' alles zu seinem Nachtheil. Das schöne Wetter schien ihm als von Gretchen bestellt, um mit ihrer Schwägerin Bruder spazieren zu gehen, und auch der Regen gehörte auf ihre Rechnung; damit sie ungestörter mit ihm lieben konnte, regnet' es. Sieh! dacht' er; auch selbst von der Natur will sich die Ungetreue und ihr Liebling nicht einst stören lassen. In diesen Vorstellungen vergiengen einige Tage, die Hansen in der Höll und Quaal nicht hätten wärmer seyn können. Nun sehnte er sich nach Gretchen, nicht, um von ihr diese Räthsel lösen zu laßen, sondern ihr Vorwürfe zu machen, und ihr das Gütchen wieder zurückzugeben, das er von ihr erhalten, und eben nun begegnete ihm Gretchens Vater, der ihn bey der Hand nahm und zum Abend einlud. Wo so lang gewesen, fragte der Alte? Hans antwortete nur blos durch eine Pantomime, indem er den Hut abzog, und wieder aufsetzte. Hans gieng mit dem Alten, und alles kam ihm verändert vor. Es war ein Kälberbraten aufgetischt, und Gretchens Mutter fieng an: da kommt ja Hans recht zum verlohrnen Sohnbraten. Das verlohrne fiel ihm sehr auf. Gretchen war zwar freundlich gegen Hansen; allein eben, weil sie freundlich war, fand er Nahrung für seinen Argwohn, und was weiß ich, was er aus ihrer Unfreundlichkeit geschloßen. Nach dem Abendessen gieng man in die Luft, und da Gretchen den Fremden in dem Gütchen herumführte, und ihn alles Schöne desselben mit Aug und Händen greifen lies, kam es Hansen nicht anders, als eine Schlange vor, die in Gestalt eines Junkers den Herrn Christum auf der Zinne herum führte, und ihm das alles anbot, wenn er niederfallen und ihn anbeten würde. Der Fremde fand alles so allerliebst, daß er mehr als einmahl den Wunsch fallen lies, wie ihm dies Gütchen viel besser als der väterliche Meyerhoff gefiel, der *ihm* bestimmt war. Nun war Hans bis zur letzten Stuffe der Verzweiflung gebracht. Gretchen, die seine Unruhe merkte, wollte sich mit ihm eine Lust machen, und schien den Fremden aufzumuntern. Sie war froh und lächelte, weil sie sahe, daß Hans sie so liebte, und Hans that froh und lachte auf eine recht schreckliche Art. Dies war der letzte Abend, den die Gäste bey Gretchens Eltern zubrachten. Hans hörte unaufhörlich bitten, wenn es ihnen Allerseits gefallen, doch bald wieder zu kommen. Auch Gretchen bat. Hansen kam es vor, daß es blos seinen Nebenbuhler galt. Sah sie ihn nicht an? fragt' er sich. Hans gieng voller Verzweiflung von hinnen. Er lachte, da er gieng. Den andern Morgen, als er alles zusammen rechnete, (bis dahin lag alles ungezählt, unberechnet) was er gesehen und gehört, war sein Entschluß gefaßt, wozu Gretchen ihm die Hand bot. Es jammert' ihr sein. Sie wollte ihren Vielgetreuen beruhigen, und legt es recht geflissentlich an, mit ihm ins Feld zu gehen. Er, gleich da, was ist dir aber, fuhr Grete fort. Es wird sich, erwiedert' er, im Freyen geben, solt ich denken. – Gretchen wolt' es anfänglich heimlich machen, endlich entschloß sie sich, von ihren Eltern die Erlaubnis zu diesem Gange zu bitten. Dies kleine Opfer, dachte sie, bin ich Hansen wegen des Kummers schuldig, den ich ihm gemacht habe. Mit Hansen, sagte der Vater? und lächelte. Die Mutter sagte *so*? und lächelte desgleichen. Gretchen hätte zu keiner erwünschtern Stunde diese Erlaubnis bitten können. Vater und Mutter hielten in Gegenwart Gretchens einen Rath über sie und das Ende war: Grete solte Hansen zum ehelichen Gemahl haben. Ja doch, sagte der Vater, ich muß Jemand haben, der mir zur Hand geht; allein halt ichs nicht mehr aus. Ja doch, sagte die Mutter, der es jetzt einfiel, was ihr längst hätte einfallen können, daß sie schon ein Jahr früher geheyrathet hätte. Grete stand da, so froh, daß sie ihren Eltern vor Freude nicht danken konnte. Das, dünkt mich, ist der beste Dank, für Erkenntlichkeit nicht zum Dank kommen können. Dieses Gespräch hielte Grete über die Zeit auf, die verabredet war. Hans war schon unruhig. So fand sie ihn. Du wirst schon ruhig werden, dachte sie, hiebey zielte sie auf den Rath, den ihre Eltern geflogen hatten; allein sie lies sich nichts merken. Anfänglich wollte sie ihr Lustspiel fortsetzen. Hans war ihr aber zu ernsthaft. Sie besann sich bald, und zog ein ander Kleid an; das natürlichste, das beste. Ihre Eltern hatten so gar ihr nicht verboten, Hansen zu sagen, was geschehen war, und wär' es ihr verboten gewesen, wie hätte sie sich helfen können? Lieber Hans, fieng sie an, und nahm ihn bey der Hand. Ha, dacht' er, Mitleiden! Wie es mit solchem Mitleiden ist, wissen wir alle. Solch Mitleiden ist das empfindlichste, was ich kenne. Nichts thut so weh, als dies. Mitleiden kann zuweilen der Liebe Anfang seyn, noch öfter aber ist es das Ende der Liebe und ein schreckliches Ende! Du bist böse, daß ich so spät gekommen, fieng Gretchen an. Betrügerin, dachte Hans, ohne mehr zu sagen und zu thun, als sich den Hut tiefer zu setzen. Jetzt waren sie so weit, daß sie von dem väterlichen Gütchen völlig entfernt waren. Nur zwey Stiere, die sich von der Heerde verlaufen hatten, waren ihnen nachgekommen, worüber sich Gretchen wunderte, Hans aber nicht. Eben wollte Gretchen ihrem Hansen erzählen, was vorgefallen war, und wozu sich ihre Eltern von freyen Stücken entschlossen hätten, als Hans sie faßte, sein Mordmesser zog und ihr zehn Wunden beybrachte. Seine Hand zitterte und bebte nicht, als wie vorhin, wenn er aus ihres Vaters Hause gieng, und Gretchen öffentlich die Hand reichte. Gott! schrie sie, Gott! nimm meinen Geist auf! Sie war über und über mit Blut bedeckt, und schwamm in ihrem Blut. Die Stiere brüllten auf eine so schreckliche Art, daß dem Mörder ihrentwegen das erste Grausen ankam. Sie kamen hinzugelaufen, als ob sie diese That verhindern wollten, sie liefen davon, als ob ihnen der Anblick zu schwer würde. Nun fragte Hans lächelnd: (es war das letztemal, daß er lachte) wen wilst du jetzt lieben, Ungetreue? Dich, antwortete Grete, und Blut schoß aus ihrem Herzen. Dich, wiederhohlte sie und drückte Hansen auf eine Art die Hand, daß er seinen ganzen entsetzlichen Irthum einsahe. Jetzt hatte er der Stiere nicht mehr nöthig; das Grausen kam von selbst. Er warf sich auf die Erde, schrie nach Rettung, sprang auf, eilte selbst, Hülfe zu suchen, in ein benachbartes Städtchen – und fand den Wundarzt nicht an Ort und Stelle. Alles hatte er Gretchen zur Hülfe aufgeboten. Nun kam er, wie ein Verdammter, der um einen Tropfen Wasser bettelt und ihn nicht erhält, und fand den Wundarzt, den Gretchens Eltern aufgefunden, fand die Eltern selbst, die ihm mit ofnen Armen entgegen kamen. Einem Tochtermörder! Grete hatte diese That auf einen andern ausgesagt, der sie überfallen, und hiebey hatte sie Hansens starke Hand gepriesen, die sie zu retten unermüdet gewesen. Gott, diese Unwahrheit, betete sie im Herzen, vergib sie mir! Die Eltern hatten ihr zugeschworen, Hansen das Gütchen zu laßen, und nun, voll des Danks und der Erkenntlichkeit, kamen sie ihm entgegen, fielen auf die Blutflecken, die sie an seinem Kleide gewahr wurden, als so viel Beweise seines Edelmuths. Für jede Wunde, die Grete erhalten, umarmten sie ihn! – Es kostete Hansen kaum so viel Mühe, zu morden, als die Eltern zu überreden, daß er Mörder sey. Sie glaubten, er hätt' aus zu großer Liebe den Verstand verlohren. Je gütiger Gretchens Eltern gegen ihn thaten, je schrecklicher klagte Hans sich an. Wenn er Gott, und alles, was heilig, zu Zeugen aufgerufen: er sey der Thäter; so sahen ihn Gretchens Eltern so mühseelig, so beladen an, als wollten sie sagen: der arme Junge, wie ihn Gretens Schicksal übernommen hat! Und wenn er ihnen das Mordmesser zeigte, drückten sie ihm die Hände, weil sie Gretchen so mächtig beschützet. Wenn er es gen Himmel hielt und schwur, bogen sie sanft seine Hände zur Erde. Niemand wuste, woran es mit Hansen war. Lieber Sohn, fiengen die Eltern an, du bist mehr todt, als sie! Endlich gieng allen ein Licht auf. Hans ward eingezogen. Er sahe die Gerichtsdiener, die ihn fesselten, als seine Wohlthäter an, die ihm den Tod, das einzige Verband für seinen Schmerz, mitbrachten! – Der Abschied war rührend. Er bat Gretchen um Vergebung; sie versicherte, daß sie ihm nichts zu vergeben hätte, und da sie endlich einsahe, daß alle ihre Bemühungen, Hansen zu retten, vergebens wären, rang sie die Hände, und weinte so herzlich, daß selbst die Gerichtsdiener zu weinen anfiengen. Hansen ward der Proceß gemacht. Er konnte die Zeit nicht abwarten, sein Todesurtel zu hören. Wenn ich doch an einem Tage mit ihr sterben könnte, das war der einzigste Wunsch, den er noch in dieser Welt hatte. Eben an dem Tage, da sich die Richter einigten, daß Hansen, als einem Unmenschen, der den Vorsatz gehabt, auf der Landstraße zu morden, sein Leben auf eine schreckliche Art, vor aller Welt Augen, genommen werden sollte, war es ausgemacht, daß Grete ausser Gefahr sey. Sie erhohlte sich nach diesem Tage zusehens, und es war die Frage: ob es gut sey, Gretchen Hansens und Hansen Gretchens Schicksal zu entdecken? Die Frage wurde noch bei Herzensguten Leuten problematisch abgehandelt, da schon weniger Herzensgute Menschen der Beantwortung zuvor gekommen waren. Hans wuste um Greten, und Grete um Hansen. Im ersten Augenblick war es Hansen anzusehen, daß ihm über Gretens Aufkommen der Kopf herum gieng. Da er sich aber besann, und noch dazu hörte, daß Grete durchaus nicht leben wolte, schrieb er an sie wie folgt:

Es ist genug, du lebst, und ich will fröhlich sterben! Dein Blut wird mir nicht vor den Augen fliessen, wenn ich für meine That bluten werde. Nun darf ich an meiner Seeligkeit nicht verzweifeln, und an meinem ewigen Leben. Meine Hand ist mir von den Ketten nicht so schwer, als vom Herzen. Vergib deinem Mörder, und bete für Hansen. Dank dem, der mich verhört hat. Mit dem ädlen Mann hat Tod und Leben, Gesetz und Menschlichkeit gekämpft. Wünsch ihm in meinem Namen ein langes glückliches Leben, und geh nicht heraus, wenn ich ausgeführet werde. Reise, wenn es deine Gesundheit erlaubt, dahin, wo ich dich erschlug und schreye ein Vater unser für mich. –

Dieser Brief, anstatt daß er Kraut und Pflaster zur Beruhigung für Greten seyn sollte, nährte ihren Gram. Er brachte ihr empfindlichere Wunden bey, als Hansens Mordmesser. Niemand hatte Hansens Tod erwartet. Hans nahm sein Urtel als Gottes Ausspruch an. Grete war ausser sich. Sie wollte für ihn sterben. Die Geistlichen löseten die Wundärzte ab, um ihr Ruhe zuzusprechen; allein vergebens. Das Wollen, schrie sie, nicht das Vollbringen. Wenn Gott strafen sollte, was wir wollen, wer könnte vor ihm bestehen? Sie sprach wie alle Leute, die ausser sich sind, so weise, so vernünftig, daß sich Jedes wunderte, wo sie alles dieses her hatte, was würklich über ihr war. Es war kläglich anzusehen, daß diese beyden Menschen ohneinander nicht leben, nicht sterben konnten. Grete trat, ohne daß Hans es wuste, den König an. Sie sind ein Mensch, schrieb sie, Monarch, und machen sich eine Ehre draus, es zu seyn! Schenken Sie Hansen das Leben, oder nehmen Sie es mir, so und nicht anders ist uns beyden geholfen. – Der König verwandelte die Todesstrafe in eine einjährige Festungsstrafe, und alle Welt sagte, daß dieses ein salomonisches Urtheil wäre. Um solch ein Urtel zu sprechen, wer wünscht sich nicht König zu seyn! Hans wäre gar nicht in der Festung gewesen, wenn nicht Grete seine Strafe mit ihm getheilt hätte. Dies war das einzige, was ihm schwer zu tragen war. Seine Ketten waren ihm nicht lästig. Nach so viel Kummer und Noth, gieng endlich die Sonne über dieses treue Paar auf. An das Gütchen, in welchem Hans so viele Veranstaltungen in Gedanken getroffen, war nun nicht mehr zu denken. Sie wollten beyde weder Land noch Leute dieser Gegend sehen, und entschlossen sich, um sich recht zu verbergen, nach Königsberg zu ziehen. Sie waren eben zum drittenmal aufgeboten, da Hans in ein hitziges Fieber fiel und starb. So entscheidet Gott, der Herr, wenn gleich Könige anders entscheiden. Seine Wege sind nicht unsere Wege, seine Gedanken sind nicht unsere Gedanken. Grete fiel an Hansens Begräbnistage in eine solche Schwermuth, daß sie jetzt im Irhause, wiewohl in einem bessern, als den gewöhnlichen Zimmern, gehalten wird. Gott, was hat Grete verbrochen, daß sie gelacht hat? Sara lachte auch, und Gott segnete sie mit dem Sohne Isaac, und Grete? im Irhause. Ihre zerrüttete Einbildungskraft läßt sie glauben, Hans sey auf dem Richtplatz aus der Welt gegangen. Sie macht beständig eine Bewegung mit der Hand, als köpfe sie! – *Hans* liegt auf dem Rosgärtschen Kirchhofe zur linken Hand, am kleinen Ausgange, begraben.

Diese Geschichte hab ich aus einem Aufsatz genommen, den ein armer Candidatus Theologiä zu einem Jahrmarktsliede entworfen, zu singen von einem lahmen Bettler, auf die bekannte Melodie: *Es ist gewißlich an der Zeit.* Der Todtengräber, der nur sehr unvollständig diese Geschichte erzählte, behändigte mir diesen Entwurf, den ich ausgezogen habe.

Wahrlich, Freund Todtengräber, wer seine Einbildungskraft begraben kann, hat sich leicht gemacht! Wie könnt' ich aber Minens Andenken zurücklassen?

Schlüßlich sties ich auf drey ausgegangene Bäume, und mein Lehrmeister versicherte mich, daß nachdem die Familie, die hier ihr Erbbegräbnis gehabt, ausgestorben, sie in einem Herbst alle drey ausgegangen wären. Das ist nichts neues, setzte der Todtengräber hinzu. Es haben sich viel Hunde um ihren Herrn zu Tode gegrämt, und die Stiere, die in dieser Geschichte vorkommen, sind ein neuer Beweis, daß die Bäume gewust, wenn es Zeit zum Ausgehen war. Ich bat den Todtengräber, diese Mordgeschichte dem Grafen zu übersenden, welches er mir aber abschlug, „ich muß so etwas aufbewahren, um es ihm hier vorzusetzen."

Ich schließe den Kirchhof, ehe das Stadtthor für mich geschlossen wird. Wer mir aber dergleichen Vorgriffe übel nimmt, kann mir mehr übel nehmen, wenn es ihm so beliebt. – So sehr mir diese Geschichte auffiel; so war ich doch nicht im Stande, Greten im Irhause zu besuchen, um ihren schrecklichen Scharfrichter=Handgrif zu sehen! –

Wenn es ausgemacht ist, (und nichts ist gewisser, als dies,) daß die wahre Philosophie eine Sterbkunst sey; so legt' ich mich mehr auf die Philosophie, als auf irgend etwas. Um reich zu seyn, braucht man nicht Geld nicht Gut, sondern Mäßigkeit. Gute Führung beehrt uns, nicht Würde. Wer lang und glücklich leben will, sey sein eigner Herr, im philosophischen Sinn! Wer die Welt verachten will, hab eine Mine im Himmel! – Mine war der philosophische Text, über den ich studirte. Ueberall war sie. Je mehr ich studirte, je mehr fand ich: gesunder Verstand sey täglich Brod. Wörterkram, Schnirkeley aber, Kopfverderbendes Gebacknes. Wenn mein Vater redete, (docirte, wenn man will, denn ich leugn' es nicht, daß der Lehrton ihm wie eine Klett' am Kleide hieng,) hatt' er jederzeit was in der Hand, Messer, Scheere, ein Buch, einen dem Wachslicht abgenommenen Bart, einen Zahnstocher, kurz, ohne was körperliches war er nicht. Er schwur immer einen *körperlichen Eyd,* wenn ich mit Verzeihung der juristischen Genies mich so erklären darf. So was hilft die Sache sinnlich machen. – Er knetete die deutlich zu machende Sache durch, würd' ein andrer gesagt haben; er nicht – ich auch nicht – Gott der Herr hatte ein Chaos, aus dem er die Welt allmählig herausrief, und wenn ichs recht bedenke, ist was Körperliches vielleicht darum in der Hand gut, um für den Gedanken ein Kleid, für den Geist einen Körper zu finden. Gott ehre mir Leute, die Hand und Mund zugleich bewegen, war, wie wir wissen, meines Vaters Losung. – – Der Kirchhof in L –, der roßgärtsche Kirchhof in Königsberg, das waren mein Messer, Buch, Scheere, Wachsbart, Zahnstocher. –

Werkregister 140

LUDWIG CHRISTOPH HEINRICH HÖLTY

Der rechte Gebrauch des Lebens.

Wer hemmt den Flug der Stunden? Sie rauschen hin
Wie Pfeile Gottes! Jeder Sekundenschlag
　　Reißt uns dem Sterbebette näher,
　　　　Näher dem eisernen Todesschlafe!

Dir blüht kein Frühling, wenn du gestorben bist;
Dir weht kein Schatten, tönet kein Becherklang;
　　Dir lacht kein süßes Mädchenlächeln,
　　　　Strömet kein Scherz von des Freundes Lippe!

Noch rauscht der schwarze Flügel des Todes nicht!
Drum hasch die Freuden, eh sie der Sturm verweht,
　　Die Gott, wie Sonnenschein und Regen,
　　　　Aus der vergeudenden Urne schüttet!

Ein froher Abend, welchen der heitre Scherz
Der Freundschaft flügelt, oder das Deckelglas;
　　Ein Kuß auf deines Mädchen Wangen,
　　　　Oder auf ihren gehobnen Busen;

Ein Gang im Grünen, wann du, o Nachtigall,
Dein süßes Maylied durch die Gesträuche tönst,
　　Wägt jeden Kranz des Nachruhms nieder,
　　　　Den sich der Held und der Weise wanden!

Der Kuß, den mir die blühende Tochter giebt,
Ist süßer, als die Küße der Enkelin,
　　Die sie dem kalten Hügel opfert,
　　　　Wo ich den eisernen Schlummer schlafe.

Werkregister 145

Gebet um ein seeliges Ende.

O Gütiger GOTT! du hast dem Menschen ein Ziel gesetzt zu leben, welches er nicht kan übergehen; denn er hat seine bestimte Zeit, die Zahl seiner Monden stehet bey dir; alle unsre Tage hast du gezehlet, welche doch schnell dahin fahren, wie ein Strom, nicht anders als flöhen wir davon; alle unsre Jahre sind wie ein Rauch oder Schatten, der plötzlich vergehet; der Mensch ist doch wie ein Graß welches doch bald verdorret, und wie eine Blume auf dem Felde verwelcket; so lehre mich nun, o gütiger GOtt! erkeñen und zu Gemüthe führen, daß es ein Ende mit mir haben muß, und mein Leben ein Ziel hat, u. ich davon muß. Siehe, meine Tage sind einer Hand breit vor dir, und mein Leben ist wie gar nichts vor dir, wie gar nichts sind alle Menschen, die doch so sicher dahin leben. HErr lehre mich bedencken, daß ich sterben muß, und allhier in dieser Pilgerschafft keine bleibende Statt habe. Thue mir kund mein kurtzes und vergängliches Wesen, daß ich in dieser Welt nicht mir selbst, sondern dir lebe u. sterbe, damit ich im Glauben wacker und frolich erwarte den Tag meiner Heimfahrt und Erscheinung deines lieben Sohnes JEsu Christi, und geschickt zu derselbigen mit heil. Wandel und gottseligem Wesen eile. Begnade mich mein GOtt! mit einem seligen Abschiede, wenn mein Stündlein herzu nahet, daß ich seliglich sterbe, ein vernünfftiges Ende nehme in wahrem Erkäntniß, daß mein Verstand u. Siñe nicht verrücket werden, und ich nicht aberwitzige Rede oder Läster=Worte wider dich meinen HErrn, u. wider meine Seligkeit führe. Behüte mich vor einem bosen schnellen Tod, und vor der ewigen Verdammniß. Laß mich nicht plötzlich und unversehens mit meinem letzten Stündlein überfallen werden; sondern daß ich mich zuvor mit wahrer Busse und rechtem Glauben bereite; und weñ dasselbige koñt, so mache mich freudig und unverzagt zu dem zeitlichen Tode, der mir nur die Thür aufthut zum ewigen Leben, und laß mich deinen Diener alsdenn im Friede fahren, denn meine Augen haben deinen Heyland gesehen, welchen du bereitet hast für allen Völckern; ein Licht zu erleuchten die Heyden, und zum Preiß deines Volcks Israel. Gib, daß mein letztes Wort sey, welches dein lieber Sohn am Creutz gesprochen hat: Vater! in deine Hände befehl ich dir meinen Geist; und weñ ich niñer reden kan, so erhöre doch mein letztes Seufzen, durch JEsum Christum, Amen.

Werkregister 35

GOTTHOLD EPHRAIM LESSING

Briefe an Johann Joachim Eschenburg

Dem Herrn *Professor Eschenburg* in Braunschweig.

Mein lieber Eschenburg,
Ich ergreiffe den Augenblick, da meine Frau ganz ohne Besonnenheit liegt,
um Ihnen für Ihren gütigen Antheil zu danken. Meine Freude war nur kurz:
Und ich verlor ihn so ungern, diesen Sohn! denn er hatte so viel Verstand! so
viel Verstand! – Glauben Sie nicht, daß die wenigen Stunden meiner Vater-
schaft, mich schon zu so einem Affen von Vater gemacht haben! Ich weiß,
was ich sage. – War es nicht Verstand, daß man ihn mit eisern Zangen auf die
Welt ziehen mußte? daß er sobald Unrath merkte? – War es nicht Verstand,
daß er die erste Gelegenheit ergriff, sich wieder davon zu machen? – Freylich
zerrt mir der kleine Ruschelkopf auch die Mutter mit fort! – Denn noch ist
wenig Hoffnung, daß ich sie behalten werde. – Ich wollte es auch einmal so
gut haben, wie andere Menschen. Aber es ist mir schlecht bekommen.

Lessing.

An den Herrn Professor *Eschenburg* in Braunschweig.

Lieber Eschenburg,
Meine Frau ist todt: und diese Erfahrung habe ich nun auch gemacht. Ich
freue mich, daß mir viel dergleichen Erfahrungen nicht mehr übrig seyn
können zu machen; und bin ganz leicht. – Auch thut es mir wohl, daß ich
mich Ihres, und unsrer übrigen Freunde in Braunschweig, Beyleids versichert
halten darf.
Wolfenb. den 10. Jenner 1778.　　　　　　　　　Der Ihrige *Lessing.*

Werkregister 170

GEORG CHRISTOPH LICHTENBERG

Brief an Gottfried Hieronymus Amelung

[Göttingen, Anfang 1783]
Mein allerliebster Freund,
Das heiße ich fürwahr deutsche Freundschaft, liebster Mann. Haben Sie
tausend Dank für Ihr Andenken an mich. Ich habe Ihnen nicht gleich geantwortet, und der Himmel weiß wie es bei mir gestanden hat! Sie sind und
müssen der erste sein, dem ich es gestehe. Ich habe vorigen Sommer, bald

nach Ihrem letzten Brief, den größten Verlust erlitten, den ich in meinem Leben erlitten habe. Was ich Ihnen sage, muß *kein Mensch* erfahren. Ich lernte im Jahr 1777 (die *sieben* taugen wahrlich nicht) ein Mädchen kennen, eine Bürgers-Tochter aus hiesiger Stadt, sie war damals etwas über 13 Jahr alt; ein solches Muster von Schönheit und Sanftmuth hatte ich in meinem Leben noch nicht gesehen, ob ich gleich viel gesehen habe. Das erste Mal, da ich sie sah, befand sie sich in einer Gesellschaft von 5 bis 6 andern, die, wie die Kinder hier tun, auf dem Wall den Vorbeigehenden Blumen verkaufen. Sie bot mir einen Strauß an, den ich kaufte. Ich hatte 3 Engländer bei mir, die bei mir aßen und wohnten. God almighty, sagte der eine, what a handsome girl this is. Ich hatte das ebenfalls bemerkt, und da ich wußte was für ein Sodom unser Nest ist, so dachte ich ernstlich dieses vortreffliche Geschöpf von einem solchen Handel abzuziehn. Ich sprach sie endlich allein und bat sie mich im Hause zu besuchen; sie ginge keinem Purschen auf die Stube, sagte sie. Wie sie aber hörte, daß ich ein Professor wäre, kam sie an einem Nachmittage mit ihrer Mutter zu mir. Mit einem Wort, sie gab den Blumenhandel auf und war den ganzen Tag bei mir. Hier fand ich, daß in dem vortrefflichen Leib eine Seele wohnte, grade so wie ich sie längst gesucht aber nie gefunden hatte. Ich unterrichtete sie im Schreiben und Rechnen und in andern Kenntnissen, die, ohne eine empfindsame Geckin aus ihr zu machen, ihren Verstand immer mehr entwickelten. Mein physikalischer Apparat, der mich über 1500 Taler kostet, reizte sie anfangs durch seinen Glanz und endlich wurde der Gebrauch davon ihre einzige Unterhaltung. Nun war unsre Bekanntschaft aufs höchste gestiegen. Sie ging spät weg und kam mit dem Tage wieder, und den ganzen Tag über war ihre Sorge meine Sachen, von der Halsbinde an bis zur Luftpumpe, in Ordnung zu halten, und das mit einer so himmlischen Sanftmut, deren Möglichkeit ich mir vorher nicht gedacht hatte. Die Folge war, was Sie schon mutmaßen werden, sie blieb von Ostern 1780 an ganz bei mir. Ihre Neigung zu dieser Lebensart war so unbändig, daß sie nicht einmal die Treppe hinunterkam, als wenn sie in die Kirche und zum Abendmahl ging. Sie war nicht wegzubringen. Wir waren beständig beisammen. Wenn sie in der Kirche war, so war es mir als hätte ich meine Augen und alle meine Sinnen weggeschickt. – Mit einem Wort – sie war ohne priesterliche Einsegnung (verzeihen Sie mir, bester, liebster Mann, diesen Ausdruck) meine Frau. Indessen konnte ich diesen Engel, der eine solche Verbindung eingegangen war, nicht ohne die größte Rührung ansehn. Daß sie mir alles aufgeopfert hatte, ohne vielleicht ganz die Wichtigkeit davon zu fühlen, war mir unerträglich. Ich nahm sie also mit an Tisch, wenn *Freunde* bei mir speisten, und gab ihr durchaus die Kleidung, die ihre Lage erforderte, und liebte sie mit jedem Tage mehr. Meine ernstliche Absicht war mich mit ihr auch vor der Welt zu verbinden, woran sie nun nach und nach mich zuweilen zu erinnern anfing. O du großer Gott! und dieses himmlische Mädchen ist mir am 4ten August 1782 abends mit Sonnen-Untergang *gestorben*. Ich hatte die besten

Ärzte, alles, alles in der Welt ist getan worden. Bedenken Sie, liebster Mann, und erlauben Sie mir, daß ich hier schließe. Es ist mir unmöglich fortzufahren.

G. C. Lichtenberg

Zerreißen Sie diesen Brief und behalten bloß das Andenken an ihn, als ein Zeichen meiner Freundschaft gegen Sie, der sich unter allen meinen Schulbekannten allein meiner erinnert hat!

Werkregister 172

Ludwig Christoph Heinrich Hölty

Der Tod.

Wann, Friedensbothe, der du das Paradies
Dem müden Erdenpilger entschließest, Tod,
    Wann führst du mich mit deinem goldnen
        Stabe gen Himmel, zu meiner Heymath?

O Waßerblase, Leben, zerfleug nur bald!
Du gabest wenig lächelnde Stunden mir,
    Und viele Thränen, Quaalenmutter
        Warest du mir, seit der Kindheit Knospe

Zur Blume wurde. Pflücke sie weg, o Tod,
Die dunkle Blume! Sinke, du Staubgebein,
    Zur Erde, deiner Mutter, sinke
        Zu den verschwisterten Erdgewürmen.

Dem Geiste winden Engel den Palmenkranz
Der Überwinder. Rufet, o Freunde, mich
    Nicht wieder auf das Meer, wo Trümmer,
        Thürmende Trümmer das Ufer decken.

Wir sehn uns, Theure, wieder, umarmen uns,
Wie Engel sich umarmen, in Licht gehüllt,
    Am Throne Gottes, Ewigkeiten
        Lieben wir uns, wie sich Engel lieben.

Werkregister 145

EWALD CHRISTIAN VON KLEIST

Geburtslied.

Weh dir, daß du gebohren bist!
Das grosse Narrenhaus, die Welt,
Erwartet dich zu deiner Quaal.
Nicht Wissenschaft, nicht Tugend ist
Ein Bollwerk für der Bosheit Wuth,
Die dich bestürmen wird. Verdienst
Beleidiget die Majestät
Der Dummheit, und wird dir gewiß,
(Im Fall du dirs einmal erwirbst)
Ein Kerkerwerth Verbrechen seyn.
Der Schatten eines Fehlers wird,
Bey hundert deiner Tugenden,
Der Lästrung greulichstes Geschrey
Oft hinter dir erwecken. Wenn,
Voll edeln Zorns, du kühn die Stirn
Zum Lästrer kehrst, ist alles Ruh.
Ein Zeigefinger, der schon sinkt,
Ein Nickkopf weis't dir kaum, was
                                    man
Begonnen. Schnell tönt hinter dir
Des Unsinns Stimme wiederum. –
Wenn du nicht wie ein Sturmwind
                                    sprichst,
Nicht säufst, wie da die Erde säuft,
Wo sich das Meer in Strudeln dreht;
Wenn kein Erdbeben deinen Leib
Zurütteln scheint, indem du zürnst:
So mangelts dir an Heldenmuth.
Und tanzest du den Phrynen nicht,
Von weiten, einen Reverenz:
So mangelts dir an grosser Welt.
Wenn du nicht spielst, und viel
                                    gewinnst,
Bis der, mit dem du spielst, erwacht;
Wenn Wollust unter Rosen nicht
Dich in die geilen Arme schlingt:
So fehlt dir Witz! so fehlt dir Witz! –

Nichts, nichts als Thorheit wirst du
                                    sehn
Und Unglück. Ganze Länder fliehn,
Gejagt vom Feuermeer des Kriegs,
Vom bleichen Hunger und der Pest,
Des Kriegs Gesellen. Und die See
Ergießt sich wild; Verderben
                                    schwimmt
Auf ihren Wogen, und der Tod.
Ein unterirrdscher Donner brüllt,
Die Erd eröfnet ihren Schlund,
Begräbt in Flammen Feld und Wald,
Und was im Feld und Walde
                                    wohnt. –
Und fast kein tugendhafter Mann
Ist ohne Milzsucht, lahmem Fuß,
Und ohne Buckel oder Staar;
Ihn foltert Schwermuth, weil er
                                    lebt! –
Dieß alles wirst du sehn und mehr.

Allein du wirst auch die Natur
Voll sanfter Schönheit sehn. Das
                                    Meer,
Der Morgenröthe Spiegel, wird
Mit rothem Lichte dich erfreun,
Und rauschen dir Entzückung zu.
Und kühle Wälder werden dich
Verbergen, wenn die Sonne brennt,
In Nacht. Der Birken hangend Haar
Wird dich beschatten. Oft wirst du,
In blühnden Hecken eines Thals
Voll Ruh einhergehn, athmen Lust,
Und sehen einen Schmetterling
Auf jeder Blüth, in bunter Pracht,
Und den Fasan im Klee, der dir

Denselben Hals bald roth, bald
         braun,
Bald grün, im Glanz der Sonne,
         zeigt.
Auch Wiesen werden dich erfreun,
Mit Regenbögen ausgeschmückt,
Und in der Fluth ein Labyrinth
Von Blumen, und manch bunter
         Kranz,
Aus dessen Mitte Phöbus Bild,
Voll Strahlen, blitzt, und über dem
In holden Düften Zephyr schwärmt.
Die Lerche, die in Augen nicht,
Doch immer in den Ohren ist,
Singt aus den Wolken Freud herab,
Dir in die Brust. Auch Tugend ist
Noch nicht verschwunden aus der
         Welt,
Und *Friedrich* lebt, der sie belohnt,
Und sie ist selbst ihr reicher Lohn.

Mitleiden, Großmuth, Dankbarkeit,
Und Menschenlieb und Edelmuth
Wirkt Freud, und Freude nur ist
         Glück.
Fühl Tugenden, so fühlst du Glück! –
Und mancher Freund wird dich
         durch Witz
Und Liebe (wie mein ** mich)
Beseeligen, und seyn dein Trost,
Wenn Falschheit dein Verderben
         sucht.
Laß Neid und niedre Raben schreyn,
Und trinke du der Sonne Gluth,
Gleich einem Adler. Hülle dich
In deine Tugend, wenn es stürmt. –
Doch öftrer lacht der Himmel dir;
Das Leben ist mehr Lust als
         Schmerz.
Wohl dir, daß du gebohren bist!

Werkregister 4

Friedrich Leopold Graf Stolberg

Lied auf dem Wasser zu singen.

Für meine Agnes.

Mitten im Schimmer der spiegelnden Wellen
    Gleitet, wie Schwäne, der wankende Kahn;
Ach, auf der Freude sanftschimmernden Wellen
    Gleitet die Seele dahin wie der Kahn;
Denn von dem Himmel herab auf die Wellen
    Tanzet das Abendroth rund um den Kahn.

Über den Wipfeln des westlichen Haines,
    Winket uns freundlich der röthliche Schein;
Unter den Zweigen des östlichen Haines
    Säuselt der Kalmus im röthlichen Schein;
Freude des Himmels und Ruhe des Haines
    Athmet die Seel' im erröthenden Schein.

Ach, es entschwindet mit thauigem Flügel
 Mir auf den wiegenden Wellen die Zeit.
Morgen entschwinde mit schimmerndem Flügel
 Wieder wie gestern und heute die Zeit,
Bis ich auf höherem strahlenden Flügel
 Selber entschwinde der wechselnden Zeit.

Werkregister 227

MATTHIAS CLAUDIUS

An – als Ihm die – starb.

Der Säemann säet den Samen,
 Die Erd' empfängt ihn, und über ein kleines
 Keimet die Blume herauf –

Du liebtest sie. Was auch dies Leben
 Sonst für Gewinn hat, war klein Dir geachtet,
 Und sie entschlummerte Dir!

Was weinest Du neben dem Grabe,
 Und hebst die Hände zur *Wolke* des Todes
 Und der Verwesung empor?

Wie Gras auf dem Felde sind Menschen
 Dahin, wie Blätter! Nur wenige Tage
 Gehn wir verkleidet einher!

Der Adler besuchet die Erde,
 Doch säumt nicht, schüttelt vom Flügel den Staub, und
 Kehret zur Sonne zurück!

Werkregister 68

III. KUNSTTHEORETISCHE
GRUNDBEGRIFFE

ALEXANDER GOTTLIEB BAUMGARTEN

Was ein Gedicht sei

Ia, ia. Nichts ist leichter, als einen Poeten erklären durch den, der eine
Fertigkeit hat, Gedichte zu machen, und die Poetik durch die Kunst, Gedichte zu verfertigen. Die gantze Schwierigkeit liegt in der Frage, was denn ein
Gedicht sey. Ich soll E. H. meinen Begriff davon aus einander setzen. Eine
vollkommene lebhafte Rede nenn ich beredt. Wenn wir bei einer beredten
Rede nur auf das Acht haben wollen, was ihr zukommen muß, sie mag
ausgesprochen, oder geschrieben werden, so wird das dabei zu bemerkende
auf die Sachen, die vorgetragen werden sollen, die Ordnung, und den Ausdruck ankommen.* Die Aenligkeit und Gleichheit im Ausdruck ist die
Schreib=Art.** Denn so benennen wir auch, was ein witziger Kopf im münd-
ligen Vortrage wahrnimt, wenn er auf die Art sich auszudrucken siehet. Im
Ausdruck fordert die allgemeine Kunst der Beredsamkeit, 1. daß er rein sey,
d. i. die besondere Sprache, darin man spricht oder schreibt, so brauche seine
Gedanken zu bezeichnen, wie sie am besten nach denen Regeln der allgemeinen Sprach=Kunst gebraucht werden kann. Ich beruffe mich mit gutem Bedacht in dieser Erklärung nicht auf die bewerteste Schrift=Steller*** ieder
Sprache, denn diese sind eben, die darin am reinsten schreiben, geschrieben
haben, oder schreiben werden. Sie können folglig zum Muster einer reinen
Schreib=Art in besondern Sprachen beßer, als zu ihrem Merckmahl überhaupt angenommen werden, weil die zu erklärende Vollkommenheit solcher
Schrift=Steller einiges Unterscheidungs=Zeichen bleibt. Die 2. Vollkommenheit einer Schreib=Art ist, daß sie wohl abgetheilet sey,**** oder das gute
Verhältniß ihrer Theile gegen einander vom grösten bis zum kleinesten, die
kürzesten Sylben nicht ausgeschloßen. Ein Theil der Rede, der nicht wieder
ein Theil eines andern Satzes in ihr ist, wird ein Punct genannt, es mag dieses
nun einen völligen Verstand geben, oder durch Verbindungs=Worte und andre Art und Weisen genauer mit dem vorhergehenden und nachfolgenden
verknüpft seyn. In einem ieden Punct sind entweder nur die Haupt=Begriffe
seines Satzes oder auch noch einige Neben=Begriffe bezeichnet. Die letzteren
sind des Puncts Erweiterungen.***** Was übrig bleibt, wenn diese weggela-

---

* Res sit prima tibi, sit lucidus ordo secunda,
  Dictio postremo tertia cura loco.
** Identitas in eloquutione seu dictione = stilus.
*** Auctores classicos.
**** Concinnitas.
***** Amplificationes.

ßen werden, heist der logische Satz.* Ein erweitert und wohl abgetheiltes
Punct ist ein Period.** Die 3. Vollkommenheit der Schreib=Art ist die Anständigkeit oder Schikligkeit d. i. die Ubereinstimmung und Verhältniß mit
dem und gegen das, das bezeichnet werden soll, samt seinen Umständen, als
dem, der da redet, dem, zu dem geredet wird, dem Ort, der Zeit u. s. w.***
Diese wird unter andern zeigen müßen ob Lakonisch oder Attisch, Rhodisch
oder gar Asiatisch zu sprechen, ob die niedrige, mittlere, oder erhabene
Schreib=Art anzuwenden. Der 4. Vorzug der Schreib=Art ist ihre Zierligkeit,
die unter Worten und Redens=Arten, die dem Haupt=Verstande nach gleichgültig sind, die lebhaftern und lebendigern andern vorziehet. Die 3. Vollk-
menheit der Schreib=Art oder die Anständigkeit giebt dieses Gesetz: *ie lebhaftere Gedanken/ ie lebhafter muß auch der Ausdruck seyn.* Ie lebhafter der
Ausdruck seyn soll, ie mehr muß von dem verschiedenen desselben, wenigstens zusammen genommen, in die Sinne fallen. Ie mehrere Kennzeichen des
Ausdrucks, wenigstens zusammen genommen, in die Sinne fallen müßen, ie
merkliger muß auch bei einer solchen beredten Rede seyn, daß sie wohl
abgetheilt. Ie lebhafter Gedanken man in der Rede zu bezeichnen hat, ie
merkliger muß die 2te oben bemerkte Vollkommenheit der Schreib=Art werden.**** Zu dieser gehört der Wohlklang oder Euphonie,***** das Verhältniß derer Theile einer Rede gegen einander, bis auf die kleinste Stücke derselben, nach welcher sie angenehm ins Ohr fällt. Der Wohlklang kann durch
mancherley Mittel erlangt werden. Z. E. wenn selbst lautende und mitlauten-
de Buchstaben, offne und geschloßne Sylben,****** oxytona, paroxytona,
proparoxytona, perispomena, u. s. w. geschickt mit einander vermischt werden. Hauptsächlich läßt sich der Wohlklang durch eine abgemeßne Mischung
langer und kurtzer Sylben,******* das Sylben=Maaß erlangen. Das Sylben=
Maaß wird entweder durch weniger Regeln, hauptsächlich nur im Anfang und
Schluß derer Perioden, merklig, das ungebundne Sylben=Maaß, welches die
alten Rhythmus nannten,******** oder erstreckt sich nach mehrern Regeln
meist auf alle Sylben der Rede, das Metrum oder gebundene Sylben=Maaß.
Eine Rede, darin ein Metrum beobachtet, ist gebunden.********* Eine ungebundene Rede aber, darin kein Metrum, sie habe nun einen Rhythmus und
freies Sylben=Maaß, oder nicht, ist prosaisch. Ie merkliger in einer Rede
werden soll, daß sie wohl abgetheilt, ie merkliger muß ihr Wohlklang wer-

---

     * Propositio Logica = punctum amplificatum – amplificationibus.
    ** Periodus = punctum concinne amplificatum.
   *** Congruentia.
  **** Concinnitas.
 ***** Sonoritas.
****** Syllaba simplex = in qua post vocalem non notabiliter auditur consona,
      composita = in qua post vocalem notabiliter auditur consona.
******* Numerum oratorium latius dictum.
******** Numerus oratorius stricte dictus.
********* Carmen = oratio metrica.

den. Ie merkliger der Wohlklang einer Rede werden soll, ie sicherer, ie merkliger muß sie ein Silben=Maaß haben. In Reden von der lebhaftesten Art
erfodert die Anständigkeit der Schreib=Art ein Metrum. Eine Rede nun, die
so lebhaft, daß sie ein Metrum erfodert, ist ein Gedicht.* Geräth ein poetisches Feuer auf leicht zu entzündende Geister, so scheinen sie nur zu gedenken, es binden die Sylben sich selbst. Ovidius, ein wohlgebohrner Poet,
beichtet uns, wie es ihm gegangen.**

> Mein Vater sagte mir: Die Kunst wird Brodlos seyn.
> Was brachte Troia doch dem griechschen Dichter ein?
> Sein Wort bewegte mich. Ich ließ das Singen bleiben,
> Und wolte lange Zeit nur ungebunden schreiben,
> Indem aus aller Macht den Helikon vergaß.
> Ich schrieb. Es floß von selbst das reinste Sylben=Maaß.

Ein poetischer Geist wird nicht leicht die muntersten Stellen des Frantzösi-
schen Telemachs lesen, daß ihm nicht manchmahl einfallen sollte: *Schade/daß
hier keine Verse sind!* Hingegen wird bei Neukirchs Ubersetzung*** einem
solchen nicht oft in die Gedanken kommen: *was soll doch hier das Metrum?*
Zu einem guten Gedicht gehören 1) feurige Gedanken, 2) eine glänzende
Ordnung, die sehr oft eine angenehme Unordnung scheint, 3) ein regelmäßi-
ger Ausdruck. Zu diesem 1) reine, 2) sich wohl auf einander schickende und
zusammen reimende, 3) denen Sachen anständige, 4) zierlige Worte und Re-
dens=Arten. Sollen sie die 3te Vollkommenheit hinlänglich haben, so muß die
2te, nebst denen übrigen Vorzügen der guten Abtheilung, auch den Wohlklang, und dieser, nebst seinen andern Vortheilen, das gebundne Sylben=Maaß
haben. Also ist das Metrum in einem Gedichte ungefehr das $\frac{1}{4}$ vom $\frac{1}{12}$ oder
das $\frac{1}{48}$ seiner Vollkommenheiten. So verhält sich demnach

ein Lieder=Schmidt**** : einem Poeten = 1 : 48.

Hieraus begreiff ich, warum sich manche nicht entschließen können, ungebundene Reden, die sonst alles haben, was zu einem Gedicht erfordert wird,

---

* Poëma = carmen congruens s. oratio tam viuidis repraesentationibus praeg-
nans, vt congruentia stili metrum in eadem requirat.
** Tristium L. 4. El. 10. v. 21.
  Saepe pater dixit: studium quid inutile tractas?
    Maeonides nullas ipse reliquit opes.
  Motus eram dictis, totoque Helicone relicto;
    Scribere conabar verba soluta modis.
  Sponte sua carmen numeros veniebat ad aptos,
    Quidquid tentabam scribere, versus erat.
*** Anspach 1739. 2. Th. 8. und s. mit Kupfern.
**** Carminifex s. versifex, qui carminum pangendorum habitum habet,
  praetereaque nihil, vnus ex grege heroum, quos alloquebatur ille:
  Syllaba me torquet. Non possum carminifices
  Dicere vos. Liceat dicere carnifices.

um eines $\frac{1}{48}$ willen aus der Anzahl derer Gedichte auszuschließen, sondern lieber ungebundene Gedichte zugeben wollen. Auf der andern Seiten aber zeigt sich auch der Grund, warum nicht nur Poeten, sondern fast alle, die einen guten Geschmack haben, bloße Meister=Sänger so gar verächtlig ansehen, wenn sie sich unter die Schwäne mengen wollen. Was das eigentlig für ein Grad, für eine Stuffe der Lebhaftigkeit in denen Gedanken sey, die das Metrum erfordere, hat man bisher noch nicht nach deutligen Regeln festsetzen können, aber ein gereinigter Geschmack bemerkt sie durch Ubung bald, und sieht die poetische Schreib=Art in dem ungebundenen der *Argenis* sowohl, als das prosaische in manchen *Satyren des Horaz*. Wenn ein reicher Taugenichts, der so genante Familien=Schmause geben zu seinem Beruf und Himmel auf Erden macht, in *Johann/dem muntern Seiffen=Sieder.**

> „Ein Gar=Koch richtender Verwandten"

genannt wird, gefällt einem der Gedancken um so viel mehr, ie klärer man merkt, daß er nicht beßer, als in diesen Vers hätte zusammen geschloßen werden können. Setzen Sie, es werde auf die Frage, warum es denen Bösen hier so wohl gehe, weil sie immer so lustig seyn, geantwortet:

> „Freund! wenn ein durstig Weib mit altem Chier=Safft
> Die giere Gurgel netzt, durch seines Feuers Krafft
> Entzündt, noch weiter säufft, bis, von ihm aufgeschwollen,
> Nicht Kopff, nicht Hand, nicht Fuß mehr wißen, was sie wollen
> Wie? meinst du, daß ihr wohl dabey zu Muthe sey?
> Ihr funkelnd Auge glüht es folgt ein Lust=Geschrey,
> Sie lacht, sie springt, sie iauchzt, sie schwimmt in Koth und Freuden.
> Wie aber scheint sie dir? sprich! kannst du sie beneiden?"

> *Baumgarten.***

Würde das Metrum hier getrennt, so würde man zwar noch, mit Horazen zureden, die Glied=Maaßen des aus einander geworfenen Dichters wahrnehmen, aber würde uns die ungebundene Rede, die eben das sagte, nicht etwas verränkt vorkommen?

Werkregister 50

---

* S. poetische Fabeln und Erzälungen. Hamb. 1738. 8. p. 117.
** Im sterbenden Sokrates. Berlin 4. 1741. p. 34.

Johann Christoph Gottsched

Von dem Witze.

§. 488.

Was der Witz sey, haben wir sonst schon erkläret; nemlich eine Fertigkeit des Verstandes, die Aehnlichkeiten der Dinge wahrzunehmen. Nun haben zwar alle Menschen, ob wohl in verschiedenem Grade eine solche Fähigkeit, was einander ähnlich ist, zu bemerken: Doch kan dieselbe durch die Ubung um ein vieles verstärket werden. Und weil ein Verstand, der damit in einem hohen Grade begabt ist, ohne Zweifel vollkommener ist als ein anderer: So ist der Witz eine Vollkommenheit des Verstandes; nach welcher wir folglich zu streben verbunden sind. Man darf auch nicht denken, daß man des Witzes nur in gewissen Künsten und Profeßionen nöthig habe, und daß also diese Pflicht keine allgemeine Verbindlichkeit habe. Es ist ein witziger Kopf in allen Ständen und Lebensarten sehr zu brauchen, ob er wohl freylich bey einigen mehr in die Augen fällt: Folglich sollen sich alle darnach bestreben.

Ingenium, tanquam perfectionem mentis, acquirere tenemus.

§. 489. Der stärkste Bewegungsgrund dazu ist wohl dieser, daß die Menschen fast in allen ihren Handlungen empyrisch verfahren. Sie schliessen nicht aus dem ersten Grunde was man thun oder lassen solle; was geschehen werde, oder nicht: Sondern sie behelfen sich mit der Erfahrung. Da kommt es nun hauptsächlich auf die Aehnlichkeit der Fälle an: Denn wenn diese nicht richtig ist, so fehlen auch alle Schlüsse und Folgerungen, die man daraus zieht. Weil man nun auch, in den wichtigsten Dingen, die Vermuthung ähnlicher Fälle vielfältig an statt der Vernunft zu brauchen pflegt: Als ist es sehr nöthig, daß ein jeder einen Grad des Witzes zu erlangen suche, der ihn von der Aehnlichkeit der Fälle und Sachen recht überzeuge. Denn wer dieselbe entweder gar nicht sieht, oder eine zu finden meynt wo keine ist, der stürzet sich selbst in die gefährlichsten Irrthümer.

Motiuum generale ab actionibus empyricis petitum.

§. 490. Ferner ist der Witz auch zu Erlangung deutlicher allgemeiner Begriffe nothwendig. Denn die Begriffe der Arten heraus zu bringen, muß man die Aehnlichkeiten der einzelnen Dinge wahrnehmen, und die Begriffe der Gattungen zu erfinden, muß man die Aehnlichkeiten der Arten beobachten. Nun sind aber die allgemeinen Begriffe zur Einsicht, Wissenschaft und Gründlichkeit, unentbehrlich. Denn ohne Erklärungen kan sich keines von allen behelfen, und diese kan man nur von allgemeinen Begriffen machen (I. §. 53). Folglich muß man sich um den Witz bemühen. Wir übergehen hier die besondern Ursachen, die Redner, Poeten, Mahler und Bildhauer, auch Musicanten und Comödianten haben, den Witz zu üben; wenn sie ihre Kunstwerke der Natur ähnlich, das ist, natürlich schön machen wollen. Endlich haben alle Erfinder neuer Dinge viel Witz nöthig.

Aliud motiuum specialius ab ideis vniuersalibus petitum.

Media in-
genium
excolendi.

§. 491. Wenn man sich nun diesen Witz zuwege bringen will, so übe man sich, bey allen vorkommenden Sachen eine Aehnlichkeit mit gewissen andern zu suchen: Denn durch die Ubung entsteht die Fertigkeit. Dieses desto leichter zu thun bediene man sich der Scharfsinnigkeit, oder in Ermangelung derselben der Aufmerksamkeit und Uberlegung: Denn unter vielem was einem Dinge zukommt, läßt sich eher was ähnliches finden, als unter wenigem. Man lese auch viel Bücher, darinn der Witz hervor leuchtet, als poetische und oratorische; doch solche, wo der Witz sich in Sachen und nicht in Worten zeiget; denn diese letztere Gattung giebt nur läppische Spiele, und kindische ungereimte Einfälle. Endlich überdenke man auch die Erfindung grosser Meister in allerley Künsten, und sinne dem Witze nach, womit sie dieselben ausgesonnen und zu Stande gebracht haben.

Criteria
ingenio-
sorum &
stupi-
dorum.

§. 492. Ob ein Mensch mit vielem Witze begabt ist, läßt sich aus allerley Merkmaalen schliessen. Kinder zeigen denselben bald, wenn sie alles nachmachen was sie von andern sehen, auch wohl ihre Sprache und Geberden nachzuahmen wissen. Ferner wenn sie im Zeichnen, in der Music, oder in der Poesie, eine gute Geschicklichkeit ohne viele Mühe erlangen. Weiter, wenn sie allerley unvermuthete und neue Einfälle haben, sowohl in scherzhaften Reden, als in ernstlichen Sachen. Es zeiget sich auch der Witz in allerley Erfindungen, die oft von Leuten ans Licht gebracht werden, von denen man dergleichen gar nicht vermuthet, oder gefordert hätte. Hergegen der Mangel des Witzes verräth sich auch durch den Mangel des Gedächtnisses und der Einbildungskraft, als welche sehr durch den Witz befördert werden.

Ars quid
sit, & ad
eandem
nos obli-
gari.

§. 493. Durch die Kunst verstehen wir die Fertigkeit, gewisse mögliche Dinge zur Wirklichkeit zu bringen. Z. E. die Redekunst, die Dichtkunst, die Mahler= oder Uhrmacherkunst. Denn wer dieselben besitzet, der muß eine Fertigkeit haben, Reden, Gedichte, Bilder oder Uhren zu machen; und wird alsdann von derselben ein Redner, Dichter, Mahler oder Uhrmacher genennet. Nun ist eine jede solche Fertigkeit zwar eine Vollkommenheit, theils der Seelen, theils des Leibes; und also wäre schon ein jeder verbunden darnach zu streben. Allein weil der Künste sehr viele sind, das Leben des Menschen aber kurz ist: So muß man eben nicht alle Künste, auch nicht viele auf einmahl lernen wollen. Es ist genung daß man eine oder die andre darunter wähle, und selbige in einem rechten Grade der Vollkommenheit zu fassen suche; die übrigen aber nur einiger massen kenne.

Modus
artes ad-
discendi.

§. 494. Wenn man also eine Kunst lernen will, so bediene man sich entweder eines lebendigen oder todten Lehrers; oder man ahme bloß grossen Meistern nach; oder man erfinde sie selbst von neuem: Welche letztere Arten wenigen gegeben sind, auch niemals so gelingen, daß man nicht den Abgang des Unterrichts wahrnehmen sollte. Doch machens freylich in einer Kunst die Regeln nicht aus; wenn nicht eine fleißige Ubung dazu kommt. Denn weil alle Künste Fertigkeiten sind; diese aber aus oft wiederholten Handlungen allererst entstehen: So kan auch niemanden eine Kunst auf einmal eingeflösset werden. Wer ein Redner werden will, der muß oft Reden machen und halten; wer ein Dichter werden will, der muß oft Gedichte verfertigen. Und wenn es nicht sogleich gut gerathen will, so muß man es so lange schlecht machen, bis man es entweder nach geschriebenen oder mündlichen Regeln besser lernt.

Werkregister 115

Johann Simon Buchka

Über die richtige Schreibart

Jederman will schön und zierlich schreiben; aber die wenigsten wissen, was Schönheit sey, und was in jeder Gattung von Reden die Schreibart ziere. Es ist unnöthig hierbey weitläuftig zu seyn. Das letzte bestätiget die Erfahrung, und an dem ersten wird niemand zweifeln, der auf seine Empfindung acht hat. Dem unwissenden Pöbel ist dieses nicht zu verargen, der mehr durch die Sinnen, als durch die Vernunft regiert wird, und den seine Handarbeit nicht an der gleichen Sachen gedenken läst. Aber denen kan mans nicht vergeben, welche mit dem Nahmen der Gelehrten stolziren, sich vom Pöbel durch Verstand und Klugheit absondern sollen, und sich doch in ihrem Vortrage von demselben nicht unterscheiden. Ist das Urtheil ohne Grund: So ordentlich eine Schrift, eine Rede, ein Brief ist, so aufgeräumt ist es in dem Gehirne des Scribenten? Soll man nicht sagen, der habe seinen Verstand noch wenig geschärft, in dessen Vortrag Unordnung und Verwirrung herrschet? Und kan man denjenigen mit gutem Gewissen einen Gelehrten nennen, der noch nicht weis wie man vernünftig schreiben soll?

Die Eigenliebe schmeichelt zwar einem jeden. Niemand will die Früchte seines Gehirnes hassen; und sollten es gleich Aftergeburten seyn. Sollten diejenigen, welche dunkle Göttersprüche vorbringen, es zugestehen, daß eine deutliche Schreibart schöner sey? Wer will den Purpurkrämern, Perlen= und Diamentenhändlern sagen, sie handelten unvernünftig, wenn sie diese Kostbarkeiten überall zu Markte bringen und bey den niederträchtigsten Sachen verschwenden? Ehe sie dieses zugestehen, ehe werden sie uns ihren ganzen Raritätenkasten auslegen, und uns den ganzen Kram ins Gesichte werfen. Sie werden aus Arabien Weyhrauch, aus Syrien Balsam, aus Zacotera Aloe, aus Persien Citronen, aus Chios Trauben, aus Syracusa Weizen, aus Paphos Tauben, aus Pohlen Bären, aus Siberien Zobel, aus Peru Gold, aus Decan Diamanten, aus Preußen Börnstein holen, um uns zu bestechen, daß wir ihrer Meynung beypflichten möchten. Wo nicht, so werden sie uns tausend Pfund Ambra unter die Nase reiben, damit man einen angenehmen Geruch bekommen möge. Sie werden aus den Indianischen Steinklippen Smaragden stehlen, der Granat=Aepfel Baumblüthe den Purpur rauben, und den ganzen Lohenstein plündern, um uns mit diesem Raube die Augen zu blenden. Man sage denen, die sich auf den schnellen Adlersflügeln durch die leichten Dämpfe der erhabenen Wolken bis zu den Sternenbesäeten Auen tragen lassen, daß der morsche Kahn ihres schwachen Verstandes durch die schäumenden Wellen der rasenden Vorurtheile an den Klippen der Thorheit scheitere, wenn sie diese Schreibart vor schön und hoch halten. Werden sie nicht Himmel und Hölle, Feuer und Wasser zur Rache auffodern? Sie werden schreyen: Ein Wurm tilgt die Rosen, die Schabe frißt den Purpur, der Reif versengt die Saaten, und die Hitze das fette Kraut, ein schwarzer Dunst und Nebel verhüllet die Sonne: Aber hohe Cedern wanken nicht, obgleich der Donner um sie her raset. Es mag des Neides von Schaum und Rost gefressener Zahn mit einem gräßlichen Geknirsche und fürchterlichen Schalle klappern: die über den Wolken droben, verlachen ihn; so wie unbewegliche Felsen nur desto stärker die rasende Fluth zurück schlagen, je heftiger sie von den geflügelten Winden des Eols auf sie getrieben werden. Wen soll man also zum Richter wehlen? Ausser Streit die Vernunft und unpartheyische Männer.

Die Wörter sind Zeichen unserer Gedanken, und die Rede ist von allen Völkern als ein Mittel angenommen worden, andern unsre Meynung zu eröfnen. Hieraus folgt: Je deutlicher wir unsere Gedanken in einer Rede abdrukken, desto vollkommener ist die Sprache. Was nützen eine Menge unverständlicher Töne, dabey man nichts gedenken kan. Die Rede soll also deutlich seyn, und bey den Worten muß der Zuhörer oder Leser eben das gedenken können, was wir uns dabey vorstellen. Was ist also eine dunkle Schreibart? Ein untüchtiges Werkzeug, damit man dasjenige nicht verrichten kan, wozu es bestimmet ist, und ein geschicktes Mittel niemals zu dem Zwecke zu gelangen, den man dadurch zu erreichen gedenket. Und was soll man von denen urtheilen, die die Dunkelheit einer Rede als eine ausserordentliche Schönheit bewundern, und wie die Fledermäuse in der Finsterniß herum irren? Vernünftiger Weise dieses: Sie stecken entweder in Vorurtheilen, und wollen nicht wissen was eine Rede sey, und zu was Ende sie erfunden worden: Oder sie sind unfähig, verständlich zu reden und zu schreiben. Das erste zeiget von einer üblen Gewohnheit, das letztere von einer natürlichen Dummheit; beydes von der Schwäche des Verstandes und einer elenden philosophischen Erkenntniß. Cicero spricht im dritten Buche vom Redner: Ein Redner soll veraltete, unbekannte und verächtliche Worte vermeiden, und sich gewöhnlicher und ausgesuchter Redensarten bedienen.

Aus dem oben angeführten ist klar, daß das erste von allen Gattungen der Schreibart gelte. Was aber zu des Cicero Zeiten vernünftig war, muß zu unsern Zeiten unvernünftig heissen. Die ältesten Wörter werden wieder aufgesucht, um dem Leser vielleicht das Vergnügen zu verschaffen, daß er die unverdauten Einfälle nicht begreifen kan. Diese Leute wollen das Ansehen haben, sie wissen was für andern; und verrathen dabey ihre Unwissenheit in der Wohlredenheit. Man gestehet zu, daß viele Mühe erfordert werde, aus den alten Comödien= und Tragödienschreibern unbekannte Wörter aufzusuchen, wenn man sich nicht mit den Schätzen bereichert, welche andere gesammlet haben: Doch werden sie

Buchka 295

im Gegentheil bekennen müssen, daß keine Wissenschaft dazu erfordert werde. Heißt das gleich vernünftig und gelehrt, was viele Arbeit erfordert; warum gestehen wir dieses nicht auch dem Ackersmanne zu? Verstand und Wissenschaft sind das ächte Mittel sich vom niedrigen Pöbel zu entfernen. Beydes ist bey einem vernünftigen Vortrage unentbehrlich.

Die verwirrte Schreibart streitet gleichfalls mit der Absicht, die man bey der Erfindung der Rede gehabt, und bey dem Gebrauche noch haben soll. Ist das deutlich, wenn man das Hauptwort erst auf der andern und dritten Seite suchen muß, das den Verstand vollkommen macht? Heißt das ein vernünftiger Vortrag, wenn man zwanzig Sätze durch so viel Flickwörter untereinander wirft, daß man bey dem Durchlesen mehrere Zeit darauf wenden muß, die zerstreueten Glieder aufzusuchen, als der zugebracht hat, der sie bey dem Schreiben zerstümmelt hat. Man halte eine Rede in dieser ordentlichen Schreibart, und sehe, ob die Zuhörer mehr als einen leeren Schall empfinden werden.

Es giebt eine andere Gattung unverständlicher Reden, welche die Deutschen hochtrabend und schwülstig, die Franzosen Phöbus nennen. Herr Werenfels hat den Griechischen Namen Meteoren beybehalten. Die Gründe zeiget er gleich zu Anfang seiner Abhandlung. Diese schmeicheln sich unter dem Schein der Hoheit bey denen am meisten ein, welche sich durch die Schreibart über andere zu schwingen gedenken. Ich würde viel davon sagen können, wenn nicht Herr Werenfels diese Materie so erschöpft hätte, daß man fast nichts hinzu setzen kan. Ich will etwas weniges davon gedenken, und einige Exempel der Deutschen anführen, da derselbe nach seiner Absicht solche nur von den Lateinischen Scribenten entlehnet hat.

Unsere Gedanken entspringen von den Sachen, die wir empfinden, und sich durch die äußerlichen Sinnen dem Gemüthe vorstellen. Die Dinge ausser uns haben unterschiedene Grade: Und wenn die Begriffe mit der Natur der Sachen übereinstimmen; so können die Gedanken nicht niedrig seyn, wenn die Sache hoch ist, die sich die Seele vorstellet. Die Rede ist ein Abdruck unserer Gedanken. Sie bestehet aus Tönen, welche willkührliche Zeichen sind. Von diesen wird erfordert, daß sie so viel möglich ist, die Natur der Sachen andeuten. Hieraus folgt dieses: Wie die Dinge ausser uns beschaffen sind, wovon man redet, so soll auch die Rede beschaffen seyn. Man hat Grund, wenn man der Deutlichkeit wegen alle Reden in drey Classen eintheilet. Durch die Vermischung aber können noch viele Gattungen entspringen. Eigentlich soll die Rede überhaupt so viel Stuffen haben, so viel die Sachen Grade der Hoheit besitzen, davon man reden kan. Einige von den Hohen kommen dem Gipfel der Vollkommenheit näher, andere weniger: Und die mitleren und niedrigen haben gleichfals nicht einerley Stuffen, das heist, eine Sache wird immer höher, als die andere geschätzt. Was vor Behutsamkeit dabey zu gebrauchen ist, und wie sich ein Redner nicht allezeit nach dem Urtheile der Philosophen, sondern öfters nach den Vorurtheilen der Zuhörer richten muß, wird aus der Abhandlung selbst erhellen.

Aus dem Angeführten ist klar: wenn die Sache niedrig ist, so muß auch die Schreibart niedrig, doch nicht bäurisch und allzu abgeschmackt seyn. Ein Knecht muß nicht wie ein Gelehrter; und dieser nicht wie ein grosser Staatsminister oder Feldherr sprechen. Die Begebenheiten einer Privatperson müssen nicht mit solchem Wörterpracht erzehlet werden, wie Qvintus Curtius die Heldenthaten des grossen Alexanders beschreibet. Ist die Sache wichtiger, so muß die Schreibart erhabner seyn; und prächtige Dinge sollen prächtig vorgestellet werden. Ein vernünftiger Mahler muß die Gründe der Optick verstehen und der Natur nachfolgen. Seine Bilder sind desto vollkommener, je vollkommener und ähnlicher sie die Sache vorstellen. Und so bald ein Redner die Natur aus den Augen verlieret, so bald wird sein Vortrag unvernünftig. So lächerlich es ist, wenn jener eine Wüste wie einen prächtig angelegten Garten und eine Strohhütte der Landleute wie einen Königlichen Pallast abschildert: So thörigt würde derjenige handeln, der dem Schäfer eine Rede in den Mund legte, welche so zierlich und feurig wäre, als die Rede des Cicero vor den Archias. Wie viele dieses beobachten, ist bekannt. Die Natur scheinet den meisten gar zu einfältig: Alles muß hoch, prächtig und ausgekünstelt seyn. Wenn der Knecht in seiner Rede keinen Auszug aus der alten und neuen Historie macht, und ein Kammermädchen nicht alle Wunder der Natur in einem Schreiben erzehlet, so taugt keines von beyden. Wer aber hier nicht in gehörigen Schranken bleibt, der Einbildungskraft mehr Freyheit läst, als er soll, und solche nicht durch die Beurtheilungskraft zähmet, der zeuget Meteoren und hochtrabende Reden. Auf wie vielerley Art dieses geschiehet, wird in Herrn Werenfelsens Abhandlung vorkommen. Viele von unsern Landsleuten haben die Spuren der Alten verlassen. Und noch jetzo folgen die meisten lieber den Spanischen Großsprechern, und aufgeblasenen Italiänern, als der Vorschrift der Natur.

Werkregister 8

Johann Jacob Bodmer

Über die richtige Schreibart

Man denckt und schreibt nicht mehr was sich zur Sache schicket /
Es wird nach der Vernunfft kein Einfall ausgedrücket /
Der Bogen wird gefüllt eh man an sie gedacht /
Was groß ist das wird klein / was klein ist groß gemacht.
Da doch ein jeder weiß / daß in den Schildereyen
Allein die Aehnlichkeit das Auge kan erfreuen.   *Canitz.*

Sonnet machte dem Rubeen eine Visite auf seinem Musee / wo er ihn über dem lesen des Vesuvius antraffe / er rieff ihm daher zu: Du bist ein ungemeiner Bücher=Fresser / wo ich dich sehe / ist dein Gefehrte einer von diesen todten Gelehrten. Was das seltzamste ist so hast du nur etliche wenige favorite Autores / und ich habe dich schon etliche mal über dem Opitz angetroffen. Man solte meinen / daß du seine Gedichte auswendig lehrntest. Wenn ich ein Buch einmahl gelesen / so bin ich begierig zu wissen / was ein anders für Gedancken führe.

Rubeen. Du gemahnest mich an einen Reisenden / der die Gegenden / durch welche er köm̄t / nur mit einem flüchtigen Gemüth angaffet / und sich nicht säumet / die Sachen die ihm aufstossen sorgfältig zu beschauen. So offt ich einen von meinen Autorn wieder lese / entdecke ich in demselben etwas neues / das mich belustiget / und meine Curiosität aufweckt. Wie gehet es dir?

Sonnet. Die Weile würde mich zu tod lang düncken / so ich ein Buch zum andern mal lesen müßte. Und ich würde in den Wissenschafften langsam weit kommen / wenn ich deiner Methode folgen wolte.

Rubeen. Vielleicht weissest du eine besondere Manier oder Kunst zu lesen. Wenn dieß ist / so wirst du mich verpflichten / wenn du mich davon underrichten willst.

Sonnet. Meinest du denn / daß es eine Kunst seye zu lesen?

Rub. Ich habe es allezeit gemeint; Ich werde mich aber weisen lassen / wenn du was genugsames einzuwenden hast. Sage mir was ist deine Meinung / sind alle die lesen gleich gute Leser?

Sonnet. Warum nicht? Ich nehme nur diejenige aus / welche die Sprache nicht verstehen in der sie lesen.

Rubeen. Wir wollen sehen. Meinest du / daß es keine Kunst seye ein Buch zu schreiben / und daß einer nicht besser schreibe als der andere?

Sonnet. Dieses wird niemand sagen.

Rubeen. Woher köm̄t es / das ein so grosser Unterscheid zwischen den Scribenten waltet?

Sonnet besonne sich hier ein wenig / darum nahme Rubeen das Wort und halffe ihm auß.

Vielleicht / sagte er / kömmt es daher / weil der eine besser gedencken kan als der andere.

Sonnet. Du redest mir aus dem Hertze.

Rubeen. Vielleicht ist eine andere Ursach / weil der eine seine Gedancken besser außzudrücken weiß / als der andere.

Sonnet. Auch dieses ist wol errathen.

Rubeen. Aus diesem folget / daß derjenige ein guter Schreiber seye / der erstlich wol gedenckt / und dann auch seine Gedancken mit solchen Worten ausdrücket / welche denselben angemessen sind; mit einem Wort / der nicht mehr und nicht weniger sagt / als er gedencket.

Sonnet. Du sagst recht.

Rubeen. Und im Gegentheil wird folgen / daß ein schlimmer Schreiber derjenige seye / der entweder nicht wol gedencket / oder der seine Gedankken mit Worten erklähret / welche bald was anders / bald mehr / bald weniger bedeuten / als er sagen will.

Sonnet. Ich kan nichts darwieder einstreuen / wiewol ich es noch nicht klar genug begreiffe.

Rubeen. Es dünckt mich es habe mit einem Schreiber eine gleiche Bewandtniß wie mit einem Mahler. Muß nicht einer der ein Gemähld machen will erstlich die Natur der Sachen die er mahlen will kennen / und in seinem Kopf / ehe er noch den Pinsel ergreifft / oder die Farben zurustet / von der Grösse / der Stellung / der Proportion / dem Licht und Schatten derselben einen Begrieff zusammen ordnen?

Sonnet. Das ist gewiß.

Rubeen. Muß er nicht *ferner* diese Grösse / diese Stellung / diese Proportion / dieß Liecht und den Schatten / durch die kunstliche Vertheilung und Vermischung seiner Farben so vollkommen bezeichnen / daß er keinen Strich des Originals außlasse / oder einen andern / den es nicht hat / hinzufüge?

Sonnet. Dieß ist die Kunst der Mahler.

Rubeen. Gleiche Procedur machet ein Schreiber. *Erstlich* muß er die Natur der Sachen / die er beschreiben will kennen / und in seinem Kopf / ehe er noch die Feder ansetzet / die Ideen die sie ihm erwecken in eine Ordnung zusammen richten / er muß bey sich beschliessen / abmessen / und wissen / was er sagen wolle. Er muß *ferner* durch den Gebrauch außerlesener Worten eben diejenige Begrieffe ausdrücken / die er selbst von den Sachen gefasset hat / also daß er keine Idee verfliegen lasse die er nicht durch ein Wort bezeichne / und kein Wort brauche / das eine Idee machet / die er nicht im Kopf hat. Die Worte sind bey ihm was die Farben bey dem Mahler / und die Construction was derselben Vermischung.

Sonnet. Du hast meinen Begrieff beleuchtet.

Rubeen. Nun denn / sage mir / was heissest du lesen?

Sonnet. Durch die Worte als Zeichen oder Farben / sich etwas vorstellen / eben wie man sich eine abwesende Sache durch ein Gemählde vorstellet.

Rubeen. Folglich muß ein Leser zwey Dinge thun / 1. muß er die Reden seines Autors so sorgfältig betrachten / daß er kein Wort verfliegen lasse von dessen Bedeutung er nicht eine Idee behalte. 2. Wenn er die Idee eines gantzen Periode zusammen und in eine Ordnung gefüget hat / muß er dieselben mit den Sachen von denen sie kommen selbst vergleichen und ermessen wie nahe sie mit einander übereintreffen / oder wie weit sie von einander entfehrnet seyen. Ein Leser verhält sich gegen einen Autor / wie einer der ein Gemählde beurtheilen will gegen einen Mahler. Dieser letztere muß gleicher massen sich erstlich von einem jeden Lineament des Gemähldes eine eigene Idee machen; zum andern diese Idee gegen das Original desselben halten / und außmessen. Was gedenckest du davon?

Sonnet. Ich stimme überall mit dir ein.

Rubeen. Meinest du nun daß jedermann also lese?

Sonnet. Nein. Ich selbst habe niemahlen also gelesen / es wäre mir zu lang und beschwerlich gewesen mich bey einem Worte nach dem andern aufzuhalten.

Rubeen. Hiermit folget, daß du und alle die nicht also lesen / keine gute Leser seyen; ferner / daß es gute und schlimme Leser gebe / endlich / was wir anfangs nicht gewußt haben / daß es eine Kunst seye zu lesen. Eben daher / weil die wenigsten Leute recht lesen köm̃t nun / daß sie viele falsche Gedancken für gut und richtig annehmen / viele uñatürliche Beschreibungen bewundern / und sich in den Kopf stecken / auch selber viel Worte hervorbringen / die nichts /oder was anders sagen wollen / als sie im Sinn haben.

Sonnet. Du hast mich auf andere Gedancken gebracht / ich habe schon so viele Bücher gelesen / und muß erst innen werden / daß ich noch nicht lesen kan.

Rubeen. Wir wollen versuchen / ob wir weiter hinter die Sache kommen können. Sage mir was haltest du davon / hat es in der Sprache zwey oder mehr Wörter / die doch nur eine eintzige Sache bezeichnen / also daß man ohne Unterscheid das eine oder das andere brauchen kan.

Sonnet. Ob es Synonyma habe? Daran ist nicht zu zweiffeln.

Rubeen. Wie mag es geschehen seyn / daß die Menschen einer Sache in einer Sprache zween / drey / und mehr Nahmen gegeben haben?

Sonnet. Das kan ich dir nicht sagen / ich bin nicht bey ihnen gewesen.

Rubeen. Meinest du aber / daß es nothwendig gewesen seye?

Sonnet. Ich habe gelehrnet / daß die Synonyma darzu dienen / damit man abändern könne.

Rubeen. Nenne mir einige Synonyma.

Sonnet. Wissen / meinen / glauben / dafür halten / sich bedüncken lassen.

Rubeen. Meinest du denn / daß diese Wörter eines sagen wollen?

Sonnet. Was sonst?

Rubeen. Ich lasse dir wol gelten daß sie von dem Pöbel in der gemeinen Rede für Synonyma gebraucht werden / aber ich will dir zeigen / daß ihre Bedeutung in der That unterschiedlich ist. Derjenige *weiß* / der Grund um eine Sache hat. Der *meint* / der von einer Sache nicht vollkommen versicheret ist. *Glauben* beziehet sich auf eines andern Außsag. *Dafür halten* ist gegen einen andern seine Meinung eröffnen. *Sich bedüncken lassen* wird von sichtbaren Sachen gebrauchet.

Sonnet. Du schwatzest mir viel vor / aber du sagst keine Gründe.

Rubeen. Wenn man dir erzehlet / es seye ein Miriveis / ein Sophi, ein Czaar / so *gläubest du es* / aber wenn du sie gesehen hast / so *weissest* du es. Man gläubt alle historica.

Sonnet. Ich fasse dich.

Rubeen. Sage mir noch andere Synonyma.

Sonnet. Erfahrenheit / Erfahrung.

Rubeen. Diese sind unterscheiden wie Experientz und Experiment der Lateiner.

Sonnet. Liebe / Liebes=Flamme / Liebes=Feuer / Brunst.

Rubeen. *Liebe* ist das eigene Wort einer Neigung / die andern sind Metaphoren / die eine starcke / ungestüme / und peinliche Liebe andeuten.

Sonnet. Aber es giebt doch Aequivoca / oder Wörter die zwo Sachen zugleich bedeuten.

Rubeen. Ich finde keine / weissest du dergleichen?

Sonnet. Zum Exempel / Grillen fangen / einem das Hertz stehlen.

Rubeen. Ich weiß wol daß es Metaphoren giebt / aber ich zweifele / ob es Aequivoca gebe. *Grillen* heissen eigentlich eine Gattung uñützlichen / und schädlichen Ungeziefers; darum sagt man von einem der sich mit unnützlichen Gedancken schleppet / er *fange Grillen* / und die Sachen selbst / die er in seinem fantastischen Gehirn gesammelt hat / werden *Grillen* genannt. *Einem das Hertz stehlen* ist ebenfalls eine Metaphora die nicht nöthig zu erklären.

Sonnet. Aber das Wort Stein / das einen Stein bedeutet und eine Kranckheit.

Rubeen. Es bedeutet beyde mahle nichts anders als einen *Stein* / deñ auch diese Krankheit / die Stein geheissen wird / ist ein rechter Stein der in dem Menschen gezeuget wird und wächßt.

Sonnet. Gesetzt denn / daß es weder Synonyma noch Aequivoca gebe / was willst du damit sagen?

Rubeen. Ich ziehe daraus die wichtige Regel / daß ein Leser einem jeden Wort seine eigene und besondere Bedeutung geben müsse. Es ist leicht zu begreiffen / wie schädlich einem Leser das Vorurtheil seye / daß es Synonyma und Aequivoca gebe / denn er kömmt also ausser den Stand einen vollkommenen Begrieff von den Gedancken seiner Autoren zu fassen / indem ihm die wahren Ideen von allen diesen Wörtern und Metaphoren / die er für Synonyma und Aequivoca hält / ausbleiben werden. Wenn du dieß alles wol begrieffen hast / so will ich dir die gantze Kunst zu lesen mit etlichen Exempeln weisen. Mir fällt gleich unter den Hoffmannswaldischen Gedichten des Neukirchs Glückwunsch auf der Melinde Namens=Tag ins Gesicht:

Auf schönste, tauche dich in Milch und Rosen=Blut.

Was wollen diese Worte sagen?

Soñet. Nimm eine gute Farbe an.

Rubeen. Es mag seyn / daß der Autor diese Idee in dem Kopf gehabt hat; aber du must einem jeden Wort seine eigene Idee geben. Erstlich hast du hier *Rosen=Blut* / haben die Rosen Blut?

Sonnet. Nein / aber wol ein Wasser das daraus gebrennt wird.

Rubeen. So kan vielleicht seyn / daß der Poet Rosen=Blut für Rosen=Wasser gesetzt hat. Was würdest du dir nun fürbilden / wenn ich dir von einer Person sagte / sie habe ihren Kopff in Milch= und Rosen Wasser getauchet?

Soñet. Ein Geschirr mit Milch / unter welche Rosen=Wasser gemischet ist / und einen der den Kopff darein stößt.

Rubeen. Diese Zeile /

Auf schönste, tauche dich in Milch und Rosen=Blut.

stellet uns denn ein Geschirr voll Milch vor / die mit Rosen=Wasser vermischet ist / und einen Poete der zu einer Schönen sagt / sie solle den Kopff darinne baden.

Soñet. Ha / ha / ha!

Rubeen. *Laß deinen Mund=Rubin erfrischte strahlen fangen.*

Was ist ein Mund=Rubin?

Soñet. Ein Mund von Rubin.

Rubeen. Rubin=Mund ist ein Mund von Rubin / aber Mund=Rubin ist ein Rubin für den Mund / vielleicht denselben in die Lippen einzusetzen / wie die Indianer pflegen. Was bildest du dir ferner für eine Geschicht ein / so man dir sagt / *ein Rubin habe erfrischte strahlen gefangen, man habe die Strahlen eines Rubins erfrischet?* Was ist einen Strahl erfrischen? Ihn erkühlen / oder ihm neue Strahlen geben? Wie geht das zu?

Sonnet. Ich weiß es nicht / und vermeine / daß es der Autor selbst nicht wisse.

Rubeen. Ich lese fort.

Und streich den trüben Schaum der herben Thränen=Fluth.

Und das vergiffte Saltz von deinen Purpur=Wangen.

Sage mir die Ideen / die dir ein jedes von diesen Worten erwecket / nach einander.

Sonnet. Augen / von denen herbe Wällen von Thränen=Wasser fliessen / Wangen / auf welchen diese Wällen rinnen / ein trüber Schaum auf diesen Wällen Thränen / Thränen / die vergifftet sind / und Thränen die gesaltzen sind.

Rubeen. Hat man jemahlen dergleichen Sachen gesehen? Die Augen geben keine Wällen / sondern nur wenig Tropffen Wasser. Wangen sind kein Feld worauf sich Wällen ergiessen können. Die Thränen machen keinen Schaum / sie sind auch nicht trüb / noch vergifftet / noch gesaltzen. Wir wollen ein Exempel aus Hunolds Neben=Stunden nehmen.

= = = *Welche Kupffer=Berge.*

Erscheinen im Gesicht, und grün und gelbe Zwerge.

Von Finnen, die berühmt, stehn immer auf der Hut.

Was führen diese Worte für eine Bedeutung mit sich.

Sonnet. Ein Angesicht auf welchem Berge stehn / und grün und gelbe Zwerge Wache halten. Ha / ha.

Rubeen. *Daß nicht die Mäsigkeit ihr Feind den Einbruch thut*

Siehest du / er nimmt die Mässigkeit für ein wirckliches Wesen / das mit grünen und gelben Zwergen / das ist Finnen / im Streit begriffen ist.

Sonnet. Er ist närrisch. Weise mir nun eine natürliche Beschreibung.

Rubeen. Lasset uns deñ etwas aus Opitz lesen.

> *Wo die Violen vor bey solcher Frühlings=Zeit*
> *Im grünen liessen sehn ihr Wolcken=blaues Kleid*
> *Wächßt Raut und Wermuth auf = = =*

Werden die Wolcken=blauen Blätter der Violen nicht artig ein Kleid genannt?

Sonnet. In der That. Sie bedecken die Blumen / und thun ihnen den Dienst / welchen die Menschen von den Kleidern empfangen.

Rubeen. Und daß diese blauen Blümchen in dem grünen Grase stehn / wird sorgfältig beschrieben / weil dieser Absatz trefflich dienet / die Farbe der Violen zu erhöhen. Höre jetzt eine Beschreibung der Ankunft der Sternen.

> *Wann sich Hesperus macht an des Himmels Dach,*
> *Und zeucht der Sternen Heer ihm sämtlich hinten nach.*

und der Verschwindung derselben

> *= = = = Wann zu Morgen*
> *Aurora sehen läßt ihr Rosen=rothes Haar,*
> *Und mit dem klaren Schein umhüllt der Sternen Schar.*

Sonnet. Der Abendstern ist der erste an dem Himmel / und die andern Sternen alle folgen ihm nach / wie ein Heer Soldaten ihrem Führer. Der Aurora wird ein Rosen=rothes Haar zugeschrieben /weil dieses die eigentliche Farbe ist / die der Himmel annimmt / wann der heitere Schein der ankommenden Sonne das Auge verhindert die Sternen länger zu sehen / und sie ihm verbirgt.

Rubeen. Du hast es wol beobachtet. Diejenige / die diese Kunst zu lesen brauchen / werden nicht ermangeln den guten Geschmack in der Beredsamkeit zu erlangen.

Werkregister 57

MICHAEL CONRAD CURTIUS

aus   Abhandlung von den Gleichnissen
und Metaphern.

§. 17.

Gleichnis-
se können
in einem
Gedichte
gebraucht
werden.

Ich habe bisher den theoretischen Theil der Lehre von den Gleichnissen abgehandelt, alle wesentliche Eigenschaften derselben in ein gnugsames Licht gesetzet, und, wo ich mir nicht zu viel schmeichele, hinlänglich erwiesen. Ich muß nun noch den Gebrauch der Gleichnisse, sowohl in Gedichten überhaupt, als in den verschiedenen Gattungen derselben, zeigen. Dieses lässet sich aus der Erklärung eines Gedichtes herleiten. Ich verstehe nemlich durch ein Gedicht eine vollkommen sinnliche Rede. Diese Erklärung hat zu verschiedenen Streitigkeiten Anlaß gegeben. Jedoch, so leicht es wäre, ihre Richtigkeit, aus der Natur der Dichtkunst, zu zeigen; so brauchet doch eine Erklärung, welche *Baumgarten* erfunden, und *Meyer* vertheidiget, meiner Schutzrede nicht.

Ein Gleichniß zeiget eine Sache mit dem Bilde einer andern verknüpfet, und bringet also die Vorstellung derselben zu einer grössern äusserlichen Klarheit. Je mehr äusserliche Klarheit eine Sache hat, destolebhafter stellet sich dieselbe unsern Sinnen vor, und destosinnlicher sind auch diese Vorstellungen. Da nun sinnliche Vorstellungen für das Gedicht gehören, Gleichnisse aber zu sinnlichen Vorstellungen führen; so haben Gleichnisse Platz in einem Gedichte.

§. 18.

Die Bestimmung des rechten Ortes eines Gleichnisses in einem Gedichte hänget von der Beschaffenheit der in einem Gedichte vorzustellenden Vorwürfe ab. Die Natur ist eine unerschöpfliche Mutter aller Dinge, die Sprache aber hat ihre Erfindung nur den Bedürfnissen des menschlichen Lebens zu danken, und ist folglich viel ärmer, als die Natur. Unseren Sinnen stellen sich täglich tausend Gegenstände vor, welche die Sprache mit eigentlichen Worten nicht auszudrucken vermag. Hier muß man seine Zuflucht zu Gleichnissen und Metaphern nehmen, und diese sind bisweilen verwegener, als es die strengen Regeln der Gleichnißreden zu erlauben scheinen: allein, der Gebrauch zu reden hat ihre Kühnheit nicht nur erträglich gemacht, sondern man braucht sogar diese Redensarten, ohne einmahl Achtung zu geben, ob es Gleichnißreden sind. *Cicero* drucket sich hierüber aus;[*] *„Tertius ille modus transferendi uerbi late patet, quem necessitas genuit inopia coacta et angustiis, post autem delectatio iucunditasque celebrauit. nam ut uestis frigoris depellendi caussa reperta primo, post adhiberi coepta est ad ornatum etiam corporis et dignitatem: sic uerbi translatio; instituta est inopiae caussa, frequentata delectationis: Nam gemmare vitis luxuriem esse in herbis, laetas segetes; etiam rustici dicunt quod enim declarari uix uerbo proprio potest, id translato cum est dictum, illustrat id, quod intelligi volumus, eius rei, quam alieno verbo posuimus, similitudo."* Gleichnisse von dieser Beschaffenheit sind nicht der eigentliche Vorwurf meiner Abhandlung.

Die fruchtbare Schooß der Natur verschliesset Dinge, deren wesentliche Theile so ineinander verstecket sind, daß sie sich den Sinnen des Menschen gänzlich, oder doch größtentheils, entziehen, und den Verstand selbst nur dunkle Begriffe von sich fassen lassen. Die Begriffe von den einfachen Dingen, der Seele, und unzähligen Würkungen der Natur, sind solche Geheimnisse, die der menschlichen Einsicht Schranken setzen, und den Stolz des Weltweisen demüthigen. Es giebt hiernächst Dinge, welche nur eine Verhältnißwahrheit *(Veritatem relatiuam)* haben, wovon sich der Verstand, ohne

Bestimmung des rechten Orts der Gleichnisse.

[*] de Oratore Lib. III. c. 38.

Zusammenhaltung mit andern, keinen Begriff machen kan. Hieher gehören die stärksten Waffen des Meßkünstlers, die Lehre von der Grösse, Menge, Raum, Bewegung, Zeit und Ewigkeit. Bieten sich dem Witze des Dichters Gegenstände von diesen beyden Arten an, so ist er nicht im Stande, dieselbe sich allein gelassen mit der Klarheit vorzustellen, welche ein Gedicht fodert. Er nimmt daher seine Zuflucht zu einer andern Sache, welche mit dieser ähnlich ist, und sucht die dunkeln und unsinnlichen Eigenschaften des einen Vorwurfs durch die bekannten und sinnlichen Eigenschaften des andern zu erklären. Die klärere Vorstellung einer dunkeln, und die sinnliche Vorstellung einer unsinnlichen Sache ist daher ein rechtmäßiger Grund, ein Gleichniß zu gebrauchen. Der Hauptsatz war, ohne den Beziehungssatz, dunkel; die Aehnlichkeit muß daher so deutlich seyn, und so leicht wahrgenommen werden können, als nöthig ist, dem Leser von dem Hauptsatze einen klaren Begriff zu erwecken. Dieses sind *erklärende Gleichnisse, (explicantia)*. Alle Ausdrücke, da man die Handlungen der Gottheit unter menschlichen Gliedmaassen abschildert, oder den Würkungen der Seele die Namen sinnlicher Vorwürfe beyleget, sind erklärende Gleichnisse. Unsere Dichter sind mit Beyspielen erfüllet. Ich will nur einige, ohne alle ängstliche Wahl, aus dem *Haller* anführen; *Die Furcht, der Seele Frost: der Flammenstrom, der Zorn: des Kummers tiefer Dorn: der Liebe Folterbett: das Gute, das versäumt, das Böse, so begangen, die Mittel, die verscherzt, sind eitel Folterzangen, von steter Nachreu heiß, etc.*

Andere Vorwürfe eines Dichters können zwar ohne Gleichnisse verstanden werden, und sind vielleicht auch sinnlich; sie erhalten aber eine grössere äusserliche Klarheit, wenn sie mit einem Gleichnisse vorgetragen werden. Die Erhaltung einer grössern äusserlichen Klarheit ist die Absicht des Dichters. Der zweyte Grund, Gleichnisse zu gebrauchen, ist daher, wenn dadurch die vorgetragenen Sachen eine grössere äusserliche Klarheit erhalten. Dieses sind *erleuchtende Gleichnisse, (illustrantia)*. So oft also der Beziehungssatz den Hauptsatz nicht in einem grössern Lichte darstellet, sondern ihn wohl gar verdunkelt, so oft setzet der Dichter den Zweck eines Gleichnisses aus den Augen. Wenn uns *Postel* das Bild der Wangen und Stirne seines Gottfrieds entwerfen will, so schreibt er;

> Die Wangen recht zu loben,
> sammt seiner Stirnen Pracht, so war es anzusehn,
> als wenn Granatenkern auf silbern Tellern stehn.

durch welches Gleichniß gewiß kein Mensch eine klärere Vorstellung von Gottfrieds Gesichtsbildung erhalten wird. So unverständlich, oder wenigstens unzureichend, waren die meisten Gleichnisse der *Lohensteinischen Schule*. Vergebens bot Europa diesen Dichtern die Werke der Natur und Kunst dar: alles Einheimische blieb von ihren Gleichnissen ausgeschlossen. Man holte dieselbe aus den südlichen Weltgegenden; Tavernier und Dapper

wurden ohne Barmherzigkeit geplündert: und war der Dichter ein Latei-
nischgelehrter, so wurden noch alle Götter und Fabeln der Mythologie in ein
Gedicht zusammengeworfen. Zwar wir verbieten dem Dichter so wenig den
Gebrauch der Mythologie, als unbekannter Gleichnisse: er muß dieselbe aber
so schildern, daß sie in Ansehung des Lesers eine sattsame Klarheit haben,
wofern er nicht ein *Galimatias,* d.i. eine unverständliche Mischung der
Gleichnisse und Metaphern, machen will. Ich würde dem Leser keine bessere
Muster vorlegen können, als Herr Prof. *Gottsched* aus etlichen sich übersteig-
genden Dichtern gesammlet hat; ich werde mich also bloß auf ihn berufen.*

Ist nun die Klarheit des Gedichts der Zweck der Gleichnisse; so würde ein
Dichter wider seinen Zweck handeln, wenn er Gleichnisse an solchen Stellen
anbringen wolte, die für sich schon ein gnugsames Leben und äusserliche
Klarheit haben. An Oertern hingegen, welche trocken, und nicht gnugsam
sinnlich sind, müssen sie mit destoreicherm Maasse ausgestreuet werden.
Insbesondere aber muß ein Dichter bey dem Gebrauch derselben die poetische Ordnung in Acht nehmen, nach deren Gesetzen Klarheit und Licht in
einem Gedichte stuffenweis zunehmen, und niemals schwache und starke
Gleichnisse ohne Unterscheid vermischet werden müssen. Ich will annehmen; es sollen zur Erläuterung eines Satzes vier Gleichnisse aufeinander folgen. O hat eine grosse äusserliche Klarheit; P ist noch klärer; Q ist nicht so
klar, als O, und R nicht so klar, als Q. Hier ist die Folge dieser Gleichnisse,
nach den Gesetzen der poetischen Ordnung, nicht O. P. Q. R. oder auf einige
andere Weise, sondern R. Q. O. P. In dieser poetischen Lehrart liegt der
Grund, warum die Kunstrichter den Dichtern allezeit einen gemässigten und
niedrigen Anfang ihrer Gedichte angerathen haben. Aus unserer ganzen Betrachtung folgt nun von selbst, daß der Dichter, beym Gebrauch der Gleichnisse, nicht eine einzelne Stelle des Gedichts vor Augen haben, sondern auf
den ganzen Umfang und Endzweck desselben sehen, und nach dieser Erkenntniß die Gleichnisse sparsam oder überflüßig ausstreuen, und sorgfältig
verhüten müsse, daß nicht ein verschwenderischer Gebrauch Dunkelheit und
Unverständlichkeit über sein Gedicht verbreite, eine allzukarge Hand aber
dasselbe trocken mache.

Ein Kunstgriff, die Abwechselung des Lichts und der Lebhaftigkeit zu
erhalten, lieget in der Neuigkeit der Gleichnisse. Dreytausend Jahr sind es
schon, da fast in allen Gleichnissen nur die Sonne scheinet, oder der Löwe
brüllet. Was ist es denn Wunder, daß ihre Stralen nichts ergetzendes, und die
Wuth des Löwen nichts fürchterliches mehr für uns hat? sie gehören zu den
abgenützten Gleichnissen, welche man zwar zu einem nothdürftigen Gebrauch etwas wieder aufputzen, nicht füglich aber Staat damit machen kan.
Gedenket daher, ihr Dichter, entweder auf neue Gleichnisse und Metaphern,
oder wenigstens erfindet neue Verhältnisse alter Vergleichungen!

---

* Siehe dessen Dichtkunst.

Endlich ist noch ein Unterscheid in Ansehung des Orts der Gleichnisse zu bemerken. Ausführliche Gleichnisse ziehen die Gedanken des Lesers gleichstark auf zween Vorwürfe, und zwingen uns, eine aufmerksame Vergleichung zwischen beyden anzustellen. Eine Metapher aber zeiget uns den einen Vorwurf nur in einiger Entfernung, und im Vorbeygehen, und nöthiget uns nicht, unsere ganze Aufmerksamkeit dahin zu lenken. Ist also der Vorwurf eines Dichters nicht wichtig gnug, die Anstrengung unserer Sinnen zu verdienen; so gebrauche ich Metaphern: andernfalls aber Gleichnisse. Der Eindruck eines Vorwurfs wird lebhafter, wenn er von schwächern Vorwürfen umgeben wird, die unsere Aufmerksamkeit nicht stark auf sich ziehen. Will daher ein Dichter sich durch seine Gleichnisse Ehre machen; so muß er dieselbe mit Metaphern untermischen, so muß er diese häufiger gebrauchen, als jene; weil eine ununterbrochene Folge der Gleichnisse eine allzustarke Lebhaftigkeit verursachen, diese aber unsere Sinnen übertäuben, und eine Dunkelheit zuwege bringen kan.

§. 19.

Die Gleichnisse müssen die Natur nachahmen.

Die Dichtkunst muß, wie alle Wissenschaften, welche unserer Betrachtung sinnliche Vorwürfe darbieten, eine Nachahmung der Natur seyn: und zwar entweder derjenigen Natur, welche die Quelle aller Veränderungen in dieser unserer Welt ist; oder einer Natur in einer neuen Welt, die etwa ein Dichter durch seine fruchtbare Einbildungskraft erschaffet, mit neuen Gesetzen versiehet, und zum Vorwurf seines Gedichts macht. Ich klebe noch zu sehr an den Veränderungen dieser unserer Erden, als daß ich mich zur Betrachtung der Gleichnisse einer fremden und überirdischen Dichtkunst erheben solte. Ich bin glücklich gnug, wenn meine Regeln für die Gleichnisse unserer Welt zulänglich sind.

Ein Dichter, der sich die Natur, in welche ihn der Schöpfer gesetzet hat, zum Vorwurf seiner Muse erwählet, stellet alle Dinge mit solchen Umständen vor, worin sie entweder nach der Natur sich würklich befinden, oder doch wahrscheinlicher Weise befinden können. Die Reden müssen daher in dem Munde der durch den Dichter vorgestellten Personen, dem Stande des Redenden, seinen Umständen und Leidenschaften, gemäß seyn. *Horaz* schreibt in seiner Dichtkunst den Dichtern diese nothwendige, aber wenig beobachtete, Gesetze vor, die in den Gebrauch der Gleichnisse einen so starken Einfluß haben. Die Sprache des gemeinen Lebens drucket sich nicht durch ausführliche Gleichnisse, oder entfernte Metaphern, aus: ihre Vergleichungen sind kurz, einfältig, und von offenbarer Aehnlichkeit. Schildert ein Dichter Charakter von Personen dieser Art; so müssen die Gleichnisse ihnen nur sparsam in den Mund geleget werden, und niemals die Kunst des Dichters verrathen.

Der Affect ist ein hoher Grad der sinnlichen Klarheit. Wir können, ohne die Klarheit unserer ersten Vorstellung zu schwächen, keinen grossen Grad unserer Aufmerksamkeit auf andere Vorwürfe wenden. Da nun ein Gleichniß einen grossen Grad der Aufmerksamkeit erfodert; so duldet eine affectvolle Rede keine ausführliche Gleichnisse, aber wohl Metaphern, bey welchen die Aehnlichkeit der Vergleichungssätze nicht versteckt ist, oder die durch den Gebrauch unter den eigentlichen Redensarten das Bürgerrecht gewonnen haben.

Die Dichter sind einmahl in dem Besitz, daß sie von den Musen begeistert werden, und daß die Regungen der Gottheit sich mit ihren Tönen vermischen. Eine Person von so erhabenem Charakter spricht daher der ihn beseelenden Gottheit gemäß. Kühne Gleichnisse, verwegene Metaphern, die man bey einem Redner nicht dulden würde, sind einem Dichter nicht nur erlaubt; sondern er ist verbunden, wenn er in eigner Person redet, den Musen auch, durch eine von dem Pöbel unterschiedene Sprache, Ehre zu machen.

Werkregister 69

Johann Heinrich Zedlers Universallexikon

Genie.

Genie, Genius, ein langsamer oder hurtiger, durchdringender und scharffer, oder stumpffer und schwacher Trieb oder Wesen des dem Menschen beywohnenden Verstandes im Judiciren und Aussinnen, den Wohlstand eines Dinges zu begreiffen, oder dessen zu verfehlen. In jenem Verstande wird denen Künstlern, die eine scharffe Penetration haben, und ihr Werck wohl auszurichten wissen, das Prädicat beygeleget, daß sie einen grossen Genie haben. Gleich wie man hingegen von schlechten Künstlern saget, daß sie pauvres Genies sind. Ob nun wohl die Natur bey einem Menschen vor dem andern in Austheilung eines Genie sich freygebig oder spahrsam, gleich bey seiner Geburts=Stunde erweiset, so ist doch auch nicht zu verneinen, daß unermüdeter Fleiß und Arbeit, viel lesen, sehen und hören ein sonst von Natur stumpffes Ingenium einigermassen poliren könne, daß es denen natürlich damit begabten an Kräfften gleich komme, ja noch vielmahl übertreffe. Bey denen Mahlern will in Ausfertigung ihrer Wercke der Genie sonderlich exprimiret seyn, man suchet darinnen, wie weit sich des Mahlers Verstand erstrecke, ob er die Delicatesse wohl auszudrucken, und die Kunst=Regeln gut zu obseruiren gewust habe, ob er fleißig, nach einer leichten Art, fruchtbar in Idéen, sinnreich in der Conception, Lieblichkeit und Annehmlichkeit gewesen sey. Eben also gehet es auch bey andern Künstlern, sonderlich bey denen Mechanicis, deren Verstandes Stärcke und Penetration, der Sachen Ursach, Würckung und Entzweck man schon im Geiste von ferne siehet; ein schwaches Ingenium hingegen das geringste Accidens oder unverhoffte Circumstantz, in Unordnung und dergestalt aus sich selbst bringet, daß es sich weder zu rathen noch zu helffen weiß.

Werkregister 262

JOHANN CHRISTOPH GOTTSCHED

Die Haupteigenschaft des Dichters

Ich sage also erstlich: Ein Poet sey ein geschickter Nachahmer aller natürlichen Dinge; und dieses hat er mit den Mahlern, Musicverständigen u. a. m. gemein. Er ist aber zum andern von ihnen unterschieden, durch die Art seiner Nachahmung, und die Mittel, wodurch er sie vollziehet. Der Mahler ahmet sie durch Pinsel und Farben nach; der Musicus durch den Tact und die Harmonie; der Poet aber durch eine tactmäßig abgemessene, oder sonst wohl eingerichtete Rede; oder welches gleich viel ist, durch eine harmonische und wohlklingende Schrifft, die wir ein Gedichte nennen.

So fremde vielen diese Beschreibung eines Dichters vorkommet, so vollständig und fruchtbar ist sie in der That. Ein Poet wird dadurch nicht nur von den obgedachten freyen Künsten; sondern auch von allen andern Theilen der Gelehrsamkeit unterschieden. Ein Geschichtschreiber soll nicht nachahmen, was die Menschen zu thun pflegen, oder wahrscheinlicher Weise gethan haben könnten, thun sollten oder würden, wenn sie in solchen Umständen befindlich wären: sondern man fordert von ihm, daß er getreulich dasjenige erzehlen solle, was sich hier oder da vor Begebenheiten zugetragen. Ein Redner soll nicht nachahmen was andre Leute thun; sondern die Leute überreden, etwas vor wahr oder falsch zu halten, und sie bewegen etwas zu thun oder zu lassen. Ein Weltweiser ist gleichfalls von der Nachahmung sehr weit entfernet, indem er uns die Gründe von der Möglichkeit aller Dinge untersuchen lehret. Wie die Rechts=Gelehrsamkeit, Arzeney=Kunst und andere Wissenschafften mehr von der Poesie unterschieden sind, das wird ein jeder selbst leicht abnehmen können.

Werkregister 119

JOHANN HEINRICH ZEDLERS UNIVERSALLEXIKON

aus   Einbildungs-Krafft.

Eigentlich ist die Imagination eine Krafft des Verstandes, dadurch ein Mensch die Ideen derer Sachen, die Vermuthungen und Erdichtungen des Ingenii, ingleichen die Gedancken des Iudicii nicht allein mercket, sondern auch dieselben, nach allen ihren Eigenschafften dem Willen, als gegenwärtig und als etwas würckliches vorstellet, also, daß wir über solche Vorstellung eine Belustigung oder Eckel, eine Begierde oder einen Abscheu empfinden; welche wir hingegen nicht empfinden würden, wenn wir die Obiecta der gedachten Gemüths=Würckung, als abwesend, betrachteten. Es ist leicht zu erachten, daß GOtt unsern Verstand nicht bloß vergebens, oder zu unserm Verderben, mit dieser starcken Fähigkeit des Gemüths ausgerüstet. Denn wäre unser Verstand mit keiner Imagination begabet, so würden alle Würckungen desselben, nemlich alle unsre Gedancken entweder gar bald aus unsern Gemüthe wieder verschwinden, oder zum wenigsten von nicht so grossem Eindrucke seyn, daß sie wegen der Abwesenheit derer Objecte unsern Willen bewegen würden. Unsre Begriffe und Gedancken mögten auch so genau und so gründlich seyn, wie sie wollten, so würden sie doch nur zu der theoretischen Erkenntniß gehören. Sie würden auf keine Weise unser Gemüthe belustigen oder beunruhigen können, weil die Objecta abwesend und krafftloß wären. Da aber der Wille durch die Belustigung des angenehmen, und den Eckel des unangenehmen gereitzet wird, so muß das Obiectum gegenwärtig seyn, damit es solche bey uns errege. Eine solche, aus dem Mangel der Imagination entstehende Schläffrigkeit würde der Absicht GOttes zuwieder seyn. Deñ dieser hat uns eben deswegen den Verstand gegeben, um die erkannten Sachen nach dem Masse der Erkenntniß entweder zu begehren oder zu fliehen. Ist also die Einbildungs=Krafft, wenn sie gehöriger masse gebraucht wird, der Absicht GOTTes gemäß, *Müllers* Anmerck. über *Gracians* Orac. Max. 24. p. 153. Man pflegt von denen Kräfften und besondern Würckungen der Einbildungs=Krafft, doch nur in dem Verstande, wie sie auf die sinnlichen Ideen geht, sehr viel zu reden. So viel man davon in denen Historischen, Philosophischen, auch Medicinischen Büchern antrifft, so lassen sich solche Würckungen in zwey Classen bringen. Einige äusern sich bey denen Imaginanten selbst, andre bey fremden Obiectis ausser der Person, die sich was einbildet. Wegen der letztern Art giebt es mehr Bedencklichkeit, als wegen der erstern, ob nemlich unsre Imagination in einem fremden Obiecto etwas würcken könne oder nicht? Wir reden hier nicht von einer äuserlichen imaginativen und lebhafften Vorstellung; von dieser ist kein Zweifel, daß sie bey andern viel würcket, zumahl wenn die Imagination mit gewissen Adfecten verbunden ist, und der Zuhörer oder Leser einerley Temperament mit dem Autore hat; Es bestehet darinnen sonderlich die Stärcke eines Redners und Dichters, daß er durch seine lebhaffte Einbildungs=Krafft die Gemüther derer andern einnehmen köñe. Wie mancher wird nicht bey der Lesung einer lebhafft geschriebenen Liebes=Geschichte verliebt; Ein andrer bey einer Tragödie betrübt, und in besondern Fällen mitleidig oder zornig, u. s. w. Der Pöbel wird durch eine solche Vorstellung weit mehr gerühret, als durch den gründlichsten Vortrag, weswegen sich denn auch Geistliche derselben bedienen können.

Werkregister 262

JOHANN ELIAS SCHLEGEL

aus Abhandlung von der Unähnlichkeit
in der Nachahmung.

So hoch ich auch die Nachahmung schätze, so kann ich sie doch nicht unter die hohen und würdigen Dinge rechnen, die man, wie die Tugend, bloß um ihrer selbst willen, unternehmen muß.

Ich will von meinen Lesern zuerst nur wenig fodern. Man wird mir wenigstens so viel zugeben, daß man die Nachahmung deswegen unternimmt, damit andere die Aehnlichkeit derselben wahrnehmen mögen. Dieses ist der letzte Endzweck des Nachahmens noch nicht. Aber er ist derjenige, durch welchen die übrigen erhalten werden. Eine Nachahmung ist todt, welche von niemanden beobachtet wird, und belohnet demjenigen seine Mühe schlecht, dem sie ihren Ursprung zu danken hat. Ist es aber wahr, daß wir nachahmen, damit andere die Aehnlichkeit unserer Bilder mit ihren Vorbildern bemerken; so müssen wir so nachahmen, daß unser Bild mit dem Begriffe, welchen andere von dem Vorbilde haben, übereinkömmt. Denn nach ihren Begriffen werden sie uns richten, und unsere Bilder entweder als ähnlich loben, oder als unähnlich tadeln und verachten. Wovon hat man aber Begriffe, die mit der Sache selbst genau übereinkommen? Zur Noth von demjenigen, was zu unsern Zeiten geschieht, und auch von diesem nicht allezeit.

Ahmet man aber wohl dem am meisten nach, was zu unsern Zeiten geschieht? Wo bleiben denn die Helden des Alterthumes, die man auf unsern Schaubühnen lebendig machet? Kann sich unter uns, die wir uns der Gelehrsamkeit widmen, ich will nicht sagen, unter dem Volke, jemand rühmen, daß er den wahren *Agamemnon*, den wahren *Achilles*, den wahren *Brutus* kennet? Die Zeit, die den Ruhm der Menschen, wenn er gering ist, noch mehr verringert, wenn er aber groß ist, vermehret und höher hebt, hat diese Helden in unsern Gedanken weit über ihr gewöhnliches Maaß vergrößert. Ihr Menschliches ist an ihnen gestorben, und ihr Göttliches lebet allein noch in unserem Angedenken, und es lebet nicht nur, sondern es hat auch von der Zeit, die sonst nichts unverzehrt läßt, seinen Zusatz erhalten. Entfernte Dinge verkleinern sich vor unsern Augen, aber entfernte Helden sehen in unsern Gedanken allezeit größer aus. Ja, wie wollen wir sagen, daß wir nicht falsche Begriffe von den Helden der vergangenen Zeiten haben; da wir überhaupt von den gekrönten Häuptern selten richtig denken? Es ist billig, daß uns die Ehrfurcht hindert, an den Göttern dieser Welt *den Menschen* wahrzunehmen. Die Pflicht billiget sogar die falschen Begriffe von unsern Beherrschern, weil sie unsern Gehorsam befördern; und unsere Vorurtheile von den Großen der Welt sind glücklich; weil wir uns unglücklicher achten würden, wenn wir diejenigen, die über uns sind, uns gleich schätzeten. Kurz, wir haben von einem großen Theile der Dinge, denen wir nachahmen, falsche Begriffe. Saget man, daß nur der Pöbel sich durch den Schein blenden lasse, und die Helden sich größer vorstellen, als sie es verdienen; so werden sehr wenige seyn, die in diesem Falle nicht zum Pöbel gehören. Gesetzt, man bestreitet seine Vorurtheile, und findet ein Mittel, die Großen zu betrachten, ohne von ihrem Glanze geblendet zu werden; wie lange können wir wohl dieses Glas, welches ihnen die Stralen benimmt, vor den Augen behalten? Unser Verstand dringt auf einige Minuten in ihre Cabinette. Er sieht darinn eben sowohl, als in den Zimmern der Niedrigen, hier einen *Tartüffe*, dort einen *George Dandin*, dort einen *Sganarell*. Aber kaum wird unsere Einbildungskraft rege gemacht; so messen wir dem Rufe wieder Glauben bey, den wir vorher Lügen gestraft, und wir können die Bilder nicht verlöschen, die wir uns aus der allgemeinen Meynung der Leute gemacht haben.

Ich brauche die Großen und die Helden in der Welt, zum Exempel, nicht aus einem Mangel der Ehrfurcht gegen sie, sondern weil sie die vornehmsten Gegenstände der Nachahmung sind. Ich will an ihnen zeigen, wie falsch die Bilder sind, welche unsre Einbildungskraft von den Dingen hat, die wir insgemein nachahmen. Wenn wir die Beschaffenheit der Begriffe der Menschen untersuchen, so werden wir sie in noch mehrern Dingen falsch befinden. Auch sogar da, wo wir mit dem Verstande zur Wahrheit durchgedrungen sind, wird unsere Einbildungskraft unserm Verstande noch widersprechen. Wir werden anders urtheilen, wenn wir die wahre Beschaffenheit der Sache untersuchen; und anders, wenn wir Vorbild und Bild in unsern Gedanken gegen einander halten. Wir wissen, wie oft es Große gegeben, die sich von der gewöhnlichen Pracht ihres Standes losgerissen. Wer kann sich aber enthalten, daß er sich einen Helden nicht insgemein mit einer ganzen Last von Kostbarkeiten, mit Gold und Edelsteinen bedeckt, vorstellet? Wenn also unsere Begriffe öfters falsch sind, und wenn wir dennoch die Bilder, die wir durch die Nachahmung hervorbringen, den Begriffen der Menschen ähnlich machen müssen; so folgt nothwendig, daß diese Bilder der Sache, die wir nachahmen, nicht nur zuweilen, sondern so oft unähnlich seyn müssen, als die Begriffe, nach denen die Menschen unsere Bilder beurtheilen werden, den Sachen selbst unähnlich sind.

Warum will man aber, daß andre Leute die Aehnlichkeit unserer Nachahmung bemerken? Ich glaube darum, damit sie sich daran vergnügen. Je mehr Vergnügen unsere Nachahmung erweckt, desto schöner ist sie. Also ist es nicht ein Fehler, sondern ein Kunststück, Unähnlichkeit in die Nachahmung zu bringen, wenn mehreres Vergnügen dadurch erhalten wird, wofern nur derjenige, dem zu gefallen wir nachahmen, noch immer Aehnlichkeit zu bemerken glaubt, und das Mittel seines Vergnügens, durch unsere Begierde zu vergnügen, nicht umgestoßen wird. So oft wir einen Geizigen, einen Heuchler, eine Widersprecherinn abschildern; so oft pflegen wir gleichsam einen Herkules zu bilden, in welchen wir, wie die Griechen diesem die Tha-

ten aller Herkulen beylegten, die Thaten aller Geizigen, aller Heuchler, aller
Widersprecherinnen zusammenbringen, und auf den wir alles, was nur jemals
Lächerliches auf solche Personen gefallen ist, zusammenhäufen. Denn niemals hat die Natur weder die Fehler noch die Tugenden der Menschen so
vollkommen hervorgebracht, als die Nachahmung; niemals ist eine so schöne
Venus gewesen, als der Stein des Bildhauers, der die Schönheiten der Frauenzimmer einer ganzen Stadt in ein einziges Bild zusammen brachte. Aber, so
wird man mir vielleicht einwerfen, wie kann man sagen, daß etwas einer
Sache ähnlich ist, dessen Vorbild nirgends gefunden wird, niemals gewesen
ist, und zu keinen Zeiten seyn wird? Wie kann man aber, antworte ich, diese
Unähnlichkeit tadeln, welche darum von wenigen wahrgenommen wird, weil
sich alle solche Thaten zum mindesten an sich selbst als möglich, einbilden
können, obgleich die Menge und Zusammenhäufung derselben allzuvielerley
Ursachen voraussetzt, als daß wir sie jemals in dem ganzen Zusammenhange
der Welt für möglich halten sollten? Wie kann man diese Unähnlichkeit
tadeln; da sie allein fähig ist, uns die Neugierigkeit zu belohnen, derentwegen
wir eine Satire lesen, oder den Schauplatz besuchen, da wir, wenn entweder
die Komödie dem gemeinen Leben, oder das gemeine Leben der Komödie
vollkommen ähnlich seyn sollte, entweder in der Komödie einschlafen, oder
im gemeinen Leben uns beständig aus dem Athem lachen müßten; kurz, da
wir das Vergnügen, das wir daraus schöpfen, nicht genießen könnten, wenn
der Komödienschreiber von dem Wahren nicht ein wenig abgewichen wäre?

Ist es aber wohlgethan, Unähnlichkeiten in die Nachahmung zu bringen,
wenn man dadurch ein größres Vergnügen erhalten kann; so ist man schuldig,
es zu thun, wenn das Vergnügen, das wir suchen, wieder durch die Aehnlichkeit unterbrochen würde. Obgleich alle Empfindung der Aehnlichkeit Vergnügen erwecken muß, so kann doch dieses Vergnügen nicht bey allen Dingen kräftig und lebendig in uns werden. Der Abscheu vor der Sache, die uns
vorgestellt wird, tödtet öfters die Lust, die wir aus der Aehnlichkeit derselben
empfinden wollen, und gebiert statt derselben in uns Widerwillen und Ekel.
Sollten uns Raserei, Ohnmacht, und Tod so schrecklich abgebildet vor Augen
stehen, als sie in der That sind; so würde öfters das Vergnügen, das uns die
Nachahmung derselben gewähren sollte, in Entsetzen verkehrt werden. Das
Röcheln und Zücken eines Sterbenden würde die Beherztesten aus ihrem
Vergnügen reißen, und die Erinnerung, daß es nur ein Betrug sey, würde zu
schwach seyn, unser Gemüth, welches einmal von traurigen Empfindungen
voll wäre, wieder aufzuheitern. Soll man diese Vorstellungen aber gar unterdrücken? Wenn man sie, ohne Misvergnügen zu erwecken, nicht völlig nachahmen kann; so kann man sie auch nicht hinweglassen, ohne den Menschen
die lebhaftesten Vorstellungen zu rauben. Es ist kein andres Mittel übrig, als
daß wir diese Bilder den Vorbildern unähnlich machen. Ich verlange nicht,
daß man unter dem Weinen und Geschreye der Umstehenden, wenn alle
seufzen und ausrufen: Ach er wird blaß! ach er erstarrt! ach er stirbt! einen

armen Sterbenden, welcher jetzt die Augen zuthun sollte, mit seinen schwachen Füßen bemühen und vom Schauplatze abtreten lassen solle, damit er nicht vor den Augen der Zuschauer sterbe. Aber man wird wenigstens dasjenige, was bey dem schrecklichen Augenblicke des Todes noch sanftes und süßes wahrgenommen werden kann; ganz gelinde Bewegungen; ein Hauptneigen, welches mehr einen schläfrigen Menschen, als einen, der mit dem Tode kämpft, anzuzeigen scheint; eine Stimme, welche zwar unterbrochen wird, aber nicht röchelt, zu der Vorstellung des Todes brauchen können; kurz, man wird selber eine Art des Todes schaffen müssen, die sich jedermann wünschen möchte, und keiner erhält.

Wer sollte wohl glauben, daß eben diejenige Gewalt, in den Gemüthern Widerwillen und Abscheu zu wirken, welche die Raserey, die Ohnmacht und der Tod haben, auch der Beleidigung des Wohlstandes zustünde? Und zwar thut dieses nicht allein die Beleidigung desjenigen Wohlstandes, dessen Gesetzgeberinn die Tugend ist; denn so wollte ich mich nicht verwundern, sondern freuen, daß die Tugend eine so mächtige Herrschaft über die Herzen behauptete. Auch die Furcht vor der Beleidigung eines solchen Wohlstandes, dessen bester Grund öfters die Bequemlichkeit der Menschen ist, den öfters der Eigensinn eingeführt, und Gewohnheit bestätigt hat, befiehlt uns, unserm Bilde Züge zu geben, welche dem Vorbilde widersprechen. Man wird sagen: Ist es denn nicht erlaubt, Umstände, die der Wohlstand auszudrücken verbietet, vielmehr durch ein künstliches Stilleschweigen zu bedecken, als durch die Unähnlichkeit zu verändern? Es ist wahr, daß es zuweilen erlaubt, öfters aber unmöglich ist. Wie wollen wir es denn bey derjenigen Art der Nachahmung anfangen, wo wir alles auf das genaueste bestimmen müssen; wo wir die Dinge nicht der Einbildungskraft durch die Beschreibung, sondern den Augen durch die Vorstellung zeigen müssen; wo wir zum Exempel, den Amerikaner, wofern wir seine Handlungen nachahmen wollen, auch aufführen müssen, und wo uns doch der Wohlstand verbietet, ihn nackend aufzuführen?

Nunmehr verlange ich erst, daß mir meine Leser glauben sollen, wenn ich sage, daß es Fälle giebt, in welchen uns die Regel der Nachahmung gebeut, nachzuahmen, und dennoch das Bild der Sache, die man abbildet, unähnlich zu machen. Und ich glaube, ich habe zugleich gezeigt, wo es diese Regel erfodert. Ich habe dargethan, daß es recht sey, Unähnlichkeiten in die Nachahmung zu bringen, wenn die Begriffe der Menschen von der Wahrheit abweichen; daß es nützlich sey, wenn das Vergnügen dadurch befördert wird; daß es eine Schuldigkeit sey, wenn man den Menschen dadurch Vorstellungen voll Ekel und Abscheu entzieht, oder wenn der Wohlstand einer vollkommnen Aehnlichkeit zuwider ist.

Werkregister 207

JOHANN ADOLF SCHLEGEL

aus   Von dem Grundsatze der Poesie.

Keine Kunst läßt sich schwerer auf einen einzigen Grundsatz einschränken, als die Poesie. Bey der Musik, bey der Bildhauerkunst, bey der Malerey, bey der Tanzkunst ist alles leicht, weil sich bey ihnen Kunst und Natur allzudeutlich unterscheiden, als daß sie sich verwechseln ließen. Aber die Gränzen der Poesie fließen mit den Gränzen der Prosa so sehr in einander, daß das schärfste Auge, sie genau zu entdecken, und das Gebiete der einen von dem Gebiete der andern zu scheiden, nicht vermag. Es giebt hier nicht etwan bloß Werke, welche allein Nachahmungen, und andre die ganz Natur sind, wenn wir auch die ausgebesserte Natur verstehen; sondern wir finden auch Werke, welche zur Hälfte Nachahmungen der Natur, und zur Hälfte Natur selbst sind. Dieß wird eine beständige Ursache bleiben, daß sich die Kunstrichter in Absicht auf das Wesen der Poesie niemals ganz vereinigen werden.

Von einem Grundsatze, der in einer Kunst der *einzige* seyn soll, wird man zuvörderst verlangen, daß alle Theile dieser Kunst gleich leicht, gleich natürlich und ungezwungen, sich daraus herleiten lassen. Hier äußert sich schon eine Unbequemlichkeit, wenn man die Nachahmung der Natur zur Hauptquelle macht. So deutlich es in die Augen fällt, daß die Epopee, die Oper, die Tragödie, die Comödie, das Schäfergedicht und die Fabel sich darauf gründen; So viele Arbeit kostet es dem Herrn *Batteux*, die Ode daraus, als aus ihrem *einzigen* Grundsatze herzuleiten. Er sieht sich genöthigt, es zu läugnen, daß die Oden oft die Ausdrücke der wirklichen Empfindungen unsers Herzens sind; er macht sie zu einer Reihe nachgemachter Empfindungen; und da er es gleichwohl sich selbst nicht verbergen kann, daß viele vortreffliche Odendichter ihre eignen Empfindungen in ihren Gesängen ausgedrückt haben, so hält er dieß für einen zufälligen Vortheil, der den Poeten, so zu sagen, zu dem Nachahmer seiner selbst macht.

Noch größer aber wird das Vorurtheil gegen diesen einzigen Grundsatz, wenn wir sehen, daß ihn derselbe veranlaßt, das Lehrgedichte und alle Gattungen der Gedichte, die unter diese Hauptklasse gehören, als Werke, die weder ganz Poesie, noch ganz Prosa wären, und als Erfindungen von dem Eigensinne des *Genies*, die dazu da wären, daß sie sich nicht an die Regel binden sollten*, aus der Poesie heraus zu werfen.

Werkregister 205

---

* Im 1 Th. im 6 Cap. a. d. 44 und 45 S.

Johann Ulrich König

aus　　Von dem guten Geschmack in der
Dicht- und Rede-Kunst.

Aber lasset uns einmahl von der Tafel in den Büchersaal gehen! wie wir dort Köche, Speisen und Gäste von verschiedenem, von gutem und von schlimmen Geschmack der Zunge angetroffen, so werden wir hier Dichter oder Redner, Schrifften und Leser von verschiedenem, von gutem und von schlimmem Geschmack des Verstandes finden. *Anwendung des vorigen auf den Geschmack des Verstandes.*

Man denckt, liest, schreibt, liebt oder haßt, und wehlt hier so verschieden als dort. Ein jedes Land, ein jeder Meister hat seinen verschiedenen Geschmack in sinnreichen Schrifften, sowohl in gebundenen als ungebundenen, sowohl in geistlichen als weltlichen Gedichten, sowohl in Freuden= als Trauer= Reden. Wie einer an der Tafel von so mancherley Speisen; so kan einer hier von so mancherley Arten gleichfalls nach seinem Belieben aussuchen, es sey eine Cantate oder eine Ode, ein Sonnet oder ein Madrigal, eine Stachel= oder Lob=Schrifft, ein Lehr= oder Schertz=Gedicht, eine geistliche oder weltliche Rede, eine Kriegs= oder Liebes=Geschichte. In so weit alle diese Stücke in dem allgemeinen guten sich vereinigen, kan man auch hier nicht über den Geschmack streiten, nehmlich nach seiner Verschiedenheit, aber wohl nach seiner Beschaffenheit. *Nach der Verschiedenheit.*

Eine sinnreiche Schrifft muß nicht weniger, als dort die Speisen, eine ihrer Eigenschafft gemässe richtige Bewegung erwecken, wann sie gut seyn soll: Sie sey nun von der lustigen, ernsthafften, satyrischen, gelehrten, oder von einer vermischten Schreibart. Wann sich aber unsere innerliche Empfindung und Beurtheilungs=Krafft der Seele zu schwach befindet, alsdann wird sie durch einige Dinge zu viel, und durch andre zu wenig bewegt, und muß folglich allemahl ein unrichtiges Urtheil fällen. Die Noth zwingt uns hier ebenfalls mit Sachen vorlieb zu nehmen, die man sonst nicht lesen würde. Die Gewohnheit wird auch hier zur andern Natur, und macht, daß uns, in Gedichten oder Reden, solche Dinge schmackbar scheinen, die einem dritten oder auch uns selbst ausser diesem, unerträglich seyn dürften. Hingegen kan ein gebrechlicher oder sonst durch Vorurtheile verderbter ·Verstand auch den allerschönsten und vollkommensten Schrifften keinen Geschmack abgewinnen, sondern wird allezeit verkehrt urtheilen, und sich an Dingen erlustigen, die kein gesundes Hirn kützeln können, ja die manchmahl gar wider die Vernunft streiten. Da dann die Schuld eben so wenig einer guten Schrifft, als dort einer wohlzubereiteten Speise, beyzumessen ist, wann wir, wegen unsers eigenen unrichtigen Empfindens von derselben nicht gebührend gerührt und bewegt werden. Dann der schlimme Geschmack des Verstandes ist so wohl eine Würckung der üblen Beschaffenheit der Seele und der äusserlichen *Nach der Beschaffenheit.*

Werckzeuge, als der üble Geschmack der Zunge eine Würckung der gebrech-
lichen Leibes=Gesundheit.

Wie dort die Speise von allerley Fleisch, Kräutern, Früchten, Gewürtz und
andern Dingen, so wird hier eine sinnreiche Schrifft oder Rede auch aus
vielerley Stücken, nehmlich Gleichnissen, Spruch=Reden, Beschreibungen,
Erzehlungen, Bildern, Gedancken und Redens=Arten kunstförmlich zusammen gesetzt, und, nach der richtigen oder unrichtigen Maaß und Wahl, die
man darinne getroffen, zu einem Wercke von gutem oder von schlimmen
Geschmacke. Ein solches Werck kan ebenfalls, wie die verschiedene Speise=
Zubereitungen, ungeacht der Verschiedenheit mit andern, vollkommen seyn,
falls es nur, nach der Beschaffenheit, in dem allgemeinen guten Geschmack
übereinkommt.

Man muß daher nicht zweyerley verschiedene gute Schrifften einander
entgegen setzen, sondern zwo von einerley Gattung, deren eine für gut, und
die andre für schlimm von den Kennern erkläret worden, sonst kan man
freylich über den Geschmack nicht streiten. Nehmet also ein Gedicht oder
eine Rede von zweyerley Verfassern über einerley Sache, leset beyde. Wann
euch diejenige Arbeit, welche natürlich, wohlgeordnet, sinnreich, lebhafft,
beweglich, scharfsinnig, überzeugend ist; darum die Gedancken neu, richtig,
gut angebracht, nicht zu hoch, noch zu niedrig, nicht zu arm, nicht zu reich,
von rechtem Geist und Feuer; die Redens=Arten rein, gleich, deutlich, zierlich, wohlgewehlt, edel, regelmäßig, und alle diese Stücke nicht zu kurtz,
nicht zu lang, sondern wohl zusammen verbunden sind: Wann, sage ich,
diese Arbeit euch nicht so wohl gefällt, als die andre, welche unnatürlich, übel
geordnet, einfältig, matt, geist= und krafftlos, nicht durchdringend ist; darinn
die Einfälle aufgewärmt, falsch, übelangewendet, zu schwülstig oder zu
schlecht, zu sparsam oder zu überflüßig, zu kalt oder durch die Hitze der
Einbildung übertrieben; die Redens=Arten unrein, ungleich, unverständlich,
rauh, schlecht gewehlet, gemein, wider die Regeln, und alles zusammen weder in einer gemäßigten Kürtze oder Länge, noch in einem genauen Zusammenhange stehet, so habt ihr einen schlimmen Geschmack. Das Sprüchwort,
daß man über den Geschmack nicht streiten müsse, kan euch eben deßhalber
nicht zu statten kommen, weil ihr an einer Sache Geschmack finden könnet,
welche durch den allgemeinen Ausspruch aller Kunstverständigen, nach einer
genauen Untersuchung, wider die Regeln der Natur, der Kunst, der Erfahrung, und wider die Vernunft selbst, abgefaßt befunden worden. Dann, wann
das Sprichwort: Man muß nicht über den Geschmack streiten, auch in
Absicht auf die Beschaffenheit der verschiedenen Dinge, als eine Grund=
Regel angewendet werden dürfte; so würde man es in Glaubens=Sachen wider
das Gewissen, in der Sitten=Lehre zum Behuff der Laster, in Wissenschafften
und Künsten zum Schutz der Unwissenheit, eben so wohl gebrauchen können, und nichts so schlimm, so falsch, so heßlich seyn, was einer nicht zu
erwehlen berechtiget wäre. Es kan kaum zur Noth von der Verschiedenheit

Neuer Ein-
wurf wider
das Sprich-
wort: de
gustibus non
est dis-
putandum.

des Geschmacks, geschweige zur Vertheidigung eines schlimmen, angeführet werden, und sollte eigentlich nur von dem guten Geschmacke gebraucht werden, weil dieser allein derjenige ist, welchen man niemand abstreiten kan. Dann wo der Eindruck einer von der vernünftigen Welt einmahl für gut, wahr und schön erkannten Sache, bey mir eine richtige Empfindung erweckt, da kan mir mein Geschmack so wenig bestritten werden, als der Geschmack einer gesunden Zunge, welche eine Speise oder einen Tranck kostet, und dieselben, ihrer wahren Eigenschafft gemäß, beurtheilet. Boileau hat in seiner schon vorhin angeführten dritten Satyre, den üblen Geschmack seines Wirths und der gebethenen Gäste, so wohl im Essen und Trincken, als zugleich im Urtheilen über sinnreiche Schrifften, nicht in Ansehung der Verschiedenheit, sondern der Beschaffenheit, so sinnreich durchgezogen, und desto lächerlicher vorgestellt, als sie allerseits für Leute von gutem Geschmack, in beyderley, angesehen seyn wollten. In sinnreichen Schrifften wird so wenig, als dort für eine vornehme Tafel, alles nur schlechterdings zur Noth, sondern auch zur Belustigung verfertiget, und gehört deswegen auch hier die Kunst zu der Natur. Wie aber die natürliche, einfache und ungekünstelte Art zu kochen, sehr nahe an das abgeschmackte und widerstehende, und hingegen der künstliche und so genannte hohe Geschmack nahe an das unrichtige und ungesunde gräntzt; so ist auch, in sinnreichen Schrifften, das natürliche und ungekünstelte nicht weit von dem Einfältigen, wie das Hohe und Künstliche nicht weit von dem Falschen und Ausschweiffenden entfernet. Weswegen hier eben so wohl nicht die blosse natürliche Fähigkeit und die Kunst=Regeln allein genug sind, sondern auch Ubung, Umgang, Lesung, Untersuchung, und eine durch Fleiß und Erfahrung erlangte Einsicht zu einem vollkommenen Geschmack und den daraus herrührenden Schönheiten, kurtz, ein solcher Verstand erfordert wird, welcher nach des Herrn von Fontenelle* Meinung, eine gute Erziehung gehabt, und durch einen langen Gebrauch der Welt, Gemeinschafft des Hofes, Umgang mit Grossen, mit Gelehrten, mit Künstlern und andern feinen Leuten, ausgebessert worden.

Ein so feiner Geschmack weiß alsdann nicht nur unter guten und schlimmen, sondern auch unter gleich guten, gewisse Stücke deßwegen vor andern zu erwehlen, weil sie mehr Kunst, Feuer, Verstand, Einbildungs=Krafft, Nachahmung der Natur, Zeit und Geschicklichkeit als andre erfordern, und ihnen daher von allen Kennern ein beständiger Vorzug über andre zugestanden worden. Dieser feine Geschmack lehrt uns, einer jeden Schrifft ihren wahren Werth beylegen. Und wie dort, bey dem Ungarischen Weine, das Süsse mehr einem Kindischen, das Kräfftige aber mehr einem Männlichen Geschmack anständig, jenes für die Anfänger, dieses nur für die Kenner ist; so wird sich auch allhier derjenige, welcher nunmehr in Lesung des Virgils

---

* Tom. VI. le discours sur l'ecloge pag. 151.

oder des Cicero ein richtiges Vergnügen empfindet, nicht ohne Schaam erinnern, daß er zuvor mehr Geschmack an dem Lucan oder an dem Seneca finden können.

Werkregister 60

JOHANN GEORG SULZER

aus   Geschmak.

Der Mann von Geschmak faßt zusammen, was der spekulative, untersuchende Kopf aus einander legt und zergliedert. Daher diejenigen, die sich auf höhere Wissenschaften legen, wo man nothwendig alles zergliedern und einen Begriff nach dem andern betrachten muß, selten viel Geschmak haben. Hingegen haben Menschen von feinen Fähigkeiten, die ihr Leben in Geschäfften zubringen, wo man meistentheils viel Umstände auf einmal übersehen, und mehr aus anschauenden, als völlig entwikelten Einsichten, handeln muß, weit mehr Anlage zum Geschmak. Einem spekulativen Kopf ist alles wichtig, was er ganz deutlich erkennt, einen praktischen aber das, dessen Würkung sich weit erstrekt: jener fällt in Sachen des Geschmaks leicht auf Spitzfindigkeit, dieser verachtet sie und findet das Brauchbare.

Bis dahin haben wir den Geschmak, als eine dem Künstler nothwendige Eigenschaft betrachtet: itzt wollen wir ihn überhaupt, als eine Fähigkeit des Geistes ansehen, deren Anlage, so wie die zur Vernunft und zum sittlichen Gefühl, sich bey allen Menschen findet.

Ob man gleich die Vernunft, das sittliche Gefühl und den Geschmak, als drey völlig von einander verschiedene Vermögen des Geistes ansieht, durch deren Anwachs und Entwiklung der Mensch allmählig vollkommener wird, so kann man sie doch auch als ein und dasselbe Vermögen, auf verschiedene Gegenstände angewendet, ansehen. Die Vernunft ist Ueberlegung und Scharfsinnigkeit auf Betrachtung der Vollkommenheit, Wahrheit und Richtigkeit angewendet; eben diese Gaben des Geistes auf Betrachtung des Schönen und Angenehmen gerichtet, bilden den Geschmak, und auf das sittliche Gute angewendet, das sittliche Gefühl. Dieselben Anlagen, wodurch der Mensch zur Vernunft kömmt, bringen ihn auch zum Geschmak und zum sittlichen Gefühl.

Die Vernunft giebt ihm die Fähigkeit zur Ausrichtung seiner Geschäffte; sie ist es, die überall die Mittel erfindet, zum Endzwek zu gelangen; das sittliche Gefühl macht ihn zu einem guten und liebenswürdigen Menschen, der zum gesellschaftlichen Leben die Gesinnungen hat, wodurch die Menschen mit einander vereiniget und zu gegenseitiger Hülfe und Zuneigung verbunden werden; der Geschmak streuet über Vernunft und Gefühl Annehmlichkeit, giebt beyden eine einnehmende Kraft, auf die Gemüther zu würken. Also kann der Mensch nur durch Vereinigung dieser drey Gaben des

Himmels zur Vollkommenheit gelangen. Jedermann sieht die Wichtigkeit der Cultur der Vernunft und des sittlichen Gefühls ein, aber wenige kennen den großen Werth des Geschmaks. Man wird deßwegen die hierüber folgenden Anmerkungen nicht für überflüßig halten.

Es wird an einem andern Orte dieses Werks deutlich gezeiget, daß die schönen Künste eines der vornehmsten Mittel sind, alle nützliche Kenntniß und guten Gesinnungen unter den Menschen auszubreiten, jede nützliche Wahrheit und jede gute Empfindung, als eine lebendige und würksame Kraft in seine Seele zu pflanzen.* Ein Schriftsteller von Geschmak stellt jede gemeinnützige Wahrheit auf das begreiflichste und lebhafteste vor Augen, und weiß sie in der angenehmsten Form dem Geiste so einzupfropfen, daß sie darin wächst und Früchte trägt. Die ganze Cultur der Vernunft wird durch ihn befördert, weil er den nützlichsten Wahrheiten die wahre Faßlichkeit und Kraft geben kann. Dem guten Geschmak philosophischer, moralischer und politischer Schriftsteller ist es zu zuschreiben, daß ein Volk vor dem andern einen höhern Grad der Erkenntniß und Vernunft besitzt. Eben dieses gilt auch von der sittlichen Empfindung, die vom Geschmak ihre Reize bekömmt.

Aber alle diese Bemühungen der Künstler wären vergeblich, wenn nicht der Saamen des guten Geschmaks bey denen vorhanden wäre, für welche sie arbeiten. Je mehr der Geschmak unter einer Nation ausgebreitet ist, je fähiger ist sie auch unterrichtet und gebessert zu werden, weil sie das Einnehmende in dem Wahren und Guten zu empfinden vermag. Man weiß nicht, wie man einem Menschen ohne Geschmak beykommen soll, um ihn Liebe für das Wahre und Gute beyzubringen. Er ist allezeit in dem Fall, in welchem sich das römische Volk bey jener Gelegenheit befand, da der ältere Cato sich vergeblich bemühte, ihm heilsame Vorschläge zu thun, und da ihn Niemand hören wollte, weil, wie er sagte, der *Magen in der That keine Ohren hat.*

Der Geschmak ist im Grunde nichts, als das innere Gefühl, wodurch man die Reizung des Wahren und Guten empfindet; also würket er natürlicher Weise Liebe für dasselbe. Zugleich erwekt er ein so richtiges Gefühl der Ordnung, Schönheit und Uebereinstimmung, daß Widerwillen und Verachtung gegen das Schlechte, Unordentliche und Häßliche, von welcher Art es seyn möge, eine natürliche Würkung desselben ist. Der Mensch, in dessen Seele der gute Geschmak seine völlige Bildung erreicht hat, ist in seiner ganzen Art zu denken und zu handeln gründlicher, angenehmer und gefälliger, als andre Menschen. Er ist einer so beständig anhaltenden Aufmerksamkeit auf Ordnung, Schiklichkeit, Wolanständigkeit und Schönheit gewohnt, daß er alles, was diesem entgegen ist, verachtet. Ihm ekelt vor allem Spitzfindigen, Sophistischen, Gezwungenen und Unnatürlichen, in Gedanken und Handlungen.

---

* S. Artikel Künste.

Diese schätzbare Würkung aber thut freylich der gute Geschmak nur, wenn er in seinem ganzen Umfange gebildet ist, dem man deßwegen auch den Namen des großen Geschmaks beylegt. Menschen, denen gar nichts wichtig ist, als was die Phantasie reizt, die keine Schönheit kennen, als die sich in niedlichen Formen und anmuthigen Farben zeiget, die nur an dem Kleinen, Subtilen und Raffinirten einen Wolgefallen haben, genießen von ihrem kleinen Geschmak jene wichtigere Früchte nicht. Sie werden vielmehr, wie die Schwälger, die immer auf höhere Reizungen der Speisen raffiniren, verwöhnt, und verlieren den Geschmak an den einfachen Schönheiten der Natur. Der Geschmak kann eben so gut, als der Verstand, in Sophisterey fallen. Man weiß, auf was für nichtswürdige Kleinigkeiten die größten Genie unter den Scholastikern ihren sonst scharfen Verstand angewendet haben. Auch die Künste haben ihre Scholastiker, deren Genie und Geschmak nur auf geschraubten Witz, auf subtile Phantasien und geistreiche Tändeleyen geht, die den Leckerbissen gleichen, die zwar die Zunge reizen, aber dem Körper keine Nahrung geben.

Werkregister 230

CHRISTIAN FÜRCHTEGOTT GELLERT

aus   Wie weit sich der Nutzen der Regeln in der
Beredsamkeit und Poesie erstrecke.

Es ist nothwendig, sich zu überzeugen, wie weit der Nutzen der Regeln in der Beredsamkeit und Poesie sich erstrecke; man verfällt sonst gar zu leicht in eine übertriebne Hochachtung oder Geringschätzung der Regeln, und schadet sich eben so leicht durch einen abergläubischen Gebrauch derselben, als durch eine kühne Verachtung.

Die Natur der Regeln und die Erfahrung sollen uns ihre Bestimmung lehren. Ihre innerliche Beschaffenheit wird uns zeigen, daß sie zu wissen nöthig sind, daß wir ohne die Kenntniß derselben wenig, oder nichts ausrichten können. Aber eben ihre Beschaffenheit und die Erfahrung werden uns auch lehren, daß man die Regeln dieser beiden Künste wissen, und doch wenig Vortheil davon haben kann. Wenn man nicht Genie, nicht Gelehrsamkeit besitzt: so werden uns die Regeln in der Ausarbeitung zu nichts helfen, als daß sie uns die kunstmäßige Einrichtung einer Rede, oder eines Gedichts, entwerfen und beurtheilen lehren. Haben wir Genie, so können uns die Regeln viel nützen; aber sie können uns doch die Anwendung nicht lehren. Diese kömmt auf unsere Einsicht, auf unsern Geschmack an. Die Regeln können selbst ein Genie noch immer fehl führen. Sie sind allgemein, sie sind nicht stets nothwendig, sie sind unvollkommen. Wie viel ist uns also bey der Arbeit selbst noch übrig gelassen, wenn wir auch die Regeln noch so gut wissen; und wie oft werden sie uns zweifelhaft, furchtsam, sklavisch machen können, wenn wir nicht einen Schutzgeist in unsrer eignen Einsicht, oder in den Beyspielen schöner Werke haben!

Gute Regeln sind Vorschriften der gesunden Vernunft, die sich auf die Natur der Sache und auf die Erfahrung gründen. Regeln der Poesie und Beredsamkeit sind Gesetze, welche durch die Absicht dieser Künste bestimmt werden. Man will nützen und vergnügen; man will unterrichten und überzeugen, gefallen und rühren. Man will Menschen unterrichten und vergnügen, welche eben die Natur haben, die uns gegeben ist. Unser Verstand, unser eignes Herz, wird uns also sagen, was wir thun sollen. Die Erfahrung wird es bestätigen, ob wir gute Mittel ausgesonnen haben; sie wird bald die Wahl der Mittel, bald ihre Anwendung billigen, verbessern, oder auch verwerfen. Unsre Empfindung wird uns lehren, wie die Gegenstände beschaffen seyn müssen, welche unsern Verstand aufklären, ihm gefallen, und unser Herz nöthigen sollen, Antheil daran zu nehmen. Sie wird uns lehren, wie diese Gegenstände von dem Verstande bearbeitet werden müssen, damit sie die Einsicht und Aufmerksamkeit befördern. Auf diese Weise kann man sich vorstellen, wie die guten Werke der Beredsamkeit und Poesie eher, als die Regeln, haben seyn können. Männer von tiefer Einsicht und einem großen Geiste redten und schrieben, ohne die Regeln der Beredsamkeit zu kennen. Sie folgten den Eingebungen ihres Verstandes und der Empfindung. Sie redten glücklich. Ihre Exempel wurden zu Regeln. Männer von glücklichem Genie dichteten, um zu vergnügen und zu nützen. Sie folgten den Eingebungen ihres Genies, ihres Geschmacks. Sie erreichten ihre Absicht; und ihre Exempel wurden zu Regeln.

Man kann also mit dem Quintilian sicher sagen, daß die Werke der prosaischen und poetischen Beredsamkeit älter sind, als die Regeln dieser Künste; und daß sie, in ihrer Form betrachtet, nur Anleitungen sind, die man aus den Meisterstücken gezogen hat. Aber man kann auch von einer andern Seite behaupten, daß die Regeln älter sind, als die Meisterstücke. Sie waren in dem Geiste großer Männer zugegen, ehe sie redten und dichteten; wie würden wir sie sonst in ihren Arbeiten antreffen können?

Aus dieser Erklärung der Regeln läßt sich ihr Werth schon bestimmen. Sind sie nicht Vorschriften des Eigensinns, sind sie Befehle der Vernunft und der Empfindung, was werden wir denn ohne sie ausrichten können? Wollen wir auf gut Glück in der Beredsamkeit und Poesie arbeiten? Wollen wir weder an eine Anlage, noch an ihre Ausführung, weder an die Erfindung, noch an die Ausbildung unsrer Gedanken denken? Das heißt, wollen wir Absichten ohne Mittel erreichen? Wollen wir, ohne die Gesetze der Ordnung, der Deutlichkeit, der Gründlichkeit zu beobachten, unterrichten und nützen; ohne Anmuth, ohne Schönheit gefallen; ohne Nachdruck, ohne Stärke, das Herz rühren oder bewegen? Oder will man sich darauf verlassen, daß unser Verstand uns die Regeln bey unsern Arbeiten schon eingeben wird? Ja,

die Regeln sind später, als die Werke selbst. Sie sind von den Alten gefunden
worden; wir können sie auch finden. Aber sie sind nicht auf einmal, sie sind
nicht von einem allein, sie sind durch eine lange Uebung, durch viel Erfahrung entdecket, bewähret und brauchbar gemacht worden. Was hofft ein
Verächter aller Regeln, der nur seinem Genie folgen will? Hofft er nicht, daß
ihm das allein glücken soll, was vielen nach und nach kaum geglückt ist?
Besitzt er den großen Geist, den jene besaßen, welche durch ihr Exempel der
Welt die Regeln in diesen Künsten entdeckten? Ist er in so glückliche Umstände gesetzt, wie jene, sein Genie zu versuchen, zu üben und zu bilden?
Muß er nicht erst den Ausspruch der Welt, oder vielmehr der Klugen erwarten, ob seine Wege die richtigen, ob sie die besten sind? Gesetzt, man könnte
ohne Wegweiser in ein entferntes Land gelangen, wird man nicht sicher,
nicht geschwinder und gewisser die Straßen treffen, wenn man die Kenntnisse, die andre sich erworben haben, zu Hülfe nimmt? Es ist Stolz und Unwissenheit, sich keine Kenntniß der Regeln erwerben mögen. Es ist Undank, sich
die Anmerkungen der geistreichsten Männer nicht zu Nutze machen wollen.
Es ist Verwegenheit, sich auf sich selbst verlassen, und doch nicht läugnen
können, daß die Natur in vielen Jahrhunderten nur wenige, nur etliche Geister hervorgebracht, die sie mit einer außerordentlichen und göttlichen Stärke
des Verstandes, der Einsicht und des Geschmacks begabt hat. Es ist Thorheit,
von andern gefundne Schätze nicht brauchen wollen, in der Hoffnung, daß
man sie auch finden könne. Es ist Einfalt, sich kühn auf das Wasser begeben,
und die Anweisung derjenigen, welche die Erfahrung die Vortheile des
Schwimmens gelehret hat, deswegen nicht hören wollen, weil die ersten diese
Vortheile auch ohne Anleitung, und auf ihre eigne Gefahr gefunden haben.

Die Regeln der Poesie und Beredsamkeit lehren uns, wie wir verfahren
müssen, die Welt zu überreden, ihr zu gefallen, sie zu rühren. Sie lehren uns,
wie vortreffliche Männer in solchen Umständen sich verhalten haben. Sie
lehren uns, daß diese ihre Absicht dadurch erreicht haben; in so weit sind die
Regeln nützlich, nothwendig. Sie sind das Echo unsrer eignen Vernunft und
die Stimmen der Natur; und sie nicht hören, heißt taub seyn.

Die Regeln der Poesie und Beredsamkeit lehren uns die Weisheit und
Ordnung der Natur, ihre Vortrefflichkeit in der Verbindung des Nützlichen
mit dem Schönen, nachahmen. Sie lehren uns die Einheit in unsern Werken
beobachten, damit das Auge des Verstandes sich nicht verirre. Sie lehren uns
aus Theilen, die sich zusammenschicken, das Ganze erbauen, das die Absicht
befiehlt und das Beyspiel der Natur billiget. Sie lehren uns die Verschiedenheit und Mannigfaltigkeit dieser Theile, dem Ekel vorzuwehren. Sie lehren
uns die Ausbildung und Vollkommenheit dieser Theile, damit sie in das Auge
des Verstandes genug eindringen. Sie lehren uns das Ebenmaaß und die Ordnung derselben, damit sie der Verstand bemerken, vergleichen, und stufenweise von dem einen zum andern fortgehen könne. Sie lehren uns, den Verstand anstrengen, ohne ihn zu ermüden, seine Wißbegierde nähren, ohne sie

auf einmal zu sättigen. Sie lehren uns, durch die Einbildungskraft unsern Gedanken diejenigen Gestalten geben, in welchen sie sich im Geiste der Leser und Zuhörer am geschwindesten und tiefsten eindrücken können. Sie lehren uns, was wir für Gegenstände wählen müssen, wenn wir gefallen und bewegen wollen, daß sie wichtig, neu, lehrreich, anziehend seyn, daß sie Wahrheit und Gründlichkeit in der Beredsamkeit, und Wahrscheinlichkeit und Wunderbares in der Dichtkunst zur Seite haben müssen. Sie lehren uns, wie wir Schatten und Licht unter diese Gegenstände vertheilen, unsern Werken nicht zu viel Glanz geben sollen damit sie nicht blenden; nicht zu wenig Licht, damit sie nicht unkenntlich werden. Sie lehren uns in den Schönheiten Maaß halten, damit wir nicht in Pralerey und Ueppigkeit verfallen. Sie lehren uns den Reichthum der Gründe, Gedanken und Ausdrücke, damit wir nicht in Dürftigkeit und Armuth verfallen. Sie lehren uns die Genauigkeit und Feinheit, damit wir das Ueberflüßige, das Grobe, vermeiden. Sie lehren uns die Farben, die sich zu unsern Gegenständen schicken, die Schreibart, die unsrer Materie, dem Charakter der Werke, ins besondre anständig ist; den Ton, mit dem wir unsre Empfindungen angeben, und in andern erwecken sollen. Mit einem Worte, sie lehren uns die Fehler und Schönheiten des Ganzen, der Gedanken und der Schreibart kennen. Dieses thun die guten Regeln. Braucht man etwas weiter zum Ruhme ihres Nutzens, als daß man ihre Natur, ihr Eigenschaften erkläret? Es sind Anordnungen der Vernunft und Natur, und nicht eigensinnige, oder willkührliche Gesetze der Schullehrer. Die Kunst, mit Popen zu reden, ist die Natur, in eine Methode gebracht*.

Wie weit werden wir es mit unserm Genie bringen, wenn wir es nicht durch die Gewalt der Regel, wie ein muthiges Pferd, durch den Zügel lenken und regieren? Die Regel dient uns bey unsern Arbeiten zum Leitfaden; sie dient uns zur Prüfung, indem wir die Werke verfertigen; sie ist die Richterinn, nach deren Ausspruche wir von den vollendeten Arbeiten hier wegnehmen, dort sie ergänzen, verbessern, umarbeiten müssen. Die Regel, vom Geschmacke angewandt, ist die Critik. Man habe das fruchtbarste Genie, desto nöthiger wird ihm die Critik seyn; je leichter eine große Fruchtbarkeit in einen üppigen Ueberfluß ausarten kann. Ein Weinstock, der stark treibt, muß am meisten geheftet und beschnitten werden, damit er die göttliche Kraft des Weines nicht in müßigen Ranken, in unnützem Laube verschwende. Hat es den Oviden, den Senecas, den Lucanen am Genie, oder an der Regel; an der Fruchtbarkeit, oder an der weisen Mäßigung; am Witze, oder an der Kraft, ihn zu regieren, gefehlet? Wer weis nicht, daß der Ueberfluß ihr Fehler ist; und daß Werke der Beredsamkeit durch zu viel Witz verderben, wie die Körper durch zu viel Blut**? Man habe Fähigkeiten und kenne die

---

* Those Rules of old discover'd, not devis'd,
  Are Nature still, but Nature methodiz'd.   *Critic.* V. 88.
** For works may have more wit than does' em good,
  As bodies perish thro' excess of blood.   *Critic.* V. 303.

Regeln nicht, oder setze sich kühn über sie hinweg; wohin wird man als ein Redner, als ein Poet gerathen? In das Reich der Riemer, der Lohensteine, und der Sänger der h. Magdalene.

Die Regeln nützen nicht allein denen, die arbeiten wollen; sie sind auch denen unentbehrlich, welche die Werke der Andern lesen, und beurtheilen wollen. Wir werden ohne den Beystand der Regeln und der Critik tausend Fehler nicht sehen, oder Fehler selbst für Schönheiten halten. Wir werden uns viele Schönheiten ungenossen entwischen lassen, oder nicht alles, was an einer Sache schön ist, genug sehen, genug empfinden. Wir werden vieles als schön empfinden, und es nicht genug schätzen, weil wir die Ursache der Schönheiten, die angebrachte Regel, die Feinheit, mit der sie angewandt ist, die Wege der Kunst, nicht genug einsehen. Es ist wahr, es giebt Schönheiten in den Werken des Geschmacks, die sich von allen empfinden lassen. Man liest sie, man hört sie; sie nehmen ein, sie entzücken uns, ohne daß wir die Ursachen wissen. Aber es giebt sanftere Annehmlichkeiten, welche Aufmerksamkeit und Kenntniß der Regeln voraussetzen. Und wie es überhaupt leichter ist, die Fehler einer schlechten Schrift zu bemerken, als die Schönheiten einer guten: so muß derjenige, welcher keine Regeln, oder sie unrichtig versieht, den größten Vortheil des Lesens entbehren, den Vortheil, das Schöne gefühlt und gesehen, geprüft und im Lesen in seinen eignen Geist eingedrückt zu haben. Er wird also seinen Geschmack durch das Lesen, oder durch die Vorstellung schöner Stücke wenig verbessern. Er wird tollkühn urtheilen, und oft dem Mittelmäßigen den Beyfall, dem Vortrefflichen den Tadel zuerkennen. Er wird zwischen den Mosheimen und Cobern keinen Unterschied merken, den Oedipus eines Seneca mit eben der Entzückung als den Oedipus des Sophokles lesen. Er wird bey einem Xenophon, Cicero, Livius gähnen, den de la Motte einem la Fontaine vorziehen, den Misanthrop des Moliere für traurig, und die Athalia eines Racine für mittelmäßig erklären, die Clarissa aus der Hand legen, bloß, weil sie der Mariane nicht gleicht.

Dieses sind die Vortheile der Regeln, die derjenige entbehren muß, der sie nicht kennet, oder sie verachtet. Allein so wahr und groß diese Vortheile sind: so sind sie es doch nur unter einer gewissen Bedingung. Die Regeln können uns weder das Vermögen, noch die Klugheit ertheilen, sie zu gebrauchen. Beides setzen sie voraus. Traurige Einschränkung! welche die am meisten angeht, die selbst in der Beredsamkeit und Poesie arbeiten wollen; und welche von ihnen am meisten bestärket wird.

Die Regeln geben uns das Vermögen der Beredsamkeit und Poesie nicht; sie sagen nur, wie wirs anwenden sollen. Wie viel Demosthenes und Cicerone, wie viel Xenophonte und Livios, wie viel Homers und Virgile müßten wir haben, wenn die Regeln Redner und Poeten zeugten! Ist es denn etwan so schwer, sich die guten Regeln bekannt zu machen? Ich glaube, wer in der Beredsamkeit die Vorschriften des Aristoteles, des Cicero, des Quintilian, des Longin gelesen, der kennet das Vortreffliche in dieser Art. Gehört dazu mehr, als etwas Fleiß und Aufmerksamkeit? Ich glaube, wer die Poetik des Aristoteles, des Horaz Schreiben an die Pisonen, und etliche andre seiner Briefe, sorgfältig gelesen hat, der weis die vorzüglichsten Regeln der Poesie. Gehört dazu so viel Zeit, so viel Fleiß? Und gesetzt, diese Anweisungen wären für unsre Zeiten nicht allemal helle genug; haben wir nicht Scaligere, Rapine, Daciere, Corneillen, die sie aufklären? Können wir diese nicht nützen? Gesetzt, die Regeln der Alten wären nicht vollständig; gesetzt, Horazens Poetik wäre nicht das Zeichnungsbuch der Poeten allein; wie bald kann man nicht einen Vida, einen Boileau, einen Pope, einen Saint=Mard von dieser Kunst lesen! Wer fragt diese alten und neuen Orakel nicht um Rath? Und wo sind denn die vielen großen Redner und Poeten? Wie viele kennen die besten Regeln auswendig! Und wo sind denn die schönen und vortrefflichen Schriften der Beredsamkeit und Poesie? Wurden in Rom die Regeln der Beredsamkeit allein vom Crassus, Cicero, Hortensius und Cäsar verstanden? Wenn die Regeln beredt machten, sagt Tullius, (und wer kannte den Werth derselben besser, als er?) wenn die Regeln beredt machten, wer würde nicht beredt seyn*?

Man kann die Regeln wissen, man kann sie durch Fleiß zur Ausübung bringen; und man kann ohne Genie doch nicht weiter als zum Mittelmäßigen durch sie gelangen.

So irrig und schädlich der Gedanke ist: wenn ich weis, wie eine Sache gemacht werden muß, so kann ich sie selbst machen: so muß er doch zu allen Zeiten seine Freunde und Verehrer gefunden haben. Woher sind die elenden und mittelmäßigen Werke so vieler Scribenten entstanden, wenn sie nicht durch dieses Vorurtheil gebohren worden? Wissen, wie ich den Bogen halten, wie ich mit dem Auge das Ziel suchen und fassen muß, wenn ichs treffen will; dieses ist eine nothwendige Regel. Ich weis sie, ich übe sie aus. Allein ich habe keine Kraft, keine Festigkeit in den Nerven, mein Auge trägt nicht weit genug, ich rücke und verfehle das Ziel bey aller meiner Regel. Dieses ist das Schicksal derer, die, ohne Genie, bloß unter der Anführung der Regeln sich in das Feld des Witzes und des Geschmacks gewagt haben.

Werkregister 93

---

* Quae (ars) si eloquentes facere possit, quis esset non eloquens?   *de Orat.* II, 57.

aus   Von der Kritik der Empfindungen.

Wer jemals mit einiger Achtsamkeit über die Schicksale nachgedacht hat, welche die Werke der Kunst zu allen Zeiten und in allen Ländern gehabt haben, der wird bemerken, daß die Welt sich von jeher in ihren Urtheilen über dieselben getheilt, oder, welches einerley ist, daß Virgil eben so viel kalte Freunde, um mich recht gelinde auszudrücken, als eifrige Liebhaber gefunden hat. Wenn alle Menschen mit der Empfindung des Schönen gebohren werden, wenn sie wirklich den Werth der Aeneis alle empfunden haben; so muß man nothwendig die meisten einer schändlichen Verleugnung ihres eignen Herzens beschuldigen, oder man kann sie von einer unerlaubten Partheylichkeit nicht gänzlich frey sprechen, so sehr auch du Bos behauptet, daß sie keins haben. Wie soll man dieß Räthsel auflösen?

Wir wollen unpartheyisch und ohne Vorurtheil reden. Die Menschen haben wirklich nicht immer, vielleicht gar nur selten, dieses lebhafte Gefühl des Schönen oder Vollkommnen, das man ihnen gemeiniglich beylegt;

> Non quiuis videt immodulata poëmata iudex.   *Hor.*

und wenn sie es auch hätten, so sind doch fast durchgehends ihre Empfindungen in Absicht des Gegenstandes, den sie für schön halten, unterschieden. Eine unendliche Mannigfaltigkeit der Empfindungen! Der eine liebt den naiven Scherz eines anakreontischen Liedchens weit mehr, als den leichten Fittig der horazischen Ode, oder den sanftern Flug der tibullischen Elegie; der andre zieht diesem Spiele die Majestät und die tiefe Schwermuth der Tragödie vor, der dritte die erhabnen Leidenschaften der Epopee, der vierte die lachende Komödie, die Satyre, den Roman: und wie kann ich alle nennen? Wäre das Gefühl des Schönen allgemein, und allen Sterblichen angebohren: so müßten alle in ihrer Zuneigung, alle in jedem Theile der Kunst, nach vollkommen= gleichen Graden übereinkommen. Allein Temperament, Gewohnheiten, und unzählig andre Umstände bringen diesen merklichen Unterschied hervor; und wir haben gar keine Hoffnung, den allgemeinen Geschmack jemals zu erlangen, der das Schöne in jeder Verkleidung entdecket. Um nur eins anzuführen, wird ein Franzos oder ein Italiener von einem englischen Trauerspiele so stark gerührt werden, als der Britte und der Deutsche? Die Luft, die Organisation ist verschieden. Die meisten Franzosen lesen die Romanen des Fieldings und Richardson mit einer Gleichgültigkeit, die den deutschen Leser in Erstaunen setzt: sie werden die Mariane zehnmal lesen, wenn sie den Grandison kaum einmal gelesen haben. Die Briefe der Fanny Buttler und der Catesby von Mademoiselle Riccoboni werden einem Franzosen weit mehr gefallen, als die Briefe der Henriette Byron, und der Clarissa Harlowe. Bey uns ist es gerade umgekehrt. Sollten wir diese Nation aber wohl mit Recht tadeln können, weil sie den Racine einem Schakespear vorzieht? Das hieße sie schelten, daß sie sich nicht eine Empfindung erzwingen wollen, die dem Bau ihrer Nerven, und dem Himmelsstriche, worinn sie wohnen, zuwider ist. Es ist offenbar, daß der Franzos durch schwächere Wirkungen gerührt wird, als wir: das große Tragische, das in uns eine süsse Schwermuth erregt, würde ihnen beschwerlich fallen, allzugewaltsam seyn, ihn ohnmächtig machen.

Es ist nicht genug, daß die Menschen sich in ihren Empfindungen theilen; viele haben es durch allerhand Mittel dahin gebracht, daß sie gar keine Empfindung besitzen. Ich kenne, so unglaublich es scheinen mag, einen Ort, wo sich die Gelehrten eine Ehre daraus machen, alles zu verachten, was sinnlich ist. Sie lesen den Haller, um zu demonstriren, daß er falsch gedacht hat, und die Ode verdient ihre Aufmerksamkeit nicht, wenn sie nicht etwa ein Lobliedchen ist, das sie unsterblich macht. An diesem Orte ist es eben so selten, einen Jüngling zu finden, der den Gesner liest, als in der übrigen Welt eine Schöne, die den Duns Scotus kennt. In eben diese Classe gehören die Ausleger der Alten, die uns sehr gelehrt sagen, bey welchen Schriftstellern des goldnen Alters ein Wort gefunden und nicht gefunden werde, die aber in den übrigen Theilen, wo es auf Empfindung und Geschmack ankömmt, manchmal zu den lächerlichsten Auslegungen ihre Zuflucht nehmen. Man kennt das Sinngedicht, welches der sel. Hagedorn auf diese ehrwürdigen Männer gemacht hat. Ferner gehören hieher die meisten von denen, welche in solchen Aemtern stehen, die zur Liebe des Ranges oder des Geldes verleiten.

> Centuriae seniorum agitant expertia frugis. *Hor.*

Wenn diese etwas schön finden sollen, so muß es wie Geld klingen, oder wie ein reiches Kleid blitzen. Das Ohr bey den letztern, und das Auge bey den erstern sind ihre Seele, ihr Organon: für das, was bloß das Herz und den Verstand rührt, sind sie todt, sinnlos, kalt, ohne das geringste Gefühl. Sie scheinen aus den luftigen Welten herabgestiegen zu seyn, die Wielands Theagenes mitten im Himmel neben der Welt des Geruchs entdeckte.

Man ziehe einmal diese Summe von der großen Summe ab, die das Publikum genannt wird: wie viel wird wohl übrig bleiben; und doch sind wir mit unsrer Eintheilung noch lange nicht fertig.

Es hat Zeiten gegeben, da Hanns Sachs einer der größten Dichter in Europa hieß. Ist es möglich, daß die Empfindung des Menschen so *grob* seyn kann?

Es hat andre Zeiten gegeben, da Lohenstein als ein seltnes Geschenke des Himmels bewundert ward. Seine Leser waren Anbeter, und wer bekannt werden wollte, dessen Gedichte mußten von Lohensteinischen Amber riechen, und mit Muscateller getränket seyn. Ist es möglich, daß die Empfindung des Menschen so verderbt seyn kann?

Auf die erste Frage antwortet man, die menschliche Empfindung sättige sich so lange an dem Schlechten und Mittelmäßigen, bis sie durch bessere

Werke gereiniget werde. Aber wie will man die zweyte beantworten? Können wir auch in dem Häßlichen, in dem Abgeschmackten Schönheiten finden? Ist dieser innere Richter so wankelmüthig, daß das Häßliche und das Schöne einen gleich lebhaften, gleich angenehmen Eindruck bey ihm macht? Es wundert mich nicht, daß man den Milton mit größern Vergnügen zu lesen anfing, als man vorher den Günther gelesen hatte. Günther hatte einige gute Eigenschaften unter seinen vielen schlechten, und man kannte damals nichts bessers als etwa den Opitz und einige andre, die man wegen der veralteten Sprache aus der Hand gelegt hatte. Aber den Zusammenfluß alles dessen, was man nur irgend in einem Tollhause erfinden kann, das unsinnige Geschmiere eines Lohensteins für bewundernswürdige Schriften halten, ist etwas außerordentliches, das sich schwer erklären läßt. Wollen wir annehmen, daß die ganze Nation nur durch Cabalen ihren Beyfall verschenkt habe? – Die barbarischen Völker haben nichts so unvernünftiges und abgeschmacktes hervorgebracht, als die Lohensteinischen Schriften enthalten. Man kennt die edle Einfalt, die in ihren Liedern geherrscht hat, und findet sie noch immer sehr schön. Was soll man von dem deutschen Publiko denken, das doch damals sich für ein sehr gesittetes Volk hielte?

So wie die Empfindungen oft grob und oft verderbt sind, so sind sie auch bey vielen zu ekel: eine Sache, die man besonders an den Kunstrichtern bemerkt, und die zuerst ein Fehler des Verstandes war, an den das Herz Antheil nahm! Es giebt Werke des Genies, die einen unbeschränkten schöpferischen Geist voraus setzen, z. E. die Kunst Gespenster, Hexen, Feyen u. d. gl. zu charakterisiren, worinn die Engländer unleugbar alle andre Völker übertreffen. Es giebt ein Sonderbares, welches unter der Gestalt einer schönen Neuheit gefallen muß. Was heißt das, *die Kunst zu malen*? Es heißt die Züge aus der schönen Natur aussuchen, und sie so ordnen, wie sie den lebhaftesten Eindruck auf die Einbildungskraft machen. Hat aber wohl Horaz, der diese Lehre weitläufig ausführt, jemals daran gedacht, daß man die Dichter in ihren Schilderungen so pedantisch nach den Regeln der Malerey beurtheilen müsse, als sich es einige meiner Kunstrichter einbilden, die dem Addison das Genie absprechen, weil er mehr als einen Zug für einerley Gegenstand braucht, oder den Pope tadeln, weil er das Bild von der Höhe der Alpen in drey Perioden ausmahlt, da er es, wie sie meynen, in zwoen hätte thun können? Das seltsamste ist, daß diese Kenner – si Diis placet – sich alleine für die Meister der Kunst halten, weil sie wissen, was mahlen heißt, und daß sie alle diejenigen bedauren, die sich unterstehen, sie für Thoren zu halten. Wenn man mit diesen Sophistereyen recht bekannt werden will, so lese man die Untersuchung der popischen Werke, und gewisse kritische Briefe eines Engländers, die vor einiger Zeit in einer herzlich schlechten Uebersetzung zu Rostock erschienen sind. Nun finden sich Kunstrichter, die in diesen Vorzügen der Kunst das Wesentliche derselben suchen, gesetzt auch, daß sie durch andre Gedichte, die weniger Erfindung voraus setzen, weit mehr gerührt würden. Diesen wird keine Ode gefallen, worinn nicht gerade die Unordnung herrscht, die Pindar sich zugeeignet hatte: Der Dichter mag die Empfindungen von ihrer schönsten Seite aufbiethen, er mag sie entzücken, sie in der angenehmsten Raserey durch alle Wunder der Natur führen: Sie bleiben kalt; warum? Die Unordnung ist nicht pindarisch! Raphael war unleugbar eines der größten außerordentlichen Genies, die man in den neuern Zeiten gesehn hat: hätte ihn aber bloß seine Erfindungskraft unsterblich gemacht, welcher kleine Dichter würde nicht mit ihm um den Rang streiten können? Wir haben in unsern Tagen einen Dichter, in dessen epischen Werken ein großer Aufwand der poetischen Erfindung herrscht; da es diesem Dichter aber an der Grazie in Ausbildung der Theile und des Ausdrucks, ingleichen an der schönen Seele in den charakteristischen Zügen fehlt (Eigenschaften, welche die Kenner am meisten in Raphaels Meisterstücken bewundern:) so darf es uns nicht befremden, daß selbst die gerechtesten Verehrer der Kunst ihn höchstens mit Kaltsinnigkeit lesen, und die wenigsten ihn einmal ihrer Aufmerksamkeit würdigen. Dieß Phänomenon ist desto beträchtlicher, da unser Publikum bereits durch eine vortreffliche Epopee in den Stand gesetzt ist, von dem Werthe großer Gedichte zu urtheilen.

Ich glaube, ich werde der Mühe überhoben seyn können, alle diejenigen herzurechnen, die unbefugt sind, von ihren Empfindungen auf die Schönheit oder Mittelmäßigkeit eines Gedichts zu schließen.

> Indoctus quid enim saperet, liberque laborum
> Rusticus, vrbano confusus, turpis honesto? *Hor.*

Man würde sonst auch den Pöbel mit in die Rechnung bringen müssen, dessen Stimme man doch von jeher verworfen hat:

> Offendunt, enim, quibus est equus et pater et res;
> Nec si quid fricti ciceris probat et nucis emtor,
> Aequis accipiunt animis, donantue corona. *Hor.*

Auch das verschiedne Alter der Menschen macht in ihren Empfindungen einen Unterschied

> Semper in adiunctis aeuoque morabimur aptis. *Hor.*

Man wird begieriger seyn zu erfahren, wie es möglich sey, von der wahren Schönheit zu urtheilen, da doch weder die Kritik des Verstandes noch die Kritik der Empfindungen entscheidend zu seyn scheint.

Es ist unleugbar, daß jeder Mensch eine Seele auf die Welt bringt, die gewisser Empfindungen fähig ist, der Gegenstand mag nun eine wahre oder eine scheinbare Vollkommenheit seyn. Diese Empfindung ist anfangs ungebildet und roh; man kann ihr eine jede Form geben, die der Natur des Menschen nicht entgegen gesetzt ist. Wir wissen, daß man oft vermöge einer fortgesetzten Gewohnheit Dinge schmackhaft befunden hat, die einem jeden

andern Ekel erwecken: wie sollte die weit bildsamere Seele, wenn sie noch
ihrer eignen zarten Weichheit ausgesetzt ist, die allerersten Eindrücke der
Jugend ablehnen können, besonders, wenn keine Gelegenheit vorhanden ist,
ihr dereinst bessere Gegenstände einzuprägen? Unsre Natur ist die elendeste
unter allen Werken der Schöpfung, so lange wir unsern Bedürfnissen ohne
Hülfe überlassen sind; der edle Mensch, das Bild Gottes, wird ein Caribe, ein
Scythe, und fürchtlicher, als die wildesten Thiere, die jemals ein Dichter
geschildert hat. Was würden wir seyn, gütiger Gott! wenn unsre Väter von
jeher den schwarzen Barbaren jenseits der Linie geglichen hätten, und nicht
durch die sichtbare Güte des Schöpfers mit bessern Gegenständen bekannt
geworden wären, als Krieg, Raub und Eroberungen sind! Man fand allmählig
Geschmack an den Vergnügungen des Geistes, und glaubte zu einem erhab-
nern Endzwecke auf die Erde gesetzt zu seyn, als sich unter einander aufzu-
reiben; das, was vorher der Zeitvertreib einer Vierthelstunde gewesen, ein
Liedchen, worinn etwa eine kleine Scene aus der Natur vorgestellt war, das
ward nun eine Beschäfftigung, die ihre Seelen wirksam erhielte, eine Beschäfftigung, die sie unter einander zur Nacheifrung entzündete, und worinn
man zuletzt zu raffiniren anfing, als man Gelegenheit fand, sie gegen die
schönen Werke der Griechen und Römer zu halten. Es gab Genies, die, von
der Ehrbegierde getrieben, einen Versuch machten, die Alten zu übertreffen:
wiederholte Versuche aber lehrten sie, daß es unnütz sey, etwas zu unternehmen, welches einen so geringen Anschein der Wahrscheinlichkeit hat; und
man behauptet itzt einstimmig, daß sich nichts schöners denken lasse, als was
die Alten bereits ausgeübt haben, wofern man nicht etwa eine correcte Feh-
lerlosigkeit höher achtet, als die wahrhafte Schönheit in ihrer liebenswürdigsten Gestalt.

> exemplaria Graeca
> Nocturna versate manu, versate diurna.   *Hor.*

,,Noch immer grünen die alten Altäre in Kränzen, und stehen da, wohin
unheilige Hände nicht reichen; sicher vor Flammen, vor der noch grausamern
Wuth des Neides, vor dem verderblichen Krieg, und dem Alter, das alles
dahin reißt. Siehe aus allen Ländern bringen die Gelehrten ihren Weihrauch!
Hör, in allen Sprachen erschallen einstimmige Päane!" S. Popens sämmtliche
Werke. Th. I. S. 113. – ,,Studiret fleißig Homers Werke, und lasset sie euer
Vergnügen seyn; leset sie bey Tage, und überdenket sie bey Nachte. Aus
diesen bildet euer Urtheil, aus diesen nehmt eure Regeln, und folget der Spur
der Musen bis zu ihrer Quelle hinauf. Leset seinen Text, und haltet ihn immer
mit sich selbst zusammen, und laßt die mantuanische Muse eure Auslegung
seyn." Eb. das.
  Wenn dieses historische Bild, wie ich nicht zweifle, seine Richtigkeit hat;
so wird man daraus erkennen, daß die wahre Kritik nichts anders sey, als eine
lebhafte Empfindung des Schönen, durch die großen Muster der Alten geläu-

tert und ausgebildet, oder in andern Worten, *der Geschmack der Verglei-chung* (le gout de comparaison.) Wer eine natürliche Empfindlichkeit für das anmuthige Schöne hat, d. i. wer durch die Gegenstände in der Nachahmung leicht gerührt wird; wer ferner die besten Werke der Alten mit einem verhält-nißmäßigem Vergnügen gelesen hat, und Verstand besitzt, zu untersuchen, wie nahe unsre Zeitgenossen an jene Vollkommenheit der Alten gränzen; wer endlich durch diese Übung eine Fertigkeit erworben hat, den Grad der Schönheit, der einem neuern Werke der Kunst eigen ist, vermittelst der treu-en Empfindung zu bestimmen, die alsdann von einigen ein *gelehrtes Gefühl* genannt wird: der ist ein vortrefflicher Kunstrichter, er mag uns die Gründe seines Vergnügens angeben können oder nicht.* Man hat Kunstrichter gese-hen, die uns beweisen wollten, was wir für schön, für schlecht, und für mittelmäßig zu halten hätten: wir nahmen uns die Freyheit, die Ehrfurcht für ihre Demonstrationen aus den Augen zu setzen; und sie wurden ausgelacht. Du Bos hat Recht: nichts entscheidet in den Werken der Kunst, als die Empfindung zu ihrer höchsten Feinheit gebracht.

Alles das, was ich bisher von der Kritik der Empfindungen gesagt habe, bezieht sich größtentheils auf die einzelnen Schönheiten, welche die Franzo-sen beautés de detail nennen: die Schönheiten des Ganzen, die Erfindung des Gegenstandes, die edle Disposition der Theile, die schöne Unordnung, mehr oder weniger versteckt, je nachdem das Gedicht viel oder wenig Enthusias-mus erheischt; alle diese Eigenschaften gehören unter das Gebieth des Ver-standes, nur mit der Einschränkung, daß der Verstand nichts billige, was die Empfindung verwirft. Der Verstand ist nicht von der Empfindung getrennt, er erhebt vielmehr ihre Lebhaftigkeit; man kann sicher schließen, daß derjeni-ge eine eingeschränkte Empfindung haben muß, der einen schwachen und eingeschränkten Geist besitzt. Nun ist es nicht hinlänglich, daß der Verstand eine Vollkommenheit bemerkt; diese Vollkommenheit muß von der Art seyn, daß sie auch die Empfindungen unsers Herzens beschäfftiget. Es wäre daher gar nicht ungereimt zu behaupten, daß Niemand von der Vollkommen-heit der Kunst in der äußersten Beziehung urtheilen könne, als wer mit dem Genie derselben gebohren sey.

Werkregister 3

---

* Auf einem Blatte des Virgils, sagt Klopstock, ist mehr wahre Kritik, als bey zwan-zig Lehrern der Kunst. Alle große Genies haben eben so gedacht, als Herr Klopstock.

JOHANN JACOB BREITINGER

Die herzrührende Schreibart

Die *bewegliche* und *hertzrührende* Schreibart ist nichts anders, als eine ungezwungene Nachahmung derjenigen Sprache oder Art zu reden, welche die Natur einem jeden, der von einer Leidenschaft aufgebracht ist, selbst in den Mund leget. Die Leidenschaften haben demnach eine eigene Sprache und eine gantz besondere Art des Ausdruckes, womit sie nicht so fast absonderliche Begriffe, als vielmehr den Schwung ihrer erhizten und phantastischen Vorstellungen entdecken und offenbaren. Diese Sprache hat keine besondere Wörter oder Redensarten, sondern es dienen ihr zu ihrem Ausdruck alle in einer jeden Sprache gewöhnliche und übliche so wohl bloß willkührliche, als figürliche Zeichen, weil sie von gantz bekannten Dingen redet, und also durch den Gebrauch ungewohnter und besonderer Zeichen gantz unverständlich würde. Die Eigenschaft dieser Sprache bestehet demnach darinnen, daß sie in der Anordnung ihres Vortrags, in der Verbindung und Zusammensetzung der Wörter und Redensarten, und in der Einrichtung der Rede=Sätze sich an kein grammatisches Gesetze, oder logicalische Ordnung, die ein gesezteres Gemüthe erfodern, bindet; sondern der Rede eine solche Art der Verbindung, der Zusammenordnung, und einen solchen Schwung giebt, wie es die raschen Vorstellungen einer durch die Wuth der Leidenschaften auf einem gewissen Grad erhizten Phantasie erheischen; also daß man aus der Form der Rede den Schwung, den eine Gemüthes=Leidenschaft überkommen hat, erkennen kan. Wie nun die Leidenschaften selbst allgemein sind, massen sie zu dem Wesen der menschlichen Natur gehören, und das Centrum gravitatis ausmachen, nach welchem sich der Mensch in dem angewiesenen Rang unter den göttlichen Geschöpfen erhält, so ist ihre Sprache und die Art ihres Ausdrucks nicht weniger allgemein. Eine gleiche Leidenschaft wird sich bey einem Iroquesen in seiner landüblichen Sprache auf eben die Art herauslassen und erklären, wie bey einem Sachsen. Denn da die andern Sprachen zum Theil unter der tyrannischen Bothmässigkeit des unbeständigen Gebrauches stehen, und darum durch eine lange Uebung müssen erlernet werden; so ist hingegen diese eine allgemeine Gabe der Natur; wer den Trieb und die Hitze einer Leidenschaft in seiner Brust fühlet, der darf sich nicht lange besinnen, was für einen Schwung er dem Ausdruck geben wolle, die Natur wird ihm auf der Stelle mit den Gedancken auch die Wörter einflössen, und seine Rede in dem Munde also formieren, wie sie seiner Regung gemäß und gleichsam eigen ist. Wir können alle Tage hören, wie unstudierte Leute die Sehnsucht eines ungedultigen Verlangens in bangen Seufzern und heissen Wünschen; die Empfindung ihrer drückenden Noth in beweglichen und Wehmuth=vollen Klagen; die Aufwallung des Zorns in ungestümen Beschimpfungen und schrecklichen Bedrohungen, so geschickt und hertzbewegend ausdrücken, daß man sich nicht erwehren kan, an ihrem Geschicke Theil zu nehmen. Woher mag diese hertzrührende Kraft ihrer Wohlredenheit kommen? Unstreitig daher, weil sie das Hertz reden lassen, und sich dem ungestümen Triebe ihrer Neigungen gäntzlich ergeben. Quintilian fraget daher im dritten Cap. des sechsten B. *Quid aliud est causæ, ut lugentes utique in recenti dolore disertissime quædam exclamare videantur; & ira nonnunquam indoctis quoque eloquentiam faciat; quam quod illis inest vis mentis & veritas ipsa morum?* Die Natur ist demnach die Lehrmeisterinn, bey welcher man in die Schule gehen muß, wenn man diese natürliche Sprache erlernen will; und man kan demjenigen, der sich geschickt machen will, die Leidenschaften in der natürlichen Art ihres Ausdruckes so glücklich nachzuahmen, daß man die Kunst der Verstellung nicht leicht mercken soll, keinen bessern Rath ertheilen, als daß er sich bemühen solle, diejenigen Leidenschaften selbst anzunehmen und in seinem Hertzen rege zu machen, deren eigene Sprache er zu reden gedencket.

Werkregister 61

FRIEDRICH GOTTLIEB KLOPSTOCK

aus   Von der heiligen Poesie.

Die höhere Poesie ist ein Werk des Genie; und sie soll nur selten einige Züge des Witzes, zum Ausmalen, anwenden.

Es giebt Werke des Witzes, die Meisterstücke sind, ohne daß das Herz etwas dazu beygetragen hatte. Allein, das Genie ohne Herz, wäre nur halbes Genie.

Die lezten und höchsten Wirkungen der Werke des Genie sind, daß sie die ganze Seele bewegen. Wir können hier einige Stufen der starken und der stärkern Empfindung hinaufsteigen. Dieß ist der Schauplatz des Erhabnen.

Wer es für einen geringen Unterschied hält, die Seele leicht rühren; oder sie ganz in allen ihren mächtigen Kräften, bewegen: der denkt nicht würdig genung von ihr.

Man fordert von demienigen, der unsre Seele so zu bewegen unternimmt, daß er iede Saite derselben, auf ihre Art, ganz treffe. Sie bemerkt hier ieden Miston, auch den feinsten. Wer dieses recht überdacht hat, wird sich oft entschlossen haben, lieber gar nicht zu schreiben.

Wem es dennoch glückt, der hat Empfindungen in uns hervorgebracht, die, weder die höchste philosophische Ueberzeugung, noch die andern Arten der Poesie, verursachen können. Diese Eindrücke haben, in Betrachtung der Stärke und der Dauer, einige Aehnlichkeit mit dem Exempel, das ein grosser Mann giebt.

Die höhere Poesie ist ganz unfähig, uns durch blendende Vorstellungen zum Bösen zu verführen. So bald sie das thun wollte, hört sie auf zu seyn, was sie ist. Denn so sehr auch einige sich selbst klein machen wollen, so können sie sich doch niemals so weit herunter bringen, daß sie etwas anderm, als was wirklich edel und erhaben ist, diese grosse und allgemeine Bewegung aller Kräfte ihrer Seele erlaubten.

Der lezte Endzweck der höhern Poesie, und zugleich das wahre Kennzeichen ihres Werths, ist die moralische Schönheit. Und auch diese allein verdient es, daß sie unsre ganze Seele in Bewegung setze. Der Poet, den wir meinen, muß uns über unsre kurzsichtige Art zu denken erheben, und uns dem Strome entreissen, mit dem wir fortgezogen werden. Er muß uns mächtig daran erinnern, daß wir unsterblich sind, und auch schon in diesem Leben viel glückseliger seyn könnten.

Der Mensch, auf diese Höhe geführt, und in diesem Gesichtspunkte angesehn, ist der eigentliche Zuhörer, den die höhere Poesie verlangt.

Man kann hier, auch ohne Offenbarung, schon weit gehn. Homer ist, ausser seiner Göttergeschichte, die er nicht erfunden hatte, schon sehr moralisch. Wenn aber die Offenbarung unsre Führerinn wird; so steigen wir von einem Hügel auf ein Gebirge.

Youngs Nächte sind vielleicht das einzige Werk der höhern Poesie, welches verdiente, gar keine Fehler zu haben. Wenn wir ihm nehmen, was er als Christ sagt, so bleibt uns Sokrates übrig. Aber wie weit ist der Christ über Sokrates erhaben!

Vielleicht sind auch noch folgende Anmerkungen, in Betrachtung dessen, was ich von der heiligen Poesie zu sagen habe, nicht überflüssig.

Wir haben uns gewöhnt, der Seele Verstand, Einbildungskraft, und Willen, als Hauptkräfte, zu geben. Das Gedächtniß, das immer mit ienen zugleich wirkt, gehört nicht hierher. Wer Werke der höhern Poesie unternimmt, sieht dieß, nach seinem Entzwecke, so an.

Die Einbildungskraft ist ihm öfter eine Malerinn des grossen und furchtbaren Schönen in der Natur, als ihrer sanftrührenden Gegenstände. Indem er ienes malt, gelingen ihm alsdann die stärksten Züge, wenn er sich, durch das Feuer seiner Abbildung, der Leidenschaft nähert.

Dem Verstande legt er am liebsten dieienigen Wahrheiten vor, die gewust zu werden verdienen, und die nur der rechtschafne Mann ganz versteht.

Und in dem Willen, oder dem Herzen, dieser vielseitigen und gewaltigsten Kraft der Seele, sucht er vorzüglich dieienigen Empfindungen zu treffen, die es erweitern, die es groß und edel seyn lehren.

Aber sein Zweck geht weiter, als Eine Kraft der Seele, indeß daß die andern schlummern, nur zu erregen, sie sanft zu unterhalten, und ihr einen stillen Beyfall abzulocken. Eine Absicht, welche auch Meisterstücke hervorgebracht hat! Er bringt uns, (welches ihm besonders alsdann glückt, wenn ihn der Schauspieler, oder der Vorleser verstanden hat,) er bringt uns mit schneller

Gewalt dahin, daß wir ausrufen, uns laut freuen; tiefsinnig stehn bleiben, denken, schweigen; oder blaß werden, zittern, weinen. Die Kritik sollte sich fast nicht einlassen, die Ursachen dieser so schnellen und so mächtigen Wirkungen aufzusuchen. Sie sind von so verschiednen Feinheiten, und diese haben ein so mannichfaltiges Verhältniß untereinander, daß es unendlich schwer ist, sie alle mit Richtigkeit zu entwickeln. Und wenn sie entwickelt sind, so untersucht sie der Leser von tiefsinnigem Geschmacke zwar gern; allein der Poet wuste sie schon, und wuste noch mehr, als diese; oder, wenn er auch etwas Neues lernte, so würde er doch nicht mehr Poet dadurch. Ueberdieß sind diese seinen Entwicklungen, die den Faden durch das ganze Labyrinth ziehn, zu sehr der Gefahr ausgesetzt, unrichtig, durch ihre Feinheit, zu werden. Doch etwas läßt sich davon sagen.

Das schwerste für den Verfasser und den Beurtheiler iedes grössern Gedichts ist der Grundriß des Ganzen. Das wesentlichste dieses Grundrisses ist, Einfalt und Mannichfaltigkeit auf eine Art verbinden, die den grossen Entzwekken angemessen ist; eine gewisse Hoheit in die Hauptidee des Gedichts bringen; die kühne Erfindung eben an ihre Gränzen, und keinen Schritt darüber, führen; neue Charaktere, aber diese so groß und so liebenswürdig zeigen, daß es uns sonderbar vorkömmt, daß sie dennoch neu sind; die Hauptbegebenheiten Hand an Hand so auf Einem Schauplatz fortleiten, daß die Episode immer um sie und neben ihnen ist, und sich so wenig jenseits der Berge verirrt, daß sie sich vielmehr oft in die Reihe der Hauptbegebenheiten einflicht. Es ist noch eine gewisse Ordnung des Plans, wo die Kunst in ihrem geheimsten Hinterhalte verdeckt ist, und desto mächtiger wirkt, ie verborgner sie ist. Ich meine die Verbindung und die abgemeßne Abwechslung derienigen Scenen, wo in dieser die Einbildungskraft; in iener die weniger eingekleidete Wahrheit; und in einer andern die Leidenschaft, vorzüglich herrschen: wie sich diese Scenen einander vorbereiten, unterstüzen, oder erhöhn; wie sie dem Ganzen eine grössre, unangemerkte, aber gewiß gefühlte Harmonie geben. Wir wollen annehmen, daß sich der Poet vorgesetzt habe, in einer gewissen wichtigen Stelle unser Herz in einem sehr hohen Grade zu bewegen. Vielleicht würde er unvermerkt auf folgende Art verfahren. Vielleicht würde er sich auch den Entwurf gemacht haben, es zu thun. Hier das Herz mit dieser Stärke zu bewegen, sagt er zu sich, muß ich immer, und so steigen, daß ieder meiner vorhergehenden Schritte Vorbereitung sey. Diesen stummen, erstaunungsvollen Schmerz will ich hervorbringen! Ich muß meine Hörer nach und nach mit wehmütigen Bildern umgeben. Ich muß sie vorher an gewisse Wahrheiten erinnern, die ihre Seele für diesen lezten grossen Eindruck aufschliessen. Wenn sie eine Weile bey Gräbern, die noch mit Blumen bedeckt waren, vorübergegangen sind, dann sollen sie, noch schnell genung, an die tiefe, todtenvolle Gruft kommen. Führte ich sie auf einmal dahin, so würden sie mehr betäubt werden, als fühlen. Es gehören diese Vorbereitungen ohnedieß zu meinem übrigen Plane; und izt will ich sie, aus dieser Ursache, so anordnen. Einige werden diese Anmerkungen über die Kunst des Plans für zu hoch getrieben halten; aber wohl nur dieienigen, die, wenn sie andrer Meinung gewesen wären, den Satz in der Ausübung übertrieben hätten.

Das Erhabne, wenn es zu seiner vollen Reife gekommen ist, bewegt die ganze Seele. Und welche Seele am meisten? Die selbst Hoheit hat, die selten bewundert, aber auch mehr bewundert, als irgend eine kleine, wenn sie muß. Mittelmässige Seelen trift es nur mit einem gewissen Schlage, den sie nicht ganz fühlen, weil sie mehr durch ihn erschüttert werden, als ihn fühlen. Die Kräfte unsrer Seele haben eine solche Harmonie unter sich, sie fliessen, wenn ich es sagen darf, so beständig in einander, daß, wenn Eine stark getroffen wird, die andern mit empfinden, und in ihrer Art zugleich wirken. Der Poet zeigt uns ein Bild. Dem Bilde giebt er so viel Ebenmaaß und Richtigkeit, daß es auch den Verstand reizt, oder er weis ihm gewisse Züge mitzutheilen, die nahe an die Empfindung des Herzens gränzen. Die ungeschmükte Wahrheit, die allein den Verstand zu beschäftigen schien, hat gleichwohl unter seiner Hand einige helle Minen der Bilder angenommen, oder sie zeigt sich mit einer solchen Würde und Hoheit, daß sie die edelsten Begierden des Herzens reizt, sie in Tugend zu verwandeln. Ist es das Herz, so der Poet angreift, wie schnell entflammt uns dieß! Die ganze Seele wird weiter, alle Bilder der Einbildungskraft erwachen, alle Gedanken denken grösser. Denn ob gleich einige Leidenschaften eine gewisse ruhige Art zu denken ganz unterbrechen, so feuert uns doch überhaupt das bewegte Herz an, schnell, groß und wahr zu denken. Welche neue Harmonie der Seele entdecken wir dann in uns! Mit welchem ungewohnten Schwunge erheben sich die Gedanken und Empfindungen in uns! Welche Entwürfe! welche Entschlüsse!

Aber dieser unsrer Erhebung hängt oft noch eine gewisse Mittelmässigkeit an. Wir fühlens, wir wollten uns noch höher erheben. Unsre Seele ist noch weiter. Sie kann noch mehr fassen. Uns fehlte die Religion noch. Wir waren nur noch in der Sphäre, wo wir selbst die Wahrheiten erfunden haben. Wie glücklich ist gleichwohl derienige, der hier viel weis, viel denkt, und viel empfindet. Aber wie glückselig der, der auch nur angefangen hat, die viel höhern Wahrheiten der Religion zu verstehn, und zu empfinden.

Die Religion ist, in der Offenbarung selbst, ein gesunder männlicher Körper. Unsre Lehrbücher haben ein Gerippe daraus gemacht. Doch haben sie in ihren Absichten ihren grossen Nutzen.

Der Verfasser des heiligen Gedichts ahmt der Religion nach; wie er, in einem nicht viel verschiedenen Verstande, der Natur nachahmen soll.

Werkregister 162

JOHANN JACOB DUSCH

Vom Nutzen einer christlichpoetischen Mythologie

Warum sollten nicht, so bald uns Obaddon, oder Eloa genannt wird, der Todesengel, der Schutzengel der Erde, mit Erinnerung der von Klopstock, und andern ihnen angedichteten Nebenbegriffen in unserer Einbildung da seyn, und eben so große, und angenehme und reinere Bilder hervorrufen, als Jupiter, oder ein anderer Name der alten Mythologie?

Sie geben mir ohne Zweifel Recht: denn, ohne für meine Entdeckung eingenommen zu seyn, die nicht viel Scharfsinn erfoderte, sehe ich gar nicht, wie Sie es leugnen könnten! Was würde demnach hauptsächlich erforderlich seyn zu einer solchen christlichen Mythologie? Nichts anders, als daß unsere Dichter sich solcher Dichtungen bemeisterten, und jedem Wesen, jeder christlichpoetischen Substanz, gebraucht nach denselben Haupteigenschaften, durch eben diesen Gebrauch seine Festigkeit gäben. Das würde dann freylich noch lange kein mythologisches System ausmachen; aber doch einen Beytrag: und mehr Beyträge geben die Bücher des alten Testaments; und mehr Beyträge müßten aus der Quelle kommen, woher Miltons und Klopstocks Erfindungen kamen. Könnten also unsere Poeten die vorhandenen brauchen; könnten sie neue Wesen, und Handlungen hinzu dichten, um die Reihe theils der poetischen Geschöpfe, theils der Nebenideen derselben zu verlängern, sie fruchtbarer, thätiger und schöner zu machen, so würden wir *endlich* eine neue poetische Welt bekommen.

Aber so wunderlich, kurzsichtig will ich nicht sagen, ist unsere deutsche Critik, daß ich das Unglück eines solchen Dichters nicht ansehen mögte, der es wagen wollte, Erdichtungen auf Klopstockischen Grund und Boden zu pflanzen, und neue Reiser auf Miltons fruchtbare Stämme zu pfropfen. Mögte er noch so wohl von dem Geiste, der in diesen lebet, beseelet seyn; so bald er sich an den ersten characteristischen Ideen fest hielte, wenn er sonst auch den Faden weiter ausspönne: „O! *seruum imitatorum pecus!* würden alle Journale ihm entgegen höhnen! Es sind ja Klopstocks, und Miltons Erfindungen: Nachahmer! erinnere dich an die Weintraube, welche von dem Vögelschwarm gemishandelt wurde, eben deswegen, weil die Süßigkeit derselben ihnen schmeckte!" Und so dankt der folgende Dichter vielmal vor dem Nacharbeiten, lenket ganz von Klopstocks Erfindungen aus, hütet sich mit Zittern, ihm nahe zu kommen, und will sich selbst etwas Eignes schaffen: so der eine, so der andere, so der dritte, so alle mit einander; und wo sollen wir nun eine, nicht zu sagen zusammenhangende, sondern nur verträgliche christlichpoetische Mythologie erwarten?

Sie sehen wohl, ich rede von mehr, als *bloßen* Nachahmern: aber selbst die bloßen Nachahmer mögte ich hier gewissermaßen in Schutz nehmen. Laß es seyn, daß sie nichts Neues dichten: wenn sie nur das, was ihr Original vortreflich dichtete, wohl gefaßt haben, und von der Schönheit desselben gerührt sind, so daß sie es in *ihrer* Sprache nachsagen können. Ich weiß wohl, es könnte alsdenn an Größe, und Schönheit ungemein verschieden seyn von dem Originale: aber es wird doch öfterer gesagt: mehr wollen wir nicht von solchen: und weil häufiger Gebrauch, wie ich bemerkt habe, den einmal erschaffenen mythologischen Wesen mehr Gangbarkeit, mehr Festigkeit giebt; so wäre sicher *ein* Nutzen, den diese Nachahmer leisten.

Oder meynen Sie etwa, daß die heidnische Mythologie anders, als durch den öftern Gebrauch vieler Poeten zu ihrer Vollkommenheit gelangt sey? Und meynen Sie, daß nach dem Homer alle Dichter einen gleich schönen Gebrauch von den Geschöpfen ihrer Vorgänger gemacht: oder daß alle selbst *hinzu gedichtet,* und nicht *viele,* sehr viele den zubereiteten Stoff bloß so genommen haben, wie sie ihn fanden? Man darf nur eine Anzahl Dichter lesen, die sich des mythischen Cyclus bedienen; so wird man daran nicht länger zweifeln.

Daß dieses von uns nicht geschiehet, ist Ein Hinderniß: die Bequemlichkeit für den Poeten, sich der alten schon fertigen Erdichtungen zu bedienen, die für alle als schon zubereitetes Baugeräthe, gute Prise sind, ist das *zweyte.* Fehlet ein Bild z. E. von einer anmuthigen Gegend, oder von einem schönen Flusse; so suchet der Dichter nicht lange in seiner Imagination: das wäre zu mühsam; es giebt dergleichen in Thessalien, in Sicilien und wo mehr? alle schon ausgemahlt. Hier ein Tempe, dort ein Enna; hier eine Arethusa, da einen Peneus, wohin die Gedankenreise schneller gehet, als die Erfindungskraft andere erschaffen könnte. Ganz bequem für den Dichter, und oft auch bequem genug für den Leser! ich gebe es zu: aber wir sollten auf etwas Eignes denken, und nicht immer durch Borgen von den Alten auf Credit leben; nicht durch beständigen Gebrauch das Alte, was oft so schlecht zu unsern Einsichten passet, verewigen, wenn wirs vielleicht in unsern Gebiethen überhaupt eben so gut, und für unsere Einsichten passender haben könnten.

Original zu werden, ist doch unstreitig die Höhe, wornach eine Nation strebet; und Sie gestehen mir ein, daß das *können* vor dem *werden* vorher gehe; daß der große Abstand der Alten und neuen Poesie besonders auch darin liege, weil jene ihre Mythologie, ihre poetische Welt hatte, anpassend für die Religion, den Wahn, die Einsichten, Sitten u. s. w. der damahligen Zeiten; und weil diese sie nicht hat. Nun giebt diese Mythologie der alten Poesie viel Originelles; und unsere Poesie ist, in diesem Stücke, nachgeahmte, in so fern sie von jener die Mythologie borgt. Original aber kann sie nicht eher werden, *als* bis sie sich ihre eigene Mythologie erschaffen hat.

Unbekannter Verfasser

aus # Von der Ode.

Das Wesen der Ode.

Laßt uns einmal eine wahre Ode unserm Freunde zum Beurtheilen vorlegen, den die Natur zum schönen Geiste gebildet hat. Es mag Hallers *Doris* oder die *Ewigkeit* seyn. Was wird er wohl sagen? ohnstreitig: die Ode ist schön; wenn wir ihn aber fragen, warum er sie schön nennet, so wird er uns antworten: deswegen, weil sie rührt, und uns noch einen nähern Grund davon angeben, weil sie empfindungsvoll ist. Alle diejenigen, welche mit Geschmack die *Doris*, die *Ewigkeit*, oder auch den Pindar, Horaz und Anakreon gelesen, werden mit diesem Urtheile übereinstimmen. Also ist die eigentliche Wirkung der Ode, die sie in der Seele eines jeden, der fähig ist, die Schönheiten der Gedichte zu empfinden, zurückläßt, – die Rührung. Der Grund von dieser Veränderung der Seele liegt also in der Ode. Es muß folglich in derselben eine Menge von Bildern enthalten seyn, welche Abdrükke von starken und lebhaften Empfindungen sind. Diese Empfindungen, wenn sie sich in einem Punkt vereinigen, welches die Hauptempfindung ist, verursachen eine gewisse Veränderung in der Seele, welche der Affekt genennet wird. Sie müssen sich aber vereinigen, denn sonst wäre es wider die eigenthümliche Schönheit des Gedichts. Da nun die Empfindungen einfach oder zusammengesetzt, rein oder vermischt, lebhaft, stark, erhaben sind; die Vollkommenheiten oder Unvollkommenheiten der menschlichen Seele, des Körpers und äußern Zustandes, die Schönheiten der Natur und Kunst zum Gegenstande haben; die Affekten aber aus der Vereinigung derselben entstehen; die Ode aber zu allen Arten der Empfindungen fähig ist; so folgt, daß sie auch zu allen Arten der Affekten aufgelegt ist. Die Affekten können entweder alle zu einem Hauptaffekt sich vereinigen, oder nicht; in dem ersten Falle ist der Affekt zusammengedrängt, stark, von kurzer Dauer. Ein Gedicht aber, worinn ein zusammengedrängter Affekt herrscht, nennet man eine *Ode*.

Laßt uns noch aus einem andern Gesichtspunkte zeigen, daß das Wesen der Ode im Affektvollen oder in der Zusammendrängung des Affekts bestehe. Das Gedicht überhaupt betrachtet, ist eine vollkommen sinnlich schöne Rede. Also besteht es aus undeutlichen Vorstellungen in allgemeiner Bedeutung genommen. Diese werden aber von den untern Seelenvermögen bewirkt. Diese Seelenvermögen sind der Grund, entweder von den eigentlichen sinnlichen Vorstellungen, oder von den sinnlichen Begierden und Verabscheuungen. Also theilen sich alle Gedichte überhaupt in zwo Gattungen. Entweder in die, worinn eigentlich sinnliche Vorstellungen herrschen, oder wo Neigungen und daraus entstehende Affekten angetroffen werden. Diese Neigungen können entweder schwach seyn, sich ausdehnen, der Affekt kann sanft die Seele einnehmen, oder heftig in Bewegung setzen. Diese Art von Gedichten, worinn die Bilder starker und die Seele heftig erschütternder Affekten befindlich, welche also in einem hohen Grade affektvoll sind, können wir am bequemsten mit dem Namen der Ode bezeichnen. Also ist der Unterscheidungscharakter derselben das vollkommen Affektvolle. Ein starker, heftiger Affekt wird, ohne daß er mit andern Empfindungen abwechselt, von keiner langen Dauer seyn. Folglich ist die Ode ein kurzes vollkommen affektvolles Gedicht.

Aus dieser Erklärung erhellet der Unterschied der Ode von der Elegie, dem dramatischen und epischen Gedichte, der Satyre. Die Elegie ist der Ode am nächsten verwandt; allein doch darinn unterschieden, daß sie nicht zu allen Arten der Affekten aufgelegt ist, z. E. zum Erhabenen, und daß sie diejenigen Affekten, deren sie fähig ist, nicht stark, nicht heftig, nicht erschütternd vorträgt, sondern mit sanften Bildern der Einbildungskraft mildert, und also mehr vergesellschaftete Empfindungen hat.* Die Tragödie kann eben so erschütternde Affekten äußern, als die Ode; allein sie wechseln in derselben mit andern Affekten ab, sie machen einzeln genommen kein Ganzes aus, z. E. die Monologen in des Shakspears Trauerspielen. Diese könnten an und für sich betrachtet als Oden angesehen werden; allein in der Verbindung, da sie nur ein kleiner Theil von einem großen Ganzen sind, hören sie auf, es zu seyn. Eben so wechseln die starken Affecten in der Komödie und Satyre, wenn dergleichen in derselben vorkommen, mit andern Empfindungen ab, und sind also nicht ein Ganzes, oder sie dehnt die heftigen Neigungen aus, und schwächet dadurch dieselben. Doch aus der Betrachtung der Eigenschaften der Ode werden wir fähig seyn, dieselbe noch genauer von allen andern Gedichten, besonders denjenigen, die eine große Aehnlichkeit mit ihr zu haben scheinen, zu unterscheiden.

Die Eigenschaften.

Man wird hier die Eigenschaften anzeigen, die allen Oden gemein sind. Die zufälligen Bestimmungen, in Verhältniß der Ode überhaupt, welche aber Eigenschaften einer gewissen Gattung von Oden seyn können, und es auch wirklich sind, werden bey der besondern Untersuchung bemerkt werden.

Der Enthusiasmus.

Diese Eigenschaft ist die Quelle, woraus alle andere Bestimmungen der Ode hergeleitet werden können. Weil sie so nahe an das Wesen derselben grenzt und gleichsam damit zusammen zu fließen scheinet, so müssen wir

---

* Man sehe die Briefe, die neueste Litteratur betreffend, 13 Th. S. 70=83. wo man eine lesenswürdige Untersuchung des H. Nicolai von der Elegie findet.

dieselbe zuerst betrachten. Genau gezeichnete Empfindungen, die ihren nächsten Grund in der aufwallenden Einbildungskraft haben, machen den Enthusiasmus der Ode aus. Die Empfindungen werden folglich stark seyn, nach der Beschaffenheit des Gegenstandes; sie werden einander drängen, und in einem gewissen Punkte sich durchschneiden; daraus wird ein Ganzes entstehn, das den empfindenden Leser mit sich fortreißt, und welches einen Dichter entdeckt, den Horaz schildert: *Cui mens diuinior atque os magna sonaturum.* Der Affekt wird auf derjenigen Seite gemahlt werden, wo er am schönsten ist, er ist es aber, wenn er am lebhaftesten vorgestellt wird. Ein hoher Grad des lebhaften Affekts ist das Feuer desselben. Eine jede Ode aber besteht aus affektvollen Bildern, die lebhaft gemacht sind, weil es die wesentliche Schönheit dieses Gedichtes erfordert. Sie muß also den bestimmten Grad des lebhaften Affekts haben, den der Gegenstand fordert. Dieser Grad aber ist das Feuer. Man muß daher in jeder Ode einen Enthusiasmus entdekken. Wenn der Dichter sich in dieser Situation befindet, dann wird er sagen:

> Bacchum in remotis carmina rupibus
> Vidi docentem, credite, posteri,
>   Nymphasque discentes, et aures
>   Capripedum Satyrorum acutas.

> Euoe, recenti mens trepidat metu,
> Plenoque Bacchi pectore turbidum
>   Laetatur. Euoe, parce, Liber,
>   Parce, graui metuende thyrso.

Dann wird er begeistert ausrufen:

> Wohin, wohin reißt ungewohnte Wuth
> Mich auf der Ode kühnen Flügeln,
> Fern von der leisen Fluth
> Am niedern Helikon und jenen Lorbeer=Hügeln?

> Ich fliehe stolz der sterblichen Revier;
> Ich eil in unbeflogne Höhen.
> Wie keichet hinter mir
> Der Vogel Jupiters, beschämt, mir nachzusehen!

> In Gegenden, wo mein entzücktes Ohr
> Der Sphären Harmonie verwirret,
> O Muse! fleug mir vor,
> Du, deren freyer Flug oft irrt, sich nicht verirret!

> Ich folge dir bald bis zur Sonnen hin,
> Bald in den ungebahnten Haynen,
> Mit Libers Priesterinn,
> Wo keine Muse gieng und andre Sterne scheinen.

Der Enthusiasmus hat seine Grade. Er muß sich nach der Beschaffenheit des Gegenstandes äußern. Daher folgt: in einer Ode, die stärkere Affekten hat, muß mehr Begeisterung angetroffen werden, als in der, wo der Affekt nicht so heftig ist.

Der odenmäßige Schwung.

Aus der Begeisterung läßt sich der Schwung der Ode am nächsten herleiten. Dieser verhält sich zum Enthusiasmus, wie ein Theil zu seinem Ganzen. Überall muß man in einer wahren Ode Merkmale der Begeisterung antreffen; aber nicht in jeder Stelle den Schwung. Man sagt von einem Dichter, er schwinge sich in die Höhe, wenn er sich der ordentlichen Sphäre unserer Denkungsart entzieht; wenn er sich aus unserm Gesichte zu verliehren scheint, und wenn man aus dem Glanze der Bilder in seinen Gedichten die Größe des Gegenstandes am lebhaftesten empfindet. Da er aber nicht beständig, sondern nur einige Augenblicke in dieser Fassung bleiben kann, wo er nicht das Schicksal des Ikarus erfahren, und seine Leser in eine blendende Verwirrung setzen will; so werden wir auch nur in einzelnen Stellen einer Ode die Spuren des Schwunges entdecken. Dieses sind aber diejenigen, wo der Vereinigungspunkt der Schönheit sich befindet. Die schönsten Stellen in der Ode machen folglich diesen Schwung aus. So wird man zugestehn, daß in der Ode des Horaz: *Iustum et tenacem etc.* folgende Stellen einen Schwung enthalten:

Si fractus illabatur orbis
Impauidum ferient ruinae.

– – –

Ilion, Ilion
Fatalis incestusque iudex
Et mulier peregrina vertit
In puluerem –

– – –

Troiae renascens alite lugubri
Fortuna tristi clade iterabitur,
Ducente victrices cateruas
Coniuge me Iouis et sorore.

Ter si resurgat murus aëneus
Auctore Phoebo, ter pereat meis
Excisus Argiuis, ter uxor
Capta virum puerosque ploret.

In *Hallers* Ode über die *Ehre:*

Als Philipps Sohn, dem Tode nahe,
Sein göttlich Blut entlaufen sahe,

Wog Fama jeden Tropfen ab;
Allein das Werkzeug seiner Siege,
Die Mitgefährten seiner Kriege,
Verscharrt mit ihrem Ruhm ihr Grab.

— — —

Baut, eitle Herrscher unterm Süden,
Die unzerstörbarn Pyramiden,
Gepflastert mit des Volkes Blut.
Komm, schneller Cäsar, siege, siege!
Es sey der Schauplatz deiner Kriege,
Die ganze Welt, dein Unterthan;
Doch wisse, Dolche, dich zu morden,
Sind, eh du warst, geschliffen worden,
Dawider nichts dich schützen kann.

In *Uz* Ode, die *wahre Größe*:

Zeug, Alexander! hin, bis zu den braunen Scythen,
Irr um den trägen Phrat, wo heißre Sonnen wüthen,
Und reiß dein murrend Heer
Zum Ganges hin, bis ans entfernte Meer!

Du kämpfest überall, und siegest, wo du kämpfest,
Bis du der Barbarn Stolz, voll größern Stolzes, dämpfest,
Und die verheerte Welt
Vor ihrem Feind gefesselt niederfällt.

— — —

Mit Lorbeern wird von ihr der beßre Held bekränzet,
Der für das Vaterland in furchtbaren Waffen glänzet,
Und über Feinde siegt,
Nicht Feinde sucht, nicht unbeleidigt kriegt.

— — —

Der ächte Menschenfreund, der bloß aus Menschenliebe
Die Völker glücklich macht, und gern verborgen bliebe;
Der nicht um schnöden Lohn,
Nein, göttlich liebt, wie du, Timoleon!

Zu dir schrie Syrakus, als unter Schutt und Flammen
Und Leichen, die zerfleischt in eignem Blute schwammen,
Der wilde Dionys
Sein eisern Joch unleidlich fühlen ließ.

Du kamst, und stürztest ihn, zum Schrecken der Tyrannen,
Wie wenn ein Wintersturm die Königinn der Tannen
Aus tiefen Wurzeln hebt,
Von ihrem Fall ein weit Gebirge bebt.

Die schöne Unordnung.

Wenn man von der *schönen Unordnung* in einer Ode redet, so versteht man darunter die Verknüpfung der gemahlten Empfindungen, also die Folge des schönen Verhältnisses der Bilder in einer Ode. Man hat diese Eigenschaft deswegen so genennt, weil sie mit den auf einander folgenden Gedanken und Schlüssen in der Seele nicht eben die Regeln beobachtet. Und es wäre der größte Fehler, wenn sie dieses thäte. In Betracht der Entwicklung der Affekten ist sie die vollkommenste *Ordnung*. In der Ode muß eine Unordnung herrschen. Die Ode ist ein lebhaftes Gemälde der Affekten; also der auf einander folgenden Empfindungen im Affekt, diese aber sind der Folge der Vorstellungen, in genauester Bedeutung genommen, unähnlich, also unordentlich. Sie ist also ein Gemälde der, in Vergleichung mit den Vorstellungen, unordentlichen Veränderungen des Affekts. Diese Unordnung besteht demnach darinn, daß man von einer Empfindung auf die andere übergeht, ohne daß uns der nächste Grund davon gleich in die Augen fällt. Diese Unordnung muß schön seyn. In der Ode müssen die Affekten natürlich, also in der möglichsten Aehnlichkeit, also vollkommen geschildert werden. Dieses Sinnlich vollkomne aber ist das Schöne.

Wenn die Uebereinstimmung dieser Unordnung im Gemählde mit dem wirklich gehabten Affect lebhaft empfunden werden kann, so wollen wir es eine schöne *Unordnung* der *Nachahmung* nennen. Wenn aber die Bilder von dem Dichter so vortheilhaft verknüpft werden, daß sie die nachgeahmte Unordnung noch erhöhen, so nenne ich es die schöne *Unordnung* in der *Zusammensetzung*. Diese letzte unterscheidet sich demnach von der ersten darinn, daß sie mehrere Bilder von Empfindungen anbringt, als man ordentlich bey dem Affekte fühlt, oder daß sie eine vollkommnere Verknüpfung macht, oder daß sie mannichfaltigere Bilder in einer größern Uebereinstimmung mahlt.

Diese Eigenschaft kann auch aus dem Begriffe des Enthusiasmus hergeleitet werden. In der Begeisterung sehen wir den Gegenstand in einem so hellen Lichte, daß wir mit einer gewissen Geschwindigkeit zu demselben eilen, unsre Empfindungen sind zusammengedrängt, und die kleinen Nebenempfindungen ganz verdunkelt. Wir können also den nächsten Grund der Verbindung dieser lebhaften Bilder nicht augenblicklich entdecken. In dieser Verbindung aber besteht die schöne Unordnung.

Die Grade dieser Unordnung sind in einer jeden Ode unterschieden. Denn in der einen Ode kann mehr Enthusiasmus seyn, als in der andern. Also muß auch in der einen mehr Unordnung angetroffen werden, als in der andern.

Die Unordnung ist größer, wenn mehrere kleine Bilder, die in einem andern Gedichte Schönheiten gewesen wären, übergangen worden; wenn Dinge mit einander verbunden werden, die sich einander aufzuheben scheinen, und wenn die Verknüpfung derselben schöner ist.

Die Kürze.

In dem Enthusiasmus wird die Seele plötzlich von dem Gegenstande hingerissen, sie heftet sich an demselben an, und wird ganz innere Empfindung. Die Bilder sind alsdann von einer so großen Lebhaftigkeit, daß sie in diesem Zustande sich nicht lange befinden kann, ohne niederzusinken und matt zu werden. Der Enthusiasmus kann also nicht lange dauern. Die Ode spricht allezeit begeistert. Also muß sie verhältnißmäßig kurz seyn. Es ist wahr, man hat Oden, die an Länge noch ein Lehrgedicht übertreffen; allein man frage seine eigne Empfindungen, wenn man dergleichen lieset, ob nicht der Affekt nach und nach aufhört; ob nicht diese Gedichte mehr die kalte Miene des Dogmatischen, als die glühende Hitze des Affekts haben?

Eine Ode, die einen einfachen, reinen Affekt hat, muß kürzer seyn als die, wo ein zusammengesetzter, ein vermischter herrscht. Aus dieser Eigenschaft mit der unmittelbar vorhergehenden verbunden, fließt ein Begriff der Ode. Es ist folgender: *Die Ode ist ein kurzes Gedicht, worinn eine schöne Unordnung herrscht.*

Werkregister 30

IMMANUEL KANT

Beobachtungen über das Gefühl des Schönen und Erhabenen.

aus   Von den Eigenschaften des Erhabenen und
              Schönen am Menschen überhaupt.

Verstand ist erhaben, Witz ist schön. Kühnheit ist erhaben und groß, List ist klein aber schön. Die Behutsamkeit, sagte Cromwell, ist eine Bürgermeistertugend. Wahrhaftigkeit und Redlichkeit ist einfältig und edel, Scherz und gefällige Schmeicheley ist fein und schön. Artigkeit ist die Schönheit der Tugend. Uneigennütziger Diensteifer ist edel, Geschliffenheit (Politesse) und Höflichkeit sind schön. Erhabene Eigenschaften flößen Hochachtung, schöne aber Liebe ein. Leute, deren Gefühl vornemlich auf das Schöne geht, suchen ihre redliche, beständige und ernsthafte Freunde nur in der Noth auf; den scherzhaften, artigen und höflichen Gesellschafter aber erwählen sie sich zum Umgange. Man schätzt manchen viel zu hoch als daß man ihn lieben könne. Er flößt Bewunderung ein, aber er ist zu weit über uns, als daß wir mit der Vertraulichkeit der Liebe uns ihm zu nähern getrauen.

Diejenige welche beyderley Gefühl in sich vereinbaren, werden finden: daß die Rührung von dem Erhabenen mächtiger ist wie die vom Schönen, nur daß sie ohne Abwechselung oder Begleitung der letzteren ermüdet und nicht so lange genossen werden kann.* Die hohen Empfindungen, zu denen die Unterredung in einer Gesellschaft von guter Wahl sich bisweilen erhebt, müssen sich dazwischen in heiteren Scherz auflösen, und die lachende Freuden sollen mit der gerührten ernsthaften Mine den schönen Contrast machen, welcher beyde Arten von Empfindung ungezwungen abwechseln läßt. *Freundschaft* hat hauptsächlich den Zug des Erhabenen, *Geschlechterliebe* aber des Schönen an sich. Doch geben Zärtlichkeit und tiefe Hochachtung der letzteren eine gewisse Würde und Erhabenheit, dagegen gaukelhafter Scherz und Vertraulichkeit das Colorit des Schönen in dieser Empfindung erhöhen. Das *Trauerspiel* unterscheidet sich meiner Meynung nach vom *Lustspiele* vornemlich darin: daß in dem ersteren das Gefühl vors *Erhabene* im zweyten vor das *Schöne* gerührt wird. In dem ersteren zeigen sich grosmüthige Aufopferung vor fremdes Wohl, kühne Entschlossenheit in Gefahren und geprüfte Treue. Die Liebe ist daselbst schwermüthig, zärtlich und voll Hochachtung; Das Unglück anderer beweget in dem Busen des Zuschauers theilnehmende Empfindungen und läßt sein grosmüthig Herz vor fremde Noth klopfen. Er wird sanft gerührt und fühlt die Würde seiner eigenen Natur. Dagegen stellt das Lustspiel feine Ränke, wunderliche Verwirrungen und Witzige die sich herauszuziehen wissen, Narren die sich betrügen lassen, Spaße und lächerliche Charaktere vor. Die Liebe ist hier nicht so grämisch, sie ist lustig und vertraulich. Doch können so wie in andern Fällen also auch in diesen das Edle mit dem Schönen in gewissem Grade vereinbart werden.

Selbst die Laster und moralischen Gebrechen führen öfters gleichwohl einige Züge des Erhabenen oder Schönen bey sich; wenigstens so wie sie unserem sinnlichen Gefühl erscheinen ohne durch Vernunft geprüft zu seyn. Der Zorn eines furchtbaren ist erhaben, wie Achilles Zorn in der Iliade. Ueberhaupt ist der Held des *Homers schrecklich erhaben*, des *Virgils* seiner dagegen *edel*. Offenbare dreiste Rache nach großer Beleidigung hat etwas großes an sich, und so unerlaubt sie auch seyn mag, so rührt sie in der Erzehlung gleichwohl mit Grausen und Wohlgefallen. Als Schach=Nadir zur Nachtzeit von einigen Verschwornen in seinem Zelte überfallen ward, so rief er, wie Hanway erzählet, nachdem er schon einige Wunden bekommen und sich voll Verzweifelung wehrete: *Erbarmung! ich wil euch allen vergeben.* Einer unter ihnen antwortete, indem er den Säbel in die Höhe hob: *Du hast keine Erbarmung bewiesen und verdienst auch keine.* Entschlossene Verwe-

---

* Die Empfindungen des Erhabenen spannen die Kräfte der Seele stärker an und ermüden daher eher. Man wird ein Schäfergedichte länger in einer Folge lesen können, als Miltons verlohrenes Paradies und den de la Bruyère länger wie den Young. Es scheinet mir so gar ein Fehler des letzteren, als eines moralischen Dichters, zu seyn daß er gar zu einförmig im erhabenen Tone anhält; denn die Stärke des Eindrucks kann nur durch Abstechungen mit sanfteren Stellen erneuert werden. Bey dem Schönen ermüdet nichts mehr als mühsame Kunst die sich dabey verräth. Die Bemühung zu reitzen wird peinlich und mit Beschwerlichkeit empfunden.

genheit an einem Schelmen ist höchst gefährlich, aber sie rührt doch in der Erzehlung und selbst wenn er zu einem schändlichen Tode geschleppt wird, so veredelt er ihn noch gewisser maaßen dadurch, daß er ihn trotzig und mit Verachtung entgegen gehet. Von der andern Seite hat ein listig ausgedachter Entwurf, wenn er gleich auf ein Bubenstück ausgeht, etwas an sich was fein ist und belacht wird. Buhlerische Neigung (Coquetterie) im feinen Verstande, nemlich eine Geflissenheit einzunehmen und zu reitzen, an einer sonst artigen Person, ist vielleicht tadelhaft, aber doch schön und wird gemeiniglich dem ehrbaren ernsthaften Anstande vorgezogen.

Die Gestalt der Personen, die durch ihr äußeres Ansehen gefallen, schlägt bald in eine bald in die andere Art des Gefühls ein. Eine große Statur erwirbt sich Ansehen und Achtung, eine kleine mehr Vertraulichkeit. Selbst die bräunliche Farbe und schwarze Augen sind dem Erhabenen, blaue Augen und blonde Farbe dem Schönen näher verwandt. Ein etwas grösseres Alter vereinbart sich mehr mit den Eigenschaften des Erhabenen, Jugend aber mit denen des Schönen. So ist es auch mit dem Unterschiede der Stände bewandt, und in allen diesen nur erwähnten Beziehungen müssen so gar die Kleidungen auf diesen Unterschied des Gefühls eintreffen. Große ansehnliche Personen müssen Einfalt, höchste Pracht in ihre Kleidung beobachten, kleine können geputzt und geschmückt seyn. Dem Alter geziemen dunklere Farben und Einförmigkeit im Anzuge, die Jugend schimmert durch hellere und lebhaft abstechende Kleidungsstücke. Unter den Ständen muß bey gleichem Vermögen und Range die Geistliche die grösseste Einfalt, der Staatsmann die meiste Pracht zeigen. Der Cizisbeo kann sich ausputzen wie es ihm beliebt.

Auch in äußerlichen Glücksumständen ist etwas, das wenigstens nach dem Wahne der Menschen in diese Empfindungen einschlägt. Geburt und Titel finden die Menschen gemeiniglich zur Achtung geneigt. Reichthum auch ohne Verdienste wird selbst von Uneigennützigen geehrt; vermuthlich weil sich mit seiner Vorstellung Entwürfe von großen Handlungen vereinbaren, die dadurch könnten ausgeführt werden. Diese Achtung trift gelegentlich auch manchen reichen Schurken, der solche Handlungen niemals ausüben wird und von dem edlen Gefühl keinen Begrif hat, welches Reichthümer einzig und allein schätzbar machen kann. Was das Uebel der Armuth vergrößert ist die Geringschätzung, welche auch nicht durch Verdienste gänzlich kann überwogen werden, wenigstens nicht vor gemeinen Augen, wo nicht Rang und Titel dieses plumpe Gefühl täuschen und einigermaßen zu dessen Vortheil hintergehen.

In der menschlichen Natur finden sich niemals rühmliche Eigenschaften, ohne daß zugleich Abartungen derselben durch unendliche Schattirungen bis zur äussersten Unvollkommenheit übergehen solten. Die Eigenschaft des *Schrecklicherhabenen,* wenn sie ganz unnatürlich wird, ist *abentheuerlich.**

---

* In so ferne die Erhabenheit oder Schönheit das bekannte Mittelmaß überschreitet, so pflegt man sie *romanisch* zu nennen.

Unnatürliche Dinge, in so ferne das Erhabene darin gemeynet ist, ob es gleich wenig oder gar nicht angetroffen wird, sind *Fratzen*. Wer das Abentheuerliche liebt und glaubt ist ein *Phantast*, die Neigung zu Fratzen macht den *Grillenfänger*. Anderer Seits artet das Gefühl des Schönen aus, wenn das Edle dabey gänzlich mangelt und man nennet es *läppisch*. Eine Mannsperson von dieser Eigenschaft wenn sie jung ist, heißt ein *Laffe*; ist sie im mittleren Alter so ist es ein *Geck*. Weil dem höheren Alter das Erhabene am nothwendigsten ist, so ist ein *alter Geck* das verächtlichste Geschöpf in der Natur, so wie ein junger Grillenfänger das widrigste und unleidlichste ist. Scherze und Munterkeit schlagen in das Gefühl des Schönen ein. Gleichwohl kann noch ziemlich viel Verstand hindurchscheinen, und in so ferne können sie mehr oder weniger dem Erhabenen verwandt seyn. Der, in dessen Munterkeit diese Dazumischung unmerklich ist, *faselt*. Der beständig faselt ist *albern*. Man merket leicht daß auch kluge Leute bisweilen faseln, und daß nicht wenig Geist dazu gehöre den Verstand eine kurze Zeit von seinem Posten abzurufen, ohne daß dabey etwas versehen wird. Derjenige, dessen Reden oder Handlungen weder belustigen noch rühren, ist *langweilig*. Der Langweilige, in so ferne er gleichwol beydes zu thun geschäftig ist, ist *abgeschmackt*. Der Abgeschmackte, wenn er aufgeblasen ist, ist ein *Narr*.*

Ich will diesen wunderlichen Abriß der menschlichen Schwachheiten durch Beyspiele etwas verständlicher machen; denn der, welchem Hogarths Grabstichel fehlt, muß, was der Zeichnung am Ausdrucke mangelt, durch Beschreibung ersetzen. Kühne Uebernehmung der Gefahren vor unsere, des Vaterlandes, oder unserer Freunde Rechte ist erhaben. Die Creutzzüge, die alte Ritterschaft waren *abentheuerlich*; die Duelle, ein elender Rest der letztern aus einem verkehrten Begrif des Ehrenrufs, sind *Fratzen*. Schwermüthige Entfernung von dem Geräusche der Welt aus einem rechtmäßigen Ueberdrusse ist *edel*. Der alten Eremiten einsiedlerische Andacht war *abentheuerlich*. Klöster und dergleichen Gräber um lebendige Heilige einzusperren sind *Fratzen*. Bezwingung seiner Leidenschaften durch Grundsätze ist *erhaben*. Casteyungen, Gelübde und andere Mönchstugenden mehr, sind *Fratzen*. Heilige Knochen, heiliges Holz und aller dergleichen Plunder, den heiligen Stuhlgang des großen Lama von Thibet nicht ausgeschlossen, sind *Fratzen*. Von den Werken des Witzes und des feinen Gefühls, fallen die epische Gedichte des Virgils und Klopstocks ins *Edle*, Homers und Miltons ins *Abentheuerliche*. Die Verwandelungen des Ovids sind *Fratzen*, die Feenmär-

---

* Man bemerkt bald, daß diese ehrwürdige Gesellschaft sich in zwey Logen theile, in die der Grillenfänger und die derer Gecken. Ein gelehrter Grillenfänger wird bescheidentlich ein *Pedant* genannt. Wenn er die trotzige Weisheitsmine annimmt, wie die *Dunse* alter und neuer Zeiten, so steht ihm die Kappe mit Schellen gut zum Gesichte. Die Classe der Gecken wird mehr in der großen Welt angetroffen. Sie ist vielleicht noch besser als die erstere. Man hat an ihnen viel zu verdienen und viel zu lachen. In dieser Caricatur macht gleichwohl einer dem andern ein schief Maul und stößt mit seinem leeren Kopf an den Kopf seines Bruders.

chen des französischen Aberwitzes sind die elendesten Fratzen die jemals ausgeheckt worden. Anakreontische Gedichte sind gemeiniglich sehr nahe beym *Läppischen*.

Die Wercke des Verstandes und Scharfsinnigkeit, in so fern ihre Gegenstände auch etwas vor das Gefühl enthalten, nehmen gleichfals einigen Antheil an den gedachten Verschiedenheiten. Die mathematische Vorstellung von der unermeslichen Größe des Weltbaues, die Betrachtungen der Metaphysik von der Ewigkeit, der Vorsehung, der Unsterblichkeit unserer Seele, enthalten eine gewisse Erhabenheit und Würde. Hingegen wird die Weltweisheit auch durch viel leere Spitzfindigkeiten entstellet, und der Anschein der Gründlichkeit hindert nicht, daß die vier syllogistischen Figuren nicht zu Schulfratzen gezählt zu werden verdienten.

In moralischen Eigenschaften ist wahre Tugend allein erhaben. Es giebt gleichwohl gute sittliche Qualitäten die liebenswürdig und schön sind, und in so ferne sie mit der Tugend harmoniren auch als edel angesehen werden, ob sie gleich eigentlich nicht zur tugendhaften Gesinnung gezelt werden können. Das Urtheil hierüber ist fein und verwickelt. Man kann gewiß die Gemüthsverfassung nicht tugendhaft nennen, die ein Quell solcher Handlungen ist, auf welche zwar auch die Tugend hinauslaufen würde, allein aus einem Grunde, der nur zufälliger Weise damit übereinstimmt, seiner Natur nach aber den allgemeinen Regeln der Tugend auch öfters widerstreiten kann. Eine gewisse Weichmüthigkeit, die leichtlich in ein warmes Gefühl des *Mitleidens* gesetzt wird, ist schön und liebenswürdig; denn es zeigt eine gütige Theilnehmung an dem Schicksale anderer Menschen an, worauf Grundsätze der Tugend gleichfals hinausführen. Allein diese gutartige Leidenschaft ist gleichwohl schwach und jederzeit blind. Denn setzet: diese Empfindung bewege euch, mit eurem Aufwande einen Nothleidenden aufzuhelfen, allein ihr seid einem andern schuldig und setzt euch dadurch außer Stand, die Strenge Pflicht der Gerechtigkeit zu erfüllen, so kann offenbar die Handlung aus keinem tugendhaften Vorsatze entspringen, denn ein solcher könte euch unmöglich anreitzen eine höhere Verbindlichkeit dieser blinden Bezauberung aufzuopfern. Wenn dagegen die allgemeine Wohlgewogenheit gegen das menschliche Geschlecht in euch zum Grundsatze geworden ist, welchem ihr jederzeit eure Handlungen unterordnet, alsdenn bleibt die Liebe gegen den Nothleidenden noch, allein sie ist itzt aus einem höhern Standpunkte in das wahre Verhältniß gegen eure gesammte Pflicht versetzt worden. Die allgemeine Wohlgewogenheit ist ein Grund der Theilnehmung an seinem Uebel, aber auch zugleich der Gerechtigkeit, nach deren Vorschrift ihr jetzo diese Handlung unterlassen müsset. So bald nun dieses Gefühl zu seiner gehörigen Allgemeinheit gestiegen ist, so ist es erhaben aber auch kälter. Denn es ist nicht möglich daß unser Busen vor jedes Menschen Antheil von Zärtlichkeit aufschwelle und bey jeder fremden Noth in Wehmuth schwimme, sonsten würde der Tugendhafte, unaufhörlich in mitleidigen Thränen wie Heraklit schmelzend, bey aller dieser Gutherzigkeit gleichwohl nichts weiter als ein weichmüthiger Müßiggänger werden.*

Die zweyte Art des gütigen Gefühls, welches zwar schön und liebenswürdig, aber noch nicht die Grundlage einer wahren Tugend ist, ist die *Gefälligkeit.* Eine Neigung andern durch Freundlichkeit, durch Einwilligung in ihr Verlangen, und durch Gleichförmigkeit unseres Betragens mit ihren Gesinnungen angenehm zu werden. Dieser Grund einer reitzenden Geselligkeit ist schön, und die Biegsamkeit eines solchen Herzens gutartig. Allein sie ist so gar keine Tugend, daß, wo nicht höhere Grundsätze ihr Schranken setzen und sie schwächen, alle Laster daraus entspringen können. Denn nicht zu gedenken, daß diese Gefälligkeit, gegen die mit welchen wir umgehen, sehr oft eine Ungerechtigkeit gegen andre ist, die sich außer diesem kleinen Zirkel befinden, so wird ein solcher Mann, wenn man diesen Antrieb allein nimmt, alle Laster haben können, nicht aus unmittelbarer Neigung, sondern weil er gerne zu gefallen lebt. Er wird aus liebreicher Geselligkeit ein Lügner, ein Müßiggänger, ein Säufer etc. etc. seyn, denn er handelt nicht nach den Regeln die auf das Wohlverhalten überhaupt gehen, sondern nach einer Neigung die an sich schön, aber indem sie ohne Haltung und ohne Grundsätze ist, läppisch wird.

Demnach kann wahre Tugend nur auf Grundsätze gepropft werden, welche, je allgemeiner sie sind, desto erhabener und edler wird sie. Diese Grundsätze sind nicht spekulativische Regeln, sondern das Bewußtseyn eines Gefühls, das in jedem menschlichen Busen lebt und sich viel weiter als auf die besondere Gründe des Mitleidens und der Gefälligkeit erstreckt. Ich glaube ich fasse alles zusammen, wenn ich sage: es sey das *Gefühl von der Schönheit und der Würde der menschlichen Natur.* Das erstere ist ein Grund der allgemeinen Wohlgewogenheit, das zweyte der allgemeinen Achtung, und wenn dieses Gefühl die größeste Vollkommenheit in irgend einem menschlichen Herzen hätte, so würde dieser Mensch sich zwar auch selbst lieben und schätzen, aber nur in so ferne er einer von allen ist, auf die sein ausgebreitetes und edles Gefühl sich ausdehnet. Nur indem man einer so erweiterten Neigung seine besondere unterordnet, können unsere gütige Triebe proportionirt angewandt werden, und den edlen Anstand zuwege bringen, der die Schönheit der Tugend ist.

Werkregister 153

---

* Bey näherer Erwegung findet man, daß, so liebenswürdig auch die mitleidige Eigenschaft seyn mag, sie doch die Würde der Tugend nicht an sich habe. Ein leidendes Kind, ein unglückliches und artiges Frauenzimmer, wird unser Herz mit dieser Wehmuth anfüllen, indem wir zu gleicher Zeit die Nachricht von einer großen Schlacht mit Kaltsinn vernehmen, in welcher, wie leicht zu erachten, ein ansehnlicher Theil des menschlichen Geschlechts unter grausamen Uebeln unverschuldet erliegen muß. Mancher Prinz, der sein Gesicht von Wehmuth vor eine einzige unglückliche Person wegwandte, gab gleichwohl aus einem ofters eitlen Bewegungsgrunde zu gleicher Zeit den Befehl zum Kriege. Es ist hier gar keine Proportion in der Wirkung, wie kann man denn sagen daß die allgemeine Menschenliebe die Ursache sey?

CHRISTIAN LUDWIG VON HAGEDORN

Von der Grazie

Die Grazie erscheinet in den Reizungen der Aspasia und in der trotzigen Stellung des Kämpfers, der sich zum Angriff anschicket. Sie begleitet die Majestät auf den Thron, und verschönert Liebe und Gesang in niedern Hütten. Sie strahlet nicht nur aus den Blicken der Göttin der Liebe, sondern, wenn sich diese auch als eine Nymphe der Jagd verkleidet, giebt sie sich dem Aeneas an dem blossen Gange zu erkennen. Die Grazie schmücket aber auch das Haar der thessalischen Nymphe mit wenig wohlgewählten Blumen, und veredelt die Stellung der nachlässig ruhenden Schäferin, die sinnend auf ihren Daphnis wartet. Sie gauckelt um die sich selbst gelassene schöne Jugend; mischet sich in das unschuldige Spiel der dreisten kleinen Knaben, und verbreitet die liebliche Röthe der Schamhaftigkeit auf der blühenden Wange des schüchternen Mädchens. Sie schenkt sich den Töchtern, die oft des Geschenks unbewußt sind, und weicht von den Müttern, die übertriebenen Moden und der Schminke fröhnen. Sie verwandelt sich gleichwohl dem sittsamern Alter, das keine Ansprüche auf sie macht, zu Liebe, in das ehrwürdige Ansehen, das die zärtliche und vernünftige Mutter noch in der Matrone finden, und die Stirne des wohlverdienten Greises, der wohlgezogene Enkel umarmet, sich noch mit jugendlicher Heiterkeit aufklären läßt.

Mit einem Worte: die Anmuth in *allgemeinem* Verstande theilet sich allen, auch leblosen Geschöpfen und Werken mit, wenn der Künstler mit kluger Wahl zur Zusammenfügung des Gemähldes ihnen die gefälligste Seite* abzusehen, oder solche durch Vortheile der Kunst zu erhöhen weiß. Sie zeigt sich ihm an dem Schwunge der Aeste und führet sein Auge auf den angenehmen Wurf eines Gewandes, und den mäßigen Bruch zufällig wohlgeordneter Falten. Hier bemerket er die zarte Untermischung der kleinern Theile ohne Störung der ganzen Partie, dort siehet er das wechselnde Spiel freywallender Zweige und deren Verhältnisse gegen die übrigen Theile des Gemähldes. Er bauet damit ohne zu verbauen. In diesem Stücke giebt die *Grazie* das Gefällige beydes den Theilen und dem Ganzen, der Anordnung wie der Ausführung, und siegend rufet sie in Kunstsälen den Kenner des Schönen zu sich.

Werkregister 123

---

* Dieses ist insonderheit auch bey Bildnissen ein Hauptumstand.

Friedrich Just Riedel

Ueber die Grazie.

In diesem Capitel betrachten wir die Schönheit allein und ohne Mischung mit andern Principien; nicht wie sie in der Natur würklich ist, sondern wie sie seyn würde, wenn die ganze Natur ein Tempel, und ihre Bewohner nur Grazien und Töchter des Himmels wären.

Um diese hohe Idee der Schönheit zu fassen, müssen wir uns ein Subjekt gedenken, welches in Ruhe, oder in keiner starken Bewegung ist, dessen stille Oberfläche von dem Brausenden und dem Matten gleich weit entfernt ist und ein Inwendiges anzudeuten scheinet, was von allen heftigen Würkungen leer ist. ,,Wenn die Seele, sagt *Winkelmann a*, in einem würkenden, oder leidenden Zustande ist, so verändern sich die Züge des Gesichts und die Haltung des Körpers, folglich die Formen, welche die Schönheit bilden; und je größer diese Veränderung ist, desto nachtheiliger ist dieselbe der Schönheit. Die Stille ist derjenige Zustand, welcher der Schönheit, so wie dem Meere, der eigentlichste ist, und die Erfahrung zeiget, daß die schönsten Menschen von stillem gesittetem Wesen sind. Es kan auch der Begriff einer hohen Schönheit nicht anders erzeuget werden, als in einer stillen und von allen einzelnen Betrachtungen abgerufenen Seele." Was für den Körper der schöne Umris ist, das ist für den innern Charakter diejenige Fassung, wo sich alle Begierden der Seele in ihren Schranken halten, und keine heftig genug würkt, um die andern gänzlich zu unterdrücken. Durch eine allzustarke Bewegung des Leibes werden die schönsten Züge verzerrt, die schönsten Linien laufen unordentlich durch einander, und die vortreflichste Bildung wird zerstöret. Heftige Leidenschaften zerrütten die Seele, bringen sie aus ihrer schönen Haltung, und entstellen durch sich selbst den Charakter des Gemüths so gut, wie durch ihre äusserlichen Merkmahle die Schönheit des Körpers.

Daher entstehet der Begrif von einer *sanften Schönheit*. Diese, wiefern sie dem Menschen beygelegt wird, ist die vollkommenste Uebereinstimmung aller Züge, Minen, Stellungen, Geberden, Gesinnungen, Worte und Handlungen, welche in einem schönen Körper eine ruhige und in sich selbst zufriedene Seele anzeiget. Etwas ähnliches findet sich in der Natur. Der Anblick einer frischen Aue, wo ein leichter West mit den jungen Wipfeln spielet, die Blumen Gerüche hauchen, und der Silberbach unter die melodiereichen Gesänge der Nachtigallen rauschet, bringet in uns eine sanfte Empfindung hervor, und versetzt uns selbst in eine zufriedene Stellung, die derjenigen ähnlich ist, welche aus der innern Heiterkeit des Geistes entspringet. Wem diese

---

a In der Geschichte der Kunst, Th. I. S. 167.

sanfte Wollust in meiner Beschreibung noch zu dunkel ist, dem will ich sie in der Schilderung eines Ramlers zu empfinden geben. *b*

Daphnis

Ich sah den jungen May:
Seine Silberglocken
Hiengen um den Schlaf.
Als er vom Himmel fuhr,
Blühten alle Wipfel;
Als er den Boden trat,
Lies er Violen und Hyacinthen im Fustritt zurücke.

Phyllis

Ich sah den jungen May:
Einen Kranz von Myrthen
In der rechten Hand.
Als er vom Himmel fuhr,
Sangen ihm die Lerchen;
Als er zur Erden sank,
Seufzten vor Liebe die Nachtigallen aus allen Gebüschen.

Daphnis

Seht, die Traube bricht hervor
Unter jungen Rebenblättern,
Und verkündigt Most!
Dieses machen die frölichen Götter,
Bacchus und der May,
Muntre Schäfer, laßt uns trinken;
Eine Schale dem May und eine dem Bacchus zur Ehre.

Phyllis

Seht, der Wiese junges Grün,
Laue Lüfte, Wohlgerüche
Laden uns zum Tanz!
Dieses wollen die frölichen Götter,
Amor und der May.
Schäferinnen, laßt uns tanzen:
Einen Reyhen dem May und einen dem Amor zur Ehre.

Daphnis

Glücklich ist der Hirt,
Der im May die Welt erblickte,
Wenn die Rose die Knospe durchbricht:
Seine Kindheit hauchte Freude,
Freude düftet sein Alter dereinst.

---

b S. den May, eine musikalische Idylle. 1764.

Phyllis
Glücklich ist der Hirt,
Den im May die Hirtin liebet,
Wenn der Weinstock die Pappel umarmt:
Seine Jugend liebt sie zärtlich,
Zärtlich liebt sie sein Alter dereinst.

Daphnis und Phyllis
Ihr Kinder des Mayen, lobsinget dem May!
Sein Einflus beseligt die ganze Natur.

Da ich nur einige Stellen abschreiben wolte, so habe ich aus Versehen fast die ganze Idylle abgeschrieben; ein Fehler, den mir meine Leser gern vergeben werden.

Wird die sanfte Schönheit, nach einem Ideal aus mehrern vollkommenen Gestalten, bis auf den höchsten Grad getrieben und mit besondern annehmlichen Zügen distinguirt, die der Gestalt etwas charakteristisches geben, so heißt sie *Grazie;* eine Eigenschaft der künstlichen Werke, welche Apelles für sein gröstes Verdienst achtete, c und durch welche Herr *Winkelmann* eine ganze Epoche der Kunst des Alterthums charakterisiret. Wir wollen hören, wie dieser Meister in der Kunst, Schönheiten aus Formen und Figuren in Worte zu übersetzen, seine Göttin beschreibet. ,,Die Grazie bildet sich und wohnet in den Gebehrden, und offenbaret sich in der Handlung und Bewegung des Cörpers; ja sie äussert sich in dem Wurfe der Kleidung, und in dem ganzen Anzuge: von den Künstlern nach dem Phidias, Polycletus und nach ihren Zeitgenossen wurde sie mehr, als zuvor, gesucht und erreichet. Der Grund davon mus in der Höhe der Ideen, die sie bildeten und in der Strenge ihrer Zeichnung liegen. Mit strengen Begriffen der Schönheit fing die Kunst an; aber die nächsten Nachfolger der großen Gesetzgeber in der Kunst suchten die hohen Schönheiten, die an den Statuen ihrer Meister wie von der Natur abstrakte Ideen, und nach einem Lehrgebäude gebildete Formen waren, näher zur Natur zu bringen, und eben dadurch erhielten sie eine größere Mannichfaltigkeit. In diesem Verstande ist die Grazie zu nehmen, welche die Meister des schönen Stils in ihre Werke gelegt haben. Diese Grazie scheint von verschiedener Natur zu seyn. Die eine ist, wie die himmlische Venus, von höherer Geburt, und von der Harmonie gebildet, und ist beständig und unveränderlich, wie die ewigen Gesetze von dieser sind. Die zwote Grazie ist, wie Venus von der Dione gebohren, mehr der Materie unterworfen; sie ist eine Tochter der Zeit, und nur eine Gefolgin der ersten, welche sie ankündi-

---

c Praecipua eius in arte venustas fuit, cum eadem aetate maximi pictores essent: quorum opera cum admiraretur, collaudatis omnibus, deesse iis vnam illam Venerem dicebat, quam Graeci Charita vocant: cetera omnia contigisse, sed hac soli sibi neminem parem. Plin. L. XXXV. c. 10. p. m. 581.

get für diejenigen, die der himmlischen Grazie nicht geweihet sind. Diese läßt sich herunter von ihrer Hoheit, und macht sich mit Mildigkeit, ohne Erniedrigung, denen, die ein Auge auf dieselbe werfen, theilhaftig; sie ist nicht begierig zu gefallen, sondern nicht unerkannt zu bleiben. Jene Grazie aber, eine Gesellin aller Götter, scheinet sich selbst genugsam, und bietet sich nicht an, sondern will gesuchet werden; sie ist zu erhaben, um sich sehr sinnlich zu machen: denn das Höchste hat, wie Plato sagt, kein Bild. Mit dem Weisen allein unterhält sie sich, und dem Pöbel erscheint sie störrisch und unfreundlich; sie verschließet in sich die Bewegungen der Seele, und nähert sich der seeligen Stille der göttlichen Natur, von welcher sich die großen Künstler, wie die Alten schreiben, ein Bild zu entwerfen suchten. Die Griechen würden jene Grazie mit der Jonischen, und diese mit der Dorischen Harmonie verglichen haben." *d*

Das Ideal der höchstmöglichen Schönheit ist gleichsam ein abstracter Begrif, eine Gestalt, die keiner Person eigen ist, und immer einerley und unveränderlich, wie die Wesen der Dinge. Soll dieses Ideal der Natur näher gebracht und mannichfaltiger werden, so mus es der Künstler theils durch einzelne, aber noch schöne Züge abändern, mäßigen und anders bestimmen, theils ihm dadurch ein concretes Ansehen geben, daß er die Schönheit, wo möglich, in Bewegung setzt und mit Reiz verbindet. „Die Schönheit, sagt *Watelet, e* besteht in einer völlig verhältnißmäßigen Conformation auf die uns eignen Bewegungen. Und der *Reiz* besteht in der Uebereinstimmung dieser Bewegungen mit den Bewegungen der Seele." Eigentliche Schönheit ist mehr für den Mahler, so wie der Reiz mehr für den Dichter gemacht. *f*

Reizend, und mit Anstand reizend, ist die Sulpitia:

> Illam quicquid agit, quoquo vestigia mouit,
> Componit furtim subsequiturque decor.
> Seu soluit crines, fusis decet esse capillis;
> Seu compsit comptis est veneranda comis.
> Vrit, seu tyria voluit procedere palla;
> Vrit, seu niuea candida veste venit.
> Talis in aeterno felix Vortumnus Olympo
> Mille habet ornatus, mille decenter habet.
>
> *Tibullus. g*

Schön würde der Mahler die Sulpitia wohl auch gemacht haben; aber den Reiz aus der Veränderung der Gestalt und der Kleidung konte er ihr nicht geben.

---

d Geschichte der Kunst. Th. I. S. 229. f. f.
e In den Betrachtungen über die verschiedenen Theile der Mahlerey S. 95.
f Leßings Laokoon S. 216.
g Lib. II. Eleg. 2.

Mit wenig Worten: Sanfte Schönheit, nach dem durch besondere Züge mehr bestimmten und abgeänderten Ideal der höchsten Schönheit, wo möglich, mit Reiz verbunden, ist *Grazie.*

Die Grazie vermischt sich mit keinen andern als solchen Bewegungen, die einen stillen, von aller Heftigkeit entfernten und würdigen Charakter anzeigen. Zuweilen läßt sie durch den Duft der Schönheit, der auf der Mine zu schwimmen scheint, Züge der Erhabenheit und der Majestät hindurchschimmern. So sehen wir die Minerva und Diana in Marmor und auf geschnittenen Steinen. Das Herz der Göttinnen ist keinen gewaltsamen Bewegungen unterworfen, und diese Stille schwebt auch auf dem Gesichte; aber ihre Blicke sind göttlich und gebieten Ehrfurcht. So ist der ernste Jupiter der selbst ruhig ist, aber mit Einem Winke seiner mächtigen Augenbraunen die Erde erschüttert. Zuweilen verschwestern sich die Grazien mit der Venus, und erscheinen, nicht in der Gestalt einer Lais, die mit geilen Blicken nach Jünglingen schauet, sondern mit einer Mischung von Schönheit, Anstand, Zärtlichkeit und Gefühl. Naivete und Schalkhaftigkeit geben der Grazie einen neuen Reiz; Kenner werden ihn an der Psyche und dem Amor oft mit Vergnügen bemerkt haben. Auch noch die Entzückung kan auf einem Gesicht voll Grazie eine gute Würkung thun, wenn sie so ausgebildet wird, wie auf der Mine eines Achilles, der die Saiten rührt und die ganze Stärke der Musik zu empfinden scheint. Heftige Leidenschaften, Schmerz, Angst, Zorn, und dergleichen vertragen sich nicht mit der Grazie, es sey denn, daß sie der Künstler mit Großheit, Stille und Zufriedenheit zu mäßigen wisse. So zeigt der Ausdruck in der Gruppe Laokoon bey allem Schmerze eine große und gesetzte Seele; wie die Tiefe des Meeres allezeit ruhig bleibt, die Oberfläche mag auch noch so sehr wüten. *h* Und von der Grazie geleitet, wagte sich der Meister der Niobe in das Reich unkörperlichen Ideen, und erreichte das Geheimnis, die TodesAngst mit der höchsten Schönheit zu vermählen. *i*

Grazie kan statt finden an Körpern, in Gesinnungen und in Handlungen.

Die körperliche Grazie offenbahrt sich vornemlich auf dem Gesichte und in den Stellungen. *k* Sie kan am höchsten getrieben werden an einer jugendlichen Gestalt, die von der unentschiedenen Bildung des Kindes und der allzugroßen Ernsthaftigkeit des Alters gleich weit abstehet. Hier trift man das Reitzende der Bildung noch in seiner ganzen Stärke an, das ἐπίχαρι, von welchem die Alten redeten, und welches noch von der schönen Form unterschieden wird: *l*

Multaque cum forma gratia mixta fuit.

---

h Winkelmann von der Nachahmung der Griechischen Werke. S. 21.
i Geschichte der Kunst, Th. I. S. 232.
k S. den Watelet am angeführten Orte S. 88. f. f.
l Philostr. in Pr. Icon. et Lib. II. in Melet.

Ein heiteres, aber sanftes Lächeln, eine jungfräuliche Schamröthe, Blicke, die weder frech, noch allzumatt sind, eine blühende Wange, ein lieblicher Mund, der Freundlichkeit athmet; dies sind einige von den Zügen dieser Grazie; Züge die ein desto vollkommneres Ganzes liefern, je besser sie übereinstimmen und je mehr sie zusammengenommen dem Ideal der höchsten Schönheit entsprechen. Der Wurf einer nachläßigen, aber geschmackvollen Kleidung läßt zwar auch Reiz und Grazie zu: Allein wenn wir unserer Empfindung und den besten Mustern folgen wollen, so müssen wir behaupten, daß das Nackende der schönsten Ausbildung fähig ist. Pausanias darf sich nicht wundern, *m* daß die Künstler des schönen Stils die Grazien nackend bildeten, welche die ersten Meister noch bekleidet hatten. Die Schönheit der menschlichen Bildung übertrift alles, was die Noth, oder der Luxus erdacht hat. Und vom Nackenden kan man mit Recht sagen: Hier ist alles Natur.

Diese Gattung der Grazie, die wir bisher beschrieben haben, ist fast allein für den bildenden Künstler. Für den Dichter giebt es eine andere, deren jener beynahe gänzlich entsagen mus; die Grazie in Gesinnungen und Handlungen. Die besten Meister haben sich ihrer bemächtigt und sich mit ihren Reizen geschmücket, *Gellert* durch zärtliche, menschliche und liebenswürdige Sentimens; *Gleim, Leßing, Weisse* und *Utz,* durch feine Empfindungen von Wein und Liebe; *Rost* und *Wieland* durch eine schalkhafte Naivete; *Geßner* durch Unschuld und Einfalt in den Sitten; und *Gerstenberg* durch kleine unschuldige Handlungen im zärtlichen Tone. Bewegungen ohne Heftigkeit, Simplicität, Naivete und Anstand sind die wichtigsten Bestandtheile dieser Grazie. Sie theilt sich auch den Kunstwerken ohne Absicht auf ihre Gegenstände mit, und dann besteht sie vornehmlich in der bewundernswürdigen Leichtigkeit, mit welcher die Hand des Meisters die grösten Schönheiten, gleichsam im Vorbeygehen, in alle Winkel streuet. Callimachus wurde getadelt und bekam den Namen, Cacizotechnos, als ein Sobriqvet, weil er die Kunst zu sehr in seinen Werken verrieth, in sich selbst ein Mistrauen setzte, und kein Ende seines Fleisses finden konte. *n* Aus eben diesem Grunde tadelt Plutarch die Gedichte des Antimachus und die Mahlereyen des Dionysius. Die Werke des Nicomachus hingegen und die Epopäen eines Homers haben, ausser ihren andern Schönheiten, auch noch das Verdienst der anscheinenden Leichtigkeit und die Eigenschaft, daß man ihnen die Mühe nicht ansieht, welche sie gekostet haben. *o*

Die Grazie ist das Wesentliche in den Gesinnungen der Schäfergedichte, der anakreontischen Oden und der Tändeleyen. Welche Grazie in der Entführung der Europa von Moschus! in dem Grabmahl des Adonis von Bion!

---

m Lib. IX. 30.
n Plin. Lib. XXXIV. cap. 8. p. m. 523.
o Plutarchus in Timol.

„So klagte Venus und die Liebesgötter klagten mit ihr. Venus hat soviel
Thränen vergossen, als Adonis Blut vergoß. Jeder Tropfen, der auf die Erde
fiel, verwandelte sich, das Blut in Rosen, die Tränen in Anemonen. *Ich klage
den Adonis, der schöne Adonis ist nicht mehr.*
Weine nicht mehr in den Wäldern um deinen Gemahl, o Cypria. Man hat
ihm ein Ruhebette bereitet, Adonis ist auf ein prächtiges Bette gelegt. Zwar,
todt, aber auch im Tode noch schön, so schön, als ob er schlummerte. – – Er
liegt, der junge Adonis liegt auf purpurnen Decken. Um ihn herum weinen
die Liebesgötter. Sie haben ihre Haarlocken abgeschoren, und seinen Leichnam damit bestreut. Der eine zertritt seine Pfeile, der andere zertritt seinen
Bogen; dieser zerbricht seinen Köcher, jener lößt dem Adonis das Band von
den Solen auf; ein anderer bringt Wasser in einer golden Schale, ein anderer
wäscht seine Wunde, ein anderer weht ihm mit seinen Flügeln kühle Lüfte zu.
Alle aber beklagen das Unglück der Cythera."
Das Grabmahl des Adonis,

nach der Uebersetzung des Herrn Ramlers. p

Einige Antithesen und gekünstelte Wendungen ausgenommen, ist die ganze Idylle vortreflich. Noch einige Beyspiele zum Beschlus dieser Materie:

> Ach wilst du mir nicht bald dein zweytes Leben,
> Dein Ebenbild in einer Tochter geben?
> Nicht dieser Augen schlauen Witz?
> Nicht diesen Mund der Suada Sitz?

Ramler. q

> Jetzt bog ich schlau an ihrem Hals mich langsam über,
> Und stahl ihr schnell ein Mäulchen ab;
> Jetzt bog sie unvermerkt den Hals zu mir herüber,
> Und jeder nahm den Kus auf halben Weg sich ab,
> Denn jedes nahm und jedes gab.

von Gerstenberg. r

> Nachläßig hingestreckt,
> Die Brust mit Flor bedeckt,
> Der jedem Lüftgen wich,
> Das kühlend ihn durchstrich,
> Lies unter jenen Linden
> Mein Glück mich Lauren finden.

> Ich lies mich sanfte nieder,
> Ich segnete, ich küßte sie,

---

p Th. I. S. 358.
q Ptolomäus und Berenice. 1765.
r Die Grazien, eine Tändeley.

Ich segnete, und küßte wieder;
Und schnell erwachte sie.
Schnell thaten sich die Augen auf.
Die Augen? – Nein, der Himmel that sich auf.

Leßing. *s*

Kaum ist er weg, so steht schon Cypria,
Voll Zuversicht, in diesem Streit zu siegen,
In jenem schönen Aufzug da,
Worinn sie sich, das lächelnde Vergnügen
Der lüsternen Natur, dem leichten Schaum entwand,
Sie selbst zum erstenmahl voll süßen Wunders fand,
Und im Triumph auf einem Muschelwagen,
An Paphos reizendes Gestad,
Von frohen Zephyrn hingetragen,
Im ersten Jugendglanz die neue Welt betrat:
So steht sie da, halb abgewandt,
Wie zu Florenz, und deckt mit einer Hand,
Erröthend in sich selbst geschmieget,
Die holde Brust, die kaum zu decken ist.

Wieland. *t*

Das sey genug von einer Materie, über die nach einem Hagedorn und Winkelmann wenig mehr zu sagen übrig ist.

Werkregister 193

Christoph Meiners

Von der Grazie

Fast scheint es, als wenn das Unerforschliche zum Wesen der *Grazie* gehörte, weil sie sich selbst ihren grösten Lieblingen nicht ganz geoffenbart hat. *Winkelmann* dichtet, und schwärmt schön, wie *Plato*, hat aber keine deutliche Begriffe. Er redet von einer hohen oder himmlischen Grazie, und dann von einer zwoten lieblichern, die sich mit der Materie vereinige, und nach diesen unterscheidet er den hohen und schönen Styl der alten Künstler, welchen Unterschied er faßlicher, als die Gründe desselben auseinandersetzt. Wiederum sucht eben dieser Schriftsteller die Grazie in der blossen Schönheit der Form, die dem Ausdruck starker Wirksamkeit entgegensteht. *Hagedorn* ist weder bestimmter, noch beständiger, als *Winkelmann*. Er nennt die Grazie

s Schriften I Th. S. 59, 60.
t Komische Erzählungen S. 28.

bald die gefälligste Seite der Schönheit, bald etwas, was uns rührt, ohne durch den Geist zu gehen, und endlich findet er sie in der Leichtigkeit, und Ungezwungenheit der Bewegungen. Am eingeschränktesten ist *Homens* Begriff von der Grazie, indem er sie bloß im Menschen, und zwar im Antlitze des Menschen antrifft. Allein es ist unläugbar, daß Grazie sich nicht bloß im Menschen, oder in thierischen, sondern auch in leblosen Cörpern, und nicht bloß in einzelnen Gliedmaassen, sondern in Formen überhaupt, so wie auch in Farben, Lagen, Stellungen und Bewegungen findet. Freylich aber ist der Haupt=Sitz der Grazie im menschlichen Antlitze, und reitzende Formen sind mehr Kindern und weiblichen, als männlichen, so wie Erhabenheit der Form mehr männlichen als weiblichen Cörpern eigen. Grazie haben ferner nicht bloß Gegenstände der wirklichen Natur, sondern auch gewisse Werke der Einbildungs=Kraft; und die Phantasie, die dergleichen hervorbringt, wird deßwegen eine anmuthige, reitzende Phantasie genannt*. Abgezogene Gedanken, oder allgemeine Sätze können, wie tugendhafte Handlungen und Gesinnungen, auf mannichfaltige Art schön seyn, allein man eignet ihnen keine Grazie zu. In dem Kleide von Gedanken hingegen, der Sprache und Schreib=Art, fanden die Griechen eine eigenthümliche Grazie. Vielleicht hat keine Sprache so viele Ausdrücke für Grazie, und die verschiedenen Arten und Stuffen, worinn sie sich offenbart, als die unsrige. Dergleichen sind *Anmuth, Lieblichkeit, Niedlichkeit, Zierlichkeit, Liebreiz* und *Holdseeligkeit*.

Werkregister 178

Christoph Meiners

Edle Einfalt

Edle Einfalt wird bald der Kunst überhaupt, bald einer übertriebenen, oder unnatürlichen Kunst entgegengesetzt; und nur im letztern Fall ist edle Einfalt in allen Werken der Kunst und des Genies nothwendig. *Naiv* ist nicht jede offenherzige Aeusserung von unschuldigen Gesinnungen a), noch viel weniger muß das Naive, wie *Mendelssohn* glaubte, mit Würde verbunden seyn. Das Naive bringt sehr verschiedene Eindrücke hervor, gewöhnlich ein angenehmes Lachen, oft aber auch tiefe Rührungen b).

Werkregister 178

---

* Man sehe *Ossians Fingal,* die Uebersetzung von *Denis* S. 30.57. unter den *Anakreontischen Liedern* das 3. 9. 28. und 29te.

a) Man sehe *Mendelssohns* vermischte Schriften S. 231. Andere Beyspiele vom Naiven, Spectator, Nro. 245. Lucian. Op. I. p. 208. Edit. Reitzii.

b) Man vergleiche nur das Naive der *Melida* in *Geßners* erstem Schiffer mit der Naivetät von *Gellerts* Fiekgen, und andern von *Mendelssohn* angeführten Beyspielen.

Johann Georg Sulzer

aus   Reiz.

(Schöne Künste)

Wir nehmen dieses Wort in der Bedeutung, für welche verschiedene unsrer neuesten Kunstrichter das Wort *Grazie* brauchen. So viel ich weiß, hat
Winkelmann es zuerst gebraucht, um eine besondere Art, oder vielleicht nur
eine gewisse Eigenschaft des Schönen in sichtbaren Formen auszudrüken.
Seitdem ist viel von der Grazie, nicht blos als einer Eigenschaft der sichtbaren
Formen, sondern auch der Gedanken, der Phantasien, der Empfindungen
und der Handlungen gesprochen worden.

Wenn nun gleich die ersten, die sich dieses Ausdruks bedient haben, etwas
in ihren Empfindungen würklich vorhandenes, und mehr oder weniger bestimmtes, dadurch mögen angedeutet haben; so ist doch zu besorgen, daß bey
unsrer immer höher steigenden Scholastik des Gefühles, das Wort *Grazie* das
Schiksal manches metaphysischen Schulworts erfahren könnte, dessen Bedeutung Niemand errathen kann, das aber dessen ungeachtet, von denen
fleißig gebraucht wird, die sich das Ansehen geben, als könnten sie Dinge
erklären, die kein andrer Sterblicher erklären kann.

Ohne mich in die Tiefen des feinen Gefühles der in allen Geheimnissen der
Kunst eingeweyheten Virtuosen und Kenner einzulassen, will ich versuchen,
auf eine verständliche und ungekünstelte Weise zu sagen, was für Eindrüke
ich von verschiedenen Arten ästhetischer Gegenstände, würklich empfinde,
die dem zuzuschreiben seyn möchten, was die Kunstrichter die *Grazie* nennen, und was ich unter den Namen *Reiz* verstehe.

Vorher aber will ich anmerken, daß die Grazie von denen, die sie zuerst als
eine absonderliche Eigenschaft der Schönheit bezeichnet haben, blos der
weiblichen Schönheit zugeeignet worden. Schon zu Homers Zeiten waren die
Grazien als beständige Begleiterinnen und Aufwärterinnen der Venus bekannt,* und berufen, diese Göttin der Schönheit und Liebe mit besonderen
Reizungen zu schmüken. Vermuthlich erst lange nachher wurde das Gebieth
ihrer Herrschaft allmählig weiter ausgedähnt, bis endlich nicht blos das schöne Geschlecht, sondern auch Dichter, Philosophen, Staatsmänner, kurz alles,
was durch irgend eine besondere Art zu sprechen und zu handeln sich angenehm zu machen wünschte, den Grazien opferte, um ihren Beystand zu
erhalten.**

Dieses kläret uns einigermaßen das ganze Geheimniß auf. Ein gewisser
Grad des Gefälligen und Anmuthigen, das die Zuneigung aller Herzen ge-

---

* Odyß. VIII Buch vs. 364. und dessen Hymnus auf die Venus.
** S. Wielands Grazien V Buch.

winnt, das uns für Personen, Handlungen, Reden und Betragen völlig ein-
nimmt, muß als eine Würkung der Grazien angesehen werden. Sehen wir also
die Grazie, oder um deutsch zu sprechen, den Reiz, als eine gewissen Gegenständen inhaftende Eigenschaft an, so wird uns durch die vorhergehenden
Bemerkungen, die Würkung dieser Eigenschaft bekannt, und kann uns das
Nachforschen über ihre Natur und Beschaffenheit erleichtern.

Nicht jede Schönheit, nicht jede das Gefühl erwekende Vollkommenheit,
würket die innige Zuneigung und Gewogenheit, die man in dem engern Sinn
Liebe nennt, und die allemal eine gewisse Zärtlichkeit in sich schließt. Man
sieht schöne Personen, deren Gestalt großes Wohlgefallen ohne merkliche
Zuneigung erwekt. Man fühlet die besten Verhältnisse und das schönste
Ebenmaaß der Form, und die untadelhafte Gestalt; das Auge verweilet mit
Vergnügen und Wolgefallen darauf: aber alle Würkung dieser Schönheit
scheinet blos in einer Belustigung der Phantasie oder der Sinnen zu bestehen,
sie erweket nichts von dem süßen mit Verlangen verbundenen, tief in dem
Herzen sitzenden Gefühl. Es fehlet dieser Schönheit an Reiz, sie ist eine
Venus, ehe die Grazien in ihren Dienst gekommen.

Bisweilen siehet man auch Schönheit mit Hoheit verbunden, die Hochachtung und Ehrfurcht erwekt; eine Schönheit wie Juno und wie Minerva sie
besaßen. Dort kündiget sie die Königin der Götter, hier die Göttin der Weisheit, des Verstandes und des Verdienstes an. Ihr Anblik erweket Bewunderung und Verehrung, zu ernsthafte Regungen, als daß das Herz sich dabei
irgend einen zärtlichen Wunsch erlaubte. Hier ist aller Reiz in Größe und
Hoheit übergegangen. Die Grazien sind nicht vornehm genug, diese Hoheit
zu begleiten. Wenn Juno reizend seyn will, muß sie etwas von ihrem Ernst
ablegen, und den Gürtel der Venus auf eine Zeit borgen.

Nicht anders verhält es sich mit jeder andern Art des sinnlich Vollkommenen. Unter den verschiedenen Menschen, mit denen wir umgehen, finden sich
solche, deren Betragen in jeder Absicht großes Wohlgefallen erweket; man
findet sie in allem, was sie thun, und in der Art, wie sie es thun, untadelhaft
und unverbesserlich, und schöpfet deswegen Vergnügen aus ihrem Umgange.
Aber noch stellet sich dabey die zärtliche Empfindung, die tief im Herzen
Wunsch und innige Zuneigung hervorbringt, nicht ein. Auf der andern Seite
sehen wir hochachtungswürdige Menschen, an denen alles groß, aber mit
Ernst und Hoheit verbunden ist. Der Umgang weder mit der einen, noch mit
der andern Art solcher Menschen, hat das, was man eigentlich das Reizende
des Umganges nennt. Dieses stellet sich nur da ein, wo wir bey dem ganzen
Betragen vorzügliche Annehmlichkeit empfinden; die im eigentlichsten Sinn
einnehmend ist.

So gehören zu einer dieser drey Gattungen, alle gute Schriftsteller, alle gute
Künstler mit ihren Werken; und jedes gute Werk der Kunst hat entweder
blos gemeine untadelhafte Schönheit, oder diese mit Reiz verbunden, oder
endlich Hoheit und Größe. Tiefere Geheimnisse habe ich in dem, was man

von der Würkung der Grazie sagt, nicht entdeken können. Es kann wohl seyn, daß einige nur einen sehr hohen Grad des Reizes der Grazie zuschreiben. Aber Plato scheinet auch blos ein gefälliges und angenehmes Wesen, wobey man eben nicht in Entzükung geräth, für eine Würkung der Grazien gehalten zu haben. Denn da er dem Xenocrates, der in seiner Art etwas Strenges und Steifes hatte, den Rath giebt, er soll den Grazien Opfer bringen; so verstund er es vermuthlich nicht so, daß er seinen Schüler dadurch in einem Aristippus, oder in seinen Manieren in einem Alcibiades verwandelt zu sehen wünschte. Diese Anmerkungen zielen darauf, daß man erkenne, alle Arten ästhetischer Gegenstände seyen des Reizes fähig, und äußern ihn durch einen merklichen Grad der Annehmlichkeit, wodurch wir in solche Gegenstände gleichsam verliebt werden, so daß es eine Art feiner Wollust des Geistes ist, die Eindrüke derselben zu geniessen, bey der wir aber nicht so, wie von der Größe und Hoheit in Bewundrung oder Ehrfurcht gesetzt werden. Wir schreiben den Liedern eines Anakreons, und den Gesprächen eines Xenophons Grazie; aber den Oden des Pindars, und den Reden des Demosthenes, Hoheit zu.

Werkregister 230

CHRISTOPH MEINERS

Vom Pathos.

§. 1.

Alle heftige Bewegungen der Seele, sie mögen mit Begierden und Verabscheuungen begleitet, oder nicht begleitet seyn, und mögen den Namen von Empfindungen, oder Trieben, oder Neigungen, oder Leidenschafften tragen, äussern sich zuerst entweder durch ein gänzliches, oder fast gänzliches Stillschweigen, oder Verstummen, oder auch durch eine ihnen eigenthümliche Geschwätzigkeit. Schon *Beattie* a) bemerkte die Unrichtigkeit des Gemeinplatzes, daß alle Leidenschafften eine einfältige, bilderlose Sprache reden. Dies gilt nur von gewissen Gemüths=Bewegungen; andere hingegen drücken sich in den feurigsten Tropen und Figuren aus.

§. 2.

Alle Leidenschafften hauchen sich entweder in sanfte, liebliche, oder brechen auch in rauhe und schneidende Töne und Wörter aus b), wovon freylich die einen so wohl, als die andern durch die Sprache und Sprach=Werkzeuge

---

a) Philosophische Versuche I. S. 362. der Teutschen Uebersetzung, wo auch Beyspiele angeführt werden.

b) *Beattie* l. c. S. 411 u. f.

eines jeden Volks modificirt werden. Endlich ist allen heftigen Bewegungen des Gemüths ein eigenthümlicher, entweder kurzer, und schneller, oder langsamer und feierlicher Gang, oder Rythmus eigen c), den daher auch alle grosse Dichter, vielleicht meistens unabsichtlich nach der Leitung der Natur nachgeahmt, oder getroffen haben. Zu den natürlichsten Aeusserungen heftiger Leidenschafften gehören *Selbst=Gespräche*, die aber von nachahmenden Dichtern und Schriftstellern, und zwar von den Alten mehr, als von den Neuern zur Unzeit angebracht, oder über alle Wahrscheinlichkeit verlängert worden sind d).

Werkregister 178

JOHANN CHRISTOPH ADELUNG

aus   Von der Neuheit.

Trieb der menschlichen Seele zum Neuen.

§. I.

Die Begierde der menschlichen Seele nach dem Neuen ist mit dem Triebe zu dem Mannigfaltigen auf das genaueste verbunden, und im Grunde nur eine und eben dieselbe Kraft, welche auf einen und eben denselben Gegenstand gerichtet ist, nur dort, um Abwechselung, und hier, um Neues zu erhalten. Auch die Mittel, wodurch beyde befriediget werden, sind fast in allen Fällen einerley; ist ja zwischen der Aeußerung beyder Triebe noch ein Unterschied, so bestehet er in dem Grade der Stärke, denn der Hang zum Neuen übet eine so unwiderstehliche Gewalt über den Menschen aus, daß er ihn auch den größten Gefahren und oft dem Tode selbst Trotz biethen lehret, bloß um neue ihm vorher unbekannte Gegenstände zu entdecken und zu bewundern. Die Schönheit selbst verliehret für ihn allen Werth, so bald sie den Reitz der Neuheit verlohren hat, und er wirft sich ohne Bedenken dem minder Schönen in die Arme, bloß weil es das Neuere ist. Es ist wahr, daß dieser Trieb, wenn er gehörig geleitet wird, für das Beste der menschlichen Gesellschaft sehr wohlthätig werden kann, und wirklich hat sie ihm wenigstens eben so viel Gutes zu danken, als der Begierde nach Ehre und Unsterblichkeit. Aber beyde können ihr auch gleich nachtheilig werden. Um hier nur bey dem Felde der schönen Künste stehen zu bleiben, so ist bekannt, wie vieles Verderben dieser rastlose Hang zu dem Neuen zu allen Zeiten und unter allen Zonen verbreitet hat, und noch täglich verbreitet. Hat eine Nation den ihr in

---

c) ib. S. 424.

d) Auch in *Klopstocks* Messiade sind viele Selbst=Gespräche entweder zur Unzeit angebracht, oder auch zu sehr verlängert worden.

einem gewissen Zeitpuncte möglichen höchsten Grad des guten Geschmackes erreicht, so verleitet die Sucht nach dem Neuen sie, weiter zu gehen, und da der Vorrath schöner Gegenstände dem Anscheine nach erschöpft ist, und die wirklich schöne Behandlungsart durch ihre Neuheit auch nicht mehr reitzet, so nimmt man mit minder schönen Gegenständen und Behandlungsarten fürlieb, bloß weil sie die neuern sind. So wird der Trieb zur Neuheit der Vorläufer des schlechten Geschmackes und des Verfalles der schönen Künste und Wissenschaften, und man hat in solchen Zeitpuncten wohl eher gesehen, daß wahre Meisterstücke unbemerkt geblieben sind, abentheuerliche und geschmacklose Neuerungen aber bewundert worden. Mag es doch seyn, daß auch die Ewigkeit dieser nur kurze Zeit dauert; allein, was auf sie folget, und ein eben so kurzes Insecten=Leben hat, ist selten besser, und so durchirret eine Nation, wenn sie von der Sucht nach dem Neuen ohne Leitung der Vernunft und des Geschmackes herum getrieben wird, den ganzen Kreis der Thorheiten, bis endlich auch dieser erschöpft ist, und ein glückliches Ungefähr sie wieder auf das wahre Schöne zurück führet, welches mit seinen eigenen Reitzen jetzt auch noch den Reitz der Neuheit verbindet, und den gesättigten verwöhnten Geschmack wenigstens auf eine Zeit wieder an sich ziehet.

Neuheit des Styles.

§. 2. Allein, ohne Rücksicht auf diesen Mißbrauch eines an sich wohlthätigen Grundtriebes der menschlichen Seele, gibt es in den schönen Künsten eine an sich unschuldige Art der Neuheit, welche nicht allein mit dem besten Geschmacke bestehen kann, sondern in demselben vielmehr selbst gegründet ist, und das ist denn auch diejenige, deren sich jeder Schriftsteller befleissigen muß, wenn sein Styl einigen Anspruch auf Schönheit machen soll. Diese bestehet denn darin, daß er da, wo es nothwendig, nützlich und schicklich ist, neue Wörter, Wendungen und Vorstellungsarten, anstatt der bekannten und gewöhnlichen gebrauche.

Grund ihrer Nothwendigkeit.

§. 3. Der Grund dieser Eigenschaft lieget theils in dem Begriffe eines schönen Styles, theils aber auch in den Eindrücken, welche die Wörter als Nahmen der Begriffe auf die Seele machen. Die positive Schönheit des Styles bestehet vornehmlich in der Wirkung auf die untern Kräfte, oder in der Veranlassung einer anschaulichen Erkenntniß bey dem Leser oder Zuhörer. Ich habe in dem Vorigen bemerket, daß anschauliche Vorstellungen und Wörter ihre Kraft, Anschaulichkeit zu bewirken, nur eine gewisse Zeit behalten, nehmlich, so lange sie noch den Reitz der Neuheit haben. Die Ursache ist, weil die anschauliche Vorstellung, wenn sie sehr oft wiederhohlet wird, eine immer schwächere Wirkung auf die Gehirnnerven thut, bis sie endlich ganz in den dunkeln stumpfen Eindruck übergehet, welchen abstracte Begriffe machen, und alsdann unfähig wird, anschauliche oder lebhafte Vorstellungen zu erregen, da sie denn durch andere ersetzet werden muß. *Der blasse Tod, der gelbe Neid, der Zahn der Zeit, rege Lüfte, gerührte Sinnen, die Glückssonne, die Todesnacht* u. s. f. waren zu ihrer Zeit herrliche Bilder, welche die beste Anschaulichkeit gewährten. Aber wie matt, kalt und stumpf sind sie nicht jetzt? Sie sind noch um ein beträchtliches matter als Abstracta, weil der Klang sagt, daß sie anschaulich seyn sollen, ihre Anschaulichkeit aber doch keine Lebhaftigkeit mehr hat. Sie sind wie ein schaler Wein, dem man immer gern reines Wasser vorziehet. Diese dem menschlichen Geiste so wesentliche Eigenschaft nöthiget nun den Schriftsteller, sich Statt dieser verbrauchten Vorstellungsarten neuer zu bedienen, so oft er lebhaft seyn will und muß.

Werkregister 38

IV. NATUR

CHRISTIAN WOLFF

Betrachtung der Kirsche

§. 93. Als ich die Wunder betrachten wollte, welche die Natur bey einer
Kirsche erwiesen, so zog ich für allen Dingen den Stiel heraus. Er war sehr
feste und da ich ihn mit Gewalt heraus rieß, sahe man in der Mitten, so weit er
in der Kirsche gewesen war, wie Fäselein, die aus dem Stiele bis in die Kirsche
gegangen waren. Ich steckte den Stiel an die Gabel des grossen Musschen-
brockischen Vergrösserungs=Glases, dergestalt daß ich ihn von oben, wo er in
der Kirsche gesteckt, gerade zu besehen konte. Ich nahm eines von den
Gläselein, welches nicht viel vergrössert, damit ich den Theil, der in der
Kirsche gewesen war, gantz übersehen konnte: allein es verschwand gleichsam auf einmahl die Deutlichkeit, ob man gleich gar klar alles sehen konnte.
Man vermochte kein Fäselein deutlich zuerkennen, wie man gleichwohl hätte
vermeinen sollen, wo es in die Höhe gieng, hieng sowohl als in der Mitten
alles voll von einer weissen Materie, die aus eintzelen kleinen Theilen bestund. Die Farbe war auch nicht überall einerley, die Figur, sonderlich im
Umfange, war über die Maassen ungleich. Eines gieng sehr weit heraus, das
andere tieff herunter. Da nun mit diesem Glase nichts zu machen war; nahm
ich bald eines von denen, die mehr vergrössern. Ich betrachtete mit Fleiß den
Theil, der von der einen Seite lang in die Höhe gieng, u. den ich nur allein auf
einmahl deutlich sehen konnte. Es war alles wohl länger, dicker und breiter:
allein man konnte doch kein Fäselein erkennen. Die Materie, welche darum
war, und wie das innere von einem Apffel aussahe, wenn man saget, daß er
mehlicht wird, machte daß man nichts erkennen konnte. Mitten sahe man
auch nichts als lauter dergleichen Materie. Wenn ich es auch noch mehr
vergrösserte, konnte ich doch nichts ausrichten, ausser daß oben an der Spitze
des erhabenen Theiles wie zwey Ende von hellen Röhrlein sich zeigeten, wie
in den vorhergehenden Observationen die Fäselein aussahen. Ich schnitt das
gantze obere rundte Theil des Stieles, womit er an der Kirsche sitzet, ab und
steckte ihn nach der Seite an die stählerne Spitze des Leutmannischen Ver-
grösserungs=Glases. Es wurden hier die hervorgehenden Theile wohl alle
hoch und dicke: allein sie sahen grünlicht und dichte aus, als wie eine Materie,
da ein Theil dem andern ähnlichet, und man eben nicht vermögend ist eines
von dem andern zu unterscheiden. Da nun auch hier alle Mühe vergebens war
etwas deutliches zu entdecken; so muste ich auf andere Mittel bedacht seyn,
damit ich nichts unversucht liesse. Ich schnitt von den erhabenen Theile mit
einem subtilen Federmesserlein ein Stücklein ab und druckte es auf dem
mattgeschliffenen Glase des Teuberischen Vergrösserungs=Glases breit, da-

mit ich die fremde Materie von den Fäselein abdrucken wollte und dieses sich
besser sollte zuerkennen geben: allein ich sahe hier weiter nichts als ein
viereckichtes Stücklein in Gestalt eines Rhombi oder einer Raute. Es war
durchsichtig wie Glaß, aber an einem Orte sahe es aus wie im andern, so daß
ich nicht das geringste darinnen unterscheiden konnte. Man siehet, daß die
Sachen, welche hierinnen vorkommen, über alle Massen klein seyn müssen:
denn wo wir vorhin bey kleinen Sachen so viel entdecken können, wollte sich
hier gar nichts zeigen. Wir haben auch hier eine Probe, daß Sachen unterweilen durch das Vergrösserungs=Glaß undeutlicher werden können, als sie blossen Augen zu seyn scheinen, und man dannenhero sowohl grosse Vorsicht
nöthig hat, wenn man Kleinigkeiten mit blossen Augen siehet, als wenn man
sie durch das Vergrösserungs=Glaß betrachtet (§. 91). Es war mir aber gleichwohl eine beschweerliche Sache, daß ich nichts umständlichers von dem Stiele, wie er in die Kirsche eingesetzt und der Frucht Safft zuführet, entdecken
sollte. Derowegen rieß ich noch aus einer anderen Kirsche einen Stiel heraus
und nahm wahr, daß aus der mittleren grünlicht und weißlichten Materie, die
in die Kirsche unten hinein gehet, zu beyden Seiten zwey lange Theile in die
Höhe giengen, die einen stumpffen Winckel mit ihr machten. Ich brachte sie
nur unter das Musschenbrockische Vergrösserungs=Glaß, welches wenig vergrössert, damit ich viel auff einmahl sehen konnte. Es ließ nicht anders als
wenn die beyden Theile aus dem Stiele in einem herauf kämen und an einander wären, in der mitten aber der erhabenen vorhin gedachten Materie von
einander gerissen und einer auf die rechte, der andere auf die lincke Seite
herüber gebogen wäre. Und dieses ist eben die Ursache, warumb der Stiel
feste stehet und sich übel heraus reissen lässet, sonderlich wenn beyde Theile
noch frisch und unversehret sind. Denn ich fand auf der Seite zur Lincken,
daß der eine Theil oben verweset war, als wenn die Materie zusammen gedor-
ret wäre: da hingegen der andere sehr weit in die Höhe stieg, der noch gantz
war. Und dieses ist die Ursache, warum die reiffe Frucht sich von dem Stiele
leichter abbringen lässet, als eine andere, die noch nicht so reiff worden. Es
war hierbey abermahls ein besonderes Glück, welches ich bey dem ersten
Stiele nicht gehabt. Denn weil der eine Theil oben schon verweset, der andere
aber noch gantz unversehret war; so konnte ich den andern gantz heraus
reissen, ohne daß das geringste davon verletzet ward. Es sahe derselbe unten
wie ein weicher Stengel von einer safftigen Pflantze aus. Er gieng aber nicht in
einer geraden Linie in die Höhe, sondern beugete sich in einem Bogen nach
der Seite wie ein Blat von einer aufgeblüheten Lilie. Der obere Theil, welcher
wie die Lippe des Blates herüber gebogen war, war von dem Saffte der
Kirsche roth: woraus man sahe, daß er nach der Seite in der Kirsche gesteckt
hatte. Oben war es wie ein halber Mond ausgeschnitten und hatte an den
Seiten zwey Hacken, woraus man siehet, wie dieses alles zur Befestigung des
Stieles nicht wenig beyträget. Er war auch über dieses noch sehr breit. Wo die
beyden Theile unten von einander giengen und die mehlichte Materie war:

zeigeten sich hin und wieder rothe Pünctlein, die über die übrige erhaben waren, und eben solche Farbe wie der Kirsch=Safft hatten. Da ich mir nun mehr Fortgang hierbey versprechen konnte, als bey dem vorigen Stiele; so krigte ich auch eine inbrünstigere Begierde alles genauer zu betrachten. Ich nahm ein Vergrösserungs=Gläßlein, welches mehr vergrösserte als das vorige und dadurch ich nur den oberen rothen Theil übersehen konnte, welcher wie ein Mond ausgeschnitten war. Als ich von oben gerade darauf sahe, stunde der eine Hacken zur Seite gar vielmehr in die Höhe als der andere. Es war mitten, wo der circulrundte Ausschnitt war, eine ziemliche Dicke und sahe man daselbst in eine volle Vertieffung hinein: doch konnte ich nichts deutliches heraus bringen, so den Unterscheid der Theile im gantzen besser bemercket hätte. Durch das Leutmannische Vergrösserungs=Glaß sahe zwar alles viel grösser aus, aber ich konte in dem langen Theile doch weiter nichts mehr sehen, als daß hin und wieder was weisses zu sehen war, als wenn sich ein dünnes Häutlein loß gegeben hätte. Ob ich nun zwar es vor dieses mahl nicht so weit gebracht, daß ich die Röhrlein in denen zu beyden Seiten in die Länge gezogenen Theilen hatte deutlich sehen können; so finde ich doch genungsame Ursachen, warumb ich davor halte, daß eben die darinnen enthalten sind, wodurch der Kirsche so lange, als sie wächset, der Safft zugeführet wird. Ich habe vorhin ausgemacht, daß die Frucht dadurch an dem Stiele befestiget wird, und die oberen Theile verwesen wenn die Frucht von dem Stiele willig loß gehet. Wir finden aber in der täglichen Erfahrung, daß die Frucht welck wird, wenn sie von dem Stiele willig gehet. Wird eine Frucht welck, so muß das, was sie ausdunstet, nicht wieder ersetzt werden, oder aber ja vielweniger als sie durch das Ausdünsten verlohren. Weil demnach der Frucht die Nahrung entgehet, wenn diejenigen Theile verwesen, von denen die Rede ist, so hat man nicht Ursache zuzweiffeln, daß dadurch die Nahrung derselben zugeführet wird. Wenn die Theile ordentlicher Weise, ohne einigen ausserordentlichen Zufall, verwesen, wodurch die Nahrung der Frucht zugeführet wird; so muß sie keine Nahrung mehr brauchen und ist daher in völliger Reiffe: denn meines Erachtens nennen wir ein Gewächse reiff, wenn es ordentlicher Weise in den Standt kommet, daß es keine Nahrung mehr brauchet.

Werkregister 256

BARTHOLD HINRICH BROCKES

Fertigkeit zu lesen in dem Buche der Natur.

In ieder Wissenschaft und Kunst, die Menschen wissen,
Hat man ja Arbeit, Fleiß und Müh,
Sie zu erlernen, nehmen müssen;
Durch wiederholen fasst man sie.
Die Fähigkeit, die in der Seelen stecket,
Entwickelt sich allmählich, wird erwecket,
Und nimmt durch Ubung zu. Ist denn die Wissenschaft
Im Buch der Creatur, den Schöpfer selbst zu finden,
Und Seine Weisheit, Lieb' und Allmacht zu ergründen,
Nicht einst der Mühe wehrt, daß wir der Seelen Krafft
Offt auf so edlen Vorwurff lencken,
Und, wann wir hören, sehn und schmecken, Des gedencken,
Der uns für so viel Guts, und Seiner Wercke Pracht
So wunderbarlich sinnlich macht?
Je öffter man sich übt, die Creatur zu sehn,
Je fertiger wird man im lesen,
Je deutlicher wird man der Gottheit Wesen,
Des Welt=Buchs Inhalt, Kern und Zweck verstehn,
Und, immer brünstiger, Sein herrlichs Lob erhöhn.

Ach so gewehnet euch, geliebte Menschen, doch
Zu dieser süssen Müh, zu diesem leichten Joch!
Beschäfftigt euch, und lernt aufmercksam, GOTT zu Ehren,
Empfinden, schmecken, sehn und hören!

Werkregister 62

BARTHOLD HINRICH BROCKES

aus   Einige Natur-Kräffte, Gesetze und Eigenschaften,
zu Ehren ihres allmächtigen Beherrschers,
bey dem Jahrs=Wechsel des 1731. Jahrs betrachtet.

Wenn man einen Cörper nimmt, der nicht mehr als einen Daum
In der Fläch' an Länge hat; trifft man leichtlich so viel Raum,
Auf desselben Flächen an;
Das man ihn in hundert Theile, welche sichtbar, theilen kann.

Wenn nun dieser Zoll ins Viereck, wie ein Würffel, wird genommen;
Wird man, in desselben Inhalt, an der Breite, Dick' und Länge,
Von dergleichen Würffelchen eine wundersame Menge,
Nehmlich, nach der Meß=Kunst Regeln, eine Million bekommen,
Solcher, die noch alle sichtbar. Wenn wir nun, mit vieler Müh,
Eine Spitze von der Nadel schärffen, und so spitzig wetzen,
Als des kleinsten Würffels Breite, dann, wann sie gewetzet, sie
Eben in das Wasser tuncken, und nur bloß die Spitze netzen;
Findet man, wenn man dieselbe wieder aus dem Wasser hebt,
Daß sie feucht, und, daß an ihr, ein klein Wasser=Theilchen klebt.
Wenn nun solches auch so breit als der Spitze Fläche wär,
Und von würfflicher Figur; folgt, daß selbiges nicht mehr
Als der millionste Theil eines Zolls von Wasser sey;
Folglich, daß ein Daum=breit Wasser solcher Theile, minder nicht,
Als, aufs wenigste zu rechnen, eine Million befasse,
Deren iedes abgesondert, sich dem menschlichen Gesicht,
Durch ein Grössrung=Glas aufs mindste, Klar und deutlich sehen lasse.

Hieraus folget nun von selbsten, daß, so mancher Wasser=Daum
In den Wassern, in der Erde, ja selbst in der Lüffte Raum,
Fliesset und beweget wird; auch im Wasser, Lufft und Erden
So viel Millionen Theile seyn, und auch beweget werden.

Aber lasst uns weiter gehn,
Um die Theil' in der Natur noch verkleinerter zu sehn:
Weil nichts mehr, als solche Kleinheit, die das dencken übersteiget,
Eines Schöpfers und Regierers Gröss' uns überzeuglich zeiget.

Wenn man eine Untze Wasser in ein rund Gefässe giesset,
Worin eine kleine Oeffnung, und man es aufs Feuer stellt,
Siehet man, so bald das Wasser durch die Hitze wallt und schwellt,
Wie ein Dampf, der Kegel=förmig, aus der kleinen Oeffnung schiesset,
Zwey mahl neun Minuten Zeit,
Welcher eines Zolles breit,
Und auf zwantzig Zolle lang. Wird der würffelicht genommen;
Werden würffelichter Zolle, zwölf drey Achtel aus ihm kommen.
Wenn nun iegliche Secunde einen neuen Kegel zeuget,
Und von zwey mahl neun Minuten der Secunden gantze Zahl
Auf die tausend achtzig steiget;
Folget, daß dergleichen Kegel auf die tausend achtzig mahl
Immer neu erzeuget werden: zwölf Drey=Achtel ist ein ieder;
Also haben alle Kegel, die aus diesen Dünsten stammen,
Dreyzehn tausend und drey hundert fünf und sechszig Zoll zusammen.
Daß nun eine Million ieder Zoll hat, ist gezeiget:

Wannenher ein' Untze Wassers, auf die Weis', an Millionen,
Noch drey hundert fünf und sechszig über dreyzehn tausend steiget.
Da denn auf dieselbe Weise aus der Rechnung ferner fliesset,
Daß allein ein Zoll von Wasser ins gevierte wesentlich
Dreyzehn tausend Millionen Wasser=Theilchen in sich schliesset.

Hieraus wird sich nun aufs neue überzeuglich folgern lassen,
Daß ein millionster Theil eines Zolles stets in sich
Auf die dreyzehn tausend Theilchen Feuchtigkeit vermag zu fassen.
Ferner kann man hieraus noch, und zwar ziemlich deutlich, sehn,
Daß, wenn wir vier hundert achtzig Tropfen auf ein' Untze nehmen;
Zwantzig Millionen Theilchen auf ein Tröpfchen Wasser gehn.

Hier erstaunen wir mit Recht, wenn wir ernstlich überlegen,
Welch ein' unumschränckte Macht, Lieb' und Weisheit, in der Führung
Solcher ungezehlten Theilchen, in der richtigen Regierung,
Billig zu verehren sey; da Er, eh' ein Tropfen Regen
Auf die Erd' herunter fällt; so viel Millionen Theile
Dazu dienstbar machen kann, solche Menge dazu nimmt,
Und solch ungezehlte Zahl uns zum Nutz dazu bestimmt.

Werkregister 62

BARTHOLD HINRICH BROCKES

Gedanken bey der Section eines Körpers.

Kaum warf ich meinen Blick auf das zerstückte Weib,
Kaum sah ich den zum Theil von Haut entblößten Leib,
Ich kunnte kaum so bald die blutgen Muskeln schauen,
Als mich ein widriges und ekelhaftes Grauen
Den Augenblick befiel. Allein es hatte kaum
Der kluge Carpser angefangen;
Er ließ uns kaum so bald die weisen Wunder sehn,
Die von der bildenden Natur daran geschehn:
So macht die Regung gleich weit süßrer Regung Raum.

Furcht, Grauen, Ekel war den Augenblick vergangen;
Mich nahm Bewundrung erst, darauf Erstaunen ein,
Dem folgt Erniedrigung und Ehrfurcht allgemach,
Und diesem auf den Fuß Lob, Brunst und Andacht nach.
Es fing ein helles Feur von einer heilgen Lust
In meiner, Gott zum Ruhm, mit Dank erfüllten Brust,

Zur Ehre des, der hier so wunderbar
Des Körpers Wunderbau gefüget, an zu brennen.
Ich wußte selber nicht, wie mir zu Muthe war.
Den Menschen giebet sich der Schöpfer hell und klar
Am allerdeutlichsten am Menschen zu erkennen.

Es scheint, ob könne man in diesen Wunderwerken,
In diesem Meisterstück der bildenden Natur,
Von unserm Schöpfer selbst hier eine helle Spur,
Ganz überzeuglich klar und gleichsam sichtbar merken.
Ach! rief ich, laßt denn hier an diesem Schauplatz schreiben:
Hier kann kein Atheist ein Atheiste bleiben.

Werkregister 62

JOHANN GEORG ZIMMERMANN

Untersuchung der Frage, wie ein schöner Geist sich der Zergliederungskunst widmen könne?

Es ist mir mehrmal merkwürdig vorgekommen, daß ein so hoher Geist, in so vielen Stunden seines Lebens, sich in eine so materielle Beschäftigung, wie die Zergliederungs=Kunst ihm scheinen mußte, sich einschränken konnte. Ich dachte oft, wann ich unter dem Schutte von so vielen Leichnahmen, auf dem anatomischen Theater neben dem Herren Haller stunde; wie würde doch einem *Pope*, einem *Virgil,* eine solche Arbeit angestanden haben? Und wann ich vor mir her sah, so fand ich den Sänger der Doris einen zerfetzten Körper nachdenkend betrachten, und mit einer triumphirenden Freude einen neuen Bau, den Sitz einer noch nicht beschriebenen Krankheit aus dem Aase hervor suchen.

Ein ehrlicher Mann, sagt Herr Haller, erfüllet in allen Umständen des Lebens auf das genaueste die Pflichten die mit demselben verbunden sind, und die Pflichten sollen allemal mehr bey uns vermögen, als unsere Neigungen, und als unsere Ehre.

Aber wie ist es möglich, daß sich ein *Haller* zu einer solchen Beschäftigung jemals hat verstehen können? Was ist ihn zu dergleichen Arbeiten anzutreiben fähig gewesen? Hat nicht die Natur dem Menschen einen Ekel vor die todten Körper eingepflanzet? Hat nicht der Priester der Natur, der *Linnäus* gesagt, man müsse die Körper unter der Erde ruhen lassen? Hat nicht GOTT selbst unter dem Volke, dem sein Finger seine Gesetze geschrieben, die Strafe der Unreinigkeit auf diejenigen gesetzet, die einen Leichnahm berührten? Kommen nicht die Urtheile ganzer Nationen, der Juden, der Chineser, der Malabaren, und der Griechen in ältern Zeiten, darinn miteinander überein?

Die Begierde seine Erkenntniß zu erweitern, der Trieb der Natur in ihr
Heiligthum zu treten, und den innern Zusamenhang der Dinge einzusehen,
eine Beschäftigung, die auch fromme Männer unter dem Genuß der ewigen
Seligkeit gesetzet haben, sind genugsame Bewegungs=Gründe, warum man
die Zergliederungs=Kunst so wohl als einen andern Theil der Naturlehre zu
seinem Vorwurf wählen könne. Ein Sternkündiger wacht eine lange Reyhe
von kalten Nächten durch, damit er einige Blicke in den unermeßlichen
Raum des weiten Weltgebäudes werfen könne; tausend Welten und tausend
Sonnen erleuchten die Wege die seine geschärften Augen suchen. Aber wie
viele sind der Theilen dieses himmlischen Heeres, deren Nutze uns bekannt
ist, von denen wir wissen, in wie fern sie uns, ihnen, oder dem ganzen System
zuträglich sind? Der Zergliederer gehet viel weiter: Er untersuchet nicht mit
einer fruchtlosen Neugier einen Bau, von dessen Erkenntniß er keinen Nutzen hoffen kan; er zeiget vielmehr den Einfluß, den der kleinste, der veräclit-
lichste Theil, in das Leben hat; er findet den *Schöpfer* in den Absichten der
erschaffenen Wesen; er geniesset das hohe Vergnügen den Finger GOTTES
γεομετρουντος Θεου in einer Machine zu entdecken, wo alles nach der möglichsten Vollkommenheit, zu einem bestimmten Endzweck gemacht ist. Geht
man weiters, und verbindet die Betrachtung des innern Baues der Thiere mit
der Untersuchung des Menschen, so erblicket man auf einer neuen Bahn die
Göttliche Weisheit: Allenthalben leuchtet der Schöpfer hervor, der einen
jeden Bürger seiner Stadt, nicht nur zu einer gewissen Function bestimmet,
welches gleichfalls die Menschen thun, sondern auch einen jeden zu seiner
Bestimmung fähig gemacht, das allein in GOttes Vermögen ist. Die Verschiedenheit ist unendlich, die von dem Menschen, als dem allervollkommensten
Muster, zu dem nahen Orang=Outang, den vierfüßigen Thieren, den Vögeln
und Fischen, bis auf die Insecten sich erstrecket, die sich in dem Pflanzenrei-
che verlieren, u. s. f. In der unendlichen Anzahl von Arten hat jede ihr gewisses Urbild empfangen, nach dem sie sich in etwas verändern kan, ohne doch
aus ihren bestimmten Gränzen zu weichen. In allem was Leben hat, entdek-
ket der Zergliederer das Lob des Schöpfers, die einem jeden Gliede aufge-
drückten Merkmahle einer obersten Weisheit. (†) Und was ist der Bestimmung und Grösse eines schönen Geistes würdiger?

Werkregister 263

(†) S. *HALLERI* Orat. de Amoenitate Anatomes in seinen Opusculis Anatomicis.

BARTHOLD HINRICH BROCKES

Der Gold=Käfer.

Der Monat Junius beblühmte Feld und Auen /
Als ich / die Wunder=Pracht der Bluhmen zu beschauen /
Im Garten wandern gieng. Mein Söhnchen liefe mit;
Sein reger Fuß hüpft' immer hin und her.
Als er nun ungefehr
Ein güld'nes Käferchen auf einer Rose fand:
Ergriff er es mit seiner kleinen Hand /
Und kam darauf in vollen Springen /
Mir den gefund'nen Schatz zu bringen.
Ich lobte seinen Fund / und nam ihn lächelnd hin /
Betrachtete / mit fast erschrock'nem Sinn /
Die Schönheit / Farben und Figur /
Mit welcher ihn die bildende Natur
Begabt und ausgeziert.
Durchs Auge ward mein Herz gerührt /
Als ich mit höchster Lust erblickte /
Wie ihm Smaragd und Gold den glatten Rücken schmückte;
Und ich bewunderte sein wandelbares Grün /
Das bald wie Gold / bald wie Rubin /
Und bald aufs neu Smaragden schien /
Nach dem der Fürst des Lichts auf seine Theilchen stral'te /
Und die verschied'ne Fläche mahlte.

Wie ich mich lange nun an seinem Glanz ergetzet /
Und diese Schönheit hoch geschätzet:
Verspüret' ich / wie die veränderliche Pracht
Mich allgemach auf die Gedanken bracht:
Was sind die Farben doch? Nichts / als ein blosses Nichts.
Denn / wenn der Schein des all=erfreu'nden Lichts
Sich von uns trennet: schwinden /
Vergehn und sterben sie; man kann nicht einst die Spur
Von ihrer Pracht / von ihrem Wesen / finden.
Dieß heisst mich weiter gehn / und auch: was ist die Welt?
Was ist das Irdische? Was ist die Creatur?
Was sind wir selber? fragen;
Worauf mir GOttes Wort / Witz und Erfahrung sagen:

ARIA.

Farben sind es / was ihr sehet /
Höret / riechet / schmeckt und fühlt.
Ohne GOTT / den Brunn des Lichts /
Sind wir / und ist alles / nichts.
Alles schwindet und vergehet /
Was auch noch so herrlich spielt.
Farben sind es / was ihr sehet /
Höret / riechet / schmeckt und fühlt.

Indem ich ihm das Würmchen wieder reichte:
Entflog es ihm / und alle Freude mit.
Kein Kummer war / der seinem gleichte;
Es wankte sein verwirrter Tritt;
Er fing erbärmlich an zu weinen;
Die kleine Hand rieb die bethrän'ten Augen;
Er änderte Gebärden und Gestalt /
Und konnt' ihn nichts zu trösten taugen.
Worüber ich denn herzlich lachte;
Doch änderte sich dieß mein Lachen bald /
Als ich auch unser Werk und kindisch Thun bedachte.

Ein Wurm ergetzt ein Kind / ein gelber Koht die Alten;
Man will ihn mit Gewalt erhalten und behalten.
Das Kind hat kurze Lust / der Alte kleine Freude;
Wenn aber Wurm und Gold verfliegen / weinen beyde.

Werkregister 62

BARTHOLD HINRICH BROCKES

Die durch Veränderung von Licht und Schatten
sich vielfach verändernde Landschaften.

Die Sonne scheint mit Fleiß zuweilen
Bald hier bald dort den Duft der Wolken zu zertheilen /
Und gleichsam / wie die Welt am herrlichsten zu zieren /
(Den Schatten und das Licht verwechselnd) zu probiren.
Bald deckt ein Glantz, bald Dunkelheit, die Matten:
Ein sich verändernder ein wandelbarer Schatten
Erheb't bald hier bald dort /

Durch seiner Schwärze klare Nacht /
Des an ihn gränzenden fast güld'nen Lichtes Pracht.
Ein laufendes Gewülk / wenn es das Feld schattiret
Und durch den Gegensatz das Licht durch Schatten zieret /
Färb't / als mit schwarzer Kunst und Tusch /
So manchen Wald, so manchen Busch /
Wann es sein Bild darauf selbst zeichnet und formiret.
Itzt glühet der bestral'te Wald /
Bald ändert er die glänzende Gestalt /
Und wird von unten auf geschwärzt, da seine Wipfel
Zusamt des nahen Berges Gipfel
Annoch ganz unverändert schön
In einem hellen Lichte stehn.
Wie der berühmte *Tamm** (der seines Hamburgs Ehre
So wie der Wiener Zier / der Bluhmen, Laub und Kraut
Mit Farb' und Pinsel pflanzt / und, wo es möglich wäre /
Sie riechend machen würd') oft seiner Bluhmen Pracht
Auf einem lichten Grunde macht /
Das sonsten doch so schwer; so schien
Oft einer Wolken weisse Stelle /
Wenn man von unten auf sie durch die Bäume schaut /
Sehr angenem durch dunkler Blätter Grün,
Das / kurz vorher / auf einem blauen Grunde
Des himmlischen Sapphirs / hell auf dem dunkeln / stunde.
Bald jag't das heit're Licht die Schatten plötzlich fort /
Bald glänzt ein Thal / bald tritt ein Hügel
In ja so schnell=als schön=und neuer Zier
Aus seiner Dämmerung herfür.
Bald schimmert / wie die Gluht / der Fluten Spiegel /
Bald sieht man zwischen dunklen Stellen
Dort eine kleine Stelle sich
Durchs Schlag=Licht schnell erhellen /
Bald ist das lichte=Feld mit einem dunkeln Strich
Getheilt und angenem durchschnitten.
Der Landschaft Vorgrund ist bald dunkel und bald hell:
Ist der Gesicht=Kreis hier im dunklen Schatten; schnell
Bestralet sie ein Licht bald vorn / bald in der Mitten.
Durch diesen Wechsel nun geschiicchts /
Daß / auf bald schattigter / bald heller Flut und Erden /
Durch nichts als Aenderung des Schattens und des Lichts /
Aus einer Landschaft hundert werden /

---

* Sr. Kaiserl. Majestät Hof=Mahler / der vortrefflichste Bluhmen=Schilderer unserer
Zeit.

Von denen / wenn man's recht ermisst /
Stets eine schöner noch / als wie die ander' / ist.

Den Endzweck dieses Spiels begreif' ich anders nicht /
Als daß dieß alles bloß geschicht /
Durch steten Wechsel dir den Eckel zu verwehren /
Und durch Veränderung dein' Anmuth stets zu mehren.

Es scheint die Sonne sich recht zu bemühen /
(Damit man GOttes Allmacht merke /)
Dein Aug' / o Mensch / auf GOttes Werke /
Durch öfter' Aenderung der Schönheit / hinzuziehen.

Schliesse denn hinfort die Augen
Nicht vor GOttes Werken zu!
Nichts kann deine Seelen=Ruh
Mehr, als dieß, zu fördern taugen,
Als wenn man des Schöpfers Güt'
In vergnüg'ter Andacht sieht.

Werkregister 62

CHRISTIAN FRIEDRICH WEICHMANN

Brockes' Schreibart

Die Schreib=Ahrt dieser Gedichte ist eben so wenig niederträchtig und leichtsinnig / so wenig man dieser Mängel überhaupt den Herrn Brockes beschuldigen kann. Vielmehr stimmet sie mit der Großmuth und Leutseligkeit ihres Verfassers völlig überein. Sie ist Majestätisch und nachdrücklich; aber doch dabey sanft und lieblich. Selbst der äusserliche Klang und die natürliche Verbindung Seiner Worte zeigen uns beydes in verschiedener Masse / und mit mannigfaltiger Veränderung / nachdem die Beschaffenheit der Sachen es erfordert. Man glaubte sonst / die Lateinische Sprache hätte in diesem Stücke vor allen andern den Vorzug. Ich sollte auch meynen / daß der grosse Poet / Virgilius / was dieß betrifft / seines gleichen noch nicht gefunden habe. Man wird aber durch Lesung dieser Gedichte überzeuget werden / daß unsere Sprache nicht minder geschickt sey /alle Leidenschaften des Gemühts / ja alle nur ersinnliche Dinge / ganz eigentlich und mit besonderem Klange vorzustellen; dafern nur ein Teutscher Virgilius ihr die Ehre thut / sie mit gleichem Verstande und Fleisse / wie jener die seinige / zu treiben. Der Herr Brockes ist hierin so viel glücklicher / weil Er zugleich eine genaue Kentniß der Music besitzet / und Selbst mit annemlicher Fertigkeit darin geübt ist; massen aus derselben der Grund und die Beurtheilung dieser Sa-

chen lediglich fliesset. So ist vornemlich eine mässige Bewegung des Meers /
wie auf der 110den Seite befindlich / durch den Laut nur zweyer Worte recht
natürlich ausgedrücket / wenn es heisset:

> Es schien der Wald ein Meer / drin grüne *Wellen wallen.*

Wie hätte auch ein Wetter=Leuchten besser in einem solchen kurzen Wort=
Spiele können vorgestellet werden / als wie es auf der 34sten Seite folgender
Massen geschehen / da von den Wasser=Blasen geredet wird:

> Die / wie der Blitz / erscheinen und entstehn /
> Und *wieder / wie der* Blitz / zerplatzen und vergehn.

Von einem Gewitter überhaupt wird nicht leicht was stärkerers in gleicher
Kürze vorkommen / als dieses auf der 112ten Seite:

> Der Donner rollt und knallt; Blitz Ströme / Stralen / Schlossen
> Vermischen ihre Wut.

Die oft wiederholte Vermischung der Buchstaben L und R thut hier die
schönste Wirkung / und verdienen dergleichen wolgetroffene Sätze desto
mehr Verwunderung / je kürzer sie sind /und je weniger sie gekünstelt scheinen. Haben wir uns aber an den bisherigen Gedanken vergnüget: so wird es
der folgende nicht weniger wehrt seyn / der auf der 186sten Seite befindlich:

> Kein Strom / kein Pfeil / kein Wind / kein Dampf / kein Blitz / kein Stral /
> Verrauscht / verfleucht / verwehet /
> Verraucht / verstreicht / vergehet
> So schnell / als uns're Lebens=Zeit.

Ich will diesen noch ein par andere beyfügen / damit man nicht meyne / daß
der Herr Verfasser in solchen heftigen und gewaltsamen Dingen allein glücklich sey. Man lese folgende Zeilen auf der 112ten Seite mit Bedacht:

> Noch stral'te Blitz auf Blitz mit fürchterlichem Schein;
> Der Donner rollte noch mit grässlichem Gebrülle:
> Allein im Augenblick nam eine sanfte Stille
> Die fast betäubte Luft gemach von neuen ein.

Wie nachdrücklich die zwey ersten Zeilen: so lieblich und sanft klingen die
letzten. Von dieser Gattung nun kommen durchgehends in gegenwärtigem
Buche häufige Exempel vor; ich will aber in diesem Stücke sonderlich /
anstatt aller einzelnen Exempel / das auf der 109ten Seite befindliche Gedicht
mit Fleiß durchzugehen / vorschlagen. Dasselbe beschreibt uns ein heiteres
Wetter nach einem Ungewitter; und gewiß / es ist alle Stärke dieser Kunst /
die der Herr Brockes allein mit dem Virgilius gemein zu haben scheinet / in
demselben beysammen / davon gleichsam in dem Schluß / wie von der ganzen Sache / ein kleiner Auszug begriffen. Dieser lautet / wie folgt:

Elpin / den itzt die Lust / wie vor der Schrecken / triebe /
Besang mit frohem Muht des Schöpfers Eigenschaft.
Es ist die helle Sonn' ein Bild von GOttes Liebe /
So wie des Wetters Grimm die Proben seiner Kraft.*

Marino nennet in seinem Adone die Poesie und Music ein par Schwestern /
davon die eine den Verstand / die andere den Sinn / ergetzet und erhält. Des
Herrn Brockes Poesie thut beydes / ohne absonderlichen Zusatz der Music /
weil sie gleichsam nach ihren Regeln verfasset / und schon für sich den
Nachdruck derselben mit einschliesset. In diesem Stücke wirket die Music zu
ihrem eigenen Nachtheile / und doch /wenn mans recht einsiehet / zu ihrem
grossen Vortheile zugleich; weil sie zwar alle ihre Kräfte anstrengen muß, nur
bloß Seinen Worten zu folgen / und dennoch ihre vornemsten Annemlichkei-
ten von denselben entlehnen kann. Der Herr Telemann / so verschiedene
dieser Stücke in die Music gesetzet / ist zwar überaus glücklich gewesen /
nach Seiner bekannten Geschicklichkeit / dieselben mit gehörigem Geiste
und Feuer vorzustellen; Er hat aber auch gefunden / daß solches nicht möglich wäre: ohne / aus den innersten Geheimnissen Seiner Kunst die grösten
Zärtlichkeiten und Vollkommenheiten derselben hervor zu suchen. Gleichwol hindert dieses so wenig der Sing= als Ticht=Kunst an ihrer Einträchtigkeit
/ und sie bleiben nichtsdestoweniger ein par vertraute Gratien / deren Zahl
und reizende Anmuth vollkommen wird / wenn die Mahlerey sich mit ihnen
verbindet. Der Herr Verfasser / gleichwie Er nicht allein alles weiß / was zu
einem untadelhaften Gemählde erfodert wird / sondern auch selbst auf das
sauberste und natürlichste zeichnet: so stellet Er sie uns alle drey in der
genauesten Vereinigung / ja in ihrer völligen Grösse und Lebhaftigkeit /
durch Seine Werke vor Augen. Jedwedes Seiner Gedichte ist /so zu sagen /
eine Regelmässige Harmonie / und zugleich ein vollkommenes Gemählde. In
einem Gemählde sollte billig nicht das geringste Tüttelchen / vielweniger ein
ganzer Strich / vergebens seyn. Und man wird finden / daß in diesen Schriften nicht eine Sylbe gesetzet ist / die man mit Fug / als überflüssig / weglassen
könnte /oder / da es so leicht möglich wäre / sie mit einer bessern zu verwechseln. Jedwedes Wort macht uns gleichsam einen Begriff von einer besondern Sache / und jedwede Sache ist mit solchen Worten beschrieben / die
sich auf das eigentlichste und natürlichste dazu schicken.

Werkregister 62

---

* Da das ganze Gedicht so eingerichtet / daß alle männlich=lautende Buchstaben /
und sonderlich das R / nach Erfoderung der Umstände / bald darin gehäufet / bald
mässig gebrauchet / bald gar weggelassen worden: so hat auch hier die eine Hälfte des
ersten Verses und der dritte gar kein R / die andere Hälfte aber und der vierte das R
desto öfter; in dem zweyten hingegen findet sichs nur wenig.

CARL FRIEDRICH DROLLINGER

Auf eine Hyacinte / so im Wasser geblühet.

An
Herrn D. Eichrodt /
Baden=Durlachischen Hofraht und Leibarzt.

Der Sommer war dahin. Der Schmuck der bunten Wiesen
Verwelkte mehr und mehr; Die rauhen Norden bliesen,
Und machten unsrer Welt mit fürchterlichem Mund
Des kalten Scorpions verhaßte Herrschaft kund.
Kaum zeigte sich annoch von unsrer Gärten Ruhme
Ein welker Amarant und eine Ringelblume,
Die unter Frost und Sturm halb sterbend ausgedaurt,
Und mit gesenktem Haubt der Schwestern Tod betraurt.
Bis Flora, voller Gram bey ihrer Kinder Leichen,
Uns endlich gar verließ, und zu den schönen Reichen,
Zu jener Gegend floh, da Phöbus rege Kraft
Ein immerwährend Grün und stete Blühte schafft.
O schmerzlicher Verlust für Anthosanders Blicke!
Sein Augenmerk zerfiel. Ihr Blumen kommt zurücke!
Du unschuldsvolle Schaar, wie kurz ist deine Pracht!
So rief Er; doch umsonst. Der Kälte strenge Macht
Gab keiner Bitte Statt. Die Kraft des holden Lenzen
War noch zu sehr entfernt von unsern öden Grenzen.
Bis Anthosanders Fleiß; was die Natur versagt,
Voll reger Ungeduld zu künsteln sich gewagt.
Die Sehnsucht trieb ihn an, des Winter Grimm zu triegen.
Sein Zimmer mußte sich zu einem Garten fügen;
Da lockt Er allgemach das bunte Frühlingsheer
Mit angenemem Zwang zur frühen Wiederkehr.
Er hielt ein manches Glas bis oben angefüllet
Mit jener Segensflut, die aus den Wolken quillet,
Die die Natur gekocht, und aus der Lüfte Schooß,
An Wuchs und Kräften reich, auf unsern Boden goß.
Auf deren jedem ließ sich eine Zwiebel sehen.
So wie ein blanker Knopf sich von den steilen Höhen
Erhabner Türme zeigt, so streckt der ganze Hauff
Von dem erhöhten Sitz die runden Häupter auf.
Doch schied vor allen sich von der gemeinen Mänge
Ein Hyacintenkiel mit zierlichem Gepränge.

Des Frühlings schönstes Kind hielt seine Kluft versteckt,
Bis Florens eigne Hand es nach und nach entdeckt.
Drey Tage stund er kaum auf dem crystallnen Trohne,
Als schon der Wurzeln Heer gleich einer runden Krone
Aus seinem Kerker brach, von dem erregten Duft
Gereizet und gelockt. Des Zimmers warme Luft
Befördert ihren Trieb sich weiters auszudehnen.
Wie eine holde Reih von Perlenweissen Zähnen,
Wenn sie der erste Druck aus ihren Höhlen stößt,
Bey einem zarten Kind sich allgemach entblößt:
Nicht anderst drangen sich der Zasern erste Spitzen
Durch den geschwellten Kiel aus Hundert kleinen Ritzen;
Und füllten nach und nach, gleich einem dichten Strauß
Verwirrt, doch angenem, den Raum des Glases aus.
Bald zeigte sich ihr Tuhn. Es schwand des Wassers Mänge;
Die Wurzeln zogen es durch ihre kleinen Gänge,
Gehöhlten Teicheln gleich, und sogen seine Kraft,
Sein (*) fünfftes Wesen, aus zu ihrem Nahrungssaft.
Das Wachstum folgte drauf. Der Kiel war nunmehr offen,
Aus dessen Spitze bald, nach Anthosanders Hoffen,
Ein gelbich=grüner Berg geschloßner Blätter stieß,
Und uns ein Vorgebirg der frohen Hoffnung wies.
Doch fehlt die Blume noch. Du Muter aller Dinge,
Vergönne, daß ich jetzt in dein Geheimniß dringe,
Daß ich ein Zeüge hier von deinen Wundern sey;
Und laß mir einen Blick in deine Werkstatt frey!
Zwelf Wälle stunden da, Zwelf runde Festungswerker
Gewölbten Mauern gleich, ein angenemer Kerker,
Mit Nahrungssaft gefüllt, in dessen engem Zwang
Der Blätter dichter Busch sich in einander drang.
Ihr Innerstes beschloß der Schönheit Meisterstücke.
Zwelf Knöpfgen hatten sich mit künstlichem Geschicke
In einen Knopf gedrängt, der fern von Licht und Tag,
Wie eine Fichtenfrucht, in seiner Muter lag.
Mein Eichrodt, dessen Witz den Ursprung selbst ergründet,
Und einer Gottheit Spur in jedem Kraütgen findet;
Der nebst des Fürsten Heil auch seiner Gärten Pracht

(*) Dem sel. Verfasser gefiel solche Redensart selbsten nicht recht. Gleichwol unter-
blieb die Verbesserung, von einer Zeit zur andern, biß man sie endlich gar vergaß.
Villeicht würde Er mir diese Veränderung erlaubt haben:
       Denn jede Wurzel sog durch ihre kleinen Gänge,
       Gehöhlten Teicheln gleich, desselben fünfte Kraft
       Zu ihrer Nahrung aus, als ihren Lebenssaft.

Mit nimmer=müdem Fleiß besorget und bewacht,
Belehre deinen Freünd, der von Begihrde brennet,
Wie man den dunkeln Weg verborgner Weysheit kennet,
Woher das erste Seyn so vieler Wunder fleüßt,
Und was für Ordnung sich in ihrer Zeügung weist!
Ists ein besondrer Geist, der alle diese Schätze
Nach unsers Schöpfers Schluß, dem ewigen Gesätze,
In jeder Pflanze wirkt, und (†) die, die ihm vertraut,
In vorgeschriebner Art zu seiner Wohnung baut?
Wie? oder sind es wol verborgne kleine Gänge
Unzählbarer Figur, unendlich=grosser Mänge,
Worinn der waiche Saft, allmählich eingedrängt,
Nach seiner Formen Art die Bildungen empfängt?
Villeicht auch lehrst du mich, daß Tausend Millionen,
Daß Pflänzgen sonder Zahl in einem Sämgen wohnen,
Da stets ein Inneres im Aüseren versteckt
Sich bis zur Ewigkeit entwickelt und entdeckt.
Vergebens, werter Freünd! Ich kenne meine Schwäche?
Mein Blick erforschet kaum der Körper aüsre Fläche.
Der Ursprung ihrer Pracht, der Bildung dunkles Spiel,
Ist meinem blöden Licht ein Abgrund ohne Ziel.
Die Allmacht hat sie selbst mit einer Nacht umringet,
In deren Tiefe nicht der Allerklügste dringet.
Mich schreckt die Finsterniß, und weiset meinen Blick
Ermüdet und beschämt zum Aüseren zurück.
Der Wuchs vermehrte sich mit immer=regen Sprossen:
Sechs Blätter, die bisher ein fester Zwang geschlossen,
Zerteilten ihren Busch um den verwahrten Schatz,
Und machten allgemach dem regen Stengel Platz.
Er kam, als wie ein Turm aus seinen tiefen Gründen;
Sein Kommen fiel ihm schwär. Nach langem Unterwinden
Durchdrang sein rundes Haubt des Kieles enge Kluft,
Und drückte mühsamlich sich in die freye Luft.
Bald sah man seine Pracht in neüem Schimmer blühen;
So wie vor Sonn und Licht die bleichen Schatten fliehen,

(†) Diese Stelle war schon lang wegen ihrer Zweydeütigkeit und Dunkelheit ausge-
zeichnet, daß sie sollte umgearbeitet werden. Es wollte aber weder dem Verfasser, noch
mir, unter allen vorgeschlagenen Verbesserungen keine recht einleüchten. Ich weiß
nicht, ob etwann nachfolgende dem Leser anstehen möchte:
  Wirkt ein besondrer Geist beständig solche Schätze
  Nach unsers Schöpfers Schluß, dem ewigen Gesätze?
  Ein Geist, der jede Pflanz, in welcher er regirt,
  Auf vorgeschriebne Weis entwickelt, baut und ziert?

So wich die grüne Nacht, die auf den Knöpfen lag,
Der Farben erstem Spiel, dem Einbruch von dem Tag.
Dann folgt der volle Glanz in ungesaümter Eile.
Der kleine Stengel stieg, wie eine kleine Saüle
Von Jaspis ausgedreht, mit schneller Macht empor;
Um sein erhabnes Haubt erschien der volle Flor;
Die Kelche schlossen sich in Sechs geteilte Zinken,
Wie Sterne, welche dort am Firmamente blinken,
Mit doppeln Strahlen auf. Ihr holder Schimmer schien,
Wie ein vereinter Glanz von Perlen und Rubin.
Doch nein! Mein Pinsel treügt. Er kränket ihre Würde.
Kein Edelstein erreicht der holden Blumen Zierde.
Sie schmeicheln meinem Blik, mit sanft=gebrochner Glut,
Mehr, als der ganze Schmuck von einer Krone tuht.
Was soll der strenge Blitz, der aus den Steinen blicket?
Ein Demant blendet nur: der Blumen Glanz erquicket;
Mein Auge wird geschwächt, wenn jener Feüer streüt;
Und diese stärken es mit sachter Lieblichkeit.
Zu dem, was ist ein Stein, der uns so mächtig rühret,
Eh ihn der eitle Mensch mit langer Müh gezieret?
Ein Klumpe sonder Form, bedeckt mit Erd und Sand,
Und (*) borget seinen Stolz nur von des Künstlers Hand.
Hier aber können wir in so viel Wunderwerken
Auf einem jeden Blatt des Schöpfers Finger merken.
Hier ist ein lebend Werk, und kein entseelter Stein;
Der Blumen Athem bläst uns selbst ein Leben ein.
Der Balsam, welchen sie aus ihren Höhlen düften,
Ist selbst die fünfte Kraft aus reinen Himmelslüften:
Die füllet unsre Brust mit einer Regung an,
Die keine Demantkluft, kein Zeilon geben kan.
Weicht, schnöde Steine weicht! Wo seyd ihr schönen Stunden,
Da noch ein Blumenstrauß, von werter Hand gebunden,
Ein Pfand der Liebe war? Die Neigung schätzte nur
An Herzen und Geschenk die Einfalt der Natur.
Nun hat ein schnödes Gift die Menschlichkeit verletzet,
Daß man sich Gold und Stein zu seinem Abgott setzet,
Und die erlaubte Lust, die Feld und Garten krönt,

(*) Die Wortordnung allhier war nicht recht nach dem Sinne des sel. Herrn Drollin-
gers, deßgleichen auch die Redensart nicht, daß man den Stolz, als wie die Pracht,
entlehne oder borge. Dennoch habe ich von Demselben die Verbesserung dieser Stelle
nicht erhalten. Möchte es etwann dem Leser allso gefallen?
    Ein Klumpe sonder Form, den Erd und Sand begräbt,
    Und dessen Pracht und Stolz der Künstler erst belebt.

Mit Unempfindlichkeit versäumet und verhöhnt.
Mein Freünd! Du opferst nicht in diesem Götzentempel.
Es gibt uns unser Fürst ein reizendes Exempel
Von einer edlen Lust, der, wie man wundernd schaut,
In seinem Carolsruh ein Eden sich erbaut;
Und da, wenn ihn die Last des schwären Zepters drücket,
An dem beblümten Schmuck sich labet und erquicket.
Er mißt der Dinge Wert mit klugem Unterschied.
Ich schweige. Carols Ruhm verdient ein höher Lied.

Werkregister 74

JOHANN JACOB BREITINGER

Über Nachahmung der Natur

Der Verstand läßt sich eben so ungern mit einem äffenden Blendwerck zufrieden stellen, als ein hungeriger mit gemahleten Speisen gesättigt wird. Zudem ist das Falsche, und in gewissen Absichten Unmögliche, keiner Nachahmung fähig, es ist ein Zero, ein Nichts, wovon der Verstand nichts begreiffen kan; und die Natur kan nichts widersprechendes hervorbringen; folglich hat auch das unnatürliche weder in der würcklichen noch in der möglichen Welt einiges Original, sondern es ist eine blosse Würckung des blinden und unverständigen Zufalles. Diesem gemäß ist dieses die erste und die Grund= Regel, nach welcher sich alle Künste, hiermit auch die Künste des Mahlers und des Poeten achten und richten sollen, daß sie in ihrer Nachahmung alleine auf die Kräfte der Natur sehen, ihre Materie, Muster, und Urbilder von derselben entlehnen, und hiermit ihre Arbeit auf das Wahre oder Wahrscheinliche gründen.

Die Künste dieser Schüler der Natur bestehen in einer geschickten Nachahmung: Wie nun alle Nachahmung ein gewisses Urbild und Muster voraussetzet, welches die Kunst nach der Natur auszudrücken und vorzustellen beflissen ist, also schliesset der Begriff von der Nachahmung auch eine Aehnlichkeit und Uebereinstimmung mit dem Urbild in sich ein; je vollkommener diese Aehnlichkeit ist, desto glücklicher ist auch die Nachahmung gerathen. Folglich bestehet die gröste Vollkommenheit dieser beyden Künste in der vollkommenen Uebereinstimmung zwischen dem Urbild in der Natur und der durch die Kunst verfertigten Schilderey. Diese Uebereinstimmung aber wird aus der Gleichheit der Würckung unfehlbar erkennet, wenn beyde, das Original und die Copie auf ein gleiches Gemüthe eine gleiche Würckung haben, und einen gleichen Eindruck machen.

Ich weiß zwar wohl, daß sich zwischen dem Eindruck, welchen die Natur durch die Gegenwart ihrer Urbilder auf das Gemüthe würcket, und demjenigen Eindruck, welchen auch die geschickteste Nachahmung der Kunst verursachet, allezeit welcher Unterschied befindet, aber dieses nicht in Ansehung der Art des Eindruckes, sondern in Ansehung seiner Kraft; denn da die Gegenstände der Natur eine wahre Würcklichkeit haben, so muß ihre Würckung auch strenger, ernsthafter, und dauerhafter seyn, als die Würckung des nachgeahmten Bildes, welches nur den Schein der Wahrheit und Würcklichkeit annimmt; in welchem Absehen Quintilianus im zweyten Cap. des zehnten B. gesagt hat: Iis quæ in exemplum assumimus, subest natura & vera vis: contra omnis imitatio ficta est, und: Quidquid alteri simile est, necesse est minus sit eo quod imitatur. Die Kunst suchet ihren Ruhm nicht darinnen, daß sie mit der Natur um den Vorzug eifere, sondern ihr Ruhm=Eifer bestrebet sich allein durch die Nachahmung und den angenommenen Schein des Wahren die Natur in der Art und Gleichheit ihrer Würckungen zu erreichen; und da ihre Absicht ist, durch diese nachgeahmten Rührungen zu belustigen, so ist nothwendig, daß ihre Eindrücke in einem geringern Grade streng und dauerhaft seyn, als diejenigen sind, die von der Kraft des Wahren herrühren; indem alles Widrige und Unangenehme in den Gemüthes=Bewegungen von der Heftigkeit und Dauer derselben entstehet. Unter den Mahlern ist denn derjenige der geschickteste Meister, der so lebhafte und entzükende Schildereyen verfertigt, daß die Zuseher sich eine Weile bereden, sie sehen das Urbild selbst gegenwärtig vor Augen. Das Gemählde des Zeuxes war ein vortreffliches Meisterstücke, da er etliche Trauben so natürlich gemahlet, daß die Vögel selbst dadurch verführet und betrogen worden: Und unter den poetischen Mahlern verdienet ebenfalls derjenige den ersten Platz, der uns durch seine lebhaften und sinnlichen Vorstellungen so angenehm einnehmen und berücken kan, daß wir eine Zeitlang vergessen, wo wir sind, und ihm mit unserer Einbildungs=Kraft willig an den Ort folgen, wohin er uns durch die Kraft seiner Vorstellungen versetzen will, daß wir auch des süssen Irrthums nicht eher gewahr werden, bis wir von dieser Zerstreuung und Entzükung erlediget und unsrem eigenen Nachdencken wieder überlassen werden. Horatz setzet eben hierinn das gröste Lob und die gröste Kraft der Dicht=Kunst, in seinem poetischen Sendschreiben an Augustus, im zweyten B.

> Ille per extentum funem mihi posse videtur
> Ire poeta, meum qui pectus inaniter angit,
> Irritat, mulcet, falsis terroribus implet,
> Ut magus, & modo me Thebis, modo ponit Athenis.

Wo er durch das *Inaniter* angit, und *Falsis* terroribus implet, eben zu verstehen giebt, daß der Poet uns nur durch den Schein der Wahrheit zu bewegen, und die Natur alleine in der Aehnlichkeit ihrer Würckungen, nicht aber in der wahren Kraft derselben nachzuahmen suche.

Auf dieser Aehnlichkeit und Uebereinstimmung der Nachahmung der Natur beruhet nun einestheils die lebhafte Deutlichkeit der Schildereyen, von welcher die wunderbare Kraft die Phantasie zu rühren entstehet, die uns nöthigt, bey Anschauung einer Schilderey bey uns selbst zu sagen: In Wahrheit es ist eben das, was ich gesehen, was ich gehöret habe; oder was ich mit meinen Augen sehen, mit meinen Ohren hören würde, wenn mir das Original von dieser Sache vor Augen oder zu Ohren käme. Die alten Kunst=Lehrer haben diese lebhafte Deutlichkeit eben darum ἐνέργειαν und Evidentiam genennet, und Quintilianus hat im dritten Cap. des achten B. davon gesagt: Consequemur autem ut manifesta sint, si fuerint similia: Atque hujus summæ virtutis facillima est via, *Naturam intueamur.* Anderntheils beruhet auf dieser Aehnlichkeit der Copie mit dem Original die Wahrheit der Schildereyen und mahlerischen Vorstellungen, insofern dieselbe in der Kunst der Nachahmung Platz hat. Je grösser und offenbarer die Aehnlichkeit mit dem Urbild ist, desto mehr Licht und Wahrheit hat das Gemählde. Im Gegentheil wenn keine Aehnlichkeit in denen ausnehmenden Merckmahlen, dadurch eine Sache von andern ihres gleichen unterschieden ist, angetroffen wird, so ist die Schilderey falsch und lügenhaft, weil sie uns etwas gantz anderes vorstellet, als was sie uns hat vorstellen sollen oder vorgehabt hatte. Diesemnach kan das poetische Wahre, welches der Grundstein alles Ergetzens ist, dergestalt beschrieben werden; es sey eine deuliche Uebereinstimmung des ähnlichen Gemähldes mit solchen Urbildern, die in dem Reiche der Natur anzutreffen, und also möglich sind.

Werkregister 61

JOHANN GOTTFRIED SCHNABEL

aus   Wunderliche Fata einiger See=Fahrer.

Im Klettern war mir leichtlich Niemand überlegen, weil ich von Natur gar nicht zum Schwindel geneigt bin, als nun vermerckte, daß sich oben auf den höchsten Spitzen der Felsen, andere Gattunge Vögel hören und sehen ließen; war meine Verwegenheit so groß, daß ich durch allerhand Umwege immer höher von einer Spitze zur andern kletterte, und nicht eher nachließ, biß ich auf den allerhöchsten Gipffel gelangt war, allwo alle meine Sinnen auf einmahl mit dem allergrösten Vergnügen von der Welt erfüllet wurden. Denn es fiel mir durch einen eintzigen Blick das gantze Lust=Revier dieser Felsen=Insul in die Augen, welches rings herum von der Natur mit dergleichen starcken Pfeilern und Mauren umgeben, und so zu sagen, verborgen gehalten wird. Ich weiß gewiß, daß ich länger als eine Stunde in der grösten Entzükkung gestanden habe, denn es kam mir nicht anders vor, als wenn ich die

schönsten blühenden Bäume, das herum spatzirende Wild, und andere Annehmlichkeiten dieser Gegend, nur im blossen Traume sähe. Doch endlich,
wie ich mich vergewissert hatte, daß meine Augen und Gedancken nicht
betrogen würden, suchte und fand ich einen ziemlich bequemen Weg, herab
in dieses angenehme Thal zu steigen, ausgenommen, daß ich an einem eintzigen Orte, von einem Felsen zum andern springen muste, zwischen welchen
beyden ein entsetzlicher Riß und grausam tieffer Abgrund war. Ich erstaune-
te, so bald ich mich mitten in diesem Paradiese befand, noch mehr, da ich das
Wildpret, als Hirsche, Rehe, Affen, Ziegen und andere mir unbekandte Thiere, weit zahmer befand, als bey uns in Europa fast das andere Vieh zu seyn
pfleget. Ich sahe zwey= oder dreyerley Arten von Geflügel, welches unsern
Rebhünern gleichte, nebst andern etwas grössern Feder=Vieh, welches ich
damahls zwar nicht kannte, nachhero aber erfuhr, daß es Birck=Hüner wären,
weiln aber der letztern wenig waren, schonte dieselben, und gab unter die
Rebhüner Feuer, wovon 5. auf dem Platz liegen blieben. Nach gethanem
Schusse stutzten alle lebendige Creaturen gewaltig, gingen und flohen, jedoch
ziemlich bedachtsam fort, und verbargen sich in die Wälder, weßwegen es
mich fast gereuen wolte, daß mich dieser angenehmen Gesellschafft beraubt
hatte. Zwar fiel ich auf die Gedancken, es würden sich an deren Statt Menschen bey mir einfinden, allein, da ich binnen 6. Stunden die gantze Gegend
ziemlich durchstreifft, und sehr wenige und zweiffelhaffte Merckmahle gefunden hatte, daß Menschen allhier anzutreffen, oder sonst da gewesen wären, verging mir diese Hoffnung, als woran mir, wenn ich die rechte Wahrheit
bekennen soll, fast gar nicht viel gelegen war. Im Gegentheil hatte allerhand,
theils blühende, theils schon Frucht=tragende Bäume, Weinstöcke, Garten=
Gewächse von vielerley Sorten und andere zur Nahrung wohl dienliche Sachen angemerckt, ob mir schon die meisten gantz frembd und unbekandt
vorkamen.

Mittlerweile war mir der Tag unter den Händen verschwunden, indem ich
wegen allzu vieler Gedancken und Verwunderung, den Stand der Sonnen gar
nicht in acht genommen, biß mich der alles bedeckende Schatten versicherte,
daß selbige untergegangen seyn müsse. Da aber nicht vor rathsam hielt, gegen
die Nacht zu, die gefährlichen Wege hinunter zu klettern, entschloß ich mich,
in diesem irrdischen Paradiese die Nacht über zu verbleiben, und suchte mir
zu dem Ende auf einen mit dicken Sträuchern bewachsenen Hügel eine bequeme Lager=Statt aus, langete aus meinen Taschen etliche kleine Stücklein
Zwieback, pflückte von einem Baume etliche ziemlich reiffe Früchte, welche
röthlich aussahen, und im Geschmacke denen Morellen gleich kamen, hielt
damit meine Abend=Mahlzeit, tranck aus dem vorbey rauschenden klaren
Bächlein einen süssen Trunck Wasser darzu, befahl mich hierauf GOtt, und
schlieff in dessen Nahmen gar hurtig ein, weil mich durch das hohe Klettern
und viele Herumschweiffen selbigen Tag ungemein müde gemacht hatte.

Werkregister 210

ALBRECHT VON HALLER

aus   Die Alpen.

Dieses Gedicht ist dasjenige, das mir am schwersten geworden ist. Es war die Frucht der großen Alpen-Reise, die ich An. 1728 mit dem jetzigen Herrn Canonico und Professor Gessner in Zürich gethan hatte. Die starken Vorwürfe lagen mir lebhaft im Gedächtniß. Aber ich wählte eine beschwerliche Art von Gedichten, die mir die Arbeit unnöthig vergrößerte. Die zehenzeilichten Strophen, die ich brauchte, zwangen mich, so viele besondere Gemälde zu machen, als ihrer selber waren, und allemal einen ganzen Vorwurf mit zehen Linien zu schließen. Die Gewohnheit neuerer Zeiten, daß die Stärke der Gedanken in der Strophe allemal gegen das Ende steigen muß, machte mir die Ausführung noch schwerer. Ich wandte die Nebenstunden vieler Monate zu diesen wenigen Reimen an, und da alles fertig war, gefiel mir sehr vieles nicht. Man sieht auch ohne mein warnen noch viele Spuren des Lohensteinischen Geschmacks darin.

[...]

Hier zeigt ein steiler Berg die Mauer-gleichen Spitzen,
Ein Wald-Strom eilt hindurch und stürzet Fall auf Fall.
Der dick beschäumte Fluß dringt durch der Felsen Ritzen
Und schießt mit gäher Kraft weit über ihren Wall.

355 Das dünne Wasser theilt des tiefen Falles Eile,
In der verdickten Luft schwebt ein bewegtes Grau,
Ein Regenbogen strahlt durch die zerstäubten Theile
Und das entfernte Thal trinkt ein beständiges Thau.
Ein Wandrer sieht erstaunt im Himmel Ströme fließen,

360 Die aus den Wolken fliehn und sich in Wolken gießen.
Doch wer den edlern Sinn, den Kunst und Weisheit schärfen,
Durchs weite Reich der Welt empor zur Wahrheit schwingt,
Der wird an keinen Ort gelehrte Blicke werfen,
Wo nicht ein Wunder ihn zum stehn und forschen zwingt.

365 Macht durch der Weisheit Licht die Gruft der Erde heiter,
Die Silber-Blumen trägt und Gold den Bächen schenkt;
Durchsucht den holden Bau der buntgeschmückten Kräuter,

---

360. Meine eigenen Gönner haben diese zwei Reimen getadelt. Sie sind also wohl schwer zu entschuldigen. Indessen bitte ich sie zu betrachten, daß die Gemsen in den ersten Auflagen, wenn sie schon Menschen wären, ein tägliches Schauspiel nicht bewundern würden; daß Boileau des S. Amand durch die Fenster sehenden Fische mit Recht lächerlich gemacht hat; und daß endlich, wann oben am Berg die Wolken liegen, der Staubbach aber durch seinen starken Fall einen Nebel erregt, als wovon hier die Rede ist, der letzte Vers allerdings nach der Natur gemalt scheint. Ein Oberamtsmann in dem Theile der Alpen, wo der hier beschriebene Staubbach ist, hat diesen Ausdruck besonders richtig gefunden, da er ihn mit der Natur verglichen hat; und in den schönen Wolfischen Aussichten sieht man das in einem Nebel aufgelöste Wasser des Stroms.

Die ein verliebter West mit frühen Perlen tränkt:
Ihr werdet alles schön und doch verschieden finden
370 Und den zu reichen Schatz stäts graben, nie ergründen!

Wann dort der Sonne Licht durch fliehnde Nebel strahlet
Und von dem nassen Land der Wolken Thränen wischt,
Wird aller Wesen Glanz mit einem Licht bemalet,
Das auf den Blättern schwebt und die Natur erfrischt;
375 Die Luft erfüllet sich mit reinen Ambra-Dämpfen,
Die Florens bunt Geschlecht gelinden Westen zollt;
Der Blumen scheckicht Heer scheint um dem Rang zu kämpfen,
Ein lichtes Himmel-blau beschämt ein nahes Gold;
Ein ganz Gebürge scheint, gefirnisst von dem Regen,
380 Ein grünender Tapet, gestickt mit Regenbögen.

Dort ragt das hohe Haupt am edlen Enziane
Weit übern niedern Chor der Pöbel-Kräuter hin;
Ein ganzes Blumen-Volk dient unter seiner Fahne,
Sein blauer Bruder selbst bückt sich und ehret ihn.
385 Der Blumen helles Gold, in Strahlen umgebogen,
Thürmt sich am Stengel auf und krönt sein grau Gewand;
Der Blätter glattes Weiß, mit tiefem Grün durchzogen,
Bestrahlt der bunte Blitz von feuchtem Diamant;
Gerechtestes Gesetz! daß Kraft sich Zier vermähle;
390 In einem schönen Leib wohnt eine schönre Seele.

Hier kriecht ein niedrig Kraut, gleich einem grauen Nebel,
Dem die Natur sein Blatt in Kreuze hingelegt;
Die holde Blume zeigt die zwei vergüldten Schnäbel,
Die ein von Amethyst gebildter Vogel trägt.
395 Dort wirft ein glänzend Blatt, in Finger ausgekerbet,
Auf eine helle Bach den grünen Widerschein;

---

375. Alle Kräuter sind auf den Alpen viel wohlriechender als in den Thälern. Selbst
diejenigen, so anderswo wenig oder nichts riechen, haben dort einen angenehmen
saftigen Narziß-Geruch, wie die Trollblume, die Aurikeln, Ranunkeln und Küchen-
Schellen.
380. Ist im genauesten Sinne von den hohen Bergweiden wahr, wann sie vom Vieh
noch nie berührt worden sind.
381. *Gentiana floribus rotatis verticillatis. Enum. Helv. p. 478,* eines der grösten
Alpen-Kräuter, und dessen Heil-Kräfte überall bekannt sind, und der blaue *foliis am-
plexicaulibus floris fauce barbata. Enum. Helv. p. 473,* der viel kleiner und unansehnli-
cher ist.
388. Weil sich auf den großen und etwas holen Blättern der Thau und Regen leicht
sammlet und wegen ihrer Glättigkeit sich in lauter Tropfen bildet.
394. *Antirrhinum caule procumbente, foliis verticillatis, floribus congestis. Enum.
Helv. p. 624.*

Der Blumen zarten Schnee, den matter Purpur färbet,
Schließt ein gestreifter Stern in weiße Strahlen ein;
Smaragd und Rosen blühn auch auf zertretner Haide,
400 Und Felsen decken sich mit einem Purpur-Kleide.

Allein wohin auch nie die milde Sonne blicket,
Wo ungestörter Frost das öde Thal entlaubt,
Wird holer Felsen Gruft mit einer Pracht geschmücket,
Die keine Zeit versehrt und nie der Winter raubt.

405 Im nie erhellten Grund von unterirdschen Grüften
Wölbt sich der feuchte Thon mit funkelndem Krystall,
Der schimmernde Krystall sprosst aua der Felsen Klüften,
Blitzt durch die düstre Luft und strahlet überall.
O Reichthum der Natur! verkriecht euch, welsche Zwerge:
410 Europens Diamant blüht hier und wächst zum Berge!

Im Mittel eines Thals von Himmel-hohem Eise,
Wohin der wilde Nord den kalten Thron gesetzt,
Entsprießt ein reicher Brunn mit siedendem Gebräuse,
Raucht durch das welke Gras und senget, was er netzt.

415 Sein lauter Wasser rinnt mit flüssigen Metallen,
Ein heilsam Eisensalz vergüldet seinen Lauf;
Ihn wärmt der Erde Gruft und seine Fluten wallen
Vom innerlichen Streit vermischter Salze auf:
Umsonst schlägt Wind und Schnee um seine Flut zusammen,
420 Sein Wesen selbst ist Feur und seine Wellen Flammen.

---

398. *Astrantia foliis quinquelobatis lobis tripartitis. Enum. Helv. p. 439.*
399. *Ledum foliis glabris flore tubuloso. Enum. Helv. p. 417, & Ledum foliis ovatis ciliatis flore tubuloso. Enum. Helv. p. 418.*
400. *Silene acaulis. Enum. Helv. p. 375,* womit oft ganze große Felsen, wie mit einem Purpurmantel, weit und breit überzogen sind.
403. Die Krystall-Mine unweit der Grimsel, wo Stücke des vollkommensten Krystalls von etlichen Zentnern gefunden werden, dergleichen man in andern Ländern niemals gesehen hat, *Phil. Trans. Vol. XXIV.* Ich habe selbst das gröste, das damals noch gegraben worden war, a. 1733 auf den Alpen betrachtet. Es war 695 Pfund schwer. Seit diesem Stück hat man oben im Wallis ein noch größeres und bis auf zwölf Zentner wiegendes Stück Krystall gefunden.
409. Siehe die Beschreibung einer Krystall-Grube in des Herrn Sulzers Alpen-Reise. Ich vergleiche diese vortrefflichen Stücke mit den 40 und 50pfündigen, die zu den Zeiten des Augustus gefunden, als eine ungemeine Seltenheit angesehen und deswegen von diesem klugen Kaiser in die Tempel der Götter geschenkt worden sind.
410. Krystall-Blüthe heißt man allerlei Anschüsse, die um die Krystall-Gruben gemein sind.
412. Die von Natur heißen Wallis-Bäder, die in einem so kalten Thale liegen, daß das ganze beträchtliche Dorf im Winter verlassen wird und die Einwohner sich herunter in das wärmere Wallis begeben.

Dort aber, wo im Schaum der Strudel-reichen Wellen
Die Wuth des trüben Stroms gestürzte Wälder welzt,
Rinnt der Gebürge Gruft mit unterirdschen Quellen,
Wovon der scharfe Schweiß das Salz der Felsen schmelzt.
425 Des Berges holer Bauch, gewölbt mit Alabaster,
Schließt zwar dieß kleine Meer in tiefe Schachten ein;
Allein sein etzend Naß zermalmt das Marmor-Pflaster,
Dringt durch der Klippen Fug und eilt, gebraucht zu sein;
Die Würze der Natur, der Länder reichster Segen
430 Beut selbst dem Volk sich an und strömet uns entgegen.

Aus Schreckhorns kaltem Haupt, wo sich in beide Seen
Europens Wasser-Schatz mit starken Strömen theilt,
Stürzt Nüchtlands Aare sich, die durch beschäumte Höhen
Mit schreckendem Geräusch und schnellen Fällen eilt;
435 Der Berge reicher Schacht vergüldet ihre Hörner
Und färbt die weiße Flut mit königlichem Erzt,
Der Strom fließt schwer von Gold und wirft gediegne Körner,
Wie sonst nur grauer Sand gemeines Ufer schwärzt.
Der Hirt sieht diesen Schatz, er rollt zu seinen Füßen,
440 O Beispiel für die Welt! er siehts und lässt ihn fließen.

Verblendte Sterbliche! die, bis zum nahen Grabe,
Geiz, Ehr und Wollust stäts an eitlen Hamen hält,
Die ihr der kurzen Zeit genau gezählte Gabe
Mit immer neuer Sorg und leerer Müh vergällt,
445 Die ihr das stille Glück des Mittelstands verschmähet
Und mehr vom Schicksal heischt, als die Natur von euch,
Die ihr zur Nothdurft macht, worum nur Thorheit flehet:
O glaubts, kein Stern macht froh, kein Schmuck von Perlen reich!
Seht ein verachtet Volk zur Müh und Armuth lachen,
450 Die mäßige Natur allein kann glücklich machen.

Werkregister 126

---

421. Die Salz-Mine unweit Bevieux.
422. Der dabei fließende Waldstrom.
431. Der Rhodan nach dem mittelländischen Meere, die Reuß und Aare in den Rhein
und die Nord-See.
438. Das in der Aare fließende Gold. Der Sand bestehet meist aus kleinen Granaten,
wie Herr von Réaumur auch vom Sande des Rhodans angemerkt hat, und sieht deswegen fast schwarz aus.
440. In den Gebürgen wird kein Gold gewaschen, die Alpen-Leute sind zu reich
dazu. Aber unten im Lande beschäftigen sich die ärmsten Leute um Aarwangen und
Baden damit.

Johann Jacob Breitinger

Von dem malerischen Ausdruck

Demnach besteht der mahlerische Ausdruck der Poesie darinnen, daß man allem demjenigen, dem man die Rede mittheilet, hertzrührende Gedancken beyleget, so daß man dasjenige durch Figuren ausdrücket, und unter beweglichen Bildern vorstellet, was uns nicht einnähme, wenn es in einer prosaischen Schreibart gesagt würde. Und es bleibt bey dem Ausspruch des Quintilianus im sechsten Cap. des achten B. In illo plurimum erroris est, quod ea, quae Poetis, qui & *omnia ad voluptatem referunt,* & plurima vertere etiam ipsa metri necessitate coguntur, permissa sunt, convenire quidam etiam prosae putant. Der poetische Ausdruck hat eine entzückende und bezaubernde Kraft auf die Sinnen und die Einbildung, und machet, daß wir, indem wir wohlgeschriebene Verse lesen oder hören, uns bereden, wir sehen die Sachen in der Natur gegenwärtig vor uns: Ut pictura Poesis erit, sagt daher Horatz. So wenn Hr. Haller in dem Gedichte die Alpen betitelt, Gentianam majorem luteam, als eins der trefflichsten Alpen=Kräuter, und die blaue pratensem flore lanuginoso, poetisch beschreiben will, so sagt er:

> Dort ragt das hohe Haupt vom edlen Enziane
>   Weit übern niedern Chor der Pöbel=Kräuter hin,
> Ein gantzes Blumen=Volck dient unter seiner Fahne,
>   Sein blauer Bruder selbst bückt sich und ehret ihn;
> Der Blumen helles Gold in Strahlen umgebogen,
>   Thürmt sich am Stengel auf, und krönt sein grau Gewand,
> Der Blätter glattes Weiß mit tiefem Grün durchzogen,
>   Strahlt von dem lichten Blitz von feuchtem Diamant.
> Gerechtestes Gesetz! daß Kraft sich hier vermähle;
>   In einem schönen Leib' wohnt eine schön're Seele.

Man vergleiche damit die genaueste historische Beschreibung eines Botanici, oder auch die ähnlichste Zeichnung eines Mahlers, so wird man gestehen müssen, daß sie gegen dieser poetischen Schilderey gantz matt und düster seyn. So wenn Opitz im Vesuvius die physicalische Ursache anzeigen will,

>   Wie eine Flamme doch so lange währen kan,
>   Die dennoch irdisch ist? – – –

so drückt er sich poetisch also aus:

>   Es schliefe längsten schon die Glut in stiller Ruh,
>   Wenn daß sie selber nicht, auch mitten im Verzehren,
>   Geartet wäre, stets was anders zu gebehren,
>   Davon sie leben kan; indem die Feuchtigkeit
>   Und Luft ihr Nahrung giebt. – – –

Einfältig sagen, daß der Winter dem Krieg einen Anstand mache, wäre eine
gemeine Wahrheit, die schlechte Aufmercksamkeit erwecken würde; aber
wenn Opitz diese Wahrheit in den poetischen Stilum einkleidet, so entzücket
sie uns; wir werden durch die Bilder, deren sich der Poet bedient, sie auszudrücken, betrogen, und der Gedancke, der platt und schlecht seyn würde,
wenn man ihn in der prosaischen Schreibart gäbe, wird sinnlich und mahle-
risch, so daß er uns rühret:

> Der Flüsse Strand besteht, der Schiffer fleucht die See,
> Der bleiche Wassermañ wirft um sich Reiff und Schnee,
> Der Wind beeißt das Land: Mars muß zurücke halten,
> Und legt die Waffen hin, weil Hand und Fuß erkalten:
> Vom Hertzen weiß ich nicht. ---

Werkregister 61

GOTTHOLD EPHRAIM LESSING

aus   Laokoon.

Aber, wird man einwenden, die Zeichen der Poesie sind nicht bloß auf
einander folgend, sie sind auch willkührlich; und als willkührliche Zeichen
sind sie allerdings fähig, Körper, so wie sie im Raume existiren, auszudrükken. In dem Homer selbst fänden sich hiervon Exempel, an dessen Schild des
Achilles man sich nur erinnern dürfe, um das entscheidendste Beyspiel zu
haben, wie weitläuftig und doch poetisch, man ein einzelnes Ding nach seinen
Theilen neben einander schildern könne.
Ich will auf diesen doppelten Einwurf antworten. Ich nenne ihn doppelt,
weil ein richtiger Schluß auch ohne Exempel gelten muß, und Gegentheils das
Exempel des Homers bey mir von Wichtigkeit ist, auch wenn ich es noch
durch keinen Schluß zu rechtfertigen weis.
Es ist wahr; da die Zeichen der Rede willkührlich sind, so ist es gar wohl
möglich, daß man durch sie die Theile eines Körpers eben so wohl auf einander folgen lassen kann, als sie in der Natur neben einander befindlich sind.
Allein dieses ist eine Eigenschaft der Rede und ihrer Zeichen überhaupt, nicht
aber in so ferne sie der Absicht der Poesie am bequemsten sind. Der Poet will
nicht bloß verständlich werden, seine Vorstellungen sollen nicht bloß klar
und deutlich seyn; hiermit begnügt sich der Prosaist. Sondern er will die
Ideen, die er in uns erwecket, so lebhaft machen, daß wir in der Geschwindigkeit die wahren sinnlichen Eindrücke ihrer Gegenstände zu empfinden glauben, und in diesem Augenblicke der Täuschung, uns der Mittel, die er dazu
anwendet, seiner Worte bewußt zu seyn aufhören. Hierauf lief oben die

Erklärung des poetischen Gemähldes hinaus. Aber der Dichter soll immer mahlen; und nun wollen wir sehen, in wie ferne Körper nach ihren Theilen neben einander sich zu dieser Mahlerey schicken.

Wie gelangen wir zu der deutlichen Vorstellung eines Dinges im Raume? Erst betrachten wir die Theile desselben einzeln, hierauf die Verbindung dieser Theile, und endlich das Ganze. Unsere Sinne verrichten diese verschiedene Operationen mit einer so erstaunlichen Schnelligkeit, daß sie uns nur eine einzige zu seyn bedünken, und diese Schnelligkeit ist unumgänglich nothwendig, wann wir einen Begriff von dem Ganzen, welcher nichts mehr als das Resultat von den Begriffen der Theile und ihrer Verbindung ist, bekommen sollen. Gesetzt nun also auch, der Dichter führe uns in der schönsten Ordnung von einem Theile des Gegenstandes zu dem andern; gesetzt, er wisse uns die Verbindung dieser Theile auch noch so klar zu machen: wie viel Zeit gebraucht er dazu? Was das Auge mit einmal übersiehet, zählt er uns merklich langsam nach und nach zu, und oft geschieht es, daß wir bey dem letzten Zuge den ersten schon wiederum vergessen haben. Jedennoch sollen wir uns aus diesen Zügen ein Ganzes bilden. Dem Auge bleiben die betrachteten Theile beständig gegenwärtig; es kann sie abermals und abermals überlaufen: für das Ohr hingegen sind die vernommenen Theile verloren, wann sie nicht in dem Gedächtnisse zurückbleiben. Und bleiben sie schon da zurück: welche Mühe, welche Anstrengung kostet es, ihre Eindrücke alle in eben der Ordnung so lebhaft zu erneuern, sie nur mit einer mäßigen Geschwindigkeit auf einmal zu überdenken, um zu einem etwanigen Begriffe des Ganzen zu gelangen!

Man versuche es an einem Beyspiele, welches ein Meisterstück in seiner Art heissen kann.[a]

> Dort ragt das hohe Haupt vom edeln Enziane
> Weit übern niedern Chor der Pöbelkräuter hin,
> Ein ganzes Blumenvolk dient unter seiner Fahne,
> Sein blauer Bruder selbst bückt sich, und ehret ihn.
> Der Blumen helles Gold, in Strahlen umgebogen,
> Thürmt sich am Stengel auf, und krönt sein grau Gewand,
> Der Blätter glattes Weiß, mit tiefem Grün durchzogen,
> Strahlt von dem bunten Blitz von feuchtem Diamant.
> Gerechtestes Gesetz! daß Kraft sich Zier vermähle,
> In einem schönen Leib wohnt eine schönre Seele.
>
> Hier kriecht ein niedrig Kraut, gleich einem grauen Nebel,
> Dem die Natur sein Blatt im Kreutze hingelegt;
> Die holde Blume zeigt die zwey vergöldten Schnäbel,
> Die ein von Amethyst gebildter Vogel trägt.

[a] S. des Herrn v. Hallers Alpen.

> Dort wirft ein glänzend Blat, in Finger ausgekerbet,
> Auf einen hellen Bach den grünen Wiederschein;
> Der Blumen zarten Schnee, den matter Purpur färbet,
> Schließt ein gestreifter Stern in weisse Strahlen ein.
> Smaragd und Rosen blühn auch auf zertretner Heyde,
> Und Felsen decken sich mit einem Purpurkleide.

Es sind Kräuter und Blumen, welche der gelehrte Dichter mit grosser Kunst und nach der Natur mahlet. Mahlet, aber ohne alle Täuschung mahlet. Ich will nicht sagen, daß wer diese Kräuter und Blumen nie gesehen, sich aus seinem Gemählde so gut als gar keine Vorstellung davon machen könne. Es mag seyn, daß alle poetische Gemählde eine vorläufige Bekanntschaft mit ihren Gegenständen erfordern. Ich will auch nicht läugnen, daß demjenigen, dem eine solche Bekanntschaft hier zu statten kömmt, der Dichter nicht von einigen Theilen eine lebhaftere Idee erwecken könnte. Ich frage ihn nur, wie steht es um den Begriff des Ganzen? Wenn auch dieser lebhafter seyn soll, so müssen keine einzelne Theile darinn vorstechen, sondern das höhere Licht muß auf alle gleich vertheilet scheinen; unsere Einbildungskraft muß alle gleich schnell überlauffen können, um sich das aus ihnen mit eins zusammen zu setzen, was in der Natur mit eins gesehen wird. Ist dieses hier der Fall? Und ist er es nicht, wie hat man sagen können, „daß die ähnlichste Zeichnung eines Mahlers gegen diese poetische Schilderey ganz matt und düster seyn würde?"[b] Sie bleibet unendlich unter dem, was Linien und Farben auf der Fläche ausdrücken können, und der Kunstrichter, der ihr dieses übertriebene Lob ertheilet, muß sie aus einem ganz falschen Gesichtspunkte betrachtet haben; er muß mehr auf die fremden Zierrathen, die der Dichter darein verwäbet hat, auf die Erhöhung über das vegetative Leben, auf die Entwickelung der innern Vollkommenheiten, welchen die äussere Schönheit nur zur Schale dienet, als auf diese Schönheit selbst, und auf den Grad der Lebhaftigkeit und Aehnlichkeit des Bildes, welches uns der Mahler, und welches uns der Dichter davon gewähren kann, gesehen haben. Gleichwohl kömmt es hier lediglich nur auf das letztere an, und wer da sagt, daß die blossen Zeilen:

> Der Blumen helles Gold in Strahlen umgebogen,
> Thürmt sich am Stengel auf, und krönt sein grau Gewand,
> Der Blätter glattes Weiß mit tiefem Grün durchzogen,
> Strahlt von dem bunten Blitz von feichtem Diamant –

daß diese Zeilen, in Ansehung ihres Eindrucks, mit der Nachahmung eines Huysum wetteifern können, muß seine Empfindung nie befragt haben, oder sie vorsetzlich verleugnen wollen. Sie mögen sich, wenn man die Blume selbst in der Hand hat, sehr schön dagegen recitiren lassen; nur vor sich allein sagen

---

[b] Breitingers Critische Dichtkunst Th. II. S. 407.

sie wenig oder nichts. Ich höre in jedem Worte den arbeitenden Dichter, aber das Ding selbst bin ich weit entfernet zu sehen.

Nochmals also: ich spreche nicht der Rede überhaupt das Vermögen ab, ein körperliches Ganze nach seinen Theilen zu schildern; sie kann es, weil ihre Zeichen, ob sie schon auf einander folgen, dennoch willkührliche Zeichen sind: sondern ich spreche es der Rede als dem Mittel der Poesie ab, weil dergleichen wörtlichen Schilderungen der Körper das Täuschende gebricht, worauf die Poesie vornehmlich gehet; und dieses Täuschende, sage ich, muß ihnen darum gebrechen, weil das Coexistirende des Körpers mit dem Consecutiven der Rede dabey in Collision kömmt, und indem jenes in dieses aufgelöset wird, uns die Zergliederung des Ganzen in seine Theile zwar erleichtert, aber die endliche Wiederzusammensetzung dieser Theile in das Ganze ungemein schwer, und nicht selten unmöglich gemacht wird.

Werkregister 170

Just Friedrich Wilhelm Zachariä

aus   Die Tageszeiten.

Nach und nach enthüllet sich nun die dämmernde Gegend,
Waldichte Hügel erheben ihr Haupt; in blauer Schattirung
Schwillt schon der Rücken der Berge zusehends dem reisenden Auge.
Dunkelglänzend rollen die Ströme die gleisenden Wellen
Durch die rauchenden Ebnen, die immer sichtbarer werden.
Mächtige Thürme steigen empor, und drohen den Wolken,
Und die niedrige Hütte kriecht aus dem schwindenden Schatten.
Aus der thauigten Furche schwingt sich indessen die Lerche
Jubilierend herauf, und ruft dem kommenden Tage.
Der erwachende Wald, die wieder belebten Gefilde
Hören die Stimme des Herolds, der zu Gesängen einladet.
Sie ermuntern sich zwitschernd, und hüpfen auf schwankenden Aesten
Fröhlich empor, und putzen die Schwingen; in stiller Bereitschaft
Scheinen sie auf das erwartete Zeichen Achtung zu haben,
Mit dem allgemeinen Concerte die Sonne zu grüssen.

Noch verbirgt sie sich uns. Mit rosenfarbenem Fittig
Rauschet die Morgenröthe daher, indem sie die Sterne
In dem Augenblick wegwischt, und um sich die Wolken bepurpurt,
Ungeduldig stürzen die Heere der größeren Vögel
In die Tiefe der Luft, die Sonne früher zu sehen,
Aus dem dunklen Forste wallt ihr der reisende Reyher,

Und der Habicht entgegen; ein dickes Geschwader von Dohlen
Flattert um Felsen herum mit lauten geschwätzigen Zügen.
Da in obrer Luft in gaukelnden Kreisen die Schwalbe
Sich mit den ersten Stralen die blauen Flügel vergüldet.
Langsam spazieret nunmehr der Hirsch mit stolzem Geweihe
Ueber die Haide zum Forst, und sieht oft zurück nach den Saaten,
Die er ungern verläßt, vom jungen Tage verscheuchet.
Auch der furchtsame Hase springt nach dem Vorholz zurücke;
Da aus hohen waldichten Wipfeln veralteter Eichen
Der schwerfliegende Rabe zu fernen Feldern dahinzieht.
Auch der ermunterte Schäfer öffnet die Schranken der Hürde;
Sein krummhornichter Widder leitet die blöckende Heerde
Hinter sich her auf die Felder; bis auch der Schäfer herausgeht,
Und, vom treuen Hunde begleitet, den Nachzug beschließet.
Das umschattete Dorf erwacht in moosigten Hütten.
Mit gekrümmtem Halse steht hoch auf der Leiter der Haushahn,
Und kräht Freud' in den Hof; mit lauten schlagenden Flügeln
Springt er hinab auf den Platz, und ieder der schwätzenden Weiber
Strotzt er brennend entgegen, schüttelt die mächtige Krone,
Und empfängt sie mit Anstand und majestätischer Herrschaft.
Seine Stimme verkündiget Arbeit. Der Landmann erhebt sich;
Wischte den Schlaf aus den Augen, und macht in grauender Dämmrung
Seinen Wagen zurecht; er hohlt die munteren Rosse
Aus dem niedrigen Stalle, der noch von Dünsten aufdampfet.
Oder er spannt an den Pflug die wiederkauenden Ochsen,
Die geduldig dem Joche die breite Stirne hinreichen.
Langsam zieht er zum Acker, und reißet seitlang die Furchen,
Von dem Gesange der Lerche begleitet, die Aufmuntrung singet.
An den Pflug gelehnet, hält er die Hand vor die Augen,
Und hohlt mit den gierigen Blicken die Sonn aus dem Meere.
Gönne dein Antlitz, o Sonne, den dich erwartenden Fluren,
Und vergülde die Arbeit des schweißvergießenden Landmanns!
Sie beschleunigt den Einzug, und röthet im wollichten Osten
Immer heller die Wolken, die vor ihr hergehn, und schimmern,
Wie ein glänzender Hof, der seinen Monarchen verkündigt.
Und auf einmal erscheint sie! Mit breitem offnen Gesichte
Blickt queer über die Erde die holde Fürstin des Tages.

Werkregister 261

EWALD CHRISTIAN VON KLEIST

An Herrn Hempel,
als er eine Winterlandschaft malte.

Die Winterlandschaft, die Dein Pinsel hier gebiert,
Ist furchtbar wie der Winter selbst; ich seh' sie an, – mich friert.

Werkregister 157

EWALD CHRISTIAN VON KLEIST

aus   Der Frühling.

Hier wo zur Linken der Fels mit Strauch und Tannen bewachsen
Zur helfte den bläulichen Strohm, sich drüber neigend, beschattet,
Will ich ins grüne mich setzen an weinende steinichte Höhen
Und Thal und Ebne beschauen. O welch ein frohes Gewühle
Belebt das streifichte Land! wie lieblich lächelt die Anmuth
Aus Wald und Büschen herfür! Ein Zaun von blühenden Dornen
Umschliesst und röthet ringsum die sich verlierende Weite
Vom niedrigen Himmel gedrückt. Von bunten Moonblumen laufen
Mit grünen Weitzen versetzt, sich schmälernde Beeten ins ferne
Durchkreutzt von blühenden Flachs, Feldrosen-Hecken und Schleestrauch
In Blüthen gleichsam gehüllt, umkränzen die Spiegel der Teiche
Und sehn sich drinnen. Zur Seiten blitzt aus dem grünlichen Meere
Ein Meer voll güldener Strahlen, durch Phöbus glänzenden Anblick,
Es schimmert sein gelbes Gestade von Muscheln und farbigten Steinen
Und Lieb und Freude durchtaumelt in kleiner Fische Geschwadern
Und in den Riesen des Wassers die unabsehbare Fläche.
Auf fernen Wiesen am See stehn majestätische Rösse,
Sie werfen den Nacken empor und fliehn und wiehern für Wollust
Daß Hayn und Felsen erschallt. Gefleckte Kühe durchwaten,
Geführt vom ernsthaften Stier, des Meyerhofs büschichte Sümpfe
Der finstre Linden durchsieht. Ein Gang von Espen und Ulmen
Führt zu ihm, durch welchen ein Bach sich zeigt, in Binsen sich windend,
Von hellen Schwänen bewohnt. Gebürge die Brüste der Reben
Stehn frölich um ihn herum; Sie ragen über den Buchwald
Des Hügels Krone, davon ein Theil im Sonnenschein lächelt
Und glänzt, der andere traurt im Flor vom Schatten der Wolken.

Die Lerche steigt in die Luft, sieht unter sich Klippen und Thäler;
Entzückung thönet aus ihr. Der Klang des wirbelnden Liedes
Ergötzt den ackernden Landmann. Er horcht eine Weile; Denn lehnt er
Sich auf den gleitenden Pflug, zieht braune Wellen im Erdreich
Verfolgt von Krähen und Elstern. Der Säemann schreitet gemessen,
Giesst güldne Tropfen ihm nach; Die zackichte Egde bewälzt sie
Mit einer ebenen Decke. O daß der mühsame Landwirth
Für sich den Seegen nur streute! daß ihn die Weinstöcke tränkten
Und in den Wiesen für ihn nur bunte Wogen sich wälzten!
Allein der frässige Krieg von zähnebleckenden Hunger
Und wilden Schaaren begleitet, verheeret oft Arbeit und Hoffnung;
Gleich Hagelgüssen und Sturm zerbricht er nährende Halmen
Reisst Stab und Reben zu Boden, entzündet Dörfer und Wälder
Für sich zum flammenden Lustspiel. Denn fliegt ein mördrisch Gethöne
Und Tod und Jammer herum. Die Thäler blitzen von Waffen,
Es wälzen sich Wolken voll Feur aus tiefen Schlünden der Stücke
Und füllen die Gegend mit Donner, mit Gluth und Saaten von Leichen.
Das Feld voll blutiger Furchen gleicht einen wallenden Blutmeer;
Ein Heer der furchtbarsten Thiere durch laufende Flammen geängstigt
Stürzt sich mit hohlen Gebrüll in Uferfliehende Ströhme
Der Wiederhall selber erschrickt und klagt; Es zittern für Grauen
Die wilden Felsen und heulen. Des Himmels leuchtendes Auge
Schliesst sich die Grausamkeit scheuend; Mit blauer Finsterniß füllen
Sich aufwerts drehende Dämpfe gleich dickem Nebel den Luftkreis
Der oft vom Wiederschein blitzt. Wie, wann der Rachen des Etna
Mit ängstlich wildem Geschrey, daß Meer und Klippen es hören,
Umlegne Dörfer und Städte, vom untern Donner zerrüttet,
Mit Schrecken und Tod überspeyt und einer flammenden Sündfluth.

Werkregister 156

EWALD CHRISTIAN VON KLEIST

Frühlingsabend

> Nunc ver purpureum, varios nunc flumina
> Circumfundit humus flores –   *Virgil.*

Ich habe einen Freund, der ein Engelländer und Dichter und ein besonderer Liebhaber vom Spazierengehen ist. Neulich, als ich ihn des Abends in
seiner Behausung vergeblich gesuchet hatte, fand ich ihn im Walde auf einem
Felshügel im Grase ruhen bei einem kleinen Bach, der unter einer Decke von
wilden Rosen hervorschießt und, in Wasserstaub und Schaum aufgelöst, ins

Thal fällt. Das Geräusch des Wasserfalls verhinderte ihn, meine Ankunft zu hören. Ich schlich mich hinter seinem Kopfe heran und ward gewahr, daß er in seine Schreibtafel unter lautem Seufzen und Vergießung einiger Thränen die letzten Zeilen einer Poesie schrieb. – – Nun wollte er aufstehen und sah mich. – – „Sind Sie schon lange hier?" sagte er etwas erröthend; „ich habe Sie nicht kommen gehört." – „Seitdem Sie so laut seufzten, bin ich schon hier," antwortete ich, „und als Ihnen Zähren auf die Schreibtafel fielen." – „Der schöne Frühling und dieser schöne Frühlingsabend", versetzte er, „hat mich in eine so angenehme Wehmuth gebracht, daß ich nicht widerstehen konnte, einige meiner Empfindungen niederzuschreiben, und dabei kann ich in Gedanken geseufzt haben." – Er theilte mir hierauf seine Arbeit mit und wird mir verzeihen, daß ich sie in einer schwächern prosaischen Uebersetzung bekannt mache.

„Wie sanft rauscht dieser Wasserfall und hört nicht auf zu rauschen! Wie zittert seine Fluth im Thal unter Blumen fort, die sich über seine Fläche biegen! Noch vor Kurzem stürzte er unter einem Bogen von Eise hervor; die Erde lag traurig und gleichsam in eine weiße Todtenkleidung gehüllt. Büsche und Wälder waren mit Flocken belaubt und von ihren singenden Bewohnern verlassen. Die starken Leiber der Stiere und Hirsche waren mit Reif und Eis begossen, daß sie wie in tönenden Panzern einhergingen. Alle Geschöpfe fühlten die Last des Winters. – – Wie gnädig ist Gott! wie erquickt und vergnügt er Alles, was lebet! Denn er war es, der mit allmächtiger Hand den Lasten der Weltkörper den ersten Schwung ertheilte, durch den sie ewig in ihrem Gleise laufen und die Abwechselung der Jahreszeiten hervorbringen. – – Die röthere Sonne sieht itzo die grüne und blühende Erde im Meer ihrer Strahlen um sich schwimmen. Der Walfisch ruht auf den wärmern Fluthen gleich einer schwimmenden Insel oder stürzt sich in den Abgrund des Meers und erregt Strudel, indem er scherzt, und der Nautul ist sich selbst wieder Schiff, Ruder, Segel und Steuermann. Mancherlei Geflügel, das unsere Gegenden verlassen hatte, eilt itzo fröhlich übers Meer heran und reitet gleichsam in Heeren auf den unsichtbaren Wellen der Luft. Alle Wälder schallen von Tönen fröhlicher Bürger, und sowol der Elephant und alle ungeheuren Thierberge als das Gewürme, sowol was in der Erde als was in Wäldern, in der Luft und im Meere lebt, fühlt den mächtigen Hauch des Alles belebenden Frühlings. O, danket dem Herrn und preiset seinen Namen Alle, die Ihr seine Gnade fühlt! Ein allgemeines Concert steige von Euch zu seinem Throne empor! Leiht mir Eure Stimme, Ihr Donner, die Ihr itzo wieder in den Lüften wohnet, das Lob des Herrn der Erde zu verkündigen! – –

„Und o! wie reizend funkelt dort der Abendhimmel in purpurfarbnem und güldenem Lichte! Dort gleicht er einer Landschaft voll Wiesen, Wälder, Berge, Seen und fernern Aussichten, und dort einem Meere voll feuriger Wellen. Holde Gerüche verbreiten sich, und eine tiefe Stille herrscht überall, die nur vom Gemurmel des kleinen Bachs gestöret und dann und wann vom melancholischen Liede der Nachtigall unterbrochen wird und von einer ländlichen seufzenden Flöte. — — Sei ruhig, mein Herz, sei ruhig wie die Luft, und sei es immer! Nie empören sich stürmische Leidenschaften in Dir, außer Haß und Zorn gegen Ungerechtigkeit und Laster! — — Herr, der Du mir den Morgen und den Mittag meines Lebens ertragen halfst, laß den Abend desselben, der sich mit geschwinden Schritten nahet, ach, laß ihn schöner als den Tag sein! Laß mich, wenn er kömmt, erröthen wie den sterbenden Tag, vor Freude, Deine Wohnungen, Deine Herrlichkeit zu sehen. — — Und Ihr, meine Freunde, die Ihr mir Glück, Ehre, Reichthum und Alles waret, die Ihr meine Fehler und Schwachheiten um meines Herzens willen übersahet, weint denn einige Thränen um mich, wenn meine, schon halb gebrochenen Blicke entzückt um den Himmel taumeln werden!"

Werkregister 157

Johann Peter Uz

Empfindungen
An einem Frühlings=Morgen.

O welche frische Luft haucht vom bebüschten Hügel!
Welch angenehmer West durchzieht
Mit rauschendem bethauten Flügel
Dieß holde Thal, wo alles grünt und blüht!

Hier, wo die Grazien sich ihre Bluhmen hohlen,
Hier seh ich, wie der Morgen lacht,
Der unter düftenden Violen
Und beym Gesang der Vögel aufgewacht.

Das kleinste Gräschen blitzt vom farbenreichen Thaue
Wie himmlisch lächelt die Natur,
Wohin ich um und bey mir schaue,
Dort im Gesträuch und hier auf grüner Flur!

Die ganze Schöpfung zeugt von weiser Gute Händen;
Mit Schönheit pranget unsre Welt.
Muß nur der Mensch die Schöpfung schänden,
Der sich so gern für ihre Zierde hält?

Der Mensch darf sich nur sehn, damit er sich nicht brüste,
Wie, an der Thorheit Brust gesäugt,
Er sich im Taumel wilder Lüste
Bald lächerlich und bald abscheulich zeigt.

Um Tand und Puppenwerk vertauscht er seine Rechte
Zu glänzender Unsterblichkeit,
Erniedrigt sich und sein Geschlechte,
Sucht kurze Lust und findet ewig Leid.

Ein denkendes Geschöpf kann so verderblich wählen,
Als wär es nur zum Thier bestimmt?
Herrscht solche Blindheit über Seelen,
In welchen doch der Gottheit Funke glimmt?

Umsonst! weil dieser Strahl nur wenig Weisen funkelt!
Er wird von Leidenschaft und Wahn
In tausend Sterblichen verdunkelt,
Oft eh er sich siegprangend kundgethan:

Wie, wann die Sonne kaum dem Ocean entfliehet,
Des dunkeln Mondes Zwischenlauf
Ihr flammend Antlitz uns entziehet:
Vor ihrem Thron steigt schwarzer Schatten auf.

Die Vögel hemmen schnell die angefangnen Lieder;
Der halbverirrte Wandrer bebt,
Indeß mit schreckendem Gefieder
Die frühe Nacht um Erd und Himmel schwebt:

Bis Titans froher Blick, nach überwundnen Schatten,
Itzt wieder unverfinstert strahlt,
Und in den aufgehellten Matten
Um Floren lacht und ihre Bluhmen mahlt.

So strahlet unser Geist, mit angebohrnem Lichte,
Durch dicke Finsterniß hervor,
Wenn vor der Weisheit Angesichte
Die Nebel fliehn, worinn er sich verlohr.

Geh auf mit vollem Tag, und herrsch' in Glanz und Ehre,
Und herrsch', o Weisheit! unbegränzt,
Von einem bis zum andern Meere,
Ja weiter noch, als unsre Sonne glänzt!

Wie lang soll Finsterniß den Erdkreiß überziehen?
Es müsse, wer im Schatten sitzt,
Auf deine lichten Höhen fliehen,
Wo Klarheit uns in Aug und Seele blitzt!

Die Seele, die alsdann kein äussrer Schmuck betrüget,
Dringt in das nackte Wesen ein,

Und was beständig sie vergnüget,
Muß edel, groß, muß ihrer würdig seyn.

Sie suchet nicht ihr Glück in schimmerreichen Bürden,
In Ehre, Gold und ekler Pracht,
Nicht bey den thierischen Begierden,
Durch die ein Geist sich Thieren ähnlich macht.

Sie sucht und findet es in reiner Tugend Armen,
Die sich für Andrer Wohl vergisst,
Und, reich an göttlichem Erbarmen,
Vom Himmel stammt, und selbst ein Himmel ist.

Werkregister 241

FRIEDRICH VON HAGEDORN

Der Frühling.

Der mahlerische Lenz kann nichts so sinnreich bilden,
Als jene Gegenden von Hainen und Gefilden;
Der Anmuth Ueberfluß erquickt dort Aug und Brust:
O Licht der weiten Felder!
O Nacht der stillen Wälder!
O Vaterland der ersten Lust!

Dort läßt sich wiederum, in grünenden Tropheen,
Des Winters Untergang, der Flor des Frühlings sehen;
Sein schmeichelnder Triumph beglücket jede Flur:
Die frohen Lerchen fliegen
Und singen von den Siegen
Der täglich schöneren Natur.

Der Bach, den Eis verschloß und Sonn' und West entsiegeln,
In dem sich Luft und Baum und Hirt und Herde spiegeln,
Befruchtet und erfrischt das aufgelebte Land.
Dort läßt sich alles sehen,
Was Flaccus in den Höhen
Des quellenreichen Tiburs fand.*

---

* Tibur supinum. HOR. Carm. Lib. III. 4. Udum Tibur. Lib. III. 29. Et præceps
Anio, & Tiburni lucus, & uda Mobilibus pomaria rivis. Lib. I. 7. S. Addisons Remarks
on several Parts of Italy, S. 212. u. f.

Fast jeder Vogel singt; es schweigen Nord und Klage!
Wie schön verbinden sich, zum Muster guter Tage,
Die Hoffnung künftger Lust, der itzigen Genuß!
    Ihr stolzen, güldnen Zeiten!
    Sagt, ob, an Fröhlichkeiten,
    Auch diese Zeit euch weichen muß.

An Reizung kann mir nichts den holden Stunden gleichen,
Da bey dem reinen Quell und in belaubten Sträuchen
Die alte Freundschaft scherzt, die junge Liebe lacht.
    Am Morgen keimt die Wonne
    Und steiget mit der Sonne
    Und blüht auch in der kühlen Nacht.

Es spielen Luft und Laub; es spielen Wind und Bäche;
Dort duften Blum und Gras; hier grünen Berg und Fläche:
Das muntre Landvolk tanzt; der Schäfer singt und ruht:
    Die sichern Schafe weiden,
    Und allgemeine Freuden
    Erweitern gleichfalls mir den Muth.

Es soll den Wald ein Lied von Phyllis Ruhm erfreuen;
Den Frühling will ich ihr und sie dem Frühling weihen.
Sie sind einander gleich, an Blüht und Lieblichkeit.
    Ihr frohnen meine Triebe,
    Ihr schwör' ich meine Liebe,
    Fürs erste bis zur Sommerszeit.

Werkregister 124

Eusebius von Brand an Friedrich Rudolf von Canitz

Mein allerliebster Freund und werthester Herr Bruder,
Der du in Blumberg itzt versammelst deine Fuder,
    Der du, wie *Tityrus*, dort in dem Schatten liegst*,
    Und zehlest, was für Korn du in die Scheunen kriegst,
Du dürfftest dich fürwahr so künstlich nicht bemühen,
Mich, durch ein schön Gedicht, aufs Land hinaus zu ziehen;
    Es braucht, wilt du mich sehn, von dir ein eintzig Wort,
    Dein Land=Gut ist für mich ein allzulieber Ort.
Ich weiß schon, wie man da die Stunden kan vertreiben;

---

* Tityrus, ein Hirte, von welchem Virgil, fast mit gleichen Worten, sein erstes Schäf-fer=Gedicht anfängt.

Die Feld=Lust hättest du nicht nöthig zu beschreiben,
   Dieweil mein freyer Geist, den Hof, zusammt der Stadt,
   Mit Vorbedacht, wie du, schon offt vermieden hat.
Drum freut es mich recht sehr, daß dieses stille Leben
Dir eben so gefällt, als ich ihm selbst ergeben;
   Und, da wir beyderseits hierinn so gleich von Sinn,
   Als eil ich desto mehr zu dir nach Blumberg hin,
Da wir auf eigne Hand uns können lustig machen,
Und, nebst der Eitelkeit, auch Welt und Hoff verlachen;
   Da wir nicht so gepreßt mit Schreiben auf die Post,
   Und da uns keiner jagt von unsrer Hausmanns=Kost;
Da man, frey von dem Zwang bey grossen Potentaten,
Sich satt fein friedlich ißt von seinem eignen Braten;
   Da keiner fürchten darff Gewalt, Gefahr und List,
   Die einen grossen Hanß offt unversehens frist.
Ach! wäre mancher Held auch so daheim geblieben!
Und hätte nicht sein Glück so hoch hinausgetrieben,
   Hätt er sich nicht vergafft in Ehre, Macht und Geld,
   So würd er ietzo nicht vor solch Gericht gestellt.
Drum thun wir beyde wohl, dieweil wir uns bequemen,
Mit Rüben, Kohl und Speck fein hübsch vorlieb zu nehmen.
   Bescheret uns dann GOtt auch Wildpret oder Fisch,
   So sagen wir ihm Danck für solchen guten Tisch.
Ey nun! mein liebster Freund, in Hofnung, dich zu sprechen,
Will ich am Freytag früh mit Sack und Pack aufbrechen.
   Mein Bruder kommt allein; Frau, Kinder bring ich mit;*
   Der *Pape* wegen nur geh ich nicht einen Schritt.
Ich weiß gewißlich ihr sonst keinen Platz zu finden,
Als etwan hinten sie beym Bett=Sack aufzubinden;
   Wann ihr nur sonst nicht was hier aus den Falten rückt,
   An statt, daß dort ihr Kopf im Wagen sich zerdrückt.
Es möcht ihr auch dabey ein andrer Fall begegnen,
Daß sie gar hinten könt ein Wolcken=Guß beregnen;
   Alsdenn so hüllte sie sich gantz in Fuchspeltz ein,
   Und *Pabgen* könnte so den Kindern Guckgug! schreyn.**

---

* War der General=Lieutenant von Brand, ein sehr angenehmer und dabey scherz-
haffter Mann, auch ein besondrer Freund unsers Herrn von Canitz.
** Ist eine Schertz=Redens=Art, welche so viel sagen will, sie würde sich, wann es
regnen solte, dergestalt in den Peltz einhüllen, daß nichts als das Gesichte hervorguk-
ken könte; wie man den kleinen Kindern vorzumachen, und Guckgug! zu ruffen
pfleget. Dergleichen eintzelne Wörter von den Papageyen auch insgemein am ersten
hergeplaudert werden.

Herr *Perband* bittet sie in seinen hohen Wagen;*
Allein, ich fürchte sehr, sie möchten sich da schlagen,
   Biß daß die Federn gar von *Pabgen* alle fort,
   Und keine mehr davon blieb an dem rechten Ort.
Sonst freu ich mich im Geist, wie du uns wirst empfangen,
Und fragen, wie es uns so lange Zeit ergangen?
   Auch hast du hoffentlich zum Tisch ein grosses Blat,
   Da man gemächlich sitzt, biß Wirth und Gäste satt,
Nach diesem wirst du uns in deinen Garten führen,
Und wir, im Grünen, da vergnügt herum spatzieren.
   Weicht aber Phöbus Glut alsdann der kühlen Nacht,
   So ist für jeden schon ein sanfftes Bett gemacht.
Werd ich, in meinem, nun zu *Gustgen* mich gesellen,
So thu deßgleichen auch bey deiner liebsten *Drellen.***
   Ein Seegen macht vielleicht alsdann aus zweyen drey,
   Daß Blumberg ja so wohl als *Köpnig* fruchtbar sey.***
So geht es gut. Doch schließt den Brief ein starckes: *Aber!*
Daß vor die Pferde ja bereit sey Heu und Haber!
   Dieweil ein tüchtig Roß auch gern was gutes frist,
   Wann es bey dir zu Gast mit mir gekommen ist.
Die Gelben mercken diß, und fangen an zu prauschen.
Weil man uns gerne sieht, so laßt die Räder rauschen!
   Im übrigen, so nimm mich auf für einen Gast,
   Dem du, als deinem Knecht, stets zu befehlen hast.

Werkregister 60

---

* Er war Obrister und Chur=Fürstl. Cammer=Herr; deren man damahls nur viere zehlte. Weil er nebst seinem Schwager, dem General=Major Wangenheim, am Berlinischen Hofe, einer von den geübtesten im Schertz, einen muntern Schertz vorzubringen, so muthmassete der Herr von Brand nicht unbillig, daß unter diesen beyden leicht ein lustiges Gezäncke im Wagen entstehen könte; indem sie auch nicht leicht gewohnt war, eine Schertz=Antwort schuldig zu bleiben.

** Drell oder Drall heist in der Marck so viel als derbe; man sagt z. E. eine Drelle Dirne, das ist, ein frisches derbes Mädgen.

*** Köpenick ist ein bekanntes zwey Meilen zur rechten von Berlin liegendes Ammt, Städtgen und Lust=Schloß auf einem Werder, den die Spree macht, welche sich daherum in viele kleine Seen ausbreitet. Der vorige so wohl, als der ietzige König, hatten es, als Chur=Printzen, im Besitze. Jener erweiterte und zierte so wohl Schloß, Kirche und Lust=Garten, als viel andre Fürstl. neu um ihm errichtete Gebäude in der Stadt und auf den Land=Gütern. Dieser hatte in der Jugend ein artiges Zeug=Hauß daselbst angeleget. König Friedrich hielt sich als Chur=Printz und Chur=Fürst, öffters daselbst auf, bey welcher Gelegenheit der Herr von Canitz mit seiner Doris vielmahl dahin reisete. Ob aber von einer vermutheten Schwangerschafft der Churfürstin selbst damahlen die Sage gegangen, oder, ob die Frau von Canitz, wie es scheint, daselbst einmahl schwanger worden, als sie ihren Gemahl dahin begleitet, kan man nicht für gewiß versichern.

CHRISTIAN CAY LORENZ HIRSCHFELD

aus   Das Landleben.

Es gibt eine geheime Anlockung, einen Ort zu beschreiben, der durch
irgend ein Vergnügen, womit er uns beschenckt hat, in der Geschichte unsrer
Empfindungen merkwürdig geworden ist; und nach Horazens Tarent wie
viele entzückende Gegenden sind nicht geschildert? Hier stehe also auch ein
kleines Gemählde unsers Sommerhauses, nicht der Ewigkeit, sondern nur
allein unsern Empfindungen gewidmet. Die angenehme und einsame Lage,
und die Bequemlichkeit mit der innern sorglosen Ausschmückung machen
seine Schönheit, und lassen keinen Wunsch mehr nach Größe und Pracht
übrig. Gelehnt an dem Busen eines waldigten Berges ruht sie da, die ländli-
che Wohnung, und öfnet ihre Fenster den Gegenden zu, wo die Sonne aufge-
het, wo sie niedersinkt, und wo die Nacht ihre kühlenden Schatten ausbreitet;
ihre Zimmer steigen über einander in einigen Absätzen immer schöneren
Aussichten entgegen. An den äussern Wänden kreuzen vertraulich die Zweige des Weinstocks, und des Pfirschbaums unter einander, und das Gewebe
ihrer Blätter schüzt sorgfältig die Seite, die den stärkeren Strahlen ausgesezt
ist. Nahe blühende Linden streuen Wohlgeruch und wanckende Schatten in
die Gemächer hin, und bei jedem Hauch der Weste wallet an der Wand und
ihren Gemählden ein sanftes Spiel des Lichtes und der Dämmerung auf und
nieder. Gleich vor dem Eingange murmelt zwischen zwo jungen Lauben eine
immer lebendige Quelle, die in ein Marmorbecken von Liebesgöttern gehalten, herabfallend einen sanftkühlenden Thau verspritzet; da indessen auf dem
Dache eine friedfertige Familie von Tauben scherzt, die oft auf unser Locken
herabflattert, sich unter dem mit herbeieilenden Federvolcke des Hofs her-
vordrängt, um die Körner selbst aus unsern Händen zu picken. Und welche
entzückende Gegend umher! Auf der einen Seite irret das Auge den mit Gras,
und Getreide und Wald bekleideten Berge hinauf, der seinen bewohnten
Rücken weit zwischen glücklichen Landhütten fortstreckt, und von dem
tausend fröhliche Stimmen der Vögel zu unserer Wohnung herabtönen; auf
allen übrigen Seiten fliegen die Blicke unaufhaltsam über die Aare, Wiesen,
Felder, Dörfer, einzelne Häuser, Gärten, Landhäuser, Heerden, Tännenwäl-
der, Thäler und Hügel fort, bis sie tief in der Ferne zwischen einigen Bergen
noch eine matte dämmernde Aussicht gewinnen, sind zulezt von einem Gürtel blauer Alpgebürge, die mit dem Himmel vereinigt scheinen, bezirkt werden – ein unermeslich reicher Schauplatz der Vergnügungen für die Sinnen,
und für die Einbildungskraft. Bei allen diesen Annehmlichkeiten blühet an
unsern Sommerhause ein Garten, wo sich das Nützliche mit dem Schönen
verbindet. Lang streckt er sich mit seinen farbigten Blumenbeeten, zwischen

deren belustigenden Krümmungen hin und wieder ein springendes Gewässer mit silberhellen Wirbeln sprudelt, und sich tief unten zu einem kleinen Fischteige sammelt, mit seinen schattigten Gängen, wo ein Chor von Nachtigallen zu dem plätschernden Geräusche singt, mit seinen anmuthigen Rasenbänken und Lauben, mit seinen Küchengewächsen und Fruchtbäumen in nachläßig scheinender Ordnung hin, und ein Traubengeländer umzäunet seinen Bezirck. Hier wohnen Ruhe, Kühlung, und Entzücken aller Sinne; hier ist es lieblich, die Morgenröthe erwachen zu sehen, oder in der Abendluft zu wandeln, unter dem silbernen Lichte des Monds, oder in süssen Phantasien einsam zu sitzen, unterdessen die Laube Schatten und leichte Blüte auf uns herabstreuet, oder der schwärmende Wind in den Gipfeln der Bäume ein sanftmelancholisches Rauschen verbreitet. Hier und da schimmert eine weisse Statue nach der andern dem Auge entgegen, die so wohl durch die Schönheit der Arbeit, als auch durch die lichtvolle Farbe, und scheinende Größe dem Garten mehr Leben und Heiterkeit mittheilen. Umgeben von Rosengebüschen stehet die reitzende Flora da, das Gesicht nach ihren aufblühenden Blumenbeeten gekehrt, und über diese scheint die holde Zufriedenheit aus ihren Blicken zu lächeln, und das aus seinen Blättern sich entfaltende Veilchen die nahe Göttin zu grüssen. Dort liegen einige Nymphen, und giessen das von den Springbrunnen in ihre Gefäße sich sammlende Wasser immer geschäftig in den Teich herab; und in jener mit Fruchtbäumen verwachsener Wildnis, die an den benachbarten Wald gränzet, spannet Diana ihren Bogen durch die Gesträuche aus. Aber noch mehr entzücken das Auge jene unfabelhaften Gestalten, Thomson und Kleist, die, von den lauschenden Musen umgeben, oben an dem Ausgange der dämmernden Allee stehen, in der Hand die göttliche Leier, das Haupt mit jungen Rosen bekränzt. Freude umstrahlet ihre Stirne; noch scheinen sie die Reitze der Natur zu besingen, und ihr Mund sich in sanfter Begeisterung zu öfnen; nahe vor ihnen reicht der ernsthaftere Sommer jenem seine Früchte, da indessen der Frühling an der Hand eines kleinen Amors diesem einen Straus von frischen Maiblumen übergiebt. Diese Statuen setzte Euphranor, der Erbauer des Landhauses; ,,sie stehen da, sprach er, sie, die uns die Schönheit des Jahres fühlen lehrten, und ihre Bildnisse, die gröste Zierde eines Gartens, sollen uns täglich an ihre Gesänge erinnern. Keiner wandele vor ihnen ohne eine heilige Ehrfurcht vorüber; keiner vergesse, was er Dichtern schuldig ist, die in unsre Brust die Freuden der Natur sangen. Vor ihnen sitze oft mein kleiner Sohn, ihre Gedichte in der Hand; er lese mit warmen Gefühl, mit dem ganzen Tiefsin einer jugendlichen Sele; und wenn ihn dann das Lied eines nahen Vogels, oder der laute Springbrunnen stört, wenn dann seine Empfindungen sich durch die äussern Eindrücke noch mehr beleben, dann starre er lange mit sanftbethränten Blicken ihre Statuen an, dann seufze er laut, einst, wie sie, die schöne Natur schildern zu können, oder doch gleich ihnen den ganzen Werth der Unschuld und Tugend zu verstehen; o! dann, gütiger Himmel, führe mich zu ihm hin, laß mich den Ausdruck des edelsten Gefühls in seinem Antlitz sehen, und ihn mit einer frohen väterlichen Umarmung belohnen."

Auch die Gemächer des Landhauses haben die besten Auszierungen, die ihnen ein guter Geschmack nur geben konte; sie sind mit einer Samlung von Kupferstichen und Landschaftsgemählden erfült, die den Geist, wie die Zimmer, erhellen; die Einbildungskraft mit neuen Bildern erfrischen, die Schönheiten der Natur vervielfältigen, und den Geschmack an ihnen verfeinern, bey einer traurigen Witterung erheitern, und in der Einsamkeit unterrichten. Welcher Reiz, welche Mannigfaltigkeit, welche entzückende Unterhaltung in den Schildereien eines de Vadder, Thoman, Poussin, Poelemburg, Bril, Vernet, Claude Lorrain, und so vieler anderer Meister! „Wir erfreuen uns mit ihnen, sagt ihr großer Kenner,* der Sonne, und des duftenden Abends. Alles Vergnügen, womit wir die Landluft genossen haben, wird uns in ihren unsterblichen Gemählden gegenwärtig. Wessen Herz vor diesen Reitzungen in der Natur verschlossen ist, wer nur die Handlungen der Menschen in den Pallästen des herschenden Roms aufsuchet, oder wer auf dem Teppiche grünender Felder nur nach dem Getümmel der Städte zurückseufzet, der fühlet nicht den Werth der mahlerischen Idylle."–

Werkregister 142

JOHANN JOACHIM EWALD

Der Schäfer zu dem Bürger.

Du schläfst auf weichen Betten, ich schlaf auf weichem Klee;
Du siehest dich im Spiegel, ich mich in stiller See;
Du tritst auf Fußtapeten, ich tret auf sanftes Gras;
Dich tränken theure Weine, mich tränkt ein wohlfeil Naß;
Du wohnst in bangen Mauern, ich wohn auf freyer Flur;
Für dich mahlt Mengs und Oeser, für mich mahlt die Natur;
Du bist oft siech für Wollust, ich bleibe stets gesund;
Dich schützt für Geld ein Schweizer, mich schützt mein treuer Hund;
Du schlummerst ein bey Sayten, ich bey dem Wasserfall;
Du hörst Castrat und Geiger, ich Lerch und Nachtigall;
Dein Auge sieht oft finster, das meine bleibet hell;
Dein Mägdchen glänzt von Schminke, mein Mägdchen glänzt vom Quell.

Werkregister 83

---

* S. Hagedorns Betrachtungen über die Mahlerei.

SALOMON GESSNER

aus Daphnis.

Aristus (so hieß der Greis aus Croton) war indeß auch aus der Hütte gegangen, die Gegend zu besehen, er bestieg einen nahe gelegenen Hügel, und sah da eine ausgebreitete Gegend im Morgenlicht, strauchichte Hügel, ferne blaue Berge, weite ebene Felder und Wiesen voll fruchttragender Bäume, und zerstreute Wälder von geraden Tannen und schlanken Eichen und Fichten. Fernher rauschte der Flus, zwischen Feldern und Hügeln und Hainen, und Felsenwänden, mit majestätischen Getöse, nahe Bäche lispelten durch das Gras, oder rauschten in kleinen Fällen, sanft in das Getöse, und ein Heer von schwärmenden Vögeln sang froh auf bethauten Aesten oder hoch in glanzvoller Luft ein mannigfaltiges Gesang, untermischt von den Flöten der Hirten, und dem Gesang der Mädchen, die gesellschaftlich auf fernen und nahen Hügeln oder ebenen Wiesen die Herden weideten. Erstaunt mit unstetem Blick irrte der Greis, bald in weiter Entfernung, bald in Kräutern und Blumen, die duftend vor seinen Füssen lachten; voll von frohem Entzücken schwellt' ihm die Brust.

Welche Seligkeit! hub er itzt an, welche Ströme von Wollust! Ach! kaum faßt sie mein wallendes Herz! Ach Natur! Natur! wie schön bist du! wie schön in unschuldiger Schönheit, wo dich die Kunst unzufriedener Menschen nicht verunstaltet! Wie glücklich ist der Hirt, wie glücklich der Weise, der dem grossen Pöbel unbekannt, in lachenden Gefilden, solche Wollust genießt, und Weisheit sammelt, und unbemerkt grössere Thaten thut, als der Eroberer und der angegaffete Fürst! O sey mir gegrüßt, stilles Thal! Seyt mir gegrüßt, fruchtbare Hügel! und ihr, ihr rieselnde Bäche! ihr Fluren, und ihr, ihr Haine, festliche Tempel des stillen Entzückens und der ernsten Betrachtung, seyd mir gegrüßt! Wie lieblich lachet ihr mir im Morgenlicht entgegen! Süsse Freude und Unschuld lachen mir von allen Hügeln, von allen Fluren zu; Ruhe und Zufriedenheit sind die frohen Bewohner der Hütten, die auf den Hügeln oder an schlängelnden Bächen in sanften Schatten fruchttragender Bäume zerstreut stehn; kleine bequemliche Hütten! Wie wenig mißt ihr, ihr Hirten! wie nahe seyd ihr dem Glück!

Werkregister 98

HEINRICH WILHELM VON GERSTENBERG

aus   Der Abend.

In neuer Begeisterung steh ich hier auf dem Hügel am Meer, und seh in die
unermeßliche Tiefe hinab, weit hinab in die azurne Veste, bis wo sich die
äusserste Gränze des Himmels schließt. Was fühl ich, ihr Götter? Heiliger
Enthusiasmus rückt meine Seele zu den fernsten Gestirnen hinüber, die über
meinem Haupte, und in den Fluthen unter meinen Füßen monarchisch da-
herrollen. Ihre weit ausgedehnten Lasten schiffen schnell die unabsehliche
Bahn, wunderbar durch einander geschlungen, wie die Wege des cretischen
Gartens, das Werk des Dädalus. Sonnen wälzen sich glühend daher: Oceane
voll flammender Wogen – ein niedriges Bild: auf ihrem Pfade lassen sie,
unvermisst, Oceane von Feuer zurück. Kleinere Welten – aber Welten mit
Sonnen verglichen – tanzen an dem Gestade des Aethers hinweg, daß die
fortgerissene Luft stürmisch hinter ihnen braust, wie, wenn der Donner die
Atmosphäre des Erdkreises zerreißt: ein prächtiger Reigen, einst von dem
samischen Greise gesehn, als der symphonische Schall der klingenden Veste
sein zärteres Ohr berührte, und ihn in der Stille der Mitternacht auf einsiedlerische Gipfel der Berge lockte. Auch ich, auch ich sehe die tanzenden Riesen=
Körper, Welten hinter Welten, dicht neben einander gesäet, dem Auge stets
größer und stets unübersehbar.

Wo streust du deine diamantenen Strahlen umher durch das weite Feld des
Himmels, schöner Hesperus! Lieblings=Erde der hohen Cythere! Schon lan-
ge sucht dich mein neugieriges Auge, als wenn es seine Heimath sehen wollte.
Klinge daher auf der sapphirnen Bühne, wie ein zartes Liebeslied, von Sap-
pho gesungen, daß ich dich unterscheide, und in deine Geheimnisse sehe. Der
Schalkhafte! Da rollt er sanfttönend dahin, als wenn er die Lesbierinn wäre.
Mit starken Schlägen, wie, wenn es Freunden entgegen schlägt, schwillt mein
Herz hoch hinaus über den engen Busen, und drängt, und drängt sich, die
Freuden dieser seligen Sphäre zu genießen, dieser Sphäre der Venus: kein
leerer Name! Jupiter gab ihr die Herrschaft des reizenden Abendsterns, dessen sanfte Strahlen manche stolze Brust in der kühlen Abendstunde siegreich
zur Lieb' erwärmten. Oft steigt die Göttinn von Paphos oder Knidos hinauf,
und sieht von ihrem glänzenden Thron auf die besiegte Majestät spröder
Mädchen, die am Mittage vorher den Jünglingen trotzten. Dann kehrt sie zu
ihren seligen Unterthanen, den Bewohnern dieser Sphäre, zurück, und lächelt
huld ihren treuen Päanen. Unsterbliche, selige Menschen, die die Sphäre der
Venus bewohnen! Ewige Jugend beseelt ihren himmlischen Leib, und streut
Blumen über jede Minute, die sie hinwegküssen. Nicht Eifersucht, nicht
hämischer Neid, die schwarzen Geburten des Tartarus, vergällen ihre Tage.
Eine Schöne küßt ihren Liebhaber im Rosengesträuch. Fröhlige Jünglinge

kommen singend daher, und blühende Mädchen scherzen in ihren umschlingenden Armen. Schnell grüßen sie die beiden Verliebten im Rosengesträuch mit freyen Küssen, und setzen sich um sie herum, und vertauschen sich ihre Schönen, und singen der Lieb' ein Lied: Das Lied lockt andre Mädchen herbey, die, von Liebes=Göttern belauscht, unter den Zweigen schlummerten. Sie springen hervor unter den Zweigen, sehen die singenden Jünglinge, schmiegen sich in süßen Empfindungen an den Busen der Jünglinge, thauen stille gefühlvolle Zähren auf das Rosenlager, und küssen die geliebten Sänger. Dann glühn die Herzen und die Purpur=Lippen, und die beredten Wangen! Dann ist die ganze Wonne der Zärtlichkeit in ihre Brust gesammelt. Schöner schnäbeln sich die Turteltauben um sie her auf den Aesten. Schöner athmet der ambrosische Strauch. Schöner funkelt der goldne Tag.

Königinn der Liebe! wann werd ich in diesen Himmel voll Wollust entrückt werden? Du hast mir deine theuersten Freuden aufgehoben: aber ach! wenn sie auf meinen Tod warten, warum sterb ich nicht itzt auf dem Hügel am Meer?

Werkregister 96

Ludwig Christoph Heinrich Hölty

Der Gärtner an den Garten im Winter,
eine Idylle.

In Silberhüllen eingeschleyert
   Steht jetzt der Baum,
Und strecket seine nackten Äste
   Dem Himmel zu.

Wo jüngst das reife Gold des Fruchtbaums
   Geblinket, hängt
Jetzt Eiß herab, das keine Sonne
   Zerschmelzen kan.

Entblättert steht die Rebenlaube,
   Die mich in Nacht
Verschloß, wenn Phoebus flammenathmend
   Herniedersah.

Das Blumenbeet, wo Florens Töchter
   In Morgenroth
Gekleidet, Wohlgeruch verhauchten,
   Versinkt in Schnee.

Nur du, mein kleiner Buchsbaum, pflanzest
   Dein grünes Haupt
Dem Frost entgegen, und verhöhnest
   Des Winters Macht.

Mit Goldschaum überzogen, funkelst
   Du an der Brust
Des Mädchens, das die Dorfschalmeye
   Zum Tanze ruft.

Ruh sanft, mein Garten, bis der Frühling
   Zur Erde sinkt,
Und Silberkränze auf die Wipfel
   Der Bäume streut.

Dann gaukelt Zephyr in den Blüthen,
   Und küßet sie,
Und weht mir mit den Düften Freude
   In meine Brust.

Werkregister 145

JOHANN HEINRICH VOSS

Das Milchmädchen.

Mädchen, nehmt die Eimer
            schnell,
   Habt ihr ausgemolken;
Seht, die Sterne blinken hell,
Und der Vollmond kuckt so grell
   Aus den krausen Wolken.

Lieg' und wiederkäu' in Ruh
   Dein gesundes Futter:
Alles, gute fromme Kuh,
Milch und Käse schenkest du,
   Rahm und süsse Butter.

Ruhig läuten durch das Feld
   Dumpfe Rinderklocken;
Und der Hund im Dorfe bellt,
Und der Schlag der Wachtel gellt
   Im bethauten Rocken.

Mädchen, singt mit frohem
            Schall;
   Wer nicht singt, dem grauet.
Hört den schönen Wiederhall
Dort im Wald' und Erlenthal,
   Wo der Hase brauet.

Töchterlein, nimm dich in Acht,
   Komm mir bald zu Hause!
Sagt die Mutter: in der Nacht
Schwärmt des Teufels wilde Jagd
   Mit des Sturms Gesause!

Ein gehörnter schwarzer Mann
   Kommt oft hulter pulter!
Guckt mit glühndem Aug dich an,
Kneipt dich mit der Krall', und
                        dann
   Hockt er auf die Schulter!

Mädchen, wandelt früh und spät,
Troz den klugen Müttern.
Wer auf guten Wegen geht,
Und auf Kreuze sich versteht,
Darf vor Spuk nicht zittern.

Zwar mich faßt ein Bösewicht
Manchmal um den Nacken;
Aber roth ist sein Gesicht,
Und mit Krallen kneipt er nicht
Freundlich meine Backen.

Dieser heißt, das Ohr gespizt!
Wilhelm und so ferner:
Zwar sein blaues Auge blizt;
Aber, wenigstens bis izt,
Trägt er keine Hörner.

Werkregister 243

JOHANN GOTTFRIED EBEL

Spazierfahrten auf dem Zürcher See

Die Ufer des Zürcher-Sees gehören zu den allerschönsten und sehenswerthesten Gegenden der ganzen Schweitz. Kein andrer See vereinigt eine so angenehme, sanfte und reizende Natur mit einem so ausserordentlichen Reichthume der Kultur und Bevölkerung, wie dieser. Achtzehn Kirchspiele breiten sich mit ihren unzähligen Häusergruppen, in denen nicht weniger als 32–35000 Menschen wohnen, an den Ufern aus. Die Reisen sowohl auf dem See selbst, als an dessen Ufern, sind unerschöpflich an Aussichten, reizenden Landschaften und malerischen Naturszenen. Da der See von Zürich aus sich bald nach Osten krümmt, so sieht man aus der Stadt und dessen Gegend nur ein 2–3 Stunden langes Becken; fährt man aber 1–2 St. den See aufwärts, so öfnet sich die Aussicht auf eine 5–6 St. lange Seefläche. Zwischen den Dörfern *Thalwyl* und *Herrliberg*, und zwischen *Oberrieden* und *Meilen*, in der Mitte des Sees, sind die schönsten Standpunkte zur Aussicht hinunter nach der Stadt und aufwärts nach *Rapperswyl*, und auf das ganze Gemälde der entzükkenden Ufer, Hügel, Berge und hohen Felsen. Je weiter man hinauffährt, desto mehr entwickelt die Landschaft einen hehren Karakter. Das zweyte große Becken zwischen *Stäfa, Richterswyl* und *Rapperswyl*, wo der See am breitesten wird, ist prächtig und unendlich schön; der *Glärnisch* schaut hier sonderbar über die bewaldeten Gebirge. Bey *Rapperswyl* wird der See durch die Erdzunge, auf welcher diese Stadt prangt, und durch eine andre sehr lange und schmale Erdzunge, welche das Dörfchen *Hurden* trägt, auf 1800 Schritte verengt. Gerade hier steht eine Brücke (s. den Art. *Rapperswyl*). Jenseits dieser Brücke dehnt sich der See wieder in ein weites 2–3 Stunden langes Becken aus, *Ober*-See genannt, dessen Ufer einen einfachen, ländlichen, einsamen aber innern größern Karakter erhalten. Nach S. glänzt *Lachen*, in O. *Schmerikon;* zwischen beyden dehnt sich der waldreiche *Buch*-Berg aus; in SW. erhebt sich der *Ezel*, und an dessen Fuß zeigen sich mehrere Dörfer. Ehe man an die Brücke von *Rapperswyl* kömmt, liegen im Seespiegel nach SW. die Inseln *Lüzelau* und *Ufnau;* (über die Merkwürdigkeit und die prächtige Aussicht der *Ufnau* s. man den Art. *Huttens-Grab*). Das südwestliche Ufer von *Richterswyl* bis an das Schloß *Grynau* nicht weit von *Schmerikon*, liegt im Gebiet des K. *Schwytz*, und die östlichen Ufer von *Rapperswyl* nach *Schmerikon* im Gebiet des K. *St. Gallen.*

Werkregister 76

FRIEDRICH GOTTLIEB KLOPSTOCK

Der Zürchersee.

$$- \cup - \cup \cup - - \cup \cup - \cup \bar{\cup}$$
$$- \cup - \cup \cup - - \cup \cup - \cup \bar{\cup}$$
$$- \cup - \cup \cup - \cup,$$
$$- \cup - \cup \cup - \cup \bar{\cup}.$$

Schön ist, Mutter Natur, deiner Erfindung Pracht
Auf die Fluren verstreut, schöner ein froh Gesicht,
Das den großen Gedanken
Deiner Schöpfung noch Einmal denkt.

Von des schimmernden Sees Traubengestaden her,
Oder, flohest du schon wieder zum Himmel auf,
Kom in röthendem Strale
Auf dem Flügel der Abendluft,

Kom, und lehre mein Lied jugendlich heiter seyn,
Süße Freude, wie du! gleich dem beseelteren
Schnellen Jauchzen des Jünglings,
Sanft, der fühlenden Fanny gleich.

Schon lag hinter uns weit Uto, an dessen Fuß
Zürch in ruhigem Thal freye Bewohner nährt;
Schon war manches Gebirge
Voll von Reben vorbeygeflohn.

Jetzt entwölkte sich fern silberner Alpen Höh,
Und der Jünglinge Herz schlug schon empfindender,
Schon verrieth es beredter
Sich der schönen Begleiterin.

„Hallers Doris", die sang, selber des Liedes werth,
Hirzels Daphne, den Kleist innig wie Gleimen liebt;
Und wir Jünglinge sangen,
Und empfanden, wie Hagedorn.

Jetzo nahm uns die Au in die beschattenden
Kühlen Arme des Walds, welcher die Insel krönt;
Da, da kamest du, Freude!
Volles Maßes auf uns herab!

Göttin Freude, du selbst! dich, wir empfanden dich!
Ja, du warest es selbst, Schwester der Menschlichkeit,
Deiner Unschuld Gespielin,
Die sich über uns ganz ergoß!

Süß ist, fröhlicher Lenz, deiner Begeistrung Hauch,
Wenn die Flur dich gebiert, wenn sich dein Odem sanft
In der Jünglinge Herzen,
Und die Herzen der Mädchen gießt.

Ach du machst das Gefühl siegend, es steigt durch dich
Jede blühende Brust schöner, und bebender,
Lauter redet der Liebe
Nun entzauberter Mund durch dich!

Lieblich winket der Wein, wenn er Empfindungen,
Beßre sanftere Lust, wenn er Gedanken winkt,
Im sokratischen Becher
Von der thauenden Ros' umkränzt;

Wenn er dringt bis ins Herz, und zu Entschließungen,
Die der Säufer verkennt, jeden Gedanken weckt,
Wenn er lehret verachten,
Was nicht würdig des Weisen ist.

Reizvoll klinget des Ruhms lockender Silberton
In das schlagende Herz, und die Unsterblichkeit
Ist ein großer Gedanke,
Ist des Schweisses der Edlen werth!

Durch der Lieder Gewalt, bey der Urenkelin
Sohn und Tochter noch seyn; mit der Entzückung Ton
Oft beym Namen genennet,
Oft gerufen vom Grabe her,

Dann ihr sanfteres Herz bilden, und, Liebe, dich,
Fromme Tugend, dich auch gießen ins sanfte Herz,

Ist, beym Himmel! nicht wenig!
Ist des Schweisses der Edlen werth!

Aber süßer ist noch, schöner und reizender,
In dem Arme des Freunds wissen ein Freund zu seyn!
So das Leben genießen,
Nicht unwürdig der Ewigkeit!

Treuer Zärtlichkeit voll, in den Umschattungen,
In den Lüften des Walds, und mit gesenktem Blick
Auf die silberne Welle,
That ich schweigend den frommen Wunsch:

Wäret ihr auch bey uns, die ihr mich ferne liebt,
In des Vaterlands Schooß einsam von mir verstreut,
Die in seligen Stunden
Meine suchende Seele fand;

O so bauten wir hier Hütten der Freundschaft uns!
Ewig wohnten wir hier, ewig! Der Schattenwald
Wandelt' uns sich in Tempe,
Jenes Thal in Elysium!

Werkregister 163

JOHANN WOLFGANG GOETHE

[Den 15 Junius 1775. Donnerstags morgen
aufm Zürichersee.]

Ich saug an meiner Nabelschnur
Nun Nahrung aus der Welt.
Und herrlich rings ist die Natur
Die mich am Busen hält.
Die Welle wieget unsern Kahn
Im Rudertackt hinauf
Und Berge Wolcken angethan
Entgegnen unserm Lauf.

Aug mein Aug was sinckst du nieder
Goldne Träume kommt ihr wieder

Weg du Traum so Gold du bist
Hier auch Lieb und Leben ist.
Auf der Welle blincken
Tausend schwebende Sterne
Liebe Nebel trincken
Rings die türmende Ferne
Morgenwind umflügelt
Die beschattete Bucht
Und im See bespiegelt
Sich die reifende Frucht

Werkregister 108

Friedrich Bouterwek

Auf dem Zürcher See

Richterswyl, am Zürichersee,
d. 29. Mai, 1794.

Cäcilie, ich bin ein Pilger geworden. Nicht einer, wie ich's nicht zu werden brauchte und wie ich's bleiben müßte, auch wenn ich nicht wollte. Ich habe mich zu den walfahrtenden Scharen gesellt, die zur Feier des Himmelfahrtsfestes aus deutschen und welschen Landen dem wunderthätigen Marienbilde zu Einsiedeln im Canton Schweiz zuströmen. Es war schon gegen fünf Uhr, als ich gestern Abend diesen Einfall so augenblicklich ausführte, als er mir kam. Ein bejahrter Schiffer, der guten Glauben an den günstigen Wind hatte, der die Wellen des Sees stark nach Süden hinauftrieb, machte sich anheischig, mich noch vor Anbruch der Nacht hieher nach Richterswyl zu bringen. Sein Nachen war leicht; sein ernster Charons=Blick, mit dem er unter den weißen Augenbrauen hervor mich ansah, war zuversichtlich genug. Wir schlossen unsren Handel. Mein Mantel war die ganze Equipage, womit ich unser Fahrzeug befrachtete, das Maß Wein abgerechnet, das ich für meinen Charon mit in den Accord bezahlte. Und so steuerten wir ohne Säumen, nicht wie der Dulder Ulyß mit bekümmerter, sondern mit fröhlicher Seele von dannen.

So schön hatte ich den Zürichersee noch nicht gesehen. Im hellen Lichte verlor sich, wie wir fortglitten, hinter uns die weiße, heitere Stadt, und der kleine Pharos in ihrer Nähe. Der Himmel war halb bedeckt, halb schimmernd im reinsten Blau. Der Nordwind ballte die Wolken in Süden auf, und überschattete das westliche Ufer, und einen Theil der Wasserfläche. Aber wie ein Feenland im vollen Zauber des sinkenden Sonnenlichts lag das schönere östliche Ufer zu meiner Linken mit allen seinen Weinbergen, Landhäusern und Dörfern da. Das war denn freilich kein Reich der Nacht, wie es zum Ansehen meines grauen Fährmanns nicht übel gepaßt haben würde. Aber es war ein Reich der Träume für mich. Bilder der schöneren Tage, die der Mensch nur selten erlebt, damit er nicht zu große Freude am Leben gewinne, schwebten aus den erleuchteten Thälern über die blinkenden Wellenfurchen zu mir. So manches süße Vordem verschmolz in das liebliche Jetzt meiner Seele! Und je tiefer die Sonne sich neigte, je röther das Licht in den schwebenden Wolken sich brach, desto stiller wurde es in mir; und ich wär' es zufrieden gewesen, unfühlbar wie der Tag in die Nacht aus dem Seyn in's Nichtseyn hinüberzudämmern.

Was ist der Mensch?
Was ist er nicht?
Ein Traum von einem Schatten
Ist Alles, was man ist.
Nur wenn der Strahl der Göttlichkeit
In Menschenseelen fällt,
Dann glänzt das Leben lieblich auf
Und herrlicher die Welt.

Man muß allein mit einem schweigenden alten Fährmann in einem Nachen durch den Wiederschein des Abendlichts gleiten, um die Nichtigkeit und Schönheit des menschlichen Daseyns in Einem Gefühle zu fassen.

Werkregister 58

JOHANN WILHELM LUDWIG GLEIM

Die schöne Gegend.

1754.

Für mich bestrahlt die Sonne
Die Wälder und die Auen;
Für mich sind diese Schatten
So kühl, und diese Rasen
So weich, und diese Quellen
So rein, und jene Thäler
So lieblich anzuschauen;
Für mich bist du, o Rose,
Die Königinn der Blumen! –
Für mich bist du, Gewölbe
Des Himmels, ausgespannet;
Für mich glänzt dort im Teiche
Des Mondes schwimmend Silber;
Für mich singt die Sirene
Des Waldes ihre Lieder:

Nicht für den reichen Milon,
Der hat nur Herz und Auge
Für glänzend Gold und Silber!
Nicht für den dummen Laches,
Den fetten Weltverächter,
Der, immer in Gedanken
An sich und seinen Magen,
Nicht siehet und nicht höret!
Nicht für den stolzen Pyrrhus,
Der, taub den Lebensfreuden,
Hin nach dem höchsten Gipfel
Des Glücks, auf krummen Wegen,
Mit schwerer Arbeit klimmet,
Und plötzlich desto tiefer
Zu mir herunter stürzet!

Werkregister 103

JOHANN WOLFGANG GOETHE

Die Nacht.

Gern verlaß ich diese Hütte,
Meiner Schönen Aufenthalt.
Und durchstreich mit leisem Tritte,
Diesen ausgestorbnen Wald.
Luna bricht die Nacht der Eichen
Zephirs melden ihren Lauf,
Und die Bircken streun mit Neigen
Ihr den süßsten Weyrauch auf.

Schauer, der das Hertze fühlen
Der die Seele schmeltzen macht,
Wandelt im Gebüsch im Kühlen.
Welche schöne, süße Nacht!
Freude! Wollust! Kaum zufaßen!
Und doch wolt ich Himmel dir
Tausend deiner Nächte laßen
Gäb mein Mädgen eine mir.

Werkregister 108

CHRISTIAN CAY LORENZ HIRSCHFELD

Der Rheinfall bei Schaffhausen

Endlich mus ich doch wohl noch ein paar Worte von dem berühmten Rheinfall bei Schafhausen sagen, einer Scene, die so viel Erhabenes hat, daß viele Fremde dahin eine besondere Reise unternehmen. Zerstreute Felsen machen auf einmal das Beet des ohnehin schnellen und fortreissenden Rheins enge und zertheilen seine schäumenden Fluthen. Diese Felsen machen unten an dem gegen über liegenden Laufen eine schroffe Wand aus, die von den meisten Schriftstellern ungefähr auf etliche 60 Fuß hoch geschätzt wird. Diese feste Wand wird von 3 oder 4 sonderbar gestalteten Felsen bethürmet; und zwischen denselben stürzet sich, mit einigen Wasserbächen durchschlängelt, der in lauter Schaum verwandelte Strom mit einem fürchterlichen Getöse in die Tiefe hinunter, woraus er plötzlich wieder in die Höhe aufbrauset und sich in wilden Wellen wälzt. Von ihnen steigt ein großer Dunst empor; daher sind auch in dieser ganzen Gegend viel Nebel und Regen. Wenn man diesen Stromfall von der Zürcher Seite am Schlosse Laufen betrachtet, so erscheint er noch weit prächtiger, weil man ihn von unten und in der Nähe von einigen Schritten beschauen kan. Ein angenehmer Schauer nimt die Seele des Zuschauers bei dem Anblick dieser Scene ein, wo das Auge, das Ohr und die Einbildungskraft zugleich beschäftigt wird. Es ist kein Wunder, daß der berühmte Watelet, um diesen Wasserfall abzubilden, eine eigene Reise dahin gemacht. Ausserdem haben viele geschickte Maler, als Meyer, Schütz, Wüst und andere, diesen majestätischen Fall nach der Natur abgebildet. Am besten aber ist es Schalch, einem denkwürdigen Maler von Schafhausen, geglückt, die Schönheit des Rheinfalls getreu auf die Leinewand zu bringen und die würkliche Natur in verschiedenen Situationen zu malen. Beim Wagner und Scheuchzer findet man Kupferstiche, die durch bessere verdrängt werden solten. Der Herr von Haller ist uns eine Schilderung dieses merkwürdigen Auftrits der Natur schuldig geblieben.

Werkregister 141

FRIEDRICH LEOPOLD GRAF STOLBERG

Der Rheinfall bei Schaffhausen

Am Nachmittag besuchten wir den Rheinfall. Wie könnte ich dir den beschreiben! Er läßt jede Beschreibung weit hinter sich, jede Vorstellung, selbst die Erinnerung. Ich sah ihn zum drittenmal, aber mit eben dem Staunen, mit welchem ich ihn das erstemal gesehen hatte. Er überraschte den Mann, wie er den Jüngling überrascht hatte.

Ich scheine dir etwas zu sagen, und ich sage dir nichts, wenn ich dir erzähle, wie der breite Strom zwischen hohen Felsen, die mit Laubholz bewachsen sind, in einer ungeheuren Schaummasse, durch welche hie und da die grüne Farbe der gewölbten Fluthen schimmert, mit betäubendem Getös' und fliegendem Ungestüm, tief herunterstürze, wie drei in ungleicher Entfernung mitten aus seinem Wasserfall vorragende, mit immer erschüttertem Gebüsch belaubte Felsen, ihm, nicht ungestraft, sondern ausgehöhlet und durchlöchert, entgegen starren, seinen Sturz theilend und verherrlichend. Auf dem minder hohen Felsenufer, zur rechten Seite des Wasserfalls steht im Schaffhausner Gebiet eine Drahtmühle; gegenüber, im Gebiet des Kantons Zürich steht das Schloß Laufen auf einem viel höhern Felsen. Zuerst zeigt man Fremden den Rheinfall von der Seite der Drahtmühle, wo die Erwartung schon sehr überrascht, wo schon der Hinstaunende freudig geschreckt wird. Dann führt man ihn einen schmalen krummen Pfad, unter Bergen am geründeten Becken des Stromes hin, bis er, gerade dem Rheinfall gegenüber stehend, gewahr wird, daß die Katarakte, welche er eben anstaunte, nur zwischen dem Ufer und einem Felsen, der mitten aus dem Strom sich emporthürmt, gebildet werde, und etwa den fünften Theil des Wasserfalls ausmache.

Hier sieht er den ganzen Strom, zwischen den Felsenufern und drei verinselten Klippen gedränget, herunterstürzen. In einem schmalen Nachen wird man dann unten, der Katarakte vorbei, auf tanzenden Wogen, hinüber gebracht nach der Zürcher Seite. Hier ist unter dem Schlosse Laufen ein Gerüst bis in den Wasserfall hinein gebaut. Vor einem Thürchen, dessen Schlüssel im

Laufner Schloß verwahrt wird, stehst du ein Weilchen und hörst mit Ungeduld den Donner des Stroms bis das Thürchen geöffnet wird, und du nun
unmittelbar an dem stürzenden Strom stehst. Hier ergreift dich das mächtigste Staunen, es ist dir, als müßtest du hinunter gewirbelt werden in die Tiefe.
Von der Eile, von der Kraft der stürzenden Wogen kannst du dir keinen
Begriff machen. Als der Dichter Lenz hier stand, fiel er auf die Kniee, und rief
aus: Hier ist eine Wasserhölle!

Die mit Eile des Blitzes herunter geschmetterten Fluthen sprützen hoch
auf. Ein Nebel, dick und weiß wie der Rauch aus Schmelzhütten, verhüllet
die Gegend; weit umher beben und träufeln alle Büsche der felsigen Ufer. Bei
Sonnenschein spielen Farben des Regenbogens im Schaum und im aufsteigen-
den Nebel.

Kein Schauspiel der Natur hat mich je so ergriffen. Meiner Sophie wankten
die Kniee, und sie erblaßte. Mein achtjähriger Knabe schaute still und unver-
wandt hin nach dem Strom, welcher auch dadurch, daß er die andern Gegenstände in aufsprützende Nebel hüllet, der einzige Gegenstand des Auges
wird. Graunvolles, doch seliges Staunen, hielt uns wie bezaubert. Es war mir,
als fühlte ich unmittelbar das praesens numen (gegenwärtig wirkende Gottheit). Mit dem Gedanken an die geoffenbarte Macht und Herrlichkeit Gottes,
wandelte mich die Empfindung seiner Allbarmherzigkeit und Liebe an. Es
war mir als ginge die Herrlichkeit des Herrn vor mir vorüber, als müßte ich
hinsinken auf's Angesicht, und ausrufen: Herr Herr Gott, barmherzig und
gnädig!

Wir waren schon ziemlich weit auf dem Rückwege, ehe wir unser Stillschweigen unterbrachen. Und nur als wir uns abgekühlt fühlten von der
Empfindung Gluth, warfen wir im Geist einen flüchtigen Seitenblick auf den
Weltweisen, welcher den Rheinfall sehen, und mit kalter Bedächtlichkeit
fragen konnte: wozu er nütze? Ein Weltweiser beantwortet so vieles, was ein
Weiser nicht beantwortet; mag er denn auch fragen wie ein Weiser nicht
fragen würde.

Der Mensch lebet nicht von Brod allein, mein Herr! Wenn Sie für höhere
Bedürfnisse, für erschütternde Wonne bei'm Anblick der größten Natur keinen Sinn haben, so versöhne Sie die *nützliche* Drahtmühle mit einer der
herrlichsten Naturerscheinungen.

Werkregister 228

Johann Jacob Wilhelm Heinse

Der Rheinfall bei Schaffhausen

Den 15 August *[1780]* Nachmittags um fünf Uhr. Es ist, als ob eine Wasserwelt in den Abgrund aus den Gesetzen der Natur hinausrollte. Die Gewölbe der Schaumwogen im wüthenden Schuß flammt ein glühender Regenbogen wie ein Geist des Zorns schräg herab. Keine Erinnerung, der stärkste Schwung der Phantasie kanns der gegenwärtigen Empfindung nachsagen. Die Natur zeigt sich ganz in ihrer Größe. Die Allmacht ihrer Kräfte zieht donnernd die kochenden Fluthen herab, und giebt den ungeheuern Wassermassen die Eile des Blitzes. Es ist die allerhöchste Stärke, der wüthendste Sturm des größten Lebens, das menschliche Sinnen faßen können. Der Mensch steht klein wie ein Nichts davor da, und kann nur bis ins Innerste gerührt den Aufruhr betrachten. Selbst der schlaffste muß des Wassergebürggetümmels nicht satt werden können. Der kälteste Philosoph muß sagen, es ist eine von den ungeheuersten Wirkungen der anziehenden Kraft, die in die Sinne fallen. Und wenn man es das hundertste mahl sieht: so ergreifts einen wieder vom neuen, als ob man es noch nicht gesehn hätte. Es ist ein Riesensturm, und man wird endlich ungeduldig, daß man ein so kleines festes mechanisches zerbrechliches Ding ist, und nicht mit hinein kann. Der Perlenstaub, der überall, wie von einem großen wüthenden Feuer herumdampft, und wie von einem Wirbelwind herumgejagt wird, und allen den großen Massen einen Schatten ertheilt, oder sie gewitterwolkicht macht, bildet ein so fürchterliches Ganzes mit dem Flug und Schuß und Drang, und An und Abprallen, und Wirbeln und Sieden und Schäumen in der Tiefe, und dem Brausen und dem majestätischen Erdbebenartigen Krachen dazwischen, daß alle Tiziane, Rubense, und Vernets vor der Natur müssen zu kleinen Kindern und lächerlichen Affen werden. O Gott, welche Musik, welches Donnerbrausen, welch ein Sturm durch all mein Wesen! heilig! heilig! heilig! brüllt es in Mark und Gebein. Kommt, und laßt euch die Natur eine andre Oper vorstellen, mit andrer Architektur, und andrer Fernmahlerey, und andrer Harmonie und Melodie, als die von jämmerlicher Verschneidung mit einem winzigen Messer euch entzückt. Es ist mir, als ob ich in der geheimsten Werkstatt der Schöpfung mich befände, wo das Element von fürchterlicher Allgewalt gezwungen sich zeigen muß, wie es ist, in zerstürmten ungeheuern großen Massen. Und doch läßt das ihm eigenthümliche Leben sich nicht ganz bändigen, und schäumt und wüthet und brüllt, daß die Felsen und die Berge neben an erzittern und erklingen, und der Himmel davor sein klares Antlitz verhüllt, und die flammende Sommersonne mit mildern Strahlen drein schaut.

Es ist der Rheinstrom: und man steht davor wie vor dem Inbegriff aller Quellen, so aufgelöst ist er; und doch sind die Massen so stark, daß sie das Gefühl statt des Auges ergreiffen, und die Bewegung so trümmernd heftig, daß dieser Sinn ihr nicht nach kann, und die Empfindung immer neu bleibt, und ewig schauervoll und entzückend.

Man hört und fühlt sich selbst nicht mehr, das Auge sieht nicht mehr, und läßt nur Eindruck auf sich machen; so wird man ergriffen, und von nie empfundnen Regungen durchdrungen. Oben und unten sind kochende Staubwolken; und in der Mitte wälzt sich blitzschnell die dicke Fluth wie grünlichtes Metall mit Silberschaum im Fluß; unten stürzt es mit allmächtiger Gewalt durch den kochenden Schaum in Abgrund, daß er wie von einer heftigen Feuersbrunst sich in Dampf und Rauch auflöst, und sich über das weite Becken wirbelt und kräuselt. An der linken Seite, wo sein Strom am stärksten sich herein wälzt, fliegt der Schuß wie Ballen zerstäubter Kanonenkugeln weit ins Becken, und giebt Stöße an die Felsenwand wie ein Erdbeben. Rundum weiterhin ist alles Toben und Wüthen, und das Herz und die Pulse schlagen dem Wassergotte, wie einem Alexander nach gewonnener Schlacht.

Werkregister 134

Johann Wolfgang Goethe

Der Rheinfall bei Schaffhausen

Den 18ten *[September 1797]* früh.
Um 6½ Uhr ausgefahren. Grüne Wasserfarbe, Ursache derselben.

Nebel, der die Höhen einnahm. Die Tiefe war klar, man sah das Schloß Laufen halb im Nebel. Der Dampf des Rheinfalls, den man recht gut unterscheiden konnte, vermischte sich mit dem Nebel und stieg mit ihm auf.

Gedanke an Ossian. Liebe zum Nebel bey heftig innern Empfindungen.

Uhwiesen, ein Dorf. Weinberge, unten Feld.

Oben klärte sich der Himmel langsam auf, die Nebel lagen noch auf den Höhen.

Laufen. Man steigt hinab und steht auf Kalkfelsen.

Theile der sinnlichen Erscheinung des Rheinfalls, vom hölzernen Vorbau gesehen. Felsen, in der Mitte stehende, von dem höhern Wasser ausgeschliffne, gegen die das Wasser herabschießt.

Ihr Widerstand; einer oben, und der andere unten, werden völlig überströmt. Schnelle Wellen. Locken Gischt im Sturz, Gischt unten im Kessel, siedende Strudel im Kessel.

Der Vers legitimirt sich:

Es wallet und siedet und brauset und zischt pp.

Wenn die strömenden Stellen grün aussehen, so erscheint der nächste Gischt leise purpur gefärbt.

Unten strömen die Wellen schäumend ab, schlagen hüben und drüben ans Ufer, die Bewegung verklingt weiter hinab, und das Wasser zeigt im Fortfließen seine grüne Farbe wieder.

Erregte Ideen.

Gewalt der Sturzes. Unerschöpfbarkeit als wie ein Unnachlassen der Kraft. Zerstörung, Bleiben, Dauern, Bewegung, unmittelbare Ruhe nach dem Fall.

Beschränkung durch Mühlen drüben, durch einen Vorbau hüben; ja es war möglich, die schönste Ansicht dieses herrlichen Natur=Phänomens wirklich zu verschließen.

Umgebung. Weinberge, Feld, Wäldchen.

Bisher war Nebel, zu besonderm Glücke und Bemerkung des Details; die Sonne trat hervor und beleuchtete auf das schönste schief von der Hinterseite das Ganze. Das Sonnenlicht theilte nun die Massen ab, bezeichnete alles vor= und zurückstehende, verkörperte die ungeheure Bewegung. Das Streben der Ströme gegen einander schien gewaltsam zu werden, weil man ihre Richtung und Abtheilungen deutlicher sah. Stark spritzende Massen aus der Tiefe zeichneten sich beleuchtet nun vor dem feinern Dunst aus, ein halber Regenbogen erschien im Dunste.

Bey längerer Betrachtung scheint die Bewegung zuzunehmen. Das dauernde Ungeheuer muß uns immer wachsend erscheinen; das vollkommne muß uns erst stimmen und uns nach und nach zu sich hinaufheben. So erscheinen uns schöne Personen immer schöner, verständige verständiger.

Das Meer gebietet dem Meer. Wenn man sich die Quellen des Oceans dichten wollte, so müßte man sie so darstellen.

Nach einiger Beruhigung verfolgt man den Strom in Gedanken bis zu seinem Ursprung und begleitet ihn wieder hinab.

Beym Hinabsteigen nach dem flächern Ufer Gedanken an die neumodische Parksucht.

Der Natur nachzuhelfen, wenn man schöne Motive hat, ist in jeder Gegend lobenswürdig; aber wie bedenklich es sey, gewisse Imaginationen realisiren zu wollen, da die größten Phänomene der Natur selbst hinter der Idee zurückbleiben.

Ich fuhr über. Der Rheinfall von vorn, wo er faßlich ist, bleibt noch herrlich, man kann ihn auch schon schön nennen. Man sieht schon mehr den stufenweisen Fall und die Mannigfaltigkeit in seiner Breite; man kann die verschiednen Wirkungen vergleichen, vom unbändigsten rechts bis zum nützlich verwendeten links.

Über dem Sturz die schöne Felsenwand, an der man das Hergleiten des Stromes ahnden kann; rechts das Schloß Laufen. Ich stand so, daß das

Schlößchen Wörth und der Damm, der von ausgeht, den linken Vordergrund
machten. Auch auf dieser Seite sind Kalkfelsen, und wahrscheinlich sind auch
die Felsen in der Mitte des Sturzes Kalk.

Schlößchen Wörth.

Ich ging hinein, um ein Glas Wein zu trinken.
Alter Eindruck bey Erblickung des Mannes.
Ich sah Trippels Bild an der Wand und fragte, ob er etwa zur Verwandt-
schaft gehörte. Der Hausherr, der Geltzer heißt, war mit Trippel durch Mütter Geschwisterkind. Er hat das Schlößchen mit dem Lachsfang, Zoll, Weinberg, Holz u. s. w. von seinen Voreltern her im Besitz, doch als Schupf=Lehn,
wie sie es heißen. Er muß nämlich dem Kloster oder dessen jetzigen Successo-
ren die Zolleinkünfte berechnen, ²/₃ des gefangenen Lachses einliefern, auf
die Waldung Aufsicht führen und daraus nur zu seiner Nothdurft schlagen
und nehmen; die Nutzung des Weinberges und der Felder gehört ihm zu,
und er giebt jährlich überhaupt nur 30 Thaler ab. Und so ist er eine Art von
Lehenmann und zugleich Verwalter. Das Lehn heißt Schupf=Lehn deswegen,
weil man ihn, wenn er seine Pflichten nicht erfüllt, aus dem Lehn heraus*schieben* oder *schuppen* kann. Er zeigte mir seinen Lehnbrief von Anno 62, der alle
Bedingungen mit großer Einfalt und Klarheit enthält. Ein solches Lehn geht
auf die Söhne über, wie der gegenwärtige Besitzer die ältern Briefe auch noch
aufbewahrt. Allein im Briefe selbst steht nichts davon, obwohl von einem
Regreß an die Erben darinn die Rede ist. Um 10 Uhr fuhr ich bey schönem
Sonnenschein wieder hinüber. Der Rheinfall war noch immer seitwärts von
hinten erleuchtet, schöne Licht= und Schattenmassen zeigten sich sowohl von
dem Laufenschen Felsen als von den Felsen der Mitte.
Ich trat wieder auf die Bühne an den Sturz heran, und ich fühlte, daß der
vorige Eindruck schon verwischt war; es schien gewaltsamer als vorher zu
stürmen. Wie schnell sich doch die Nerve wieder in ihren alten Zustand
herstellt. Der Regenbogen erschien in seiner größten Schönheit; er stand mit
seinem ruhigen Fuß in dem ungeheuern Gischt und Schaum, der, indem er
ihn gewaltsam zu zerstören droht, ihn jeden Augenblick neu hervorbringen
muß.

Beobachtungen und Betrachtungen.

Sicherheit neben der entsetzlichen Gewalt.
Durch das Rücken der Sonne noch größere Massen von Licht und
Schatten.
Da nun kein Nebel ist, scheint der Gischt gewaltiger, wenn er über den
reinen Himmel und die reine Erde hinauffährt.
Die dunkle grüne Farbe des abströmenden Flusses ist auch auffallender.

Wir fuhren zurück.

Wenn man nun den Fluß nach dem Falle hinabgleiten sieht, so ist er ruhig, seicht und unbedeutend. Alle Kräfte, die sich gelassen successiv einer ungeheuern Wirkung nähern, sind ebenso anzusehen. Mir fielen die Colonnen ein, wenn sie auf dem Marsche sind. Man sieht nun links über die bebaute Gegend und Weinhügel mit Dörfern und Höfen belebt und mit Häusern wie besäet. Ein wenig vorwärts Hohentwiel und, wenn ich nicht irre, die vorstehenden Felsen bey Engen und weiter herwärts. Rechts die hohen Gebürge der Schweiz in weiter Ferne hinter den mannigfaltigsten Mittelgründen. Auch bemerkt man hinterwärts gar wohl an der Gestalt der Berge den Weg, den der Rhein nimmt.

Werkregister 109

CHRISTIAN CAY LORENZ HIRSCHFELD

Grotten

Diese vorgelegten Beschreibungen zeigen nicht allein den ursprünglichen Gebrauch der Grotten, sondern auch vornehmlich die Art, wie die Natur sie zu bilden pflegt. Bey Werken, die in der Nachahmung sich so weit von ihrem wahren Charakter verloren haben, ist nichts nöthiger, als sie auf die erste Einrichtung der Natur zurückzuweisen.

Wir sehen, daß Grotten ihre natürliche Heimath in bergichten und felsichten Landschaften haben; man findet sie am meisten bey uns, in den Wildnissen des *Harzes*,* auswärts in den Gebirgen der *Schweiz*, in den Höhen von *Norwegen*, und in den Felsen von *Schottland*. Sie können demnach nur in einem Revier natürlich seyn, das aus Bergen oder Felsen besteht, die Aushöhlungen und Klüfte durch zufällige Wirkungen, oder der Hand des Menschen, sie zu bilden, verstatten.

Obgleich der Gartenkünstler sonst von Felsen** wenig Gebrauch machen kann, so werden sie doch in Rücksicht auf Grotten schon nutzbarer. Sie entfernen sich schon um einige Grade von der Wildniß, indem sie das Gepräge von irgend einer Bewohnung annehmen; in ihrer Vorstellung verschwindet das Oede, das ihr sonst anhängt. Die Gegenwart des Menschen rechtfer-

---

* Die bekannteste unter den größern Höhlen ist die Baumannshöhle, die eine große Aehnlichkeit mit der Grotte von Antiparos hat, in Ansehung sowohl ihrer Bildung, als auch der Tropfsteinzapfen. Sie besteht aus verschiedenen Gewölbern, die zum Theil ein großes Ansehen haben, und mit weißem Tropfstein und Zapfen bekleidet sind. Diese Grotte verdiente einen Dichter.

** S. 1sten B. S. 192.193.

tigt einige Cultur, die wenigstens in der Minderung ihrer Rauhigkeit sichtbar wird, ohne eitle Bestrebung, ihren Charakter umschaffen zu wollen. Sie können mit Gräsern und rankenden Pflanzen bekleidet werden; an einigen Stellen mag ein kleines Buschwerk von angenehmem Grün aufschiessen; nahe umher mögen sich einige Bäume mit gesundem Wachsthum erheben. Alle diese Umstände zerstören nicht den Charakter der Felsen, sie mildern ihn nur, sie helfen der Einförmigkeit ab, erfrischen die Trockenheit der Gestalt, und stimmen übrigens noch immer mit dem natürlichen Ansehen einer Grotte zusammen. Durch Ausrottung der lebhaft grünenden Gebüsche und durch Umherpflanzung solcher Bäume, die ein dunkles und trauriges Laubwerk haben, kann der Künstler auf eine entgegengesetzte Art das kahle und finstere Ansehen der Felsen vermehren. Er kann ihnen Lebhaftigkeit geben, indem er das Wasser in kleine Güsse vertheilt, und ihre Wildheit erhöhen, indem er es in einen brausenden Strom vereinigt. Seine Macht erstreckt sich noch weiter. Er kann in ihr Inneres dringen, und Oeffnungen hauen, die bequeme Sitze und selbst geräumige Wohnplätze geben.

Eine von der Kunst angelegte Grotte muß zuvörderst eine Lage haben, wie wir sie in der Natur zu sehen gewohnt sind, an Bergen, an Felsen, zwischen rohen Klippen und Wassergüssen, in versteckten Winkeln. Nichts ist unnatürlicher, als nachgeäffte Grotten in Ebenen, auf freyen Plätzen, wo sie gleich das Auge an sich ziehen, oder in gerader Linie gegen ein Blumenbett hervorstechend.

Weil Grotten nicht allein schon an sich Seltenheiten in der Natur sind, sondern auch nur wenig Gärten sich solchen Lagen zu nähern pflegen; so dürfen auch angelegte Grotten nicht zu häufig seyn. Ein Garten kann der Grotten sehr leicht entbehren; und einige Gattungen von Gärten scheinen sie kaum zu vertragen.

Sie müssen eine etwas versteckte und dunkle Lage haben, die sie nicht leicht entdeckt; kein geschmückter Eingang, keine reiche Verzierung der Vorplätze darf sie ankündigen. Nur ist es nicht nöthig, daß der Ort ganz versperrt und aller Aussicht beraubt sey; er kann Oeffnungen zu Prospecten in die Ferne, aufs Meer, auf entlegene Waldungen haben; allein das Revier, das unmittelbar die Grotte umgiebt, muß verwildert und eingeschlossen seyn.

In der Anlage muß eine höchst einfältige, nachläßige und rohe Zusammensetzung herrschen; alles muß scheinen, von der wilden Hand der Natur selbst gebildet zu seyn. Je grösser die Einfalt ist, desto natürlicher ist das Ansehen der Grotten. Ihre innere Verzierung erhalten sie von der Bildung des Felsen selbst und von den zufälligen Wirkungen des herabträufelnden und durchfließenden Wassers. Sie verwerfen jede Einrichtung, jeden Zierrath, der seiner Natur nach nicht in ihrem Schooße anzutreffen ist.

Ihre äußere Gestalt muß ein Gepräge von Einfalt und Rohigkeit haben. Ein unordentlicher Steinhaufen, eine zerborstene Felswand, eine Erhöhung von einzelnen Massen, die sich durch die Gewalt der Zeit getrennt zu haben scheinen, hie und da überwachsen mit Moos und Gesträuch, oder mit Epheu und wildem Wein bekleidet, die zwischen den Ritzen herumklettern, oben mit Erde bedeckt, woraus einige unansehnliche Bäumchen sich dürftig nähren, und ihre kraftlosen Zweige über dem Eingange herabhängen lassen, kleine Wassergüsse, die auf den Seiten zwischen Gebüsch herabirren – alles dieses trägt zur malerischen Schönheit der Außenseite der Grotten am meisten bey.

Obgleich Gartengrotten Nachahmungen der natürlichen Höhlen sind, so muß man doch in so weit auf eine bequeme Einrichtung bedacht seyn, daß sie sowohl die nöthige Reinlichkeit haben, als auch der Gesundheit nicht durch eine dumpfe Luft schaden. Sie müssen nicht feucht, noch der Reinigung der Luft verschlossen seyn; sie lassen ohnedieß oft genug das Vergnügen der Kühlung von der Gefahr des Fiebers begleiten. Wenn sie eng, niedrig und finster sind, so hören sie auf, Plätze eines angenehmen Aufenthalts zu seyn. Allein wie erfrischend sind sie nicht, wenn sie aus hohen, trocknen und luftigen Felsen bestehen, mit freyen und geräumigen Gewölben, mit Oeffnungen, die Licht und Aussicht verstatten!

Sie dienen zwar nicht mehr zur beständigen Wohnung; indessen bieten sie durch Vereinigung der Felsen, der kleinen Quellen und Wassergüsse, und der schattigten Lage für gewisse Stunden eine erquickende Kühlung an. Außerdem können sie mit ihren Nebenumständen eigene Scenen bilden, zumal an Plätzen des Sommers. Sie gehören übrigens nicht sowohl in das Revier des Angenehmen, als vielmehr zu dem Romantischen, als ein vorzügliches Eigenthum dieser Gattung.

Man kann dem Eindruck der Grotten, in so ferne sie in Gärten Gegenstände sind, zu Hülfe kommen, indem man ihnen einen bestimmten Charakter giebt, der sich auf einen Gebrauch bezieht, den man vormals von ihnen machte. Man kann sie einer *Nymphe,* einem Nationalhelden aus der ältesten Zeit, oder einem Heiligen des Landes widmen, wodurch sie bey der Wirkung, die sie schon als besondere Naturscenen haben, noch eine Kraft zur Erweckung interessanter Erinnerungen oder ergötzender Phantasien gewinnen.

Werkregister 143

CHRISTIAN CAY LORENZ HIRSCHFELD

aus Ruinen.

1.

Ruinen als Werke der Nachahmung in Gärten betrachtet, haben bey dem ersten Anblick so viel Auffallendes, daß man sich mit Recht darüber verwundern zu dürfen scheint, wie man sie mit Bedacht anlegen kann. Es scheint ein Eingriff in die Vorrechte der Zeit zu seyn, deren Wirkung sich ohne unsere Beyhülfe in der Verschlimmerung und Auflösung der Dinge zeigt; eine übel verstandene Anwendung der Kunst zu bauen, die durch Schöpfung und nicht durch Zerstörung sich anzukündigen pflegt; eine Verletzung der Annehmlichkeiten der Natur, die sich wundern muß, mitten in ihrem Schooße klägliche Steinhaufen von der Hand des Menschen, die sie sonst wegzuschaffen beschäftigt war, hingeworfen zu sehen.

In der That, so lange man noch nicht angefangen hatte, von allen Gegenständen der Landschaft die Wirkungen zu berechnen, die sich zur Erweiterung und Verstärkung der Gartenempfindungen vortheilhaft anwenden lassen; so lange konnte man nicht auf eine künstliche Nachahmung der Ruinen fallen. Sie sind daher erst in den neuern Gärten der *Engländer* in Gebrauch gekommen.

Bey einer nähern Betrachtung verschwindet das Unschickliche, das man in der Anlage nachgeahmter Ruinen zu bemerken glaubt. Wirkliche Ruinen sind an sich nichts Unnatürliches auf einem Gartenplatz, und von der Kunst nachgeahmte Ruinen können völlig das Ansehen und daher auch die Wirkung wahrer Ruinen erhalten. Weil Gärten doch nichts anders, als Nachahmungen aller Arten von wirklichen Gegenden sind, so können auch Ruinen in ihrem Bezirk eine Stelle einnehmen.

2.

Vornehmlich aber sind es die Wirkungen der Ruinen, die ihre Nachahmung nicht allein rechtfertigen, sondern selbst empfehlen. Zurückerinnerung an die vergangenen Zeiten und ein gewisses mit Melancholie vermischtes Gefühl des Bedauerns, sind die allgemeinen Wirkungen der Ruinen. Allein diese Wirkungen können von dem besondern Charakter und der vormaligen Bestimmung, von dem Alter, von der oft deutlichen, öfters ungewissen Einrichtung und Gestalt, von den hie und da halb vertilgten Aufschriften eines verfallenen Gebäudes, von der Lage und von andern Umständen, die auf Begebenheiten und Sitten hinwinken, mannigfaltige Modificationen annehmen. So erwecken die Ruinen eines Bergschlosses, eines Klosters, eines alten Landsitzes sehr abgeänderte Bewegungen, besonders abgeändert durch die Betrachtung der Zeit und anderer Umstände, die an sich so vielfältig unterschieden seyn können. Man kehrt in Zeiten zurück, die nicht mehr sind. Man lebt auf einige Augenblicke wieder in den Jahrhunderten der Barbarey und der Fehde, aber auch der Stärke und der Tapferkeit; in den Jahrhunderten des Aberglaubens, aber auch der eingezogenen Andacht; in den Jahrhunderten der Wildheit und der Jagdbegierde, aber auch der Gastfreundschaft. Allein außer einem Bergschlosse, einem Kloster, einem alten Landsitz können noch Ruinen von andern Arten von Gebäuden ihre besondern Wirkungen verbreiten. Bey allen Ruinen aber stellt der Geist unvermerkt eine Vergleichung zwischen ihrem vormaligen und ihrem jetzigen Zustande an; die Erinnerung an Begebenheiten oder Sitten der Vorwelt wird erneuert; und die Einbildungskraft nimmt aus den vorliegenden Denkmälern Veranlassung weiter zu gehen, als der Blick reicht, sich in Vorstellungen zu verlieren, die eine geheime, aber reiche Quelle des Vergnügens und der süßesten Melancholie enthalten.

Dies sind die Wirkungen der wahren Ruinen; und wenn die nachgeahmten mit einer glücklichen Täuschung angelegt sind, so können sie fast eben diese Wirkungen haben. Und durch diese Wirkungen werden die Ruinen eine schätzbare Gattung, Werke von einem eigenthümlichen Charakter; sie erregen Vorstellungen und Empfindungen, welche die Gebäude selbst, wenn sie noch vollständig vorhanden wären, nicht hervorbringen würden.

3.

Aus diesen Wirkungen der Ruinen läßt sich auch die Anlage bestimmen, die man ihnen zu geben hat. Die wichtigste Kunst ist, ihnen das Ansehen der Kunst zu nehmen, ihnen eine Anordnung, eine Verbindung oder eine Unterbrechung zu geben, wodurch sie alt und wirklich von der Hand der Zeit oder von der Macht der Witterung gebildet scheinen. Zu dieser Absicht ist nöthig, daß sich Massen von einer beträchtlichen Größe zeigen, und daß, so zertrennt und zerstört auch alles ist, sich doch einige Verhältnisse der Stücke, wiewohl undeutlich, erkennen lassen. Kleine unbeträchtliche Steine haben so wenig Wirkung, als Trümmer, denen man es gleich ansieht, daß sie nur zusammengeworfen sind, nicht aber als Theile eines zerfallenen Ganzen zusammen gehören. Die Verbindung aller Theile mag aufgehört haben, weil die Trennung eine natürliche Wirkung der Zeit ist; nur müssen die Theile, noch dem Orte nach, eine gewisse Verbindung behalten haben, nicht so weit von einander zerstreut liegen, daß das Auge sie erst mühsam zusammensuchen muß, oder daß gar der Anschein eine Auseinanderwerfung von der Hand des Menschen verräth. Inzwischen ist die Trennung aller Theile nicht unumgänglich nöthig; ganze Stücke von Gemäuer können noch vollständig seyn, noch zusammenhängen, noch den vormaligen Gebrauch sehen lassen. Und dieses wird durch die Absicht, eine bestimmte Gattung von Wirkung zu erzeugen, zuweilen nothwendig gemacht. Alsdann muß die vormalige Bestimmung des Gebäudes in irgend einer Spur noch sichtbar seyn. Daher kein wilder Stein-

haufen, der gar keine Bedeutung hat, sondern erhaltene, oft noch zusammen-
hängende Theile, welche die vorige Gestalt und Einrichtung des Ganzen
erkennen lassen. Auch müssen die Trümmer und die Lage in keinem Widerspruch stehen; der Ort mag noch so ungleich, so verwildert seyn, so muß er
doch keine Unwahrscheinlichkeit enthalten, daß ein solcher Bau, wovon die
Reste da liegen, nicht nach seinem Umfang und nach seiner Bestimmung
hätte ausgeführt seyn können.

Wenn künstliche Ruinen ihre Wirkung nicht verfehlen sollen, so muß die
Täuschung beschleunigt und der Seele kein Anlaß verstattet werden, erst
lange nachzusinnen, die Wirklichkeit oder die Nachahmung zu untersuchen,
oder Zweifeln Raum zu geben. Bey dem Nachdenken wird die Täuschung
schwach, und mit der Entdeckung der Nachahmung verschwindet sie unaufhaltsam dahin. Sie wird vornehmlich erhalten, wenn die Ruinen eine unzwei-
felhafte und gewisse Andeutung haben; die vormalige Bestimmung und die
Einrichtung des Gebäudes, das sie zurückließ, sogleich zu erkennen geben.
Ein halb versunkenes Basrelief, eine zerbrochene Statüe, ein Capital einer
zertrümmerten Säule, ein Gesimse, eine Inschrift an einem hervorragenden
Stein, sind sehr oft dazu schon hinlängliche Mittel.

Um Ruinen einen Schein des Alterthums und ein Gepräge der Wahrheit zu
geben, kann man zuweilen zu einem dunkeln und matten Anstrich der Materialien seine Zuflucht nehmen. Weil aber Steinmassen mehr, als Holzwerk, zu
Ruinen gehören, so müssen sie zertrümmert, zerlöchert, zerrieben oder sonst
auf irgend eine Art von der Gewalt der Witterung beschädigt vorgestellt
werden. Denn Steine, als Ruinen, vertragen keinen Anstrich, der bey Gebäuden angebracht doch von der Zeit wieder abgerieben wird; aber eine matte
und etwas beschmuzte Gestalt nimmt selbst der reinste Marmor an, der lange
dem Regen, dem Schnee und Winde unbeschirmt ausgesetzt ist.

Noch mehr trägt die Verbindung oder Unterbrechung der Ruinen mit
Gras, mit Buschwerk und einzelnen Bäumen bey, ihnen ein natürliches Ansehen zu geben. Die Natur scheint die Plätze, die ihr die Baukunst geraubt
hatte, mit einer Art von Triumph sich wieder zuzueignen, so bald sie, verlassen von dem Bewohner, veröden. Nichts giebt einen sichtbarern Beweis von
der Länge der Zeit, als wenn der Ort, den ein Gebäude zierte, mit Moos, mit
Gras und grünem Gesträuch überzogen ist. Eine Menge von Epheu, der aus
dem Innern einer zerbrochenen Thurmspitze hervorwächset, ein Kirsch-
baum, der einsam und gekrümmt zwischen einem zerfallenen Gemäuer blühet, Gesträuche, die aus den Fenstern herabhangen, ein Bach, der zwischen
den Steinen einer halb kenntlichen Treppe herabmurmelt – alle diese Veränderungen, welche oft die wirklichen Ruinen begleiten, kündigen sehr lebhaft
die Macht der Zeit an, und sind zugleich Zubehör und Verzierung der Ruinen, welche die Kunst anlegt. Andere Zufälligkeiten können einen noch weit
mehr rührenden Contrast zwischen den Ruinen und der vorigen Herrlichkeit
der Gebäude machen.

Welche Empfindungen von Wehmuth, von Melancholie und Trauer bemächtigten sich nicht zuweilen der reisenden Bewunderer des Alterthums, wenn sie, in den ehemals prächtig bebaueten Gegenden *Griechenlands,* Schlafstellen der Hirten und Höhlen der wilden Thiere zwischen den Ueberbleibseln der Tempel fanden! *Chandler** beschreibt einen solchen feyerlich-rührenden Auftritt, als er die Ruinen von dem Tempel des Apollo zu *Ura,* nicht weit von *Miletus,* sah. Die Säulen waren noch so ungemein schön, die Marmormasse so groß und edel, daß es vielleicht unmöglich ist, sich mehr Schönheit und Majestät in Trümmern zu denken. Als es Abend ward, breitete sich eine große, in ihre Hürde zurückkehrende Ziegenheerde mit läutenden Schellen über den Ruinenhaufen aus, und kletterte umher, die Büsche und Bäume abzunagen, die zwischen den ungeheuern Steinen wachsen. Die ganze Masse ward mit einer Mannigfaltigkeit reicher Tinten von der untergehenden Sonne erleuchtet, und warf einen sehr starken Schatten. Das Meer in der Ferne war eben und glänzend, und von einer bergichten Küste mit felsichten Inseln begränzt. – Allein wir dürfen Zufälligkeiten bey Ruinen nicht so weit her suchen. Eine Eule, die in einem zerstörten Thurm wohnt, eine Familie von Krähen, die sich zwischen altem Gemäuer häuslich niedergelassen hat, eine kleine Hürde für Schafe sind keine seltene Erscheinung bey Ruinen; sie verstärkt den Begriff von dem Oeden eines Orts, den der Mensch schon lange verlassen hat. Aber wo auch solche Zufälligkeiten fehlen, da wird doch eine Verwilderung in Gras, Moos, Epheu und andere rankende Gewächse, eine Unterbrechung mit dickem Gesträuch, eine Verschließung mit ungestalten Bäumen das Natürliche der Ruinen vermehren können.

Werkregister 143

---

* Reisen in Kleinasien, 43stes Kap.

V. ANTIKE

CARL HEINRICH HEINEKE

aus   Untersuchung vom Erhabenen.

Wer etwas schreiben will, der muß zuförderst sein Vorhaben aufs deut-
lichste zu erklären suchen. Dieses ist allhier mein Endzweck; ich will dem
Leser kürzlich zeigen, was Longin eigentlich durch das Erhabene verstehe.
Solches wird nicht ohne Nutzen seyn, zumahl, da unser Grieche darüber
hingehet, und bloß die zu seiner Zeit noch vorhandene Schrifft des Cecil
anführet, worinne durch unendlich viel Exempel eine genaue und fast gar zu
weitläufftige Vorstellung des Worts Erhaben gefunden wurde. Nächst diesem
erhellet, daß die meisten einen irrigen Begriff von dem Erhabenen in ihren
Urtheilungen zum Grunde setzen, und daher in manchen unnöthigen Streit
gerathen, der gröstentheils aus einem Mißverstande der Wörter herrühret.
Alles dieses soll durch gegenwärtige Untersuchung aus dem Wege geräumet
werden.

Ueberhaupt verstehen wir durch das Wort Erhaben, die höchste Vollkommenheit, welche man bey einigen Sachen antrifft. Eben diese Vollkommenheit wird auch zuweilen unter andern das Hohe, Fürtreffliche, Prächtige,
Majestätische und Göttliche genannt;* wiewohl auch einige dieß letztere
Wort für das verborgene und unergründliche in den Wissenschafften nehmen.** Es ist daher leicht zu schliessen, daß es vielerley Arten vom Erhabenen geben müsse,*** von welchen allen jedoch nichts zu unserer Absicht
dienet, als das Erhabene im Dencken und Schreiben.

Dieß Erhabene, wovon wir handeln, gehöret gemeinschafftlich zur Dicht=
und Rede=Kunst; es ist in beyden das höchste, wozu man gelangen kan. Wer
wird ein Gedicht oder eine Rede vollkommen nennen, so lange noch etwas
darinnen fehlet, was kan ihnen aber grösseres abgehen, als wenn man in
selbigen nichts Erhabenes findet? Wer aber hievon recht urtheilen will, der
muß in den Regeln der Beredsamkeit und Poesie bereits erfahren seyn. Ich
setze demnach voraus, daß meine Leser in beyden Stücken keine Kinder seyn
müssen.

---

* *Joh. Franciscus Buddeus* hat zu Jena 1691 eine besondere Disputation gehalten De
eo, quod in oratione diuinum est ad illustrandam Sectionem XXXI. Dionysii Longini.
** Also braucht dieß Wort der berühmte *Morhoff* in seinem ersten Buch und zwölf-
ten Capittel seines *Polyhistors*, wie auch *Roeschelius* in seiner Dissertation de eo, quod
Θεῖον habetur in rebus naturalibus Witteb. 1695. und *Thorschmid* de eo quod diuinum
est in morum doctrina universa. ibid. 1720.
*** Der berühmte Franzose *Rapin* hat ein besonderes Werk du Sublime dans les
moeurs geschrieben.

Wie die Aertzte sich bemühen, bey einer Krankheit so fort die Ursache des Uebels zu entdecken, also will ich auch gleich untersuchen, woher es komme, daß sich die mehresten einen ganz irrigen Begriff von dem Erhabenen machen. Dieß geschicht aber, wenn dergleichen Leute nicht sattsam überlegen, daß zwischen dem Erhabenen in den Gedanken und zwischen einer hohen Schreib=Art ein wichtiger Unterschied sey; sie verwechseln vielfältig eines mit dem andern, und hieraus entstehen wahrlich die meisten Einwürfe, welche von etlichen wieder unsern Longin auf die Bahn gebracht worden.* Solche desto kräfftiger zu beantworten, will ich anfänglich von der Schreib= Art und nächst diesem von den Gedanken reden.

Die Schreib=Art ist eine Zusammensetzung der Wörter, durch welche man seine Gedanken auszudrücken sucht. Hieraus erhellet offenbahr, daß wir zuvor denken müssen, ehe wir schreiben können: obgleich die Zusammensetzung der Wörter mit dem Denken nicht allemahl übereinstimmet. Man kan gut denken und seine Gedanken übel vortragen, niemand aber denket irrig, der nicht auch verkehrt schreibet. Folglich sind beyde Stücke nothwendig von einander zu unterscheiden, weil dasjenige, was ich von dem einen sage, zuweilen dem andern gar nicht zukömmt.

Nichts destoweniger ist dieses von den Kunst=Verfassern, so wohl in alten als neuern Zeiten, sehr verwirrt vorgetragen worden. *Hermogenes* so gar, der doch sonst, wegen seiner Lehr=Sätze von der Beredsamkeit, aller Welt Hochachtung verdienet, stimmet hierinne mit sich selbst am wenigsten überein,

---

* Hieher gehöret *Silvain* von dem sehr offt in den Anmerkungen über unsern Longin geredet worden. Man kan aber weder einen schlechtern Begriff von den Erhabenen besitzen, noch mehr mit sich selbst uneins seyn, als dieser Verfasser. Nichts ist bey ihm auf einen gewissen Grund gebauet, und es scheinet, als wenn sein ganzes Werk, bloß aus einer rasenden Begierde zu wiedersprechen, geschrieben wäre. Der Abt *Faydit* führet in seinen Remarques sur Virgile & sur Homere einen gewissen L'Elevel an, welcher eben der gleichen Arbeit lange vor dem *Silvain* übernommen hat. Da mir aber dessen Schrifft, aller Bemühung ungeacht, niemahls zu Gesichte kommen, so muß ich mich allhier auf gedachten Herrn *Faydit* beruffen, welcher unter andern p. 563. sagt: „L'Elevel dans un Traité qu'il a fait du vrai & faux Sublime contre Longin, a attaqué indirectement Virgile, en tâchant de montrer qu'hormis le Passage de Moïse, *Fiat lux,* tous les exemples alleguez par Longin & tirez d'Homere, que Virgile a adopté, & qu'il s'est rendu propres en les traduisant en Vers Latins, n'ont aucun Sublime, & sont remplis de faussetez, de puerilitez & d'idées basses & ridicules. & c." wobey erwehnter Herr Abt diese Beschuldigungen im folgenden insgesamt weitläufftig und gründlich wiederleget. Endlich kan man auch den Herrn *Bodmer* in Zürch vorigen beyden an die Seite setzen. Denn obgleich annoch nichts von ihm wieder unsern Longin geschrieben worden, so verspricht er doch in der Vorrede seiner vernünftigen Gedanken und Urtheile von der Beredsamkeit, mit nächstem „*im fünften Theile seines Werks, den Tractat des Longinus von Capittel zu Capittel zu untersuchen und die Schwäche dieses Buchs mit erforderlicher Gründlichkeit und Deutlichkeit zu entdecken, hingegen ganz neue Begriffe von dem Erhabenen durch gültige Schlüsse herzuholen und festzusetzen.*" Jedoch ich bedaure, daß er die gelehrte Welt, welche nunmehro über tausend Jahr des Longins Schrifft für gülden gehalten hat, noch immer in ihrem Irrthume stecken läst.

und verwechselt häuffig die hohe Gedanken mit der Schreib=Art;* zumahl
wenn er an einem Orthe sagt:** „*Eine jede Ausdrückung, welche das Maul
im Aussprechen vollfüllet, und ausdehnet, ist prächtig und hoch.*" Ueberhaupt
finden wir wenige, welche vom Erhabenen etwas ordentlich zu Papier gebracht hätten, die meisten gehen bloß darüber hin, oder lassen es gar weg,
und handeln blosserdings von der Art zu schreiben.

Allein auch dieß Letztere wird von einigen neuern sehr schlecht ausgeführet: ohngeacht die Alten hierinn eine genaue Deutlichkeit beobachteten.
Zwar die Italiener, welche von der Rede=Kunst handeln, befleißigen sich
durchgehends, den Griechen und Römern in ihren Lehr=Sätzen zu folgen.
Etliche Franzosen hingegen, haben in diesem Stücke, wie in andern Sachen,
zuweilen hurtiger gedacht, als geschrieben, wiewohl man bey ihnen ebenfals
grosse Männer findet. Von den Teutschen mag ich gar nichts sagen. Die
besten unter uns schreiben die Franzosen aus, jedoch sie gerathen nicht allemahl über die rechten, wie man solches an der so betitelten Critischen Dicht=
Kunst sehen kan.

Der Verfasser dieses Buchs theilet die Schreib=Art, wie er spricht, in *drey
Classen*, erstlich in die *natürliche und niedrige*, zum andern in die *sinnreiche,
hohe, scharfsinnige und geistreiche*, drittens in die *pathetische, feurige, affec-
tuöse*, oder *hefftige*. Was vor ein Mischmasch? Wer vermag den Grund solcher Eintheilung zu finden?*** Gehöret dann das Natürliche blosserdings
zum Niedrigen und muß nicht eine jede Schreib=Art, sie mag aus hohen oder
niedrigen Worten bestehen, vor allen Dingen natürlich seyn? Nächst diesem
sind die Gedanken offenbahr mit der Schreib=Art vermenget: Denn das Sinnreiche stecket so wenig als das Hohe, Scharfsinnige, Geistreiche und so ferner, in der Wörter Zusammensetzung, sondern bloß im Denken. Man kan das

---

* Etliche Verfasser können nicht begreiffen, wie es zugehe, daß *Hermogenes* und
Longin, die doch beyde vom Erhabenen schreiben, in ihren Lehren so sehr unterschie-
den sind? *Gabriel de Petra*, unter den ersten der beste Uebersetzer des Longin, befragte
deswegen seinen Freund den *Stephanus von Castrobello*, der sich in seinem Antworts=
Schreiben aufs beste bemühet, beyde zu vereinigen. *Hermogenes*, spricht er, handelt
von den *Lehr Sätzen des Erhabenen*, und *Longin von derselben Ausübung; welches
Gibert* in seinen Jugemens des Savans p. 190. weitläufftiger ausführet. Der berühmte
Tanaqville Févre stellet hierüber in der Vorrede seiner Auflage des Longin gleichfals
eine Untersuchung an. Er unterscheidet daselbst das Grosse des *Hermogenes* von dem
Erhabenen des *Longin: jenes*, sagt er, *ist der Anfang und gleichsam der Leib, dieses die
höchste Vollkommenheit, und so zu reden, die Seele:* wovon *Rabus* in seinem Boekzaal
Sept. und Octobr. 1694. p. 288. ausführlicher handelt. Jedoch der wahre Unterschied
gedachter Verfasser bestehet eigentlich darinn: daß *Hermogenes* so wohl von dem
Grossen, im Denken als im Schreiben gemeinschafftlich redet, und beydes vermenget,
welches Longin hingegen überaus wohl und ordentlich auseinander setzet.
** de formis p. 283.
*** Der Verfasser hat, weder in der alten noch neuern Auflage seiner sogenannten
Rede=Kunst den Grund dieser Eintheilung eben so wenig als in angeführter Critischen
Dicht=Kunst gezeiget.

Sinnreiche und Scharfsinnige so wohl in hohen als niedrigen Redens=Arten einschliessen; wovon wir unten mit mehrerem reden wollen.

Vielleicht läst sich hier die Schreib=Art besser eintheilen, zumahl wenn die Eigenschafft der Wörter ergründet, die Möglichkeit ihrer Zusammensetzung erforschet und den Lehr=Sätzen der Vernunft gefolget wird. Darum will ich zwo nöthige Eigenschafften gleich Anfangs zum Grunde legen, welche, nachdem sie da sind, oder nachdem sie fehlen, die Schreib=Art gut oder schlecht machen. Ich rede von dem *Natürlichen* und *Deutlichen*, welche beyde Stücke niemahls einer guten Schreib=Art mangeln dürfen. Wer unnatürlich und undeutlich denket, der schreibet zwar, wie schon gesagt, falsch und unverständlich; allein, man kan sehr deutlich und vernünftig denken, und doch die Wörter wieder ihre Natur zusammen setzen, oder auch dergleichen auslesen, welche keinen gewissen, ja zuweilen einen zweydeutigen Begriff darstellen. Hieher gehören alle fremde alte unbekannte Wörter, welche gleichwohl nicht schlechterdings zu verwerfen sind, weil viele Redens=Arten, die unsern Ohren rauh und hart im Anfange klingen, zuletzt durch den öfftern Gebrauch gäng und gebe werden. Hier erinnere ich mich der berühmten Schrifften, welche die so genannten Mahler in der Schweitz verfertiget haben: die undeutlichen Ausdrückungen entstehen bey ihnen mehr von einem Mangel der Sprachkundschafft als von ihrer Ungeschicklichkeit im Denken. Es hält sonst überaus schwer, den Ursprung des undeutlichen und unnatürlichen zu entdecken: dieß kan so wohl von gutem als schlechtem Denken herkommen, und wofern man nicht die Beschaffenheit, nebst der Wissenschafft, welche der Verfasser in dem übrigen blicken läst, mit zu Hülffe nimmt, so wird man nicht leicht entscheiden, aus welcher von beyden Qvellen dergleichen Schreib=Art entspringe. Daher bin ich auch zweiffelhafft, ob ich die wunderlichen Wörter, deren sich Lohenstein, und einige seiner Anbeter* bedienen, nicht so wohl aus der guten als vielmehr aus der bösen Qvelle herleiten soll. Von den alten Meister=Sängern, Zesianern, einigen Pegnitz=Schäfern und dergleichen Schwärmern hingegen stehet allemahl zu behaupten, daß ihre verkehrte Schreib=Art entweder ein verrücktes Gehirn, oder wenigstens eine starke Einfalt zum Grunde habe.

Werkregister 132

---

* Man muß unter den Nachfolgern des Lohensteins einigen Unterschied machen; es giebt vernünftige Männer, welche sich nur manchmal durch sein Flitter=Gold verführen lassen: es giebt aber auch rasende Scribenten, die ihn in allen Stücken für ihren Abgott ansehen.

Charles Batteux, Carl Wilhelm Ramler

Pindar.

Der Nahme Pindar ist fast nicht mehr der Nahme eines Poeten, sondern der Begeisterung selbst. Man denckt bey ihm nichts, als Entzückung, Sprung, Unordnung, lyrische Ausschweifungen. Indessen verläßt dieser Dichter seine Materie weit seltener, als man gemeiniglich glaubt. Die Ehre der Helden, die er besang, war keine Ehre, die dem siegreichen Helden allein zukam. Sie gehörte nach allen Rechten seiner Familie zu, und noch mehr der Stadt, deren Bürger er war. Man sagte: Diese Stadt hat alle Preise bey den olympischen Spielen davon getragen. Wenn also Pindar gewisse Züge aus der alten Geschichte anführte, entweder von den Vorfahren des Ueberwinders, oder von der Stadt, der er zugehörte, so war dieses nicht so wol eine Ausschweifung des Poeten, als vielmehr eine natürliche Folge seiner Kunst.

Horatz redet vom Pindar mit einer enthusiastischen Bewunderung, die beweist, wie erhaben er ihn gefunden hat. Er behauptet, daß es verwegen sey, ihn nachahmen zu wollen. Er vergleicht ihn mit einem Strome, den die Regengüsse aufgeschwellt haben, und der seine brausenden Wasser von hohen Klippen herunterstürtzt. Er verdiente nicht allein durch seine Dithyramben und durch seine Siegeslieder die Krone des Apollo; er wußte auch den jungen Mann zu beweinen, den der Tod aus den Armen seiner jungen Gemahlin riß, die Unschuld des goldenen Weltalters zu mahlen, und Nahmen zu verewigen, die der Unsterblichkeit würdig waren. Zum Unglück ist uns von diesem bewundernswürdigen Dichter nur der geringste Theil seiner Werke übrig geblieben, nemlich die Stücke, die er zum Lobe der Ueberwinder gemacht hat. Die übrigen, deren Stoff weit reicher, und für die gantze Welt weit interessanter war, sind nicht bis auf unsre Zeiten gekommen.

Seine Gedichte kommen uns schwer vor, und dieses aus mehr als einer Ursache. Erstlich, wegen der großen Gedancken selbst, die sie enthalten; zweytens wegen der kühnen Wendungen; drittens wegen der neuen Wörter, die oft für die Stelle, wo sie stehen, gantz allein gemacht sind. Endlich ist dieser Dichter auch voll geheimer Gelehrsamkeit, die sich auf die besondere Geschichte gewisser Geschlechter und Städte bezieht, die wenig Antheil an den Revolutionen genommen haben, die uns aus der alten Historie bekannt sind.

Perrault hat die erste Strophe seiner ersten olympischen Ode lächerlich zu machen gesucht: hier ist die Uebersetzung davon.

„Das Wasser ist das herrlichste unter den Elementen, und das Gold leuchtet unter den Schätzen der Könige, wie das Feuer in der Finsterniß; Und willst du Siege besingen, o Muse, so suche kein gläntzenderes Ge-

stirn, als die Sonne, und keinen glorreichern Kampf, als den olympischen,*
den die schönsten Geister, dem Sohne Saturns zur Ehre, mit unsterblichen
Hymnen feyren, und also in den stolzen Pallast des syracusischen Königes** treten." Man muß sich hier weder bey den Wendungen, noch bey den Figuren der
Gedancken, oder der Worte aufhalten. Pindarn in Ansehung des Styls vor-
werfen wollen, was ihm die Griechen nicht vorgeworfen haben, heißt verrathen, daß man kein gültiger Richter ist. Wir haben nur allein Recht über den
Inhalt und über die Sachen zu sprechen; und auch dieses müssen wir nicht
anders als mit Zittern thun.

Kann etwas größer, edler, lyrischer seyn, als dieses Stück? Wer hätte es
gedacht, daß Herr Perrault den ersten Vers so übersetzen könte: *Das Wasser
ist in der That gut.* Diese Uebersetzung ist niedrig, und hat gar keinen Verstand, und in dem griechischen Dichter enthält sie den Grundsatz eines philosophischen Systems, welches das System des Thales war, der das Wasser als
das erste Principium, als das erste Element ansahe, woraus sich alle übrigen
Wesen in der Natur formirten. Man halte diesen Begriff mit den nächstfol-
genden zusammen: *das erste unter den Elementen, das kostbarste unter den
Metallen, das gläntzendste unter den Gestirnen,* lauter symbolische Bilder des
Sieges, den der Dichter besingen will. Das Gold gläntzt unter den übrigen
Metallen, wie das Feuer in der Nacht; die Sonne allein verdunckelt alle Sterne, und macht den Himmel zu einer Wüste, man sieht nichts als sie allein.
Eben so ist ein olympischer Sieg über alle andere Siege erhaben, er verdunckelt sie alle. Es kömmt nur den größesten Geistern zu, dancksagende Hymnen zu singen, und also in den Pallast des fürstlichen Siegers zu treten. Man
hat gar keine Mühe, und keine günstigen Vorurtheile für die Griechen nöthig,
um die Kühnheit, den Reichthum, die Erhabenheit dieser Gedancken zu
empfinden. Und man muß glauben, daß sie ausgedrückt worden sind, wie sie
es verdieneten, und nach dem Geschmacke des Volckes, für welches der
Autor arbeitete.

Aber wie wird der Printz gelobt, von dem die Rede ist?

,,Dieses Printzen, der den Zepter der Gerechtigkeit in den heerdenvollen
Auen Siciliens führt, und die Blume von allen Kriegestugenden erndtet, auch
nicht weniger in den schönen Künsten vortrefflich ist, als der auserwählteste
Liebling der Musen. Nimm die dorische Leyer von der Wand, wofern dir das
edelmüthige Streitroß Entzückung einflößte, als es an dem Ufer des Alpheus
flog, und, vom Stachel unberührt, seinen Herren in den Schoos des Sieges

---

* Olympia, eine Stadt im Peloponnesus, bey welcher man alle vier Jahre die olympi-
schen Spiele feyerte. Sie waren vom Hercules dem Jupiter zur Ehre eingesetzt worden.
Sie dienten, die Jahrzahl in der Historie Griechenlandes zu bestimmen, so wie die
Consulate in der Historie der Römischen Republic.

** Hierons, der die Carthaginenser bey Himära überwand. Er starb in der 78sten
Olympiade.

trug. Hellgläntzend ist sein Ruhm auf den Fluren des lydischen Pelops*, usw."

Man bemercke, mit welcher Kunst der Poet seine Materie vorträgt. Man sieht den Hieron, sein Roß, seinen Sieg, alles dieses erscheint mit Ehre und Herrlichkeit umgeben. Der Zepter des Helden ist der Zepter der Themis. Er stellt die Tugenden als Blumen vor, die auf ihren Stengeln sitzen, und die Blume allein erndtet Hieron ein: sein Streitroß fliegt am Ufer des Alpheus:** sehet ihn da, mitten im Schooße des Sieges!

Werkregister 48

FRIEDRICH GEDIKE

Übersetzung der VIII. Olympischen Ode Pindars

Wahrheitsfürstin Olympia, Mutter der goldbekränzenden Kämpfe, wo aus lodernden Opfern der Seher weissagt, und des hellblitzenden Zevs Gesinnung erprüft, ob er der Männer gedenkt, deren Seele zu hohen Tugenden aufstrebt, und zum erquickenden Lohne des Kampfs – Und der Erfüllung Freude belohnet das Flehen des Redlichen – Aber o du, Pisa's schönbaumiger Hain am Strome des Alpheus, empfange du jetzt diesen Reigengesang und den kränzetragenden Siegespomp!

Groß ist und ewig des Mannes Ruhm, den dein glänzender Lohn begleitet. Manchen beseliget dieses, jenen ein andres Gut. Viele Wege, gebahnt von den Göttern, führen zum Glück.

Dir, o Timosthenes, und deinem Bruder verlieh Zeus, der Jugendschützer, Wonnegeschick. Dir selber gewährt' er Ruhm zu Nemea, und dem Alcimedon beim Hügel Saturns olympischen Sieg. Schön war sein Anblick, und seine Thaten schändeten nicht seine Gestalt.

Als er den Sieg sich errang, rief er jauchzend sein Vaterland aus, das weitschiffende Aegina, das allen Völkern zuvor die Glücksschöpferin Themis verehrt, die im Rathe der Götter neben dem gastlichen Jupiter sitzt. Denn wenn die belastete Wage bald hiehin, bald dorthin überschwankt; schwer ist es alsdenn, mit untrüglichem Sinn sichres Urtheil zu fällen.

Also hatte der Rathschluß der Götter auch dieß meerummauerte Land Fremdlingen mancherlei Völker zum Glückspfeiler gesetzt. Möge die Folgezeit nie ihn zu bewahren ermüden; nun der Dorier Volk ihn beherrscht, seit den Zeiten des Aeakus.

---

* Ist der Peloponnesus, heutiges Tages Morea.
** Alpheus, ein Fluß im Peloponnesus, der vor dem Orte vorbey floß, wo man die Spiele beging.

Diesen berief Latonens Sohn und der weitherrschende Neptun, als sie Ilium mit einer Mauer umkränzten, daß er ihnen zur Seite mit daran baute. Denn es sollte die Stadt – so hatt' es das Schicksal beschlossen – einst im Kriegesgewühl unter städtezertrümmernden Schlachten im fressenden Feuer aufdampfen.

Vollendet war nun die Mauer; da sprangen drei blauliche Drachen hinan zu der neuerbauten Wehr. Zwei von ihnen stürzten zu Boden, und verhauchten erstarret das Leben. Doch einer drang mit lautem Gezische hinauf.

Und schnell sprach Apoll, indem er das Unglückszeichen bedachte: dort, o Held, wo deine Hand baute, wird Pergamus einst erobert. Also verkündet es mir dieß Wundergesicht, gesandt vom fürchterlichdonnernden Zeus. Dein eignes Geschlecht, im ersten und vierten Gliede, erobert es mit.

So sprach mit untrüglicher Zunge der Gott, und sprengte über den Xanthus hinweg zu den rosselenkenden Amazonen, und hin zum Ister. Aber der Schwinger des Dreizacks fuhr mit den goldmähnigen Rossen den Aeakus mit sich zurück, und jagte den fliegenden Wagen zum meerumströmeten Isthmus, und hin zu den bergigen Höhen Korinths, wo seiner ein festliches Opfermahl harrte.

Nichts ergötzet die Sterblichen alle auf einerlei Art. Wenn denn also auch ich des Milesias Glorie, die ihm seine noch unbärtigen Jünger verliehn, mit meinem Gesange durchwandle, o so werfe mich nicht mit rauhem Steine der Neid. Singen will ich's, daß auch er zu Nemea als Jüngling einst gleichen Ruhm sich errang, bevor er im Männerkampf des Pankrations ‹siegte.›

Traun! leichter ists dem kundigen Manne zu lehren. Thorheit, nicht selber zuvor gelernet zu haben. Denn gewichtlos schwanket des Unerfahrnen Seele. Jener, nur jener vermag besser als jeglicher andre zu sagen, welcherlei Pfad zum Ziele den Mann führt, der Wonneruhm sich aus heiligen Kämpfen zu holen strebt.

Jetzt verherrlichet sein Alcimedon ihn, der sich der Siege dreißigsten haschte. Geleitet von Götterhand betrat er die Bahn des Männermuths mit unverirrtem Fuß. Vier Jünglinge kehrten, von ihm besiegt, mit Schande zurück, daß ihre Zunge des Rühmens vergaß, und sie auf heimlichen Steigen zurückschlichen ins Vaterland.

Aber den Vater seines Erzeugers durchglüht er mit freudigem Muth, der dem Alter entgegenkämpft. Selber des Orkus vergisst, wenn herrlicher Ruhm schmückt.

Drum weck' ich der Blepsiaden Gedächtniß, preise den blühenden Siegesruhm ihrer Arme, weil die sechste Kampfkrone schon ihre Scheitel umlaubt. Auch noch der Todte geneusst von schönen Thaten die Frucht, und der Staub des Grabes verbirgt nicht seines Geschlechtes glänzenden Reiz.

Wenn denn Iphion die Stimme der Kunde vernimmt, der Tochter Merkurs: – laut ruf' er alsdann dem Kallimachus den schimmernden Ruhm zu, den Zeus ihrem Stamm zu Olympia gab.

Mög' er stets Sieg auf Sieg ihnen verleihn, und der entnervenden Krankheiten Schaar fern von ihnen verscheuchen! Die hadersüchtige Nemesis nur – dieß fleh ich – halt er von ihrem Glücke zurück! Harmlos leit' er ihre Tage dahin, und verherrliche sie und ihr Vaterland!

Werkregister 81

JOHANN JACOB STEINBRÜCHEL

Übersetzung eines Chorlieds aus Sophokles' „Antigone"

(Vers 332–383)

(4) Wundervoll ist die Natur; doch ist der Mensch das gröste der Wunder.

(5) Ueber das schäumende Meer wandelt er durch die umplazenden Wogen, wenn in Winter=Stürmen der Südwind raset, und der Götter Höchste, die ewige Erde, zermalmt er von Jahre zu Jahr durch unermüdlich=zirkelnde Pflüge, und wendet sie mit dem Geschlechte der Pferde um.

(6) Er verstriket auch das Heer der leichten Vögel, und die Völker der wilden Thiere; und in umschlingenden geknüpften Nezen fängt der Schlaue des Meeres salzigte Geburten. Er besiegt durch seine Künste das Berge-schweifende Gewild, und dem Mähnereichen Rosse wirft er um den Hals das Joch, und des Berges ungezähmtem Stiere.

(7) Er lernte die Sprache und die Wissenschaft (8) der Atmosphäre, und die Ränkevolle Weisheit der Geseze (9), und den Frost auf unbeschirmten öden Hügeln, und der Regengüsse Pfeile zu vermeiden. Alles durchdringend ist ihm nichts unzugangbar, auch nicht die Zukunft. Nur die Flucht vom Orkus wird er nie lernen. Doch der Krankheit, auch der schwersten, zu entfliehen, fand er Mittel.

---

(4) Strophe I.
(5) Περων ὑπ' ὀιδμασι. Für περων lesen einige πτερων, welche Les=Art aber, wie Stephanus urtheilt, durch einen Irrthum eingeschlichen ist. Anstatt ἀκαματων giebt die Aldinische Ausgabe ἀκαματαν welches alsdann auf γαν gezogen werden müßte, da hergegen ἀκαματων, meines Bedunkens, füglicher zu ἀροτρων genommen wird. Für πολευον gibt H. Stephanus πολευον in Beziehung auf τουτο sc, δεινοτερον ἀνθρωπου. Jedoch könnte πολευον auch mit dem folgenden περιφραδης ἀνηρ construirt werden.
(6) Antistrophe 1.
(7) Strophe 2.
(8) Ἡνεμοεν φρονημα. Das ist, wie der Scholiast es erklärt: Την περι των μετεωρων Φιλοσοφιαν.
(9) Ἀστυνομους ὀργας giebt Camerarius durch Disceptationes civiles; und Rotaller übersezt:
Leges quoque didicit
Et quæ arguto dirimuntur foro,
Litium tenet vias.

(10) Die Künste seines Scharfsinns übersteigen alle Hoffnung – Bald gehet er die Strasse des Lasters, dann wiederum der Tugend, und bewahret die Geseze seines Vaterlands, ein Patriot – aber kein Bürger mehr, wenn seines Frefelmuths wegen ihn nicht, was recht ist, reizet. Es komme nie zu meinem Heerde, es sey auch mein Freund nie, wer also lebt!

(Man sieht in einiger Entfernung die Antigone, die von der Wache herbeygeführt wird.)

Götter! welcher Anblick – Ich erstaune – Doch wie kann ich anderst, als den Augen trauen? – Es ist Antigone. – Ach, ärmste Tochter des ärmsten Vaters, Tochter des Oedipus! Warest du dem königlichen Befehl ungehorsam, und bringt man dich hieher, ergriffen über deiner, Thorheit?

Werkregister 225

JOHANN JACOB STEINBRÜCHEL

Übersetzung aus Sophokles' „Antigone"

(Vers 806–881)

Chor, Antigone, die Wache.

ANTIGONE.

Seht mich, ihr Bürger meines väterlichen Landes, diesen lezten Gang thun, und zum lezten male den Glanz der Sonne schaun, dann niemals wieder. Mich führt der Orcus, der Alles=verschlingende, lebendig zum Ufer des Acherons. Und mir flammte die Hochzeit=Fakel nie, und niemand sang mir ein Braut=Lied. Man vermählt mich dem Acheron!

CHOR.

Du steigest doch gepriesen und glorreich in diese Todes=Höle, von keiner Krankheit Schmerzen=voll abgezehrt, und unverwundet von dem Schlage des Schwertes. Zwangfrey wirst du lebendig, allein von allen Sterblichen, hinunter zum Orkus kommen.

ANTIGONE.

Ich hörte einst den Tod, den auf Sipylums erhabnem Wipfel, die fremde Phrygerin, des Tantals jammervolle Tochter, gestorben ist. Ein felsigter Keim umschloß sie, gleich schlankem Epheu. Und noch verläßt, wie das Gerücht sagt, von Regengüssen träufelnd sie doch der Schnee nie, und immer nezt ihr

---

(10) Antistrophe 2.

ewig=thränend Auge ihren Hals. In gleichen Schlummer wiegt auch mich die Gottheit.

CHOR.

Doch war sie von einem Gott erzeuget eine Göttin, und wir sind Menschen und Menschen=Kinder. Es wird also, wann du gestorben bist, erhaben klingen, daß eine Sterbliche im Leben noch, und dann im Tode ein mit Göttern gleiches Loos genossen.

ANTIGONE.

Ach wehe mir, man verlacht mich! – O bey den väterlichen Göttern, sprich, was höhnst du mich, noch ehe ich hin bin, noch weil ich lebe? – O Stadt, o Edle Thebens, o Quellen der Dirce, und du, o Opferhayn der Wagenreichen Thebe, seyd mir Zeugen, wie ich unbeweint von Freunden, durch ein barbarisches Geseze, das mich in diese frischgegrabne Gruft stürzt, wandern muß; ich Aermste, nicht bey Sterblichen, und nicht bey Todten, von Lebendigen getrennt und von Verstorbnen!

CHOR.

– Du überschrittest jeden Grad der Kühnheit, und stiessest allzustark wider den erhabnen Thron der Majestät. Dann büssest du auch die Schuld eines Vaters.

ANTIGONE.

Ach, du berührest die schmerzendsten von meinen Wunden, den tausendfachen Jammer meines Vaters, und das Unglük, das über uns alle, die Enkel des erlauchten Labdakus, verhängt ist. – O Furien des mütterlichen Ehebetts, in dem sich Sohn und Mutter, mein Vater, meine arme Mutter sich umarmten, und mir das Leben gaben, mir Elenden! Fluchbelastet, unvermählt gehe ich izt zu ihnen in den Orkus! Ach, durch deine Unglüksvolle Heyrath, (1) ziehst du, mein Bruder, auch todt mich noch lebendig in das Grab hinunter!

CHOR.

Einen todten Bruder ehren, ist Frömmigkeit. Doch soll die Majestät des Scepters heilig seyn. Dein unbiegsamer Troz war dein Verderben.

ANTIGONE.

Unbeweint, freundlos, meines Verlobten beraubt, werde ich nun fort, diesen bereiteten Weg geschleppt, ich Elende! Nicht mehr soll ich, ich Aermste, dieses heilige Auge der Sonne sehn; und mein Thränenwerthes Schiksal beseufzet kein Freund!

Werkregister 225

---

(1) Er hatte die Tochter des Adrastus, des Königs von Argos geheyrathet, der mit einer Armee ihn wieder auf den väterlichen Thron sezen wollen. Siehe die Phönicierinnen des Euripides.

CHRISTIAN TOBIAS DAMM

Übersetzung aus Homers „Odyssee" VII, 112–133

Aus dem Hofe tritt man in einen großen viereckigen Garten, um welchen von allen Seiten ein starkes Gehege gezogen ist. In demselben stehen hohe lustig-grünende Bäume, Birnen= und Granaten=und glänzende Frucht tragende Apfel=Bäume, und süße Feigen= und grünende Oel=Bäume. Sie verlieren nie alle ihre Frucht, es felet ihnen, das ganze Jar durch, weder zur Winters= noch Sommers=Zeit, daran: sondern ein sanft=wehender Zephyr machet immer, daß einige Früchte sich ansetzen, andre aber reifen: Birnen werden mürbe bey neuen annoch unreifen Birnen; und so auch Aepfel bey Aepfeln, Wein=Trauben bey Wein=Trauben, Feigen bey Feigen. Denn es ist in eben dem Garten auch ein Frucht=reicher Wein=Platz auf einer freien wolbearbeiteten Gegend bepflanzet: der eine Theil der Stöcke wird noch von der Sonne gekochet, am andern hält man schon Weinlese und keltert die Trauben; an einem andern hat man ganz unreife Trauben vor den Augen, andre blühen nur erst, andre fangen an ein wenig sich zu färben. An den Seiten des Garten sind wolgeschmückete Beete angeleget, die das ganze Jar hindurch voll mancherley Blumen blühen. Es entspringen daselbst auch zwey Quell=Bäche: der eine schlinget sich durch den ganzen Garten überall hin; der andere ergießet sein Wasser neben dem hohen Hause unter der Hof=Schwelle hinaus, und die Stadt=Leute holen daselbst ihr Wasser. So herrlich war der Pallast des Alkinoos von der Gottheit beschenket; und der viel ertragen habende vortrefliche Odysseus stund und betrachtete mit Bewunderung, so viel er von alle dem vor jetzo da sehen konnte[21].

Werkregister 70

---

[21] Denn der Dichter hat das meiste so beschrieben, wie es Ulyß nachher und bey Tage gesehen hat. Und das meiste davon mag auch wol nicht sehr übertrieben seyn: denn von manchen Inseln erzelen die alten Erd=Beschreiber eben eine solche reiche und anmuthige Fruchtbarkeit, das ganze Jar hindurch.

Johann Jacob Bodmer

Übersetzung aus Homers „Odyssee" VII, 112–133

An des palastes seiten herum erstreckt sich ein garten
Durch vier huben, mit grünendem strauch umgeben. Hier wachsen
Bäume von stattlicher höh, der granatapfel, der birnbaum;
Hier sind äpfel von allen arten, oliven und feigen;
Nimmer fehlt es an zeitigen früchten; sie kommen im winter
Wie im sommer, das jahr durch, von sanften zephyrs gewartet
Sprossen die einen mit knoten, indem die andern schon reifen;
Birnen wachsen an früheren birnen, und äpfel an äpfeln,
An der ältern traube die neue, die feigen an feigen.
Hier sind reihen von reben gepflanzt an offenen plänen,
Wo sie die sonn' erwärmt; man liest die schon von dem weinstock,
Oder man tritt in der kelter sie, da in mittelst die andern
Herb und unreif noch sind, und andre die blühte noch tragen.
An dem äussersten ende sind bethe von mancherley kräutern
Angeleget; von pflanzen, die jede jahrszeit durch grünen.
Von zwo quellen durchschlängelt eine den garten, die andre
Springt am palast aus röhren, und dient gemeinen und edeln.
Mit dem reichthume hatten den könig die Götter beschenket.

Werkregister 56

Johann Heinrich Voss

Übersetzung aus Homers „Odyssee" VII, 112–133

Außer dem Hofe liegt ein Garten, nahe der Pforte,
Eine Huf' ins Gevierte, mit ringsumzogener Mauer.
Alda streben die Bäume mit laubichtem Wipfel gen Himmel,
Voll balsamischer Birnen, Granaten und grüner Oliven,
Oder voll süßer Feigen, und röthlichgesprenkelter Aepfel.
Diese tragen beständig, und mangeln des lieblichen Obstes
Weder im Sommer noch Winter; vom linden Weste gefächelt,
Blühen die Knospen dort, hier zeitigen schwellende Früchte:
Birnen reifen auf Birnen, auf Aepfel röthen sich Aepfel,
Trauben auf Trauben erdunkeln, und Feigen schrumpfen auf Feigen.
Alda prangt auch ein Feld, von edlen Reben beschattet.
Einige Trauben dorren auf weiter Ebne des Gartens,

An der Sonne verbreitet, und andere schneidet der Winzer,
Andere keltert man schon. Hier stehen die Herling' in Reihen,
Dort entblühen sie erst, dort bräunen sich leise die Beeren.
An dem Ende des Gartens sind immerduftende Beete,
Voll balsamischer Kräuter und tausendfarbiger Blumen.
Auch zwo Quellen sind dort: die eine durchschlängelt den Garten;
Und die andere gießt sich unter die Schwelle des Hofes
An den hohen Palast, alwo die Bürger sie schöpfen.
Siehe so reichlich schmückten Alkinoos Wohnung die Götter.

Werkregister 244

FRIEDRICH GOTTLIEB KLOPSTOCK

Von der Nachahmung des griechischen Sylbenmasses im Deutschen.

Vielleicht wäre es am besten das Schicksal des neuen Sylbenmasses der Entscheidung der Welt so zu überlassen, daß man gar nicht darüber schriebe. Ich habe dieß bisher geglaubt, und ich würde meine Meinung auch nicht ändern, wenn es nicht Kenner gäbe, die zwar die Alten gelesen, aber sich nicht so genau um ihre Versarten bekümmert haben, daß sie die Nachahmung derselben entscheidend sollten beurtheilen können. Diese haben wirklich dem neuen Sylbenmasse schon so viel Gerechtigkeit wiederfahren lassen, daß sie verdienen, veranlaßt zu werden, es ganz beurtheilen zu können. Ich darf, ohne mir zu sehr zu schmeicheln, vermuten, daß einige so freundschaftlich gegen mich gesinnt seyn werden, lieber zu wollen, daß ich über diese Sache, die sie vielleicht eine Kleinigkeit nennen, nicht schreiben möchte. So verbunden ich ihnen für dieß Urtheil seyn müßte; so wenig halte ich auch die lezten Nebenzüge der schönen Wissenschaften für Kleinigkeiten, besonders, wenn es Kenner der höheren Schönheiten sind, für die man sie aufdeckt.

Bey der Untersuchung des neuen Sylbenmasses selbst kömmt es darauf an, daß man erweise: Wir können den Griechen und Römern in ihren Sylbenmassen so nahe nachahmen, daß diese Nachahmung, besonders grössern Werken, einen Vorzug gebe, den wir, durch unsre gewöhnliche Versarten, noch nicht haben erreichen können. Eine Nebenuntersuchung würde seyn, eben dieß von lyrischen Gedichten zu behaupten, denen wir zwar, durch einige unsrer Sylbenmasse, einen freyern Schwung, als den grossen Gedichten, gegeben haben; die aber, weil sie so vieler Schönheiten fähig sind, daß sie unmittelbar nach dem Trauerspiele ihren Platz nehmen dürfen, noch tonvoller und harmonischer zu seyn verdienen.

Homers Vers ist vielleicht der vollkommenste, der erfunden werden kann. Ich verstehe unter Homers Verse nicht Einen Hexameter allein, wiewohl ieder seine eigne Harmonie hat, die das Ohr unterhält, und füllt; ich meine damit das ganze Geheimniß des poetischen Perioden, wie er sich vor das stolze Urtheil eines griechischen Ohrs wagen durfte, den Strom, den Schwung, das Feuer dieses Perioden, dem noch dazu eine Sprache zu Hülfe kam, die mehr Musik, als Sprache, war. Homer blieb, auch in Betrachtung des Klangs, ein solcher Meister seiner Sprache, daß er die Griechen verführt zu haben scheint, ihre Verse mehr abzusingen, als herzusagen.

Sein Hexameter hat die angemessenste Länge, das Ohr ganz zu füllen; und er überläßt es den Alcäen, so die vollkommensten lyrischen Verse sind, es, aus andern Absichten, mit einem kürzern, fallenden Schlage zu erschüttern. Er hat den grossen, und der Harmonie wesentlichen Vorzug der Mannichfaltigkeit. Da er aus sechs verschiednen Stücken, oder Füssen, besteht; so kann er sich immer durch vier, bisweilen auch durch fünf Verändrungen, von dem vorhergehenden oder nachfolgenden Verse unterscheiden. Und da diese Füsse bald zwo bald drey Sylben haben; so entsteht daher eine neue Abwechslung.

Durch das, so ich bisher angeführt habe, und dann durch die glückliche Wahl der Sylbentöne, und ihrer Verhältnisse gegeneinander; und durch den abwechselnden Abschnitt des Verses, bey welchem der Leser bald längere bald kürzere Zeit innehalten muß, erreicht der homerische Vers eine Harmonie, die itzt fließt, dann strömt, hier sanft klingt, dort maiestätisch tönt. Denn dieß alles in dem höchsten Grade des Wohlklangs, und nach den feinsten Grundsätzen desselben, hervorzubringen, sind vorzüglich die griechische, und dann auch die römische Sprache am geschicktesten. Die Anzahl ihrer Buchstaben und Töne ist beynahe einander gleich, und iedes einzelne Wort hat daher schon viel Wohlklang, eh es noch durch die Stelle, die es in der Verbindung des Verses bekömmt, wenn ich so sagen darf, in den Strom der Harmonie einfließt, und dadurch seinen bestimmtesten und vollsten Wohlklang hören läßt.

Es kömmt uns itzt darauf an, zu untersuchen, wie nahe wir diesem grossen Originale kommen können? Der wesentliche Charakter unsrer Sprache, in Absicht auf ihren Klang, scheint mir zu seyn, daß sie voll und männlich klingt, und mit einer gewissen gesezten Stärke ausgesprochen seyn will. Wer ihr Schuld giebt, daß sie rauh klinge, der hat sie entweder niemals recht aussprechen gehört; oder er sagt es nur, weil es einige seiner Nation auch gesagt haben. Mit grösserm Rechte könnte man der französischen Sprache den Vorwurf machen, daß sie wenig volltönige Wörter habe, und noch weniger, wegen ihrer flüchtigen und fast übereilten Aussprache, periodisch zu werden fähig; der Italienischen, daß sie zu sehr von dem gesezten und vollen Accente ihrer Mutter ins Weiche und Wollüstige ausgeartet; und vielleicht der starken Sprache der Engländer, daß sie zu einsylbigt sey, und zu oft, statt zu fliessen, fortstosse, als daß sie die Fülle des griechischen Perioden so nahe, wie die deutsche, erreichen könne. Kennern des griechischen Wohlklangs glaube ich meine Vorstellung von dem Klange unsrer Sprache noch deutlicher zu machen, wenn ich sage, daß sie mit dem Dorischen des Pindar Aehnlichkeit habe, zugleich aber den Unterscheid voraus setze, der, zwischen dem Dorischen des Pindar, und der griechischen Schäferdichter, ist. Ohne mich in die Entscheidung einzulassen, welche von unsern Provinzen am besten deutsch rede? so kömmt es mir doch als wahr vor, daß ein Sachse das Hochdeutsche, oder die Sprache der Scribenten, und der guten Gesellschaften, mit leichterer Mühe rein und ganz aussprechen lernen kann, als einer aus den übrigen Provinzen. Und wie einer von diesen seine Sprache spricht, so rein, so volltönig, so ieden Ton und Buchstaben, den die richtige Rechtschreibung sezt, zwar ganz, aber doch nicht selten, bey der Häufung der Buchstaben, mit unübertriebner Leisigkeit: dieß ist die Regel der längern und kürzern Sylben, der Art ihrer Länge und Kürze, und also auch der Harmonie des Verses überhaupt. Ich muß gestehn, es giebt zweifelhafte Aufgaben bey dieser Regel; und wir wären glücklich, wenn wir Eine grosse Stadt in Deutschland hätten, die von der Nation, als Richterinn der rechten Aussprache, angenommen wäre. Aber wir dürfen hierauf wohl itzt nicht hoffen, da Berlin eifersüchtiger darauf zu seyn scheint, den zweiten Platz nach Paris, als den ersten in Deutschland, zu behaupten. Gleichwohl liebe ich meine Landsleute so sehr, daß ich von ihnen glaube, daß sie in den Städten, wo es nicht mehr unbekannt ist, daß Achtung und Sorge für einheimische schöne Wissenschaften eine von den vorzüglichsten Ehren einer Nation sind, sich bemühen werden, ihre Sprache recht auszusprechen; und, wofern sie sich auch hierinn noch einige Nachlässigkeit verzeihen wollten, doch, wenn sie öffentlich reden, oder gute Schriften in Gesellschaften vorlesen, sich selbst und ihren Skribenten die Ehre erweisen werden, daß sie ihre volltönige und mächtige Sprache richtig aussprechen.

Diese Aussprache vorausgesezt, ahmen wir dem homerischen Verse so nach. Wir haben Daktylen, wie die Griechen, und ob wir gleich wenige Spondäen haben; so verliert doch unser Hexameter dadurch, daß wir statt der Spondäen meistenteils Trochäen brauchen, so wenig, daß er vielmehr fliessender, durch die Trochäen, wird; weil in unsern Sylben überhaupt mehr Buchstaben sind, als bey den Griechen. Es ist wahr, die Griechen unterscheiden die Länge und Kürze ihrer Sylben nach einer viel feinern Regel, als wir. Wenn wir unsre Sprache nach ihrer Regel reden wollten, so hätten wir fast lauter lange Sylben. Dieses ist der Natur des Gehörs zuwider, welches eine ungefähr gleiche Abwechslung von langen und kurzen Sylben verlangt. Die Aussprache hat sich daher nach den Fordrungen des Ohrs gerichtet. Und dieses ist biegsam genung gewesen, sich an die Kürze eines Vocals zu gewöhnen, auf den zween oder auch wohl drey Buchstaben folgen; und es wird nur alsdann verdrießlich, wenn diese Buchstaben mit einer gewissen Ungelenkigkeit der Zunge ausgesprochen werden. Ob wir nun gleich auf der einen Seite, in Absicht auf die Feinheit des Wohlklangs verlieren; so gewinnen wir, in Betrachtung einer ganz neuen Mannichfaltigkeit, welche die Griechen nicht hatten, beynahe mehr, als uns, durch die genaue Feinheit, entgeht. Zum Beweise dessen wähle ich vorzüglich den Daktylus, weil er hinter der langen Sylbe zwo kurze hat. Da unsre kurze Sylbe auf zwo Arten, und bisweilen auch auf die dritte, kurz ist; der Griechen ihre hingegen nur auf Eine und selten auf Zwo Arten: so entstehn daher so verschiedne Daktylen, und zugleich soviel Mannichfaltigkeit mehr, daß diese in Einem Perioden die Harmonie schon ungemein erhöht, und denn einem ganzen Werke zu einem Vortheile gereicht, der nicht sorgfältig genung gebraucht werden kann. Dazu kömmt, daß uns die Verschiedenheit der Daktylen auch deßwegen angenehm seyn muß, weil sie in unsern Hexametern mehr, als in den griechischen vorkommen. Dieser in einigen Fällen nothwendige öftere Gebrauch der Daktylen, ist auch wohl die Ursach gewesen, warum einige Neuere den so genannten spondäischen Vers, der den Hexameter mit zween Spondäen, statt eines Daktyls und Spondäen, schließt, mit dem Homer öfters brauchen, ohne deßwegen etwas wider den Virgil zu haben, der die Ursach nicht hatte, und es daher nur selten that.

Wenn wir also unsern Hexameter, nach der Prosodie unsrer Sprache, und nach seinen übrigen Regeln, mit Richtigkeit ausarbeiten; wenn wir in der Aussuchung harmonischer Wörter sorgfältig sind; wenn wir ferner das Verhältniß, das ein Vers gegen den andern in dem Perioden bekömmt, verstehen; wenn wir endlich die Mannichfaltigkeit auf viele Arten von einander unterschiedner Perioden nicht nur kennen, sondern auch diese abwechselnde Perioden, nach Absichten, zu ordnen wissen: dann erst dürfen wir glauben, einen hohen Grad der poetischen Harmonie erreicht zu haben. Aber die Gedanken des Gedichts sind noch besonders; und der Wohlklang ist auch besonders. Sie haben noch kein anders Verhältniß unter einander, als daß die Seele zu eben der Zeit, durch die Empfindungen des Ohrs unterhalten wird, da sie der Gedanke des Dichters beschäftigt. Wenn die Harmonie der Verse dem Ohre, auf diese Weise gefällt, so haben wir zwar schon viel erreicht; aber noch nicht alles, was wir erreichen konnten. Es ist noch ein gewisser Wohlklang übrig, der mit den Gedanken verbunden ist, und der sie ausdrücken hilft. Es ist aber nichts schwerer zu bestimmen, als diese höchste Feinheit der Harmonie. Die Grammatici haben sie, ,,den lebendigen Ausdruck" genannt, und sie oft dann nur im Virgil oder Homer gefunden, wenn diese sie etwa übertrieben, und ihr also ihre eigentliche Schönheit, die vorzüglich in der Feinheit besteht, genommen; oder in andern Stellen nicht daran gedacht hatten, daß Scholiasten kommen, und ihnen hier eine Schönheit von dieser Art Schuld geben würden. Verschiedne Grade der Langsamkeit oder Geschwindigkeit; etwas von sanften oder heftigen Leidenschaften; einige feinere Minen von demienigen, was in einem Gedichte vorzüglich Handlung genannt zu werden verdient, können, durch den lebendigen Ausdruck, von ferne nachgeahmt werden. Wenn der Poet dieses thut; so braucht er, oder es glücken ihm vielmehr einige seiner zartesten Künste der Ausbildung, die ihm ebenso leicht mislingen können, so bald er zu sehr mit Vorsatz handelt, oder seine Einbildungskraft das enge Gebiet dieser Nebenzüge zu hitzig erweitert, und sich aus der Harmonie eines Gedichts in die Musik versteigt. Ich muß zwar zugestehn, daß es Fälle giebt, wo der lebendige Ausdruck dasjenige stark sagen muß, was er sagen will. Aber überhaupt sollte man die Regel fest setzen, sich demselben vielmehr zu nähern, als ihn zu erreichen. Und die Anwendung dieser Regel sollte man nur bei der Beurtheilung seiner Arbeit nöthig haben. Denn wenn diese Art Schönheit recht gelingen soll, so muß sie im Feuer der Ausarbeitung fast unvermerkt entstehn.

Auf eine Verbeßerung der Harmonie von einer ganz andern Art, und die nur den Vers an sich angeht, haben sich einige unter uns eingelassen, da sie eine Sylbe mehr vor den homerischen Hexameter sezten, um wie es scheint, durch einen jambischen Anfang das Ohr, wegen der Ungewöhnlichkeit des neuen Verses, schadlos zu halten. Aber sie haben zween nicht unwichtige Einwürfe wieder sich. Da der Hexameter ebenso lang ist, als ihn das Ohr verlangt, wenn es einen merklichen Absatz einer vollen Harmonie, und nicht mehr auf einmal fordert; so dehnen sie die Länge des Verses über die Gränzen der Natur aus. Weil sich aber diese Gränzen nur durch ein gewisses Urtheil des Ohrs bestimmen lassen; so kann ich mich, wegen seiner wahrscheinlichen Richtigkeit, nur auf die beständigen Muster der Griechen und Römer berufen, die doch sonst so abgeneigt nicht waren, neu zu seyn, und in ihren theatralischen Jamben oft so sehr von einander unterschieden sind, daß es eben daher so schwer wird, diese Versart genau zu bestimmen. Der zweite Einwurf ist, daß die, so die Sylbe noch hinzusetzen, nicht selten in Gefahr sind, zween Verse statt eines zu machen.

Noch eine andre Sorgfalt, dem neuen Verse eine gute Aufnahme zu verschaffen, war ein Einfall, der in dieser Absicht sehr glücklich war. Sobald man ihn aber zur Regel machen wollte, würde man ihn übertreiben. In einem lyrischen Gedichte wurden die Regeln des griechischen Sylbenmasses völlig nach der Prosodie der Alten beobachtet. Ohne die Schwierigkeit zu berühren, auch nur einige kleine Stücke in dieser Art zu verfertigen, scheint mir diese ganz gebundne Nachahmung, der Natur unsrer Sprache, ihres Hexameters, und seiner Harmonie, entgegen zu seyn. Man weiß, daß Ovidius schon hüpfend wurde, statt den majestätischen und eigentlichen Wohlklang Virgils zu übertreffen.

Weil ich mich über das, was ich bisher von dem alten und neuen Hexameter gesagt habe, nicht gern in Exempel ausbreiten mögte; so will ich nur eins anführen, die Kenner der Alten an den poetischen Perioden zu erinnern. Da zu wenige sind, die Homers Sprache bis auf ihr Sylbenmaß kennen, soll Virgil seine Stelle vertreten. Er sagt vom Salmoneus:

Quattuor hic invectus equis, & lampada quassans
Per Grajûm populos mediæque per Elidis vrbem
Ibat ovans, divûmque sibi poscebat honorem:
Demens! qui nimbos & non imitabile fulmen
Aer' & cornipedum cursu simularet equorum!
At pater omnipotens dens' inter nubila telum
Contorsit, (non Ille faces nec fumea tædis
Lumina!) præcipitemqu' immani turbin', adegit!

Da wir uns diesem feurigen Klange, dieser Fülle der Harmonie, durch Nachahmung nähern können; so begreife ich nicht, warum wir es, besonders in grössern Gedichten, die auch in jeder Nebenausbildung Anstand und Männlichkeit erfordern, nicht thun sollen. Unsre eingeführten langen Jamben, haben, ausser der beständigen Einförmigkeit, den nicht weniger wesentlichen Fehler, daß sie aus zween kleinen Versen bestehn, und daß ein gewisser Abschnitt dieses zu selten hindern kann. Dazu scheint ihnen ohne den Reim etwas wesentliches zu fehlen. Der zehnsylbigte Vers hat viel Vorzüge vor dem zwölfsylbigten. Er ist an sich selbst klingender, und über dieß kan man seinen Abschnitt verändern. Es ist der Vers der Engländer, der Italiener, und auch einiger Franzosen. Selbst Milton und Glover haben ihn gebraucht. Er scheint aber gleichwohl für die Epopee zu kurz, und dieß doch nicht so sehr in der englischen, als in der deutschen Sprache. Wem dieser Umstand zu unwichtig vorkömmt, eine Regel daraus zu machen, dem gestehe ich zu, daß der zehnsylbigte Jambe die Wahl eines epischen Dichters verdiente, wenn der Hexameter unnachahmbar wäre. Der Trochäe ist zu lang, zu schleppend, und in grössern Werken noch schwerer auszuhalten, als der zwölfsylbigte Jambe. Was soll also der Verfasser einer Epopee wählen? Wenn ich nicht ganz irre; so muß er entweder nicht in Versen schreiben, und sich seine Worte wie Demosthenes, oder Fenelon von derienigen Harmonie, welcher die Prosa fähig ist, zuzählen lassen; oder er muß sich zu dem Verse der Alten entschließen.

Aber vielleicht ist in lyrischen Werken diese Entschließung nicht so nothwendig? Und wir können, ohne die Sylbenmasse der alten Ode, Pindarisch oder Horazisch seyn? Ich gebe zu, daß unsre lyrischen Verse einer grössern Mannichfaltigkeit fähig sind, als die andern; daß wir einige glückliche Arten gefunden haben, wo, durch die Abwechslung der längern und kürzern Zeilen; durch die gute Stellung der Reime; und selbst manchmal durch die Verbindung zwoer Versarten in Einer Strophe, viel Klang in einige unsrer Oden gekommen ist. Aber daraus folgt nicht, daß sie die horazischen erreicht haben; daß es unsern Jamben oder Trochäen möglich sey, es der mächtigen alcäischen Strophe, ihrem Schwunge, ihrer Fülle, ihrem fallenden Schlage, gleich zu thun; mit den beiden choriambischen zu fliegen; mit der einen im beständigen schnellen Fluge; mit der andern mitten im Fluge, zu schweben, dann auf einmal den Flug wieder fortzusetzen; dem sanften Flusse der sapphischen, besonders wenn sie Sappho selbst gemacht hat, ähnlich zu werden; oder die feine Ründe derjenigen Oden im Horaz zu erreichen, die nicht in Strophen getheilt sind. Horaz ist ein solcher Meister in der lyrischen Harmonie, daß seine Versarten einige besondre Anmerkungen verdienen, um uns recht aufmerksam auf ihre Schönheit zu machen, eine Schönheit, die in seinen meisten Arten mit einer so glücklichen Sorgfalt erreicht ist, daß sie verführen könnte, einige Kleinigkeiten wider ein paar andre Arten bey ihm zu sagen, welche die feine Wahl der übrigen nicht ganz zeigen. Wenn Horaz am höchsten steigen will, so wählt er die Alcäen, ein Sylbenmaß, welches, selbst für den Schwung eines Psalms, noch tönend genung wäre. Er läuft da am oftesten mit dem Gedanken in die andre Strophe hinüber, weil es, so zu verfahren, dem Enthusiasmus des Ohrs und der Einbildungskraft gemäß ist; da ienes oft noch mehr als den poetischen Perioden, der nur in eine Strophe eingeschlossen ist, verlangt, und diese den Strom des schnellfortgesetzten Gedanken nicht selten fordert. Horaz wußte entweder den Einwurf nicht, daß, wegen des Singens, die Strophe und der Periode zugleich schliessen müßten, weil ihm die Sänger und die lyrische Musik seiner Zeit denselben nicht machten: oder er opferte die kleinere Regel der grössern auf. Die eine Choriambe, die aus vier Versen, und nur Einem ungleichen besteht, hat viel Feuer, sanfteres, und heftigeres, wie Horaz will, dazu eine ihr eigne lyrische Fülle. Aber sie dürfte wohl, wegen der Gleichheit ihrer drey ersten Zeilen, nur selten aus so vielen Strophen bestehen, als die Alcäische. Die zweite Choriambe, die der vorigen bis auf den dritten Vers gleicht, welcher sich, mit einem sanften Abfalle herunterläßt, würde denienigen Oden vorzüglich angemessen seyn, die sich von der hohen Ode etwas zu dem Liede herablassen. Die Stellung dieser dritten Zeile allein sollte uns schon abschrecken, neue Sylbenmasse zu machen. Sappho hat eine Ode erfunden, deren Harmonie, ob wir gleich nicht einmal zwey ganze Stücke von ihr haben, sie am besten getroffen hat. Die drey ersten Zeilen sind in dieser Strophe einander gleich, und wenn der gewöhnliche, an sich harmonische Abschnitt immer wiederhohlt wird, so verliert die Harmonie des Ganzen; ein kleines Versehn, das Horaz mehr begangen, als vermieden hat. Es ist zwar dieß desto leichter zu verzeihn, je verführender der Abschnitt an sich durch seinen Wohlklang ist, und je weniger man ihm in den ersten zwo Strophen die Eintönigkeit ansieht, die er schon in der dritten und vierten verursacht. In der Ode an Pettius besteht die Strophe nur aus drey Zeilen, da eine vierzeiligte einer viel vollern Harmonie und eben der Ründe fähig ist. Die zweite Zeile ist vielleicht zu kurz, oder schlösse doch besser die Strophe. Vielleicht wäre auch in der Ode an Melpomene, und in den andern von eben dem Sylbenmasse, der längere Vers glücklicher der erste, als daß er der zweite ist.

Wenn diese Fragmente einer Abhandlung (denn ich kan es keine Abhandlung nennen) einigen Lesern von Geschmack einen bestimmtern Begrif von dem Sylbenmasse der Alten gemacht haben sollten, als sie bisher davon gehabt haben; so wird es ihnen vielleicht nicht unangenehm seyn, wenn ich noch etwas von der Kunst, Gedichte zu lesen, hinzusetze. Es ist mit Recht der zweite Wunsch iedes Dichters, der für denkende Leser geschrieben hat, daß die diese Geschicklichkeit besitzen möchten; eine Geschicklichkeit, die Boileau, der sie besaß, für so wichtig hielt, daß er dem glücklichen Vorleser den zweiten Platz nach dem Dichter anwies. Zu unsern Zeiten, da man so sehr aufgehört hat, sich aus der guten Vorlesung ein Geschäft zu machen, ist es genung, dieß wenige davon zu sagen. Zuerst müßten wir die Biegsamkeit unsrer Stimme, und den Grad ihrer Fähigkeit, den Wendungen und dem Schwunge des Gedankens mit dem Tone zu folgen, durch leichte und scherzhafte Prosa, kennen lernen. Hierauf versuchten wir die poetische Erzählung, und das Lied. Ein Schritt, der schwerer ist, als er scheint. Dann gingen wir zu dem Lehrgedichte, oder dem Trauerspiele fort. Hier würden wir finden, daß auch die sorgfältigste Reinigkeit der Jamben den Fehler der Eintönigkeit nicht ersetzen konnte; und daß sogar Jamben von genauerer Ausarbeitung, durch die immer wiederkommende kurze und lange Sylbe unvermerkt verführt, von der eigentlichen Aussprache mehr abwichen, als selbst dieienigen Hexameter, die mit weniger Sorgfalt gearbeitet sind. Von den Jamben erhüben wir uns weiter zu den volleren Perioden der Redner. Wenn wir diese lesen könnten; so fingen wir mit dem Hexameter an. Wir brauchten hierbey seine prosodische Einrichtung eben nicht zu wissen: und da die Geschicklichkeit, die Redner zu lesen, vorausgesezt wird; so dürften wir nur mit der gesezten Männlichkeit, mit der vollen und ganzen Aussprache, und, wenn ich so sagen darf, mit dieser Reife der Stimme, den Hexameter lesen, mit der wir die Prosa lesen. Wollten wir die Prosodie des Hexameters noch dazu lernen; so würden wir dem gearbeiteten seine völlige Gerechtigkeit wiederfahren lassen; dem weniger sorgfältigen mehr Zierlichkeit geben; und des rauhen ganze Rauhigkeit aufdecken können. Wir würden auch durch diese Kenntniß bestimmter wissen, wie man den Vers zwar noch anders, als den besten prosaischen Perioden lesen: aber niemals in die schülerhafte Verstümmlung desselben verfallen müsse, durch welche die Stücke des Verses dem Hörer vorgezählt; und nicht vorgelesen werden. Zulezt könnten wir uns mit den lyrischen Stücken beschäftigen, die dem Alcäus, der Sappho, oder dem Horaz gefolgt sind. Sollten einige ihrer Strophen, den Perioden des Hexameters, wenn er in seiner ganzen Stärke ist, und im vollen Strome fortfließt, auch nicht in Betrachtung der Vollkommenheit der poetischen Harmonie überhaupt, gleich kommen; so sind wieder andre Strophen, die diesem nur sehr wenig nachgeben, und dann verschiedne, von einer Ründe, und von so zierlichen Feinheiten des Wohlklangs, daß man von der lyrischen Dichtkunst überhaupt sagen kann, daß sie am nächsten an die Musik gränze.

Werkregister 162

SALOMON GESSNER

An Gleim über die Ekloge

Zürich, den 29. Nov. 1754.

Ich kann mir's nicht länger versagen, an Sie zu schreiben. Ich habe es lange schon wagen wollen, aber ich wußte nichts, das mich dazu berechtigte. Wenn ich schon die Ehre gehabt habe, Sie ein Paar Stunden zu sehn; wenn nun jeder, der Sie hoch geschäzt, an Sie schreiben wollte? – Aber jetzt bin ich berechtigt, da Sie so gütig gewesen sind, Kleist einen Gruß an mich aufzutragen. – O ich küsse meinen Daphnis, weil er bei Ihnen einige Achtung für mich hat erwerben können. Es ist kein geringer Gewinn, denken zu dürfen, daß diejenigen, die wir am höchsten schätzen, nicht gleichgültig gegen uns sind. Ich muß Ihnen doch sagen, daß ich recht bang war, bis ich durch unsern liebsten Kleist. – (O wie glüklich! daß seine Werbung ihn bis zu uns hinausgeschleudert hat; ich hätte den Mann nie kennen gelernt, der jetzt mein liebster Freund ist.) – Verzeihen Sie diese Ausschweifung, ich bin entzükt, wenn ich an ihn denke. Aber ach! ich werd' ihn nicht wieder sehen! – Aber, was wollt' ich sagen? – Ja, bis Kleist mir Ihren Beifall schrieb, war mir bang, ungeachtet die hiesigen Kenner mich dreist genug machten Beyfall zu erwarten; denn Sie, mein Herr müssen absprechen, über Schriften, die durch Naivität gefallen sollen. Ihr Beifall hat mich fast stolz gemacht, aber nicht unbehutsam. O wie bald hat man sich wieder um den Beifall gesungen! Es war mir nicht umsonst bang. Sich an die Ekloge zu wagen, ist wenig; aber in dieser Art einen Roman zu schreiben, ist dreist. Er war neu, und das machte mich lüstern. Ich hielt mich indeß zu Keinem von den Kunstrichtern, die entweder dem Theokrit alles zur Schönheit, oder alles zu Fehlern anrechnen. Er ist göttlich, aber er hat für Leute von andern, vielleicht bessern Sitten gesungen; ich kann den Käse und die Nüsse im Gedicht auch nicht zu oft ausstehen. Es ist kein Fehler, aber wir empfinden etwas dabey, das bey so ganz veränderten Sitten nicht ausbleibt. Allein ich könnt' es auch nicht mit denen halten, die aus allzugrosser Gefälligkeit für ausschweifend zärtliche Leute, die Bilder und Gemälde aus dem wirklichen Landleben wegweisen, und die Schäferwelt nur zu einer poetischen machen wollen; denen eckelt, wenn ihnen in der Ekloge der Sinn an den Landmann, und seine Geschäfte kömmt. Das ist zu hart. In einem Lande, wo ein hochgräflicher Herr Graf, oder ein gnädiger Herr Baron den Landmann zum armen Sclaven macht, da mag letzterer kleiner und verächtlicher seyn, als bei uns, wo die Freiheit ihn zum besser denkenden braven Mann macht; und ich getraute mir, auf unsern Alpen Hirten zu finden, wie Theokrit zu seiner Zeit, denen man wenig nehmen und wenig leihen dürfte, um sie zur Ekloge zu bilden.

Ich suchte meine Regeln allein in Theokrit und Virgil, und las den Longus.

Oft begeisterten mich Anakreon, und Ihre Lieder, zuweilen auch Homer; und wenn es mir gelungen ist, meiner kleinen Piece die Mine des Alterthums zu geben, so bin ich recht froh. Aber, was schwatz' ich Ihnen vor, mein lieber Herr! Doch ich muß Sie jetzt noch etwas fragen: ist Ihre Uebersetzung des Anakreon noch nicht fertig? Werden Sie noch nichts von den moralisch anakreontischen Liedern herausgeben? Kleist hat mir gesagt, ich sollte Verleger seyn. Ich will dann kleine Kupfer dazu machen; ich will sie schmücken, wie die Amors an einem Festtage. Noch Eins: Sie haben etliche Lieder von mir erhalten; die meisten sollten anakreontisch seyn, das *sollten* sie; wenn Sie ein Paar davon der Errettung würdig halten, so haben Sie die Gütigkeit, es zu melden; denn Sie antworten mir doch gewiß, mir, der die Ehre hat, mit der grösten Hochachtung zu seyn, u. s. f.

Werkregister 97

CHRISTOPH MARTIN WIELAND

Gedanken über die Idille.

Die Muse hat zu allen Zeiten die ländlichen Scenen und das kunstlose freye und anmuthige Landleben geliebt. Vermuthlich hat eben diese glükliche Lebensart der ältesten Menschen der Poesie den Ursprung gegeben. Die schöne Natur mit allen ihren lieblichen Abwechslungen und die Freyheit, die uns in den ungestörten Genuß ihrer Gaben setzt, flößen dem Menschen eine Fröhlichkeit ein, die manchmal zu einem so hohen Grad steigt, daß sie seine ganze Seele begeistert, seine Einbildungskraft erhitzt, und alle seine Gliedmaaßen mit reger Munterkeit durchdringet. In diesem süßen Taumel angenehmer Empfindungen ergießt sich unsre Stimme von sich selbst in ungelehrte Töne, die unsre Freude ausdrüken und auch auf andre eine sympathetische Würkung thun. Dieses war ohne Zweifel der erste Ursprung des Gesangs, welcher dann bald auch die Dichtkunst hervorbrachte, die anfangs nur in kunstlosen Liedern bestand, worin die Menschen die Rührungen ausdrukten, welche die Natur, die Freyheit und die Liebe, die Quellen ihrer Glükseeligkeit, in ihnen hervorbrachten. Der Wetteifer mußte diese Erfindungen der Natur, schnell zu immer höhern Graden der Vollkommenheit forttreiben. Was anfangs regellose Versuche, oder vielmehr Würkungen des Instinkts waren, wurde nach und nach zur Kunst; man fieng an, über den Ausdruk der Empfindungen zu raffiniren, die Gemählde der schönen Gegenstände, wovon man gerührt war, besser auszubilden, den geheimern Schönheiten derselben nachzuspühren, und die Worte auf eine wohlklingende Art zusammen zu ordnen. Die aufgewekten Köpfe, welche die Natur mit dem poetischen Geist vorzüglich begabet hatte, übertrafen in kurzen die übrigen so weit, daß man sie für besondere göttlich begeisterte Leute hielt, denen es allein zukomme,

Lieder und Gedichte zu machen, welche an Festtagen und bey allerley freudigen Anläßen gesungen werden könnten. So entstanden die Sänger und Dichter in diesem einfältigen Zeitalter, und ihre Gesänge waren die wahren *ursprünglichen Idillen*, von denen nichts auf uns gekommen ist, entweder weil die Schreibkunst viel später erfunden worden, als die Sing= und Dichtkunst, oder weil die kriegerischen eisernen Zeiten, welche dieses goldne Weltalter verdrungen haben, auch diese anmuthigen Früchte desselben verderbet haben. Was wir *Idillen* heißen, sind blos Nachahmungen jener ursprünglichen Waldgesänge, welche die Natur selbst ihren Kindern eingab. *Theokrit* hat unter den Griechen diese nachgeahmten Idillen zu einer großen Vollkommenheit gebracht. Er fand in seinem Zeitalter noch viele Überbleibsel der nicht gefabelten goldnen Zeit; die Lebensart der Landleute war freyer, glüklicher und angesehener, als sie heut zu Tage ist. Er scheint deswegen seine reizenden Gemählde vielmehr aus der würklichen Natur, so wie er sie vor Augen hatte, als der Schäferwelt, oder dem goldnen Alter, welches seine eigne Phantasie hätte erschaffen müssen, hergenommen zu haben; und eben deswegen sind seine Hirten nicht so unschuldig und liebenswürdig, als sie seyn könnten. Dagegen konnte er, weil er nach einem Original zeichnete, das er vor sich hatte, eine Menge kleiner lebhafter Züge, und naiver Wendungen hineinbringen, die einem Dichter, der nur nach Phantasiebildern arbeitet, entwischen müssen. Es hat unter den Neuern italiänischen und französischen Dichtern viele gegeben, welche Gedichte unter dem Namen Idillen gemacht haben: aber entweder thun sie nichts weiter, als daß sie den Virgil copieren, der selbst größtentheils ein freyer Übersetzer des Theokrit ist, oder sie machen ihre Hirten zu spitzfündigen Stutzern und ihre Schäferinnen zu tiefsinnigen Meisterinnen in der platonischen Liebe, oder gar zu Dames du bel Air. Pope hat bey den Engländern in vier Idillen den Virgil nachgeahmt. Die deutsche Nation hat den ersten wahren und glüklichen Nachahmer des Theokrit aufzuweisen, der, ohne ihn auszuschreiben, oder in seine Fußstapfen ängstlich einzutreten, ihm darin gleichet, daß er die schöne Einfalt der Natur meisterlich geschildert hat. Es scheint, daß er den Theokrit, der sonst in nichts übertroffen werden konnte, darin übertroffen habe, daß er seine Hirten liebenswürdiger macht. Er, Geßner, ist ein eben so glüklicher Mahler der feinsten und naivsten Empfindungen, und zärtlichsten Affekte, als der sanften und lieblichen Scenen der Natur. Sein zarter Geschmak hat ihn eine Menge kleiner Schönheiten in derselben entdeken gemacht, die seinen Gemählden alle Reitze der Neuheit geben, auch wenn gleich die Gegenstände die alltäglichsten sind. Er ist würklich in die Schäferwelt, in das goldne Alter eingedrungen, und seine Idillen würden vielleicht ganz vollkommen seyn, wenn er die Scene derselben nach Mesopotamien oder Chaldäa versetzt, und anstatt der ungereimten Vielgötterey der Griechen, seinen Hirten die natürliche Religion, mit einigem unschuldigen Aberglauben vermischt, gegeben hätte.

Ein Idillendichter muß vielmehr durch die Natur und durch solche Muster als durch besondere Regeln gebildet werden. Er muß freylich die Natur dieser Art von Gedichte, so wie sie oben von uns angegeben worden, kennen; aber es wird ihm nichts helfen, wenn er schon weiß, daß Idillen Gemählde aus der unverdorbnen Natur sind, daß die Sitten und Empfindungen der Hirten von allem gereiniget seyn müssen, was bey policierten Völkern unter den Namen der Gebräuche, des Wohlstands, der Politesse und dergleichen, die freyen Würkungen der Natur hindert; daß sie von unsern schimärischen Gütern nur keine Ideen haben müssen; daß sie nichts davon wissen sich der zärtlichen Empfindungen zu schämen, wodurch der Schöpfer die Menschen unter einander aufs engeste zu verbinden gesucht hat; mit einem Wort, daß sich in ihren Empfindungen, Sitten, Gewohnheiten und in ihrer ganzen Lebensart die nakte Natur ohne alle Kunst, Verstellung, Zwang oder andre Verderbniß zeigen muß; wenn er schon alle diese Regeln weiß, so wird er doch unfähig bleiben, seine Vorgänger nur zu erreichen, geschweige dann zu übertreffen, wenn ihn nicht sein eigner ungekünstelter Charakter, und ein unverdorbner Geschmak und eine besondere Zärtlichkeit der Empfindungen die Anlage zu den Gemählden, die er schildern soll, in Sich selbst finden lassen.

Werkregister 249

JOHANN ARNOLD EBERT

Anakreon.
Übersetzung aus de la Nauzes „Abhandlungen"

Was den Anacreon anbetrifft, so haben wir von ihm 70 Oden, welche man ihrer Kürze und ihres Inhalts wegen für diejenigen Scolien ansehen muß, welche das Alterthum ihm zuschreibet. Er besinget darinn bald die Liebe, bald den Gott des Weins, und oft beyde zugleich. Wollen wir diese Stücke von Seiten der Schreibart betrachten, so finden wir in denselben eine solche Süßigkeit, und etwas so feines und zärtliches, als wir vielleicht sonst nirgends finden. Alles ist darinn schön und natürlich; jeder Gedanke ist eine Empfindung; jeder Ausdruck kömmt aus dem Herzen, und gehet wieder zum Herzen. Man findet da diese ungekünstelten Annehmlichkeiten, welche den Character des Liedes ausmachen, und dasselbe von allen andern Werken der Poesie unterscheiden. Man siehet da diejenigen lachenden Bilder, welche allemal gewiß gefallen, weil sie mit Geschmack und Urtheil aus der blossen Natur genommen sind. Hiezu war ohne Zweifel eine Melodie ausgesuchet, die sich zu den Worten schickte; und so mußte die jonische Mund-Art, die sehr annehmlich war, und die jonische Sing-Art, die alle andern an Zärtlichkeit übertraf, diese Lieder vollkommen angenehm machen. Will man sie aber von Seiten der Sitten ansehen, so zeiget uns alles eine ausschweifende Wollust, eine Freiheit, so wol im Witz, als im Herzen; und eine angenommene Ruhe und Sorglosigkeit, welche alles das, was wir Glück, Ehre, Tugend und Wolstand nennen, als lauter eitele und nichtswürdige Begriffe entfernet.

Werkregister 78

UNBEKANNTER VERFASSER

Vom Horaz und seinen Liedern.

Es ist eine gefährliche Sache aus den Schrifften eines Mannes seinen Carakter zu bestimmen. Manche Schrift lehrt uns Religion und Gottesfurcht, und ihr Verfasser ist, ohne Verdacht, ein Bösewicht. *Horaz* buhlt in seinen Liedern: und *Clodius* machte keine Lieder und verführte die Weiber in Rom. *Horaz* lebte nicht desto wollüstiger, je mehr er sang, sondern desto weniger wollüstig. Womit andre Menschen ihre Sinne beschäftigen und ausfüllen, damit gab er seiner Einbildungskraft zu thun. Weil er sich nichts geringeres vorgenommen hatte, als ein vollkommener Dichter zu seyn: so wehlte er sich die Lyrische Dichtungsart; denn hierinn ist es möglich ohne Fehler zu seyn. Heldengedichte und Trauerspiele nach seiner hohen Idee von der Schönheit zu verfertigen, dazu schien ihm sein Leben zu kurz. Er wolte zugleich oft gelesen seyn. Ein schönes Lied wiederhohlt man in zwey müßigen Augenblicken, ein langes Gedicht hält man für ein Tagewerk. Er ließ indessen seine tiefe Einsicht in die übrigen Dichtungsarten nicht verlohren gehn. Er schrieb den berühmten *Brief über die Dichtkunst*, welcher zugleich ein schöner Commentarius über seine Lieder ist. Hier macht er kein Geheimniß aus der mühsamen Verfertigung derselben, er macht vielmehr eine Regel für die Dichter daraus: *Nicht allein an Tapferkeit und in den Waffen, sondern auch in der Sprache wäre Latien so groß als Griechenland, wenn nicht einen jeden Dichter der Verzug und die mühsame Feile verdrössen. Ihr Söhne des Pompilius, tadelt nur dreist ein Gedicht, welches nicht alt geworden und oft durchstrichen, und, wenn es vollendet war, nicht zehenmahl aufs neue mit Geduld überarbeitet ist. O du erster unter deinen Brüdern, ob du gleich durch den väterlichen Mund gebildet wirst und selber dencken kanst, so höre dis Wort und verwahre es bey dir: Gewissen Dingen ist es vergönnt von mitteler Art und blos erträglich zu seyn. Ein mittelmäßiger Rechtsgelehrter und Fürsprecher im Gericht ist nicht so beredt als Messalla und weiß nicht so viel als Aulus Cassellius, aber er hat seinen Wehrt: dem mittelmäßigen Poeten verzeyht es kein Mensch, kein GOtt und kein Catheder, das ihn trägt. So wie uns bey einem angenehmen Schmause eine mißhellige Symphonie, alte Salben und Mohn mit Sardischem Honige mißfällt, weil das Gastmahl dieser Dinge entrathen konte: so auch ein Gedicht, erfunden zur Belustigung unseres Geistes, erreicht es nicht den Gipfel der Vollkommenheit, fällt in die Tiefe.* – *Hast du etwas geschrieben, so laß es vor die feinen Ohren des Metius und vor deines Vaters und auch vor die meinigen gelangen und unterdrücke es neun Jahre lang. Das Buch, das noch in deinen Händen ist, kanst du verbessern, ehe die Welt es sieht. Ein gesprochenes Wort kehrt nimmer zurück.* Dieser arbeitsame Dichter hat keine Zeit gehabt der Wollust nachzugehn, er hat den Genuß andern überlassen, und sein verliebtes Temperament mit Ideen gespeist. Oder wollen wir lieber, daß er seine Oden mit unendlichem Fleisse gemacht habe, um etwas von einer Person zu erhalten, die nicht im Stande gewesen ist sie zu verstehn? Der gute Geschmack eines Menschen breitet sich natürlicher Weise in sein ganzes Leben aus: Woher dieser schlechte Geschmack, sich mit einer Buhlerinn abzugeben, die keiner feinen Empfindungen fähig ist? *Horaz* war von Natur blöde und bescheiden. Er konnte bey seiner ersten Audientz mit dem vornehmen *Mäcenas* kaum ein Wort reden, und er wundert sich in einem Briefe an ihn, wie er ihm damals habe gefallen können? Woher hätte er doch die Dreistigkeit nehmen sollen, alle Liebesbegebenheiten zu erfahren, die er uns beschreibt.

Man wirft ihm auch sein Weintrincken vor. Als Dichter hat er den Wein nicht nöthig gehabt: hiezu gehört eine ganz andre Begeisterung, als die der Wein giebt. Kleine Witzlinge pflegen sich den Kopf damit so zu erwärmen, daß sie geschwinde einen Bogen voll Einfälle haben: aber ein Dichter der aus allen möglichen Vorstellungen seiner Sache und aus allen Arten sie auszudrücken, nach der besten sucht, darf nicht so übereilt und unordentlich denken. Es ist wahrscheinlich, daß er sein hohes Alter durch Ordnung und Mäßigkeit und die Vollkommenheit seiner Poesie durch Fleiß und Wachen erlangt habe. Laßt uns nicht vergessen, daß das Reich der Poesie die Wahrscheinlichkeit ist. *Horaz* scheint mitten unter trunckenen Freunden zu singen, und singt so schön, daß seit anderthalb tausend Jahren kein nüchterner so gesungen hat; er scheint eine Menge Buhlerinnen zu haben, und dieses sind seine eigenen Geschöpfe; er scheint von einem umgestürtzten Fichtenbaum oder von einem grausamen Wolfe verschont zu seyn, damit er mit dem Schutze der Musen prahlen könne.

Woher kommt es doch, daß man die grössesten Geister so gern einiger Laster beschuldigt? Vielleicht will man sie von ihrer Höhe näher zu sich herunter bringen oder vielleicht sind die Fehler nirgends sichtbarer als bey ihnen. Es könnte uns in der That gleichgültig seyn, ob *Horaz* als ein weiser Mann gelebt hat oder als ein unruhiger Hoffmann, voll verliebter Räncke und Abentheuer, wenn uns dieses nur wahrscheinlicher wäre, oder wenn unsre Zeiten nicht mehr dergleichen Leute hervorbrächten, die in ihren Schriften voller Liebes=Anschläge und in ihrem Leben sehr wohlgesittet und einförmig sind.

Horaz war ein Gelehrter vom ersten Range, erfahren in allen Wissenschaften seiner Zeit: er besaß aber einen viel zu guten Geschmack, als daß er diese

Gelehrsamkeit zur Unzeit in die Dichtkunst gebracht hätte. Sie diente dem Dichter dazu, keine Fehler zu begehn und durch ein einziges Wort seine tiefe Einsicht zu verrathen. Er war ein Philosoph, der sich zu den kleinen Eintheilungen nicht herunter ließ, welche man damals unter den Weltweisen gemacht hatte. Er war zu groß, ein Anhänger eines einzelnen Mannes zu seyn, er wehlte was bey einem jeden unter ihnen vernünftig war und überließ die Spitzfündigkeiten und die Sectirerey dem philosophischen Pöbel. Er behielt dabey, (und wie konnte es anders seyn?) er behielt dabey ein freundschaftliches Hertz. Eine schöne Anzahl grosser Geister besetzte seine Stunden und versüßte seine Einsamkeit und sein grössestes Geschäfte war diesen Freunden gefällig zu seyn. Man hält den *Horaz* für einen Staatsmann. Er war es so sehr als ein grosses Genie alles seyn kan, aber nicht alles gleich stark. Man weiß, wie hoch ihn *August* geschätzt hat, er wird aber vielleicht wenig Staatsgeschäfte mit ihm überlegt haben. Er wolte ihn zu seinem Secretär machen, aber nur allein witzige und freundschaftliche Briefe zu schreiben. Der Kayser war ehrgeitzig genug, zu wünschen, daß *Horaz* oft von ihm reden möchte, weil er sich in seinen Schriften die schönste Unsterblichkeit versprach.

Die Satyren hat er lange nicht so sorgfältig ausgearbeitet, als die Oden. Diese sind sein Meisterstück, hievon weiß er selbst daß sie Monumentum ære perennius sind. Wir wollen ohne lange Wahl einige davon übersetzen und zum wenigsten den Schwung der Gedancken deutlich machen, wenn wir auch die angemeßne Kürtze und den Klang des *Lyrischen* Verses nicht wieder herstellen können.

B. 1. Ode 22.

Wer untadelhaft lebt und rein von Lastern ist, bedarf den *Mauritanischen* Wurfspieß nicht, mein *Fuscus*, nicht Bogen, nicht Köcher mit giftigen Pfeilen beschwert: Ob er durch die brennenden Syrten gienge, oder über den unwirthbaren *Caucasus* oder in was für Oerter der fabelhafte *Hydaspes* die Urne geußt. Denn siehe, da ich im Sabynerhayn meine *Lalage* besinge und entladen von Sorge den Pfad verliehre, siehet mich ein Wolf unbewafnet und flieht. Ein grösser Ungeheuer nähret in seinen langen Wäldern das streitbare *Daunia* nicht, noch das Vaterland des *Juba*, der Löwen dürre Pflegerinn. Setze mich hin, wo kein Baum auf dem trägen Anger von Frühlingslüften erzogen wird, an die Seite der Welt, auf welcher ein ewiger Nebel und trauriger Himmel liegt: Setze mich unter das glühende Sonnenrad, wo alle Wohnungen den Sterblichen versagt sind: ich liebe *Lalagen*, sie, die holdseelig lächelt, sie, die holdseelig spricht.

B. 2. Ode 12.

Sage nicht, daß ich *Numantiens* langen Krieg und den grausamen *Hannibal* und *Siciliens* Meer mit *Punischem* Blute gefärbt in die zärtliche Zyther singen soll; oder die zornigen *Lapither* und den *Hyläus* vom Weine toll, und die durch *Alcidens* Hand gebändigten Söhne der Erde, die den glänzenden Pallästen des ewigen Vaters einen erschrecklichen Untergang droheten: Erzähle du vielmehr, *Mäcenas,* in der menschlichen Sprache *Cäsars* Schlachten und wie die grimmigen Könige gefesselt vor seinem Siegeswagen gehn. Mir befiehlt die Muse die süsse Stimme der *Lycimnia,* mir befiehlt sie die hellleuchtenden Augen zu besingen und das unbestechlich treue Hertz; und wie sie mit Anstand im Tantze die Füsse wirft, und wie sie schertzet und wie sie den zarten Jungfrauen die Hände reicht, wenn sie mit ihnen die heiligen Spiele *Dianens* begeht. Woltest du wol um alles was der reiche *Achämenes* besaß, oder um *Phrygiens* fruchtbare Flur eine Locke deiner *Lycimnia,* woltest du sie um ganz Arabien vertauschen, wenn sie dem feurigen Kusse den Nacken zuwendet und ihn schalkhafttrotzig versagt, weil ihn der Liebhaber rauben soll, bisweilen ihn dreist selber raubt?

B. 13. Ode 13.

Cäsar, der auf dem Wege des *Hercules* einen verhängnißvollen Lorbeer suchte, *Cäsar,* o Rom, kehrt von Hispaniens Küsten in deine Mauren zurück unüberwindlich. Eile, du Weib eines einzigen Ehegemals, ihm entgegen von deinen Dankaltären, und du, des Helden Schwester, und ihr, mit festlichen Schleyern umhüllt, ihr Mütter der Jungfrauen und der jüngst erretteten Jünglinge, o heiliget euch ihr Knaben und ihr Mädchen an einen Mann gewöhnt! Ja dieser mein Festtag soll jede Sorge weit von mir hinweg führen: Ich fürchte kein Getümmel der Waffen, ich fürchte keinen gewaltsamen Tod, so lange die Erde *Cäsars* ist. Geh, Knabe, schaffe Salben und Kräntze herbey und Wein vom *Marsischen* Aufruhr her, wofern noch ein Eimer dem räuberischen *Spartacus* entgangen ist. Sage auch der liederreichen *Neära,* daß sie eile, ihr braunes Haar in einen Knoten zu binden, wenn aber der störrische Thorhüter dich aufhält: so gehe zurück. Mein bleichgewordenes Haar hat alle Lust zur Rache und zum muthwilligen Kampfe gedämpft: Ich hätte es nicht gelitten in der Hitze der Jugend, als *Plancus* Bürgermeister war.

Werkregister 5

FRIEDRICH VON HAGEDORN

Die ein und dreyßigste Ode des Horaz
im ersten Buche.

Was mag der Wunsch des Dichters seyn,
Der den geweihten Phoebus bittet?
Um was ruft er ihn an, da er den neuen Wein
Aus seiner Opferschale schüttet?
Er wird den Reichthum voller Aehren
Nicht aus der feisten Flur Sardiniens begehren,

Auch nicht um den Besitz der schönen Herden flehn,
Die in Calabriens erhitzten Triften gehn.

Kein indisch Elfenbein noch Gold
Sind das, warum er Bitten waget,
Auch Felder nicht, um die der stumme Liris rollt,
Der sie mit stillem Wasser naget.
Der, dem ein günstig Glück bey Cales Wein gegeben,
Beschneid und keltre sich die ihm gegönnten Reben!
Die güldnen Kelche leer' ein reicher Handelsmann
Von Weinen, die sein Tausch in Syrien gewann!

Der Götter Liebling sey nur Er!
Daß drey= ja viermal alle Jahre
Er straffrey und verschont des Atlas breites Meer
Mit sichern Frachten überfahre!
Mir sind Cichorien, mir sind des Oelbaums Früchte
Und leichte Malven stets vergnügende Gerichte.
Gieb mir, Latonens Sohn, bis zu des Lebens Schluß,
Zum Gegenwärtigen Gesundheit und Genuß.

Nur etwas wünsch ich mir dabey,
Verweil ich länger auf der Erde:
Daß auch mein Alter noch ein Stand der Ehre sey
Und mir zu keinem Vorwurf werde.
Alsdann vermindre mir kein Kummer, kein Geschäfte,
Und keiner Krankheit Gift die mindern Seelenkräfte,
Und, wie der Dichter Kunst mir immer wohlgefiel;
So sey der Saiten Scherz auch meines Alters Spiel.

Quid dedicatum poscit Apollinem
Vates? quid orat, de paterâ novum
Fundens liquorem? non opimæ
Sardiniæ segetes feraces;

Non æstuosæ grata Calabriæ
Armenta; non aurum, aut ebur Indicum;
Non rura, quæ Liris quietâ
Mordet aquâ taciturnus amnis.

Premant Calenam falce, quibus dedit
Fortuna vitem: dives & aureis
Mercator exsiccet culullis
Vina Syrâ reparata merce,

Dîs carus ipsis; quippe ter et quater
Anno revisens æquor Atlanticum
Impunè, me pascunt olivæ,
Me cichorea, levesque malvæ.

Frui paratis & valido mihi,
Latoe, dones, &, pecor, integrâ
Cum mente; nec turpem senectam
Degere, nec citharâ carentem.

Werkregister 124

JOHANN PETER UZ,
JOHANN ZACHARIAS LEONHARD JUNCKHEIM,
HOFKAMMERRAT HIRSCH

Übersetzung von Horaz, carm. I, 31

An den Apoll.

Was bittet der Dichter vom geweyhten Apoll? Was verlangt er, indem er
neuen Wein aus der Opferschaale gießt? Nicht die fetten Fluren des fruchtbaren Sardiniens, nicht des heissen Calabriens schöne Heerden, nicht Gold,
noch Elfenbein aus Indien, nicht die Felder, woran mit ruhigem Wasser der
Liris naget, der schweigende Fluß. Mögen doch die, welchen es das Glück
vergönnet, ihre Calenischen Reben beschneiden; es mag aus goldenen Pokalen der reiche Kaufmann die Weine trincken, die er gegen syrische Waaren
eingetauscht hat, Er, den selbst die Götter lieben, der drey und viermal im
Jahre das atlantische Meer besucht, immer unbeschädigt! Ich begnüge mich
mit Oliven, mit Cichorien und leichten Malven. Gieb mir, Sohn der Latona,
daß ich, was ich habe, gesund geniesse, aber auch, das bitte ich, mit unge-
schwächtem Geiste, und daß mein Alter nicht verächtlich, noch ohne die
Cither sey!

Werkregister 242

CARL WILHELM RAMLER

Übersetzung von Horaz, carm. I, 31
An den Apollo.
Ein und dreißigste Ode des ersten Buchs.

$$v-v-v \quad -vv-v\underline{v}$$
$$v-v-v \quad -vv-v\underline{v}$$
$$v-v-v-v-v$$
$$-vv-vv-v-v$$

Was fleht bey deiner Weihe der Dichter dir?
Was heischt er, nun die Schale mit reinem Most
    Auf deinen Altar fleußt? – Nicht Aernten
        Fetter Sardoischer Weizenäcker;

Noch Heerden, wie das heiße Calabrien
Erzeugt; noch Gold und Indisches Helfenbein;
    Noch jene Fluren, die der leise
        Liris mit schmeichelnder Welle küsset.

Caleser Trauben keltere, wem das Glück
Sie gönnt. Es schlürfe Weine, für Spezerey
    Der Syrer eingetauscht, aus goldnen
        Opferpockalen ein reicher Kaufmann,

Ein Götterfreund, der dreymahl und ungestraft
Zum viertenmahle jährlich den Ocean
    Durchpflüget. – Meine Kost sind leichte
        Malven, Cichorien und Oliven.

Verleih mir, Sohn der Leto! bey Leibeskraft
Und bey gesunder Seele, zufriedenen
    Genuß der Nothdurft, und ein Alter,
        Mir nicht zur Schmach, und nicht ohne Laute.

Werkregister 191

KLAMER EBERHARD CARL SCHMIDT

Übersetzung von Horaz, carm. I, 31

An Apollo.

$$\begin{aligned}&\upsilon-\upsilon-\underline{\upsilon},-\upsilon\upsilon-\upsilon-\\&\underline{\upsilon}-\upsilon-\underline{\upsilon},-\upsilon\upsilon-\upsilon-\\&\quad\underline{\upsilon}-\upsilon-\underline{\upsilon}-\upsilon-\underline{\upsilon}\\&\quad-\upsilon\upsilon-\upsilon\upsilon-\upsilon-\underline{\upsilon}.\end{aligned}$$

Am neuen Weihfest, was, o Apoll! begehrt
Von dir dein Sänger? Hier wo des jungen Weins
    Der Schal' entströmt, was möcht' er wünschen? –
        Nicht des Sardiniers reiche Halmfrucht,

Auch Herden nicht, im heißen Calabria
Genährt; nicht Gold, nicht indisches Helfenbein,
    Noch Fluren, die, mit leiser Welle,
        Lyris, der ruhige Strom umnaget.

Mit Cales Hipp' arbeite, wem Rebenwuchs
Fortuna gab! Aus gold'nen Pokalen schwelg'
    Ein reicher Kaufherr Wein, den Umtausch
        Gegen sein syrisches Nardenlager:

Der Götter Liebling darf es ja wohl! Im Jahr
Dreymal und viermal steuert er, ungestraft,
    Durch Atlas Flut! Ich speis' Oliven,
        Ich nur Cichorien, leichte Malven.

Genuß der eignen Hab', o Latonens Sohn!
Verleihe mir, bey rüstiger Lebenskraft,
    Und reinem Geist, und daß nicht unfroh
        Schwinde mein Alter, noch ohne Lyra!

Werkregister 208

JOHANN CHRISTOPH GOTTSCHED

Vom Übersetzen

§. IV.

Wenn es sich nun ferner fragt: Wie man sich beym Uebersetzen zu verhalten habe: So müssen wir einige Hauptregeln dabey geben. I.) Wähle man sich nichts zum Uebersetzen, davon man entweder der Sache, oder doch der Sprache noch nicht gewachsen ist: Denn was man selbst noch nicht versteht, das wird man unmöglich in andern Sprachen recht auszudrücken vermögend seyn. II.) Bemühe man sich nicht so wohl alle Worte, als vielmehr den rechten Sinn, und die völlige Meynung eines jeden Satzes, den man übersetzet, wohl auszudrücken. Denn ob gleich die Wörter den Verstand bey sich führen, und ich die Gedanken des Scribenten daraus nehmen muß: So lassen sie sich doch nicht so genau in einer andern Sprache geben, daß man ihnen Fuß vor Fuß folgen könnte. Daher drücke man denn alles III.) mit solchen Redensarten aus, die in seiner Sprache nicht fremde klingen, sondern derselben eigenthümlich sind. Eine jede Mundart hat ihre eigene Ausdrückungen, die sich in keiner andern ganz genau geben lassen. Und da muß ein Redner allezeit was gleichgültiges an die Stelle zu setzen wissen, was eben den Nachdruck und eben die Schönheit hat, als die Redensart des Originals. Endlich behalte man IV.) so viel als möglich ist, alle Figuren, alle verblümte Reden, auch die Abtheilung der Perioden aus dem Originale bey. Denn weil diese sonderlich den Character des einen Scribenten von der Schreibart des andern unterscheiden: so muß man in der Uebersetzung noch einem jeden seine Art lassen, daran man ihn zu erkennen pflegt. Doch wollte ich es deswegen nicht rathen, auch alle weitläuftige Sätze eines Schriftstellers, die sich oft ohne die größte Verwirrung nicht in einem Satze deutsch geben lassen, in einem Stücke beysammen zu lassen; wie Gottschling im Anfange seiner Uebersetzung des ciceronischen Buches von den Pflichten gethan. Nein, hier kan sich ein Uebersetzer billig die Freyheit nehmen, einen verworrenen Satz in zwey, drey oder mehr Theile abzusondern: Wie Johann Adolph Hofmann in seiner Uebersetzung eben dieses Buches mit recht gethan hat.

§. V.

Um sich nun zu diesem allen desto geschickter zu machen: So nehme man die Uebersetzungen andrer Gelehrten zur Hand, und vergleiche dieselben mit ihrem Originale. Man gebe auf alles acht, was wir oben von einem guten Uebersetzer gefordert haben. Man bemerke den Nachdruck des Grundtextes, und sehe, ob der Dollmetscher ihn auch im Deutschen erreichet hat. Man untersuche die Schönheit und Anmuth der Ausdrückungen, und prüfe jeden Satz der Uebersetzung, ob er auch mehr oder weniger saget, als der Schriftsteller hat sagen wollen; ob er zu kurz oder zu weitläuftig, zu erhaben oder zu niedrig, zu matt oder zu lebhaft, zu dunkel oder zu deutlich gerathen ist; und ob er endlich im Deutschen eben den Wohlklang, und eben die Richtigkeit in der ganzen Wortfügung hat, die man mit recht von jedem Scribenten fordern kan. Durch solche Prüfungen lernt man gewiß nicht wenig. Man wird selbst viel aufmerksamer in seinen eigenen Arbeiten, und lernt viele Fehler vermeiden, die man sonst nicht einmal wahrgenommen, oder für Fehler angesehen hätte. Wir wollen dieses in einer Probe darzuthun einen Brief aus dem jüngern Plinius hieher setzen, und theils die Uebersetzung des seligen Professors Sartorius aus Danzig, theils diejenige dagegen halten, die in der ersten Auflage der Nachricht von der deutschen Gesellschaft, von dem Herrn Baron von Seckendorf angehänget ist. Es ist der IXte aus dem VII. Buche; darinn eben Plinius von der Nutzbarkeit des Uebersetzens gehandelt hat.

EPIST. IX. LIB. VII.

Quaeris, quemadmodum in secessu, quo iamdiu frueris, putem te studere oportere. Vtile inprimis, & multi praecipiunt, vel ex Graeco in Latinum, vel ex Latino vertere in Graecum: quo genere exercitationis proprietas splendorque verborum, copia figurarum, vis explicandi, praeterea imitatione optimorum similia inueniendi facultas paratur. Simul quae legentem fefellissent, transferentem fugere non possunt. Intelligentia ex hoc & judicium adquiritur. Nihil obfuerit, quae legeris hactenus, vt rem argumentumque teneas, quasi aemulum scribere, lectisque conferre, ac sedulo pensitare, quid tu, quid ille commodius? Magna gratulatio, si nonnulla tu; magnus pudor, si cuncta ille melius. Licebit interdum notissima eligere, & certare cum electis. Audax haec, non tamen improba, quia secreta, contentio: quanquam multos videmus eiusmodi certamina sibi cum multa laude sumsisse, quosque subsequi satis habebant, dum non desperant, antecessisse. Poteris &, quae dixeris, post obliuionem retractare, multa retinere, plura transire; alia interscribere, alia rescribere. Laboriosum istud & taedio plenum, sed difficultate ipsa fructuosum, recalescere ex integro, & resumere impetum fractum omissumque: postremo, noua velut membra peracto corpori intexere, nec tamen priora turbare. Scio nunc tibi esse praecipuum studium orandi; sed non ideo semper pugnacem hunc & quasi bellatorium stilum suaserim. Vt enim terrae variis mutatisque seminibus, ita ingenia nostra nunc hac, nunc illa meditatione recoluntur. Volo, interdum aliquem ex historia locum apprehendas: volo epistolam diligentius scribas, volo carmina. Nam saepe in orationes quoque non historicae modo, sed prope poëticae descriptionis necessitas, incidit; & pressus sermo purusque ex epistolis petitur. Fas est & carmine remitti [...]

Sartorius.	B. v. Seckendorf.
Die alte Uebersetzung.	Die neuere.
Er fragt mich, welchergestalt ihm	Sie ersuchen mich um mein Gut-
bey seiner schon lang genossenen	achten, wie sie in der Einsamkeit, de-

Bequemlichkeit auf dem Lande, seine Studien einzurichten einräthig wäre? Es ist eine vor andern nützliche, und von vielen angewiesene Sache, entweder aus dem Griechischen was ins Lateinische, oder aus dem Lateinischen ins Griechische zu übersetzen: als durch welche Uebung man die eigentliche Bedeutung und Pracht der Wörter in den Kopf kriegt, in verblümten Redensarten läufig wird, hinter die Kraft des eigentlichen Nachdrucks kömt, ja auch bey Abbildung stattlicher Schriften in netten Erfindungen auf gleiche Sprünge kan gebracht werden. Wozu noch dieser Vortheil kömt, daß, was man sonst im Lesen nicht so genau gemerkt hätte, im Uebersetzen unumgänglich gewahr wird. Dadurch bringt man sich eine fertige Wissenschaft und geschärftes Nachsinnen zuwege. Es dürfte nicht schaden, weñ er dasjenige, was er zu dem Ende gelesen, um die Sache nebst deren Innhalt sich desto besser bekañt zu machen, auch als ein Nachahmer schreiben, dem gelesenen entgegen halten, und genau bey sich selber überlegen möchte, was an seiner, was an jenes Seite besser gegeben. Hat er irgendwo die Sache näher getroffen, mag er sich darüber erfreuen: Im Gegentheil, so bey jenem alles netter gesetzt, kan ihm das eine Schamröthe abjagen. Unterweilen mag man bekañte Sachen auslesen, und dem auserlesenen in die Wette nachahmen. Welches ein zwar kühner, doch weil es nur bey uns verbleibt, gar nicht scheltbarer Wettkampf ist: Wiewohl wir viele vor Augen haben, die sich dergleichen

ren sie schon lange genießen, ihr Studiren angreifen müsten? Es ist überaus nützlich, wie viele davor halten, entweder was Griechisches ins Lateinische, oder was Lateinisches ins Griechische zu übersetzen. Durch dergleichen Uebung bringt man sich die eigene Bedeutung und Pracht der Wörter, eine Menge von Figuren, die Gabe der Deutlichkeit, ja über das durch die Nachahmung der besten Scribenten ein Vermögen zuwege, eben dergleichen zu erfinden. Ja was ein Leser übersieht, das kan dem Uebersetzer nicht entwischen. Hierdurch wird man geschickt, was einzusehen, und zu beurtheilen. Es kan auch nicht schaden, wenn man das, was man so gelesen hat, daß uns der Innhalt davon völlig bekannt ist, gleichsam mit dem Verfasser um die Wette beschreibet, mit dem gelesenen zusammen hält, und ernstlich überlegt, worinnen er, oder wir es besser getroffen. Da freut man sich, wenn man etwas; da schämt man sich, wenn er alles besser gemacht hat. Man kan sich bisweilen etwas gemeines erwählen, und dadurch eine auserlesene Stelle zu übertreffen suchen. Dieß ist ein kühnes, doch kein sträfliches Unternehmen, weil es nur insgeheim geschiehet. Wiewohl man sieht, daß viele dergleichen Wettstreit mit grossem Lobe unternommen, und da sie es unverzagt angegriffen, diejenigen übertroffen haben, denen sie vorhin nur zu folgen wünschten. Man kan auch vieles, was man gesetzt, wenn man es fast vergessen, wieder ausstreichen, und vieles davon behalten.

Es ist zwar was mühsames und

Wettstreite freywillig nicht sonder Ruhm unterfangen, und diejenigen, denen sie es auch nur gleich zu thun gnug hielten, da sie den Muth nicht sinken lassen, gar übertroffen. So kan er auch, dafern er etwas in seinen Reden vergessen, solches wieder verbessern, viele Sachen behalten, viel andre auslassen, nach Belieben etwas darzwischen setzen, oder gar ändern. Es ist zwar eine mühsame und verdrüßliche, doch auch durch ihre Schwerigkeit zuträgliche Sache, von neuen auf eine sinreiche Ausbildung zu fallen, und den einmal gelegten und unterlassenen Gemüthszug wiederum hervorzunehmen: Ja endlich dem gleichsam schon völlig abgedruckten Satz neue Stücke, sonder Zerrüttung der vorigen, mit einzurücken. Ich weiß, sein vornehmstes Studium sey itzt die Rednerkunst, doch wollte ihm nicht imer zu dieser streitenden und gleichsam hadersüchtigen Redensart rathen: Denn gleichwie die Erde durch mannigfaltigen Saamen, so wird auch unser Gemüthe bald durch diese, bald durch jene Betrachtung erweckt. Mein Rath wäre, er sollte bald ein Stück aus der Historie heraus ziehen, bald einen Brief aufsetzen, bald sich an ein Gedicht machen. Denn öfters trifft sich in denen Reden nicht nur eine Historie, sondern da fällt man zuweilen unumgänglich auf poetische Beschreibungen, und man muß einen reinen und eingezogenen Wörter=Satz aus Briefen herholen. Man kan sich auch einmahl mit einem Gedicht ergötzen [...]

verdrüßliches, doch ungeachtet aller Schwierigkeiten sehr nützlich, sich von neuem zu erhitzen, den vorigen und nachgelaßnen Eifer zu erwekken, und endlich gleichsam dem vorhin schon fertigen Körper neue Glieder einzusetzen, ohne die alten zu verrücken. Ich weis, daß sie sich sonderlich auf gerichtliche Reden legen; doch wollte ich ihnen deswegen diese zänkische und beißige Schreibart nicht immer rathen. Denn wie eines Ackers Fruchtbarkeit immer erneuert wird, wenn man mit allerley Saamen abwechselt; so werden auch unsre Köpfe bald durch diese, bald durch jene Art des Nachsinnens geübt. Ich wollte also, daß sie zuweilen eine gewisse Begebenheit beschrieben; ich wollte, daß sie mit Fleiß Briefe schrieben; ja ich wollte, daß sie Verse machten. Denn öfters müssen auch in Reden nicht nur historische, sondern fast poetische Beschreibungen vorkommen: Die kurze und natürliche Schreibart muß man aus Briefen lernen. Billig ists auch, sich bisweilen durch einen Vers zu ergetzen [...]

DANIEL SCHIEBELER

Pandore.

Ich will euch singen, was ich einst,
Ich weiß nicht wo, vernommen,
Wie alle Plagen auf der Welt
Aus einer Büchse kommen.

Prometheus war in Griechenland
Ein weitberühmter Töpfer.
Ach hätt ihm dieser Ruhm genügt!
Doch nein, er spielt den Schöpfer.

Ein Mädchen formte seine Hand
Vom allerfeinsten Thone,
Schön, wie die Göttinn, die da sitzt
Zu Paphos auf dem Throne.

Schön, wie nur immer ein Poet
Sich seine Phillis bildet,
Wenn über ihm die Phantasie
Das schwarze Dach vergüldet.

Prometheus bat den Jupiter,
Die Schöne zu beleben.
Allein ihm wollte Zeus das Glück,
Warum er bat, nicht geben.

Er wird voll Zorn, und rüstet sich
Mit Leiter und Laterne,
Klimmt, Licht zu holen, himmelan,
Und maus't es einem Sterne.

Kehrt glücklich mit dem kühnen
                            Raub
Nach seiner Wohnung wieder,
Und treibt dem Bilde, das er schuf,
Die Glut durch alle Glieder.

Sie lebt. Nichts kann Prometheus
                            Glück,
Nichts sein Vergnügen mehren.
Nun, ruft er, siehst du, Jupiter,
Man könne dein entbehren!

Dies hörte Zeus, von Grimm
                            entbrannt,
Und sann auf nichts als Rache,
Und stellt sich freundlich, daß er sie
Noch schreckenvoller mache.

Er kömmt, das Mädchen selbst zu
Mit seinem Götterchore.   [sehn,
Sie brachten ihr Geschenke mit,
Und nannten sie Pandore.

Ein schönes Buch gab Pallas ihr,
Und Venus eine Rose,
Saturnia das Hausgeräth,
Zeus eine güldne Dose.

Prometheus sah dies alles an,
Und merkte Jovens Tücke;
Kind, sprach er, diese Büchse droht
Verderben unserm Glücke.

Bey unsrer Liebe schwöre mir,
Sie unberührt zu lassen.
Sie schwur: Ich rühre sie nicht an,
Viel eh will ich erblassen.

Sie ließ drey ganze Tage lang
Die Dose ruhig stehen.
Am vierten aber fühlt sie Lust,
Sie näher zu besehen.

Die schöne Arbeit! wie das Gold
Von allen Seiten blitzet!
Dies bliebe, weils ein Mann gebeut,
Von ihr stets ungenützet?

Was wohl darinn verborgen liegt,
O möchte sie es wissen!
Sie nimmt sie auf, sie legt sie weg,
Und kann sich nicht entschliessen.

Doch endlich siegt der heisse Trieb!
Sie will, sie muß es wagen.
Sie ist allein; wer wird es denn
Dem Mann gleich wieder sagen?

Sie reißt den Deckel plötzlich ab,
Und ach! mit Donnerschlägen
Fährt aus dem schrecklichen Gefäß
Ihr tödtend Feur entgegen.

Und mit der Gluth, die sie verzehrt,
Verbreiten auf die Erde

Sich Hunger, Krankheit, Krieg und
Und jegliche Beschwerde.   [Tod,

Auch flog ein wilder Schwarm heraus
Von Lastern aller Arten:
Die Wollust und die Trunkenheit,
Die Würfel und die Karten.

Dies sind der schnöden Neubegier
Beklagenswerthe Früchte.
Ihr lieben Weiber, bessert euch
Aus dieser Mordgeschichte!

Werkregister 200

ALOIS BLUMAUER

aus   Virgils Aeneis, travestirt

Inhalt.

Wie der fromme Held Aeneas der Königinn Dido und ihrem Hofgesind die
Abentheuer seiner letzten Nacht in Troja und die Zerstörung dieser weltberühmten
Stadt gar rührend und umständlich erzählt.

Im rothdamastnen Armstuhl sprach
Aeneas nun mit Gähnen:
Infantinn!* laßt das Ding mir nach,
Es kostet mich nur Thränen.
Doch alles spitzte schon das Ohr:
Frau Dido warf die Nas' empor,
Und schien fast ungehalten.

Was wollt' er thun? Er mußte wohl
Den Schlaf vom Aug sich reiben:
Er nahm zwo Prisen Spaniol,
Sich's Nicken zu vertreiben:
Drauf räuspert' er sich dreymal, sann
Ein wenig nach, und legte dann
Sein Heldenmaul in Falten.

„Die Griechen hielten uns umschanzt
Zehn volle Jahr' und drüber:

Allein wo man Kartätschen pflanzt,
Da setzt es Nasenstieber.
Dieß schien den Griechen nun kein
                              Spaß,
Denn – unter uns – sie hielten was
Auf unversengte Nasen.

Mit langen Nasen wären sie
Auch sicher abgezogen,
Hätt' uns nicht Satanas durch sie
Zu guter Letzt betrogen:
Der gab der Brut ein Kniffchen ein,
Sie thaten's, schifften flugs sich ein,
Und schossen Retirade.

Auf einmal war's wie ausgekehrt
Im Lager: doch sie liessen
Zurück ein ungeheures Pferd
Mit Rädern an den Füssen.

---

* Infandum, Regina, Jubes renovare dolorem.   Æneid. L. II. v. 3.

Sankt Christoph selbst, so groß er
Hätt' ohne Ruptionsgefahr   [war,
Den Gaul euch nicht geritten.

Der Bauch des Rosses schreckte baß
Uns seiner Größe wegen;
Es war das Heidelberger Faß
Ein Fingerhut dagegen,
Und in dem Bauch – o Jemine!
Da lagen euch wie Häringe
Zehntausend Mann beysammen.

Doch um das rechte Konterfee
Von diesem Roß zu wissen,
So denkt, die Arche Noe steh
Vor euch – doch auf vier Füßen:
Gebt *à proportion* dem Thier
Noch Kopf und Schwanz, so sehet
Das Monstrum *in natura*.   [ihr

In Wien, heißt's, ist man kurios,
In Troja war's noch drüber!
Sie liefen hin zum Wunderroß,
Als hätten sie das Fieber.
Da gab's Dormeusen, Kapuchon,
Und Hüte *à la Washington*
Zu Tausenden zu sehen.

Man guckte sich die Augen matt,
Und hatte viel zu klaffen:
Allein wie's geht, der Pöbel hat
Nur Augen zum Begaffen,
Er sieht oft, wie Herr Wieland
spricht,
Den Wald vor lauter Bäumen nicht:
So gieng's auch den Trojanern.

Die Politiker thaten breit,
Und machten tausend Glossen,

Doch hatten alle meilenweit
Das Ziel vorbeygeschossen;
Zwar rief ein Kästenbraterweib:*
,,Das Roß hat Schurken in dem Leib!"
Doch die ward ausgepfiffen.

Und eh sich's nur ein Mensch versah,
Da war, uns zu belehren,
Ein Eremit aus Argos da,
Der bat, man möcht' ihn hören!
Doch macht' er's, wie die Redner all;
Denn er begann von Evens Fall,
Um auf das Pferd zu kommen.

,,Das Pferd, so schwur er, haben wir
Ex Voto machen lassen,
Und haben's Sankt Georgen hier
Zu Ehren hinterlassen:
Weh dem, der dran zum Sünder wird!
Es ist geweiht und angerührt
An Sankt Georgens Schimmel."

Und als noch hie und da ein Ohr
Unüberzeugt geblieben,
So wies er die Authentik vor.
Auf dieser stand geschrieben:
Wen unser Wort nicht überführt,
Der sey anathematisirt!
Denn wir sind infallibel.

Und als um unser Ohr herum
Zwo Fledermäuse schwirrten,**
Da war kein Mensch so blind und
dumm,
Den sie nicht überführten,
Und alles schrie: – Mirakulum!
Der Schimmel ist ein Heiligthum,
Laßt in die Stadt ihn bringen!

Werkregister 52

---

* Tunc etiam satis aperit Cassandra futuris
    Ora. – – – –   L. II. v. 246 seq.
** Ecce autem gemini – – –
    – – – immensis orbibus angues & c.   L. II. v. 203. seq.

JOHANN HEINRICH SCHULZE

aus   Anleitung zur älteren Münzwissenschaft

§. 1.

Die alte heidnische Religion lehrete sehr viele Götter, und verehrete ieglichen derselben auf eine besondere Art. Die eigentliche Anzahl derselben kann man ohnmöglich überhaupt bestimmen, indem die Griechen einige verehrten, welche bey den Römern nicht in eben dem Rang und Hochachtung stunden, und wiederum die Römer Gottheiten erkanten, die den Griechen ursprünglich unbekant waren. Die Ursach, warum die Römer vielerley Götter, und öfters einen unter mehreren Nahmen verehreten, war vornehmlich diese, weil Rom aus vielen kleinen Städten und Staaten almählich entstanden, und zu seiner Macht und Größe gediehen war; da man denn die überwundene und zu Bürgern angenommene Völker, iedes bey seinem hergebrachten Gottesdienst, nach väterlicher Weise lies, und so wenig von einem Religionszwange wissen wolte, daß man ein eigenes hohespriesterliches Collegium niedersetzte, welches darauf sehen muste, daß alle hergebrachte Religionsgebräuche, ja sogar die Hausgötzen einer ieden Familie insbesondere, im alten Stande bleiben musten. Und zwar blieben sie bey denselben gleichsam aus einem mit den Götzen der überwundenen Völker errichteten Pacto. Denn wenn sie einen Krieg mit einem Volke anfingen, oder die Belagerung einer Stadt unternahmen, war die erste Ceremonie diese, daß sie mit besonderen Solennitäten die Götter derselben Stadt oder des Landes heraus beriefen, und sie nach Rom zu kommen, einluden, alwo ihnen eben der Dienst, den sie daselbst gehabt hatten, publica fide versprochen wurde.

§. 2.

Damit nun dieser unendliche Mischmasch die Gemüther der Leute nicht trennete, und ewigen Zank erregete, so verhütete man sorgfältig, daß dem Volke von der Religion nichts durfte vorgetragen werden, als nur unter der Decke vieler Fabeln. Die Credenda waren also bey den Heiden gar sehr algemein, und hatten eine fast unumschränkte Freiheit: hingegen wurden sie an die Ceremonien des in die Augen fallenden äusserlichen Dienstes dergestalt gewöhnt, daß alles bis auf den kleinsten Punkt so bleiben muste, wie es von Alters hergebracht war. Wo sich ein Zweifel in Religionssachen hervorthat, durfte niemand anders einen Ausspruch thun, als das Collegium der Hohenpriester; die in wichtigen Fällen die Sache an den ganzen Rath gelangen liessen. Weil nun diese allein die Wissenschaft von Religionssachen hatten, und davon dem gemeinen Mann nichts mittheilten, so hält es schwer, eine volständige Nachricht von der heidnischen Theologie zu geben; und das allermeiste davon müssen wir aus christlichen Scribenten nehmen, die wider

das Heidenthum geschrieben, und desselben Absurditäten in aller ihrer Heß-
lichkeit aufgedeckt haben. Da nun etliche derselben in Rom, andere in Africa,
Spanien, Egypten und Asien geschrieben haben; und ieder berichtet, was ihm
in seinem Lande und Orte bekant geworden: so ist kein Wunder, daß auch
dieser ehrwürdigen Väter Zeugnisse nicht allemahl mit einander völlig übereinstimmen. Ja selbst der Heiden Zeugnisse, als *Varronis, Ciceronis, Macrobii*
und *Phurnuti* scheinen oft sehr wider einander zu streiten.

§. 3.

Bey dem allen kamen die Heiden leicht mit einander aus. Denn sie funden
doch immer eine Aehnlichkeit zwischen ihren Götzen, und konten die Gebräuche gar leichte unter einander verbinden. Um so viel grösser aber war der
Haß aller Heiden gegen die Juden und Christen, die nur einen einigen GOtt
erkanten und bekanten: daher sie von ihnen einmüthig als ἄσπονδοι oder
irreconciliabiles angesehen, und überall gleichmässig gehasset und verfolget
wurden.

§. 4.

Nach dieser allgemeinen Anmerkung machen wir den Anfang, von ieder
heidnischen Gottheit insbesondere zu handeln, und zwar nach der Ordnung,
die *Heinrich Kipping* in seinen Antiquitatibus romanis beliebet hat, bey welchem, was in die Alterthümer einschlägt, weiter nachgesehen werden kann.
Auch ist hiebey mit Nutzen zu gebrauchen *Lilii Gregorii Gyraldi* Historia
Deorum gentilium; und wenn einem mit der Kürze gedienet ist, P. *Francisci
Pomey* Pantheon mythicum seu fabulosa deorum Historia. Angezeigte
Schriftsteller, sonderlich die beiden ersten, haben ihre Nachrichten so wol aus
griechischen als römischen Scribenten geschöpfet, und führen den forschenden Leser bis auf die allerersten Quellen. Wer aber die genaueste Nachricht
hievon begehret, und recht auf den Grund gehen will, dem wird vor allen
andern zu rathen seyn, des Freyherrn von *Spanheim* Schriften fleissig zu
lesen; wohin vornehmlich in der Materie von der heidnischen Religion, sein
weitläufiger Commentarius über *Callimachi* Hymnos und etliche Comödien
Aristophanis gehöret; imgleichen, was er über den *Julianum* geschrieben hat.
Ich zweifele fast, daß in den nächsten hundert Jahren ein Mann wiederkommen werde, der eine so grosse Kentnis in dieser Art der alten Gelehrsamkeit
mit einer so weit von aller Pedanterey entferneten Bescheidenheit, der ganzen
Welt zur Bewunderung, wird darlegen können.

§. 5.

Die Römer haben die Zahl ihrer Götter niemals recht fest gesetzet. Unterdessen zehleten sie 20 deos selectos, *auserlesene* und besonders zu ehrende
Götter, die sie auch Deos *maiorum gentium* nannten. Unter diesen hiessen
die 12 ersten, *Consentes;* nehmlich, Iuno, Vesta, Minerua, Ceres, Diana,
Venus, Mars, Mercurius, Iupiter, Neptunus, Vulcanus, Apollo. Die letzten 8

hiessen *Populares:* Ianus, Saturnus, Genius, Sol, Orcus, Liber, Tellus, Luna. Nächst diesen hatten sie auch Deos *Indigetes* und *Semones,* welche Dii *minorum gentium* hiessen. Ausser diesen hatten sie noch Deos *peregrinos,* aus Phrygien, Egypten etc. und nach diesen allen folgen zuletzt noch Dii Deaeque, propter quos datur ascensus in coelum: dahin gehörten alle Tugenden und löbliche Eigenschaften. Andere machen andere Eintheilungen und Ordnungen. Weil aber die angeführte ganz bequem, und dem Sinne der Alten gemäs ist; wollen wir bey derselben bleiben, und eine iede von solchen vermeineten Gottheiten nach der Ordnung abhandeln.

Werkregister 218

JOHANN FRIDERICH CHRIST

Von Statuen

Mit Anmerkungen von Johann Karl Zeune

Die alten griechischen Werke sind der Natur überaus gemäß. Die Proportion ist allerdings richtig. Das Alter, der Wohlstand, auch alle Umstände sind auf das genaueste in Obacht genommen. Die Bewegungen davon sind eben so edel, als natürlich und ungezwungen.

Und über das alles haben sie eine mit Majestät vermischte Zärtlichkeit, Schönheit und Annehmlichkeit, die aus keiner andern Ursache hat entstehen können, als aus dem durchdringendem Verstande, und gründlichem Urtheile verschiedener Personen, welche sich damals auf dergleichen Künste legten, hernach aber durch die Nachahmung in gewisser Maaßen fortgepflanzet wurde.[1]

---

[1] Die Schönheit, die sich überhaupt an griechischen Figuren äussert, wovon besonders *Winkelmanns* Gesch. d. K. das vierte Kapitel im ersten Theile von der Kunst unter den Griechen, verdient nachgelesen zu werden, wird besonders an dem griechischen Gesichte oder Profil, sichtbar. Es ist solches, sagt Winkelmann, eine fast gerade oder sanft gesenkte Linie, welche die Stirn mit der Nase an jugendlichen, sonderlich weiblichen Köpfen, beschreibet. Die Natur bildet dasselbe weniger unter einem rauhen, als sanften Himmel, aber wo es sich findet, kann die Form des Gesichts schön seyn: denn durch das Gerade und Völlige wird die Grosheit gebildet, und durch sanft gesenkte Formen das Zärtliche. Daß in diesem Profile eine Ursache der Schönheit liege, beweiset dessen Gegentheil: denn je stärker der Einbug der Nase ist, je mehr weicht jenes ab von der schönern Form; und wenn sich an einem Gesichte, welches man von der Seite sieht, ein schlechtes Profil zeiget, kann man ersparen, sich nach demselben, etwas Schönes zu finden, umzusehen. So weit Winkelmann. Wir haben diese Worte auch mit dieserwegen angeführt, daß man sich nicht mit unserm Verfasser einbilden müsse, als wenn die Ursache von der Schönheit der griechischen Figuren blos in der Geschicklichkeit des Künstlers sey. Nein, die Natur bildete überhaupt unter dem griechischen Himmel feinere Gestalten, und der Künstler folgte blos der Natur, ohne zu Chimären seine

Die ausländischen alten Werke haben zwar die vorerzählten ersten Stücke
zum Theil, aber in geringem Grade. Die Bewegungen sind nicht allein einfältig, sondern auch schläfrig und unvollkommen daran. Die Aehnlichkeit und
Schönheit aber fehlet ihnen gemeiniglich.[1]

Werkregister 67

JOHANN JOACHIM WINCKELMANN

Das Kennzeichen der griechischen Meisterstücke

Das allgemeine vorzügliche Kennzeichen der griechischen Meisterstücke
ist endlich eine edle Einfalt, und eine stille Grösse, so wohl in der Stellung als
im Ausdrucke. So wie die Tiefe des Meers allezeit ruhig bleibt, die Oberfläche
mag noch so wüten, eben so zeiget der Ausdruck in den Figuren der Griechen
bey allen Leidenschaften eine grosse und gesetzte Seele.

Diese Seele schildert sich in dem Gesichte des Laocoons, und nicht in dem
Gesichte allein, bey dem heftigsten Leiden. Der Schmerz, welcher sich in
allen Muskeln und Sehnen des Körpers entdecket, und den man ganz allein,
ohne das Gesicht und andere Theile zu betrachten, an dem schmerzlich eingezogenen Unterleibe beynahe selbst zu empfinden glaubet; dieser Schmerz,
sage ich, äussert sich dennoch mit keiner Wuth in dem Gesichte und in der
ganzen Stellung. Er erhebet kein schreckliches Geschrey, wie Virgil von sei-

---

Zuflucht zu nehmen. Ueber dieses ist es bekannt genug, und von vielen bereits angemerkt worden, daß der griechische Künstler die übrigen Theile des Körpers und ihre
gehörige Verhältnis um desto eher nachahmen konnte, je mehrere Gelegenheit er hatte
nackende Personen unter verschiedenen Stellungen und Gestalten zu betrachten. Die
Gymnasia, sagt *Winkelmann*, und die Orte, wo sich die Jugend im Ringen und in
andern Spielen nackend übte, und wohin man gieng, die schöne Jugend zu sehen,
waren die Schulen, wo die Künstler die Schönheit des Gebäudes sahen, und durch die
tägliche Gelegenheit das schönste Nackende zu sehen, wurde ihre Einbildung erhitzt,
und die Schönheit der Formen wurde ihnen eigen und gegenwärtig. In Sparta übten
sich so gar junge Mädgen entkleidet, oder fast ganz entblößt, im Ringen. Es waren auch
den griechischen Künstlern, da sie sich mit Betrachtung des Schönen anfiengen zu
beschäftigen, die aus beyden Geschlechtern gleichsam vermischte Natur männlicher
Jugend bereits bekannt, welche die Wollust der asiatischen Völker in wohlgebildeten
Knaben, durch Benehmung der Saamengefäße hervorbrachte, um dadurch den schnellen Lauf der flüchtigen Jugend einzuhalten. Unter den jonischen Griechen in Kleinasien wurde die Schaffung solcher zweydeutigen Schönheiten ein heiliger und gottesdienstlicher Gebrauch in den verschnittenen Priestern der Zybele.

[1] Der Verfasser versteht hier vermuthlich den Stil der alten Aegyptier und Hetrurier.
Die Figuren der Aegyptier haben freylich die Annehmlichkeit nicht, die man an grie-
chischen Werken bewundert. Sieh. *Winkelmanns* Gesch. d. K. Seit. 39. u. f. Von den
hetrurischen Statuen kann man nicht genug urtheilen, weil man von ihnen, außer einer
Menge von kleinen Figuren und Gefäßen, sehr wenige noch antrift. Sieh. *Winkelmann*,
Seit. 125.

nem Laocoon singet: Die Oeffnung des Mundes gestattet es nicht; es ist vielmehr ein ängstliches und beklemmtes Seufzen, wie es Sadolet beschreibet. Der Schmerz des Körpers und die Grösse der Seele sind durch den ganzen Bau der Figur mit gleicher Stärke ausgetheilet, und gleichsam abgewogen. Laocoon leidet, aber er leidet wie des Sophocles Philoctetes: sein Elend gehet uns bis an die Seele; aber wir wünschten, wie dieser grosse Mann, das Elend ertragen zu können.

Der Ausdruck einer so grossen Seele gehet weit über die Bildung der schönen Natur: Der Künstler mußte die Stärke des Geistes in sich selbst fühlen, welche er seinem Marmor einprägete. Griechenland hatte Künstler und Weltweisen in einer Person, und mehr als einen Metrodor. Die Weisheit reichte der Kunst die Hand, und bließ den Figuren derselben mehr als gemeine Seelen ein.

Unter einem Gewande, welches der Künstler dem Laocoon als einem Priester hätte geben sollen, würde uns sein Schmerz nur halb so sinnlich gewesen seyn. Bernini hat so gar den Anfang der Würkung des Gifts der Schlange in dem einen Schenkel des Laocoons an der Erstarrung desselben entdecken wollen.

Alle Handlungen und Stellungen der griechischen Figuren, die mit diesem Character der Weisheit nicht bezeichnet, sondern gar zu feurig und zu wild waren, verfielen in einen Fehler, den die alten Künstler *Parenthyrsis* nannten.

Je ruhiger der Stand des Körpers ist, desto geschickter ist er, den wahren Character der Seele zu schildern: in allen Stellungen, die von dem Stande der Ruhe zu sehr abweichen, befindet sich die Seele nicht in dem Zustande, der ihr der eigentlichste ist, sondern in einem gewaltsamen und erzwungenen Zustande. Kentlicher und bezeichnender wird die Seele in heftigen Leidenschaften; groß aber und edel ist sie in dem Stande der Einheit, in dem Stande der Ruhe. Im Laocoon würde der Schmerz, allein gebildet, Parenthyrsis gewesen seyn; der Künstler gab ihm daher, um das Bezeichnende und das Edle der Seele in eins zu vereinigen, eine Action, die dem Stande der Ruhe in solchem Schmerze der nächste war. Aber in dieser Ruhe muß die Seele durch Züge, die ihr und keiner andern Seele eigen sind, bezeichnet werden, um sie ruhig, aber zugleich wirksam, stille, aber nicht gleichgültig oder schläfrig zu bilden.

Das wahre Gegentheil, und das diesem entgegen stehende äuserste Ende ist der gemeinste Geschmack der heutigen, sonderlich angehenden Künstler. Ihren Beyfall verdienet nichts, als worinn ungewöhnliche Stellungen und Handlungen, die ein freches Feuer begleitet, herrschen, welches sie mit Geist, mit Franchezza, wie sie reden, ausgeführet heissen. Der Liebling ihrer Begriffe ist der Contrapost, der bey ihnen der Inbegriff aller selbst gebildeten Eigenschafften eines vollkommenen Werks der Kunst ist. Sie verlangen eine Seele in ihren Figuren, die wie ein Comet aus ihrem Creyse weicht; sie wünschten in jeder Figur einen Ajax und einen Capaneus zu sehen.

Die schönen Künste haben ihre Jugend so wohl, wie die Menschen, und der Anfang dieser Künste scheinet wie der Anfang bey Künstlern gewesen zu seyn, wo nur das Hochtrabende, das Erstaunende gefällt. Solche Gestalt hatte die tragische Muse des Aeschylus, und sein Agamemnon ist zum Theil durch Hyperbolen viel dunkler geworden, als alles, was Heraklit geschrieben. Vielleicht haben die ersten griechischen Maler nicht anders gezeichnet, als ihr erster guter Tragicus gedichtet hat.

Das Heftige, das Flüchtige gehet in allen menschlichen Handlungen voran; das Gesetzte, das Gründliche folget zuletzt. Dieses letztere aber gebrauchet Zeit, es zu bewundern; es ist nur grossen Meistern eigen: heftige Leidenschaften sind ein Vortheil auch für ihre Schüler.

Die Weisen in der Kunst wissen, wie schwer dieses scheinbare nachahmliche ist

ut sibi quivis
Speret idem, sudet multum frustraque laboret
Ausus idem. *Hor.*

La Fage, der grosse Zeichner hat den Geschmack der Alten nicht erreichen können. Alles ist in Bewegung in seinen Werken, und man wird in der Betrachtung derselben getheilet und zerstreuet, wie in einer Gesellschaft, wo alle Personen zugleich reden wollen.

Die edle Einfalt und stille Grösse der griechischen Statuen ist zugleich das wahre Kennzeichen der griechischen Schriften aus den besten Zeiten, der Schriften aus Socrates Schule; und diese Eigenschaften sind es, welche die vorzügliche Grösse eines Raphaels machen, zu welcher er durch die Nachahmung der Alten gelanget ist.

Eine so schöne Seele, wie die seinige war, in einem so schönen Körper wurde erfordert, den wahren Character der Alten in neueren Zeiten zuerst zu empfinden und zu entdecken, und was sein größtes Glück war, schon in einem Alter, in welchem gemeine und halbgeformte Seelen über die wahre Grösse ohne Empfindung bleiben.

Mit einem Auge, welches diese Schönheiten empfinden gelernet, mit diesem wahren Geschmacke des Alterthums muß man sich seinen Werken nähern. Alsdenn wird uns die Ruhe und Stille der Hauptfiguren in Raphaels Attila, welche vielen leblos scheinen, sehr bedeutend und erhaben seyn. Der römische Bischof, der das Vorhaben des Königs der Hunnen, auf Rom loßzugehen, abwendet, erscheinet nicht mit Geberden und Bewegungen eines Redners, sondern als ein ehrwürdiger Mann, der blos durch seine Gegenwart einen Aufruhr stillet; wie derjenige, den uns Virgil beschreibet,

Tum pietate grauem ac meritis si forte virum quem
Conspexere, silent arrectisque auribus adstant.
Aen. I.

mit einem Gesichte voll göttlicher Zuversicht vor den Augen des Wüterichs.

Die beyden Apostel schweben nicht wie Würgeengel in den Wolken, sondern wenn es erlaubt ist, das Heilige mit dem Unheiligen zu vergleichen, wie Homers Jupiter, der durch das Winken seiner Augenlieder den Olympus erschüttern macht.

Werkregister 253

JOHANN JOACHIM WINCKELMANN

Grabungsbericht

Lassen Sie uns nach wiederhergestelltem Frieden unsere antiquarische Zeitung wieder vornehmen. Ich gab Ihnen von meinem ländlichen Aufenthalte zu Ostia in Gesellschaft des Cardinal=Decanus *Spinelli*, Nachricht; daselbst entdeckte ich in einem Weinberge ein in zwey Stücke zerbrochenes Bassorilievo, das halb wieder mit Erde bedeckt war, 9 Palmen lang, 5½ breit, und einen Palm dick. Dieses stellet einen Gegenstand vor, der einzig in seiner Art ist; nämlich die Erkennung der Geburt des *Theseus* in 8 Figuren. Ich darf Ihnen die ganze Fabel nicht erst weitläuftig erzählen, sondern nur kurz berühren. Der Vater des Helden schwängerte auf seiner Reise die *Aethra*, Tochter des Königs zu Troezene; da er aber wieder nach Athen zurück mußte, führte er die *Aethra* an einen großen Stein, unter den er seine Schuhe nebst seinem Schwerte verbarg, mit dem Befehl, daß sie wenn sie einen Sohn zur Welt brächte, und dieser zu verständigen Jahren gelangt wäre, ihn diesen Stein aufheben lassen, und mit den darunter verwahrten Sachen nach Athen schicken sollte, weil er ihn an diesen Kennzeichen für seinen Sohn erkennen würde. Ich machte sogleich eine Zeichnung davon, und schickte sie nach Rom an meinen erhabenen Gönner, für den ich solche nachher, nebst noch einem andern Bassorilievo, einen Triumph vorstellend, von dem Cardinal=Decanus zum Geschenk erhielt. *Theseus* also, in heroischer Gestalt, hebt den Stein auf, seine Mutter stehet dabey, und die andern Figuren sind blos angebracht, um das Ganze vollkommen zu machen. Es fehlte nicht viel, daß meine Neugier mir nicht beynahe das Leben gekostet hätte. Ich begab mich mit bloßen Füßen in eine Grotte voll Wasser, um ihre Konstrukzion genau zu untersuchen; da mir das Wasser bis an die Knie reichte, ging ich wieder hinaus und zog mich ganz aus. Ich begab mich noch einmal an meine Untersuchung, als ich aber in einen engen Gang gerieth, wo das Wasser höher war, als ich selbst, so löschte die Fackel im Wasser aus, und nur mit vieler Mühe konnte mir der ausserhalb der Grotte stehende Bediente wieder heraushelfen.

Werkregister 255

JOHANN JOACHIM WINCKELMANN

Über Schönheit

Die Bildung der Schönheit ist entweder *Individuel*, das ist, auf das einzelne gerichtet, oder sie ist eine Wahl schöner Theile aus vielen einzelnen, und Verbindung in eins, welche wir *Idealisch* nennen. Die Bildung der Schönheit hat angefangen mit dem einzelnen Schönen, in Nachahmung eines schönen Vorwurfs, auch in Vorstellung der Götter, und es wurden auch noch in dem Flore der Kunst Göttinnen nach dem Ebenbilde schöner Weiber, so gar die ihre Gunst gemein und feil hatten, gemacht. Die Gymnasia und die Orte, wo sich die Jugend im Ringen und in andern Spielen nackend übte, und wohin man gieng,[1] die schöne Jugend zu sehen, waren die Schulen, wo die Künstler die Schönheit des Gebäudes sahen, und durch die tägliche Gelegenheit das schönste Nackende zu sehen, wurde ihre Einbildung erhitzt, und die Schönheit der Formen wurde ihnen eigen und gegenwärtig. In Sparta übeten sich sogar junge Mädgen entkleidet,[2] oder fast ganz entblößt,[3] im Ringen. Es waren auch den Griechischen Künstlern, da sie sich mit Betrachtung des Schönen anfiengen zu beschäftigen, die aus beyden Geschlechtern gleichsam vermischte Natur Männlicher Jugend bereits bekannt, welche die Wollust der Asiatischen Völker in wohlgebildeten Knaben, durch Benehmung der Saamengefäße hervorbrachte, um dadurch den schnellen Lauf der flüchtigen Jugend einzuhalten. Unter den Ionischen Griechen in Klein=Asien wurde die Schaffung solcher zweydeutigen Schönheiten ein heiliger und Gottesdienstlicher Gebrauch in den verschnittenen Priestern der Cybele.

In der schönen Jugend fanden die Künstler die Ursache der Schönheit in der Einheit, in der Mannigfaltigkeit, und in der Uebereinstimmung. Denn die Formen eines schönen Körpers sind durch Linien bestimmt, welche beständig ihren Mittelpunct verändern, und fortgeführt niemals einen Cirkel beschreiben, folglich einfacher, aber auch mannigfaltiger, als ein Cirkel, welcher, so groß und so klein derselbe immer ist, eben den Mittelpunct hat, und andere in sich schließet, oder eingeschlossen wird. Diese Mannigfaltigkeit wurde von den Griechen in Werken von aller Art[4] gesuchet, und dieses Systema ihrer Einsicht zeiget sich auch in der Form ihrer Gefäße und Vasen, deren svelter und zierlicher Contur nach eben der Regel, das ist, durch eine Linie gezogen ist, die durch mehr Cirkel muß gefunden werden: denn diese Werke haben alle eine Elliptische Figur, und hierinn bestehet die Schönheit derselben. Je mehr Einheit aber in der Verbindung der Formen, und in der

---

[1] Aristoph. Pac. v. 761.
[2] Aristoph. Lysistr. v. 82. Polluc. Onom. L. 4. Sect. 102.
[3] Eurip. Androm. v. 598.
[4] Nicomach. Geras. Arithm. L. 2. p. 28.

Ausfließung einer aus der andern ist, desto größer ist das Schöne des Ganzen. Ein schönes jugendliches Gewächs aus solchen Formen gebildet ist, wie die Einheit der Fläche des Meers, welche in einiger Weite eben und stille, wie ein Spiegel, erscheinet, ob es gleich allezeit in Bewegung ist, und Wogen wälzet.

Da aber in dieser großen Einheit der jugendlichen Formen die Gränzen derselben unmerklich eine in die andere fließen, und von vielen der eigentliche Punct der Höhe, und die Linie, welche dieselbe umschreibet, nicht genau kann bestimmet werden, so ist aus diesem Grunde die Zeichnung eines jugendlichen Körpers, in welchem alles ist und seyn, und nicht erscheinet und erscheinen soll, schwerer, als einer Männlichen oder betagten Figur, weil in jener die Natur die Ausführung ihrer Bildung geendiget, folglich bestimmet hat, in dieser aber anfängt, ihr Gebäude wiederum aufzulösen, und also in beyden die Verbindung der Theile deutlicher vor Augen lieget. Es ist auch kein so großer Fehler, in stark musculirten Körpern aus dem Umrisse heraus zu gehen oder die Andeutung der Muskeln und anderer Theile zu verstärken, oder zu übertreiben, als es die geringste Abweichung in einem jugendlichen Gewächse ist, wo auch der geringste Schatten, wie man zu reden pfleget, zum Körper wird; und wer nur im geringsten vor der Scheibe vorbey schießt, ist eben so gut, als wenn er nicht hinan getroffen hätte.

Diese Betrachtung kann unser Urtheil richtig und gründlich machen, und die Ungelehrten, welche nur insgemein in einer Figur, wo alle Muskeln und Knochen angedeutet sind, die Kunst mehr, als in der Einfalt der Jugend, bewundern, besser unterrichten. Einen augenscheinlichen Beweis von dem, was ich sage, kann man in geschnittenen Steinen und deren Abdrücken geben, in welchen sich zeiget, daß alte Köpfe viel genauer und besser, als junge schöne Köpfe, von neuern Künstlern nachgemacht sind: ein Kenner könnte vielleicht bey dem ersten Bilde anstehen, über das Alterthum eines betagten Kopfs in geschnittenen Steinen zu urtheilen; über einen nachgemachten jugendlichen Idealischen Kopf wird er sicherer entscheiden können. Ob gleich die berühmte Medusa, welche dennoch kein Bild der höchsten Schönheit ist, von den besten neuern Künstlern, auch in eben der Größe auszudrucken gesuchet worden, so wird dennoch das Original allezeit kenntlich seyn; und eben dieses gilt von den Copien der Pallas des Aspasius, welche *Natter* in gleicher Größe mit dem Originale, und andere geschnitten haben. Man merke aber, daß ich hier bloß von Empfindung und Bildung der Schönheit in engerem Verstande rede, nicht von der Wissenschaft im Zeichnen und im Ausarbeiten: denn in Absicht des letztern kann mehr Wissenschaft liegen, und angebracht werden in starken, als in zärtlichen Figuren, und Laocoon ist ein viel gelehrteres Werk, als Apollo; Agesander, der Meister der Hauptfigur des Laocoons, mußte auch ein weit erfahrnerer und gründlicherer Künstler seyn, als es der Meister des Apollo nöthig hatte. Aber dieser mußte mit einem erhabenern Geiste, und mit einer zärtlichern Seele begabet seyn: Apollo hat das Erhabene, welches im Laocoon nicht statt fand.

Die Natur aber und das Gebäude der schönsten Körper ist selten ohne Mängel, und hat Formen oder Theile, die sich in andern Körpern vollkommener finden oder denken lassen, und dieser Erfahrung gemäß verfuhren diese weise Künstler, wie ein geschickter Gärtner, welcher verschiedene Absenker von edlen Arten auf einen Stamm pfropfet; und wie eine Biene aus vielen Blumen sammlet, so blieben die Begriffe der Schönheit nicht auf das Individuelle einzelne Schöne eingeschränkt, wie es zuweilen die Begriffe der alten und neuern Dichter, und der mehresten heutigen Künstler sind, sondern sie suchten das Schöne aus vielen schönen Körpern zu vereinigen. Sie reinigten ihre Bilder von aller persönlichen Neigung, welche unsern Geist von dem wahren Schönen abziehet. So sind die Augenbranen der Liebste des Anacreons, welche unmerklich von einander getheilet seyn sollten, eine eingebildete Schönheit persönlicher Neigung, so wie diejenige, welche Daphnis beym Theocritus[1] liebte, mit zusammenlaufenden Augenbranen.[2] Ein späterer Griechischer Dichter[3] hat in dem Urtheile des Paris diese Form der Augenbranen, welche er der schönsten unter den drey Göttinnen giebt, vermuthlich aus angeführten Stellen gezogen. Die Begriffe unserer Bildhauer, und zwar derjenigen, die das Alte nachzuahmen vorgeben, sind im Schönen einzeln und eingeschränkt, wenn sie zum Muster einer großen Schönheit den Kopf des Antinous wählen, welcher die Augenbranen gesenkt hat, die ihm etwas herbes und melancholisches geben.

Es fällete *Bernini* ein sehr ungegründetes Urtheil,[4] wenn er die Wahl der schönsten Theile, welche Zeuxis an fünf Schönheiten zu Croton machete, da er eine Juno daselbst zu malen hatte, für ungereimt und für erdichtet ansah, weil er sich einbildete, ein bestimmtes Theil oder Glied reime sich zu keinem andern Körper, als dem es eigen ist. Andere haben keine als Individuelle Schönheiten denken können, und ihr Lehrsatz ist: die alten Statuen sind schön, weil sie der schönen Natur ähnlich sind, und die Natur wird allezeit schön seyn, wenn sie den schönen Statuen ähnlich ist.[5] Der vordere Satz ist wahr, aber nicht einzeln, sondern gesammlet; (collective) der zweyte Satz aber ist falsch: denn es ist schwer, ja fast unmöglich, ein Gewächs zu finden, wie der Vaticanische Apollo ist.

Der Geist vernünftig denkender Wesen hat eine eingepflanzte Neigung und Begierde, sich über die Materie in die geistige Sphäre der Begriffe zu erheben, und dessen wahre Zufriedenheit ist die Hervorbringung neuer und verfeiner-

---

[1] Idyl. 8. v. 72.
[2] Die Uebersetzer geben das Wort σύνοφρυς, junctis superciliis, wie es die Zusammensetzung desselben erfordert; man könnte es aber nach der Auslegung des Hesychius *Stolz* übersetzen: Unterdessen sagt man*, daß die Araber solche Augenbrane, welche zusammenlaufen, schön finden.
* La Roque Moeurs & Cout. des Arab. p. 217.
[3] Coluth
[4] Baldinuc. Vit. di Bernin. p. 70.
[5] des Piles Rem. sur l'Art de peint. de Fresnoy, p. 107.

ter Ideen. Die großen Künstler der Griechen, die sich gleichsam als neue Schöpfer anzusehen hatten, ob sie gleich weniger für den Verstand, als für die Sinne, arbeiteten, suchten den harten Gegenstand der Materie zu überwinden, und, wenn es möglich gewesen wäre, dieselbe zu begeistern: dieses edle Bestreben derselben auch in früheren Zeiten der Kunst gab Gelegenheit zu der Fabel von Pygmalions Statue. Denn durch ihre Hände wurden die Gegenstände heiliger Verehrung hervorgebracht, welche, um Ehrfurcht zu erwecken, Bilder von höheren Naturen genommen zu seyn scheinen mußten. Zu diesen Bildern gaben die ersten Stifter der Religion, welches Dichter waren, die hohen Begriffe, und diese gaben der Einbildung Flügel, ihr Werk über sich selbst und über das Sinnliche zu erheben. Was konnte Menschlichen Begriffen von sinnlichen Gottheiten würdiger, und für die Einbildung reizender seyn, als der Zustand einer ewigen Jugend, und des Frühlings des Lebens, wovon uns selbst das Andenken in spätern Jahren frölich machen kann? Dieses war dem Begriffe von der Unveränderlichkeit des göttlichen Wesens gemäß, und ein schönes jugendliches Gewächs der Gottheit erweckte Zärtlichkeit und Liebe, welche die Seele in einen süßen Traum der Entzückung versetzen können, worinn die menschliche Seeligkeit bestehet, die in allen Religionen, gut oder übel verstanden, gesuchet worden.

Unter den Weiblichen Gottheiten wurde der Diana und der Pallas eine beständige Jungferschaft beygelegt, und die andern Göttinnen sollten dieselbe eingebüßet, wiederum erlangen können; Juno, so oft sie sich in dem Brunnen Canathus badete. Daher sind die Brüste der Göttinnen und der Amazonen, wie an jungen Mädgens, denen Lucina den Gürtel noch nicht aufgelöset hat, und welche die Frucht der Liebe noch nicht empfangen haben; ich will sagen, die Warze ist auf den Brüsten nicht sichtbar. Es sey denn, daß Göttinnen wirklich im Säugen vorgestellet würden, wie Isis,[1] welche dem Apis die Brust giebt: die Fabel aber saget,[2] sie habe dem Orus, an statt der Brust, den Finger in den Mund geleget, wie dieses auch auf einem geschnittenen Steine[3] des Stoßischen Musei vorgestellet ist, und vermuthlich dem oben gegebenen Begriffe zu folge. Auf einem alten Gemälde in dem Pallaste Barberini, welches eine Venus in Lebensgröße vorstellen soll, sind Warzen auf ihren Brüsten, und aus eben diesem Grunde könnte es keine Venus seyn.

Die geistige Natur ist zugleich in ihrem leichten Gange abgebildet, und Homerus vergleichet die Geschwindigkeit der Juno im Gehen, mit dem Gedanken eines Menschen, mit welchem er durch viele entlegene Länder, die er bereiset hat, durchfährt, und in einem Augenblicke saget: ,,Hier bin ich gewesen, und dort war ich." Ein Bild hiervon ist das Laufen der Atalanta, die

---

[1] Descr. des Pier. gr. du Cab. de Stosch, p. 17. n. 70.
[2] Plutarch. de Is. & Os. p. 636. I. 21.
[3] Descr. des Pier. gr. du Cab. de Stosch, p. 16. n. 63.

so schnell über den Sand hinflog, daß sie keinen Eindruck der Füße zurück
ließ; und so leicht scheinet die Atalanta auf einem Amathyste[1] des Stoßischen
Musei. Der Schritt des Vaticanischen Apollo schwebet gleichsam, ohne die
Erde mit den Fußsohlen zu berühren.

Werkregister 254

CHRISTIAN GOTTLOB HEYNE

Einleitung in das Studium der alten Kunstwerke

I. Abschnitt.

Von der Kunst und von den alten Kunstwerken überhaupt, und von den
verschiednen Arten der Kenntniß derselben.

§. 1.

Sinnliche Gegenstände, und die Bilder unsrer Seele von diesen Gegenständen, lassen sich *entweder* durch die *sinnliche Vorstellung und Abbildung der
Gegenstände* selbst, *oder* durch *sinnliche Zeichen, oder* durch *beydes zugleich*
ausdrücken.

Die *Formen der Körper*, als *Abbildungen der Gegenstände selbst*, lassen
sich entweder *in das Runde*, oder *auf der Fläche* vorstellen. Dieß ist *Bildnerey
und Malerey;* und die Künste sind *die bildenden Künste*.

Die *sinnlichen Zeichen* zum Ausdruck der Bilder, die die Seele von den
sinnlichen Gegenständen hat, sind entweder *vorübergehende: Geberden, Bewegungen, Töne;* ihrer bedienen sich *Tanzkunst, Schauspielkunst, Beredsamkeit, Dichtkunst, Tonkunst;* oder *dauerhafte* und *beständige*, diese sind *Bil-
derschrift, Hieroglyphen, Buchstabenschrift*.

§. 2.

Sobald diese Abbildungen der Formen der Körper, oder diese Zeichen zum
Ausdrucke der Bilder, die in unsrer Seele von diesen Formen gegenwärtig
sind, nach bestimmten Regeln des Ebenmaaßes und der Uebereinstimmung
zu einem vernünftig gedachten Ganzen behandelt wurden, so fiengen an
Kunstwerke zu seyn; und in sofern *sinnliche Vollkommenheit* und *Schönheit*
darinnen ausgedrückt ward, und der Künstler die Absicht hatte zu gefallen
und zu vergnügen, so wurden es *schöne Kunstwerke;* und nunmehr wurden
aus den bildenden Künsten *schöne Künste*.

Hierbey von der Schönheit in der Kunst. Absonderung des schönen Gedankens und der schönen Ausführung. Von der Nachahmung der Natur.
Von dem Ideal.

---

[1] Ibid. p. 337.

§. 3.

Oft wurden die Formen der Körper mit willkührlichen Zeichen verbunden, als bey *Inschriften* und auf *Münzen*, auch zuweilen bey den übrigen Kunstwerken des Alterthums.

Ohne Formen und Zeichen, blos in Ordnung, Ebenmaaß und Uebereinstimmung der Theile und des Ganzen zu einer bestimmten Absicht, bestehet das Wesen der *Baukunst*.

Auch diese gehört unter die schönen Künste, sobald sie nicht blos Festigkeit und Bequemlichkeit, sondern zugleich Schönheit zur Absicht hat.

§. 4.

Die Formen der Körper, auch die schönen Formen, können als Zeichen der Begriffe und Bilder der Seele von den Formen gebraucht oder betrachtet werden. Das ist, auch nichtsinnliche Dinge können vom Künstler unter sinnlichen Bildern vorgestellt werden.

Dieß sind die *symbolischen Vorstellungen* und die *allegorischen Kunstwerke*. Nähere Begriffe von der *Allegorie* und von der *Symbolik* des Alterthums. Schriften darüber, und Beurtheilung derselben.

§. 5.

Gleichwohl ist die eigentliche Bestimmung der Kunst, insonderheit der bildenden Kunst, *Schönheit*, d. i. sichtliche Vollkommenheit auszudrücken; und dieß war auch das höchste Gesetz der großen Künstler des Alterthums. Erforderliche Einschränkung des Satzes.

§. 6.

Die Werke der Bildnerey sind zum Theil verfertiget worden, um das Andenken von Personen, oder von Gegenständen, oder von Handlungen und Begebenheiten aufzubehalten; oder sie können doch nunmehr von uns als *Denkmäler* angesehen werden, d. i. als Werke, welche die Vorstellung von Dingen erhalten, die vergangen oder aus dem Gebrauche gekommen sind. Begriff von Denkmälern; verschiedne Arten derselben; Gebrauch und vernünftiges Studium derselben.

Betrachtet man die Ueberbleibsel der alten Bildnerey blos unter dem Gesichtspunkte alter Denkmäler, die man zu verstehen und die alten Sitten, Gebräuche, Vorstellungsarten, religiösen und mythischen Begriffe, oder auch historischen Umstände und Facta, daraus zu erläutern, und die dahin gehörigen Schriftstellen der Alten zu erklären sucht, so ist dieß das *antiquarische Studium, Studium der Alterthümer, Archäologie*.

Beyfügung einiger Gedanken, wie dieß Studium mit Geschmack, und zur Schärfung und Aufklärung des Verstandes, getrieben werden kann.

Ein noch weitläufigerer Gesichtskreiß ist, wenn man alles hineinzieht, nicht nur, was aus dem Alterthume sich erhalten, auch was keine nächste Beziehung auf die Kunst hat; sondern auch alles, was die Art der Aufzeichnung der Gedanken in den alten und mittlern Zeiten anbetrift; also sogar einen Theil der gelehrten Kritik und der Diplomatik. Man könnte es die *Litteratur des Alterthums* nennen. Gedanken über den Umfang dieser Litteratur.

§. 7.

Eben diese Werke der Alten lassen sich auf eine weit edlere Art betrachten, in sofern sie *Werke der Kunst* und zwar der *schönen Kunst,* sind, und in sofern Ausdruck und Vorstellung *sinnlicher Vollkommenheit* die Absicht des Meisters gewesen ist. In diesem Gesichtspunkt wird es das *Studium des schönen Alterthums,* der *Antike,* der *schönen Kunstwerke.* Dieß Studium schränkt sich auf die bildenden Künste, und auf die Werke der Bildnerey und der Malerey ein. (§. 1.)

§. 8.

Gleichwohl setzt das Studium der Antike, wenn es nicht mangelhaft seyn soll, eine antiquarische Kenntniß der Werke voraus, oder muß damit verbunden werden. Und diese antiquarische Kenntniß kann wiederum jener weitläufigern Kenntniß des Alterthums überhaupt, auch in sofern sie aus Schriften, besonders aus Dichtern, erkennt wird, auf keine Weise nicht entbehren.

§. 9.

Eine gute Anleitung zur Kenntniß der alten Kunstwerke muß also so eingerichtet seyn, daß *die Erklärung der Kunstwerke selbst* mit der *Erläuterung ihres mechanischen* sowohl als ihres *poetischen* Theils und mit der *Aufschliessung der Schönheit jedes Werks* verknüpft wird.

§. 10.

Die natürliche Ordnung scheint zu seyn: erst *runde Bildwerke;* dann *Bildwerke aus Flächen,* oder *halbrunde;* ferner Bildwerke *in Flächen,* oder eingegrabene; und endlich Bildwerke *auf Flächen,* oder Gemälde.

§. 11.

Der wahre Gesichtspunkt des Studiums des Alterthums. Absicht, Nutzen und Werth der Kenntniß der Antike. Von der Empfindung des Schönen, von der Bildung des Geschmacks, von der Liebhaberey, von der Pflicht sich zu vergnügen, und sich des Genusses der edleren Vergnügungen fähig zu machen.

II. Abschnitt.

Geschichte der Kunst,
mit eingeschalteten Nachrichten von den Kunstwerken der Aegyptier, der Perser und der Etruscer insonderheit.

§. 1.

Ursprung der Künste. Die frühere Entstehung der mechanischen Künste. Die rohe mechanische Behandlung in den schönen Künsten. Fortgang von

Verbesserung des mechanischen Theils zu der Bearbeitung des poetischen Theils der Kunst. Erst Bilder, dann Kunstwerke, endlich schöne Kunstwerke. Regeln der Kunst werden erst von Kunstwerken, welche bereits vorhanden waren, genommen.

§. 2.

Nicht alle Nationen sind bis zur schönen Kunst fortgegangen. Die schöne Kunst hat sich auch nicht unter einer Nation immerfort erhalten. Die höchste Vollkommenheit der Kunst, von welcher wir wissen, haben die Griechen erreicht. Physische und sittliche Ursachen davon.

§. 3.

Die Aegyptier haben den Ruhm des höchsten Alterthums in der Kunst. In dem Mechanischen der Kunst haben sie es weit gebracht, aber nie sind sie für sich zur Vollkommenheit der Kunst und zur Schönheit gelangt. Ursachen davon. Drey Epochen ihrer Kunst. 1) Die älteste, da sie ihre eignen Könige, Gesetze, Religion und Sitten hatten, bis auf die Eroberung Aegyptens unter dem Cambyses, v. C. G. 524. Olymp. 64, 1. 2) Die Zeiten, da sie unter persischer, griechischer und römischer Herrschaft standen. 3) Die Nachahmung ägyptischer Werke durch griechische Künstler unter dem K. Adrian, nach C. G. 117f. Eben daher der dreyfache Stil der ägyptischen Werke, der älteste, spätere und der ägyptischgriechische. Berühmteste ägyptische Werke, und Schriften, welche davon handeln, oder sie in Kupfer vorstellen.

§. 4.

Frühe Cultur der Kunst unter den Etruscern. Sie sind bis zur schönen Kunst fortgegangen. Mit ihren eignen Bildern haben sie die Mythologie, Götter= und Heldenlehre der Griechen verbunden. Spuren ihrer Macht, ihres Reichthums und ihres Geschmacks in den Ueberbleibseln ihrer Kunstwerke. Sie waren ein gesittetes, reiches und mächtiges Volk, ehe noch Rom gebauet war, und sie hörten auf eine Nation zu seyn, da die Römer noch Barbaren waren, nach der Schlacht am Vadimonischen See n. E. R. 471. v. C. G. 284. n. Alexanders Tode 39 J. Olymp. 124. Wiefern sich an den erhaltnen Werken ein ältester, mittler und später Stil bemerken läßt. Starker Ausdruck, das Eigne ihrer Werke. Vorzüglichste der Etruscischen Werke, und Schriften und Kupferwerke davon. Von Etruscischen und Campanischen gemalten Gefäßen.

§. 5.

Die Kunst unter den Griechen in ihrem ersten Zustande von Dädalus Zeit an, drey Menschenalter vor dem Troianischen Kriege (dieser 1184 J. vor C. G.) bis auf Xerxes Feldzug. Schulen der Kunst. Wachsthum der Künste in Sicilien und Großgriechenland.

Flor der Künste in Griechenland, Erste Periode 50 Jahre über* von Olymp.
75 an v. C. G. 480. nach den Schlachten bey Salamin und Platää, bis zu
Anfang des Peloponnesischen Krieges.

Zweyte Periode unter des Pericles Staatsverwaltung zu Athen. Epoche des
großen Geschmacks und Stils. Seit Ol. 80, 1. v. C. G. 460.
Dritte Epoche, von um Olymp. 83. 84. an v. C. G. 448. 444. Zeitalter des
Phidias. Höchste Vollkommenheit der Kunst, bis nach Alexanders des Grossen Tode, Olymp. 114, 2. v. C. G. 324.
Vierte Epoche. Von der Zeit folgen abwechselnde Perioden der Kunst
unter den Nachfolgern Alexanders; zur Zeit des achäischen Bundes; unter
den Ptolemäern, Seleuciden, in den Städten und an den Höfen in Kleinasien;
endlich unter den Römern. Bey jeder Epoche sind die großen Meister und die
größten Werke beyzubringen. In den griechischen Werken wird bemerkt, der
ältere Stil, der große und hohe Stil von Phidias an, der schöne Stil von
Praxiteles an, um Olymp. 104. v. C. G. 364. etwa 7 Jahr nach der Schlacht
bey Leuctra, bis auf Lysipp und Apelles, unter Alexandern. Stil der Nachahmer.

§. 6.

Erste Begriffe der Römer von der Kunst durch Ansicht der etruscischen
und griechischen Werke. Ausplünderung Etruriens (s. §. 4.) und Griechenlands, und Wegführung der griechischen Kunstwerke, vornehmlich vom
Triumph des Mummius an, nach Zerstörung der Stadt Corinth, und Trennung des achäischen Bundes, Olymp. 158, 3. v. C. G. 146. Seitdem, Kunstliebhaberey unter dem Adel zu Rom. Die griechischen Künstler ziehen sich
nach Rom. Flor der Kunst unter August. Verdienste der folgenden Kayser
um die Kunst. Verfall der Kunst. Untergang. Wiederherstellung.

III. Abschnitt.

Von den noch vorhandenen Kunstwerken der Griechen und der Römer,
und zwar

A. Von den alten Werken der Bildnerey.

Da diese Werke entweder *ganz in das Runde,* oder *in das Halbrunde* fallen,
oder *in eine Fläche gegraben* sind, so theilt sich dieser Vortrag in zwey
Hauptstücke: 1) *Von den Bildsäulen,*** 2) *von den Werken erhabner* oder
*vertiefter Arbeit***.

---

* Diodor. XII. pr.
** de re statuaria et sculptura.
*** de re anaglyptica s. toreutica, et de caelatura.

Erste Abtheilung.
Von den Bildsäulen.

Da auch diese Bildsäulen bald *ganze Körper**, bald nur *Bruststücke*** oder *Köpfe* vorstellen, so zerfällt auch dieser Abschnitt in zwey Theile: *von den ganzen Bildsäulen,* und *von den halben.*

Erstes Hauptstück.
Von den ganzen Bildsäulen.

§. 1.

Die uns aus dem Alterthum erhaltnen vorzüglichen Bildsäulen, geordnet nach dem verschiednen Ausdrucke der Schönheit des *männlichen* und des *weiblichen* Körpers. Anzeige der historischen Umstände von iedem Stücke. Kupfer und Schriftsteller davon. Sujet und Idee jedes Werks, mit dessen Erläuterung. Urtheile der Kenner und der Kunstverständigen von iedem Stücke***.

§. 2.

Sammlungen alter Bildsäulen, und Oerter in und ausser Italien, wo alte Bildwerke angetroffen werden. Kupferwerke davon, und kritische Nachrichten von diesen Werken.

§. 3.

Woher so viele Statuen nach Rom gekommen sind, wie sie sich erhalten haben, wie sie wieder gefunden worden, mit Anzeige der vorzüglichsten Plätze, wo man dergleichen Entdeckungen gemacht hat. Einschaltung der Topographie von Rom. Ueberhaupt die Schicksale der Kunstwerke bey den großen Veränderungen Griechenlands und Italiens.

§. 4.

Ursprung und Schicksale der Kunst der Bildnerey. Die größten alten Meister, mit ihren berühmtesten Werken.

§. 5.

Von dem Mechanischen der Bildnerey bey den Alten; die dazu üblichen Massen und ihre Bearbeitung. Anleitung zur Wahrnehmung der Kunst und der Schönheit. Worinn die Vortreflichkeit jener Kunstwerke bestehe.

§. 6.

Einige antiquarische Anmerkungen über die Bekleidung, Aufstellung, Aufschriften und über die andern Nebenumstände bey den Bildsäulen.

---

* statuae, signa.
** imagines.
*** folglich (wie im §. 9.) die Erläuterung des mechanischen und des poetischen Theils, und die Einsicht in die Schönheit des Werks.

§. 7.

Von der Ergänzung der gefundenen verstümmelten Bildsäulen, und der dadurch entstandenen fast allgemeinen Verfälschung. Von den Kopeyen, und dem hierunter herrschenden Betrug. Vorschriften der Kunstverständigen zur Beurtheilung des Verfälschten, und des Unächten; oder, erste Linien zur *Kunstkritik.*

§. 8.

Hermeneutik der Bildwerke, und insonderheit Anleitung zur Deutung der Bildsäulen: Erfordernisse und Hülfsmittel dazu, und Verwahrung wider das Willkührliche und Verworrene in den gemeinen Behauptungen.

§. 9.

Praktische Regeln bey Betrachtung und Beurtheilung, Zeichnung und Beschreibung alter Kunstwerke. Vorsicht bey dem Gebrauche der Kopeyen, Gypsgüsse und Kupferstiche. Anwendung von diesem allen auf die Richtung des Geschmacks.

Zweytes Hauptstück.
Von den Brustbildern, Hermen und Köpfen.

§. 1.

Erklärung der verschiednen Gattungen; Maase, und Benennungen der halben Bilder.

§. 2.

Die Massen, aus denen sie verfertiget wurden, die Plätze, die Absichten und Bestimmungen ihrer Verfertigung und Aufstellung; überhaupt einige antiquarische Nachrichten von den halben Bildern.

§. 3.

Der sehr verschiedne Werth der halben Bilder, und die Gründe, wornach er zu beurtheilen ist.

§. 4.

Ueber die Deutung und muthmaßliche Bestimmung der Personen, welche vorgestellt seyn sollen. Gründe dieser Deutung, und Grade der Wahrscheinlichkeit derselben.

§. 5.

Einige vorzügliche Busten aus dem Alterthume. Musea, worinnen sie enthalten sind. Bücher, die sie in Kupfer vorstellen oder davon handeln.

Zweyte Abtheilung.
Von den Werken erhobner oder vertiefter Arbeit.

Da diese entweder Werke in größern Massen, oder Werke in edlen Steinen sind, so läßt sich alles unter zween Hauptstücke bringen, *Schnitzwerke* und *geschnittene Steine.*

Erstes Hauptstück.
Alte Schnitzwerke.*

§. 1.

Verschiedne Arten von Schnitzwerk, vertieft oder erhoben, und dieses wieder in verschiedner Maaße; starke, flache oder mittlere Erhebung.

§. 2.

Eigenschaften und Regeln beyder Arten dieses Bildwerks.

§. 3.

Geschichte der Kunst und die ältesten oder berühmtesten Werke dieser Art.

§. 4.

Die verschiednen Massen, und ihre verschiedene Behandlung, an den Werken mit erhobner Arbeit. Eingeschaltete Nachrichten von den Gebäuden, Werken, Geschirren, Geräthen, und allem dem, woran man Schnitzwerk angebracht hat.** Vorzüglichste Beyspiele von jeder Art, die noch vorhanden sind. Die Schriften und die Kupferwerke dazu.

§. 5.

Der sehr verschiedne Werth der alten erhobnen Werke; wie, und wornach er zu bestimmen ist. Richtung unserer Urtheile über diese Werke. Vorzug, den sie vor andern für den forschenden und denkenden Liebhaber haben.

§. 6.

Die wichtigsten und merkwürdigsten erhobnen Werke, die sich erhalten haben, mit ihren Erläuterungen und Beurtheilungen. Plätze, Musea und Kupferwerke, welche sie enthalten.

§. 7.

Anleitung und Hülfsmittel zur Erklärung der erhobenen Werke.

Zweytes Hauptstück.
Geschnittne Steine.

§. 1.

Werth und Vorzüge dieser Gattung der alten Kunstwerke vor den übrigen.

§. 2.

Allgemeine Begriffe, und verschiedene Nahmen und Eintheilungen der Steine nach der Materie und der Form erhobner und vertiefter Arbeit, ehemaligem Gebrauch und jetziger Bestimmung.

---

* Toreumata, insgemein, Basreliefs.
** Supellex antiquaria. Anticaglie.

§. 3.

Gebrauch der Steine bey den Alten zum Siegeln, zum Schmucke und zur Zierde. Von den Ringen. Vom Geschmacke der Alten im Schmucke und Gründe desselben. Endlich Aufbewahrung und Sammlungen der Steine von Kunstliebhabern unter den Alten.

§. 4.

Klassenabtheilung der Steine für die Kunstlehre; verschieden von der Eintheilung in der Naturlehre und in der Juwelirkunst. Die verschiedenen Arten von edlen Steinen, die geschnitten werden, nach den Graden der Durchsichtigkeit und den Farben, mit der Vergleichung der alten und der neuen Nahmen. Aftersteine und Pasten. Von Abgüssen und Abdrücken.

§. 5.

Die Kunstbehandlung und das Mechanische der Arbeit. Wahrscheinliches Verfahren der alten Künstler; nicht verschieden von dem jetzt üblichen. Das Poetische dieser Arbeit, und seine Regeln. Sehr verschiedener Werth der alten Steine. Vortrefflichkeit der guten und der besten, und worinne sie besteht. Vollkommenheit und Vorzug dieser Art alter Kunstwerke vor den neuern, und Ursachen davon.

§. 6.

Geschichte dieser Kunst bey den verschiednen Völkern und in den verschiednen Zeitaltern, , mit dem verschiednen Charakter dieser Kunstwerke. Berühmte Künstler sowohl des Alterthums, als die neuern, welche Kopeyen nach Antiken verfertiget haben.

§. 7.

Menge der geschnittenen Steine. Wie sich die alten erhalten haben. Sammlung von geschnittenen Steinen. Arten der Aufbewahrung, Anordnung und Eintheilung der Steine in diesen Sammlungen. Musea dieser Art, oder Dactyliotheken, in verschiedenen Theilen Europens, in den vorigen und jetzigen Zeiten. Kupferwerke theils von einigen dieser Sammlungen, theils von zerstreueten Steinen und zusammen getragenen Abdrücken.

§. 8.

Von den vielen Kopeyen der alten Steine. Regeln der Kunstverständigen für die Unterscheidung der neuen Steine von den alten. Unsicherheit dieser Kritik. Sammlungen von Abdrücken. Von den Lippertischen Pasten und den Lippertischen Verdiensten.

§. 9.

Anleitung zur gelehrten Erklärung der Steine, nach den verschiednen Vorstellungen, die sich darauf befinden; Regeln und Hülfsmittel dazu.

§. 10.

Einige vorzüglich schöne oder berühmte Steine, mit litterärischen Nachrichten und der Erklärung der Steine.

B. Von den alten Werken der Malerey.

§. 1.

Von der Malerey überhaupt, ihren Erfordernissen und Wirkungen. Worauf es bey Betrachtung und Bewunderung eines Werkes ankömmt. Vollkommenheit des Mechanischen und des Dichterischen an einem Gemälde. Verschiedene Schrifststeller zur Anleitung in der Kenntniß, und zur Bildung des Geschmacks in dieser Art Kunstwerke.

§. 2.

Alte Malerey; allgemeine Nachrichten davon. Schriftsteller darüber.

§. 3.

Ursprung und Alterthum, nach verschiednen Stuffen, Wachsthum und Verfall der alten Malerey, mit der Geschichte der großen Meister, und historischen Nachrichten und Urtheilen der Alten und der Neuern von ihren Werken.

§. 4.

Gattungen der alten Malerey, und Verfahren der alten Maler sowohl nach dem mechanischen als nach dem dichterischen Theile der Kunst.

§. 5.

Ueber den Grad der Vollkommenheit der alten Malerey überhaupt und nach den einzelnen Stücken der Kunst. Bestimmung des Werthes der alten Gemälde, die sich erhalten haben.

§. 6.

Einige antiquarische Anmerkungen über den Gebrauch der Malerey, die Bestimmung und Aufstellung der Gemälde, und über das Uebliche in den Vorstellungen auf dem Gemälde.

§. 7.

Schicksale der Werke dieser Art. Die wenigen alten Gemälde, die sich noch erhalten haben; die Kupfer, Erklärungen und Schriften darüber. Die Herculanischen Entdeckungen.

§. 8.

Ueber die *mosaische Arbeit*, ihre verschiedne Zubereitung, Grade der Vollkommenheit, und ihren Werth. Antiquarische Nachrichten davon. Erhaltne Werke dieser Art. Kupfer und Schriften darüber.

Werkregister 137

CHRISTIAN GOTTLOB HEYNE

Jugenderinnerungen

„Was mir der Schulunterricht verschaffte, beschränkte sich fast blos auf Vocabeln und Phrasen. Mit dem Griechischen ging es nicht besser. Das neue Testament und Plutarch von der Erziehung war Alles, was wir von griechischen Büchern kannten. Ich mußte mein Pensum abschreiben; eine *Wellerische* griechische Grammatik entlehnen. Dabey hatte ich von meinem Pathen den *Pasor*, der sich in seinem Büchervorrathe fand. Gleichwohl arbeitete ich mich in das Griechische so wacker hinein, daß ich griechische Elaborationen verfertigte; weiterhin griechische Verse; nachher selbst in griechischer Prosa, endlich in griechischen sowohl als lateinischen Versen, das Extemporaneum, und sogar die Predigten nachschrieb. Als ich in Prima versetzt war, gelangte ich zur Notiz von einigen Classikern. Unser Rector der gute *Hager*, der selbst den Homer hat abdrucken lassen, gab noch Privatstunden über die eine und andere Rhapsodie. Aber dem guten Mann wollte es mit seinem Unterrichte nicht glücken; es fehlte ihm überall an den Elementen selbst. Dieses hatte sehr nachtheilige Folgen für mich. Ich bildete mir ein ihn zu übersehen; hatte keine Aufmerksamkeit; gewann keinen Geschmack, nicht einmal am Homer; las keinen einzigen Schriftsteller ganz aus; war also beym Abgehen von der Schule in Allem ganz fremd, was auf classische Gelehrsamkeit Beziehung hatte. Vom Livius hatte ich kaum einige Capitel gelesen; von keinem Autor besaß ich eine vollständige Kenntniß, noch weniger von dem Umfang der ganzen Litteratur; nichts von den Hülfskenntnissen, Erdkunde, Geschichte u. s. w.‘‘

„Nur etwa im letzten Jahre, ehe ich die Schule verließ, erhielt ich doch einigen Vorschmack von etwas Besserm. Der nachherige Rector in der Fürstenschule zu Grimma, *Krebs*, der bisher als Magister und Privatdocent in Leipzig gelebt hatte, kam nach Chemnitz als Conrector. Da er aus *Ernesti's* Schule war, so brachte er freylich Kenntnisse mit, von denen wir bisher nichts Aehnliches gehört hatten. Der Mann fand mich seiner Aufmerksamkeit würdig; es gelang mir bey ihm eine Privatstunde im Griechischen zu erhalten; worin der Ajax von Sophocles erklärt ward. Wenigstens bekam ich nun eine bessere Richtung für Wortverstand, und für die eigentliche Philologie. Wäre ich in bessern Glücksumständen gewesen, und hätte ich mir seinen Privatunterricht noch mehr zu Nutze machen können, so wäre ich besser in das Lesen der Classiker eingeleitet worden.‘‘

„Aber überall sah ich mich zu sehr gehemmt. Die verkehrte Art, wie mich der alte Geistliche behandelte, zu Hause der Verdruß und das Mißvergnügen meiner Aeltern, besonders des Vaters, der in seiner Arbeit nicht vorwärts kommen konnte, und immer den Gedanken nährte, wäre ich bey seiner

Lebensart geblieben so könnte er sich nun in seinem Verdienst unterstützt sehen; der drückende Mangel; das Gefühl, jedem Andern nachzustehen, ließ in mir keinen frohen Gedanken, kein Gefühl von Werth aufkeimen. Ein schüchternes, leutescheues, linkes Betragen mußte mich noch mehr von allem Empfehlenden im Aeußerlichen entfernen. Wo konnte ich Sitten, Anstand; wo gute Denkungsart, wo einige Bildung des Geistes und des Herzens erhalten?"

„Empor strebte ich gleichwohl. Ein Gefühl von Ehre, ein Wunsch von etwas Besserm, ein Streben, aus der Niedrigkeit mich heraufzuarbeiten, begleitete mich unablässig; aber ohne Richtung, so wie es war, führte es mich mehr zum Trotz, zum Menschenhaß, und zur Rusticität."

„Endlich ereignete sich eine Lage für mich, in der ich einige Bildung erhalten konnte. Einer der Senatoren nahm seine Schwiegermutter zu sich, welche noch zwey Kinder bey sich hatte, einen Sohn und eine Tochter, beyde in meinen Jahren. Für den Sohn ward jemand gesucht der ihm Unterricht stundenweise geben sollte; glücklicherweise ward ich dazu vorgeschlagen."

„Da mir diese Stunden monathlich Einen Gulden brachten, so fing ich nun an mich gegen den Unwillen der Meinigen mehr zu sichern. Bisher hatte ich oft noch Handarbeiten geleistet, um nicht hören zu müssen, daß ich umsonst ihr Brod essen wolle: Oel zur Lampe und Kleidung erwarb ich mir durch einige Hausinformationen; jetzt konnte ich noch an sie abgeben; und so ward mein Zustand um etwas erleichtert. Auf der andern Seite sah ich nun öfter Menschen von einer bessern Erziehung. Ich erwarb mir die Zuneigung der Familie, so daß ich auch außer den Lectionen in ihr lebte. Dieser Umgang verschaffte mir einige Bildung; erweiterte meine Vorstellungen und Begriffe; und schliff das Rohe auch im Aeußerlichen ein wenig ab. In kurzem kam eine leidenschaftliche Liebe gegen die Schwester meines Eleven hinzu. Jetzt fühlte ich den Druck des Schicksals, das mich in der Niedrigkeit und Dürftigkeit in die Welt eingeführt hatte, auf das lebhafteste. Aber ich versank nicht in Kleinmuth. Süße Träume von Möglichkeit, einst noch den geliebten Gegenstand zu besitzen, täuschten mich über die gegenwärtige Unmöglichkeit, auf das Herz des lieben Mädchens Eindruck zu machen; und doch erwarb ich mir ihre und der Mutter Freundschaft. Thorheiten eines Verliebten beging ich genug; dahin gehörte auch die, daß ich zum Dichter ward. Da ich aber keine Leitung und Beurtheilung hatte; und nichts als schlechte Dichter in die Hände bekam, so konnte ich selbst nicht anders als ein schlechter Dichter werden."

„Wie weit wir damals von aller Kenntniß der Aesthetik noch entfernt waren, will ich einige Beyspiele anführen. Es wurden jährlich Schulcomödien aufgeführt; das waren Stücke von *Christian Weisse*. Endlich ward auch ein lateinisches Stück gegeben: *Kunz von Kaufungen,* oder der *Sächsische Prinzenraub;* ich weiß nicht von welchem alten Verfasser. Der handelnden Personen waren sehr wenige; um mehreren meiner Mitschüler Rollen zu verschaffen, verfertigte ich mit meines Rectors Erlaubniß noch einen *sechsten Act*, in welchem noch einmal so viel Personen (eine Menge Räuber, die sämmtlich gehangen wurden) auftraten, als vorher in dem ganzen Stück. Dieses war in Jamben abgefaßt, der Zusatz in Prosa. Ein andermal stellte ich die Fama vor, mit einer Trompete in der Hand; während der Trompeter zwischen den Coulissen wirklich blasen sollte. Als dieser einmal absetzte, hielt ich auch meine Trompete weg; und behielt sie ruhig in der Hand, als er wieder anfing zu blasen. Nichts von Allem gab Anstoß. – Ein Gewitter hatte den Stadtthurm in Brand gesetzt; wie bey Erbauung eines neuen der Knopf aufgesetzt ward, erhielt ich die Ehre vom Magistrat, auf Vorschlag des Lehrers, eine Lateinische Inschrift zu verfertigen, die in den Knopf gelegt ward; sie fing sich an: Sta viator! Unbemerkt von Allen ist die Inschrift mit dieser Formel der Nachwelt im Knopf aufbewahrt."

„Die Zeit näherte sich, ich sollte auf die Universität nach Leipzig gehen. Aber woher die Mittel dazu nehmen? Alle Hoffnung beruhte auf dem alten Geistlichen. Versprechungen erhielt ich auch; aber es verging ein Tag nach dem andern; die Stunde des Abschiedes rückte selbst heran; ich erhielt nichts von ihm. Er gab mich seinem Substituten, der eben nach Leipzig reisete, mich mit sich zu nehmen; das war Alles. – Mit was für einem bangen Herzen verließ ich meine Vaterstadt, und das Haus, worin ich größere Wohlthat als blos das traurige Daseyn erhalten hatte! In Leipzig hoffte ich immer noch auf nähern Aufschluß. Allein wie trostlos war ich, als der Führer mich verließ, und mir sagte, er habe von dem alten Geistlichen Nichts für mich erhalten! Meine ganze Baarschaft war gegen zwey Gulden. Schlecht equipirt war ich außerdem; an Büchern fehlte es mir ganz. Geschwächt schon vorher von nagendem Kummer, fiel ich in eine Krankheit; die Natur siegte, aber tiefe Melancholie verließ mich nicht."

„Ich ward der Stubenbursche von dem Bruder meines ehemaligen Lehrers, des Conrectors *Krebs*. Auch der war ein Schüler von Ernesti; durch ihn ward ich in dessen Collegia gezogen; durch ihn erhielt ich ein und anderes Buch. An Plan im Studieren war nicht zu gedenken. Collegia die ich besuchen konnte, blieben mir wenige. Denn nicht einmal bestimmt war es, was ich studieren wollte. Der alte Geistliche bestimmte mich der Theologie. Da ich immer noch auf Unterstützung von ihm hoffte, so unterhielt ich diese Erwartung von mir. Endlich schickte er mir einige Thaler; und so von Zeit zu Zeit wieder. Aber immer langte das Geschickte, da es immer erst nach vielem Sollicitiren ankam, bey weitem nicht zu, das was ich schuldig war zu bezahlen. Bat ich nun aufs neue um Unterstützung, so erhielt ich Briefe voll bitterer Vorwürfe; und der fühllose Mann ging so weit, daß er außen auf die Adresse des Briefes ein Beywort setzte, das mich demüthigte."

„Auf diese Weise kam ich in Lagen des Lebens, wo ich ein Raub der Verzweiflung war. Erzogen ohne auf Grundsätze gewiesen zu seyn, mit einem ganz ungebildeten Character, ohne Freund, Führer, Rathgeber, verstehe ich die Stunde noch nicht, wie ich in diesem hülflosen Zustande ausgedauert habe. Was mich forttrieb in der Welt, war nicht Ehrgeiz, jugendliche Vorstellung, unter den Gelehrten einst eine Stelle behaupten zu können oder zu wollen. Mich begleitete zwar unablässig das bittre Gefühl der Niedrigkeit, des Mangels einer guten Erziehung und Bildung im Aeußern; und das Bewußtseyn des Linkischen im gesellschaftlichen Leben. Das Meiste wirkte auf mich der Trotz gegen das Schicksal. Dieser gab mir Muth nicht zu unterliegen; überall es darauf ankommen zu lassen, ob ich ganz in Staub solle, und müsse liegen bleiben. Ein einziges gutes Herz fand ich an dem Mädchen das die Aufwartung im Hause besorgte. Sie legte für meine nöthigsten Bedürfnisse, für mein Brod täglich aus; und setzte fast ihre ganze Haabe aufs Spiel, da sie mich so sehr darben sah. Könnte ich Dich, fromme gute Seele, noch jetzt in der Welt ausfindig machen, um Dir zu vergelten was Du an mir gethan hast!"

„Etwa am Ende des ersten Jahrs ward ich dem Professor *Christ* bekannt. Da in seinem Collegium Wenige waren, so konnte man leicht dazu gelangen. Dieser Mann hatte ein gewisses Gefühl von Eleganz. Mein Aeußerliches konnte mich nicht empfehlen; gleichwohl erlaubte er mir zu ihm zu kommen; reichte mir ein Buch; ließ mich in einem Zimmer sitzen; unterhielt sich zuweilen mit mir; gab mir auch wohl einige Lehren über das Schickliche und Unschickliche. Ich fing an zu fühlen, daß es mir an Plan und Methode fehle; er feuerte mich an, das Beyspiel von Scaliger zu befolgen; und die Alten so zu lesen, daß ich mit den Aeltesten anfinge, und so die ganze Folge herunter läse. Mit dem Herodot ward der Anfang gemacht. Wie wenig dieser Plan für die academischen Studien paßte, fällt in die Augen. Ich verfolgte ihn dennoch eine gute Zeit, so weit ich dazu die nöthigen Bücher geborgt erhalten konnte. So unsinnig war aber mein Eifer im Lesen, daß ich länger als ein halbes Jahr die Woche nur zwey Nächte schlief; bis ich endlich in ein Fieber fiel, von dem ich nur mit Mühe genaß. *Christ's* Vorlesungen waren ein Gewebe von Ausschweifungen aller Art; die doch mitunter vortreffliche Bemerkungen enthielten. Für mich bedurfte es oft nur einzelner Ideen, um sie zu verfolgen."

„Allein die zweckmäßige Kürze, die Gründlichkeit und gute Ordnung im Vortrage des Professors *Ernesti* hefteten mich mehr und fester an sich. In meinen andern Collegien war kein Plan. Ich hörte die Philosophie bey *Winkler*; konnte aber nicht das Honorarium bezahlen. Das Auditorium war an große Freyheiten gewöhnt; unter andern das Scharren. Da der Muthwille von einigen mich einmal auf diese Weise empfing, ward mir das Collegium so verleidet, daß ich daraus wegblieb. Gleichwohl kam einige Zeit nachher der Pedell, und verlangte das Honorarium; ich mußte zur Bezahlung Rath schaffen."

„Indessen stieg meine Dürftigkeit auf das höchste. Nirgends her glückte es mir, eine von den gewöhnlichen Unterstützungen zu erhalten; nie erhielt ich einen Freytisch, oder ein Stipendium. Der alte Geistliche ließ mich über ein halbes Jahr ohne Hülfe; versprach endlich selbst zu kommen; kam und reiste zurück, ohne mir die geringste Baarschaft zu hinterlassen. Diese so lang gespannte und endlich doch getäuschte Erwartung brachte mich aus aller Fassung. Verzweiflungsvoll suchte ich den Tod auf allen Wegen. Keinen Tisch hatte ich; oft nicht drey Pfennige zu einem Brod für den Mittag." „Unter diesen Geist und Muth tödtenden Umständen ward ich eines Sonntags zum Professor *Christ* gerufen. Er trug mir eine Hofmeisterstelle bey einem Herrn von *Häseler* im Magdeburgischen an. Diese Aussicht, so willkommen sie von der einen Seite schien, schlug mich von einer andern ganz nieder. Ich war noch nicht zwey Jahre in Leipzig; hatte meine Studien noch so gut als nicht angefangen, geschweige geendigt! Ich sah, daß ich auf Zeitlebens bey unvollendeten Studien verdorben war. Es entstand ein gewaltiger Kampf in mir, der mich mehrere Tage herumtrieb. Noch jetzt ist es mir unbegreiflich, woher ich den Muth zur Entschließung nahm, der Condition zu entsagen, und meinen Zweck in Leipzig zu verfolgen."

„Mehrere Wochen vergingen, und oft wandelte mich Reue an, als *Ernesti* mich ansprach, und mir eine Stelle eines Hauslehrers im Hause eines französischen Kaufmanns antrug."

Werkregister 139

CHRISTIAN GOTTLOB HEYNE

Lektüre des Vergil

Hoc unum monebo, nisi memineris, in Virgilio plus artis, in Theocrito plus nativæ elegantiæ, esse, te non mirari non posse, cum videas, etiam præstantissimos ex hoc genere poetas recentiorum temporum Virgilium maluisse sequi quam Theocritum. Artis scilicet semper facilior imitatio; naturalem venustatem difficillime assequare.

Quod ad *descriptionem* et *œconomiam hujus carminis* attinet, varie ea quidem institui potest, semper tamen spectandum hoc, ut ea potissimum ratio ac via ineatur, qua maxima voluptas legentis animo afferri possit; cujus quidem rei eo diligentior ratio habenda est, quod hujus carminis simplicitas et humilitas interdum in exilitatem abire, lenis et mollis tenor languere, solet. Raro itaque poeta narrantis aut describentis partes suscipit; nisi ille in argumento admodum suavi et copioso ac florido versetur; sed convertit fere rem in drama et in actionem, ipsosque pastores colloquentes ac narrantes inducit, ut res non tam narrari, quam potius geri, ac lectoris oculis subjici, et ille inter silvas errare, in umbra arboris assidere, cantantes audire sibi videatur; quod non ita accipiendum, tamquam si omne carmen pastorale dramaticum esse debeat, ut cum Fraguerio* plerique, qui hoc de carmine, nuper quoque, scripsere, existimant, verum quia hæc ratio poetæ consilio fere maxime respondet.

Situs ac *loci temporisque* designatio, quæ cujusque carminis argumento conveniat, uti poetæ ingeniosi non infima laus est, ita ad majorem ex lectione suavitatem capiendam non parum facit. Cujus enim animus veris ac ruris, pascuorum et armentorum, suavi descriptione non vehementer delectatur, aut quis cantum pastoris non multo gratiorem esse sentit, si ille sub fagi umbra, ad rivuli murmur, in molli herba inter gregum exultationes, sedens otio indulgeat?

> Dicunt in tenero gramine pinguium
> Custodes ovium carmina, fistula
> Delectante deum, cui pecus et nigri
> Colles Arcadiæ placent.†

Potest is locus interdum adeo duplex esse, ut et is designetur, in quo pastor cantet, et alter, in quo res commemorata gesta sit; ut in Ecloga decima a Virgilio factum videbimus.

Werkregister 138

GOTTLOB BENEDICT VON SCHIRACH

aus   *Einleitung zum Plutarch*

Die Geschichte wurde von Griechenland, jener fruchtbaren Mutter so vieler Weisheitsvollen Kinder, geboren. Das wenige und unzuverläßige, was uns noch von den Aegyptischen, Phönicischen, und andern orientalischen Geschichtschreibern, bekannt ist, reicht nicht zu, um uns einen vollkommnen Begrif dieser ältesten Geschichtschreiberey zu bilden. Es sind ehrwürdige Ruinen, einzelne Säulen, und Stücke, aus denen man die Bauart der Gebäude nicht beurtheilen kann. So viel läßt sich, durch Vergleichung, und Urtheil, bestimmen, daß die Griechen erst den guten Geschmack in die Geschichte einführten, daß sie, so wie andre Künste, auch die Geschichte zu demjenigen ausbildeten, was man mit Recht unter dem Namen derselben versteht. Sie sichteten das Chaos der Erzehlungen, trachteten die Körner von der Spreu zu scheiden, sie wollten nicht bloß vergnügen, sie wollten unterrichten, und nur den Unterricht angenehm machen. Sie studirten die Zeitrechnung, um Wahrheit zu finden, sie verwarfen die *Allegorie*, welches die *älteste Art* der Ge-

---

* Dissertation sur l'Eclogue par Mr. l'Abbé Fraguier, dans les Memoires de l'Academie des Inscript. T. II, p. 132.
† Horat. Carm. IV, 12,9.

schichte war, bekannten, daß sie Fabeln mittheilten, wenn sie nicht anders konnten, bezeichneten das ungewisse als ungewiß, und indem sie Nachrichten abschrieben, dachten sie selbst, und indem sie unterrichteten, machten sie die Menschen vergnügter, und weiser, und besser.

Dieß ist *Geschichte*. So wurde sie von den Griechen geboren: so erlangte sie jene verdienten Lobsprüche der besten und weisesten Menschen, daß sie die Führerin des Lebens, das Licht der Wahrheit, die Lehrmeisterin der praktischen Weisheit sey.

Bey dem Tempel Salomo's mußten viele Gattungen Arbeiter seyn. Er konnte ohne deren Beyhülfe nicht zu Stande kommen, so wenig als das grosse Gebäude der Geschichte der Menschheit. Auch die Geschichte kann ohne einzelne Compilationen nie vollkommen werden. Und Sammler verdienen Achtung, Beyfall, und Belohnung. Durch ihre Beyhülfe wurden *Plutarche*.

Plutarch schrieb in einer Zeit, wo die Weisheit der hellen Römer und Griechen ihren Zenith erreicht hatte. Es war das Zeitalter, in welchem Minerva römisch gesinnt zu seyn nach und nach aufhörte. Sie gab, in der Folge, noch einmal, alle ihre Gunst, dem Kaiserlichen gekrönten Weltweisen, *Marc=Aurel*, und später noch, wie wohl *nicht täglich*, dessen Bruder, *Julian*. Wir müssen also den Plutarch als den Geschichtschreiber der reifern griechischen Weisheit betrachten.

Die Griechen und Römer hielten die Geschichte für einen Theil der schönen Wissenschaften, aber freylich war damals die Geschichte noch nicht so weitläuftig, wie jetzt, ihr Studium erfoderte noch nicht die ganze Beschäftigung eines Mannes, und das Opfer eines ganzen Lebens. Jetzt erfodert die *Geschichte* und *Statistik* ihren eignen Mann, aber ich zweifle, daß ein solcher, auch mit ausgebreiteter Gelehrsamkeit, und mit ausgezeichnetem Genie, sich zu dem Range der unsterblichen Griechen und Römer erheben könne, ohne den Grazien vorher geopfert, ohne die schönen Wissenschaften sich bekannt gemacht zu haben.

Solch ein Mann war Plutarch. Seine, so genannten, moralischen Schriften zeigen uns ihn als einen Mann von der weitläuftigsten Belesenheit, von dem feinsten Geschmacke, und von einem lebhaften, zuweilen zu gekünstelten, Witze. Seine historischen Schriften, die ich zu übersetzen die Ehre habe, enthalten eine Menge von Anführungen griechischer Dichter, und schöner Geister. Seine Geschichte ist gründlich, und doch schön, sein Vortrag angenehm, und doch geschichtsmäßig.

Werkregister 204

JOHANN EUSTACHIUS GOLDHAGEN

Die Gelehrsamkeit des Pausanias

Wenn sich bey einem Reisenden eine eifrige Begierde findet, alles, was die Länder merkwürdiges haben, wohl kennen zu lernen; wenn er unermüdet ist, und sich keine Schwierigkeiten abschrecken läßt, alles aufzusuchen und genau zu betrachten, oder die zuverläßigsten Nachrichten davon einzuziehen; wenn er schon aus den besten Schriften eine Kenntniß der Geschichte, der Religion, der Künste, der Gebräuche, der Alterthümer mit an die Oerter bringet, die er in Augenschein nimmt: so kann man sich eine glaubwürdige und lehrreiche Reisebeschreibung von ihm versprechen. Die angeführten Eigenschaften finden sich offenbar bey unserm Schriftverfasser. Der Augenschein wird einen jeden aufmerksamen Leser davon überzeugen. Selbst die genaue Beobachtung solcher Dinge, die uns ietzo als Kleinigkeiten vorkommen, welche aber zu seinen Zeiten und nach seinen Begriffen und Absichten nicht geringschätzig waren, beweiset die Richtigkeit seiner Beschreibungen und Erzählungen. Besonders aber fällt es gelehrten Lesern in die Augen, daß Pausanias eine zureichende Wissenschaft zu seinen Reisen und Untersuchungen mitgebracht habe. Er zeiget eine solche Belesenheit in poetischen, historischen und geographischen Schriften, daß Fabricius in der griechischen Bibliothek ein Verzeichniß von 173, theils benannten, theils unbenannten Auctoren anführet, auf die er sich berufet, und welche er auch zum Theil beurtheilet. Die Religion mit ihren Fabeln, Göttern und Gebräuchen, die Künste nach ihrem Ursprunge und Fortgange, nach ihren Schulen und vortrefflichen Werken, die Geschichte der Länder, der Städte, der Reiche, und der berühmtesten Männer in allen Ständen, hatte sich unser Pausanias theils vor seinen Reisen wohl bekannt gemacht, theils vermehrte er seine Kenntniß durch die sorgfältigste Nachforschung bey denen, welche ihm den besten Unterricht geben konnten, und nahm alles selbst in Augenschein. Seine Leser nimmt er gleichsam bey der Hand, und führet sie mit sich aus einem Lande, aus einer Stadt, von einem Orte, von einem Gebäude, von einer Merkwürdigkeit zur andern. Er nimmt bey einem Tempel, bey einer Bildsäule und dergleichen Dingen, Gelegenheit zu abwechselnden Erzählungen und Nachrichten, die in keiner andern alten Schrift gefunden werden, und ergänzet viele Lücken der sämtlichen griechischen Geschichte. Er gehet bis auf den Ursprung der Städte und Reiche, der Geschlechte von Königen und Helden, der bürgerlichen und heiligen Gebräuche, der Künste und Wissenschaften zurück, und führet sie zum Theil von ihrem Ursprunge durch alle Veränderungen bis auf seine Zeiten durch.

Können wir uns aber auf die Wahrheit seiner Erzählungen verlassen? zeiget er nicht hier und da eine große Leichtgläubigkeit? von dieser kann man ihn nicht ganz frey sprechen: er hat zu deutliche Beweise davon gegeben. Er findet, zum Beyspiele, keine Ursache, warum er nicht glauben solle, daß der Fluß Alpheus aus dem Peloponnes unter dem Meere fortgehe, und aus der Quelle Arethusa bey Syrakusen wieder hervor komme. B. 5. K. 7. Er nimmt es als gewiß an, daß das Bild der Diana Orthia, diejenigen, welche es gefunden und ihm geopfert, unsinnig und rasend gemacht habe. B. 3. K. 16. Ihm ist es glaublich, daß Trophonius ein Sohn des Apollo sey, ob ihn gleich andre für den Sohn des Erginus, eines Menschen hielten. B. 9. K. 37. Und wie viel andre Stellen werden seine Leichtgläubigkeit genugsam verrathen? Doch zu geschweigen, daß er auch bisweilen fabelhafte Erzählungen, z. E. B. 6. K. 8. von dem Pugil Demarchus, verwirft, so erweiset er sich doch nur in solchen Dingen leichtglaubig, die mit seiner höchst elenden Religion, davon wir hernach etwas sagen werden, verknüpft waren: oder er führet an, was ihm erzählt worden, und überläßt es den Lesern, was sie davon glauben wollen, oder er verwirft aus eigener Untersuchung und Prüfung falsche Meinungen, als B. 8. K. 21. von den singenden Fischen. Hingegen in den Geschichtserzählungen folget er den besten geschriebenen Nachrichten, vergleichet sie auch in Ansehung ihrer Glaubwürdigkeit, und ist also in der Historie so zuverlässig, als andre alte Geschichtschreiber: noch zuverläßiger aber in den Nachrichten von Dingen, bey welchen er selbst eine richtige Untersuchung anstellen konnte, und wirklich anstellte. Bisweilen scheinet er sich mit Kleinigkeiten allzulange aufzuhalten: doch wie diese einigen Lesern nicht unangenehm seyn werden: so untermischt er sie ja mit andern ergötzlichen und lehrreichen Nachrichten, so, daß das anhaltende Lesen keinen ekelhaften Ueberdruß erwecken kann. Ist eine Schrift der Alten, in welcher das Nützliche mit dem Angenehmen verbunden ist; so verdienet Pausanias dieses Lob auf eine vorzügliche Weise. Nicht allein die gelehrten Männer, so diese Schrift herausgegeben, oder in die lateinische und französische Sprache übersetzt haben; sondern auch andre Gelehrte von Ansehen wissen die Vortrefflichkeit und Nutzbarkeit dieser historischen Reisebeschreibung nicht genug zu erheben.

So weitläufig aber die schöne Gelehrsamkeit ist, die Pausanias darinnen zeiget; so erstaunlich wird es vielen Lesern seyn, daß dieser Mann ganz ein Heide, ein sehr abergläubischer Heide, ein recht blinder Verehrer der Götzen gewesen ist, und zwar zu einer Zeit, da die Philosophie schon den Verstand, wenigstens der Gelehrten, sollte aufgekläret haben; da die christliche Lehre schon einen großen Theil der Völker erleuchtet hatte; da ein *Lucianus* die Götter der Griechen und Römer frey verspottete und lächerlich machte.

CHRISTIAN FELIX WEISSE

Übersetzung aus Pierre Augustin Guys'
„Litterarische Reise nach Griechenland".

Griechische Ruinen

Wann ich mich auf die Gräber der Griechen setzte, um der Bestimmung des Menschen nachzudenken, so war ich meistens allein. Ich unterbrach auch nur meine Gedanken, um in dem allezeit offenen Buche des Schauplatzes der Natur, oder in der Sammlung von Grabschriften zu lesen, die ich auf gleiche Weise vor Augen hatte. Es hat mir nicht weniger Zufriedenheit verschafft, in der Einsamkeit, wo der weise Mann sich selbst suchet, einem iener denkenden Wesen zu folgen, die niemals mit sich selbst alleine sind. Ich habe gefunden, daß es, so wie ich, ein Vergnügen empfand, eine schöne Landschaft mit antiken Ruinen, wie z. E. die Gräber sind, die unsere Blicke auf sich ziehen und anheften, zu entdecken und zu betrachten. Derjenige Mensch, der bloß die Augen öffnen kann, sieht in diesen Ruinen nichts, als Trümmern und einzeln umher gestreute Stücke. Derjenige aber, der sehen kann, entdeckt darinnen die Pracht eines alten Gebäudes, eines Triumphbogens, und die Wunder der Kunst. Auf einer andern Seite bezeigen diese Denkmäler, daß die Menschen selbst, noch verwüsterischer, als die Zeit, die mit mehr Langsamkeit verzehrt, nicht ihrer eignen Werke in ihrer blinden Wuth verschonen. Wir sehen nichts mehr, als die Trümmern von Gebäuden, die ihre Urheber verewigen sollten. Die Geschichte allein, oder einige kostbare Schriften, die zum Glücke bis auf uns gekommen, haben uns die Namen großer Künstler und der berühmtesten Helden erhalten. Dieser alte Tempel ist zerstört; aber es sind noch einige Säulen an einer dicken Mauer übrig, die zur Hälfte eingefallen, und auf welcher das Gras wächst und aufschoßt, so wie um jene verstümmelten Marmor und zerstreuten Sarkophagen umher, denen man sich wegen der Dornbüsche und Schlangen nicht nähern kann.

In einem solchen Zustande ist der Sumpf von Binsen und Rohre bedeckt, der die Ueberbleibsel des alten Tempels zu Ephesus umgiebt.* Weiter hin schmücken zerbrochne Stücken die wüsten Gränzen des Kaystrus. Der Wanderer bleibt bey dem Anblicke dieser herrlichen Ruinen voll Verwunderung stehen: er denkt stillschweigend der Bestimmung des Menschen, und dem Schicksale dieser Werke nach, die für die Dauer vieler Jahrhunderte gemacht zu seyn schienen. Der wahre Neugierige, ein Freund der Künste, setzt sich auf dem Fuße einer zertrümmerten Säule nieder; zeichnet ein zerstücktes Kapital, und den Anblick erhabner Reste eines berühmten Denkmals ab,

---

* Tournefort t. 3. p. 397.

welchen sein Zeichenstift das Leben wieder geben wird. Nichts ist ihm zu kostbar; er vergißt alle seine Bemühungen, wenn er nur das Bild oder die Spitze von einem Theile desjenigen mit weg bringen kann, was er gesehen, um es mit Gemächlichkeit auszuführen.

Werkregister 122

JOHANN ERICH BIESTER

Übersetzung aus Jean Jacques Barthélemys
„*Reise des jüngern Anacharsis durch Griechenland*".

Das Thal Tempe.

Wir sehnten uns mit Ungeduld nach Tempe. Diesen Namen führen mehrere Thäler in diesem Kanton; bestimmter aber bedeutet er das Thal, welches die Gebirge Olympus und Ossa bilden, indem sie sich nahe treten: es ist dies die einzige Heerstraße, welche von Thessalien nach Mazedonien bringt. Amyntor wollte uns begleiten. Wir bestiegen einen Nachen; und fuhren, beim Anbruch der Morgenröthe, am 15ten des Monats Metageitnion[1], auf dem Peneus ab. Bald zeigten sich unsern Blicken mehrere Städte; zum Beispiel Phalanna, Gyrton, Elatiä, Mopsium, Homolis; einige am Ufer des Flusses gelegen, andere auf den benachbarten Anhöhen[2]. Nachdem wir den Einfluß des Titaresius in den Peneus – des erstern Wasser ist minder rein, als des letztern[3] – vorbeigeschifft waren, kamen wir (zu Lande) zu Gonnus an, welches ungefähr 160 Stadien[4] von Larissa entfernt liegt[5]. Hier beginnet das Thal; hier ist der Fluß eingeengt zwischen dem Berg Ossa, welcher ihm zur Rechten, und dem Berg Olympus, welche ihm links liegt, und etwa über 10 Stadien hoch ist[6].

Einer alten Volkssage zufolge, spaltete ein Erdbeben diese Gebirge, und öffnete dem Wasser, welches die Felder überschwemmte, einen Weg[7]. Wenigstens ist so viel gewiß, daß, wenn man diesen Weg versperrte, der Peneus keinen Abfluß haben könnte; denn er nimmt unterwegs mehrere Flüße auf, und läuft in einem Boden, welcher sich stufenweise von seinem Ufer ab bis zu den Hügeln und Bergen rund um diese Gegend erhebt. Auch, sagt man, würde Xerxes, wenn die Thessalier sich ihm nicht unterworfen hätten, das

---

[1] Den 10 August des J. 357 vor Chr. Geb.
[2] Liv. lib. 42, c. 61.
[3] Homer. iliad. 2, v. 754. Strab. lib. 9, p. 441.
[4] 6 franz. Meilen und 120 Toisen.
[5] Liv. lib. 36, cap. 10.
[6] 960 Toisen. Man s. die Anmerkung hinten.
[7] Herodot. lib. 7. cap. 129 Strab. lib. 9, p. 430.

Mittel ergriffen haben, sich der Stadt Gonnus zu bemächtigen, und hier eine undurchdringliche Vormauer gegen den Fluß aufzubauen[1].

Diese Stadt ist durch ihre Lage sehr wichtig: sie ist der Schlüssel von Thessalien, auf der Mazedonischen Seite[2], wie Thermopylä es auf der Seite von Phocis ist.

Das Thal erstreckt sich von Südwest nach Nordost[3]; seine Länge beträgt[4] 40 Stadien[5], seine größte Breite[6] ungefähr drittehalb[7]: aber diese Breite wird bisweilen so zusammengeengt, daß sie nur von 100 Fuß[8] zu sein scheint[9]. Die Berge sind mit Pappeln, Platanen, und Aeschen von bewundernswürdiger Schönheit bewachsen[10]. Aus dem Fuße dieser Berge entspringen Quellen von kristallhellem Wasser[11]; und aus den Zwischenräumen, wodurch ihre Gipfel getrennt sind, strömt eine kühle Luft herab, welche man mit inniger Wollust einathmet. Der Fluß bildet fast überall einen ruhigen Kanal; und an einigen Stellen umfaßt er kleine Inseln, deren Grün er immer jung erhält[12]. Grotten in den Wänden der Berge[13], und Rasenstücke zu beiden Seiten des Flußes, scheinen der Zufluchtsort der Ruhe und des Vergnügens zu sein. Was uns zum meisten in Erstaunen setzte, war eine gewisse überlegte Anordnung in der Vertheilung der Zierrathen dieser einsiedlerischen Gegend. Anderwärts strebt die Kunst, der Natur nachzuahmen; hier, mögte man sagen, ahmt die Natur der Kunst nach. Die Lorbeeren und verschiedne Arten von Gesträuch bilden von selbst bedeckte Gänge und schattenreiches Gebüsch, in schönem Kontrast mit den Baumgruppen am Fuß des Olympus[14]. Die Felsen sind mit einer Art von Epheu bekleidet; die Bäume mit Pflanzen geschmückt, welche sich rund um ihren Stamm winden[15], innerhalb ihrer Zweige sich in einander flechten, und in Blumengehänken und Kränzen herabfallen. Kurz, alles zeigt in diesem paradiesischen Orte die lachendste Verzierung. An jeder Stelle scheint das Auge Kühlung einzuathmen, und die Seele neue Lebenskraft zu gewinnen.

---

[1] Herodot. ib. cap. 130.
[2] Liv. lib. 42, cap. 67.
[3] Pocock. descr. of the east. t. 3, p. 152. Handschriftl. Nachricht von Hrn. Stuard.
[4] Plin. lib. 4, cap. 8, t. I, p. 200. Liv. lib. 44, c. 6.
[5] Ungefähr 1½ franz. Meilen. Die Meile wird immer zu 2500 Toisen angenommen.
[6] Handschriftl. Nachricht von Hrn. Stuard.
[7] Ungefähr 236 Toisen.
[8] Ungefähr 94 fr. Fuß.
[9] Plin. lib. 4, cap. 8, t. I, p. 200. Aelian. var hist. lib. 3, cap. 1. Perizon. ibid. Salmas. in Solin. p. 583.
[10] Theophr. hist. plant. lib. 4, cap. 6. Catull. Epithal. Pelop. et Thetid. Plut. in Flamin. t. I, p. 370. Hesych, in Τέμπ.
[11] Aelian. var. hist. lib. 3, cap. 1.
[12] Pocock. t. 3, p. 152.
[13] Handschriftl. Nachricht von Hrn. Stuard.
[14] Handschriftl. Nachricht von Hrn. Stuard.
[15] Aelian. var. histor. lib. 3, cap. 1. Plin. lib. 16, cap. 44, t. 2, p. 41.

Die Griechen besitzen eine solche Lebhaftigkeit des Gefühls, und bewohnen ein so heißes Land, daß man sich nicht wundern darf, wenn sie so innig entzückt bei dem Anblick, und selbst nur bei der Erinnerung, dieses reizenden Thales werden. Zu dem nur schwach von mir entworfenen Gemälde muß man noch hinzufügen, daß im Frühling dieses Thal ganz mit Blumen überzogen ist, und daß eine zahllose Menge Vögel hier ihre Gesänge hören lassen[1], deren Melodie noch durch die Einsamkeit des Orts und durch die Jahreszeit an Zärtlichkeit und an Rührung zu gewinnen scheint.

Indeß folgten wir langsam dem Laufe des Peneus; meine Blicke, zwar durch eine Menge höchst anmuthiger Gegenstände zerstreut, kamen immer wieder auf diesen Fluß zurück. Bald sah ich sein Gewässer durch das Gesträuch, welches seinen Rand beschattet, hervorblicken[2]; bald trat ich an sein Ufer heran, und betrachtete den stillen Lauf seiner Wellen[3], welche sich einander zu unterstützen schienen, und ihren Gang ohne Getümmel und ohne Anstrengung vollendeten. Ich sagte zu Amyntor: ,,Dies ist das Bild einer reinen und ruhigen Seele; ihre Tugenden erwachsen eine aus der andern, sie wirken alle gemeinschaftlich, und ohne Geräusch. Nur der fremde Schatten des Lasters giebt ihnen, durch seinen Widerstand, einen Glanz.'' Amyntor antwortete mir: ,,Ich will dir nun das Bild des Ehrgeizes und dessen traurige Wirkungen zeigen.''

Er führte mich hierauf in einen der Schlünde des Gebirges Ossa, wo, wie man behauptet, der Kampf der Titanen gegen die Götter geschah. Hier stürzt ein wilder Bergstrom sich in einem Felsenbett fort, welches er durch die Gewalt seines Falles erschüttert. Wir kamen an eine Stelle, wo seine mächtig zusammengepreßten Wogen sich einen Weg durchzubrechen strebten. Sie schlugen auf einander, trieben sich in die Höhe, und stürzten, mit Geheul, in einen Abgrund, von wo sie mit neuer Kraft emporbrausten, um sich in der Luft gegen einander zu brechen.

Meine Seele war von diesem Schauspiel erfüllt, als ich die Augen rund um mich empor hob; hier stand ich, eingeschlossen zwischen zwei schwarzen, nackten Bergen, welche in ihrer ganzen Höhe von tiefen Spalten durchfurcht waren. Nahe bei ihren Gipfeln zogen Wolken schwerfällig zwischen Trauerbäumen, oder blieben an ihren unfruchtbaren Aesten hangen. Unterhalb sah ich die Natur in Trümmern: die zerbröckelten Berge waren mit ihren Bruchstücken überdeckt, und zeigten nichts als drohende und unordentlich auf einander gehäufte Felsstücke. – Welche Macht hat dann die Bande dieser ungeheuren Massen zerrissen? War es der Sturm der Nordwinde? Oder eine Umkehrung des Erdballs? Oder war es wirklich die schreckliche Rache der

---

[1] Plin. lib. 4, cap. 8, t. 1, p. 200.
[2] Id. ibid.
[3] Aelian. ibid. Procop. aedif. lib. 4, cap. 3, p. 72.

Götter gegen die Titanen? Ich weiß es nicht; aber immer sollten in dieses schaudervolle Thal die Eroberer kommen, um das Bild der Verwüstungen welche sie der Erde bereiten, hier zu betrachten.

Werkregister 45

UNBEKANNTER VERFASSER

aus   *Übersetzung von des Grafen Choiseul-Gouffier*
„Ueber die neuern Griechen und ihre mögliche Befreyung
vom Joche der Osmannen"

Als ich Paris verließ, um Griechenland zu bereisen, that ichs bloß, um die Leidenschaft meiner Jugend für die berühmtesten Gegenden des Alterthums zu befriedigen; oder wenn ich mir ja zu schmeicheln wagte, die Beobachtungen meiner Vorgänger durch ein paar neue zu vermehren, einige von ihren Fehlern zu vermeiden, und ein paar geographische Irrthümer zu berichtigen, so war und konnte doch, bey der Schwäche meiner Mittel, dieses nicht der Bewegungsgrund seyn, der mich zu dieser Reise beredete. Mich spornte eine brennende Neugier, die sich mit Wundern sättigen sollte. Ich genoß zum Voraus des Entzückens, jenes berühmte und schöne Land, mit dem *Homer* und *Herodot* in der Hand, zu durchirren, beym Anblicke der Bilder, welche der Dichter vor Augen gehabt hatte, die verschiedenen Schönheiten seiner Gemälde lebhafter zu fühlen, und bey Betrachtung der Oerter, die der Schauplatz gewesen waren, mich mit mehr Interesse an die berühmtesten Begebenheiten jener Jahrhunderte zu erinnern. Kurz, ich versprach mir einen reichen, stets neuen, Genuß, einen unaufhörlichen Rausch in einem Lande, wo jedes Denkmal, jeder Trümmer, und so zu sagen jeder Schritt, die Einbildungskraft des Reisenden dreytausend Jahre zurück, und plötzlich unter die Zauber= Scenen der Fabel, und die großen Auftritte einer, nicht minder wunderreichen, Geschichte versetzen. Noch jezt kann ich, nach vielen Jahren, nicht ohne Bewegung an meine Fahrten auf jenem, mit Inseln besaeten, Meere zurückdenken, deren herrliche Gemälde für den Schiffenden unaufhörlich wechseln, und wo die kleinste Klippe der Einbildungskraft bevölkert mit Göttern oder Heroen erscheint; an das Land von *Delos*, und das *Trojanische* Ufer, und sonderlich an den Tag, wo ich im *Piräum* landete, nach *Athen* eilte; mich so glücklich fühlte, diesen berühmten Boden zu betreten, und mir das Herz für Ungeduld schlug, die Ueberbleibsel seiner Größe zu betrachten. Jeder Gegenstand wurde für mich die Quelle einer neuen Rührung; dies sind, sagte ich mir, die Trümmer der langen Mauern, welche den Hafen und die Stadt verbanden; unter jenen uralten Oliven= und PlatanenWäldern, lustwandelten *Demosthenes, Socrates, Aspasia;* jenes auffallende Gebäude, welches die Zeit verschont hat, und die sinkende Sonne mit ihren Stralen vergoldet, ist das Denkmal, das die, zu *Salamin* siegenden, Griechen, dem *Theseus* widmeten; und dort entdecke ich auf dem Gipfel der Citadelle, die kostbaren Ruinen jenes Tempels der *Minerva*, das Meisterstück der Künste von Attica in *Pericles* schönem Jahrhunderte!* –

Man muß den Enthusiasmus der schönen Künste, die Begeisterung der Jugend, und die Gewalt des Anblicks der Oerter über die Einbildungskraft, kennen, um sich einen Begriff von der Menge von Empfindungen zu machen, welche alle Sinne meiner Seele bestürmten und spannten. Vergebens hatte ich hundertmal die Schilderung des jämmerlichen Zustandes gelesen, in welchem sich Griechenland befindet, vergebens hatte ich mir oft selbst ein Gemälde davon entworfen; Erzählung, Beschreibung, Geschichte, Alles war wie durch Zauberey vergessen: mich durchdrang dasselbe Gefühl, als wenn ich Zeuge seines alten Glanzes gewesen, und nun plötzlich zurückgekommen wäre, um seinen neuerlich erlittenen Ruin zu betrachten; ich übersprang alle die Jahrhunderte, welche den Raum zwischen dem was ich sah, und dem ausfüllten, was ich von seinem ehemaligen Flor gelesen hatte; ich konnte mich nicht daran gewöhnen, den Schimmer dieser so berühmten Gegenden nur noch in ihren Trümmern anzutreffen; ich ergrimmte über die unsinnige Wuth, die so viele schöne Denkmäler zerstören konnte; ich vergaß, daß die Religion der Türken ihre grobe Unwissenheit unterstützt, und es ihnen zu einer abergläubischen Pflicht macht, die Bildsäulen zu zertrümmern, und die Gemälde zu vernichten; ich wähnte, daß der Anblick solcher köstlichen Meisterstücke, selbst die wildesten Hände hätte entwaffnen, selbst die verfinstertesten Blicke zur Bewunderung hätte öfnen müssen. Ich erinnerte mich jenes in seiner Art einzigen Vorrechts, das im Alterthum die Insel *Delos* heiligte, und ihren Bezirk zur unverletzlichen Freystätte für alle Völker machte, von der sich das Laster willig entfernte, und der die Fackel des Kriegs sich nicht zu nähern wagte, ich überredete mich, daß ganz Griechenland von allen Völkern dieselbe fromme Achtung erfahren, und desselben Vorrechts hätte theilhaftig seyn sollen, womit es die Wiege des Gottes der Künste geehrt hatte.

Auf diese erste Klagen folgte bald ein noch schmerzlicheres Gefühl, das aus dem Uebermaas von Schande und Erniedrigung entsprang, zu welchem die Abkömmlinge dieser so berühmten Männer herabgesunken sind. Wie kann man ohne Unwillen den stupiden Muselmann, auf die Trümmer von *Sparta* oder *Athen* gelehnt, ruhig das Joch und den Zoll der Knechtschaft an Oertern auferlegen sehn, wo so oft Dolche gegen die Tyranney geschliffen wurden? Ungern entschließt man sich den Unglücklichen zu verachten, auch bemüht ich mich, mitten unter der Ausartung, die ich vor Augen hatte, einige von den

---

* Eine lange sehr schöne Stelle über das Alter, in welchem jeder Reisende seine Reisen in fremde Länder, sonderlich nach Griechenland, antreten sollte, um weder durch das Vergrößerungsglas schwärmender Jugend, noch durch die angelaufene Brille des stumpfen, kalten Alters, die Gegenstände zu beschauen, – lass' ich, sehr ungern, aber als der Sache fremd, hier weg.   *Uebers.*

angestammten Zügen des Charakters der Griechen hervorzuklauben, so wie ich das Gepräge einer alten Münze unter dem Rost, der sie bedeckt und frißt, zu entziffern suchen würde. Ich sammelte mit aller Aufmerksamkeit des Antheils die Beweise von Einsicht, Thätigkeit, Muth, zu deren Zeugen mich das Ohngefähr machte. In jenen heftigen und vorübergehenden Auftritten, welche die Diener des Drucks zuweilen erzwingen, in jenem Jähzorn, der die Griechen oft ihre Privatzwiste durch Gewaltthätigkeiten entscheiden macht, liebte ich Spuren ihrer alten Seelenstärke zu erkennen; ich suchte sie sogar in den Aeußerungen einer Grobheit auf, die oft den Reisenden lästig ist; mit einem Worte, ich würde ihnen gern verziehen haben, wild und rauh zu seyn, aber niederträchtig? – das konnte ich ihnen nicht verzeihen.

Bey einem andern Volke hätte ich vielleicht Mitleiden mit Menschen gehabt, die durch Gewalt unterdrückt, unter dem Joch der Tyranney schmachteten; aber diese Sklaven waren nicht bloß Menschen, es waren die Nachkommen der Griechen, und mein Respekt für ihren Namen erschwerte in meinen Augen ihre Erniedrigung . Dieser schöne, entehrte Name, so viele gedemüthigte Glorie, entfernten die Rührung, welche schmachloses Unglück einflößt, und brachten mich noch mehr gegen ihre Niederträchtigkeit und Verworfenheit auf; und so machte selbst der Antheil, den sie mir einflößten, daß ich sie mit zu großer Strenge beurtheilte. Ich überdachte den Verein der Ursachen, die Verkettung so vieler schädlichen Umstände nicht, die sie niedergedrückt haben, und, ohne Erhohlung, ganz hätten vernichten sollen. Denn, zu welcher Zeit, von dem Augenblicke an, der sie den Römern unterwarf, hätten sie ihre Freyheit wieder erlangen können? Je mehr man in der Geschichte forscht, je mehr findet man, daß es nie eine solche Zeit gab. Vielleicht, soll ichs sagen? vielleicht sind seit ihrer gänzlichen Unterjochung, seit der Einnahme Constantinopels durch Mohammed II., ihre Fesseln zwar schwerer, aber leichter zu zerbrechen geworden. Der Augenblick der Vollendung ihrer Knechtschaft, ist vielleicht der Augenblick gewesen, welcher sie der Freyheit wieder am nähesten brachte. Es bleibt den Ueberwundenen noch Hofnung übrig, so lange sie nicht, unwiderbringlich, mit den Ueberwindern vermischt sind. Hier scheidet Alles die beyden Nationen; Religion, Sitten, Gebräuche, alles läuft wider einander, alles bekämpft sich unaufhörlich und ewig. Auch sind, seit dieser Epoche, ihre Bemühungen aus der Sklaverey zu kommen, häufiger und mannichfaltiger gewesen. Und eben dieses bewegt mich, der Verachtung zu widersprechen, womit man sie überhäuft, und womit ich selbst sie nicht zu verschonen geneigt war. Der Sklave, der seine Ketten schüttelt, und zu zerreißen sucht, kann wohl ein Unsinniger seyn, aber nie ein Niederträchtiger; sein Bestreben selbst schützt ihn vor Verachtung, und erwirbt ihm ein Recht auf unsere Schätzung. Aus diesem Gesichtspunkt betrachtet werden die Griechen von neuem interessant, die so ungeduldig sind, das Joch abzuschütteln, das sie drückt. Wo ist ein neueres Volk, das seine Liebe zur Freyheit, durch einen unverrückten Haß der Tyrannen, ausgezeichnet hätte, die ihm diese Freyheit raubten? Heißt das nichts, seine Ueberwinder nach vier Jahrhunderten noch eben so sehr zu verabscheuen, als am ersten Tage? sich tausendmal empört zu haben, und stets bereit zu seyn, von neuem sich zu empören?

Werkregister 66

JOHANN JACOB WILHELM HEINSE

aus   Ardinghello

[Ardinghello, als Künstler, Gelehrter, Krieger und Politiker Abbild eines Universalgenies der Renaissance-Epoche, hat nach einem unglücklichen Duell Rom verlassen müssen und durchstreift mit einigen Freunden, gelegentlich als Pirat, die Inselwelt des Mittelmeers. Ein Jahr nach diesem an den Erzähler des Romans gerichteten Brief wird er auf Paros und Naxos eine Republik gründen – Heinses Utopie der „glückseeligen Inseln".]

Im Hafen zu Scio. May.

All mein Wesen ist Genuß und Wirksamkeit; heiter der Kopf, immer voll heller Gedanken, reizender Bilder und bezaubernder Aussichten, und das Herz schlägt mir wie einer jungen Bacchantin im ersten ganz freyen Liebestaumel.

Diagoras durchstreicht mit mir den Archipelagus, damit ich jeden gefährlichen Paß und alle *Häfen* kenne. Von *Smyrna* sind wir ausgelaufen, den langen Golfo durch, nach *Mytileni, Tenedos,* an den *Dardanellen* herum, nach *Stalimene,* den herrlichen Posten *Skyros,* und von hier ferner in jeden guten Hafen der *Cykladen.* Jetzt sind wir an den Küsten von Asien, und werden bis *Rhodos,* in den *Golfo von Makri* seegeln, und von dort nach *Aegypten.* Die Arbeit wird mir leicht; denn er hat von seinem Alten die treflichsten Karten, woran wir wenig verbessern können.

Ueberall weiß mein edler Führer, wo die neuern Helenen, Aspasien und Phrynen stecken, und hat mit mancher schon in Korsarenehe* gelebt; Liebesgötter umgaukeln uns, so oft wir einlaufen.

Demetri hat einen glücklichen Geburtsort gehabt. *Scio* ist die schönste Stadt aller griechischen Inseln; und die Rebenhügel und Thäler und Gärten zwischen den Gebirgen im Innern des Landes, mit ihren Pomeranzen, Zitronen und Granatenhaynen von klaren herabstürzenden Bächen erfrischt und belebt, sind entzückend und bezaubernd.

Jedoch so schön ist alles, wie du längst weißt, unter diesem seeligen Himmel; fast immerwährender Frühling, und für die Sommerhitze kühle Nächte;

---

* Ist in den griechischen Häfen so im Gebrauch, wie bey den Engländern die Soldatenehe.

dichte Schatten, spielende Seelüfte, Menge von Quellen, und Ueberfluß an gesunden und erquickenden Früchten.

Paradies der Welt, Archipelagus, Morea, Karien und Ionien, o daß ich würdig werde, eurer ganz zu genießen!

Die Griechen sind noch immer an Gehalt und Schönheit die ersten Menschen auf dem Erdboden; ihre Liebe zur Freyheit, und ihr Haß gegen alle Art von Unterdrückung noch eben so, wie bey den Alten. So bald sie nur ein wenig Luft bekommen von der ungeheuern Masse des Schicksals, die sie drückt, wie regt sich alles, und ist Leben und Feuer! und wie halten sie an, wie blitzschnell durchdringt ihr Verstand bey Gefahr, übersieht das Ganze, und schlägt den rechten Weg ein! Die *Mainotten* auf den Gebirgen von Sparta sind noch nie bezwungen worden, sie und Montenegriner, Illyrier und Karier Helden, wie ihre Urväter bei Plataia.

Kunst und mildere Sitten sind nur Ausbildung, und machen weder eigentlichen Kern noch Genuß aus.

Und der Hang zur Freude, zur Lust, zu Gesang und Tanz, wie klopft er dennoch eben so in ihren Adern! und wie mächtig das Gefühl für Schönheit!

O du und Cäcilia, ihr meine Geliebten, eilt hervor aus euern Sümpfen!

Ardinghello

Werkregister 133

VI. SPIEL UND MASKE

VLIEGELAND

JOHANN CHRISTOPH ROST

Die gelernete Liebe

3. bis 7. Auftritt

Dritter Auftritt.

Tiren. Silvie.

TIREN.

Ach! Schäferinn, du thust auch gar zu spröde.
Er liebt dich ja so treu. Du bist ja sonst nicht blöde.
Ich weis gewiß, daß du den Schäfer recht betrübst.
Gestehe mir es nur, ob du ihn heimlich liebst?

SILVIE.

Ich bin Damöten gut, ich will ihn auch nicht hassen;
Nur werd ich mich niemals die Liebe blenden lassen.
Da kömmt Damötas blind; mich macht er wohl nicht dumm.
Gewiß, ich lieb ihn nicht, ich weiß auch schon, warum.

TIREN.

Allein ich dächte doch, er sollte dir gefallen;
Damöt ist jung und hübsch, und wird ja fast von allen
In unsrer Fluhr geehrt. Was nur sein Auge sieht,
Macht seine Hand auch nach, spielt er ein Hirtenlied,
So klingts gewiß recht gut; er pfeifet auf zwey Blättern,
Und schlägt doch dreyfach an, du solltst ihn hören schmettern.

SILVIE.

Das kan mein Bruder auch.

TIREN.

Er schleudert auf ein Haar.
Du weißt, Likarsis hat so einen klugen Staar,
Der wollte gestern früh, ich werd es nicht vergessen,
Damöt war gleich nicht da, von seinem Käse fressen.
Allein er kam dazu, und sah den fremden Gast,
Und warf, drum ist er auch Likarsen so verhaßt,
Mit einem Steine hinn, und traf den Staarmatz leider!
Gerade vor den Kopf. Das that er mit der Schleuder.
Da lag das arme Thier.

SILVIE.

Mein Bruder schleudert auch.

TIREN.

Damöt schwimmt wie ein Fisch, er legt sich auf den Bauch
Und darf nur einen Fuß ein wenig seitwärts krümmen,
So kann er allemal dem Strohm entgegen schwimmen,

SILVIE.

Mein Bruder thuts ihm vor,

TIREN.

Er tanzt; du glaubst es kaum.
Verwichen spielten wir, dort um den grossen Baum;
Da wies er seine Kunst; er tanzte ganz alleine,
Wir sahen ihm nur zu; so macht ers mit dem Beine.

SILVIE.

Das kan mein Bruder auch.

TIREN.

Und laufen kan er recht,
Es holt ihm keiner ein. Silvanders neuer Knecht
Schießt auch zwar wie ein Pfeil; allein ich will es schwöhren,
Damötas läuft ihm vor, und solls ihm noch wohl lehren.

SILVIE.

Was hat er nun davon?

TIREN.

Ey, könnt ichs nur so gut!
Doch wie gefält Dir das? er nimmt dir seinen Huth,
Und wirft ihn in die Höh, und fängt ihn mit dem Kopfe.

SILVIE.

Das möcht ich nur erst sehn.

TIREN.

Gelt! aber mit dem Knopfe.
Das ist dir eine Kunst! erst macht er mit der Hand,
So groß als wie der Knopf, ein Grübchen in den Sand,
Hernach so nimmt er ihn, geht über funfzehn Schritte
Von seinem Grübchen weg, und wirft ihn in die Mitte,
Und zwar noch hinterrücks, recht, daß er liegen bleibt.

SILVIE.

Ach schweig!

TIREN.

Du solltst ihn sehn, wenn er die Kaule treibt;
Hat einer aufgemacht, so wird er es gleich innen,
Und ist auch wie der Wind mit seinem Stocke drinnen,

SILVIE.

Ja, ja, das ist schon hübsch.

Vierter Auftritt.

Amarillis. Tiren. Silvie.

AMARILLIS.

Der arme Tityrus!
Daß er doch allemal die Wette geben muß.
Das ist das dritte Schaf.

TIREN.

Hat Tityrus verlohren?

AMARILLIS.

Ja wohl; wer heists ihm auch? Ich hätt es längst verschworen.
Er weis es zum voraus, daß Thyrsis stets gewinnt,
Doch fängt er mit ihm an. Es ist als wär er blind,
Je, daß ich nicht mein Vieh nur zu verspielen hätte!

SILVIE.

Nun; aber sage mirs, was war denn ihre Wette?

AMARILLIS.

Wie Tityrus nun ist; er fieng zum Thyrsis an:
Laß sehn, wer unter uns am weitsten werfen kan.
Ich setze dir ein Schaf, was giebst du mir dagegen?
Ich, sagte Thyrsis drauf, will dir ein Band erlegen.
Hierauf nahm Tityrus zu allererst den Stein,
Und warf noch weit genug bis an den kurzen Reihn.
Es war mir selbsten lieb; allein, er soll nichts haben,
Denn Thyrsis warf und kam bis an den schmalen Graben.

TIREN.

Was sprach denn Tityrus?

AMARILLIS.

Nicht viel; was war zu thun?
Das Schaf war einmal weg; er konnte doch nicht ruhn,
Und wollte noch einmal, und zwar um eine Ziege.

Doch Thyrsis gieng nicht dran, er hatte schon zur Gnüge.
Sein Schaf war ihm gewiß; er sagte nicht ein Wort,
Und führte den Gewinnst zu seiner Heerde fort.

TIREN.
Wenn Tityrus nun auch einmal ein Schaf verspielet!
Ich glaube warlich nicht, daß er den Schaden fühlet.
Er hat ja Vieh genug. Man sieht nur seine Lust,
Wenn er im Thale treibt. Hätt ich es nur gewußt,
Ich hätte selbst mit ihm noch einmal wetten wollen,
Da hätt er mir gewiß die Ziege geben sollen.

AMARILLIS.
Wer giebt denn gleich ein Schaf um einen Steinwurf hin?

TIREN.
Ich wag es allemal; denn wenn ich glücklich bin,
So nehm ichs gar zu gern; verliehr ich gleich zuweilen.
Was thuts? ein Schäfer muß Gewinn und Schaden theilen.

SILVIE.
Das wäre nichts für mich. Ich habe stets gehört:
Behalte was du hast. Wer den Verlust erfährt,
Dem ist es doch nicht lieb. Du würdst es selber sagen.
Verliehre nur einmal, hernach will ich dich fragen.

AMARILLIS.
Je, glaube doch nur nicht, daß ers im Ernste meynt;
Er spricht bey dir nur so, und ist dein bester Freund,
Wenn du nichts haben willst; eh würd er dir sein Leben,
Als nur das schlechtste Lamm von seiner Heerde geben.
Tirenen kenn ich wohl. Ich bath ihn letzt einmal,
Da mir des Nachts der Wolf die beste Ziege stahl,
Er sollte mir doch eins von seinen Schafen schenken,
Und meynst du, daß ers that?

TIREN.
Du kannst mirs nicht verdenken:
Mein Vieh trägt wenig ein, die Zahl ist auch nicht groß.
Ich werde gar zu viel durch Raud und Husten los.

AMARILLIS.
Ich schwöhre dirs, Tiren, eh ich ein Schaf verspielte,
Viel lieber gäb ich dirs, wenn ich auch nichts behielte.
Allein, du schlugst mirs ab; mir, deiner Schäferinn.
Ich bitte dich nicht mehr.

TIREN.
So wahr ich redlich bin,
Verlange, was du willst, nur nichts von meiner Heerde,
Und sieh erst, ob ich dirs hernach versagen werde.

AMARILLIS.
Ja, käm es nur drauf an, es würde nicht geschehn.

SILVIE.
Tiren, ach laß uns itzt doch den Gewinnst besehn:
Du *(zur Amarillis)* bleibst indessen hier; wir bleiben gar nicht lange.
Vertreibe dir die Zeit mit einem Waldgesange,
Und wenn Damötas kömmt, so sag es ihm nur frey,
Er könnte wieder gehn, mir wär es einerley.
Ich weis, du bist so gut, und bleibst bey meinen Schafen.

AMARILLIS.
Ja, macht doch nur und geht.

SILVIE.
Allein, du mußt nicht schlafen.

Fünfter Auftritt.

Amarillis.

Sie singet.
Gestern hört ich, recht in stiller Ruh,
Einer Amsel in dem Walde zu.
Als ich nun da saß,
Und mich fast vergaß,
Kam Tiren und sprach:
Nun hab ich dich!
Und küßte mich.

Sechster Auftritt.

Damöt. Amarillis.

DAMÖT.
Ist denn dein Lied schon aus? Ich habe zugehört,
Und, weil mirs wohl gefiel, mit Fleiß dich nicht gestört.
Und sprach: nun hab ich dich! Ach! könnt ich auch so singen;
Und nur von Silvien ein freundlich Wort erzwingen.
Wo ist sie denn anitzt? Sie flieht wohl gar vor mir?
Das hätte noch gefehlt! Tiren ist auch nicht hier?

AMARILLIS.

Sie sind nicht allzuweit, und mir ist aufgetragen,
Und zwar von Silvien, dir, wenn du kämst, zu sagen:
Du möchtst nur wieder gehn.

DAMÖT.

Ich, schöne Schäferin?

AMARILLIS.

Ja, du!

DAMÖT.

Ach! daß ich doch nicht meiner mächtig bin.
Ich wollte mich so gleich aus dieser Fluhr entfernen,
Und, harte Silvie, dich ewig meiden lernen,
Du weißt, ich liebe sie, ich hab es dir erzählt,
Daß mich der Himmel recht mit dieser Liebe quält.
So oft ich bey ihr bin, so schwatzt sie nur von Herden,
Und sieht mich fast nicht an. Sollt ich nicht furchtsam werden?
Bis hieher hab ich ihr noch nicht ein Wort gesagt,
Nur heute hab ich es das erste mahl gewagt.
Allein was hilfft es mir? Sie sucht mich zu betrüben,
Sie spricht: sie ist mir gut, und will mich doch nicht lieben.
Ach! schöne Schäferinn, sprich du einmal mit ihr,
Mir traut sie nicht so viel; vielleicht gehorcht sie dir.
Ich warte bis sie kömmt, erklähr ihr doch mein Leiden,
Und schlägt sie dirs auch ab, so werd ich willig scheiden.

AMARILLIS.

Damöt, du tauerst mich, du liebst sie viel zu früh,
Ich hab es längst gesagt, erspahre nur die Müh.
Für Jugend kann sie nicht dein zärtlich Herz erkennen.
Sie sieht dir etwas an, und weis es nicht zu nennen.
Drum kömmts ihr fremde vor. Sie hat dich heimlich lieb,
Doch, glaube mir, ein Baum fällt nicht auf einen Hieb.

DAMÖT.

Du hast vollkommen recht, allein du kennst die Liebe.
Es steht ja nicht bey mir, daß ich sie noch verschiebe.
Du sprichst, ich taure dich. Die Reden sind wohl gut.
Jedoch dein schlechter Rath benimmt mir allen Muth.

AMARILLIS.

Es liegt ja nicht an mir; wenns nur die Zeit erlaubte,
Und ihre Jugend nicht dir ein Bekänntniß raubte,
Das du so sehnlich wünschst. Allein, ich will nicht ruhn.

Ich will, so bald sie kömmt, für dich den Antrag thun.
Du dächtest sonsten gar, ich wollt es hintertreiben.
Nein, nein, Damöt, du irrst, du kannst zugegen bleiben;
Und red ich dir nicht recht, so red ihr selber ein.
Wir beyde werden doch wohl ihrer mächtig seyn.

DAMÖT.

Nun ja, doch höre nur! Wie willst du denn nun sagen?
Du mußt mich aber auch in meiner Noth beklagen.
Denn, wenn sie selber sieht, daß dich mein Zustand rührt,
Wer weis, ob sie dadurch nicht gleiches Mitleid spührt.

AMARILLIS.

Sie ist ja noch nicht da.

DAMÖT.

Sie bleibt auch ziemlich lange.
Ging denn Tiren mit ihr? es wird mir würklich bange.

AMARILLIS.

Sieh doch geschwinde hin, Damöt; wer kömmt denn da?

DAMÖT.

Gewiß, da kömmt Tiren und meine Silvia.

Siebender Auftritt.

Amarillis. Tiren. Damöt. Silvie.

AMARILLIS.

Nun, schöne Schäferinn, du gehst von deinen Triften,
Und nimmst Tirenen mit! was soll dieß Beyspiel stiften?
Tiren, wo du nur itzt nicht bald gekommen wärst,
So fändst du mich nicht mehr.

TIREN.

Damöt!

DAMÖT.

Ja wie du hörst.

AMARILLIS.

Nein, nein, ich scherze nur; du mußt nicht gleich verzagen.
Damöt liebt Silvien, und hat ihr viel zu sagen,
Er kam und suchte sie; ich hieß ihn wieder gehn,
Allein, da traff ichs recht; er blieb ganz traurig stehn,
Und sah mich furchtsam an, als wenn er fragen wollte:
Ob er denn Silvien nun gar verlieren sollte?

SILVIE.

Mich wunderts, daß Damöt schon vom Verlieren spricht,
Er hat mich nie gehabt, und kriegt mich auch wohl nicht.
Mein Vater kann mich nur, kein Schäfer sonst verliehren.
Damöt betrügt mich nicht, er will mich nur verführen.

AMARILLIS.

Damöt, so rede doch!

DAMÖT.

Ach! laß es doch geschehn,
Daß ich dich lieben darf, damits die Schäfer sehn.
Das Fest ist nicht mehr weit.

SILVIE.

O! rede nicht vom Lieben.
Bist du denn darum nur auf meiner Trift geblieben,
Daß du mich lieben wilst? Nein, meine Mutter spricht
Zu Hause stets zu uns: ihr Kinder, liebt mir nicht.
Die Liebe macht nur faul, und ist ein schlecht Vergnügen,
Drum folgt, ihr werdet doch noch reiche Männer kriegen.
Gewiß, du fängst mich nicht, laß mich nur ungestöhrt,
Und liebe nur für dich; das ist dir unverwehrt.

AMARILLIS.

Ach solltest du nur erst die Liebe besser kennen,
Du gäbst noch etwas drum; itzt hörst du sie nur nennen,
Und weißt nicht, was sie ist. Mein Mund, der niemals treugt,
Sagt hiermit ohne Scheu, daß deine Mutter leugt.

DAMÖT.

Frag Amarillen nur, die liebet auch Tirenen.
Gewiß, sie wird sich nicht nach andrer Freude sehnen,
Als ihr die Liebe macht.

AMARILLIS.

Wir sind einander treu,
Und hüten beyderseits doch unser Vieh dabey.

TIREN.

Daß ich ein Schäfer bin, das macht Geburth und Heerde,
Allein, die Liebe macht, daß ich erst glücklich werde.
Ich hab es nicht gewußt, worauf mein Glück beruht,
Nun aber seh ich erst, wie viel die Liebe thut.

DAMÖT.

Und du, o Silvie, verachtest diese Triebe?

SILVIE.

Ich weis ja nichts davon; beschreib mir doch die Liebe.

DAMÖT.

Die Liebe fühlt man recht. Sie läuft durchs ganze Blut,
Man sieht einander an, und ist einander gut,
Und fühlt ... ich weis nicht was; verlangst du mehr zu wissen,
So weis ich keinen Rath, als den, ich muß dich küssen.

SILVIE.

Warum denn? geh doch nur!

AMARILLIS.

Nein, er hat recht. Ein Kuß
Ist das, wodurch man erst die Liebe fühlen muß.

SILVIE.

Wer wehrt dirs? küsse mich! Ich möcht es doch erfahren.
Was kann mir denn ein Kuß vom Lieben offenbahren?

DAMÖT.

Nun, schönste Schäferinn, nun hab ich dich geküßt!
Du siehst, ich weis nicht wie, ach! sag es, wie dir ist.

SILVIE.

Wie wird mir seyn? Damöt, ich habe mich betrogen.
Die Lieb ist ja recht hübsch, die Mutter hat gelogen.
So lieb ich selber gern, ich habe Licht genug.
Komm doch fein oft zu mir, dein Umgang macht mich klug.
Hinführo soll mir nicht so für der Liebe grauen.
Man darf, ich seh es wohl, auch keiner Mutter trauen.

Werkregister 196

UNBEKANNTER VERFASSER

Aus dem Hamburgischen Correspondenten vom 15. Juni 1742

Altona. Das so beliebte Schäferstück die *gelernete Liebe,* welches so oft auf
der Hamburgischen Schaubühne mit vielem Vergnügen derer Zuschauer ist
aufgeführet worden, siehet man nunmehro abgedruckt. Es ist von dem Verfasser der schalkhaften Schäfer-Erzehlungen verfertiget worden. Die Zärtlichkeit, die Unschuld und eine edle Einfalt machen dieses Stück so beliebt,
und zeigen sich darinnen in ihrer ganzen Stärke. Man höret allemal die Schä-

fer, und nicht den Dichter, reden. Hier findet man das Künstliche so ungezwungen, und das Sinnreiche so natürlich, daß beydes den Kennern nothwendig gefallen muß. Man siehet dieses Stück ohne zu ermüden, man verlanget den Ausgang mit einer kleinen Ungeduld zu wissen, und wir glauben, daß einige zärtliche Zuschauer sich am Ende den Kuß der jungen und unschuldigen Silvie wünschen. Der Herr Bäer in Altona hat dieses Schäferstück auf zwey Bogen in groß Octav sehr sauber abdrucken lassen, und das Titel-Blatt mit einem Kupfer, welches eine Schäferin vorstellet, gezieret. Man findet diesen Abdruck ebenfalls in Bohns Handlung.

Werkregister 28

JOHANN ADOLF SCHLEGEL

Über die Schäferpoesie

In der That; je reizender die Gemälde der Schäferdichter sind, desto mehr würden sie misfallen müssen, wofern das wirkliche Landleben das Vorbild wäre, mit welchem man sie bey der Beurtheilung zusammenzuhalten hätte; weil nicht nur das Wahre, sondern auch das Wahrscheinliche, noch niemals von ihnen geschildert worden seyn würde. Daraus also, daß dem Geschmakke die erstaunliche Unähnlichkeit zwischen den wirklichen Landleuten und den poetischen Schäfern nicht anstößig ist; daraus können wir den sichern Schluß machen, daß er eine solche Aehnlichkeit nicht erwarte, sondern daß er vielmehr nach einem bloß idealischen Muster die Nachahmung beurtheilt, wenn auch der Verstand sich dessen nicht deutlich bewußt ist.

Und was ist denn also eigentlich die *Schäferpoesie?* Die Kunstrichter beantworten diese Frage gemeiniglich auf eine sehr weitschweifige Art. Sie verlieren sich in blendende rednerische Beschreibungen, denen zwar mehrentheils der richtige Begriff eingeflochten ist, aber doch mit so vielen Nebenbegriffen verwickelt, daß es schwer ist, ihn so reinlich davon abzusondern, daß von dem fremden Zusatz nichts damit vermischt bliebe. Eben dieß ist es, was die meisten Fehltritte bey Verfertigung und Beurtheilung der Eklogen veranlaßt. Eine bestimmte Erklärung würde weit größere Dienste geleistet haben.

Das Schäfergedicht ist seinem Wesen nach *keine Poesie der Malerey,* wie es wohl das Landgedicht ist. Nicht als ob demselben gar nicht freystünde, zu schildern, oder solches wenigstens nicht von ihm erwartet würde. Es entlehnt vielmehr aus den Schätzen der Natur die reizendsten; es wählt aus ihr die angenehmsten Züge; es bricht aus ihren Gefilden die farbichtsten Blumen ab. Aber dieß alles sind für dasselbe, wie schon oben erinnert worden, bloß die Verzierungen; bloß das Zufällige, durch welches das Wesentliche mehr gehoben werden soll; bloß die Ausschmückung des Theaters.

Eigentlich ist die Ekloge so wohl, als die Ode, *den Empfindungen* gewidmet; doch mit dem Unterschiede, daß *die stürmischen Affekten,* welche die vorzügliche Liebe der Ode haben, *die schmerzhaften Empfindungen,* welche das Herz empören, und in dieser oft so große Wirkung thun, ganz *davon ausgeschlossen* sind.

Sie unterscheidet sich von der Ode noch weiter dadurch, daß *diesen Empfindungen,* eben so wie in der Oper, *Handlung zum Grunde* liegt, und gleichsam die Tafel ist, auf welche dieselbe aufgetragen werden müssen. Aber eben darum, weil alle Leidenschaften davon ausgeschlossen sind, darf *diese Handlung* nicht ernst, nicht heroisch, nicht tragisch seyn, sondern sie *muß aus der Natur herfließen.* Sie darf auch nicht durch künstliche Verwickelungen den Geist des Lesers oder Zuschauers in einer langwierigen Ungewißheit erhalten, daß er zwischen Furcht und Hoffnung, zwischen Besorgnissen und Wünschen, hin und her schwanke. Diese wäre für die sanften Empfindungen, die sie an ihren Personen zeigen, und dadurch in den Lesern erwecken soll, eine allzupeinliche Lage. Sie muß sich durch ihre *Einfachheit* anpreisen, und wenn sie durch etwas Unerwartetes überrascht; so muß dieß Unerwartete nicht in einem Wunderbaren, sondern in einem *Naiven* bestehen.

Der wesentliche Gegenstand eines Schäfergedichtes sind also *die Empfindungen eines glückseligen Lebens;* und zwar eines glückseligen Lebens, nicht wie es sich die menschliche Thorheit träumet, wenn sie dem Rathe der Eitelkeit und des Ehrgeizes Gehör giebt, wenn sie von Eigennutz oder Sinnlichkeit geleitet wird; sondern einer Glückseligkeit, wie ein dunkles Gefühl uns den Begriff davon aufbehalten hat, weil dieselbe unsre ursprüngliche Bestimmung auf der Erde war; *derjenigen Glückseligkeit, die mit Unschuld verbunden ist, und aus ihr entsprungen ist.*

Man erkennet nun von selbst, welches für sie der *Ort der Handlung* seyn müsse. Was für eine andre Wohnung kann wohl die Natur einer Glückseligkeit, wie sie dieselbe darbietet, anweisen, als ihre offnen, nicht von der Kunst in eine andre Forme gezwungen, Gefilde? Schattichte Gebüsche, in denen die Vögel einander Freude entgegenzwitschern; beblümte Auen, auf denen die Heerden, durch die volle Weide ermuntert, in einer sorglosen Zufriedenheit scherzen; liebliche Thäler, die durch gaukelnde Weste immerdar erfrischt werden; strudelnde Quellen und murmelnde Bäche; fruchtbare Felder und friedliche Hütten; grünende Hecken, und Sommerlauben, die von jungen Zweigen freundschaftlich umschlungen werden. Mit einem Worte, die wahre menschliche Glückseligkeit muß, wenn sie in dem ihr zuständigen Elemente seyn soll, in Gegenden versetzt werden, wo alles umher Fröhlichkeit und Ruhe athmet.

Die Ekloge hebt alle die Stände wieder auf, die zum Theile von dem Wachsthume des menschlichen Geschlechtes, zum Theile von der willkührlichen Vermehrung unsrer Bedürfnisse und Bequemlichkeiten ihren Ursprung herschreiben; alle die Stände, die nach unsrer gegenwärtigen Verfassung uns viele Vortheile gewähren, aber doch allesammt mit fast eben so vielen Beschwerlichkeiten verbunden sind. Sie führet die erste Gleichheit wieder unter die Menschen ein; sie bringt uns zu dem Stande der Natur zurücke.

Werkregister 205

MOSES MENDELSSOHN

Über die Schäferpoesie

Briefe, die neueste Litteratur betreffend.

Fünf und achtzigster Brief.

Jch übergehe den *Batteux,* und komme zu den eigenen Abhandlungen des Herrn Schlegel, die er in dieser Auflage, so wol der Anzahl, als der Länge nach, ansehnlich vermehrt hat. So eben habe ich seine Gedanken *von dem eigentlichen Gegenstande der Schäferpoesie* gelesen. *Batteux* sagt, *der wesentliche Gegenstand der Schäferpoesie, sey das Landleben, welches mit allen seinen möglichen Reizungen vorgestellt wird.* Diese unzulängliche Erklärung bewog mich, in der Abhandlung des deutschen Kunstrichters etwas bestimmteres zu suchen.

Ich fand vors erste die wohlgegründete Anmerkung, daß das *Landgedicht* wesentlich von der *Idylle* unterschieden sey. Sie kommen beide weder in dem Gegenstande noch in der Ausführung überein. ,,Die *Ekloge*, sagt Herr *Schlegel,* wird allezeit mehr zur Historienmalerey der Poesie, als unter ihre Landschaftsstücke gerechnet werden müssen; denn die Büsche und Bäche, die Heerden und Auen sind in ihr nur das Zufällige, nur die dazu schickliche Verzierung. Wer wird hingegen wol das Landgedicht unter die historische Gemälde stellen? Jeder erkennet in demselben ein Landschaftsstück, und unter allen, welche die Poesie zeichnen kann, ist es das reizendste,'' das Landgedicht schildert, die Ekloge stellet eine Handlung vor, jenes ist den Gegenständen der Natur, und diese sagt der Verf. ist so wohl als die Ode, den Empfindungen gewidmet. Er unterscheidet sie aber dennoch von der Ode darin, daß alle stürmische Affecten und schmerzhaften Empfindungen ganz von der Ekloge ausgeschlossen seyn, und sie, eben so wie die Oper, eine Handlung zum Grunde haben müsse.

Ich könnte mich hier bey dem sehr schwankenden Begriffe aufhalten, den Herr Schlegel von der Ode zu haben scheinet. Es wäre leicht zu beweisen, daß die Empfindungen der Ode von einer ganz andern Beschaffenheit sind, als daß sie mit den Empfindungen der Ekloge sollten verglichen werden können; allein ich suche eine Erklärung von der Schäferpoesie. – Hier ist sie! ,,Ihr wesentlicher Inhalt, sagt Herr *Schlegel,* sind [die] sanften Empfindungen eines glückseligen Lebens, die vermittelst einer einfachen weder heroischen noch lächerlichen, sondern natürlichen Handlung entwickelt werden; und in der für sie gehörigen Scene, in der reizenden Scene der Natur, aufgestellt sind."

Wie sehr weiß ich es dieser Erklärung Dank, daß sie mir nicht sogleich in die Augen fiel! Ich hätte mich vielleicht nicht überwinden können mehr zu lesen, und wäre des Vergnügens beraubt gewesen, das mir die Abhandlung in der That verursacht hat. Herr *Schlegel* ist ein feiner und einsichtsvoller Kunstrichter, allein das Erklären scheinet seine Sache nicht zu seyn. Der Inhalt der Schäferpoesie sind *sanfte Empfindungen eines glückseligen Lebens?* Unmöglich! Wenn die *Alcimadure des Theokrits* oder die *unglückliche Liebe* anders eine Idylle ist; so muß der Inhalt der Schäferpoesie auch in *unsanften Empfindungen eines unglückseligen Todes* bestehen können. Ist *das Grabmal des Adonis* eine Idylle? – Herr *Schlegel* wird es nicht läugnen. – Und gleichwol ist die Trauer um den Tod *Adonis* nichts weniger als eine sanfte Empfindung eines glückseligen Lebens, alle Liebesgötter beweinen ihn. Von den Bergen her erschallt die klagende Stimme der *Oreaden.* ,,Und *Venus* untröstlich, mit aufgelösten Haaren, mit nakten Füssen schweift durch die Wälder; Dornen trinken ihr Blut, das Blut einer Göttin. Heulend irret sie in den Thälern und ruft ihren Assyrischen Gemahl, und ruft ihren Geliebten – *Venus* hat so viel Thränen vergossen als *Adonis* Blut vergoß."* Die Liebe der Schäferpoesie ist nicht immer eine Liebe, die auf Rosen schläft, sondern öfters eine verderbliche und wütende Leidenschaft. Ihr Amor ist nicht selten ein grausamer Gott, wie sich *Theocrit* ausdrückt, der die Milch einer Löwin gesogen, und in Wäldern auferzogen worden. – Der *Cyclope* beym *Theocrit* und *Corydon* beym Virgil besingen die trostlose Unruhen ihrer Liebe.

Ah, Corydon, Corydon, quae te *dementia* cepit!

Geßner hat es so gar gewagt einst einen neidischen Schäfer zu schildern, und wie glücklich! *Lamon* der misgünstige Betrieger, giebt ihm Gelegenheit zu einer Situation, die ich für eine vor den angenehmsten in seinem *Daphnis* halte. – Warum sollte nicht auch sein *Kain* ein schöner bukolischer Charakter seyn? Ein Wettgesang zwischen *Kain* und *Abel* von Geßnerischer Ausführung, würde, meines Erachtens, durch den schönen Contrast der Sinnesarten die vortreflichste Wirkung thun. Wie kömts also, daß Herr *Schlegel* von nichts als sanften *Empfindungen*, und noch dazu eines *glückseligen Lebens* wissen will.

Ich will ihm indessen Gerechtigkeit wiederfahren lassen. Die Worte ,,sanfte Empfindungen einer glücklichen Lebensart," worin die ganze Kraft seiner Erklärung liegt, mögen vielleicht mehr dem Ausdrucke, als dem Sinne nach, fehlerhaft seyn. Vielleicht soll *sanft* hier nicht so wohl ein Beywort der Em-

---

* S. Ramlers Einleitung in die schöne Wissenschaften. ıter Band. S. 358.

pfindungen, als des Colorits seyn, das der bukolische Dichter seinem Gemählde geben muß, und in so weit ist es wol nicht zu läugnen, daß die
schmerzhaftesten Leidenschaften in der Schäferpoesie sich mit keiner Härte,
mit keiner Rauhigkeit des Colorits vertragen. – Auch die Worte eines *glückseligen Lebens* liessen sich noch entschuldigen. Sie sollen vermuthlich, die
Lebensart der Schäfer überhaupt andeuten, und nicht die Umstände, in welchen sie der Dichter nimmt. – Herr *Schlegel* hat also vielleicht sagen wollen,
die Schäferpoesie sey, *der sanfte Ausdruck der Empfindungen solcher Leute,
die eine ungekünstelte glückselige Lebensart führen.* – – Allein warum
schließt er an einem andern Orte ausdrücklich die schmerzhaften Empfindungen von der Schäferpoesie aus? Warum weiset er ausser der Liebe, keiner
andern Empfindung, als der Redlichkeit, Offenherzigkeit, Gutthätigkeit,
Weichmüthigkeit, Dienstfertigkeit und Edelmüthigkeit eine Stelle darinnen
an? Heißt dieses nicht dem Dichter vorschreiben, er soll die Schäfer niemals
anders als im Glücke und in ihren ruhigen Tagen schildern, da die sanfte
Liebe, oder die Güte des Herzens ihre einzige Bewegung ist?

Wie viel richtiger und philosophischer drückt sich *Geßner* in der Vorrede
zu seinen vortreflichen Idyllen, über diesen Punkt aus! ,,Die Ekloge, sagt er,
giebt uns Züge aus dem *Leben glücklicher Leute,* wie sie sich bey der natürlichsten *Einfalt der Sitten, der Lebensart und ihrer Neigungen, bey allen
Begegnissen, in Glück und Unglück* betragen.'' Unvergleichlich! Diese Beschreibung der Schäferpoesie vergnügt so sehr, als eine von den schönsten
Idyllen dieses beliebten Dichters. So selten *Geßner* der Dichter, seine Schäfer
im Unglücke geschildert; so hat doch *Geßner,* der Kunstrichter, sehr wohl
eingesehen, daß es angehet, und daß dieser Umstand, als eine wesentliche
Bestimmung mit zur Definition gehöret.

Sechs und achzigster Brief.

Sie gestehen mir, daß der erste Theil der Schlegelschen Erklärung, wenigstens falsch ausgedruckt sey, und ich setze hinzu, daß die übrigen Stücke
derselben noch weit tadelhafter sind. Er fordert zur Schäferpoesie *eine einfache, weder heroische noch lächerliche, sondern natürliche Handlung;* – die
Handlung ist nicht nothwendig, und wenn sie da ist, so kann sie auch *zusammengesetzt* seyn, denn wenn das wahr ist, was *Batteux* sagt, so können ,,die
Schäfer epische Gedichte haben, wie der Athis des Segrais, Comödien, Tragö-
dien, Opern, Elegien, Eklogen, Epigrammen, Inscriptionen, Allegorien, Lei-
chengesänge, u. d. g. und haben sie auch wirklich.'' Verschiedene Idyllen vom
Geßner sind eigentliche Schäferoden; und die erste Ekloge des *Virgils* ist ein
Schäfergespräch, das noch weniger Handlung hat, als ein Gespräch des *Plato.*

Die Handlung soll weder *heroisch* noch *lächerlich,* sondern *natürlich* seyn.
Wie unbestimmt! Das Natürliche kann noch allenfals dem Heroischen entge-
genstehen, aber mit dem Lächerlichen macht es einen sehr übelgewählten

Gegensatz. Und die Scene, die Herr *Schlegel* dem Schäfergedichte anweiset, ist *die reizende Scene der Natur.* Vermuthlich die Büsche, die Bäche, und die Auen, die er an einem andern Orte den zufälligen, aber schicklichen Zierrath der Schäferpoesie nennet. Was wollen wir aber aus der Fischeridylle des Theocrits machen. Die Scene, auf welcher sie vorgehet, ist nichts weniger, als die reizende Scene der Natur. ,,Sie schliefen in ihrer Schlafhütte auf einer Streu von trockenem Meergrase, gelagert an eine bemooste Wand." Hier sehe ich Natur, aber gewiß keine reizende. –

Sie würden mich indessen unrecht verstehen, wenn Sie die ganze Abhandlung des Herrn *Schlegels* aus dem Gesichtspunkte beurtheilen wollten, den ich Ihnen vorhalte. Seine einzelne Anmerkungen sind überaus lesenswürdig; nur in dem philosophischen Theile scheinet er noch ein wenig zu französiren. Wir Deutschen suchen auch in der Critik bestimmtere Begriffe; die Weltweißheit hat uns verwöhnt. – – Wie? wenn ich es versuchte, auf den Ruinen der Schlegelschen Erklärung eine neue aufzurichten? Sie werden mich desto strenger beurtheilen, je weniger ich meinem Vorgänger nachgesehen habe? – Gut! Ich verlange so wenig Nachsicht, als ich glaube, daß Herr *Schlegel* verlanget.

Das Landgedicht ist von der eigentlichen Schäferpoesie unterschieden, so wohl in dem Gegenstande, als in der Ausführung unterschieden, wie Herr *Schlegel* bemerkt. Demohngeachtet aber möchte ich sie zu einer Classe, allenfals zu einer obern Classe rechnen. Und sollte es bloß der gefälligen Empfindung wegen geschehen, die sie beide in uns er⟨r⟩egen, ihrer gemeinschaftlichen naiven Wendungen, und der Bereitwilligkeit wegen, die sie bey uns antreffen, uns in alle ihre Umstände mit Vergnügen zu versetzen. – Doch wozu diese erbettelte Gründe? Sie haben wirkliche Aehnlichkeiten. Die Personen, deren ⟨sie⟩ sich in ihrer Mahlerey bedienen, kommen darin überein, daß sie in kleinern Gesellschaften zusammen leben. Das Landvolk, Schäfer, Jäger, Fischer, u. d. g. sind Leute, die als Familien und Freunde unter einander leben, keine höhere gesellschaftliche Verhältnisse kennen, und wenn sie auch durch geheime Bande mit einem grossen Staate verknüpft sind, so sind diese Bande doch so versteckt, daß sie der Dichter unsern Augen völlig unsichtbar machen kann. Der allgemeinste Gegenstand der Landgedichte, so wol als der Idylle sind also, die kleinern menschlichen Gesellschaften, ungefähr so, wie sie der Weltweise in der *Oeconomik* moralisch betrachtet!

Man kann entweder die Beschäftigungen und die Lebensart dieser kleinern Gesellschaften betrachten, oder ihre Empfindungen und Leidenschaften. So wol die Lebensart als die Empfindungen, können entweder der Natur gemäß, gleichsam porträtirt, oder nach dem Ideal verschönert werden. Hier haben Sie in wenig Worten die Beschreibung viererley Arten von Gedichten, die alle zu einer Hauptclasse gehören! 1) Die Beschäftigungen ⟨der⟩ kleinern Gesellschaften nach der Natur. 2) Eben dieselbe nach dem Ideal. 3) Die Empfindungen und Leidenschaften der kleinern Gesellschaften nach der Natur. 4) Eben dieselbe nach dem Ideal. Die erste ist das eigentliche Landgedicht, davon Herr *Schlegel* redet; die zweyte kömmt mit der Beschreibung des güldnen Weltalters überein; die dritte, ist eine Art von *Landekloge*, die nicht ganz zu verwerfen ist, und von welcher ich verschiedene anmuthige Stücke als Exempel anführen könnte. Die vierte Art endlich, ist die wahre Idylle *Theokrits*, *Virgils* und *Geßners*. Was ist nunmehr die Idylle? Nichts anders, dünkt mich, als der *sinnlichste Ausdruck der höchst verschönerten Leidenschaften und Empfindungen solcher Menschen, die in kleinern Gesellschaften zusammen leben:* Diese Erklärung setzet dem Genie keine willkührliche Schranken, denn sie ist nicht bloß aus den vorhandenen Werken in dieser Art abstrahirt, sondern in der Natur unserer Empfindungen gegründet, und dieser muß sich das feurigste Genie unterwerfen. Sie fordert vom Schäferdichter Empfindungen und Leidenschaften; sie überläßt es aber seiner Willkühr, ob er sanfte oder stürmische wählen will. In diesem Stücke ist sein Genie der beste, und der einzige Rathgeber. Nur muß die Quelle dieser Leidenschaften keine Begierde seyn, die nur in grossen Gesellschaften entstehen kann. Herrschsucht, Geiz, unmäßige Ehrbegierde, Heucheley, fanatischer Eifer, Liebe zur Meuterey, u. d. g. sind Affecten, die das Innerste der Städter durchwühlen, den Gliedern der kleinern Gesellschaften hingegen unbekannt sind. Aber Liebe, Eifersucht, gebrochene Treue, beleidigte Freundschaft, der schreckliche Verlust der Freunde und Geliebten, die uns auf Erden das Schätzbarste sind; warum sollten diese nicht mitten unter den einfachsten menschlichen Gesellschaften die allertragischsten Handlungen veranlassen können?

Es stehet ferner bey dem Dichter, ob er gar keine, eine gewöhnliche, oder auch eine heroische Handlung zum Grunde legen will. Die Heroische verwirft Herr *Schlegeln,* aber ohne Grund. Die Schäferwelt hat ihren eigenen Heroismus, der aus andern Quellen fließt, aber nicht weniger erhaben ist, als der Heroismus der Landbezwinger. In einer Idylle beym *St. Mard* erlegt *Tyrsis* einen Wolf mit blossen Händen, der ihm ein Lamm rauben wollte, und dieses Lamm war das Pfand der Treue seiner Schäferin. „Er schleppte, so erzehlt der Schäfer, Götter, was für ein Schmerz! Er schleppte das Pfand deiner Treue, das so geliebte Lamm, mit sich fort. O! welche unglückliche Vorbedeutung von meiner Liebe, rief ich aus. Grausamer! ich verachte deine Wut. Bald, ob ich gleich ohne Hund und Stab hier bin, bald solst du es empfinden, daß *ein Liebhaber nichts früchtet.* Endlich hat dieses Raubthier, bis in seiner Höle verfolgt, durch meine Streiche seinen Raub und sein Leben verloren." Gestehen Sie! Gefällt Ihnen dieser herkulische Heldenmuth nicht weit besser, als wenn der Schäfer furchtsam geflohen wäre, und das geraubte Lamm in Stanzen beweinet hätte?

Werkregister 4

JOHANN WILHELM LUDWIG GLEIM

Anakreon.

Anakreon, mein Lehrer,
Singt nur von Wein und Liebe;
Er salbt den Bart mit Salben,
Und singt von Wein und Liebe;
Er krönt sein Haupt mit Rosen,
Und singt von Wein und Liebe;
Er paaret sich im Garten,
Und singt von Wein und Liebe;
Er wird beim Trunk ein König,
Und singt von Wein und Liebe;
Er spielt mit seinen Göttern,
Er lacht mit seinen Freunden,
Vertreibt sich Gram und Sorgen,
Verschmäht den reichen Pöbel,
Verwirft das Lob der Helden,
Und singt von Wein und Liebe;
Soll denn sein treuer Schüler
Von Haß und Wasser singen?

Werkregister 105

CHRISTOF FRIEDRICH WEDEKIND

Die anacreontische Ode, an Margaris.

Die anacreontschen Oden,
Herrschen in den Dichter=Moden,
Und das liebliche Geschlecht
Hält fast keinen Reim für ächt,
Als der, der etwas vom Küssen
Läßt in seine Strophe fliessen.
Denn, wer war Anacreon?
Ein verliebter Musen=Sohn,
Der im Trincken und im Lieben
Seine Lust so weit getrieben,
Bis die Trauben ihn erstickt,
Und zur andern Welt geschickt.

Trincken lieb' ich, auch das Küssen,
Ohn das Leben einzubüssen,
Und mich dünckt, den Unterscheid,
Gönnt mir deine Zärtlichkeit.

Werkregister 245

UNBEKANNTER VERFASSER

Die schlafende Chloe.

Mein Herz hatt ich voll Zärtlichkeit
Der schönen *Chloe* längst geweiht.
Ich schwur, daß ich ihr treu verbliebe.
Doch stäts hielt sie die Schaam
                        zurück,
Ihr Mund verläugnete mein Glück.
Das Aug allein gestand: Ich liebe.

O was erlitt ich nicht für Qual!
Bis ich zuletzt voll Kühnheit stahl,
Was sie zu stehlen nur erlaubte.
Stäts sprach sie: Laß mich doch in
                        Ruh,
Rang halb, und schloß die Augen zu,
Wenn ich nur einen Kuß ihr raubte.

Jüngst saß sie, um verdeckt zu seyn,
Am schattigten Gebüsch allein,
Ihr Busen wallte vom Verlangen.
Ich weis nicht recht, was sie empfand,
Was du begiengst, o lose Hand,
Dieß weis ich, hätt ich gern begangen.

Ich lauscht im fernen Rosenstrauch,
Bis Zephyrs ungetreuer Hauch
Die Zweige bog, und mich verriethe.
Schnell deckte sie das weiße Knie,
Und stellte sich, als schliefe sie,
Doch schlug die Brust, das Antlitz
                        glühte.

O wie durchstrich ich nicht die Flur;
Ich dachte Chloe schliefe nur,
Daß sie mein Kuß erwecken sollte.
Ich küßte Hand und Mund. Sie
                        schlief.
Ich küßte stark. Sie schlief so tief
Als ob sie nicht erwachen wollte.

Was that ich mehr? Wer dieses fragt,
Der ist nicht werth, daß mans ihm
                        sagt.
Ihr Schönen könnt ihr sie drum
                        strafen.
Sie schlief. Wüßt sie, was ich gethan!
Sie zeigt' es mir noch jetzt nicht an.
O möchte sie doch oft so schlafen!

Werkregister 21

CHRISTIAN GOTTLIEB LIEBERKÜHN

Die Schlafende.

Jüngst war Chlorinde bey den Schafen
Auf sanftem Lager eingeschlafen.
Ich schlich zu meiner Schäferinn
Mit leisen Tritten freudig hin,
Ihr manchen Kuss im Schlaf zu stehlen.
Ich küsse sie – Schnell wird sie wach!
Nun dacht ich zitternd, wird sie schmählen.
Bestürzt erwart ich meine Strafe.
Doch nein! Sie dehnte sich und sprach:
Mein Schäfer fürchte nichts! Ich schlafe.

Werkregister 174

JOHANN PETER UZ

Ein Traum.

O Traum, der mich entzücket!
Was hab ich nicht erblicket!
Ich warf die müden Glieder
In einem Thale nieder,
Wo einen Teich, der silbern floß,
Ein schattigtes Gebäusch umschloß.

Da sah ich durch die Sträuche
Mein Mädchen bey dem Teiche.
Das hatte sich, zum Baden,
Der Kleider meist entladen,
Bis auf ein untreu weiß Gewand,
Das keinem Lüftchen widerstand.

Der freye Busen lachte,
Den Jugend reizend machte.
Mein Blick blieb lüstern stehen
Bey diesen regen Höhen,
Wo Zephyr unter Liljen blies,
Und sich die Wollust greifen ließ.

Sie fieng nun an, o Freuden!
Sich vollends auszukleiden:
Doch, eh' es noch geschiehet,
Erwach ich und sie fliehet.
O schlief ich doch von neuem ein!
Nun wird sie wohl im Wasser seyn.

Werkregister 241

JOHANN WILHELM LUDWIG GLEIM

Geschäfte.

Mir deucht, so oft ich schlafe,
Schlaf ich bei lauter Mädchen;
Und immer, wenn ich träume,
Träum' ich von nichts als Mädchen;
Und wenn ich wieder wache,
Denk ich an nichts als Mädchen;
Im Schlaf, im Traum, im Wachen
Spiel ich mit lauter Mädchen.

Werkregister 105

Johann Georg Jacobi an Gleim

Ihr armer kleiner Amor! denken Sie nur, liebster Freund, was ihm gestern begegnet ist. Nachdem ich ihn lange vergebens gesucht, gieng ich allein nach meinem Landhause[a], wo ich Ideen zu den Liederchen für meinen Gleim hohle. Wie erstaunte ich, den artigen Gott mit verschiedenen seiner Freunde hier anzutreffen, die alle aussahen so wie Sie, als Sie aus der *Selka* gerettet wurden. Alle saßen sie

Beschämt und traurig auf dem Hügel,
Ein ieder vor sich hingewandt,
Und trockneten die nassen Flügel,
Und ihr Gesicht verbarg die kleine Hand.

Ich trat näher, bedaurte Sie, und fragte in einem mitleydigen Tone, was Ihnen fehlte? Sie antworteten nicht. Erst nach vielen wiederholten Fragen, nahm der Ihrige das Wort, und erzälte mir eine lange Geschichte, wovon ich Ihnen nur das nöthigste sagen werde.

Vorigen Sommer, fieng er an, als dein Gleim dich besuchte, gieng ich mit diesen meinen Brüdern, unweit von den Wohnungen der Haloren, am Ufer der *Saale* umher. Plötzlich sprang aus den Kothen ein Mädchen hervor. Von dem Rauche war sie ziemlich schwarz; dennoch leuchtete unter den Flecken, die sie verstellten, eine gefällige Miene hervor, und in ihrem Auge war eine besondere Freundlichkeit.

---

[a] Es liegt auf einem kleinen Berge, an dessen Fuße die Saale fließt.

Durch Wölkchen, die ihn halb bedecken,
Die neidisch uns sein sanftes Licht verstecken,
Macht so der Mond sich eine Bahn,
Und lächelt stille Fluren an.

Mädchen, sagten wir, kanst Du schwimmen, wie deine Brüder? Sie sah
schalkhaft auf uns herab, warf ihr Oberkleid von sich, und stand halb entblößt da. Nur bedeckte ein Schleyer den vollen Busen; im Ernste bedeckte er
ihn; nicht wie das leichte Gewebe, das die Stadtschönen nachläßig über ihre
Reize hinwerfen, und durch welches sie verschönert durchschimmern. Wie
ärgerten wir uns über den zu dichten Schleyer! Indessen sprang unser Mädchen in das Wasser. Die Bewegungen, die sie bey dem Schwimmen machte,
ließen uns ihre Bildung bewundern. Diese war so, wie sie die Natur; nicht
wie sie eure Mode verlangt. Alles vollkommen, alles in dem rechten Verhältnisse.
Voller Freuden begleiteten wir sie mit einem Liedchen in die Fluten.

> So schwimmen artige Naiaden,
> So, leichtgekleidete Dryaden,
> Die spielend in dem Flusse baden:
> Seht, Brüder, seht die reizende Gestalt!
> Laß, Mädchen, dich erbitten,
> Entflieh den schwarzen Hütten;
> Dort winkt ein iunger Wald.
> Seht, Brüder, seht die reizende Gestalt!
> So schwimmen artige Naiaden,
> So, leichtgekleidete Dryaden,
> Die spielend in dem Flusse baden.

Dies sangen wir, als eine Nymphe, welche vielleicht die Vergleichung mit
dem Halorenmädchen übel nahm, sich aus der Saale emporhob, und uns
drohte. Wir lachten, und wiederholten den Gesang.
Wie konten wir aber glauben, daß der Zorn einer Naiade viele Monate lang
dauren würde? Heute sitzen wir an dem Fuße deines Berges, und da fällt es
uns ein, zum Zeitvertreibe zu fischen. Mit Netzen und Rudern versehen,
steigen wir in den nächsten Kahn: schon sind wir mitten auf dem Flusse: was
geschieht?

> Uns arme Knaben zu beschimpfen,
> Kömmt schnell ein Chor von Wassernymphen,
> Umringt uns, hält den leichten Kahn
> Mit höhnischem Gelächter an,
> Und nimmt, die Rache zu vollenden,
> Uns Netz und Ruder aus den Händen.

Die Dryaden eines benachbarten Waldes kamen auch herbeygelaufen, stellten sich ans Ufer, und sangen spottend das Lied, das wir dem Halorenmädchen sangen. Was sollten wir thun? Köcher und Bogen waren auf dem Lande liegen geblieben, und in der Bestürzung vergaßen wir, daß wir fliegen konten. Wir drohten mit dem Zorn der Venus, zuletzt baten wir: alles war umsonst. Wir mußten ins Wasser uns stürzen; von dem Gelächter der Nymphen verfolgt, hinüberschwimmen, und halb erfroren den Hügel hinanklettern. Die böse, eifersüchtige Nymphe!

So gut ich konte, tröstete ich die armen Kinder, und gab ihnen von meinem besten Weine; aber ich vergaß darüber das Liedchen für meinen Gleim. Da kömmt eben Ihr kleiner Amor? Was bringst du in dem zugedeckten Körbchen? ,,Lerchen, die ich heute Morgen mit meinen Brüdern fieng. Das Fischen haben wir verschworen, und wir müssen uns doch einigen Zeitvertreib machen.'' Gut, die Lerchen will ich deinem Herrn schicken; er soll mit Gleminden sich unserer dabey erinnern. Nun ist der Knabe recht vergnügt über seinen Fang, und hüpft um mich herum.

Aber liebster Freund, ist Ihnen bey meiner Erzälung die Zeit nicht lang geworden? das Liedchen der Amors halten Sie gewiß für untergeschoben; einige Verse mögen es auch wol seyn. Wenigstens singen die Liebesgötter sonst etwas besseres. Seit einigen Tagen ist mir, ich weiß nicht warum, das ganze Serrail des Apoll nicht günstig: und dann erzält man solche frostige Geschichten!

Werkregister 101

Johann Wilhelm Ludwig Gleim
an Jacobi

Das bitt' ich mir aus, mein lieber Jacobi, daß sie die Amors, die das Liedchen dem Halorenmädchen sangen, daß sie die zufrieden lassen! Zehnmahl sang ich es ihnen nach, das allerliebste Liedchen, so gefiel es mir. Wer da kan, der mache doch ein besseres! Und die niedlichen Amors, beklaget, getröstet, erquicket von meinem Jacobi, die allerliebsten Kinderchen, die der berühmte Kindermahler nicht niedlicher mahlte, in dem Nachen, an dem Ufer, die Augen auf dem schwimmenden Halorenmädchen, mit den kleinen Fischernetzen in den Händen, die gefielen meinem Greßet nicht? Wiederrufen Sie, mein kleiner lieber Jacobi, oder, welche Strafe wollen Sie?

Soll ich es Chloen wiedersagen,
Daß Sie das nackte Mädchen sahn?
Daß Amor Sie in seinem Kahn
Hinüber in den Wald getragen,
In welchem, Arm um Arm geschlagen,
Sie mit dem Mädchen lobesan

Auf Veilchen und auf Rosen lagen?
Und Küsse, zwanzig an der Zahl,
Von ihr empfingen zwanzig mahl?
Und was sich sonsten zugetragen,
Soll ich es Chloen wiedersagen?

Werkregister 101

UNBEKANNTER VERFASSER

Das Ausstreichen.

Mein Mädchen schickte mir ein Briefchen,
Wornach ich mich schon lang gesehnet,
Und darinn war was ausgestrichen,
Das las ich nicht und nur das andre.
Doch schien mir solches ziemlich laulicht.
Da fing ich an zu buchstabieren,
Das Ausgestrichene zu lesen,
Und sieh, ich konnt es glücklich lesen,
Da fand ich was ich mir gewünschet.
Doch als am Abend ich erfüllte,
Was hier mein Mädchen durchgestrichen,
So fing sie an mit mir zu schelten,
Daß ich es schalkhaft mitgelesen,
Was ich doch niemals lesen sollen.
Ach, sprach ich, werde nur nicht böse,
Muß doch ein großer Rambach leiden,
Daß, wenn man seine Manuscripte
Anbethend sorgsam drucken lässet,
Was er beym Rande beygeschrieben
Und klüglich wieder ausgestrichen,
Man wiederum mit drucken lässet,
Damit nichts auf die Erde falle;
Und es ist keinem Menschen nützlich.
Das aber was du ausgestrichen,
Ist mir nur gar zu schön, zu nützlich.
Hat Rambach dochs nur ausgestrichen,
Damit man es nicht lesen dürfte.
Du aber Mädchen, darf ichs sagen?
Ich glaub, du hast nur ausgestrichen,
Damit ichs achtsam lesen möchte.

Was andre unterstrichen hätten,
Wird von dir ausgestrichen werden.
Und warum zürnst du denn so listig?
Ich lasse es ja doch nicht drucken,
Und lese es ja ganz alleine;
Und hab ich mich darinn versehen,
So hat das Beyspiel mich verführet.

Obs Rambach seinem Freund vergeben,
Davon hab ich noch keine Nachricht.
Mir hat mein Mädchen es vergeben.
Ach möcht sie öfters Briefe schreiben,
Bis auf die Hälfte ausgestrichen!
Das klingt noch eins so schön, so reizend.
Mein Mädchen sagt, sie will sich vorsehn.
Ich geh es ein, denn wer sich vorsieht,
Pflegt oft am meisten auszustreichen.

Boileau.
Chez elle un beau désordre est un effet de l'art.

Werkregister 239

JOHANN WILHELM LUDWIG GLEIM

Fragment eines Gesprächs.

G.
So sind die Mädchen, wie ihr meint,
Dann keine Menschen?

W.
Nein, mein Freund.

G.
Was sind sie denn, Herr Mädchenkenner?

W.
Lebendge Puppen für die Männer.

Werkregister 105

JOHANNE CHARLOTTE UNZER

Nachricht.

Nun, da es Gleim im Scherz geschrieben,
Daß alle Mädchen Puppen wären;
Hält mancher uns im Ernst für Puppen,
Als wären wir für ihn gedrechselt.
Doch wißt, ihr stolzen Mädchenkenner,
Ihr kleinen Zwecke kleiner Puppen!
Als die Natur uns euch bestimmte,
Damit ihr mit uns spielen möchtet;
Sah sie euch an als kleine Kinder,
Die noch nicht unterscheiden können.

Werkregister 240

UNBEKANNTER VERFASSER

An die Verfasserin des Versuchs
in scherzhaften Liedern.

Daß Gleim es nur im Scherz geschrieben,
Daß alle Mädchen Puppen wären,
Ist wahr; doch da du ernsthaft schreibest:
„Wisst nur ihr stolzen Mädchenkenner,
Ihr kleinen Zwecke kleiner Puppen,
Als die Natur euch uns bestimmte,
Damit ihr mit uns spielen möcht;
Sah sie euch an als kleine Kinder,
Die noch nicht unterscheiden können";
So kenne ich auch diese Sprache.
Wie heimlich weist du ihn zu fesseln?
Wie heimlich weist du doch zu loben?
Das ganze männliche Geschlechte,
Dankt dir durch mich für die Verhältniß,
Der Männer zu den holden Schönen,
So wie der Kinder zu den Puppen,
Die du in deinem Liede setzest.

Wie sehr erhebt sie nicht die Männer?
Sie sollten dich zwar wieder loben,
Doch dießmal will ich dich nicht loben.
Ich will dich dießmal nur beklagen.
Wird auch, ach Freundin! ich muß zweifeln,
Ein männlicher Verstand sich finden,
Zu dem sich deiner wie die Puppe
Zu ihrem Kinde je verhalte.
Ach Schade! daß du doch für keinen
Für keinen Menschen hier bestimmt bist.
Wahrhaftig! du mußt gar nicht lieben,
Aufs wenigste nur einen Cherub.

Werkregister 239

ABRAHAM GOTTHELF KÄSTNER

aus   Nachricht für ein Frauenzimmer, von einigen
         Arten von Gedichten.

Doch Sie haben insbesondere von mir wissen wollen, was anakreontische
und sapphische Oden für Dinger sind. Ich muß Sie also berichten, daß vor
Zeiten in einem gewissen Lande, das Griechenland heißt, (Sie werden es wohl
auf der Erdkugel gesehen haben, als Sie dieselbige neulichst von mir bey sich
hatten) ein alter junger Herr, mit Namen Anakreon, gelebt hat, dessen Beschäftigung bis in sein graues Alter weiter nichts gewesen ist, als zu trinken
und zu küssen. Und diese wichtigen Beschäftigungen sind der Inhalt einer
Menge von Oden, die er uns hinterlassen hat, und die unsere Dichter nachahmen. Ein ungezwungenes und artiges Spielwerk macht das Wesen dieser
Oden aus. Sie sind, es mit zweyen Worten zu sagen, poetische Tändeleyen;
und Sie müssen wissen, daß eine poetische Tändeley eine sehr große Tändeley
ist; denn selbst das ernsthafte in der Poesie ist allemal ein Bißchen getändelt.
Dieses sage ich Ihnen deswegen zur Nachricht, daß Sie sich nicht gar zu viel
darauf zu gute thun, wenn Ihnen jemand eine Liebeserklärung in einer anakreontischen Ode brächte: Sie können sich darauf verlassen, daß es alsdann
nicht sein Ernst ist. Ich kann dieses mit desto mehrerer Gewißheit sagen, weil
es mir von einem guten Freunde ist versichert worden, der in anakreontischen
Oden, so wie in vielen andern Arten von Gedichten, alle deutsche Dichter,
meinem Urtheile nach, übertrift, und insbesondere in den anakreontischen
Oden einen natürlichen Ausdruck mit dem Wohlklange des Reims und Syl-

benmaßes zu verbinden wußte, an statt, daß viele von unsern Dichtern ietzo anfangen, eine etwas artige Prose, die in kurze Zeilen abgetheilt ist, anakreontische Oden zu nennen. Sie werden vermuthlich begierig seyn, meinen Freund kennen zu lernen; aber Sie müssen wissen, daß er ietzt weit von hier ist, sonst hätte ich ihn nicht so gegen Sie gelobt.* Kurz, Sie haben eine anakreontische Ode nicht anders zu betrachten, als ein laquirtes Körbchen, das mit ausgeschnittenen Figuren geziert ist: man sieht ihm die Mühe nicht an, die es gekostet hat, und es ist doch endlich ein bloßes Spielwerk. Doch ich muß abbrechen, sonst glauben Sie, ich rede nur deßwegen so von den anakreontischen Oden, weil der arme Vogel um Kopf und Flügel kam, den ich letztens bey Ihnen ausschneiden wollte.

Werkregister 152

JOACHIM CHRISTIAN BLUM

Philaïde.

Komm, Philaïde, komm. Ich soll dich heute sehn;
Das hast du mir, bey allen Göttern mir
Gelobet. Meine Liebe, komm! Verlaß
Den Lärm der Unruhvollen falschen Stadt,
Und rette dich in meine Fluren. Siebenmal
Hat schon der Mond sein volles Angesicht
Der stillen Erde zugewandt, seit ich
Dich nicht gesehn, seit ich, von Freude nicht berauscht,
Daß ich dich ewig liebe, dir gesagt.
Komm, meine Liebe, komm! Mit Weinlaub und
Mit Epheu schmückt' ich alle meine Wände,
Moos streut' ich hin auf deinen Weg,
Und eine reiche Tafel deckt' ich dir.
Was mir an auserlesner Frucht
Mein Weinberg und mein Garten gab, das wartet dein.
Es wartet dein der Apfel Persiens
Mit seinem Nektarsaft und seinen Rosenwangen,
Und Birnen, die, dem Golde gleich,
Dem durstgen Blick entgegen glühn,
Und Pflaumen, die den Honigduft
Umher verbreiten, und die Perlenfrucht

---

* Joh. El. Schlegel.

Lyäens,und die süsse Nuß,
In grüner, aufgespaltnen Schale.
Auch hab' ich heute, mit bemühter Hand,
Den Blumenbeeten ihre letzte Zier geraubt,
O, Freundin, deine weisse Brust
Zu schmücken und dein glänzend Haar!
Verzeuch nicht, meine Lust! Verzeuch nicht! Komm, bevor
Die kalte Nacht auf deinem Wege dich
Ereilt! Denn, sieh! Die Schatten wachsen schon,
Und thauendes Gewölk verbreitet sich
Vom grauen Abend her. O, daß dich nicht
Im finstern Busch ein scharfer Dorn
Verwunde! Deinen zarten Fuß,
Auf unwegsamer, wüster Heide, nicht
Der Brombeerstaude weitverbreitet Netz
Verwirre! Deinen Schritt erleuchte Cypripor,
Und Acidaliens holdseliges Gestirn!

Wann du nicht kämest, wann die kalte Nacht
Auf deinem Wege dich ereilte, wann
Ein böser Dämon dich, von Labyrinth
Zu Labyrinth, bis an den hellen Tag
Verführte: dann, dann fiel vom Himmel mir
Noch keine Nacht so schwarz herab!
Dann zögerte der spätste Wintermorgen
So lange nie zurückzukehren!

Wann du nicht kämest, wann ein andrer Hirt
Mir deine Liebe raubte, wann du schöner ihn
Gefunden hättest, wann ein schwärzres Haar
Von seinen Schultern dir zu wallen schien,
Wann eine sanfte Glut, nach deinem Wahne, dir
Aus seinen Augen brach: o, dann, dann wäre Tod,
Nur Tod mein Wunsch! Dann möchte mir der Tag
Nie wiederkehren! Jenes reine Sonnenlicht
Auf ewig mir erlöschen!

Was sag' ich? Philaïde sollte mich
Nicht ewig lieben? Philaïde
Nicht ihren Daphnis ewig lieben? Sollte
Für einen andern Hirten brennen?
Hinweg, verhaßter, schrecklicher Gedanke,
Der mich entehrt, und Philaïden
Entehrt, hinweg! Sie liebet mich, und ewig liebt

Sie mich. Ihr Schuldbefreytes, reines Herz
Faßt nur mein Bild, wallt nur für mich
Im zärtlichsten Entzücken auf.
Auch wird sie nicht mein brennendes Verlangen täuschen.
Ich weiß es: ihre Schritte
Beflügelt Liebe.
Sie kömmt, der Rosenbusch vor meinem Fenster rauscht,
Die Finsterniß um mich wird hell: Sie ists!

Werkregister 51

JOHANN NICOLAUS GÖTZ

Bey Erblickung einer schönen Person.

Welche schöne Schäferin,
Die auf dieser Morgeninsel
Wie die reinste Sonne strahlt?
Keuschheit, Unschuld, Sittsamkeit
Folgen ihren muntern Schritten
Mit verschrenkten Armen nach,
Und verschönern ihre Schönheit,
Die Auroren neidisch macht.
Über ihrem Scheitel gauckelt,
Ein in sie verliebter Schwarm
Buhlerischer Morgenlüfte,
Die mit feuchten Fittichen
In dem Sonnenstrale funkeln,
Und ihr Tropfen hellen Thaus
Auf den weissen Busen sprützen,
Wo der Überfluß sich bläht.
Vor ihr hüpft die Frölichkeit
In dem weissen Sommer=Kleidgen,
Und die Schertze, nebst den Spielen,
Die, gleich kleinen Engelchen,
Aus den angefüllten Schürtzgen
Mit den kleinen Götterhänden
Rosen, Veilgen, Lilgen holen,
Und die Schöne, und den Pfad,
Wo die Schöne geht, bestreuen.
Himmel! nun erkenn ich sie!
Himmel! ja es ist *Aglaja!*

O mit welcher Lieblichkeit!
Trägt sie auf den weichen Armen,
Nächst dem Herzen, an der Brust,
Ihre holde Augenweide
Das geliebte junge Lamm,
Und beglücket es mit Küssen,
Die der Himmel selbst sich wünscht!
O mit welcher Majestät!
Wallt sie nach dem Myrthenwäldgen,
Wo ihr liebster *Athamas*,
Voll Begierden auf sie wartet;
Cypria war minder schön,
Wenn sie mit den keuschen Nymphen
Und den nackten Gratien
Unterm hellen Abendsterne
Von Siciliens Gebürge,
In die stillen Thäler stieg.

Werkregister 110

SALOMON GESSNER

Die ybel belohnte Liebe.

Im Jagd-Neze verwikelt lag der Satyr bis zu dem Morgen-Roth im Schilf des Sumpfes; sein einer Ziegen-Fuß stak ybersich aus dem Neze hervor, ermattet lag er da, unvermögend, ein einziges Glied los zu wikeln. Die Vögel, die um den Schilf flatterten, flogen herbey, und die quakenden Fröschen hypften furchtsam näher, yber den wunderbaren Fang erstaunt. Izt will ich heulen, sprach er, was meine Kähle vermag, will ich heulen, bis jemand herbeykömmt. Und er heulte, daß es rings umher von Hygeln zu Hygeln durch Haine und Thäler durchs weite Land nachheulte. Fynf male heult er, und fynf mal umsonst; da kam ein Faun aus dem Hain hervor; woher kömmt dies häßliche Geschrey, so rief er, laß die scheußliche Stimme noch einmal hören, daß ich den Ort deines Aufenthalts finde. Und der Satyr heulte noch einmal, und der Faun lief zum Sumpf, und fand den lächerlich Gefangenen. Um aller Götter willen! rief der Faun! Freund! wikle mich los aus dem verfluchten Neze. Schon seit dem fryhen Mond-Schein lig ich hier im Sumpf. Aber der Faun stand da, beyde vor Lachen erschytterte Hyften unterstyzt, da er die lächerlich zusammengewikelte Gestalt im Neze sah, sein eines Bein unbeweglich empor gestrekt, mit halbem Leib im Sumpfe versunken. Izt hub er an, das Nez los zu wikeln, und stellt ihn auf die Fysse. So schläft sichs gut, sprach er, nicht wahr? Sag, um aller Götter willen! sag mir, durch was fyr ein Schiksal hast du die wunderbare Schlaf-Stätte gefunden? O ihr Götter! so sprach der Losgewikelte, so wird die feurigste Liebe belohnt. O! verflucht sey die Stunde, da ich sie zum ersten mal sah! Aber laß uns dort auf die schief yberhangende Weide uns sezen; mich schmerzt mein eines Bein. Sie sezten sich auf die Weide, und da hub er die traurige Geschicht' an. Ein ganzes Jahr schon lieb ich die Nymphe jenes Baches, der dort aus dem Gesträuche unter jenem Felsen hervorquillt. Dort, wo die Tanne auf dem Felsen steht. Unerhört, immer unerhört, ein Jahr lang stand ich halbe Nächte durch vor ihrer Höle, und klagt ihr meine Pein, stand unerhört da, und seufzte, und jammerte, oder blies ihr zur Lust auf meiner Quärpfeife, oder sang ihr ein bewegliches Lied von meiner Liebe, daß die Felsen hätten weinen mögen; aber immer unerhört.

Das Lied möcht' ich wol hören, sprach der Faun.

Sollt' ichs dir nicht singen? sprach der Satyr; es ist das beste, das ich in meinem Leben gemacht habe. Da hub er an, sein Lied zu singen:

O du! schönste Göttin! denn gegen dir ist Venus ein gemeines Weib. Willst du meine Liebe immer unerhört lassen? Immer taub seyn bey meinen Klagen, wie der Stein hier, auf dem ich size? O ich Elender! Soll ich immer umsonst vor deiner Höle pfeifen, und singen, und winseln und klagen, am heissen Mittag und in der kalten Nacht? Wißtest du, wie syß es ist, einen jungen Gatten zu haben; frage jene stille Eule, die hinter deinem Felsen in holem Stamm wohnt, und die des Nachts vor Freude jauchzt, wie ich in meinen guten Tagen jauchzte, wenn ich trunken nach meiner Höle gieng. O wißtest du es! du wyrdest hervorhypfen, mit deinen weissen Armen meinen braunen Ryken umschlingen, und mich freundlich in deine Wohnung fyhren, dann wyrd' ich vor Freude hoch aufhypfen, wie ein junges Kalb hypft. O du Grausame! Wie oft hab ich deine Höle mit Tann-Aesten geschmykt, an denen die stark-riechende Frucht hieng, und mit Aesten von Eichen, damit wenn du vom Tanz oder von den Spielen (ach mit andern!) nach Hause kommest, yber der schönen Pracht erstaunest. Wie oft hab ich, du unempfindliche! im jungen Fryhling die ersten Brombeeren in grossen Körben vor deine Höle gestellt, oder was jede Jahres-Zeit gab, Hasel-Nyssen und die besten Wurzeln. Hab ich dir nicht im Herbst in meinem grössesten Gefässe gestossene Trauben gebracht, die in ihrem schäumenden Most schwammen, und frischen Ziegen-Käs? Schon lange unterricht ich einen schwarzen Ziegen-Bok fyr dich, und lern ihn Kynste, die dich erfreuen sollen. Er steht, wenn ich ihn rufe, an mir auf, und kyßt mich; und wenn ich auf meiner Quärpfeife blase, dann steht er, das solltest du sehen, auf seine hintern Fysse, und danzet, wie ich danze. O du Grausame! Seit meine Liebe mich so heftig plagt, seitdem schmekt mir weder Speise noch der Trank, und mein Wein-Schlauch ligt des Tages oft eine ganze Stunde uneröfnet da. Ehedem war mein Gesicht rund, wie eine Kyrbis-Flasche; izt bin ich hager und entstellt; auch ist der sysse

Schlaf von mir gewichen. O wie syß schlief ich sonst, bis die heisse Mittags-Sonne in meiner Höle mich brannte, oder der Durst mich wekte! O Nymphe! quäle, ach quäle mich nicht länger! Viel lieber wolt ich in Nessel-Stauden mich wälzen, lieber ohne einen Tropfen Wein eine Stunde lang im heissen Sand an der brennenden Sonne ligen. O komm, komm, du Milch-weisse Nymphe! komm aus deiner Einsamkeit mit mir in meine Höle; sie ist die schönste im ganzen Hain. Ich habe weiche Ziegen-Fälle fyr dich und mich ausgebreitet; an ihren beyden Seiten hängen und stehen meine Trink-Gefässe, groß und klein in zierlicher Ordnung, und ein herrlicher Geruch von Most und Wein kömmt dir von aussenher entgegen. O denke, denke, wie syß es ist, wenn einst die muntern Kinder um unsre Wein-Kryge her sich jagen, oder auf dem Wein-Schlauch sizen und lallen! Vor meiner Höle steht eine hohe Eiche, und in ihrem Schatten das Bildniß des Pan; ich hab ihn selbst kynstlich aus Eichen-Holz geschnitten; er weint yber die Nymphe, die ihm in Schilf verwandelt ward. Sein Mund ist weit offen; du könntest einen ganzen Apfel drein legen; so stark hab ich seinen Schmerz ausgedrykt; ja selbst die Thränen, die Thränen selbst hab ich ins Holz geschnitten. Aber ach! du kömmst nicht, du kömmst nicht, ich muß meine Verzweiflung wieder nach meiner einsamen Höle nehmen!

Izt schwieg der Satyr, und erstaunte yber das spöttische Gelächter seines Retters; aber sag mir, sprach der Fraun, wie kamst du in das Nez?

Gestern, wie gewohnt, so sprach der Verliebte, stand ich der Höle nahe, und sang mein Lied in den beweglichsten Accenten, wol drey mal, mit lauten Seufzen unterbrochen; und da ich traurig zurykgieng, stak mein eines Bein in einem Nez, das schnell yber mich geworfen ward; ich sank zu Boden; und da ich mich los machen wollte, verwikelt' ich mich immer mehr; ein lautes Gelächter entstand um mich her; die Nymphe mit ihren Gespielen standen um mich her, und schlepten mich immer mehr verwikelt in den Sumpf. Hier bin ich, sprach die Grausame, und stand mit ihren Gespielen laut lachend am Sumpf; und du kömmst nicht, daß ich deinen braunen Ryken umarme, und du hypfest nicht wie ein junges Kalb, du Grausamer; so schlafe denn hier, und ich trage meine Verzweiflung in meine einsame Höle zuryk. Izt giengen sie zuryk; weither hört' ich noch ihr spöttisches Gelächter; mich sollen die wilden Thiere zerreissen, wenn ich je zu ihrer Höle zurykgeh.

Geh, sprach der Faun, ich hätte fyr deine beschwerliche Liebe dich fryher gestraft; geh, danze mit deinem Ziegen-Bok, und vergiß deiner Liebe, oder schneide dein Abentheuer in Eichen-Holz.

Werkregister 99

Karl Friedrich Kretschmann

Einladung in den Garten;
an Dorimenen.

O wie schön ist alles hier!
Dorimene, komm zu mir
Wo die Schatten kühlen;
Wo die Fliederranken blühn,
Wo im düftenden Jesmin
Zephir spielen.

Buxus in beschornen Reihn
Schränkt die Hiazinten ein
Neben den Narzißen,
Die, so spröd ihr Ahnherr war,
Ihre Nachbarn immerdar
Heimlich küßen.

Ueber der Aurikel Flor
Schwärmt der Schmetterlinge Chor,
Stutzer in den Beeten;
Flatterhaft, verbuhlt, geschmückt,
Bunter als man sie erblickt
In den Städten.

O wie schön ist alles hier!
Dorimene, komm zu mir
In den Frühlingsgarten;
Hier, wo süßrer Balsamduft,
Reinre Farbe, frischre Luft
Auf dich warten.

Wo, im Pomeranzenhain,
Neuen bittersüßen Wein
Uns Lyäus reichet,
Bis die mohnumkränzte Nacht,
Noch indem die Freude lacht
Uns beschleichet.

Dann von Wein und Liebe warm,
Schlaf, o schlaf in meinem Arm,
Bis in Rosenhecken
Philomele, wenn es tagt,
Zärtlich locket, seufzt und klagt,
Uns zu wecken.

Werkregister 165

Johann Wolfgang Goethe

Annette an ihren Geliebten.

Ich sah wie Doris bey Damöten stand,
Er nahm sie zärtlich bey der Hand;
Lang sahen sie einander an,
Und sahn sich um, ob nicht die Aeltern wachen,
Und da sie niemand sahn,
Geschwind – Genug sie machtens, wir wirs machen.

Werkregister 108

JOHANN WOLFGANG GOETHE

Unbeständigkeit.

Auf Kieseln im Bache, da lieg ich, wie helle,
Verbreite die Arme der kommenden Welle,
Und buhlerisch drückt sie die sehnende Brust.
Dann trägt sie ihr Leichtsinn im Strome darnieder,
Schon naht sich die zweyte und streichelt mich wieder.
Da fühl ich die Freuden der wechßelnden Lust.

O Jüngling sey Weise, verwein nicht vergebens
Die fröhligsten Stunden des traurigen Lebens
Wenn flatterhaft dich ja ein Mädgen vergißt;
Geh ruf sie zurücke, die vorigen Zeiten!
Es küßt sich so süße der Busen der Zweyten,
Als kaum sich der Busen der ersten geküßt.

Werkregister 108

JOACHIM CHRISTIAN BLUM

Trinklied.

Wir säumen; wir verweilen,
Uns zu erfreun?
Soll nicht ein Weiser eilen
Vergnügt zu seyn?

Auf! Brüder, füllt die Schalen!
Der Tag ists werth,
Der nie mit gleichen Stralen
Zurücke kehrt.

Lyäus! deine Gaben,
Braucht' ich sie nicht,
Verdient ich nicht zu haben:
Gebrauch ist Pflicht.

Die Wassertrinker müssen
Wie wir davon,
Und lange vor uns grüssen
Den Phlegethon.

Dagegen könnt ihr glauben:
Es hält im Lauf
Der klare Saft der Trauben
Das Leben auf.

Ja! gönnt' uns nur das Leben
Der Parze Neid:
So flöß' uns aus den Reben,
Unsterblichkeit.

Werkregister 51

GEORG CHRISTOPH LICHTENBERG

Über das Trinken

Trinken πίνειν heiße ich hier überhaupt mit offenen Sinnen und zur guten Stunde einen Zug tun der mit einer solchen Zauberkraft auf unser Innerstes auffällt und alle Seelenkräfte zu einem Freudenfeste versammelt bei dem die strengste Vernunft Feier-Abend macht; es geschehe nun dieser Zug aus der Bouteille (welches die eigentliche Bedeutung des Worts ist) oder beim Mondenlicht aus einer mit Blütengerüchen geschwängerten Luft, ganz allein, wie Agathon, ehe ihn Danae in Dienste nahm, oder in Gesellschaft wie er bald hernach Gelgenheit hatte. Daher nenne ich Rausch den Zustand sanfter Empfindlichkeit, in welchem jedem äußern Eindruck neue unaussprechliche Gedanken korrespondieren, oder jeden Zustand wollüstiger Ruhe, der nicht sowohl die Würkung einer verdauten Philosophie, als vielmehr eines glücklichen ungefähren Zugs (§ 1.) ist.

Tausend Menschen sterben jährlich bloß weil sie nicht dursten konnten, ohne doch jemals nur einen Tropfen auf diese Art getrunken zu haben, so wie es ehrliche Väter von 10 Kindern gibt die nie die Liebe geschmeckt haben.

Werkregister 172

ABRAHAM GOTTHELF KÄSTNER

Anakreontische Ode.

Ich kann kein *Haller* werden
Und in erhabnen Liedern
Von hoher Weisheit singen:
Ich kann nicht, muntres Scherzen
Mit Wissenschaft zu zieren,
Nach *Hagedorns* Exempel,
Viel lesen und viel denken;
Ich kann mit *Schlegels* Fleisse,
Mit *Schlegels* großem Geiste
Kein Trauerspiel erfinden,
Ich kann nicht Fabeln machen,
Wie *Gellert* zärtlich fühlen,
Wie *Gellert* edel denken;
Ich kann nicht, kühn wie *Klopstock*

In prächtchen Hexametern
Die Schönen ernsten Tiefsinn,
Die Stutzer Andacht lehren.
Viel minder wie die Zyrcher
Patriarchaden schaffen;
Auch kann ich nicht wie *Lessing*
Von Thieren, Pflanzen, Steinen,
Von Türken und Gespenstern,
Selbst Weisen zum Ergötzen,
Sind sie nur keine Alten,
Sind sie nur keine Türken,
Sind sie nur keine Steine,
Anakreontisch scherzen.

Was henker soll ich machen,
Daß ich ein Dichter werde?
Gedankenleere Prose,
In ungereimten Zeilen,
In Dreyquerfingerzeilen,
Von Mägdchen und von Weine,
Von Weine und von Mägdchen
Von Trinken und von Küssen,
Von Küssen und von Trinken,
Und wieder Wein und Mägdchen,
Und wieder Kuß und Trinken,
Und lauter Wein und Mägdchen
Und lauter Kuß und Trinken,
Und nichts als Wein und Mägdchen
Und nichts als Kuß und Trinken,
Und immer so gekindert,
Will ich halbschlafend schreiben,
Das heißen unsre Zeiten
Anakreontisch dichten.

Werkregister 152

JOHANN GEORG JACOBI

Die kleinen Bäume.

Hätten Sie doch, mein liebster *Gleim*, die jungen Linden an dem Fuß eines Berges gesehen, wie sie, gleich weit von einander, in allerliebster Ordnung da standen! Sie konnten noch die Winde nicht herausfordern, und freuten sich, im Schutze des Berges zu seyn. Unter ihnen geht gewiß, wenn sie grünen, diejenige Begeistrung umher, aus welcher kleine Verse entstehen; die Verse, zu denen eine Huldgöttinn

An ihrer kleinen Hand
Die kleinen Sylben zählte,
Und die Apoll erfand,
Als Psyche sich vermählte;

Die, leicht und ungezwungen,
Voll Jugend, voll Natur,
Ein Cardinal* gesungen
Der schönen Pompadour;

Mit denen, menschenfeindlich,
Ein kritisch Völkchen zankt,
Indeß die Schöne freundlich
Dem Liedersänger dankt.

Für Könige zu klein,
Für den Pallast zu weise,
Vertheilen sie die Preise
Der Schönheit, in dem Hain,

Behorchen Nachtigallen,
Und laden Hirten ein,
Und lehren sie gefallen,
Und lehren zärtlich seyn.

Wenn Sie, mein Freund, mich einmal nach meiner Heimath begleiten; dann wollen wir unter die jungen Linden uns setzen, und Sie singen den Bäumchen und den kleinen Versen ein besondres Lobgedicht.

Der Wald.

Gegen den artigen Bäumen über war ein großes Gehölz, in welchem nichts die Spur von Menschen verrieth, als abgehauene Bäume, und geöffnete Steinbrüche. Da muß eine höhere Begeistrung ihren Sitz haben.

Da wohnt die Phantasie, die einen *Wieland* schafft,
Groteske Bilder sieht, sie kühn zusammenrafft,
In wilder Ordnung meisterhaft
Sie stellt, und kleiner Geister lachet,

---

* Der Cardinal Bernis.

Die jede Kühnheit schwindeln machet.
Ihr zeigt des Mondes ungewisses Licht,
Das mühsam durch den Wald in Felsen-Gänge bricht,
Den herrlichen Pallast versteinernder *Zeniden,*
Erbaut von Sylphen und Sylphiden.
Da glänzet Diamantner Reif
In Gärten, die das Aug' ermüden:
Centaur, und Ries', und Drach', und Flügelpferd, und Greif,
Und Zwerge, Gnomenmädchen, Gnomen
Entsteigen, nach und nach, dem Reiche der Phantomen.

Ihr Aristarchen! trotzt indeß
Auf euren Aristoteles,
Verklagt die Ritter mit den Feen,
Verdammt die Schwärmerey, die unsern Geist entzückt:
Es wird kein Werkchen untergehen,
Worauf die Kunst ihr Siegel drückt.

Nebst der Phantasie, wird dieser Wald von der Muse besucht, die den
Preußischen Grenadier, und nach ihm einen neueren Barden, unter einem
alten Namen*, hervorrief.

Sie sitzet auf gestürzten Eichen,
Und höret noch den schweren Fall
Des Beils, und hört den Wiederhall
Der Hörner; höret Jäger keuchen;
Und lernt im Sturm, am Wasserfall,
Den mächtigen, den rauhen Schall
Verlebter Wörter oft ertragen,
Und alles voll Begeistrung wagen.

Mit Recht fürchtet sie eine zu weit getriebne Zärtlichkeit, durch welche die
Sprachen entnervt werden; jedem deutschen Dichter hält sie *Opitzens* Lieder
vor, und behauptet den Charakter ihrer Nation.

Werkregister 148

---

* Der Gesang Rhingulphs, des Barden & c.

CHRISTOPH MARTIN WIELAND

Idris und Zenide.

aus Vierter Gesang.

1.

Den Schlummer kann gar leicht, wer ein geliebtes Weib
Zur Seite liegen hat, an ihrem Busen finden.
Ein andres ist's wenn ihr, für eure Sünden,
Bey einer *Juno* liegt: das ist kein Zeitvertreib!
Das bannt den Schlaf, erhitzt die Galle, schwächt den Leib,
Und machte selbst den feisten *Komus* schwinden.
Indeß fand Vater Zevs, den dieses Unglück traf,
Bey guten Nymfen oft ein Mittel für den Schlaf.

2.

Allein, wer liebt, und sieht durch Alpen und durch Meere
Von seiner Dame sich getrennt,
Laut mit ihr spricht als ob er bey ihr wäre,
Und erst, nachdem er lang' manch Ach! und O! verschwend't,
Gewahr wird daß sie ihn nicht höre:
Kurz, wer die Liebe nur aus ihren Qualen kennt,
Den wiegt kein Saitenspiel, kein Wein,
kein Opiat, kein Feenmährchen ein.

3.

Der gute Paladin, den wir ganz abgemattet
Auf seinen Polstern sehn, macht den Beweis hiervon.
Indeß *Zerbin,* so süß wie ein Endymion,
Bey seiner Lila schläft, von Hymen überschattet,
Wird jenem von Cytherens Sohn
Kein Stündchen Schlaf, kein Morgentraum gestattet:
Unruhig wälzt er sich in einem finstern Meer
Sich selbst bekämpfender Gedanken hin und her.

4.

Er ändert oft den Platz, wirft bald auf diese Seite
Auf jene bald sich hin, der Breite,
Der Länge nach, drückt fest die Augen zu,
Und hofft, sie komme nun, die lang' entbehrte Ruh;
Umsonst! die fänd' er eh' im Bauch *der glühn'den Kuh*

Als wo die Seele glüht; eh' im erboßten Streite
Der Winde mit der Flut, zu oberst auf dem Mast,
Als bey empörtem Blut auf Küssen von Damast.

5.

Verdrossen, ohne Schlaf sein Lager zu zerwühlen,
Rafft er sich auf, läßt ein zefyrisches Gewand,
Das er auf einem Sofa fand,
Um seine weißen Schultern spielen,
Und schleicht dem Garten zu, um seinen innern Brand
In frischer Morgenluft zu kühlen.
Kaum athmet er der Blumen süßen Geist,
So fühlt er, daß sein Blut in sanftern Wellen fleußt.

6.

Aurora sieht ihn durch die Lauben
In deren Duft er irrt; sie seufzt, und findet ihn
(Wenn wir der losen Muse glauben)
So werth als *Cefaln* einst, ihn heimlich wegzurauben.
Man sah sie wenigstens in ihrem Lauf verziehn,
Mit Rosen ihn bestreun die im Olympus blühn,
Und sich herab von ihrem Wagen bücken,
Ihm, im Entfernen noch, die Augen nachzuschicken.

7.

Wenn sie's, die seinigen auf sich zu ziehn, gethan,
So war's umsonst: er ging ganz ruhig seine Bahn;
Was im Olymp geschah ließ ihn in stolzem Frieden.
In süßer Träumerey beschäftigt mit *Zeniden*,
Dem Gegenstand, der ohne zu ermüden
Ihn Tag und Nacht erfüllt, langt er am Ufer an,
Und fühlt sich, wie sein Blick auf den gekräusten Wogen
Dahin schwimmt, wundersam gerührt und angezogen.

8.

Im fernen Horizont, wo die azurne Luft
Die See zu küssen scheint, glaubt er im Morgenduft
Ein leicht getuschtes Land zu sehen;
Bald macht darin die mächtigste der Feen,
Die Fantasie, ein schimmernd Schloß entstehen;
Zuletzt däucht ihm sogar, es ruft
Ihm jemand zu, es lispeln ihm die Winde
Daß seine Göttin sich in diesem Schloße finde.

9.

Ihm ist's unmöglich, diesem Wahn
Und den Begierden die ihn pressen
Zu widerstehen; er denkt nicht mehr daran
Warum er schon so manches Land durchmessen;
Orakel, Statue, und alles ist vergessen:
Er will *Zeniden* sehn! ,,O, fänd' ich einen Kahn!
Um einen Augenblick Zeniden anzuschauen,
Würd' ich dem Ocean in einem Korbe trauen!"

10.

Kaum hat er diesen Wunsch andächtig angestimmt,
So sieht er einen goldnen Nachen,
Der, einer Muschel gleich, ihm sanft entgegen schwimmt:
Ein Liebesgott, bereit den Steuermann zu machen,
Winkt ihm hinein und scheint ihn anzulachen.
Der unverzagte Ritter nimmt
Das *Omen* freudig an, steigt ein, und überläßt
In voller Zuversicht sich Amorn und dem West.

11.

Beglückte Fahrt, Herr Ritter! – Unterdessen
Daß ihr die See durchstreicht, vergönnt
Nach einem Freunde, den ihr leicht errathen könnt,
Uns umzusehn. Seit wir mit ihm zu Nacht gegessen
Und ziemlich hastig uns von ihm getrennt,
Hatt' *Itifall* nicht lange still gesessen.
Er lief wie ein *Achill,* und sah sich, kurz vorm Schluß
Des fünften Tags, an einem breiten Fluß.

12.

Der Strom war schnell und tief, und hatte keine Brücke,
Auch zeigte sich kein Kahn. Nun höret was geschah!
Er wünscht es nicht so bald, so steht, aus Einem Stücke
Von adrigem Porfyr, die schönste Brücke da.
Braucht' er ein stärkres Pfand von seinem nahen Glücke?
Er hielt *Zeniden* schon in seinen Armen, sah
Sich schon gekrönt, und unumschränkten Meister
Der ganzen Welt der Elementengeister.

13.

Er läßt den Fluß zurück, und tritt in einen Hain,
Den ich, weil *Lessing* mich beym Ohr zupft, *nicht* beschreibe;
Genug, er schien zum Zeitvertreibe
Der Götterchen von *Gnid* mit Fleiß gemacht zu seyn.

Die Sonne schlief bereits: allein, ihr Wiederschein,
Mit voller spiegelheller Scheibe
Von *Lunen* aufgefaßt, goß einen mildern Tag
Auf die Natur herab, die eingeschlummert lag.

14.

Durch schlangengleich gewundne Pfade
Ging *Itifall*, bis er an einen Garten stieß,
Der schöner war, als der am Kolchischen Gestade,
Wo *Jason* einst des goldnen Widders Vließ
Dem Drachen stahl. Rings um dieß Paradies
Herrscht eine goldne Balüstrade,
Worauf in Urnen von Rubin
Die seltensten Gewächs' und schönsten Blumen blühn.

15.

Herr *Itifall*, von Freuden ganz berauschet,
Verschlingt bereits sein eingebild'tes Glück;
Sein schwellend Herz wird noch einmahl so dick;
Er hätte was er hofft in diesem Augenblick
Um sechs *Bengalen* nicht vertauschet.
Indem er nun so steht, und um sich schaut und lauschet,
Schlägt ein vermischt Getön, wie wenn ein ganzes Kor
Von Fröschen fernher quakt, an sein betroffnes Ohr.

16.

So tönt's wenn eine Schaar Gevatterinnen, Basen,
Und Ahnfrau'n sich um einen Säugling drängt,
Ihn schön find't, allerliebst, und zwanzig solcher Frasen,
(Indeß den Zappelnden die Amm' in Windeln zwängt)
Sein Horoskop ihm stellt, und an der klugen Nasen
Ihm ansieht, daß er einst den Doktorhut empfängt;
Zu schweigen wäre hier Verbrechen,
Und keine wird gehört, weil alle sprechen.

17.

Der Abenteurer horcht, und steht ein wenig an,
Was diese Nachtmusik von Elstern und von Krähen
(Wie ihn von ferne däucht) hier wohl bedeuten kann?
Sie schwatzen was, nur kann er nichts verstehen.
Das Beste, dessen sich der weise Mann besann,
War also näher hinzugehen.
Er schleicht hinzu, und steht euch wie bethört
Und nebeltrunken da, so bald er deutlich hört.

18.

Du seufzest, Göttliche? ruft jemand ihm entgegen:
O! – Venus seufzte selbst nicht um Adon so schön!
Sieh, wie die Sfären all' in dieser Stille stehn,
Und Götter weinend sich zu deinen Füßen legen!
Hier war's! hier sah ich sie in Balsamwolken gehn,
Hier seufzte sie, und – ach! – nicht meinetwegen!
Wer war, o sprich, daß ich ihm fluchen mag,
Der Glückliche, der jüngst an deinem Busen lag?

19.

Auf Rosen scherzten wir, (so singen zwey zusammen)
Als aus dem schönsten Traum dein Affe mich geweckt.
Der Eifersüchtige! er hatte sich versteckt,
Und schielt' uns neidisch an als wir im Bade schwammen.
Hier *Semele* – hier bin ich, *Zevs* in *Flammen!*
Wozu die seidne Luft die deinen Busen deckt?
Wir sehen doch auf ihm die Liebesgötter gaukeln
Und mit den Grazien sich auf und nieder schaukeln.

20.

Die Sonn' ist ausgebrannt! (rief eine andre Stimme)
Und ach! der arme Mond! was half's ihm daß er rang?
Sah't ihr, wie ihn der Drach' in seinem Grimme
Gleich einem Frosch hinunter schlang?
Welch' allgemeine Nacht! Kein Sternchen das noch glimme!
Ihr auf der Welt da unten, ist euch bang?
Ihr Thoren, höret auf zu weinen!
Bald wird ein neuer Tag aus ihren Augen scheinen.

21.

Wie? (schrie es anderswo) bey mir vorüber gehn
Und thun als ob du mich nicht kenntest? O du Spröde!
Mich, den der Götter Schaar bey dir im Netz gesehn,
In deinen Arm verstrickt! Nennst du den Undank schön?
Du kennst mich nicht? Warst du nicht meine *Lede*,
Und ich dein *Schwan?* Besorge daß ich rede! –
Doch komm nur diese Nacht und sey noch einmahl mein,
So schwör' ich dir beym Styx, ich will's verzeihn!

22.

Bestürzt horcht *Itifall* mit allen seinen Ohren.
Wo bin ich? ruft er endlich aus:
Hat sich das große Narrenhaus,
Die Welt, vom Ausbund ihrer Thoren

Hierher entladen? wie? was wird zuletzt hieraus?
Ist alles hier verliebt und hat den Witz verloren?
Wo sind die Sprecher denn? Unsichtbar? – Götter! wie?
Jetzt lache, *Itifall*, jetzt, oder künftig nie!

23.

Er lachte wirklich so, daß er den Bauch zu halten
Genöthigt war – Warum denn? fragt ihr mich:
Was sah er denn? was war so lächerlich?
Wir legen schon den Mund in Falten –
Ihr Herrn, der Spaß verliert durch die Beschreibung sich.
Der Ort, woher die Stimmen schallten,
War ein ovaler Platz, mit Bäumen rings umsetzt,
An denen Blüth' und Frucht zwey Sinne stets ergetzt.

24.

An jedem Baume hängt ein großer Vogelbauer
Von goldnem Draht, und jeder ist das Nest
Von einem Königssohn, der, zärter oder rauher,
Nachdem die Liebesnoth ihm Brust und Gurgel preßt,
Bey Tag und Nacht sich rastlos hören läßt.
Den kühnen Itifall befiel ein kleiner Schauer,
Indem er die Entdeckung machte,
Und an den Abschiedsgruß des schönen *Idris* dachte.

Werkregister 249

JOHANN GOTTLIEB WILLAMOV

Der menschliche Lebenslauf.

Das Mädchen spielt mit Puppen
Und putzt und spiegelt sich,
Der Knabe spielt mit Trommeln
Und Stöcken ritterlich.

Mit seiner lieben Gattin
Spielt auch der Ehemann,
Wenn anders das Geschicke
Es ihm gewähren kann.

Der Jüngling spielt mit Mädchen
Und spielt auch mit dem Buch;
Die Schöne spielt am Nachttisch,
Und spielet mit Besuch.

Der Held spielt mit den Köpfen,
Die Mars ihm anvertraut;
Der Staatsmann mit Projekten
Die er auf Hoffnung baut.

Der Dichter spielt mit Reimen;
Und so spielt jedermann,
Bis er, gestört vom Tode,
Nicht weiter spielen kann.

Werkregister 251